中国文学编年史

隋唐五代卷

（上）

主编◇陈文新

本卷主编◇刘加夫

灵中南

《中国文学编年史》编纂委员会

顾　问　（按姓氏笔画排序）

卞孝萱　邓绍基　冯其庸　曹道衡　傅璇琮
霍松林

主　编　陈文新

编　委　（按姓氏笔画排序）

石观海　李建国　汪春泓　陈文新　张思齐
张玉璞　於可训　赵伯陶　赵逵夫　胡如虹
诸葛忆兵　曹有鹏　熊治祁　熊礼汇　霍有明

本卷撰稿人

刘加夫

总　序

　　纪传体、编年体是中国传统史书的两种主要体裁，而编年体的写作远较纪传体薄弱。《四库全书总目》卷四七史部编年类小序已明确指出这一事实："司马迁改编年为纪传，荀悦又改纪传为编年。刘知幾深通史法，而《史通》分叙六家，统归二体，则编年、纪传均正史也。其不列为正史者，以班、马旧裁，历朝继作。编年一体，则或有或无，不能使时代相续。故姑置焉，无他义也。"① 与古代历史著作的这种体裁格局相似，在 20 世纪的中国文学史写作中，也是纪传体一枝独秀，不仅在数量上已多到难以屈指，各大专院校所用的教材也通常是纪传体，这类著作的核心部分是作家传记（包括作家的创作经历和创作成就）。编年类的著作，则虽有陆侃如、傅璇琮、曹道衡、刘跃进等学者做了卓有成效的工作，但就总体而言，仍有大量空白，尤其是宋、元、明、清、现、当代部分，历时一千余年，文献浩繁，而相关成果其少。这样一种状况，自然是不能令人满意的。这套十八卷的《中国文学编年史》的编纂出版，即旨在一定程度地改变这种状况。

　　文学史是在一定的空间和时间中展开的。纪传体的空间意识和时间意识以若干个焦点（作家）为坐标，对文学史流程的把握注重大体判断。其优势在于，常能略其玄黄而取其隽逸，对时代风会的描述言简意赅，达到以少许胜多许的境界。若干重要的文学史术语如"建安风骨"、"盛唐气象"、"大历诗风"等，就是这种学术智慧的凝

---

　　① 　永瑢等撰：《四库全书总目》，第 418 页，北京，中华书局，1965。

结。但是，由于风会之说仅能言其大概，"个别"和"例外"（即使是非常重要的"个别"和"例外"）往往被忽略，不免留下遗憾。一些跨时代的作家，如李煜、刘基、张岱等人，在文学史中的时代归属与其代表作的实际创作年代也常有不吻合的情形。例如，李煜被视为南唐作家，而他最好的词写在宋初；刘基被视为明代作家，而他最好的诗、文写在元末；张岱被视为明代作家，而其代表作多写于清初。比上述情形更具普遍性的，还有下述事实：我们讲罗贯中的《三国志通俗演义》，往往以毛宗岗修订本为例；我们讲施耐庵的《水浒传》，往往以百回繁本为例；我们讲兰陵笑笑生的《金瓶梅》，往往以崇祯本为例。这就出现了两方面的问题：第一，我们讲的并不是作家的原著；第二，我们忽略了读者的接受情形。这类涉及风会与例外、作家时代归属与作品实际创作、传播与接受两方面的问题，以纪传体来解决，由于受到体例的限制，往往力不从心，采用编年体，解决起来就方便多了：不难依次排列，以展开具体而丰富多彩的历史流程。

与纪传体相比，编年史在展现文学历程的复杂性、多元性方面获得了极大的自由，但在时代风会的描述和大局的判断上，则远不如纪传体来得明快和简洁。作为尝试，我们在体例的设计、史料的确认和选择方面采用了若干与一般编年史不同的做法，以期在充分发挥编年史长处的同时，又能尽量弥补其短处。我们的尝试主要在三个方面：其一，关于时间段的设计。编年史通常以年为基本单位，年下辖月，月下辖日。这种向下的时间序列，可以有效发挥编年史的长处。我们在采用这一时间序列的同时，另外设计了一个向上的时间序列，即：以年为基本单位，年上设阶段，阶段上设时代。这种向上的时间序列，旨在克服一般编年史的不足。具体做法是：阶段与章相对应，时代与卷相对应，分别设立引言和绪论，以重点揭示文学发展的阶段性特征和时代特征（现当代文学因时间周期较短，拟省略阶段，不设引言）。其二，历史人物的活动包括"言"和"行"两个方面，"行"（人物活动、生平）往往得到足够重视，"言"则通常被忽略。而我们认为，在文学史进程中，"言"的重要性可以与"行"相提并论，特殊情况下，其重要性甚至超过"行"。比如，我们考察初唐的文学，不读陈子昂的诗论，对初唐的文学史进程就不可能有真正的了解；我们考察嘉靖年间的文学，不读唐宋派、后七子的文论，对这一时期的文学景观就不可能有准确的把握。鉴于这一事实，若干作品序跋、友朋信函等，由于透露了重要的文学流变信息，我们也酌情收入。其三，较之政治、经济、军事史料，思想文化活动是我们更加关注的对象。中国文学进程是在中国历史的背景下展开的，与政治、经济、军事、思想文化等均有显著联系，而与思想文化的联系往往更为内在，更具有全局性。考虑到这一点，我们有意加强了下述三方面材料的收录：重要文化政策；对知识阶层有显著影响的文化生活（如结社、讲学、重大文化工程的进展、相关艺术活动等）；思想文化经典的撰写、出版和评论。这样处理，目的是用编年的方式将中国文学进程及与之密切相关的中国思想文化变迁一并展现在读者面前。

《中国文学编年史》是一个基础性的重大学术工程，文献的广泛调查和准确使用是做好编纂工作的首要前提。《四库全书》、《续修四库全书》、《四库存目丛书》、《四库禁毁书丛刊》、《丛书集成》、《笔记小说大观》等是我们经常使用的典籍，近人和今人整理出版的别集、总集，大量年谱（如徐朔方《晚明曲家年谱》），以及文、史、哲方面的编年史，均在参考范围之内，限于体例，未能一一注明，谨此一并致谢。在使用上述文献的过程中，我们采取的是一种如履薄冰、如临深渊的谨慎态度。这是因为，相当一部分典籍是由我们第一次标点，这一工作的难度是不言而喻的。即使是前人已经整理的典籍，我们也并不直接采用，而是根据自己的理解再整理一次。这样做当然增加了工作量，但确有许多好处，若干错误就是在这一过程中得到纠正的，有些错误的纠正涉及基本事实的澄清。比如，张大复《皇明昆山人物传》卷八记梁辰鱼晚年情形，有云："（梁氏）当除夕遇大雪，既寝不寐。忽令侍者遍邀诸年少，载酒放歌，绕城一匝而后就睡。曰：'天为我辈雨玉，可令俗人蹂踏之耶？'时年已七十矣。亡何，中恶，语不甚了。有老奴李用者，颇省其说，尚有注记。得岁七十有三。"一位学者将"中恶，语不甚了"标点为"中恶语，不甚了"，并就此推论说："梁辰鱼七十岁时遭遇暧昧不明的事件。""《皇明昆山人物传》的上述记载本意是为贤者讳，事实上倒很可能为统治者隐盖了迫害异己文人的一件罪行。"这就不免弄错了事实。"中恶"即突然患急病，正所谓"老健春寒秋后热"，老年人得急病是常见的情形。而"中恶语"的表述，明显不符合古人的语言习惯。再如，陈田《明诗纪事》将正德时期的傅汝舟与明末的傅汝舟混为一人，将两人的生平搅在一起，其按语云："丁戊山人诗初矜独造，晚遁荒诞，择其入格者录之，亦是幽弦孤调。山人享大年，具异才，谈佛谈仙，亦作北里中艳语。初与郑少谷游，晚乃与茅止生、卓去病、张文寺、文太青倡和，支离怪

3

诞，无所不有。少谷集中无是也。论者乃专谓山人刻意学少谷，何哉?"《明诗纪事》近三百万言，卓有建树，是研究明诗的必备案头书。但关于傅汝舟，陈田的确弄错了。郑善夫（1485—1523）号少谷，以学杜著称，学郑少谷的是正德年间的傅汝舟；文翔凤号太青，万历三十八年（1610）进士，与文太青等唱和的是明末的傅汝舟。两个傅汝舟之间相距约百年，陈田想当然地将二者合为一人，说他"享大年"，又说他前期学郑少谷，后期学竟陵派，曲意弥缝，令人哑然失笑。其他种种，如部分文学家辞典对作家生卒年的误注，若干点校本的断句错误等，我们都在力所能及的范围内做了纠正。提到这些情况，不是想证明我们的水平有多高，而意在告诉读者：我们的工作态度是认真的，有志于为读者提供一部值得信赖的编年史著述。

《中国文学编年史》的编纂得到了北京大学、武汉大学、南京大学、中国人民大学、中国社会科学院、中国艺术研究院、中华书局、陕西师范大学、西北师范大学、华中师范大学、山东师范大学、山东曲阜师范大学、中南民族大学、中南财经政法大学等单位专家和领导，尤其是武汉大学领导的支持；湖南省新闻出版局、湖南出版投资控股集团及湖南人民出版社鼎力支持编年史的编纂出版，所有这些，我们将永远铭记在心。

陈文新

2006 年 7 月 23 日于武汉大学

4

凡　例

一、《中国文学编年史》以编年形式演述中国文学发展历程，凡十八卷：第一卷周秦、第二卷汉魏、第三卷两晋南北朝、第四卷隋唐五代（上）、第五卷隋唐五代（中）、第六卷隋唐五代（下）、第七卷宋辽金（上）、第八卷宋辽金（中）、第九卷宋辽金（下）、第十卷元代、第十一卷明前期、第十二卷明中期、第十三卷明末清初、第十四卷清前中期（上）、第十五卷清前中期（下）、第十六卷晚清、第十七卷现代、第十八卷当代。

二、编年史各卷据文学发展的不同阶段划分为若干章（如无必要，或不分章）。章的标目方式是："××章　××年至××年，共××年"。关于某一阶段文学的总体评论放在该章的首年之前，如明前期卷"第一章　洪武元年至建文四年，共35年"，在章目下，"洪武元年"之前，单列明前期卷"引言"一目。关于某一时代文学的综合论述，放在卷首。如元代卷，在第一章前，单列元代文学"绪论"。

三、编年史各卷所收录内容的构架大体统一，重点包括七个方面：1. 重要文化政策；2. 对文学发展有显著影响的文化生活（如结社、讲学、重大文化工程的进展、相关艺术活动等）；3. 作家交往（唱和、社团活动等）；4. 作家生平事迹；5. 重要作品的创作、出版和评论；6. 争鸣（团体之间、个人之间在重要问题上的论辩等）；7. 其他。

四、叙事以纲带目，即在征引相关文献之前有一句或数句概述。如，先总叙一句"俞宪编《盛明百家诗》成书"，再征引相关序跋、著录、评议。前者为纲，后者为目，纲、目配合，旨在完整地呈现文学史事实。少量见于常用工具书的重要史实，或不必展开的文学史事实，则列纲而略目，以省篇幅。

五、公历纪年年初与中国传统纪年年末不属同一年份，如公元1899年元月1日至12月31日对应于光绪二十四年戊戌十一月二十七日至光绪二十五年己亥十一月二十九日，而不对应于光绪二十五年己亥正月初一至十二月三十日。我们采用变通的处理方法，以公历纪年，而以农历纪月，比如，凡光绪二十五年己亥正月至十二月之内的内容均置于公元1899年下。作家生卒年，仍据公历标注，其他以此类推。现、当代文学部分，纪年、纪月均据公历。

六、同一年内之文学史实，按月份先后顺序排列。月份不详而仅知季度的，春季置于三月之后，夏季置于六月之后，其他以此类推。季度、月份均不详者，另设"本年"目统之。

七、一部分重要文学史实，年月不详而仅知大体时段者，在年号之末另设"××年间"目统之，如嘉靖四十五年之后另设"嘉靖年间"一目。

八、引用序跋，一般采用"作者＋篇名"的方式，如"臧懋循《唐诗所序》"。引用序跋之外的诗文等作品，一般采用"集名＋卷次＋篇名"的方式，如"《有学集》卷三一《隐湖毛君墓志铭》"，采用"作者＋篇名"的方式，如"钱谦益《隐湖毛君墓志铭》"。无篇名者则省略，如"《艺苑卮言》卷三"。某作者集中所收为他人别集所作的序跋，亦采用这一方式，如"《太函集》卷二二《弇州山人四部稿序》"。引用正史，一般采用"正史名＋本传或××传"的方式，"如《明史》本传"或"《明史》李攀龙传"，不标卷次。引用《四库全书总目提要》，或用全称，或简称"四库提要"，只标明卷次。如"四库提要卷一五三"。引用地方志，标明纂修年代，如"光绪《乌程县志》卷三一"。据类书转引时，注明原出处，如"《太平广记》卷二〇《阴隐客》（出《博异志》）"。引用报刊，注明年月日或卷次。

九、作者小传一般置于生年。有些作家，虽生年在上一卷，但在上一卷无文学活动，其小传酌情移入本卷首次出现时。如杨士奇，元亡时才4岁，其小传置于明前期卷，出生时只交代："杨士奇（1365—1444）生"，不列小传。现、当代作者，因传记资料常见，相关作家小传酌情收录。

十、对于某一作家的总体评论和重要著录一般置于卒年。某作者卒年在下一卷，但在下一卷无重要文学活动，主要评论材料酌情置于本卷。如易顺鼎（1858—1920），其评论材料集中于晚清卷，不入现代卷。

十一、作家代表作一般不录原文，但收录重要评论材料，并酌情说明相关选本收录情形。

十二、需要补充交待而占用篇幅较大的文学史事实，设少量"附录"。对若干需要辨证的史实，设按语加以说明。以提供文献线索为主，不详加征引。

目 录

> ### 第二章　唐高祖武德元年至唐玄宗先天元年
> ### （618—712）共 95 年

第三章　唐玄宗开元元年至唐玄宗天宝十四载
(713—755) 共 43 年

绪 论

　　殷璠《河岳英灵集叙》：自萧氏以还，尤增矫饰。武德初，微波尚在。贞观末，标格渐高。景云中，颇通远调。开元十五年后，声律风骨始备矣。实由主上恶华好朴，去伪从真，使海内词场，翕然尊古，南风周雅，称阐今日。（《唐人选唐诗新编·河岳英灵集》卷首）

　　独孤及《唐故左补阙安定皇甫公（冉）集序》：五言诗之源，生于《国风》，广于《离骚》，著于李、苏，盛于曹、刘，其所自远矣。当汉、魏之间，虽以朴散为器，作者犹质有余而文不足。……历千余岁，至沈詹事、宋考功，始裁成六律，彰施五色，使言之而中伦，歌之而成声，缘情绮靡之功，至是乃备，虽去《雅》浸远，其丽有过于古者，亦犹路毂出于土鼓，篆籀生于鸟迹也。沈、宋既殁，而崔司勋颢、王右丞维，复崛起于开元、天宝之间。得其门而入者，当代不过数人。（《全唐文》卷三八八）

　　独孤及《检校尚书吏部员外郎赵郡李公（华）中集序》：帝唐以文德敷祐于下，民被王风，俗稍丕变。至则天太后时，陈子昂以雅易郑，学者浸而向方。天宝中，公与兰陵萧茂挺、常乐贾幼几勃焉复起，振中古之风，以宏文德。……于时文士驰骛，飙扇波委，二十年间，学者稍厌《折杨》、《皇荂》而窥《咸池》之音者什五六，识者谓之文章中兴。（《全唐文》卷三八八）

　　梁肃《常州刺史独孤及集后序》：唐兴，接前代浇漓之后，承文章颠坠之运，王风下扇，旧俗稍革。不及百年，文体反正，其后时浸和溢，而文亦随之。天宝中作者数人，颇节之以礼。（《全唐文》卷五一八）

　　梁肃《补阙李君前集序》：唐有天下几二百载而文章三变，初则广汉陈子昂以风雅革浮侈；次则燕国张公说以宏茂广波澜；天宝已还，则李员外、萧功曹、贾常侍、独孤常州比肩而出，故其道益炽。若乃其气全，其辞辨，驰骛古今之际，高步天地之间，则有左补阙李君。君名翰。（《全唐文》卷五一八）

　　白居易《与元九书》：唐兴二百年，其间诗人，不可胜数。所可举者，陈子昂有《感遇》诗二十首，鲍防有《感兴》诗十五首。又诗之豪者，世称李、杜。李之作才矣，奇矣，人不逮矣；索其风雅比兴，十无一焉。杜诗最多，可传者千余首，至于贯穿今古，覼缕格律，尽工尽善，又过于李。然撮其《新安》、《石壕》、《潼关吏》、《芦

1

子》、《花门》之章，"朱门酒肉臭，路有冻死骨'之句，亦不过三四十。杜尚如此，况不逮杜者乎？……况诗人多蹇，如陈子昂、杜甫，各授一拾遗，而迍剥至死。李白、孟浩然辈，不及一命，穷悴终身。（《白居易集》卷四五）

元稹《唐故工部员外郎杜君墓志铭并序》：唐兴，官学大振，历世之文，能者互出，而又沈、宋之流，研练精切，稳顺声势，谓之为律诗。由是而后，文变之体极焉。然而莫不好古者遗近，务华者去实；效齐、梁则不逮于魏、晋，工乐府则力屈于五言；律切则骨格不存；闲暇则纤秾莫备。至于子美，盖所谓上薄《风》、《骚》，下该沈、宋，古傍苏、李，气夺曹、刘，掩颜、谢之孤高，杂徐、庾之流丽，尽得古今之体势，而兼今人之所独专矣。使仲尼锻炼其旨要尚不知贵，其多乎哉！苟以为能所不能，无可不可，则诗人以来，未有如子美者。时山东人李白，亦以奇文取称，时人谓之李、杜。予观其壮浪纵恣，摆去拘束，摸写物象及乐府歌诗，诚亦差肩于子美矣。至若铺陈终始，排比声韵，大或千言，次犹数百，词气豪迈而风调清深，属对律切而脱弃凡近，则李尚不能历其藩翰，况堂奥乎！（《元稹集》卷五六）

刘肃《大唐新语》卷八：张说、徐坚同为集贤学士十余年，好尚颇同，情契相得。时诸学士凋落者众，唯说、坚二人存焉。说手疏诸人名，与坚同观之。坚谓说曰："诸公昔年皆擅一时之美，敢问孰为先后？"说曰："李峤、崔融、薛稷、宋之问，皆如良金美玉，无施不可。富嘉谟之文，如孤峰绝岸，壁立万仞，丛云郁兴，震雷俱发，诚可畏乎；若施于廊庙，则为骇矣。阎朝隐之文，则如丽色靓装，衣之绮秀，燕歌赵舞，观者忘忧；然类之风雅，则为罪矣。"坚又曰："今之后进，文词孰贤？"说曰："韩休之文，有如太羹玄酒，虽雅有典则，而薄于滋味；许景先之文，有如丰肌腻体，虽秾华可爱，而乏风骨；张九龄之文，有如轻缣素练，虽济时适用，而窘于边幅；王翰之文，有如琼林玉斝，虽烂然可珍，而多有玷缺。若能箴其所阙，济其所长，亦一时之秀也。"

同上书卷九：江淮间为《文选》学者，起自江都曹宪。贞观初，扬州长史李袭誉荐之，征为弘文馆学士。宪以年老不起，遣使就拜朝散大夫，赐帛三百匹。宪以仕隋为秘书，学徒数百人，公卿亦多从之学，撰《文选音义》十卷，年百余岁乃卒。其后句容许淹、江夏李善、公孙罗，相继以《文选》教授。开元中，中书令萧嵩以《文选》是先代旧业，欲注释之，奏请左补阙王智明、金吾卫佐李玄成、进士陈居等注《文选》。……智明等学术非深，素无修撰之艺，其后或迁，功竟不就。

皇甫湜《谕业》：夫比文之流，其来尚矣。自六经子史，至于近代之作，无不备详。当朝之作，则燕公悉以评之。自燕公已降，试为子论之：燕公之文，如楩木枬枝，缔构大厦，上栋下宇，孕育气象，可以燮阴阳而阅寒暑，坐天子而朝群后。许公之文，如应钟鼙鼓，笙簧锌磬，崇牙树羽，考之宫县，可以奉神明，享宗庙。李北海之文，如赤羽白甲，延亘平野，如云如风，有犿有虎，阗然鼓之，吁可畏也。贾常侍之文，如高冠华簪，曳裾鸣玉，立于廊庙，非法不言，可以望为羽仪，资以道义。李员外之文，则如金罍玉斝，雕龙彩凤，外虽丹青可掬，内亦体骨不饥。独孤尚书之文，如危峰绝壁，穿倚霄汉，长松怪石，倾倒溪壑，然而略无和畅，雅德者避之。杨崖州之文，如长桥新构，铁骑夜渡，雄震威厉，动心骇耳，然而鼓作多容，君子所慎。……若数公者，或传符于帝宰，或受命于神工，或凤骞词林，或虎踞文苑，或抗辔荀、孟，攘袂班、扬，皆一时之豪彦，笔砚之麟凤。(《全唐文》卷六八七)

司空图《与王驾评诗书》：国初，主上好文雅，风流特盛。沈、宋、始兴之后，杰出于江宁，宏肆于李、杜，极矣。右丞、苏州，趣味澄复，若清风之出岫。大历十数公，抑又其次焉。(《全唐文》卷八〇七)

皮日休《请韩文公配飨太学书》：夫孟子、荀卿翼传孔道，以至于文中子。文中子之末，降及贞观、开元，其传者醨，其继者浅，或引刑名以为文，或援纵横以为理，或作词赋以为雅，文中之道，旷百祀而得室授者，惟昌黎文公焉。(《皮子文薮》卷九)

高彦林《唐阙史序》：皇朝济济多士，声名文物之盛，两汉才足以扶轮捧毂而已，区区魏晋、周、隋已降，何足道哉！故自武德、贞观而后，吮笔为小说、小录、稗史、野史、杂录、杂记者多矣。贞元、大历以前，捃拾无遗事。(《唐阙史》卷首)

刘昫等《旧唐书》职官志二：翰林院……其待诏者，有词学、经术、合炼、僧道、卜祝、术艺、书奕，各别院以廪之，日晚而退。其所重者词学。武德、贞观时，有温大雅、魏徵、李百药、岑文本、许敬宗、褚遂良。永徽后，有许敬宗、上官仪，皆召入禁中驱使，未有名目。乾封中，刘懿之、刘祎之兄弟、周思茂、元万顷、范履冰，皆以文词召入待诏，常于北门候进止，时号北门学士。天后时，苏味道、韦承庆，皆待诏禁中。中宗时，上官昭容独当书诏之任。睿宗时，薛稷、贾应福、崔湜，又代其任。玄宗即位，张说、陆坚、张九龄、徐安贞、张垍等，召入禁中，谓之翰林待诏。王者尊极，一日万机，四方进奏、中外表疏批答，或诏从中出。宸翰所挥，亦资其检讨，谓之视草，故尝简当代士人，以备顾问。

同上书文苑传序：臣观前代秉笔论文者多矣。莫不宪章《谟》、《诰》，祖述《诗》、《骚》，远宗毛、郑之训论，近鄙班、扬之述作。……近代唯沈隐侯斟酌《二南》，剖陈三变，摅云、渊之抑郁，振潘、陆之风徽。俾律吕和谐，宫商辑洽，不独子建总建安之霸，客儿擅江左之雄。爰及我朝，挺生贤俊，文皇帝解戎衣而开学校，饰贲帛而礼儒生，门罗吐凤之才，人擅握蛇之价。靡不发言为论，下笔成文，足以纬俗经邦，岂止雕章缛句。韵谐金奏，词炳丹青，故贞观之风，同乎三代。高宗、天后，尤重详延，天子赋横汾之诗，臣下继柏梁之奏，巍巍济济，辉烁古今。如燕、许之润色王言，吴、陆之铺扬鸿业，元稹、刘黄之对策，王维、杜甫之雕虫，并非肄业使然，自是天机秀绝。若隋珠色泽，无假淬磨，孔玑翠羽，自成华彩，置之文苑，实焕缃图。其间爵位崇高，别为之传。今采孔绍安已下，为《文苑传》三篇，觊怀才憔悴之徒，千古见知于作者。

欧阳修《书梅圣俞稿后》：凡乐，达天地之和而与人之气相接，故其疾徐奋动可以感于心，欢欣恻怆可以察于声。……盖诗者，乐之苗裔欤！汉之苏、李，魏之曹、刘，得其正始。宋齐而下，得其浮淫流佚。唐之时，子昂、李、杜、沈、宋、王维之徒，或得其淳古淡泊之声，或得其舒和高畅之节，而孟郊、贾岛之徒，又得其悲愁郁堙之气。由是而下，得者时有，而不纯焉。(《欧阳修全集》卷七二)

欧阳修《集古录跋尾·唐元次山铭》：唐自太宗致治之盛，几于三代之隆，而惟文章独不能革五国之弊。既久而后，韩、柳之徒出，盖习俗难变，而文章变体又难也。次山当开元、天宝时，独作古文，其笔力雄健，意气超拔，不减韩之徒也，可谓特立之士哉！（《欧阳修全集·集古录跋尾》卷八）

欧阳修、宋祁《新唐书》礼乐志一二：后魏乐府初有北歌，亦曰《真人歌》，都代时，命宫人朝夕歌之。周、隋始与西凉乐杂奏。至唐存者五十三章，而名可解者六章而已。一曰《慕容可汗》，二曰《吐谷浑》，三曰《部落稽》，四曰《巨鹿公主》，五曰《白净王》，六曰《太子企喻》也。其余辞多可汗之称，盖燕、魏之际鲜卑歌也。隋鼓吹有其曲而不同。贞观中，将军侯贵昌，并州人，世传《北歌》，诏隶太常，然译者不能通，岁久不可辨矣。

同上书韩愈传赞：唐兴，承五代剖分，王政不纲，文弊质穷，蛙俚混并。天下已定，治荒剔蠹，讨究儒术，以兴典宪，熏酿涵浸，殆百余年，其后文章稍稍可述。

同上书文艺传序：唐有天下三百年，文章无虑三变。高祖、太宗，大难始夷，沿江左余风，缔句绘章，揣合低卬，故王、杨为之伯。玄宗好经术，群臣稍厌雕琢，索理致，崇雅黜浮，气益雄浑，则燕、许擅其宗。是时，唐兴已百年，诸儒争自名家。……若侍从酬奉则李峤、宋之问、沈佺期、王维……言诗则杜甫、李白、元稹、白居易、刘禹锡……皆卓然以所长为一世冠，其可尚已。

姚铉《唐文粹序》：至梁昭明太子统，始自楚《骚》，终于本朝，尽索历代才士之文，筑台而选之，得三十卷，号曰《文选》，亦一家之奇书也。厥后徐、庾之辈，淫靡相继。下逮隋季，咸无取焉。有唐三百年，用文治天下。陈子昂起于庸蜀，始振风雅。繇是沈、宋嗣兴，李、杜杰出，六义四始，一变至道。洎张燕公以辅相之才，专课述之任，雄辞逸气，耸动群听。苏许公继以宏丽，丕变习俗，而后萧、李以二雅之辞本述作，常、杨以三盘之体演丝纶，郁郁之文，于是乎在。（《唐文粹》卷首）

郭茂倩《乐府诗集》卷七九：唐武德初，因隋旧制，用九部乐。太宗……著令者十部：一曰燕乐，二曰清商，三曰西凉，四曰天竺，五曰高丽，六曰龟兹，七曰安国，八曰疏勒，九曰高昌，十曰康国，而总谓之燕乐。声辞繁杂，不可胜记。凡燕乐诸曲，始于武德、贞观，盛于开元、天宝。其著录者十四调二百二十二曲。又有梨园别教院《法歌乐》十一曲，《云韶乐》二十曲。

王灼《碧鸡漫志》卷一：西汉时，今之所谓古乐府者渐兴，晋、魏为盛，隋氏取汉以来乐器歌章古调，并入清乐，余波至李唐始绝。唐中叶虽有古乐府，而播在声律则鲜矣。士大夫作者，不过以诗一体自名耳。盖隋以来，今之所谓曲子者渐兴，至唐稍盛，今则繁声淫奏，殆不可数。古歌变为古乐府，古乐府变为今曲子，其本一也。（《词话丛编》本）

严羽《沧浪诗话·诗评》：以时而论，则有……唐初体（唐初犹袭陈、隋之体）、盛唐体（景云以后，开元、天宝诸公之诗）、大历体（大历十才子之诗）、元和体（元、白诸公）、晚唐体。（《沧浪诗话校释》本）

张炎《词源》卷下：古之乐章、乐府、乐歌、乐曲，皆出于雅正。粤自隋、唐以来，声诗间为长短句。至唐人则有《尊前》、《花间集》。（《词话丛编》本）

郝经《一王雅序》：隋大业间，文中子依放《六经》，续为诗书，骈骧骒而追绝轨，甚有意于先王之道，乃今坠灭而不传。李唐一代，诗文最盛，而杜少陵、李太白、韩吏部、柳柳州、白太傅等为之冠。如子美诸怀古及《北征》、《潼关》、《石壕》、《洗兵马》等篇，发秦州、入成都、下巴峡、客湖湘、《八哀》九首、伤时咏物等作，太白之《古风》篇什，子厚之《平淮雅》，退之之《圣德诗》，乐天之《讽谏集》，皆有风人之托物，二雅之正言，中声盛烈，止乎礼义，抉去污剥，备述王道，驰骛于月露风云花鸟之外，直与《三百五篇》相上下。惜乎著当世之事，而及前代者略也。（《郝文忠公陵川文集》卷二八）

方回《瀛奎律髓》卷一：陈拾遗子昂，唐之律祖也。不但《感遇》三十八首为古体之祖，其律诗亦近体之祖也。……陈子昂、杜审言、宋之问、沈佺期俱同时，而皆精于律诗。孟浩然、李白、王维、贾至、高适、岑参与杜甫同时，而律诗不出则已，出则亦足与杜甫相上下。唐诗一时之盛，有如此十一人，伟哉！（《瀛奎律髓汇评》本）

宋濂《答章秀才论诗书》：唐初承陈、隋之弊，多尊徐、庾，遂致颓靡不振。张子寿、苏廷硕、张道济相继而兴，各以风雅为师，而卢本之、王子安务欲凌跨三谢，刘希夷、王昌龄、沈云卿、宋少连亦欲蹴驾江、薛，固无不可者，奈何溺于久习，终不能改其旧。甚至以律法相高，益有四声八病之嫌矣。唯陈伯玉痛惩其弊，专师汉魏，而友景纯、渊明，可谓挺然不群之士，复古之功，于是为大。开元、天宝中，杜子美复继出，上薄风雅，下该沈、宋，才夺苏、李，气吞曹、刘，掩颜、谢之孤高，杂徐、庾之流丽，真所谓集大成者，而诸作皆废矣。并时而作，有李太白宗《风》、《骚》及建安七子，其格极高，其变化若神龙之不可羁。有王摩诘依仿渊明，虽运词清雅，而萎弱少风骨。有韦应物祖袭灵运，能一寄秾鲜于简淡之中，渊明以来，盖一人而已。他如岑参、高达夫、刘长卿、孟浩然、元次山之属，咸以兴寄相高，取法建安。至于大历之际，钱、郎远师沈、宋，而苗、崔、卢、耿、吉、李诸家，亦皆本伯玉而宗黄初，诗道于是为最盛。（《宋濂全集·潜溪后集》卷四）

高棅《唐诗品汇》总叙：有唐三百年诗，众体备矣。故有往体、近体、长短篇、五七言律句绝句等制，莫不兴于始，成于中，流于变，而陊之于终。至于声律兴象，文词理致，各有品格高下之不同。略而言之，则有初唐、盛唐、中唐、晚唐之不同。详而分之，贞观、永徽之时，虞、魏诸公，稍离旧习，王、杨、卢、骆，因加美丽，刘希夷有闺帏之作，上官仪有婉媚之体，此初唐之始制也；神龙以还，泊开元初，陈子昂古风雅正，李巨山文章宿老，沈、宋之新声，苏、张之大手笔，此初唐之渐盛也；开元、天宝间，则有李翰林之飘逸，杜工部之沉郁，孟襄阳之清雅，王右丞之精致，储光羲之真率，王昌龄之声俊，高适、岑参之悲壮，李颀、常建之超凡，此盛唐之盛者也。

同上书五言古诗序目：五言之兴，源于汉，注于魏，汪洋乎两晋，混浊乎梁、陈，大雅之音，几于不振。唐氏勃兴，文运丕溢。太宗皇帝，龙凤之姿，天文秀发，延览英贤，首倡斯道，其《幸庆善宫》等作，时已被之管弦，明良满庭，赓歌赞治。若夫世南属和，匡君以正；魏徵终篇，约君以礼。辞之忠厚，岂曰文为？及乎永徽以还，"四杰"并秀于前，"四友"齐名于后，刘氏庭芝（按即刘希夷）古调，上官仪新体，

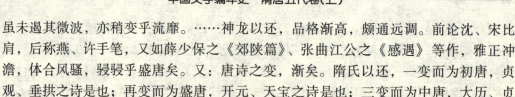

虽未遽其微波，亦稍变乎流靡。……神龙以还，品格渐高，颇通远调。前论沈、宋比肩，后称燕、许手笔，又如薛少保之《郊陕篇》、张曲江公之《感遇》等作，雅正冲澹，体合风骚，骎骎乎盛唐矣。又：唐诗之变，渐矣。隋氏以还，一变而为初唐，贞观、垂拱之诗是也；再变而为盛唐，开元、天宝之诗是也；三变而为中唐，大历、贞元之诗是也；四变而为晚唐，元和以后之诗是也。

同上书五言律诗叙目：律体之兴，虽自唐始，盖由梁、陈以来俪句之渐也。梁元帝五言八句已近律体，庾肩吾《除夕》律体工密，徐陵、庾信对偶精切，律调尤近。唐初工之者众。王、杨、卢、骆四君子以俪句相尚，美丽相矜，终未脱陈、隋之气习。神龙以后，陈、杜、沈、宋、苏颋、李峤、二张（说、九龄）之流，相与继述，而此体始盛，亦时君之好尚矣。凡四时游幸，诸文臣学士给翔麟马以从，或在禁掖，或出离宫，或幸戚里，或游葡萄园、登慈恩塔，或渭水祓除、骊山赐浴，即有燕会，天子倡之，群臣皆属和。由是海内词场翕然相习，故其声调格律易于同似，其得兴象高远者亦寡矣。又：盛唐律句之妙者，李翰林气象雄逸，孟襄阳兴致清远，王右丞词意雅秀，岑嘉州造语奇峻，高常侍骨格浑厚，皆开元、天宝以来名家。……杜公律法变化尤高，难以句摘。

同上书五言绝句叙目：六言始自汉司农谷永，魏、晋间曹、陆间出。至唐初，李景伯有《回波》乐府，亦效此体。逮开元、大历间，王维、刘长卿诸人相与继述，而篇什稍屡见，然亦不过诗人赋咏之余矣。

同上书七言古诗叙目：歌行长篇，唐初独骆宾王有《帝京篇》、《畴昔篇》，文极富丽。至盛唐绝少，李、杜间有数首，其词亦不甚敷蔓，大率与常制相类。又：七言虽云始自汉武《柏梁》，然歌谣等作出自古也。……唐初作者亦少，独宋之问数首为时所称，又如郭代公《宝剑篇》、张燕公《邺都引》调颇凌俗，然而文体声律抑扬顿挫，犹未尽善。又：太白天仙之词，语多率然而成者，故乐府歌辞咸善。或谓其始以《蜀道难》一篇见赏于知音，为明主所爱重，此岂浅才者微幸际其时而驰骋哉！不然也。白之所蕴非止是。今观其《远别离》、《长相思》、《乌栖曲》、《鸣皋歌》、《梁园吟》、《天姥吟》、《庐山谣》等作，长篇短韵，驱驾气势，殆与西山秋色争高可也，虽少陵犹有让焉，余子琐琐矣。揭为正宗，不亦宜乎！又：王荆公尝谓：杜子美之悲欢穷泰，发敛抑扬，疾徐纵横，无施不可。故其所作，有平淡简易者，有绮丽精确者，有严重威武若三军之帅者，有奋迅驰骋若泛驾之马者，有澹泊闲静若山谷隐士者，有风流蕴籍若贵介公子者。盖其绪密而思深，观者苟不能臻其阃奥，未易识其妙处，夫岂浅近者所能窥哉！此子美所以光掩前人，后来无继也。余观其集之所载《哀江头》、《哀王孙》、《古柏行》、《剑器行》、《渼陂行》、《兵车行》、《洗兵马行》、《短歌行》、《同谷歌》等篇，益以斯言可征，故表而出之为大家。又：盛唐工七言古调者多，李、杜而下，论者推高、岑、王、李、崔颢数家为胜。窃尝评之：若夫张皇气势，陟顿始终，综核于古今，博大其文辞，则李、杜尚矣。至于沉郁顿挫，抑扬悲壮，法度森严，神情俱诣，一味妙悟，而佳句辄来，远出常情之外，之数子者，诚与李、杜并驱而争先矣。

同上书七言律诗叙目：七言律诗，又五言八句之变也。在唐以前，沈君攸七言俪句已近律体。唐初始专此体，沈、宋等精巧相尚。开元初，苏、张之流盛矣，然而亦多君臣游幸倡和之什。又：盛唐作者虽不多，而声调最远，品格最高。若崔颢，律非雅纯，太白首推其《黄鹤》之作，后至《凤凰》而仿佛焉。又如贾至、王维、岑参早朝倡和之什，当时各极其妙，王之众作犹胜诸人。至于李颀、高适，当与并驱，未论先后，是皆足为万世程法。……少陵七言律法独异诸家，而篇什亦盛。如《秋兴》等作，前辈谓其大体浑雄富丽，小家数不可髣髴耳。……天宝以还，钱起、刘长卿并鸣于时，与前诸家实相羽翼，品格亦近似。至其赋咏之多，自得之妙，或有过焉。

徐献忠《唐诗品》序：唐兴，承六代之后，词华大备，讽规尚微。太宗以鸿哲之才，刚明之气，采摭余藻，济以格力，当时英贤遭遇，共谐景会，意主浑融，音节舒缓，不伤宫徵之致，其为当代之主何疑焉。开元以还，绮文之士，习气尚余；而暴乱之后，神理乏缺，虽鲜错之盛未殊，而感思之情不能无作。故其舒缓之节渐流为深密之致，而模写之言始盛矣。

同上书：或曰：唐自神龙以还，品格渐高，颇通远调。夫上有好者，下必甚焉，其于诗义亦同然尔。玄宗内智明朗，睿心疏畅，既新国步，遂拾词华。开元之际，君臣悦豫，饯别临游，动纾文藻，而感旧嘱芳，探奇校猎，情欣所属，辄有命赋。一时赓歌之盛，上武虞皇，下收菁藻，词人竞进，六艺争长，固已陵夸建安之迹，而泳贞观之余波矣。然贞观之初，浮靡虽去，而绮丽犹扬，殆乎垂拱之后，法章陈具，吏事深刻，人怀密志，无复疏节。先时风轨为之一变，故感惕之言易流于激，悲愤之调不吐其华，骨气顿高，风神遂委，而藻思丽情渐异往时矣。天宝之后，治人凋谢而乱梗外集，飘零奔溃，无复治朝之风，求风人闲雅之意，盖亦征（微）矣。三变之端，殆有出于此乎？（《全明诗话》本）

何景明《明月篇序》：仆始读杜子七言诗歌，爱其陈事切实，布辞沉著，鄙心窃效之，以为长篇圣于子美矣。既而读汉、魏以来歌诗及唐初四子者之所为，而反复之，则知汉、魏固承《三百篇》之后，流风犹可征焉。而四子者虽工富丽，去古远甚，至其音节，往往可歌。乃知子美辞固沉著，而调失流转，虽成一家语，实则诗歌之变体也。夫诗本性情之发者也，其切而易见者，莫如夫妇之间。是以《三百篇》首乎《雎鸠》，六义首乎“风”，而汉、魏作者，义关君臣朋友，辞必托诸夫妇，以宣郁而达情焉，其旨远矣。由是观之，子美之诗，博涉世故，出于夫妇者常少，致兼雅颂，而风人之义或缺，此其调反在四子之下与？（《何大复先生集》卷一四）

谢榛《四溟诗话》卷三：熟读初唐、盛唐诸家所作，有雄浑如大海奔涛，秀拔如孤峰峭壁，壮丽如层楼叠阁，古雅如瑶瑟朱弦，老健如朔漠横雕，清逸如九皋鸣鹤，明净如乱山堆雪，高远如长空片云，芳润如露蕙春兰，奇绝如鲸波蜃气，此见诸家所养之不同也。（《历代诗话续编》本）

陈霆《渚山堂词话序》：余始著词话，谓南词起于唐，盖本诸玉林之说。至其以李白《菩萨蛮》为百代词曲之祖，以今考之，殆非也。隋炀帝筑西苑，凿五湖，上环十六院。帝尝泛舟湖中，作《望江南》等阕，令宫人倚声为棹歌。《望江南》列今乐府，以是又疑南词起于隋。然亦非也。北齐兰陵王长恭及周战而胜，于军中作《兰陵王》曲歌之，今乐府《兰陵王》是也。然则南词始于南北朝，转入隋而著，至唐、宋防制

耳。（《词话丛编》本《渚山堂词话》卷首）

蔡羽《西原集序》：谢玄晖而下，至于江总，古衰而律形矣。夫湛淫哀思，不可以长流。唐初诸家因之为近体，视古虽异，然微婉之法犹存。至于盛唐，发越奋扬，惟恐不至。故歌富而律长，是赋之流归向也。李白、杜甫恣其豪健，而伤放促，虽以救时之溺，去古远矣。（《明文海》卷二三六）

王慎中《寄道原弟书》七：初唐本未是诗之佳者，故唐人极推陈子昂，以其能变初为盛，而李、杜继出，此道遂振。同时高、岑、王、孟，乃其大家。今只取此六家诗读之，便知其妙。……初唐之诗，千篇一律，数家之集，皆若一人，而一人之作，亦若一首，其声调虽俊美，体格虽涵厚，而变化终不足。盛唐之诗，则人人有眼目，篇篇有风骨。即此以观，亦略见不同大致矣。（《遵岩集》卷二四）

李攀龙《选唐诗序》：唐无五言古诗，而有其古诗。陈子昂以其古诗为古诗，弗取也。七言古诗，惟杜子美不失初唐气格，而纵横有之。太白纵横，往往强弩之末，间杂长语，英雄欺人耳；至如五七言绝句，实唐三百一人，盖以不用意得之，即太白亦不自知其所至，而工者顾失焉。五言律、排律，诸家概多佳句。七言律体诸家所难，王维、李颀颇臻其妙，即子美篇什虽众，隤焉自放矣。（《沧溟集》卷一五）

彭辂《与友人论诗》：虞世南、魏徵、杨师道等之在唐，引而渐入苍古，半为陈子昂之先驱。彼以青黄黼黻为六朝，金玉珠翠为初唐者，误矣。盛唐浑脱变化，不相沿袭，赋其所见，物无遁形，意未到而词已属，不暇凿元始之窍也。虽风神稍刊，而兴象攸寄，中唐有弗逮焉。（《明文海》卷一六〇）

彭辂《钱临江集序》：齐、梁之婉逸，唐初所亡也。麟德、神龙风神之俊，天宝、大历易以飞动而凡。开元、天宝意象之浑，建中、元和移以倾露而弱。（《明文海》卷二四六）

何良俊《唐雅序》：或者又以为唐初承陈、隋之习，诗歌靡曼，君子盖无取焉。夫陈、隋以偷安之君竞事淫侈，乃造为《玉树后庭花》、《春江花月夜》等曲，轻绮浮艳，特委巷之下者耳，亦何足宣之庙堂，布之典训，其风雅之罪人乎。若唐太宗以英武之姿，雄略盖世，卒能混一区宇，訾服戎蛮，故其诗有曰"雪耻酬百王，除凶报千古"，又何壮耶。至于所谓"庶几保贞固，虚己厉求贤"，则禹、汤之轨也；"灭身资累恶，成名有积善"，则风愆之戒也。其后玄宗虽颇骄盈，而钱赠守牧，拳拳子惠之言，《春台望》有还念中人罢百金之辞，犹志存俭节，苟概以陈、隋视之，不亦过乎？且一时之臣，如魏徵之咏《汉书》，则责难于兴礼；虞伯施之观宫体，则弼违于雅正；李景伯《回波》之辞，秩秩初筵之儆；李日知《定昆》之作，悠悠劳者之歌；宋延清应制龙门，追思农扈；魏知古从猎渭水，取类虞箴，并辞托婉讽，义存忠鲠，即《诗序》云主文而谲谏，言之者无罪，闻之者足以戒。若此者，非即敬得，推是而广之，亦三代之遗。（《明文海》卷二一五）

何良俊《草堂诗余序》：夫诗余者，古乐府之流别，而后世歌曲之滥觞也。……陈、隋作者，犹拟乐府歌辞，体物缘情，属咏虽工，声律乖矣。唐太宗以文教开国，又玄宗与宁王辈皆审音，海内清宴，歌曲繁兴，一时如李太白《清平调》、王维《郁轮袍》及王昌龄、王之涣诸人，略占小词，率为伎人传习，可谓极盛。迨天宝末，民多

怨思，遂无复贞观、开元之旧。（《何翰林集》卷八）

何良俊《四友斋丛说》卷二四：若梁元帝、简文帝、刘孝绰后至杨素、孙万寿诸人，则颓然风靡矣。陈伯玉出，安得不极力振起之哉？

王世贞《唐诗类苑序》：夫诗之体莫悉于唐，而唐莫嫩于初盛。自武德而景龙者，初也；自开元而至德者，盛也，大历之半割之矣。初则由华而渐敛，以态韵胜；盛则由敛而大舒，以风骨胜。然其所遭之变渐多，而用亦益以渐广。（《弇州续稿》卷五三）

王世贞《艺苑卮言》卷四：五言至沈、宋，始可称律。律为音律法律，天下无严于是者，知虚实平仄不得任情而度，明矣。二君正是敌手。排律用韵稳妥，事不傍引，情无牵合，当为最胜。摩诘似之，而才小不逮。少陵强力宏蓄，开阖排荡，然不无利钝。余子纷纷，未易悉数也。又：陈正字陶洗六朝铅华都尽，托寄大阮，微加断裁，而天韵不及，律体时时入古，亦是矫枉之过。开元彩笔，无过燕、许，制册碑颂，春容大章。然比之六朝，明易差胜而渊藻远却，敷文则衍，征事则狭。许之应制七言，宏丽有色，而他篇不及李峤。燕之岳阳以后，感慨多工，而实际不如始兴。又：六朝之末，衰飒其矣。然其偶俪颇切，音响稍谐。一变而雄，遂为唐始；再加整栗，便成沈、宋。人知沈、宋律家正宗，不知其权舆于三谢，囊钥于陈、隋也。诗至大历，高、岑、王、李之徒，号为已盛，然才情所发，偶与境会，了不自知其堕者。如"到来函谷愁中月，归去蟠溪梦里山"，"鸿雁不堪愁里听，云山况是客中过"，"草色全经细雨湿，花枝欲动春风寒"，非不佳致，隐隐逗漏钱、刘出来。至"百年强半仕三已，五亩就荒天一涯"，便是长庆以后手段。吾故曰："衰中有盛，盛中有衰，各含机藏隙。盛者得衰而变之，功在创始；衰者自盛而沿之，弊繇趋下。"（《历代诗话续编》本）

胡应麟《诗薮》内篇卷二：四杰，梁、陈也；子昂，阮也；高、岑、沈、鲍也；曲江、鹿门、王丞、光羲、宗元、应物，陶也。惟杜陵《出塞》、乐府，有汉、魏风，而唐人本色时露。太白讥薄建安，实步兵、记室、康乐、宣城及拾遗格调耳。李于鳞云"唐无五言古诗，而有其古诗"，可谓具眼。又：唐初承袭梁、隋，陈子昂独开古雅之源，张子寿首创清澹之派。盛唐继起，孟浩然、王维、储光羲、常建、韦应物，本曲江之清澹，而益以风神者也；高适、岑参、王昌龄、李颀、孟云卿，本子昂之古雅，而加以气骨者也。又：世多谓唐无五言古。笃而论之，才非魏、晋之下，而调杂梁、陈之际，截长絜短，盖宋、齐之政耳。如文皇《帝京》之什，允济《庐岳》之章，子昂《感遇》之篇，道济《五君》之咏，浩然"疏雨"之句，薛稷《郊陕》之吟，太白《古风》、《书怀》，少陵《羌村》、《出塞》，储光羲之田舍，王摩诘之山庄，高常侍之纪行，岑补阙之览胜，孟云卿《古离别》，王昌龄《放歌行》，李颀《塞下曲》，常建《太白峰》……皆六朝之妙诣，两汉之余波也。

同上书内篇卷三：七言古乐府外，歌行可法者，汉《四愁》、魏《燕歌》、晋《白纻》。……陈隋浸盛，婉丽相矜，极于唐始，汉、魏风骨，殆无复存。李、杜一振古今，七言几于尽废，然东西京古质典型，邈不可观矣。又：建安以后，五言日盛。晋、宋、齐间，七言歌行寥寥无几。独《白纻歌》、《行路难》时见文士集中，皆短章也。梁人颇尚此体，《燕歌行》、《捣衣曲》诸作实为初唐鼻祖。陈江总持、卢思道等篇什浸盛，然音响时乖，节奏未协，正类当时五言律体。垂拱四子，一变而精华浏亮，抑扬起伏，悉协宫商，开合转换，咸中肯綮。七言长体，极于此矣。又：《燕歌》初起魏文，实祖柏梁体。《白纻词》因之，皆平韵也。……至王、杨诸子歌行，韵则平仄互换，句则三五错综，而又加以开合，传以神情，宏以风藻，七言之体，至是大备。要惟长篇巨什，叙述为宜，用之短歌，迂缓寡态。于是高、岑、王、李出，而格又一变矣。又：齐、梁、陈、隋五言古，唐律诗之未成者；七言古，唐歌行之未成者。王、卢出而歌行咸中矩度矣；沈、宋出而近体悉协宫商矣。至高、岑而后有气，王、孟而后有化；李、杜而后入化。又：仲默谓："唐初四子虽去古甚远，其音节往往可歌；子美词虽沉著，而调失流转，实诗歌之变体也。"此未尽然。歌行之兴，实自上古，《南山》、《易水》，隐约数言，咸足咏叹。至汉、魏乐府，篇什始繁，大都浑朴真至，既无转换之体，亦寡流畅之辞，当时以备管弦，供燕京，未闻不可歌也。杜《兵车》、《丽人》、《王孙》等篇，正祖汉、魏，行以唐调耳。又：李、杜歌行，扩汉、魏而大之，而古质不及；卢、骆歌行，衍齐、梁而畅之，而富丽有余。又：陈、杜歌行不概见。沈、宋厌王、杨之靡缛，稍欲约以典实而未能也。李、杜一变，而雄逸豪宕，前无古人矣。盛唐高适之浑，岑参之丽，王维之雅，李颀之俊，皆铁中铮铮者。崔颢、储光羲篇什不多，而婉转流媚，亦有可观。常建已开李贺，任华酷似卢仝，盛衰倚伏如此。又：唐七言歌行，垂拱四子，词极藻艳，然未脱梁陈也。张、李、沈、宋，稍汰浮华，渐趋平实，唐体肇矣，然而未畅也。高、岑、王、李，音节鲜明，情致委折，秾纤修短，得衷合度，畅乎，然而未大也。太白、少陵，大而化矣，能事毕矣。降而钱、刘，神情未远，气骨顿衰。又：初唐七言古以才藻胜，盛唐以风神胜，李、杜以气概胜，而才藻、风神称之，加以变化灵异，遂为大家。

同上书内编卷四：五言律体，兆自梁、陈。唐初四子，靡缛相矜，时或拗涩，未堪正始。神龙以还，卓然成调。沈、宋、苏、李，合轨于先；王、孟、高、岑，并驰于后，新制迭出，古体攸分，实词章改变之大机，气运推迁之一会也。又：五言律体，极盛于唐，要其大端，亦有二格：陈、杜、沈、宋，典丽精工；王、孟、储、韦，清空闲远，此其概也。然右丞赠送诸什，往往阑入高、岑。鹿门、苏州，虽自成趣，终非大手。太白风化逸宕，特过诸人，而后之学者，才非天仙，多流率易。唯工部诸作，气象嵬峨，规模宏远，当其神来境诣，错综变幻，不可端倪。千古以还，一人而已。又：学五言律毋习王、杨以前，毋窥元、白以后。先取沈、宋、陈、杜、苏、李诸集，朝夕临摹，则风骨高华，句法宏赡，音节雄亮，比偶精严；次及盛唐王、岑、孟、李，永之以风神，畅之以才气，和之以真澹，错之以清新；然后归宿杜陵，究竟绝轨，极深研几，穷神知化：五言律法尽矣。又：作诗不过情、景二端。如五言律体，前起后结，中四句二言景，二言情，此通例也。唐初多于首二句言景对起，止结二句言情，虽丰硕，往往失之繁杂。唐晚则第三四句多作一串，虽流动，往往失之轻獧，俱非正体。惟沈、宋、李、王诸子，格调庄严，气象闳丽，最为可法。第中四句大率言景，不善学者，凑砌堆叠，多无足观。老杜诸篇，虽中联言景不少，大率以情间之，故习杜者，句语或有枯燥之嫌，而体裁绝无靡冗之病。又：作诗最忌合掌，近体尤忌，而齐、梁人往往犯之。如以"朝"对"曙"，"将远"、"属遥"之类。初唐诸子，尚袭此风，推原厉阶，实由康乐。沈、宋二君，始加洗削，至于盛唐尽矣。

同上书内编卷五：七言律滥觞沈、宋。其时远袭六朝，近沿四杰，故体裁明密，声调高华，而神情兴会，缛而未畅。"卢家少妇"，体格丰神，良称独步，惜颔颇偏枯，结非本色。崔颢《黄鹤》，歌行短章耳，太白生平，不喜俳偶，崔诗适与契合，严氏因之，世遂附和，又不若近推沈作为得也。又：初唐七言律缛靡，多谓应制使然，非也，时为之耳。此后若《早朝》及王、岑、杜诸作，往往言宫掖事，而气象神韵，迥自不同。又：唐七言律自杜审言、沈佺期首创工密，至崔颢、李白时出古意，一变也；高、岑、王、李，风格大备，又一变也；杜陵雄深浩荡，超忽纵横，又一变也；钱、刘稍为流畅，降而中唐，又一变也。又：初唐体制浓厚，格调整齐，时有近拙近板处；盛唐气象浑成，神韵轩举，时有太实太繁处；中唐淘洗清空，写送流亮，七言律至是，殆于无可指摘，而体格渐卑，气运日薄，衰态毕露矣。

同上书内编卷六：唐五言绝，初、盛前多作乐府，然初唐只是陈、隋遗响，开元以后，句格方超。如崔国辅《流水曲》、《采莲曲》，储光羲《江南曲》、王维《班婕妤》、崔颢《长干行》，刘方平《采莲》……皆酷得六朝意象，高者可攀晋、宋，平者不失齐、梁。

同上书外编卷四：嘉、隆类刻《十二家唐诗》，盛行当世，然王、杨、卢、骆格未纯，体未备。余欲去四子而易以李颀、王昌龄、储光羲、常建，庶便初学服习。盖常、储之古，王之绝，李之律皆品居神妙，多出高、岑诸子上。若四杰当合二张、二苏、虞世南、刘廷芝、李峤等集，首以太宗，为初唐十二家。又：王、杨、卢、骆以词胜，沈、宋、陈、杜以格胜，高、岑、王、孟以韵胜。词胜而后有格，格胜而后有韵，自然之理也。又：樊少南《初唐诗叙》云："诗自删后，汉、魏为近。汉、魏后六朝滋盛，然风斯靡矣。至唐初，无古诗而律诗兴；律诗兴，古诗不得不废。精梓匠则粗轮舆，巧陶冶则拙函矢，何况达玄机、神变化者哉！"观此，则李于鳞前，唐古已有斯论；然李、杜大篇，前代所无，不得尽置也。又：唐初王、杨、卢、骆、李百药、虞世南、陈子昂、宋之问、苏颋、李峤、二张辈，俱诗文并鸣，不以一长见也。开元李、杜勃兴，诗道大盛，孟浩然、沈千运等，遂独以诗称，而文不概见。王维、贾至，其文间有存者，亦诗之附庸耳。

胡应麟《少室山房笔丛》卷四一：世所盛行宋、元词曲，咸以防于唐宋。然实陈、隋始之。盖齐、梁月露之体，矜华角丽，固已兆端。至陈、隋二主，并富才情，俱洒声色，所为长短歌行，率宋人词中语也，炀之《春江》、《玉树》等篇犹近。至《望江南》诸阕，唐、宋、元人沿袭至今。词曲滥觞，实始斯际。自文皇以鸿裁硕藻，拨六朝余习而力反之，子昂、太白，相望并兴。逮少陵氏作，出经入史，划绝淫靡。有唐三百年之诗，遂屹然羽翼商、周，驱驾汉、魏。藉令非数君子砥柱其间，则《花间》、《草堂》将踵接于武德、开元之世，讵宋、元而后显哉？

许学夷《诗源辩体》卷一五：初唐沈、宋二公古、律之诗，再进而为开元、天宝间高、岑、王、孟诸公。高、岑才力既大，而造诣实高，兴趣实远。故其五七言古，调多就纯，语皆就畅，而气象风格始备，为唐人古诗正宗。……五七言律，体多浑圆，语多活泼，而气象风格自在，多入于圣矣。

11

同上书卷一七：严沧浪云："诗道唯在妙悟。然有透彻之悟，有一知半解之悟。盛唐诸公，透彻之悟也。"愚按：汉、魏天成，本不假悟；六朝刻雕绮靡，又不可以言悟；初唐沈、宋律诗，造诣虽纯，而化机尚浅，亦非透彻之悟。唯盛唐诸公，领会神情，不仿行迹，故忽然而来，浑然而就，如僚之于丸，秋之于弈，公孙之于舞剑，此方是透彻之悟也。又：胡元瑞云："五言律，晚唐第三四句多作一串，虽流动，往往失之轻儇；惟沈、宋、李、王诸子，格调庄严，气象闳丽，最为可法。"愚按：元瑞宏博，靡所不窥，惟此论似于初、盛诸家，未尽究心。盛唐诸公，第三四句一串者最多，故其体甚圆。初唐沈、宋诸公，一串者亦多，而机则不能甚活也。至于晚唐，或失之轻儇者有矣。元瑞于唐律不贵浑圆，而贵严整，故假晚唐以为戒。然初、盛唐诸公全集俱在，安能涂后人耳目耶？

同上书卷一八：或问予："子尝言初唐七言古，偶俪极工，绮艳变为富丽，然调犹未纯，语犹未畅，其风格虽优，而气象不足，必至高、岑乃为正宗，逮乎李、杜，则变化不测而入于神。何仲默乃云：七言诗歌，唐初四子虽工，富丽去古远甚，至其音节，往往可歌。乃知子美词固沉着，而调失流转，虽成一家语，实则诗歌之变体也。与子言不甚相戾耶？"曰：七言古，正变与五言相类。张衡《四愁》、子桓《燕歌》，调出浑成，语皆淳古，其体为正。梁、陈而下，调皆不纯，语多绮艳，其体为变。盖古诗调贵浑成，不贵谐切。但汉、魏篇什不多，而体未宏大，学之者不足以尽变，故直以高、岑为正宗，李、杜为神品耳。自梁、陈以至初唐，声俱谐切，故其句多入律而可歌。然所谓不纯者，盖句既入律，则偶对宜谐，转韵宜平仄相间，虽不合古声，庶成俳调；今句则纯乎律矣，而偶对复有不谐，转韵又多平仄叠用，故其调为不纯耳。……若仲默之论，非但不知有神境在，且不识正变之体。

同上书卷三二：唐人之诗虽主乎情，而盛衰则在气韵，如中唐律诗、晚唐绝句，亦未尝无情，而终不得与初、盛相较，正是其气韵衰飒耳。

同上书卷三四：或言："唐以诗赋取士，故其诗独工。"愚按：唐虽以诗赋取士，然但备制举之一，亦犹今之表判判耳，然又皆有程墨牵束，故中选者悉非佳制。试观李、杜及韦应物诸名家，多不由于科目也。然唐诗之所以独工者，盖由齐、梁渐入于律，至唐而诸体具备，其理势宜工。唐既盛极，至元和、宋人，其理势自应入变耳。

胡震亨《唐音癸签》卷一：自古诗渐作偶对，音节亦渐叶而谐。宫体而降，其风弥盛。徐、庾、阴、何，以及张正见、江总持之流，或数联独调，或全篇通稳，虽未有律之名，以浸具律之体。四子承之，尚余拗涩。神龙而后，音对俱谐，诸家概有合作，沈、宋尤为擅场。就中五字之谐差先，故珠英前彦，蚤逗流美之径；七字之谐差晚，故开元右丞，犹存失粘之疵。若乃律既踵古以成律，则古自应追古以存古。故沈、宋未作于孝和之日，射洪已兴于天后之朝。是尤气机有先，情籁自启，匪人唯天，一变自不得不尽变者也。

同上书卷一〇：自景龙始创七律，诸学士所制，大都铺扬景物，宣诩宴游，以富丽竞工，亡论体变未极，声病亦多未调。开、天以还，哲匠迭兴，研揣备至，于是后调弥纯，前美益邃，字虚实互用，体正拗毕摄，七言能事始尽。所以溯龙门之派者，必求端沈、宋；穷沧海之观者，还归大少陵。

同上书卷二七：有唐吟业之盛，导源有自。文皇英姿间出，表丽缛于先程；玄宗材艺兼该，通风婉于时格。是用古体再变，律调一新；朝野景从，谣习浸广。重以德、宣诸主，天藻并工，赓歌时继；上好下甚，风偃化移，固宜于喁遍于群伦，爽籁袭于异代矣。中间枢纽，更在孝和一朝。于时文馆既集多材，内廷又倚奥主，游燕以兴其篇，奖赏以激其价。谁邕律宗，可遗功首？虽猥狎见讥，尤作兴有属者焉。又：唐时风习豪奢，如上元山棚，诞节舞马，赐酺纵观，万众同乐。更民间爱重节序，好修故事，采缕达于王公，粗粝妆不废俚贱。文人纪赏年华，概入歌咏。又其待臣下法禁颇宽，恩礼从厚。凡曹司休假，例得寻胜地燕乐，谓之旬假，每月有之。遇逢诸节，尤以晦日、上巳、重阳为重。……凡此三节，百官游燕。……选妓携觞，崛幕云合，绮罗杂沓，车马骈阗，飘香堕翠，盈满于路。朝士词人有赋，翌日即流传京师。当时倡酬之多，诗篇之盛，此亦其一助也。

王志坚《四六法海原序》：唐文皇以神武定天下，在宥三十余年，而文体一遵陈、隋，盖时未可变耳。永徽中，人主优礼词臣，时则有燕、许鸿轩，崔、李豹别，而英公一檄，竟出自草泽手。当时人才，何其盛欤，至于沿习既久，遂成蹊径。文移批答，宾主谈谐，辄用耦语。此亦天地间不得不变之势矣。（《四六法海》卷首）

钱谦益《唐诗英华序》：世之论唐诗者，必曰初、盛、中、晚。……夫所谓初、盛、中、晚者，论其世也，论其人也。以人论世，张燕公、曲江，世所称初唐宗匠也。燕公自岳州以后，诗章凄惋，似得江山之助，则燕公亦初亦盛。曲江自荆州已后，同调讽咏，尤多暮年之作，则曲江亦初亦盛。以燕公系初唐也，溯岳阳唱和之作，则孟浩然应亦盛亦初。以王右丞系盛唐也，酬春夜竹亭之赠，同左掖梨花之咏，则钱起、皇甫冉应亦中亦盛。一人之身，更历二时，将诗以人次耶？亦人以时降耶？世之荐樽盛唐，开元、天宝而已，自时厥后，皆自郐无讥者也。诚如是，则……开元、天宝已往，斯世无烟云风月，而斯人无性情，同归于墨穴才偶而后可也。（《牧斋有学集》卷一五）

冯班《钝吟杂录·论歌行与叶祖德》：晋、宋时所奏乐府，多是汉时歌谣，其名有《放歌行》、《艳歌行》之属，又有单题某歌、某行，则歌行者，乐府之名也。魏文帝作《燕歌行》，以七字断句，七言歌行之滥觞也。沿至于梁元帝，有《燕歌行集》，其书不传，今可见者，犹有三数篇。于时南北诗集，卢思道有《从军行》，江总持有《杂曲文》，皆纯七言，似唐人歌行之体矣。徐、庾诸赋，其体亦大略相近。诗赋七言，自此盛也。迨及唐初，卢、骆、王、杨大篇诗赋，其文视陈、隋有加矣。迤于天宝，其体渐变。然王摩诘诸作，或通篇丽偶，犹古体也。李太白崛起，奄古人而有之，根于《离骚》，杂以魏三祖乐府，近法鲍明远，梁、陈流丽，亦时时间出，谲词云搆，奇文郁起，后世作者，无以加矣。歌行变格，自此定也。子美独搆新格，自制题目，元、白辈祖述之，后人遂为新例，陈、隋、初唐诸家，渐渐灭矣。（《清诗话》本）

朱鹤龄《汪周士诗稿序》：古之作者，纂绪造端，沧澜百变，而其中必有根柢焉。上之补裨风化，下之陶写性情。如伯玉《感遇》三十八首，伯玉诗之根柢也；太白《古风》五十九首，太白诗之根柢也；子美《北征》、《咏怀》、前后《出塞》及《新安吏》以下诸篇，子美诗之根柢也……唐人论诗，每云工于五言，盖以五言工，则不必

13

问其余：是五言古为诸体之根柢。而五言古之根柢安在乎？亦曰：求之《三百篇》、《离骚》，以及昭明之《选》而已矣。（《愚庵小集》卷八）

陆时雍《唐诗镜》卷一：唐之胜于六朝者，以七古之纵、七律之整、七绝之调，此其故在气局声调之间，而精神材力未能驾胜。以五律视昔，相去远矣。声不逮韶，色不逮丽，神不逮晬，情不逮深，虽沈、宋绮思，仅足当梁、陈之中驵耳。至五言古诗，其道在神情之妙，不可以力雄，不可以材骋，不可以思得，不可以意致。虽李、杜力挽古风，而李病于浮，杜苦于刻，以追陶、谢之未能，况汉魏乎？

吴乔《围炉诗话》卷二：北朝卢思道《从军行》，全类唐人歌行矣。唐开元中，王摩诘之七古，尚有全篇偶句者。高常侍尽改古格。太白远宪《诗》、《骚》，近法鲍明远，而恢廓变化过之，云蒸霞蔚，千载以来莫能逮矣；辞多风刺，《小雅》、《离骚》之流也。老杜创为新题，直指时事，一言一句，皆关世道，遂为歌行之祖，非直变体而已。

同上书卷三：《品汇》又多收景龙应制诗，立初唐高华典重之说。钱牧斋谓"其人介于两间，不可截然划断"，是矣，犹未穷源。盖唐人作诗，随题成体，非有一定之体。沈、宋诸公七律之高华典重，以应制故，然非诸诗皆然，而可立为初唐之体也。……诗乃心声，心由境起，境不一则心亦不一。言心之词，岂能尽出高华典重哉！是以宋之问《遇佳人》，则有"炉女犹怜镜中发，侍儿堪感路旁人"。徐安贞《闻筝》，则有"曲成虚忆青娥敛，调急遥怜玉指寒。银锁重关听未辟，不如眠去梦中看。"杜审言《春日有怀》，则有"寄语洛城风日道，明年春色倍还人"，《大酺》有"梅花落处疑残雪，柳叶开时任好风"。沈佺期《迎春》有"林间觅草才生蕙，殿里争花并是梅"，又《应制》有"山鸟初来犹怯啭，林花未发已偷新"，《过岭》诗通篇流利。郭元振《寄刘校书》有"才微易向风尘老，身残难酬知己恩"。张说《幽州新岁》诗，感慨淋漓，《滟湖山寺》诗，闲适自赏，又有云"绕殿流莺凡几树，当蹊乱蝶许多丛"。苏颋《扈从鄠杜间》诗有"云山一一看皆美，竹树萧萧画不成"。诸公七律不多，而清新颖脱之句，已有如此，使如中晚之多，更何如耶？《大酺》、《扈从》本是典重之题，而"梅花落处"、"云山一一"等，犹自忍俊不禁，况他题而肯作"伐鼓撞钟惊海上"、"城上平临北斗悬"等语耶？刘得仁晚唐也，《禁署早春》诗，亦用沈、宋应制之体。使大历、开成人不作他诗，只作应制诗，吾保其无不高华典重者也。况景龙应制之诗虽多，而命意、布局、使事无不相同，则多人只一人，多篇只一篇，安可以一人一篇而立一体？……盛唐博大沉雄亦然。孟浩然有"坐时衣带萦纤草，行即裙裾扫落梅"，张谓有"樱桃解结垂檐子，杨柳能低入户枝"，王湾有"月华照杵空随妾，风响传砧不到君"，万楚有"眉黛夺将萱草色，红裙妒杀石榴花。谁道五丝能续命，却令今日死君家"。子美之"却绕井栏添个个，偶经花蕊弄辉辉"等，不可枚举，皆是随题成体，不作死套子语也。诗必随题成体，而后台阁、山林、闺房、边塞、旅邸、道路、方外、青楼，处处有诗。子美备矣，太白已有所偏，余人之偏更甚，绝无只走一路者也。……七律，盛唐极高，而篇数不多，未得尽态极妍，犹《三百篇》之正风正雅也；大历已多，开成后尤多，尽态极妍，犹变风变雅也。（《清诗话续编》本）

王夫之《薑斋诗话》卷二：咏物诗齐、梁始多有之。其标格高下，犹画之有匠作，有士气。征故实，写色泽，广比譬，虽极镂绘之工，皆匠气也。又其卑者，短凑成篇，谜也，非诗也。李峤称"大手笔"，咏物尤其属意之作，裁剪整齐，而生意索然，亦匠笔耳。至盛唐以后，始有即物达情之作。（《薑斋诗话笺注》本）

王夫之《夕堂永日绪论外编》：汉、晋以上，惟不以文字为仕进之羔雉，故各随所至，而卓然为一家之言。隋、唐以诗赋取士，文场之赋无一传者。诗唯"曲终人不见，江上数峰青"一律而已。燕、许、高、岑、李、杜、储、王所传诗，皆仕宦后所作，阅物多，得景大，取精宏，寄意远，自非局促名场者所及。（《薑斋诗话笺注》附录）

毛先舒《诗辩坻》卷三：诗至七言律，已底极变，既难空骋，又畏事累，大抵温丽为正，间令流逸，读之表里妍整，而风骨隐然。颇恶驱驾才势，有心章彩；至于隶古事，寓评议，斯为下风。唐初意尽句中，正用气格为高。盛唐境地稍流，而兴溢章外，不妨媲美。作者取裁，舍是奚适？（《清诗话续编》本）

汪琬《唐诗正序》：有唐三百年间，能者相继。贞观、永徽诸诗，正之始也，然而雕刻组缋，殆不免陈、隋之遗焉。开元、天宝诸诗，正之盛也，然而李、杜两家并起角立，或出于豪俊不羁，或趋于沈著感愤，正矣有变者存。……当其盛也，人主励精于上，宰臣百执趋事尽言于下，政清刑简，人气和平，故其发之于诗，率皆冲融而尔雅，读者以为正，作者不自知其正也。（《尧峰文钞》卷二六）

叶燮《原诗》卷四：七古终篇一韵，唐初绝少，盛唐间有之，杜则十有二三，韩则十居八九。……初唐四句一转韵，转必蝉联双承而下，此犹是古乐府题；何景明称其音节可歌，此言得之而实非。七古即景即物，正格也。盛唐七古，始能变化错综。盖七古直叙，则无生动波澜，如平芜一望；纵横则错乱无条贯，如一屋散钱；有意作起伏照应，仍失之板；无意信手出之，又苦无章法矣。此七古之难，难尤在转韵也。若终篇一韵，全在笔力能举之，藏直叙于纵横中，既不患错乱，又不觉其平芜，似较转韵差易。韩之才无所不可，而为此者，避虚而走实，任力而不任巧，实启其易也。至如杜之《哀王孙》，终篇一韵，变化波澜，层层掉换，竟似逐段换韵者。七古能事，至斯已极，非学者所易步趋耳。（《清诗话》本）

宋荦（1634—1713）《漫堂说诗》：初唐王、杨、卢、骆，倡为排律，陈、杜、沈、宋继之，大约侍从游宴应制之篇居多，所称"台阁体"也。虽风容色泽，竞相夸胜，未免数见不鲜。又：世之称诗者，易言律，尤易言七言律。每见投赠行卷，七律居半。不知此体在诸体中最难工。……平心而论：初唐如花始苞，英华未彂；盛唐王维、李颀、岑参诸公，声调气格，种种超越，允为正宗……独少陵包三唐，该正变，为广大教化主，生平瓣香，实在此公，惜未能窥其阃阈。（《清诗话》本）

沈德潜《唐诗别裁集》凡例：五言古体，发源于西京，流衍于魏、晋，颓靡于梁、陈，至唐显庆、龙朔间，不振极矣。陈伯玉力扫俳优，真追曩哲，读《感遇》等章，何啻在黄初间也。张曲江、李供奉继起，风裁各异，原本阮公。唐体中能复古者，以三家为最。又：《大风》、《柏梁》，七言权舆也。自时厥后，魏宋之间，时多杰作。唐人出而变态极焉。初唐风调可歌，气格未上。至王、李、高、岑四家，驰骋有余，安详合度，为一体。李供奉鞭挞海岳，驱走风霆，非人力可及，为一体。杜工部沉雄激壮，奔放险幻，如万宝杂陈，千军竞逐，天地浑奥之气，至此尽泄，为一体。钱、刘以降，渐趋薄弱，韩文公拔出于贞元、元和间，踔厉风发，又别为一体。七言楷式，称大备云。

同上书卷五：对仗工丽，上下蝉联，此初唐七古体，少陵所云"劣于汉魏近《风》《骚》"也。明代何景明谓此得风人之正，而以少陵之沉雄顿挫为变体，因作《明月篇》以拟之。王渔洋《论诗绝句》云："接迹风人《明月篇》，何郎妙悟本从天。王杨卢骆当时体，莫逐刀圭误后贤。"得此论而初盛之诗品乃定。

沈德潜《说诗晬语》卷上：唐显庆、龙朔间，承陈、隋之遗，几无五言古诗矣。陈伯玉力扫俳优，仰追曩哲，读《感遇》等章，何啻黄初、正始间也？张曲江、李供奉继起，风裁各异，原本阮公。唐体中能复古者，以三家为最。又：五言律，阴铿、何逊、庾信、徐陵已开其体；唐初人研揣声音，稳顺体势，其制乃备。神龙之世，陈、杜、沈、宋，浑金璞玉，不须追琢，自然名贵。开、宝以来，李太白之明丽，王摩诘、孟浩然之自得，分道扬镳，并推极胜。杜子美独辟畦径，寓纵横排奡于整密中，故应包涵一切。终唐之世，变态虽多，无有越诸家之范围者矣。以此求之，有余师焉。又：长律所尚，在气局严整，属对工切，段落分明，而其要在开阖相生，不露铺叙转折过接之迹，使语排而忘其为排，斯能事矣。唐初应制、赠送诸篇，王、杨、卢、骆，陈、杜、沈、宋，燕、许、曲江，并皆佳妙。少陵出而瑰奇鸿丽，一变故方，后此无能为役。

同上书卷下：唐时五言以试士，七言以应制。限以声律，而又得失谀美之念先存于中，揣摩主司之好尚，迎合君上之意旨，宜其言之难工也。钱起《湘灵鼓瑟》、王维《奉和圣制雨中春望》外，杰作寥寥，略观可矣。（《清诗话》本）

李重华《贞一斋诗话》：七古自晋世乐府以后，成于鲍参军，盛于李、杜，畅于韩、苏，凡此俱属正锋。唐初王、杨、卢、骆体，为元、白所宗，可间一为之，不得专意取法，恐落卑靡一派。何仲默《明月篇序》，未可奉为确论。……至初学入手，求其笔势稳称，则王摩诘、高达夫二家，乃正善学唐初者；少陵如《洗兵马》、《古柏行》亦然，但更加雄浑耳。（《清诗话》本）

杭世骏《古文百篇序》：黄初以降，迄于开皇、大业，扬芳散藻，以轻艳相扇，盖古文之亡者，几五百年。唐兴，修六代之史，有史裁而无史笔。魏徵以史论，燕、许以手笔……意虽盛，气虽雄，犹沿六代之偶俪。（《道古堂全集》卷八）

乔亿《剑溪说诗》卷上：七言歌行欲气胜易，欲气古难，气古而兼气胜更难。王、杨、卢、骆气古，非气胜也。……王、李、高、岑并气古气胜而未至者。惟李、杜兼之，各造其极，又加以变化神奇，错综断乱也。又：以画论诗，李、杜歌行，荆、关、董、巨之山水也。唐初四子歌行，思训父子之金碧山水也。摩诘之诗，即摩诘之画，意致萧散中自饶名贵。

同上书卷八：五排本五律增益，然六朝以末所称古体，研声炼字，层见叠出，已俨同长律，惟间有未谐耳。初唐诸家意密语重，滞气亦多，先天以后，名家遂繁。至杜工部苍厚雄深，排偶至数十百前，宕之以奇气，斑驳陆离，千态万状，然后尽此体之能事。下逮元、白，排比亦工，而骨力径庭矣。

同上书卷下：七言律诗有古意更难。气格之古，无过沈云卿之《龙池篇》，崔颢之

《黄鹤楼》，老杜之"城尖径仄"诸篇。词意之古，无过沈云卿之"卢家少妇"一首。然效杜拗体者多，"卢家少妇"无嗣响矣。又：长律较古体长篇，镕铸最精，音韵更切，不容一字不入格也。唐初及开、宝诸公，浑雄富丽，出以整暇。至杜子美，更纵横于排比中，斯为至矣。元、白篇幅虽长，波澜未阔。又：初、盛唐人多酬应之篇，格韵既高，情景兼胜，词采又精，焉得不妙？

同上书又编：唐诗固称极盛，而五言正脉，亦无多传，陈拾遗、张曲江、李、杜、韦、柳而外，惟储、孟、二王（维、昌龄）、李颀、常建、刘眘虚、沈千运、孟云卿、元结、孟郊，尚不替前人轨则，高、岑体稍近杜，《品汇》列之名家，允称也。（《清诗话续编》本）

李因培《唐诗观澜集》卷三：五古……沿及齐、梁，秾纤特甚。唐初犹带陈、隋余习，比调谐声，渐趋于律。王、杨、卢、骆，似律犹古。自景龙以下，实始劈分。求其近古者，陈伯玉变调于前，李、杜诸公力振于后，然后气体格力远轶六朝，斯亦物极则变之一候也。

同上书卷五：迨至初唐，王骆以绮丽而擅长，沈宋犹沿余习。及李杜而宏音巨制，足开万古心胸。他如高、岑之顿挫，王、李之清响，并堪羽翼。

同上书卷六：五言四韵，自齐、梁以来已有此体。然虽讲声病，而古、律未分，时多轶出。唐初气格已成，而或叶或否，未为定式。逮于沈、宋，始为划分，开元、天宝之间，玄宗倡于上，燕、许、李、杜、王、孟诸人以沈博宏丽之才、冲融高洁之度和于下，金和玉节，情往兴来，斯为最矣。钱、刘之侪，不少杰作。

同上书卷八："五排本五律增益，然大朝以来所称古体，研声炼字层见叠出，已俨同长律，惟间有未谐耳。初唐家意密语重，滞气亦多。先天以后，名家遂繁。至杜工部苍厚雄深，排偶至数十百韵，宕之以奇气，斑驳陆离，千态万状，然后尽此体之能声。下逮元、白，排比亦工，而骨力径庭矣。"

四库提要卷一四九：考唐自贞观以后，文士皆沿六朝之体。经开元、天宝，诗格大变，而文格犹袭旧规。元结与（独孤）及始奋起涤除，萧颖士、李华左右之。其后韩、柳继起，唐之古文，遂蔚然极盛。斵雕为朴，数子实居首功。《唐实录》称韩愈学独孤及之文，当必有据。特风气初开，明而未融也。

鲁九皋《诗学源流考》：唐承六代之余，崇尚诗学，特命词臣定律诗体式，制科以此取士。贞观之际，王、杨、卢、骆号称四杰，其诗多沿旧习。陈、杜、沈、宋继之，格律渐高。而陈拾遗尤为复古之冠，其五言古诗，原本阮公，直追建安作者。自后曲江继起，浸浸称盛。开元、天宝之际，笃生李、杜二公，集数百年之大成。太白天才绝世，而古风乐府，循循守古人规矩；子美学穷奥窔，而感时触事、忧伤念乱之作，极力独开生面。盖太白得力于《国风》，而子美得力于大小《雅》，要自子建、渊明而后，二家特为不祧之祖。其辅二家而起者，有王维、孟浩然、高适、岑参、李颀、王昌龄、刘眘虚、裴迪、储光羲、常建、崔颢诸人。而元结又有《箧中集》一选，集沈千运、王季友、于逖、孟云卿、张彪、赵微明、元融七人之作，都为一卷，其诗直接汉人。故论诗者至开、宝之世，莫不推为千载之盛也。又：盖终唐之世，称大家者，以李、杜、韩三家为宗。古诗之得正音者，陈、张、韦、柳四家为宗，而元结、沈千运诸人为辅。律诗之称正音者，王、孟二家为宗，而高、岑、钱、刘诸人为辅。此唐诗之大较也。若夫唐人乐章，多尚铺张，不若柳子厚之《唐雅》二篇，《铙歌》十二曲，为足追古作者。而乐人所歌，又在诸名人绝句，如王之涣之《凉州词》、王维之《阳关三叠》，其他著者。其他朝庙应制诸诗，体崇巨丽，固以唐初前后四子及燕、许诸人为正云。（《清诗话续编》本）

管世铭《读雪山房唐诗序例》五古凡例：五言肇兴至唐，将及千载，故其境象尤博。即以有唐一代论之：陈、张为先声，王、孟为正响。常建、刘眘虚几于苏、李天成，李颀、王昌龄不减曹、刘自得。陶翰慷慨，喜言边塞；储光羲真朴，善说田家。岑嘉州峭壁悬崖，峻不得上；元次山松风涧雪，凛不可留。李供奉襟情偶悦，集建安、六代之成；杜员外气韵沉雄，尽乐府古词之变。……其他一吟一咏，各自成家，不可枚举。於戏，其极天下之大观乎！

同上书七言凡例：唐七言古诗，整齐于高、岑、王、李，飘洒于太白，沉雄于少陵，崛强于昌黎，盖犹七雄之并峙也。前之王、杨、卢、骆，后之元、白、张、王，则宋、卫、中山之君也。韩翃、卢纶，王、李之附庸；昌谷、樊南，退之之属国也。惟李、杜，则昌黎而外，盖莫敢问津焉。

同上书五律凡例：太宗、明皇并工五言，以至尊为风雅倡。王勃、陈子昂、沈佺期、宋之问、张说、张九龄之徒，比肩接迹，莫不渊岳其心，麟凤其采，称圣代之元音焉。又："蓝田日暖，良玉生烟"，此最五言胜境也。王摩诘殆篇篇不愧此意。又：孟浩然、刘眘虚、常建三君子，臭味同源，并清庙之遗音，《广陵》之绝调也。襄阳名篇较广，遂与摩诘齐名。刘、常二君，零圭断璧，倍为可宝。又：开、宝诗人工为五言古者，无不工为五言律，各选所载，殆无一篇不佳。然古人亦惟作五古多，作五律少，此其所以能工也。又：太白五言律，如听钧天广乐，心开目明；如望海上仙山，云起水涌。又或通篇不着对偶，而兴趣天然，不可凑泊。常尉、孟山人时有之，太白尤臻其妙。不知者多篡入古诗，反减其美，今皆一一正之。又：孟襄阳伫兴而就，摩诘、太白亦多得于自然，嘉州间出奇峭，究非倚以全力。惟老杜苦学力思，久而大适，恢张变化，律切浑成。兹集所登，殆当前后各家之半，以学者取法，莫备于是也。

同上书七律凡例：七言律诗出于乐府，故以沈云卿《龙池》、《古意》冠篇。初唐之作，皆当以是求之。张燕公《舞马千秋万岁词》、崔司勋《雁门胡人歌》，尤显然乐府也。王摩诘"秦川一半夕阳开"，为乐府高调，见乐天集。又：崔颢《黄鹤楼》，直以古歌行入律。太白诸作，亦只以歌行视之。祖咏《蓟门》之作，调高气厚，为七言律正始之音，惜不多见。又：王右丞精深华妙，独出冠时；终唐之世，与少陵分席而坐者，一人而已。又：李东川摛词典则，结响和平，固当在摩诘之下，高、岑之上。又：高常侍律法稍疏，而弥见古意。岑嘉州始为沉著凝练，稍异于王、李，而将入杜矣。又：开、宝以前，如孙逖、王昌龄、卢象、张继、包何辈，皆不以七言律名，而流传一二篇，音节安和，情词高雅，迥非后来所可及，信乎时代为之也。元次山尤称与世聱牙，而《橘井》一章，又何其流逸乃尔！又：七言律诗，至杜工部而曲尽其变。盖昔人多以自在流行出之，作者独加以沉郁顿挫。其气盛，其言昌，格法、句法、字法、章法，无美不备，无奇不臻，横绝古今，莫能两大。

同上书五排凡例：陈子昂之《白帝》，杜审言之赠苏味道，沈佺期之《和韦舍人早朝》，宋之问之《晦日昆明池应制》，景龙以前之名篇也。又：张曲江、宋广平、张燕公、苏许公应制诸作，雄厉振拔，见一代君臣际会之盛。又：卢象《送綦毋潜》，祖咏《清明宴刘郎中别业》，潇洒脱俗，全是古诗兴趣，不独李太白"黄鹤西楼月"一篇也。又：王摩诘之春容，李青莲之洒落，岑嘉州之奇警，高达夫之沉著，长律中缺一不可。又：李、杜二公，古今劲敌，独七言律与五言长律，太白寥寥数篇而已，岂若少陵之"琼琚玉佩，大放厥词"哉！又：少陵长律，排比铺张之内，阴施阳设，变动若神。元微之素工此体，故能识其奥交。而李之逊杜，实在此处。又：杜工部有三体诗古今无两：七言古、七言律、五言长律也。

同上书五绝凡例：王勃绝句，若无可喜，而优柔不迫，有一唱三叹之音。又：读崔颢《长干曲》，宛如舣舟江上，听儿女子问答，此之谓天籁。又：专工五言小诗，自崔国辅始，篇篇有乐府遗意。又：王维妙悟，李白天才，即以五言绝句一体论之，亦古今之岱、华也。裴迪辋川唱和，不失为摩诘劲敌。又：王之涣"黄河远上"之外，五言如《送别》及《鹳雀楼》二篇，亦当人旗亭之画。又：王维"红豆生南国"，王之涣"杨柳东门树"，李白"天下伤心处"，皆直举胸臆。不假雕镂，祖帐离筵，听之惘惘，二十字移情固至此哉！

同上书七绝凡例：初唐七绝，味在酸咸之外。"人情已厌南中苦，鸿雁那从北地来"，"独怜京国人南窜，不似湘江水北流"，"即今河畔冰开日，正是长安花落时"，读之初似常语，久而自知其妙。又：摩诘、少伯、太白三家，鼎足而立，美不胜收。王之涣独以"黄河远上"一篇当之。彼不厌其多，此不愧其少，可谓拔戟自成一队。又：王、李之外，岑嘉州独推高步，惟去乐府意渐远。常建、贾至作虽不多，亦臻大雅。又：少陵绝句，《逢龟年》一首而外，皆不能工，正不必曲为之说。然质重之中，时得《铙吹》、《竹枝》之遗意，则亦诸家所无也。（《清诗话续编》本）

冒春荣《葚原诗说》卷四：窃谓古诗之要在格，律诗之要在调……调可默运于心，格不能不模范于古。唐人古诗，无有不从前代人者，子昂从阮入，王、孟、韦、柳从陶入，李颀、常建、王昌龄诸人从晋宋入，太白从齐梁入，独老杜从汉魏入，取法乎上，所以卓绝众家。（《清诗话续编》本）

方东树《昭昧詹言》卷一四：初唐章法句法皆备，惟声响色泽，犹带齐、梁。盛唐而后，厥有二派，演为七家。以此二派，登峰造极，几于既圣，后人无能出其区宇，故遂为宗。又：何为二派？一曰杜子美：如太史公文，以疏气为主，雄奇飞动，纵恣壮浪，凌跨古今，包举天地，此为极境。一曰王摩诘：如班孟坚文，以密字为主，庄严妙好，备三十二相，瑶房绛阙，仙官仪仗，非复尘间色相。李东川次辅之，谓之王、李。又：初、盛诸公及杜公，隶事用字，无一不典不确，细按无不精巧稳妙，所以衣被千古。

宋翔凤《裴晋公论昌黎文》：唐之初叶、王、杨、卢、骆四杰竞兴，然犹循徐、庾之遗则，振陈、隋之逸响，华美则有余，典重则不足。张说、苏颋，操笔朝廷，制作宏巨，可以消荡淫靡，黼黻隆平，唐之文章，斯为极盛。如杨炎、独孤及、权德舆、常衮之俦，皆足方轨齐足，同驰康庄。至于萧颖士、李华亦有奇思，而时多变声。

（《过庭录》卷一六）

厉志《白华山人说诗》卷一：汉、魏七古皆谐适条畅，至明远独为亢音亮节，其间又迥辟一途。唐王、杨、卢、骆犹承奉初轨，至李、杜天才豪迈，自出机杼，然往往取法明远，因此又变一格。李、杜外，高、岑、王、李亦擅盛名，惟右丞颇多弱调，常为后人所议。吾谓其尚有初唐风味，于声调似较近古耳。（《清诗话续编》本）

刘熙载《艺概》卷二：唐初四子沿陈、隋之旧，故虽才力迥绝，不免致人异议。陈射洪、张曲江独能超出一格，为李、杜开先。人文所肇，岂天韵使然耶？又：七古可命为古近二体：近体曰骈、曰谐、曰丽、曰绵，古体曰单、曰拗、曰瘦、曰劲。一尚风容，一尚筋骨。此齐梁、汉魏之分，即初、盛唐之所以别也。又：唐初七古，节次多而情韵婉，咏叹取之；盛唐七古，节次少而魄力雄，铺陈尚之。

谭献《唐诗录叙》：有唐取天下以武，定天下以文，高祖、太宗肯堂肯构，墍丹蠖，明皇是赖，盖旁魄而斧藻之，以有此三百年也。当是时，学以博闻为先，士以多文相尚，铺张排比之言，四声八病之制，因之而盛。又其列辟，多好文辞科举之立，惟用词赋，风行草偃，天下景从，文翰恂恂，通于六艺，盖斐然足以观矣。（《复堂炎集·文一》）

王闿运《湘绮楼说诗》卷一：三唐风尚，人工篇什，各思自见，故不复摹古。陈、隋靡习，太宗已以清丽振之矣。陈子昂、张九龄以公幹之体，自抒怀抱，李白所宗也。元结、苏涣加以排宕，斯五言之善者乎？刘希夷学梁简文，超艳绝伦，居然青出，王维继之以烟霞，唐诗之逸，遂成芳秀。张若虚《春江花月》，用《西洲》格调，孤篇横绝，竟为大家。李贺、商隐挹其鲜润，宋词、元诗盖其支流，宫体之巨澜也。杜甫歌行自称鲍、庾，加以时事，大作波澜，咫尺万里，非虚夸矣。五言惟《北征》学蔡女，足称雄杰。他盖平平，无异时贤。

同上书卷三：古之诗，今之会典奏议之类。今之诗歌，古之乐也。四言如琴，五言如笙箫，歌行七言如羌笛、琵琶，繁弦杂管，故太白以为靡。然人不能无哀乐，哀乐不能无偏激感宕。故自五言兴，而即有七言。而乐府琴曲希以赠答。至唐而大盛，凡四言五言所施，皆有以七言代之者，而体制殊焉。初唐犹沿六朝，多宫观闺情之作，未久而用以赠答送别，分题或拈一物一事为兴，篇末乃致其意。高、岑、王维诸篇，其式也。李白始为叙情长篇，杜甫亟称之，而更扩之，然犹不入议论。韩愈入议论矣，苦无才思，不足运动，又往往凑韵，取妍钓奇。其品益卑，骎骎乎苏、黄矣。元、白歌行全是弹词，微之颇能开合，乐天不如也。……李东川诗歌十数篇，实兼诸家之长，而无其短。参之以高、岑、王、李之泽，运之以杜、元之意，则几之矣。元次山又自一派，亦小而雅。

同上书卷四：唐人初不能为五言。杜子美无论矣，所称陈子昂、张子寿、李太白才，刘公幹之一体耳，何足尽五言之妙？故曰唐无五言。学五言者，汉、魏、晋、宋尽之。齐、梁至隋，别创律诗一派，即杜所云"庾、鲍、阴、何，清逸苦心"者也。杜五言律克尽其变，而华秀未若王维，则五律亦分两派矣。七言开合动荡，无所不有。始扩于鲍照、王筠诸人，直通元、白、卢仝、刘叉、温、李、皮、陆，而李东川兼有其妙。王、杨、卢、骆以齐、梁排偶法为七言，又一派也。例以五言，则四杰七言律，余皆七言古体乎？七律亦出于齐、梁，而变化转动反局促而不能骋。……七绝则上继皇古，下开词曲，王少伯足兼之，不必以时代限。

　　同上书卷七：唐、宋既兴，陈、张复起，融合苏、李，以为五言。李、杜继之，与王、孟竞爽。有唐名家乃有储、高、岑、韦、孟郊，诸作皆不失古法。（七言则）宋之问、刘希夷导其法门，王维、王昌龄、高、岑开其堂奥，李颀兼乎众妙，李、杜极其变态。（《湘绮楼诗文集》本）

　　王闿运《湘绮老人论诗册子》：唐之五言，始缘陈、隋，陈、张奋兴，始追魏、晋。大要以议论为宗旨，所谓出于《百一》者矣。李犹有词藻，杜乃纯露筋骨，故非正格。……歌行法备于唐，无美不臻，各极其诣。其大概可指者，四杰之铺排，张、刘之秀逸，宋之问之跌踢，王维之纡余，李白之驰骋，杜甫之生发……皆各有神力，能驱烟墨，使人神旺而无恬静之乐。（《湘绮楼诗文集》本）

第一章

隋文帝开皇十年至隋炀帝大业十三年（590—617）共28年

·引 言·

魏徵等《隋书》经籍志一：至宋大明中，始禁图谶……及（隋）高祖受禅，禁之逾切。炀帝即位，乃发使四出，搜天下书籍与谶纬相涉者，皆焚之，为吏所纠者至死。自是无复其学，秘府之内，亦多散亡。经籍志二：梁时，明《汉书》有刘显、韦棱，陈时有姚察，隋代有包恺、萧该，并为名家。《史记》传者甚微。又：陈时，顾野王抄撰众家之言，作《舆地志》。隋大业中，普诏天下诸郡，条其风俗物产地图，上于尚书。故隋代有《诸郡物产土俗记》一百五十一卷，《区宇图志》一百二十九卷，《诸州图经集》一百卷。其余记注甚众。经籍志四：迄于有隋，四海一统，采荆南之杞梓，收会稽之箭竹，辞人才士，总萃京师。属以高祖少文，炀帝多忌，当路执权，逮相挤压。于是握灵蛇之珠，韫荆山之玉，转死沟壑之内者，不可胜数，草泽怨刺，于是兴焉。又：后周承魏，崇奉道法，每帝受箓，如魏之旧，寻与佛法俱灭。开皇初又兴，高祖雅信佛法，于道士蔑如也。大业中，道士以术进者甚众。其所以讲经，由以《老子》为本，次讲《庄子》及《灵宝》、《升玄》之属。其余众经，或言传之神人，篇卷非一。又：开皇元年，高祖普诏天下，任听出家，仍令计口出钱，营造经像。而京师及并州、相州、洛州等诸大都邑之处，并官写一切经，置于寺内；而又别写，藏于秘阁。天下之人，从风而靡，竞相景慕，民间佛经，多于六经数十百倍。大业时，又令沙门智果，于东都内道场，撰诸经目，分别条贯，以佛所说经为三部：一曰大乘，二曰小乘，三曰杂经。其余似后人假托为之者，别为一部，谓之疑经。又有菩萨及诸深解奥义、赞明佛理者，名之为论，及戒律并有大、小及中三部之别。又所学者，录其当时行事，名之为记。凡十一种。今举其大数，列于此篇。

同上书儒林传序：自正朔不一，将三百年，师说纷纶，无所取正。高祖膺期纂历，平一寰宇，顿天网以掩之，贲旌帛以礼之，设好爵以縻之，于是四海九州强学待问之士靡不毕集焉。天子乃整万乘，率百僚，遵问道之仪，观释奠之礼。博士磬悬河之辩，侍中竭重席之奥，考正亡逸，研核异同，积滞群疑，涣然冰释。于是超擢奇隽，厚赏诸儒，京邑达乎四方，皆启黉校。齐、鲁、赵、魏，学者尤多，负笈追师，不远千里，讲诵之声，道路不绝。中州儒雅之盛，自汉、魏以来，一时而已。及高祖暮年，精华稍竭，不悦儒术，专尚刑名，执政之徒，咸非笃好。暨仁寿间，遂废天下之学，惟存国子一所，弟子七十二人。炀帝即位，复开庠序，国子郡县之学，盛于开皇之初。征辟儒生，远近毕至，使相与讲论得失于东都之下，纳言定其差次，一以闻奏焉。于时旧儒多已凋亡，二刘拔萃出类，学通南北，博极今古，后生钻仰，莫之能测。所制诸经义疏，搢绅咸师宗之。既而外事四夷，戎马不息，师徒怠散，盗贼群起，礼义不足以防君子，刑罚不足以威小人，空有建学之名，而无弘道之实。其风渐坠，以至灭亡，方领矩步之徒，亦多转死沟壑。凡有经籍，自此皆湮没于煨尘矣。

同上书文学传序：高祖初统万机，每念断雕为朴，发号施令，咸去浮华。然时俗词藻，犹多淫丽，故宪台执法，屡飞霜简。炀帝初习艺文，有非轻侧之论，暨乎即位，一变其风。其《与越公书》、《建东都诏》、《冬至受朝诗》及《拟饮马长城窟》，并存雅体，归于典制。虽意在骄淫，而词无浮荡，故当时缀文之士，遂得依而取正焉。……时之文人，见称当世，则范阳卢思道、安平李德林、河东薛道衡、赵郡李元操、巨鹿魏澹、会稽虞世基、河东柳䛒、高阳许善心等，或鹰扬河朔，或独步汉南，俱骋龙光，并驱云路，各有本传，论而叙之。其潘徽、万寿之徒，或学优而不切，或才高而无贵仕，其位可得而卑，其名不可堙没。今总之于此，为《文学传》云。文学传论：魏文有言"古今文人，类不护细行，鲜能以名节自立"，信矣！王胄、虞绰之辈，崔儦、孝逸之伦，或矜气负才，遗落世事，或学优命薄，调高位下，心郁抑而孤愤，志盘桓而不定，啸傲当世，脱略公卿。是知踬弛见遗，嫉邪忤物，不独汉阳赵壹、平原祢衡而已。故多离咎悔，鲜克有终。然其学涉稽古，文词辨丽，并邓林之一枝，崑山之片玉矣。有隋总一寰宇，得人为盛，秀异之贡，不过十数。正玄昆季三人预焉，华萼相耀，亦为难兄弟矣。

刘昫等《旧唐书》经籍志序：及隋氏建邦，寰区一统，炀皇好学，喜聚逸书，而隋世简编，最为博洽。及大业之季，丧失者多。

胡应麟《诗薮》内编卷二：五言盛于汉，畅于魏，衰于晋、宋，亡于齐、梁。汉，品之神也；魏，品之妙也；晋、宋，品之能也；齐、梁、陈、隋，品之杂也。汉人诗质中有文，文中有质，浑然天成，绝无痕迹，所以冠绝古今。魏人赡而不俳，华而不弱，然文与质离矣。晋与宋文盛而质衰，齐与梁文胜而质灭，陈、隋无论其质，即文无足论者。又：齐、梁、陈、隋，世所厌薄，而其琢句之工绝出人表，用于古诗不足，唐律有余。初学暂置可也，若终身不敢过目，即品格造诣，概可知矣。

同上书内篇卷三：六朝歌行可入初唐者，卢思道《从军行》、薛道衡《豫章行》，音响格调，咸自停匀，体气丰神，尤为焕发。

同上书内编卷四：齐、梁、陈、隋句，有绝是唐律者……炀帝"翠霞迎凤辇，碧雾翼龙舆"、"流波将月去，潮水带星回"、卢思道"晚霞浮极浦，落星照长亭"、薛道衡"少昊腾金气，文昌动将星"、"暗牖悬蛛网，空梁落燕泥"、王胄"千门含日丽，万雉映霞丹"、李巨仁"云开金阙回，雾起石梁遥"……皆端严华妙。精工者，启垂拱之门；雄大者，树开元之帜。又：薛道衡《昔昔盐》等篇，大是唐人排律，时有失粘耳。孔德绍《洪水》一章，则字句无不合矣。

同上书内篇卷六：庾子山《代人伤往》三首，近绝体而调殊不谐，语亦未畅。惟隋末无名氏"杨柳青青著地垂，杨花漫漫搅天飞。柳条折尽花飞尽，借问行人归不归?"至此七言绝句音律,始字字谐合,其语亦甚有唐味。右丞"春草年年绿,王孙归不归"祖之。

同上书外编卷五:古体至陈,本质亡矣。隋之才不若陈之丽,而稍知尚质,故隋末诸臣,即为唐风正始。

同上书杂编卷三:举六代、江左之音,率《子夜》、《前溪》之类,了无一语丈夫风骨,恶能衡抗北人?陵夷至陈,卒并隋世。隋文稍知尚质,而取不以道,故炀复为《春江》、《玉树》等曲。盖至是南风渐渍于北,而六代淫靡之音极矣。于是唐文挺出,一扫而汛空之,而三百年之诗,遂骎骎上埒汉、魏。

许学夷《诗源辩体》卷一一:卢思道、李德林、薛道衡五言,声尽入律,而卢则绮靡者尚多。薛《转韵》诸篇,本于刘孝绰,至《出塞》二篇,则已近初唐矣。又云:乐府七言,思道《从军行》、道衡《豫章行》,皆已近初唐。

吴乔《围炉诗话》卷二引冯班语:齐、梁以来,南北文章颇为不同。北多骨气,而文不及南。邺下才人,卢思道、薛道衡皆有盛誉。自隋炀有非倾侧之论,徐、庾之文少变,于时文多雅正。薛道衡气格清拔,与杨素酬唱之作,义山极道之。唐初文字,兼学南北,以人言之,道衡亦不可缺。(《清诗话续编》本)

陈祚明《采菽堂古诗选》卷三五:选诗至陈、隋,固从来所称,排丽比诸桧,后无讥者。不意殊多清切之响,杨素既已超超,子行又复高诣。耳食之论,固不足凭也。

王士禛《古诗选》五言诗凡例:隋混一南北炀帝之才,实高群下,《长城》、《白马》二篇,殊不类陈、隋间人。杨处道沉雄华赡,风骨甚遒,已辟唐人陈、杜、沈、宋之轨,余子莫及。(《古诗笺》本)

四库提要卷一八九:《隋文纪》八卷,明梅鼎祚编。隋氏混一南北,凡齐、周之故老,梁、陈之旧臣,咸荟粹一朝,成文章之总汇。而人沿旧习,风尚各殊。故著作之林,不名一格。四十余载,竟不能自为体裁。又世传小说,唐代为多,而仁寿、大业,去唐最近,遗篇琐语,真赝相参,不能无所附会。故鼎祚所录,此集又最糅杂。其中如《隋遗录》、《开河记》、《迷楼记》、《海山记》、《大业拾遗记》皆出依托,而王度《古镜记》尤为迂怪不经。

鲁九皋《诗学源流考》:迨隋一南北,炀帝以鹰鸷之才,与群臣唱和;而越公杨素尤为挺出,薛内史虽负盛名,非其伦也。盖自谢氏游山,体尚排偶,词工雕绘,虽在彼为之,弥见古朴,而由此日趋日下,性情愈隐,至陈极矣。迄于隋,其复古之一机乎?(《清诗话续编》本)

王寿昌《小清华园诗谈》卷下:古人名句,如……炀帝之"山虚弓响彻,地迥角声长",杨越公之"风起洞庭险,烟生云梦深",薛道衡之"遥原树若荠,远水舟如叶","人归落雁后,思发在花前",孔绍安之"坠叶还相覆,落羽更为群",明余庆之"剑花寒不落,弓月晓逾明"等句,皆高华名贵,可诵可法者。(《清诗话续编》本)

丁仪《诗学渊源》卷八:(杨)素文名不显,诗流传者少,然《赠薛道衡诗》十四首于陈、隋之际足称古雅,《出塞》诸作亦与道衡同工。当时又有孙万寿、王胄、虞绰、孔德绍等诗,并脱略宫体,渐寻古意,虽面目仍袭排偶,而体格声调转居齐、梁之上,未始非陈子昂、张九龄之先河也。

公元590年 （隋文帝开皇十年 庚戌）

正月

徐德言与其妻乐昌公主破镜重圆，二人各有诗作。孟棨《本事诗》："陈太子舍人徐德言之妻，后主叔宝之妹，封乐昌公主，才色冠绝。时陈政方乱，德言知不相保，谓其妻曰：'以君之才容，国亡必入权豪之家，斯永绝矣。倘情缘未断，犹冀相见，宜有以信之。'乃破一镜，人执其半，约曰：'他日必以正月望日卖于都市，我当在，即以是日访之。'及陈亡，其妻果入越公杨素之家，宠嬖殊厚。德言流离辛苦，仅能至京，遂以正月望日访于都市。有苍头卖半镜者，大高其价，人皆笑之。德言直引至其居，设食，具言其故，出半镜以合之，仍题诗曰：……陈氏得诗，涕泣不食。素知之，怆然改容，即招德言，还其妻，仍厚遗之。闻者无不感叹。仍与德言、陈氏偕饮，令陈氏为诗，曰：……遂与德言归江南，竟以终老。"又见《太平御览》卷三〇、《锦绣万花谷》后集卷一五引《古今诗话》等。按陈亡于上年正月，徐德言与妻团聚事当在本年。又此事或疑非真，见曹道衡、沈玉成《中古文学史料丛考》（以下简称曹、沈《丛考》）卷五"乐昌公主破镜事志疑"条。

二月

文帝幸并州，宴秦孝王等，有诗作。《隋书》高祖纪下："二月庚申，幸并州。"同书五行志上："开皇十年，高祖幸并州，宴秦孝王及王子相。帝为四言诗曰：……"

七月

杨素为内史令。见《隋书》高祖纪下。

秋

江总在长安，与薛道衡、元行恭游昆明池，各有诗作。江总、薛道衡、元行恭并有《秋日游昆明池诗》（江诗见《先秦汉魏晋南北朝诗·陈诗》卷八，薛诗见《隋诗》卷四，元诗见《隋诗》卷二；以下所引江总诗均据《陈诗》，所引隋人诗均据《隋诗》，不复另注），作于长安，时当在开皇九至十一年间，姑系于此。参见曹、沈《丛考》卷四"《秋日游昆明池》诗及江总南归"条。

十月

达摩笈多被延至京师，奉敕译经。《续高僧传》卷二达摩笈多传："寻蒙帝旨，延如京城，处之名寺，供给丰沃。即开皇十年冬十月也。至止未淹，华言略悉。又奉别敕令就翻经，移住兴善，执本对译。"

十一月

隋文帝幸国学。见《隋书》高祖纪下。

本年

魏澹（526？—590？）卒，年六十五。《隋书》本传："澹所著《魏书》……上览而善之。未几，卒，时年六十五。有文集三十卷行于世。"《魏书》撰成约在上年，此云未几而卒，姑系于此。详见曹、沈《丛考》卷五"魏澹《魏书》成书年代及其卒年"条。《隋书》经籍志三："《诸书要略》一卷，魏彦深撰。"经籍志四："著作郎《魏彦深集》三卷。"《隋书》明克让、魏澹等传后论："明克让、魏澹等，或博学洽闻，词藻赡逸，既称燕、赵之后，实曰东南之美。所在见宝，咸取禄位，虽无往非命，盖亦道有存焉。澹之《魏书》，时称简正，条例详密，足传于后。"

李德林以取高阿那肱市店事为隋文帝所恶，未几，又以奏议律令停废事忤旨，出为湖州刺史，转怀州刺史。见《隋书》本传、《通鉴》卷一七七。

徐孝克被召讲《金刚般若经》，后转国子博士、东宫侍讲。《陈书》本传："开皇十年，长安疾疫，隋文帝闻其名行，召令于尚书都堂讲《金刚般若经》。寻授国子博士。后侍东宫讲《礼传》。"

王绩（590？—644）生。王绩，字无功，绛州龙门人，文中子王通弟。隋大业中，应孝悌廉洁举，授秘书正字。不乐在朝，求为六合丞。嗜酒不任事，寻还乡里。唐武德中，以前官待诏门下省。贞观中为太乐丞，复弃官，归东皋著书，号"东皋子"。有《王无功文集》五卷。据《旧唐书》隐逸本传、吕才《王无功文集序》等。

公元 591 年 （隋文帝开皇十一年 辛亥）

秋

虞世基在长安，有诗赠王眘。虞世基有《秋日赠王中舍诗》。王中舍当谓王眘。《隋书》文学王胄传："胄兄眘，字元恭，博学多通。……仕陈，历太子洗马、中舍人。陈亡，与胄俱为学士。"诗当作于本年秋，时王眘随晋王杨广在江都。参见曹、沈《丛考》卷五"虞世基《秋日赠王中舍诗》"条。

十一月

晋王杨广为总管扬州，从智颙受菩萨戒。《续高僧传》卷一七智颙传："会大业在藩，任总淮海。承风佩德，钦注相仍，欲遵一戒法，奉以为师。……晋王方希静戒，妙愿唯谘，故躬制请戒文云：'弟子基承积善，生在皇家……今开皇十一年十一月二十三日，于扬州总管金城设千僧会，敬屈受菩萨戒。……'云云。"

冬

颜之仪(523—591)**卒,年六十九**。《周书》本传:"(开皇)十一年冬,卒,年六十九。有文集十卷行于世。"

本年

诏灵裕赴长安阐扬佛法。《续高僧传》卷九灵裕传:"开皇十年,在洺州灵通寺。……至于明年,文帝崇仰释门,远讯髦彦……因下诏曰:'敬问相州大慈寺灵裕法师,朕遵崇三宝,归向情深。恒愿阐扬大乘,护持正法。法师梵行精淳,理义渊远,弘通圣教,开导聋瞽。道俗钦仰,思作福田。京师天下具瞻,四方辐凑。故远召法师,共营功业。宜知朕意,早入京也。'……乃步入长安,不乘官乘。时年七十有四。敕遣劳待令住兴善。"

陆爽(539—591)**卒,年五十三**。《隋书》本传:"高祖受禅,转太子直内监,寻迁太子洗马。与左庶子宇文恺等撰《东宫典记》七十卷。朝廷以其博学,有口辩,陈人至境,常令迎劳。开皇十一年,卒官,时年五十三,赠上仪同、宣州刺史,赐帛百匹。"

辛彦之(?—591)**卒**。《隋书》儒林本传:"开皇十一年……彦之闻而不悦。其年卒官。谥曰宣。彦之撰《坟典》一部,《六官》一部,《祝文》一部,《礼要》一部,《新礼》一部,《五经异义》一部,并行于世。"

颜之推撰《颜氏家训》成。颜之推《颜氏家训·序致》:"夫圣贤之书,教人诚孝,慎言检迹,立身扬名,亦已备矣。魏、晋已来,所著诸子,理重事复,递相模敩,犹屋下架屋,床上施床耳。吾今所以复为此者,非敢轨物范世也,业以整齐门内,提撕子孙。……吾家风教,素为整密。昔在龆龀,便蒙诱诲……年始九岁,便丁荼蓼,家涂离散,百口索然。慈兄鞠养,苦辛备至;有仁无威,导示不切。虽读《礼传》,微爱属文,颇为凡人之所陶染,肆欲轻言,不修边幅。年十八九,少知砥砺,习若自然,卒难洗荡。二十已后,大过稀焉;每常心共口敌,性与情竞,夜觉晓非,今悔昨失,自怜无教,以至于斯。追思平昔之指,铭肌镂骨,非徒古书之诫,经目过耳也。故留此二十篇,以为汝曹后车耳。"据曹、沈《丛考》卷五"颜之推卒年及《颜氏家训》成书年代"条所考,《家训》当撰成于开皇十、十一年间,今从其说,姑系于此。宋本《颜氏家训》序:"北齐黄门侍郎颜之推,学优才赡,山高海深。常雌黄朝廷,品藻人物,为书七卷,式范千叶,号曰《颜氏家训》。虽非子史同波,抑是王言盖代。其中破疑遣惑,在《广雅》之右;镜贤烛愚,出《世说》之左。唯较量佛事一篇,穷理尽性也。"(《颜氏家训集解》附录)宋本沈揆跋:"颜黄门学殊精博。此书虽辞质义直,然皆本之孝弟,推以事君上,处朋友乡党之间,其归要不悖《六经》,而旁贯百氏。至辩析援证,咸有根据;自当启悟来世,不但可训思鲁、愍楚辈而已。"(同上)宋吕祖谦《吕东莱先生遗集》卷二〇《杂说》:"《颜氏家训》虽曰平易,然出于胸臆,故虽浅近,而其言有味,出于胸臆者,语意自别。"(同上)明万历甲戌颜嗣慎刻本于慎行《颜氏家训后叙》:"余观鲁颜氏世谍记,自复圣之先,有爵邑于国者,固十数世矣。迨

6

素王作，及门之徒，颜氏八人焉，斯已盛矣。其后历晋、宋、隋、唐千余年，名人硕士，垂声实载籍者，固不可胜数；北齐颜之推，其著者也。……侍郎博雅闳达，为六朝人望，所著书甚众，其逸或不传，顾独有《家训》二十篇。……夫其言阃以内，原本忠义，章叙内则，是敦伦之矩也；其上下今古，综罗文艺，类辨而不华，是博物之规也；其论涉世大指，曲而不诎，廉而不刿，有《大易》、《老子》之道焉，是保身之诠也；其撮南北风土，俊俗具陈，是考世之资也。统之，有关于世教，其粹者考诸圣人不缪，儒先之慕用其言，岂虚哉？然予尝窃怪侍郎，当其时，大江以南，踵晋、宋遗风，学士大夫，操盈尺之简，日夜雕画其中，穷极绮丽，即有谈说先王，则裂眦扼腕，塞耳而不愿闻。江以北，故胡也，民控弦椎髻，王公大人，拥毡裘饮酪者居什五；即士流名裔，且将裂冠而从之。此何时也！侍郎故游江南，已又栖迟关、洛之间，乃能不没溺于俗，而秉礼树风，以准绳矩矱，修之于家，不陨先世之声问，岂不超然风气之外者哉？然余窃又以悲其不遇焉。以彼其材，毋论得游圣人之门，藉令遭统一之主，深谋朝廷，矩范当世，即汉世诸儒，何多让焉。然而播越戎马，羁旅秦、吴，朝绾一绂，夕更一绶，其志何悲也！……昔虞卿去赵，困于梁，不得意，乃著书以自见。故虞卿非羁旅，其言不传。侍郎倘亦其指与？抑以察察之迹，而浮游世之汶汶，固将有三闾大夫之愤而莫之宣耶！恨不见其全书，使其志泯没而不章，窃又以悲其不传也。侍郎子若孙，则思鲁、师古，并以文雅著名；其后真卿、杲卿兄弟，大节皎皎如日星，至今在人耳，斯又圣贤之泽也。然谓非垂训之力，乌呼可哉？”（同上）黄叔琳《颜氏家训节钞序》：“人之爱其子孙也，何所不至哉！爱之深，故虑焉而周；虑之周，故语焉而详。详于口者，听过而忘，又不如详于书者，足以垂世而行远，此《家训》所为作也。然历观古人诏其后嗣之语，往往未满人意。叔夜《家诫》，骯髒逢时，已绝巨源交，而又幸其子之不孤；渊明《责子》，付之天理，但以杯中物遣之；王僧虔虑其子不晓言家口食；徐勉屑屑以田园为念；杜子美云‘诗是吾家事’，‘熟精《文选》理’，其末已甚；即卓荦如韩退之，亦惟以公相潭府之荣盛，利诱其子，而未及于道义。彼数贤者，岂虑之不周，语之不详哉？识有所不足，而爱有所偏徇故也。余观《颜氏家训》廿篇，可谓度越数贤者矣。其谊正，其意备。其为言也，近而不俚，切而不激。自比于傅婢寡妻，而心苦言甘，足令顽秀并遵，贤愚共晓。宜其孙曾数传，节义文章，武功吏治，绳绳继起，而无负斯训也。惟《归心》篇阐扬佛乘，流入异端；《书证》篇、《音辞》篇，义琐文繁，有资小学，无关大体；他若古今风习不同，在当日言之，则切近于事情，由今日视之，为闲谈而无当。不揣谫陋，重加决择，薙其冗杂，掇其菁英，布之家塾，用启童蒙。”（同上）四库提要卷一一七：“《颜氏家训》二卷。旧本题北齐黄门侍郎颜之推撰。……陈振孙《书录解题》云：‘古今家训，以此为祖。’然李翱所称《太公家教》虽属伪书，至杜预《家诫》之类，则在前久矣。特之推所撰，卷帙较多耳。晁公武《读书志》云：‘之推本梁人，所著凡二十篇，述立身治家之法，辨正时俗之谬，以训子孙。’今观其书，大抵于世故人情深明利害，而能文之以经训。故《唐志》、《宋志》俱列之儒家。然其中《归心》等篇，深明‘因果’，不出当时好佛之习。又兼论字画音训，并考正典故，品第文艺，曼衍旁涉，不专为一家之言。今特退之‘杂家’，从其类焉。又是书《隋志》不著录，《唐志》、《宋志》俱作七卷。今本止二卷。……然其文既无异同，则卷帙分合亦为细故。"

　　真观作《愁赋》。《续高僧传》卷三一真观传："开皇十一年，江南叛反，王师临吊，乃拒官军。羽檄竞驰，兵声逾盛。时元帅杨素整阵南驱，寻便瓦散。俘虏诛翦三十余万。以观名声昌盛，光扬江表，谓其造檄，不问将诛。既被严系，无由伸雪。金陵才士鲍亨、谢瑀之徒，并被拥略，将欲斩决。来过素前，责曰：'道人当坐禅读经，何因妄忤军甲，乃作檄书。罪当死不？'观曰：'道人所学诚如公言，然观不作檄书。无辜受死。'素大怒，将檄文以示：'是你作不？'观读曰：'斯文浅陋，未能动人。观实不作。若作过此。'乃指摘五三处曰：'如此语言何得上纸？'素既解文，信其言也。……素曰：'多时被絷，颇解愁不？'索纸与之，令作《愁赋》。观揽笔如流，须臾纸尽。命且将来，更与一纸。素随执读，惊异其文，口唱师来。不觉起接，即命对坐，乃尽其词。故赋略云：……"

公元 592 年 　（隋文帝开皇十二年　壬子）

六月

　　二十四日，慧远卒，年七十，薛道衡制碑文，虞世基书写，丁氏镌刻，时号三绝。《中华大藏经》本《续高僧传》卷八惠远传："开皇十二年春，下敕令知翻译，刊之辞义。其年卒于净影寺，春秋七十矣。冕旒哀感，为之罢朝。帝吁嗟曰：'国失二宝也！'时远与李德林同月而丧，故动帝心。……即开皇十二年六月二十四日矣，俗年七十，僧腊五十。……两寺勒碑，薛道衡制文，虞世基书，丁氏镌之，时号为'三绝'。"

　　李德林（531—591）**卒，年六十一**。《隋书》本传："转怀州刺史。……岁余，卒官，时年六十一。……所撰文集，勒成八十卷，遭乱亡失，见五十卷行于世。敕撰《齐史》未成。"德林卒当在本月，参见上条。《隋书》经籍志四："怀州刺史《李德林集》十卷。"同书李德林传传论："德林幼有操尚，学富才优，誉重邺中，声飞关右。王基缔构，协赞谋猷，羽檄交驰，丝纶间发，文诰之美，时无与二。"张溥《汉魏六朝百三家集》李怀州集题辞："北方大臣享重名无德操者，余最薄杨尊彦、李公辅。……公辅在齐，结知帝王，机密文雅，礼均师友，逮臣周室，宠绝僚右。及宣帝大渐，又托身隋公，愿以死奉。……反颜事仇，何如鼠也。杨坚欲族灭宇文，公辅深执不可，一言忤意，终身疏外，物论原之。然身既佐篡，大业已成，仅欲保全陈留、山阳，少盖操、懿之恶，吁嗟已晚。荀文若饮药寿春，世尚让其失节，况隋初李内史哉。公辅高名，少著邺京，南北文士如魏常侍、江令君皆称之，河朔英灵，史云无二，究其羽檄丝纶，皆谀笔耳！服官慕孔光之秘温树，修文学潘勖之册魏王，虽理核词畅，亦奚取焉。"

七月

　　薛道衡在吏部侍郎任，为何妥所告，配防岭表；后征还，直内史省。《隋书》薛道衡传："还除吏部侍郎。后坐抽擢人物，有言其党苏威，任人有故者，除名，配防岭表。晋王广时在扬州，阴令人讽道衡，从扬州路，将奏留之。道衡不乐王府，用汉王谅之计，遂出江陵道而去。寻有诏征还，直内史省。晋王由是衔之，然爱其才，犹颇见礼。"同书卢恺传："岁余，拜礼部尚书，摄吏部尚书事。会国子博士何妥与右仆射苏威不平，奏威阴事。恺坐与相连……于是除名为百姓。未几，卒于家。自周氏以降，选无清浊，及恺摄吏部，与薛道衡等甄别士流，故涉党固之谮，遂及于此。"又见苏威传、儒林何妥传。高祖纪下："秋七月乙巳，尚书右仆射、邳国公苏威，礼部尚书、容城县侯卢恺，并坐事除名。"薛道衡得罪即在此时。

苏夔著《乐志》十五篇。《隋书》苏威附苏夔传："后与沛国公郑译、国子博士何妥议乐，因而得罪，议寝不行。著《乐志》十五篇，以见其志。"按苏夔撰《乐志》当在本年或稍后，姑附于此。

九月

江总自长安归至扬州，有诗作。江总有《于长安归还扬州九月九日行薇山亭赋韵》诗。按江总后年卒于江都，见后，其自长安归扬州约在本年。

十二月

乙酉，以上柱国、内史令杨素为尚书右仆射。见《隋书》高祖纪下。

本年

颜之推撰《冤魂志》成。《隋书》经籍志二："《冤魂志》三卷颜之推撰。"李剑国《唐前志怪小说史》（修订本）第七章据《颜氏家训·归心篇》谓好杀报验事"其数甚多，不能悉录尔，且示数条于末"之语，推论云："似作《家训》时尚未撰作本书（按指《冤魂志》）。……则本书更晚于《家训》。"今从其说，姑系于此。四库提要卷一四二："《还冤志》三卷，隋颜之推撰。……自梁武以后，佛教弥昌，士大夫率皈礼能仁，盛谈因果。之推《家训》有《归心篇》，于罪福尤为笃信。故此书所述，皆释家报应之说。然齐有彭生，晋有申生，郑有伯有，卫有浑良夫，其事并载《春秋传》；赵氏之大厉，赵王如意之苍犬，以及魏其、武安之事，亦未尝不载于正史。强魂毅魄，凭厉气而为变，理固有之，尚非天堂地狱，幻杳不可稽者比也。其文词亦颇古雅，殊异小说之冗滥，存为鉴戒，固亦无害于义矣。陈继儒尝刻入《秘笈》中，刊削不完，仅存一卷。此本乃何镗《汉魏丛书》所刻；犹为原帙，今据以著录焉。"按四库提要著录颜氏此书作《还冤志》，题名误，详见余嘉锡《四库提要辨证》。又据罗国威《〈冤魂志〉校注》附录《四库全书本〈冤魂志〉提要献疑》考证，四库本《冤魂志》实只一卷，正是录自陈继儒《宝颜堂秘笈》之一卷本，而非提要所云之何镗《汉魏丛书》三卷本，三卷本今已不可得见。

许敬宗（592—672）生。许敬宗字延族，杭州新城人，许善心子。隋时举秀才，授淮阳郡司法书佐。入唐，为著作郎，兼修国史，迁中书舍人。寻贬洪州都督府司马，累转给事中。以修史功，封高阳县男。迁太子右庶子。高宗即位，擢礼部尚书。历侍中、中书令、右相，卒。有《许敬宗文集》八十卷。据《旧唐书》本传。

薛收（592—624）生。薛收字伯褒，蒲州汾阴人，薛道衡子。隋大业末，郡举秀才，固辞不应。入唐，为秦府主簿、天策府记室参军，封汾阴县男。武德六年，以本官兼文学馆学士。次年病卒。有《薛收集》十卷。据《旧唐书》本传。

公元 593 年 （隋文帝开皇十三年　癸丑）

二月

戊子，隋文帝下制禁止私家隐藏纬候图谶。见《隋书》高祖纪下。

春

江总在江南故里，有诗作。江总《南还寻草市宅诗》："乘春行故里，徐步采芳荪。"约作于本年春。

五月

·癸亥，诏人间有撰集国史、臧否人物者，皆令禁绝。见《隋书》高祖纪下。

本年

何妥（524？—593？）**卒，年约七十。**《隋书》儒林何妥传："妥复上封事……于是苏威及吏部尚书卢恺、侍郎薛道衡等皆坐得罪。除伊州刺史，不行，寻为国子祭酒。卒官。谥曰肃。撰《周易讲疏》十三卷，《孝经义疏》三卷，《庄子义疏》四卷，及与沈重等撰《三十六科鬼神感应等大义》九卷，《封禅书》一卷，《乐要》一卷，文集十卷，并行于世。"何妥卒官约在本年，参曹、沈《丛考》卷五"何妥生卒年及《隋书·何妥传衍文》"条。《隋书》经籍经籍志四："国子祭酒《何妥集》十卷。"何妥又有《周易讲疏》十三卷、《乐要》一卷、《五经大义》五卷、《象经》一卷，亦皆为《隋志》所著录。

公元 594 年 （隋文帝开皇十四年　甲寅）

四月

诏行新定之正声雅乐。《隋书》音乐志下："十四年三月，乐定。秘书监、奇章县公牛弘，秘书丞、北绛郡公姚察，通直散骑常侍、虞部侍郎许善心，兼内史舍人虞世基，仪同三司、东宫学士饶阳伯、刘臻等奏曰：'……遂古帝王，经邦驭物，揖让而临天下者，礼乐之谓也。秦焚经典，乐书亡缺，爰至汉兴，始加鸠采，祖述增广，缉成朝宪。魏、晋相承，更加论讨，沿革之宜，备于故实。永嘉之后，九服崩离，燕、石、苻、姚，递居华土。……前言往式，于斯而尽。金陵建社，朝士南奔，帝则皇规，粲然更备，与内原隔绝，三百年于兹矣。伏惟明圣膺期，会昌在运。今南征所获梁、陈乐人，及晋、宋旗章，宛然俱至。曩代所不服者，今悉服之，前朝所未得者，今悉得之。化洽功成，于是乎在。臣等伏奉明诏，详定雅乐，博访知音，旁求儒彦，研校是非，定其去就，取为一代正乐，具在本司。'于是并撰歌辞三十首，诏并令施用，见行者皆停之。"同书高祖纪下："十四年夏四月乙丑，诏曰：'在昔圣人，作乐崇德，移风易俗，于斯为大。自晋氏播迁，兵戈不息，雅乐流散，年代已多，四方未一，无由辨正。……比命所司，总令研究，正乐雅声，详考已讫，宜即施用，见行者停。人间音乐，流僻日久，弃其旧体，竞造繁声，浮宕不归，遂以成俗。宜加禁约，务存其本。'"

许善心、孔德绍于太常寺观新乐，各有诗作。许善心有《于太常寺听陈国蔡子元所校正声乐诗》，孔德绍有《观太常奏新乐诗》，卞斌有《和孔侍郎观太常新奏乐诗》，并当作于本年新乐初定后，并系于此。参曹、沈《丛考》卷五"《和孔侍郎观太常新奏乐诗》作者"条。

七月

法经等撰成《众经目录》卷七卷。《众经目录》卷七："去五月十日，太常卿牛弘奉敕须撰《众经目录》，经等谨即修撰，总计众经合有二千二百五十七部，五千三百一十卷，凡为七卷，别录六卷，总录一卷。……开皇十四年七月十四日，大兴善寺翻经众沙门经等。"《法苑珠林》卷一〇〇："《众经目录集》七卷。右隋朝开皇十四年，大兴善寺沙门释法经等二十大德奉敕撰。扬化寺沙门明穆、日严寺沙门彦琮区域条分，觇缕缉维。"参见《大唐内典录》卷五。

闰十月

陈叔宝从文帝登邙山，侍宴赋诗。《通鉴》卷一七八："陈叔宝从帝登邙山，侍饮，赋诗曰：'日月光天德，山河壮帝居；太平无以报，愿上东封书。'并表请封禅。帝优诏答之。他日，复侍宴，及出，帝目之曰：'此败岂不由酒！以作诗之功，何如思安时事！……'"

本年

牛弘等受诏创定封禅仪注。《隋书》礼仪志二："开皇十四年，群臣请封禅。高祖不纳。晋王广又率百官抗表固请，帝命有司草《仪注》。于是牛弘、辛彦之、许善心、姚察、虞世基等创定其礼，奏之。"

江总（519—594）卒于江都，年七十六，卒前尝撰《自叙》。《陈书》本传："开皇十四年，卒于江都，时年七十六。总尝自叙其略曰：……总之自叙，时人谓之实录。总笃行义，宽和温裕。好学，能属文，于五言七言尤善；然伤于浮艳，故为后主所爱幸。多有侧篇，好事者相传讽玩，于今不绝。……有文集三十卷，并行于世焉。"《隋书》经籍志四："开府《江总集》三十卷。"又："《江总后集》二卷。"《新唐书》艺文志四："《江总集》二十卷。"

11

明克让（525—594）卒，年七十。《隋书》本传："开皇十四年，以疾去官，加通直散骑常侍。卒，年七十。……著《孝经义疏》一部，《古今帝代记》一卷，《文类》四卷，《续名僧记》一卷，集二十卷。"

颜之推（531—594?）卒。《北齐书》文苑颜之推传："隋开皇中，太子召为学士，甚见礼重。寻以疾终。有文集三十卷，撰《家训》二十篇，并行于世。"之推卒约在本年，参见曹、沈《丛考》卷五"颜之推卒年及《颜氏家训》成书年代。"《隋书》经籍志二："《集灵记》二十卷，颜之推撰。"《法苑珠林》卷一〇〇："《承天达性论》、《冤魂志》一卷、《诫杀训》一卷。右三部，齐光禄大夫颜之推撰。"《直斋书录解题》卷一六："《稽圣赋》三卷。北齐黄门侍郎琅邪颜之推撰。其孙师古注。盖拟《天问》而作。《中兴书目》称李淳风注。"

公元595 （隋文帝开皇十五年 乙卯）

本年

彦琮等奉敕撰《众经法式》。《续高僧传》卷二达摩笈多传："至开皇十五年，文皇下敕令翻经诸僧撰《众经法式》，时有沙门彦琮等准的前录，结而成之，一部十卷，奏成入内。"

杜正玄举秀才，杨素使拟《上林赋》等《文选》名篇，文成，素大嗟赏之。《北史》杜铨附杜正玄传："隋开皇十五年，举秀才，试策高第。曹司以策过左仆射杨素，怒曰：'周孔更生，尚不得为秀才，刺史何忽妄举此人？可附下考。'……素志在试退正玄，乃手题使拟司马相如《上林赋》、王褒《圣主得贤臣颂》、班固《燕然山铭》、张载《剑阁铭》、《白鹦鹉赋》……正玄及时并了。素读数遍，大惊曰：'诚好秀才。'命曹司奏录。"《隋书》文学杜正玄传："杜正玄字慎徽……世以文学相授。正玄尤聪敏，博涉多通。兄弟数人，俱未弱冠，并以文章才辩籍甚三河之间。开皇末，举秀才，尚书试方略，正玄应对如响，下笔成章。仆射杨素负才傲物，正玄抗辞酬对，无所屈挠，素甚不悦。久之，会林邑献白鹦鹉，素促召正玄，使者相望。及至，即令作赋。正玄仓卒之际，援笔立成。素见文不加点，始异之。因令更拟诸杂文笔十余条，又皆立成，而辞理华赡，素乃叹曰：'此真秀才，吾不及也！'"同书南蛮林邑传："高祖既平陈，乃遣使献方物，其后朝贡遂绝。……仁寿末……于是朝贡不绝。"按据《隋书》所载，杜正玄赋白鹦鹉及试诸杂当在仁寿末，与《北史》异，此姑从《北史》。

房玄龄举进士，授羽骑尉。《旧唐书》本传："年十八，本州举进士，授羽骑尉。"按房玄龄生于北周宣政元年（578），本年年十八。

岑文本（595—645）生。岑文本，字景仁，南阳棘阳人，迁居江陵。隋末举秀才，以时乱不应。入唐，署行台考功郎中。太宗贞观初，除秘书郎。擢中书舍人，进中书侍郎，专典机密。预撰《周书》，封江陵县子。拜中书令，从太宗征辽，道病卒。有《岑文本集》六十卷。据《旧唐书》本传。

公元 596 年　（隋文帝开皇十六年　丙辰）

六月

甲午，制工商不得进仕。见《隋书》高祖纪下。

本年

许善心作《神雀颂》，为隋文帝所称赏。《隋书》本传："十六年，有神雀降于含章闼，高祖召百官赐燕，告以此瑞。善心于座请纸笔，制《神雀颂》，其词曰：……颂成，奏之，高祖甚悦，曰：'我见神雀，共皇后观之。今旦召公等入，适述此事，善心于座始知，即能成颂。文不加点，笔不停豪，常闻此言，今见其事。'因赐物二百段。"

杜正玄再应吏部试，授晋王府参军。《北史》杜铨附杜正玄传："隋开皇十五年，举秀才，试策高第。……属吏部选期已过，注色令还。期年重集……又试《官人有奇器》（阙）并立成，文不加点。（杨）素大嗟之，命吏部优叙。……晋王广方镇扬州，妙选府僚，乃以正玄为晋王府参军。"

杜正藏应秀才举及第，授纯州行参军。《北史》杜铨附杜正藏传："正玄弟正藏，字为善，亦好学，善属文。开皇十六年，举秀才。时苏威监选，试拟贾谊《过秦论》及《尚书·汤誓》、《匠人箴》、《连理枝赋》、《几赋》、《弓铭》，应时并就，又无点窜。……授纯州行参军。"《隋书》文学杜正玄附杜正藏传："正藏字为善，尤好学，善属文。弱冠举秀才，授纯州行参军，历下邑正。"

褚遂良（596—659）生。褚遂良，字登善，杭州钱塘人，褚亮子。隋末随父在陇右，为薛举通事舍人。入唐，授秦州都督府铠曹参军。贞观中历秘书郎、起居郎、谏议大夫，拜黄门侍郎，进中书令。永徽初进爵河南郡公，出为同州刺史。旋召拜吏部尚书，同中书门下三品。以谏立武昭仪为皇后，贬潭州都督、爱州刺史，卒。有《褚遂良集》二十卷。据《旧唐书》本传。

道宣（596—667）生。道宣，俗姓钱，润州丹徒人，一说长城人。隋大业中落发，从智首法师受具足戒。唐武德中，依智首听受《四分律》。后充西明寺上座，奉诏入玄奘译场，参与译事。乾封二年卒。有《续高僧传》三十卷等。据《宋高僧传》卷一四道宣传。

公元 597 年　（隋文帝开皇十七年　丁巳）

十一月

二十二日，智𫖮（531—597）卒，年六十七。《续高僧传》卷一七智𫖮传。

十二月

费长房撰《历代三宝记》成。费长房《历代三宝记》卷一五："开皇十七年十二月二十三日，大兴善寺翻经学士臣成都费长房上……都所出经、律、戒、论、传二千一百六十四部，六千二百三十五卷。"《续高僧传》卷二达摩笈多传："时有翻经学士成都费长房，本预缁衣，周朝从废，因俗博通，妙精玄理。开皇之译，即预搜扬，敕召入京，例从修缉。以列代经录散落难收，佛法肇兴，年代芜没，乃撰《三宝录》十五卷，始于周庄之初，上编甲子，下录年号，并诸代所翻经部卷目，轴别陈叙，殟多条例。然而瓦玉杂糅，真伪难分，得在通行，阙于甄异。录成陈奏，下敕行之，所在流传，最为该富矣。"《隋书》经籍志二："《历代三宝记》三卷，费长房撰。"

本年

杜台卿（？—597？）卒。《隋书》本传："（开皇）十四年，上表请致仕，敕以本官还第。数载，终于家。有集十五卷，撰《齐记》二十卷，并行于世。"台卿之卒当约在本年。

僧粲著《十种大乘论》及《十地论》。《续高僧传》卷九僧粲传："至十七年，下敕补为二十五众第一摩诃衍匠，故著《十种大乘论》：一通、二平、三逆、四顺、五接、六挫、七迷、八梦、九相即、十中道，并据《量经论》大开轨辙，亦初学之巧便也。……又著《十地论》两卷，穷讨幽致，散决积疑。"

许善心除秘书丞，校理秘藏图籍。《隋书》本传："十七年，除秘书丞。于时秘藏图籍尚多淆乱，善心放阮孝绪《七录》更制《七林》，各为总叙，冠于篇首。又于部录之下，明作者之意，区分其类例焉。又奏追李文博、陆从典等学者十许人，正定经史错谬。"

王绩八岁，已能诵《左传》。吕才《王无功集序》："君幼岐嶷，有奇思，八岁读《春秋左氏》，日诵十纸。"（《王无功文集五卷本会校》卷首，下同）

公元598年 （隋文帝开皇十八年　戊午）

七月

秦王府文士编《韵纂》成，潘徽为撰序。《隋书》文学潘徽传："及陈灭，为州博士，秦孝王俊闻其名，召为学士。尝从俊朝京师，在途，令徽于马上为赋，行一驿而成，名曰《述恩赋》。俊览而善之。复令为《万字文》，并遣撰集字书，名为《韵纂》。徽为序曰：'……暨大隋之受命也，追踪三、五，并曜参辰，外振武功，内修文德。飞英声而勒嵩、岱，彰大定而铭钟鼎，春干秋羽，盛礼乐于胶庠，省俗观风，采歌谣于唐、卫。我秦王殿下，降灵霄极，禀秀天机，质润珪璋，文兼黼黻。楚诗早习，颇属怀于言志，沛《易》先通，每留神于索隐。尊儒好古，三雍之对已遒，博物多能，百家之工弥洽。遨游必名教，渔猎唯图史。加以降情引汲，择善彐微，筑馆招贤，攀枝仡异。剖连城于井里，贾束帛于丘园，薄技无遗，片言便赏。所以人加脂粉，物竞琢磨，俱报稻粱，各施鸣吠。于时岁次鹑火，月躔夷则，骖驾务隙，灵光意静。前临竹沼，却倚桂岩，泉石莹仁智之心，烟霞发文彩之致，宾僚雾集，教义风靡。乃讨论群艺，商略众书，以为小学之家，尤多舛杂，虽复周礼、汉律，务在贯通，而巧说邪辞，递生同异。且文讹篆隶，音谬楚、夏，《三仓》、《急就》之流，微存章句，《说文》、《字林》之属，唯别体形。至于寻声推韵，良为疑混，酌古今，未臻功要。末有李登

《声类》、吕静《韵集》，始判清浊，才分宫羽，而全无引据，过伤浅局，诗赋所须，卒难为用。遂恭纡睿旨，摽摘是非，撮举宏纲，裁断篇部。总会旧辙，创立新意，声别相从，即随注释。详之诂训，证以经史，备包《骚》、《雅》，博牵子集，汗简云毕，题为《韵纂》，为三十卷，勒成一家。方可藏彼名山，副诸石室，见群玉之为浅，鄙悬金之不定。爰命末学，制其都序。……' 未几，俊薨。"据《隋书》高祖纪下，秦王俊开皇二十年六月卒；潘序中有"岁次鹑火，月躔夷则"之语，据《史记》天官书"柳为鸟注，主木草"句张守节《正义》"柳八星，星七星，张六星，为鹑火，于辰在午"，"岁次鹑火"当指本年岁在戊午，又据《礼记》月令"孟秋之月……律中夷则"，知其时在七月。参曹、沈《丛考》卷五"潘徽《韵纂序》著述年代"条。又潘徽《述恩赋》之作当在本年前，姑并系于此。

秋

杨素出塞讨突厥，有诗作，薛道衡、虞世基和之。杨素有诗《出塞》二首，薛道衡、虞世基各有和作。诸诗皆写及秋日景象，当为同时唱和之作。《隋书》杨素传："十八年，突厥达头可汗犯，以素为灵州道行军总管，出塞讨之。"诗当作于本年。

十二月

戊午，李世民（599—649）生。李世民，即唐太宗，陇西成纪人，唐高祖李渊次子。隋末随父起兵太原，以军功显。唐武德初，为尚书令，封秦王。旋拜太尉，加号天策上将。九年，立为皇太子，即帝位。次年，改元贞观。在位二十四年，卒。有《太宗集》四十卷（一作三十卷）。据新、旧《唐书》太宗纪。按李世民生年以公历计已在明年。

本年

刘臻（527—598）卒，年七十二。《隋书》文学本传："精于《两汉书》，时人呼为汉圣。开皇十八年卒，年七十二。有集十卷行于世。"

公元 599 年 （隋文帝开皇十九年 己未）

二月

贺若弼奉诏为五言诗，词意愤怨。《隋书》本传："开皇十九年，上幸仁寿宫，燕王公，诏弼为五言诗，词意愤怨，帝览而容之。"高祖纪上："二月……甲寅，幸仁寿宫。"贺若弼五言诗之作当在本月或稍后。

九月

乙丑，牛弘为吏部尚书。《隋书》高祖纪下："九月乙丑，以太常卿牛弘为吏部尚书。"同书牛弘传："寻授上将军，拜吏部尚书。时高祖又令弘与杨素、薛道衡、许善心、虞世基、崔子发等并诏诸儒，论新礼降杀轻重。弘所立义，众咸所推服之。……弘在吏部，其选举先德行而后文才，务在审慎。虽致停缓，所有进用，并多称职。……隋之选举，于斯为最。"

本年

徐孝克（527—599）卒，年七十三。《陈书》本传："十九年以疾卒，时年七十三。临终，正坐念佛，室内有非常异香气，邻里皆惊异之。"

牛弘与选人马敞以诗互嘲。《朝野佥载》卷四："隋牛弘为吏部侍郎，有选人马敞者，形貌最陋，弘轻之，侧卧食果子嘲敞曰：……敞应声曰：……弘惊起，遂与官。"按"侍郎"《太平广记》卷二五三引作"尚书"，是。以本年牛弘拜吏部尚书，姑系于此。

李百药除礼部员外郎，复为东宫学士。《旧唐书》本传："十九年，追赴仁寿宫，令袭父爵。左仆射杨素、吏部尚书牛弘雅爱其才，奏授礼部员外郎，皇太子杨勇又召为东宫学士。"

公元 600 年　（隋文帝开皇二十年　庚申）

六月

秦王杨俊卒，晋王杨广为作诔文，常得志赋诗悼之。《隋书》高祖纪下："六月丁丑，秦王俊薨。"杨广有《隋秦孝王诔》（见《全上古三代秦汉三国六朝文·全隋文》卷六；下引隋人文章，除注明者外均据是书，不复另注）。《隋书》文学常得志传："京兆常得志，博学善属文，官至秦王记室。及王薨，过故宫，为五言诗，辞理悲壮，甚为时人所重。后为《兄弟论》，义理可称。"

潘徽奉晋王杨广命与诸儒撰《江都集礼》，并序之。《隋书》文学潘徽传："未几，俊薨，晋王广复引为扬州博士，令与诸儒撰《江都集礼》一部。复令徽作序曰：'……上柱国、太尉、扬州总管、晋王握珪璋之宝，履神明之德，隆化赞杰，藏用显仁。地居周、邵，业冠河、楚，允文允武，多才多艺。戎衣而笼关塞，朝服而扫江湖，收杞梓之才，辟康庄之馆。加以佃渔六学，网罗百氏，继稷下之绝轨，弘泗上之沦风，赜无隐而不探，事有难而必综。至于采标绿错，华垂丹篆，刑名长短，儒、墨是非，书圃翰林之域，理窟谈丛之内，谒者所求之余，侍医所校之逸，莫不澄泾辨渭，拾珠弃蚌。……乃以宣条暇日，听颂余晨，娱情窥宝之乡，凝相观涛之岸，总括油素，躬批缃缥，芟芜刈楚，振领提纲，去其繁杂，撮其指要，勒成一家，名曰《江都集礼》。凡十二帙，一百二十卷，取方月数，用比星周，军之义存焉，人伦之纪备矣。……'"《集礼》编成及潘徽撰序，其时当在本月杨俊卒之后，十一月杨广立为皇太子之前，姑系于此。或者谓潘徽预修《集礼》在初入隋时，亦可备一说，参曹、沈《丛考》卷五"潘徽与《江都集礼》"条。《旧唐书》礼仪志二凤阁侍郎王方庆上奏议曰："隋大业中，炀帝命学士撰《江都集礼》。"其说又不同。

十月

皇太子杨勇及诸子并废为庶人。见《隋书》高祖纪下。

十一月

晋王杨广立为皇太子。见《隋书》高祖纪下。

十二月

诏禁毁坏偷盗佛道神像。《隋书》高祖纪下："辛巳，诏曰：'佛法深妙，道教虚融，咸降大慈，济度群品，凡在含识，皆蒙覆护。所以雕铸灵相，图写真形，率土瞻仰，用申诚敬。其五岳四镇，节宣云雨，江、河、淮、海，浸润区域，并生养万物，利益兆人，故建庙立祀，以时恭敬。敢有毁坏偷盗佛及天尊像、岳镇海渎神形者，以不道论。沙门坏佛像，道士坏天尊者，以恶逆论。'"同书刑法志："帝以年龄晚暮，尤崇尚佛道，又素信鬼神。二十年，诏沙门道士坏佛像天尊，百姓坏岳渎神像，皆以恶逆论。"

本年

隋文帝敕有司撰《三礼图》十二卷。《历代名画记》卷三《三礼图》注："十卷，阮谌等撰。又十二卷，隋文帝开皇二十年敕有司撰。左武侯执旗侍官夏侯郎书。"

陆法言以其父尝事皇太子杨勇，竟坐除名。《隋书》陆爽传："子法言，敏学有家风，释褐承奉郎。初，爽之为洗马，尝奏高祖云：'皇太子诸子未有嘉名，请依《春秋》之义更立名字。'上从之。及太子废，上追怒爽曰：'我孙制名，宁不自解，陆爽乃尔多事！扇惑于勇，亦由此人。其身虽故，子孙并宜屏黜，终身不齿。'法言竟坐除名。"

刘炫被枷送至益州，为蜀王杨秀典校书史，因拟屈原《卜居》，作《筮涂》以寄其意。《隋书》儒林刘炫传："太子勇闻而召之，既至京师，敕令事蜀王秀，迁延不往。蜀王大怒，枷送益州。既而配为帐内，每使执杖为门卫。俄而释之，典校书史。炫因拟屈原《卜居》，为《筮涂》以自寄。及蜀王废，与诸儒修订《五礼》，授旅骑尉。"按据《隋书》文帝纪下，牛弘等诸儒修订《五礼》在仁寿二年闰十月，蜀王杨秀废为庶人在该年十二月，则刘炫入蜀并作《筮涂》约在本年。

开皇年间

龟兹乐盛极一时，曹妙达等乐工备受追捧，文帝病之。《隋书》音乐志下："《龟兹》者，起自吕光灭龟兹，因得其声。……至隋有《西国龟兹》、《齐朝龟兹》、《土龟兹》等，凡三部。开皇中，其器大盛于闾闾。时有曹妙达、王长通、李士衡、郭金乐、安进贵等，皆妙绝弦管，新声奇变，朝改暮易，持其音技，估炫公王之间，举时争相慕尚。高祖病之，谓群臣曰：'闻公等皆好新变，所奏无复正声，此不祥之大也。自家形国，化成人风，勿谓天下方然，公家家自有风俗矣。存亡善恶，莫不系之。乐感人深，事资和雅，公等对亲宾宴饮，宜奏正声；声不正，何可使儿女闻也！'帝虽有此敕，而竟不能救焉。"

万宝常以妙识乐曲且善制雅音为时辈所服。《隋书》艺术本传："开皇之世，有郑译、何妥、卢贲、苏夔、萧吉，并讨论坟籍，撰著乐书，皆为当世所用。至于天然识乐，不及宝常远矣。安马驹、曹妙达、王长通、郭令乐等，能造曲，为一时之妙，又习郑声，而宝常所为，皆归于雅。此辈虽公议不附宝常，然皆心服，谓以为神。"

侯白撰《旌异记》成，后卒。《隋书》陆爽附侯白传："爽同郡侯白，字君素，好学有捷才，性滑稽，尤辩俊。举秀才，为儒林郎。通俊不恃威仪，好为诽谐杂说，人多爱狎之，所在之处，观者如市。杨素甚狎之。……高祖闻其名，召与语，甚悦之，令与秘书修国史。每将擢之，高祖辄曰'侯白不胜官'而止。后给五品食，月余而死，时人伤其薄命。著《旌异记》十五卷，行于世。"《北史》李文博附侯白传："开皇中，又有魏郡侯白……著《旌异记》十五卷，行于世。"《隋书》经籍志二："《旌异记》十五卷，侯君素撰。"《旧唐书》经籍志下、《新唐书》艺文志三同。《法苑珠林》卷一〇〇："《旌异传》一部二十卷。右隋朝相州秀才儒林郎侯君素奉文皇帝敕撰。"

玄奘（600—664）生。玄奘，即三藏法师，俗姓陈，名袆，洛州缑氏人。十三岁出家，博涉经论。贞观初自长安西行求法，抵中印度，从戒贤法师学梵书，钻研诸部。又游历印度各地，益广其学。十九年，携经律论六百余部回国。奉诏于长安弘福寺、大慈恩寺主持译经，凡译七十三部，一千三百余卷。又撰《大唐西域记》十二卷。麟德元年卒。据冥祥《大唐故三藏玄奘法师行状》、《续高僧传》卷四玄奘传等。按玄奘生年多有歧说，此从杨廷福《玄奘年谱》。

公元 601 年　（隋文帝仁寿元年　辛酉）

正月

乙酉，改元仁寿。见《隋书》高祖纪下。

崔赜为晋王记室参军，与豫章王有书赠答。《隋书》隐逸崔廓附崔赜传："征为河南、豫章二王侍读，每更日来往二王之第。及河南为晋王，转记室参军，自此去豫章。王重之不已，遗赜书曰：……赜答曰：……豫章得书，赍米五十石，并衣服钱帛。时晋邸文翰，多成其手。"同书高祖纪下："（正月）丁酉，徙河南王昭为晋王。"崔赜作书答豫章王当在本月或稍后。

六月

乙丑，下诏简励学徒，唯留国子学生七十人，废太学、四门及州县学。《隋书》高祖纪下："乙丑，诏曰：'儒学之道，训教生人，识父子君臣之义，知尊卑长幼之序，升之于朝，任之以职，故能赞理时务，弘益风范。朕抚临天下，思弘德教，延集学徒，崇建庠序，开进仕之路，伫贤隽之人。而国学胄子，垂将千数，州县诸生，咸亦不少。

徒有名录，空度岁时，未有德为代范，才任国用。良由设学之理，多而未精。今宜简省，明加奖励.' 于是国子学唯留学生七十人，太学、四门及州县学并废。"

同日，颁舍利于诸州，诏立舍利塔。《隋书》高祖纪下："其日，颁舍利于诸州。"文帝《立舍利塔诏》："朕归依三宝，重兴圣教，思与四海之内，一切人民，俱发菩提，并修福业，使当今现在，爱及来世，永作善因，同登妙果。宜请沙门三十人，诸解法相兼堪倡导者，各将侍者二人，并散官各给一人，熏陆香一百二十斤，马五匹，分道送舍利往前件诸州起塔。"《续高僧传》卷一二童真传："仁寿元年，下敕率土之内普建灵塔，前后诸州一百一十一所，皆送舍利，打刹劝课，缮构精妙。"

七月

改国子学为太学。见《隋书》高祖纪下。

十一月

杨素为云州道行军元帅，北征突厥。见《隋书》杨素传、北狄突厥传、《通鉴》卷一七九。

本年

杨广上言请议定清庙歌辞，制诏牛弘等创制之。《隋书》音乐志下："先是高祖遣内史侍郎李元操、直内史省卢思道等，列清庙歌辞十二曲。令齐乐人曹妙达，于太乐教习，以代周歌。……至仁寿元年，炀帝初为皇太子，从飨于太庙，闻而非之。乃上言曰：'清庙歌辞。文多浮丽，不足以述宣功德，请更议定。' 于是制诏吏部尚书、奇章公（牛）弘，开府仪同三司、领太子洗马柳顾言，秘书丞、摄太常少卿许善心，内史舍人虞世基，礼部侍郎蔡徵等，更详故实，创制雅乐歌辞。"

柳䛒为东宫学士，撰《法华玄宗》，大受杨广宠赐。《隋书》本传："仁寿初，引䛒为东宫学士，加通直散骑常侍，检校洗马。甚见亲待，每召入卧内，与之宴谑。䛒尤俊辩，多在侍从，有所顾问，应答如流。性又嗜酒，言杂诽谐，由是弥为太子所亲狎。以其好内典，令撰《法华玄宗》，为二十卷，奏之。太子览而大悦，赏赐优洽，侪辈莫与为比。"

孙万寿为豫章王文学。《隋书》文学本传："后归乡里，十余年不得调。仁寿初，征拜豫章王长史，非其好也。"

陆法言撰《切韵》成。序云："昔开皇初，有刘仪同臻、颜外史之推、卢武阳思道、李常侍若、萧国子该、辛谘议德源、薛吏部道衡、魏著作彦渊等八人，同诣法言宿，夜永酒阑，论及音韵，古今声调，既自有别，诸家取舍，亦复不同。吴、楚则时伤轻浅，燕、赵则多涉重浊，秦、陇则去声为入，梁、益则平声似去。又支脂鱼虞，共为不韵，先仙尤侯，俱论是切。欲广文路，自可清浊皆通；若赏知音，即须轻重有异。吕静《韵集》、夏侯该《韵略》，阳休之《韵略》，李季节《音谱》，杜台卿《韵略》等，各有乖互。江东取韵，与河北复殊。因论南北是非，古今通塞，欲更捃选精切，除削疏缓，颜外史、萧国子多所决定。魏著作谓法言曰：向来论难，疑处悉尽。何为不随口记之。我辈数人，定则定矣。法言即烛下握笔，略记纲纪。后博问辩，殆得精华。于是更涉余学，兼从博宦，十数年间，不遑修集。今返初服，遂取诸家音韵，古今字书，以前所记者，定为《切韵》五卷，剖析毫厘，分别黍累，非是小子专辄，乃述群贤遗意，于时岁次辛酉大隋仁寿元年也。"（据陈寅恪《金明馆丛稿初编·从史实论切韵》所引北平故宫博物院影印唐写本王仁昫《刊谬补缺切韵》载文）

公元602年 （隋文帝仁寿二年　壬戌）

秋

杨素、薛道衡赋诗唱和。杨素有《山斋独坐赠薛内史诗二首》、《赠薛内史诗》，薛道衡有《敬酬杨仆射山斋独坐诗》、《重酬杨仆射山亭诗》，为二人唱和之作。本年杨素在尚书左仆射任，薛道衡在内史侍郎任，参见下条。明年道衡出为襄州总管，见后。诸诗当作于本年或稍前，又以诗中多写及秋日景色，姑并系于此。

闰十月

诏杨素与诸术者刊定阴阳舛谬，又诏素与牛弘、薛道衡等修定五礼。《隋书》高祖纪下："闰月甲申，诏尚书左仆射杨素与诸术者刊定阴阳舛谬。己丑，诏曰：'……自区宇乱离，绵历年代，王道衰而变风作，微言绝而大义乖，与代推移，其弊日甚。……朕祇承天命，抚临生人，当洗涤之时，属干戈之代。克定祸乱，先运武功，删正彝典，日不暇给。今四海乂安，五戎勿用，理宜弘风训俗，导德齐礼，缀往圣之旧章，兴先王之茂则。尚书左仆射、越国公杨素，尚书右仆射、邳国公苏威，吏部尚书、奇章公牛弘，内史侍郎薛道衡，秘书丞许善心，内史舍人虞世基，著作郎王劭，或任居端揆，博达古今，或气推令望，学宗经史。委以裁缉，实允佥议。可并修五礼。'"

本年

彦琮奉敕撰《众经目录》。《续高僧传》卷二彦琮传："仁寿二年，下敕更令撰《众经目录》，乃分为五例，谓单译、重译、别生疑伪、随卷有位、帝世盛行。寻又下敕令撰《西域传》。"

许善心加摄太常少卿，与牛弘等议定礼乐。见《隋书》许善心传。

高智周（602—683）生。高智周，常州晋陵人。举进士，累补费县令。寻授秘书郎、弘文馆直学士，预撰《瑶山玉彩》、《文馆词林》，三迁兰台大夫。历寿州刺史、正谏大夫、黄门侍郎。高宗仪凤初，进同中书门下三品，兼修国史。转御史大夫，以散骑常侍致仕，卒。有《高智周集》五卷。据《旧唐书》良吏本传、《新唐书》本传。

公元 603 年 （隋文帝仁寿三年　癸亥）

本年

薛道衡出为襄州总管。《隋书》本传："仁寿中，杨素专掌朝政，道衡既与素善，上不欲道衡久知机密，因出检校襄州总管。道衡久蒙驱策，一旦违离，不胜悲恋，言之哽咽。高祖怆然改容曰：'尔光阴晚暮，侍奉诚老，朕将令尔将摄，兼抚萌俗。今尔之去，朕如断一臂。'于是赍物三百段，九环金带，并时服一袭，马十匹，慰勉遣之。"按上年闰十月道衡犹在内史侍郎任，其出任外职当在本年。

刘炫上表谏废国子等学，又作《抚夷论》。《隋书》儒林刘炫传："及蜀王废，与诸儒修订《五礼》，授旅骑尉。……开皇二十年，废国子四门及州县学，唯置太学博士二人，学生七十二人。炫上表言学校不宜废，情理甚切，高祖不纳。开皇之末，国家殷盛，朝野皆以辽东为意。炫独以为辽东不可伐，作《抚夷论》以讽焉，当时未有悟者。及大业之末，三征不克，炫言方验。"按诏废国子四门及州县学在仁寿元年六月，见《隋书》文帝纪下及《通鉴》卷一七九，此云开皇二十年，误。又蜀王上年十二月废为庶人，故刘炫上表及作《抚夷论》当皆在本年或稍后。《传》中"开皇二十年"、"开皇之末"云云，系追叙之词，非谓刘炫上表、作《抚夷论》乃在其时也。

王通诣阙献《太平十二策》，不见用，还乡教读。《通鉴》卷一七九："是岁龙门王通诣阙献《太平十二策》。上不能用，罢归。通遂教授于河汾之间，弟子自远至者甚众。"

薛收已解为文。《旧唐书》本传："年十二，解属文。"本年薛收年十二。

公元 604 年 （隋文帝仁寿四年　甲子）

七月

隋文帝卒，年六十四。《隋书》高祖纪下："（七月）甲辰，上以疾甚，卧于仁寿宫……丁未，崩于大宝殿，时年六十四。"又云："上性严重，有威容，外质木而内明敏，有大略。……然天性沉猜，素无学术，好为小数，不达大体，故忠臣义士莫得尽心竭辞。……又不悦诗书，废除学校，唯妇言是用，废黜诸子。"又《隋书》刑法志："高祖性猜忌，素不悦学，既任智而获大位，因以文法自矜，明察临下。"

皇太子杨广即皇帝位，是为隋炀帝。《隋书》炀帝纪上："四年七月，高祖崩，上即皇帝位于仁寿宫。"

杨素平汉王叛乱，炀帝手诏劳之。《隋书》炀帝纪上："八月……并州都督汉王谅举兵反，诏尚书左仆射杨素讨平之。"杨素传："汉王谅反……素进兵围之，谅穷蹙而降，余党悉平。帝遣素弟修武公约赍手诏劳素曰：……素上表陈谢曰：……"按炀帝劳杨素手诏即《隋书》文学传序所云之《与越公书》，参见本年十一月炀帝条。

尹式（？—603）卒。《隋书》文学本传："河间尹式，博学解属文，少有令问。仁寿中，官至汉王记室，王甚重之。及汉王败，式自杀。"《新唐书》艺文志四："《尹式集》五卷。"

　　王颁（551—604）卒，年五十四。《隋书》文学本传："数载，授汉王谅府谘议参军，王甚礼之。……及高祖崩，谅遂举兵反，多颁之计也。……既而兵败，颁将归突厥，至山中，径路断绝，知必不免……于是自杀……时年五十四。撰《五经大义》三十卷，有集十卷，并因兵乱，无复存者。"

十一月

　　壬子，陈叔宝（553—604）卒，年五十二，其妻沈氏为撰哀辞。《陈书》后主纪："隋仁寿四年十一月壬子，薨于洛阳，时年五十二。"同书后主沈皇后传："后性端静，寡嗜欲，聪敏强记，涉猎经史，工书翰。……及后主薨，后自为哀辞，文甚酸切。"

　　癸丑，炀帝作《营东都诏》。《隋书》炀帝纪上："十一月乙未，幸洛阳。……癸丑，诏曰：……"按此诏《全隋文》卷四收录，题作《营东都诏》。《隋书》文学传序："其《与越公书》、《建东都诏》、《冬至受朝诗》及《拟饮马长城窟》，并存雅体，归于典制。虽意在骄淫，而词无浮荡，故当时缀文之士，遂得依而取正焉。"

本年

　　炀帝赋诗赐牛弘。《隋书》牛弘传："炀帝之在东宫，数有诗书遗弘，弘亦有答。及嗣位之后，尝赐弘诗曰：……其同被赐诗者，至于文词赞扬，无如弘美。"

　　柳䛒拜秘书监，受命诠次西京嘉则殿图书。《隋书》本传："炀帝嗣位，拜秘书监，封汉南献公。帝退朝之后，便命入阁，言宴讽读，终日而罢。……恩若友朋。"《通鉴》卷一八二："初，西京嘉则殿有书三十七万卷，帝命秘书监柳顾言等诠次，除其复重猥杂，得正御本三万七千余卷，纳于东都修文殿。又写五十副本，简为三品，分置西京、东都宫省官府。"

　　潘徽受诏与陆从典等助杨素撰《魏书》。《隋书》文学潘徽传："炀帝嗣位，诏徽与著作佐郎陆从典、太常博士褚亮、欧阳询等助越公杨素撰《魏书》，会素薨而止。授京兆郡博士。"杨素后年卒，见该年七月条。

　　王绩年十五，游长安，谒杨素，以谈吐为众所服。吕才《王无功文集序》："年十五，游于长安，谒越公杨素。于时，宾客满席。素览刺引入，待之甚倨。……素改容礼之。因与谈文章，遂及时务。君瞻对闲雅，辩论精新，一座愕然，目为'神仙童子'。初，君第三兄征君通，尝以仁寿三年因上十二策，大为文帝所知赏，素时亦钦其识用。至是谓君曰：'贤兄十二策，虽天下不施行，诚是国家长算。'君曰：'知而不用，谁之过欤？'素有惭色。河东薛道衡曾见其《登龙门忆禹赋》，曰：'今之庾信也。'因以其所制《太平颂》示之，一遍便暗诵。道衡大惊曰：'此王仲宣也。'由是，弱冠籍甚群公之间。"

公元605年 （隋炀帝大业元年 乙丑）

正月

灵裕（518—605）赋临终诗二首，卒，年八十八。《续高僧传》卷九灵裕传："至第七日旦，爰笔制诗二首，初篇《哀速终》曰：……其二《悲永殡》曰：……至夜告侍者曰：'痛今在背，吾将去矣。'至于三更……奄终于演空寺焉。春秋八十有八，即大业元年正月二十二日也。"《法苑珠林》卷一〇〇："《安民论》十二卷、《陶神论》十卷、《因果论》二卷、《圣迹记》一卷。右四部二十五卷，隋相州大慈寺沙门释灵裕撰。"《隋书》经籍志四："陈沙门《释灵裕集》四卷。"《新唐书》艺文志四："《灵裕集》二卷。"

姚察为太子内舍人。《陈书》本传："炀帝初在东宫，数被召见，访以文籍。即位之始，诏授太子内舍人。"据《隋书》炀帝纪上，本年正月立晋王杨昭为皇太子。

三月

炀帝自制《水调歌》。《隋唐嘉话·补遗》："隋炀帝凿汴河，自制《水调歌》。"《通鉴》卷一八〇："（三月）辛亥，命尚书右丞皇甫议发河南、淮北诸郡民，前后百余万，开通济渠。自西苑引榖、洛水达于河；复自板渚引河历荥泽入汴；又自大梁之东引汴水入泗，达于淮。"

闰七月

丙子，诏尊师重道，敦奖名教。《隋书》炀帝纪上："闰七月……丙子，诏曰：'君民建国，教学为先，移风易俗，必自兹始。而言绝义乖，多历年代，进德修业，其道浸微。汉采坑焚之余，不绝如线，晋承板荡之运，扫地将尽。自时厥后，军国多虞，虽复黉宇时建，示同爱礼，函丈或陈，殆为虚器。遂使纡青拖紫，非以学优，制锦操刀，类多墙面。上陵下替，纲维靡立，雅缺道消，实由于此。朕纂承洪绪，思弘大训，将欲尊师重道，用阐厥繇，讲信修睦，敦奖名教。方今宇宙平一，文轨攸同，十步之内，必有芳草，四海之中，岂无奇秀！诸在家及入学者，若有笃志好古，耽悦典坟，学行优敏，堪膺时务，所在采访，俱以名闻，即当随其器能，擢以不次。若研精经术，未愿进仕者，可依其艺业深浅，门荫高卑，虽未升朝，并量准给禄。庶夫恂恂善诱，不日成器，济济盈朝，何远之有！其国子等学，亦宜申明旧制，教习生徒，俱为课试之法，以尽砥砺之道。'"

八月

炀帝幸江都，渡淮赋诗，虞世南等应制奉和。《隋书》炀帝纪上："八月壬申，上御龙舟，幸江都。……舳舻相接，二百余里。"炀帝《早渡淮诗》："会待高秋晚，愁因逝水归。"当作于此次幸江都经淮水时。虞世南《奉和出颍至淮应制》："良晨喜利涉……霜吹响哀吟。"为同时之作。诸葛颖、蔡允恭、弘执恭等并有与虞世南同题诗。炀帝《泛龙舟》亦当本次行幸途中所作。王夫之《古诗评选》卷一评《泛龙舟》云："神采天成。此雷塘骨在，壮年犹有英气。"

柳䜣（537—605）卒，年六十九。《隋书》本传："从幸扬州，遇疾卒，年六十九。帝伤惜者久之，赠大将军，谥曰康。撰《晋王北伐记》十五卷，有集十卷，行于世。"炀帝本年八月幸江都，柳䜣当卒于此时，参见曹、沈《丛考》卷五"柳䜣生卒年"条。《隋书》经籍志四："秘书监《柳䜣集》五卷。"《新唐书》艺文志四："《柳顾言集》十卷。"

本年

炀帝作《神伤赋》以悼宣华夫人。《隋书》后妃传："宣华夫人陈氏，陈宣帝之女也。…及炀帝嗣位之后，出居仙都宫。寻召入，岁余而终，时年二十九。帝深悼之，为制《神伤赋》。"

薛道衡转番州刺史，杨素有诗赠之；道衡赴任途中，有诗作。《隋书》薛道衡传："炀帝嗣位，转番州刺史。"同书杨素传："素尝以五言诗七百字赠番州刺史薛道衡，词气宏拔，风韵秀上，亦为一时盛作。未几而卒，道衡叹曰：'人之将死，其言也善，岂若是乎！'"杨素明年卒，道衡迁番州刺史及素赋诗以赠，皆当在本年。又道衡有《入郴江诗》，当作于赴番州途中。

许善心转礼部侍郎，荐儒者徐文远等为学官，共博士褚亮议七庙之礼，后为宇文述所谮，左迁给事郎。《旧唐书》儒学上徐文远传："大业初，礼部侍郎许善心举文远与包恺、褚徽、陆德明、鲁达为学官，遂擢文远国子博士，恺等并为太学博士。时人称文远之《左氏》、褚徽之《礼》、鲁达之《诗》、陆德明之《易》，皆为一时之最。文远所讲释，多立新义，先儒异论，皆定其是非，然后驳诘诸家，又出己意，博而且辨，听者忘倦。"《隋书》礼仪志二："大业元年，炀帝欲遵周法，营立七庙，诏有司详定其礼。礼部侍郎、摄太常少卿许善心，与博士褚亮等议曰：……"同书许善心传："大业元年，转礼部侍郎，奏荐儒者徐文远为国子博士，包恺、陆德明、褚徽、鲁世达之辈并加品秩，受为学官。其年……（宇文）述谮善心曰：'陈叔宝卒，善心与周罗睺、虞世基、袁充、蔡徵等同往送葬。善心为祭文，谓为陛下，敢于今日加叔宝尊号。'……述讽御史劾之，左迁给事郎，降品二等。"

王胄为著作佐郎。《隋书》文学本传："大业初，为著作佐郎，以文词为炀帝所重。"

庾自直为著作佐郎。《隋书》文学本传："大业初，授著作佐郎。自直解属文，于五言诗尤善。性恭慎，不妄交游，特为帝所爱。帝有篇章，必先示自直，令其诋诃。自直所难，帝辄改之，或至于再三，俟其称善，然后方出。其见亲礼如此。"

虞绰为秘书学士，奉诏与虞世南等撰《长洲玉镜》，世南又撰《北堂书钞》。《隋书》文学虞绰传："大业初，转为秘书学士，奉诏与秘书郎虞世南、著作佐郎庾自直等撰《长洲玉镜》等书十余部。绰所笔削，帝未尝不称善，而官竟不迁。初为校书郎，以藩邸左右，加宣惠尉。迁著作佐郎，与虞世南、庾自直、蔡允恭等四人常居禁中，以文翰待诏，恩盼隆洽。"同书经籍志三："《长洲玉镜》二百三十八卷。"《旧唐书》经籍志下作一百三十八卷。又《隋唐嘉话》："虞公之为秘书，于省后堂，集群书中事可为文用者，号为《北堂书钞》。"虞公谓虞世南，书当撰于大业中世南为秘书郎时，亦系于此。《隋书》经籍志三："《书钞》一百七十四卷。"《旧唐书》经籍志下："《北堂书抄》一百七十三卷，虞世南撰。"《新唐书》艺文志三："虞世南《北堂书钞》一百七十三卷。"四库提要卷一三五："《北堂书抄》一百六十卷，唐虞世南撰。……北堂者，秘书省之后堂。此书盖世南在隋为秘书郎时所作。刘禹锡《嘉话录》曰：'虞公之为秘书，于省后堂集群书中事可为文用者，号为《北堂书抄》，今北堂犹存，而《书抄》盛行于世'云云，是其事也。分八十卷，八百一类。《唐志》作一百七十三卷，晁公武《读书志》因之。《中兴书目》作一百六十卷，《宋史·艺文志》因之。今本卷帙与《中兴书目》同。其地部至泥沙石而毕，度非完帙，岂原书在宋已有亡佚耶？王应麟《玉海》云：'二馆旧阙《书抄》，惟赵安仁家有本，真宗命内侍取之，手诏褒美。'盖已甚珍其书矣。此本为明万历间常熟陈禹谟所校刻。钱曾《读书敏求记》云：'世行《北堂书抄》挽乱增改，无从订正。向闻嘉禾收藏家有原书，寻访十余年而始得。翻阅之，令人心目朗然。'朱彝尊《曝书亭集》亦称：'曾见《大唐类要》百六十卷，反覆观之，即虞氏《北堂书抄》。今世所行者出陈禹谟删补，至以贞观后事及五代十国之书杂入其中，尽失其旧。《类要》大略出于原书，世未易得'云云。盖明人好增删古书，逞臆私改，其庸妄无识，诚有如钱、朱二氏所讥。然今嘉禾旧本及《大唐类要》均已不可得见，独禹谟此本犹存。其增加各条，幸皆注明补字，犹有踪迹可寻。存十一于千百，亦未始非唐人旧籍所藉以留贻者也。惟其所改所删，遂竟不可考。是则刊刻之功不赎其窜乱之过矣。"

裴矩撰《西域图记》三卷。《旧唐书》本传："大业初，西域诸藩款张掖塞与中国互市，炀帝遣矩监其事。矩知帝方勤远略，欲吞并夷狄，乃访西域风俗及山川险易、君长姓族、物产服章，撰《西域图记》三卷，入朝奏之。帝大悦，赐物五百段。"裴矩《西域图记序》见《隋书》本传。

公元 606 年 （隋炀帝大业二年 丙寅）

二月

诏杨素等制定舆服。《隋书》炀帝纪上："二月丙戌，诏尚书令杨素、吏部尚书牛弘、大将军宇文恺、内史侍郎虞世基、礼部侍郎许善心制定舆服。"

春

孙万寿赋诗答杨玄感。孙万寿《答杨世子诗》："和风初应律，山莺已复新。"杨世子谓杨素子玄感。诗当作于本年春，时孙万寿为豫章王文学，与杨玄感俱在洛阳。详见曹、沈《丛考》卷五"孙万寿《答杨世子诗》"条。

四月

炀帝至洛阳。《隋书》炀帝纪上："三月庚午，车驾发江都。……夏四月庚戌，上自伊阙，陈法驾，备千乘万骑，入于东京。"

六月

孙万寿转齐王文学，未几辞官。《隋书》文学本传："王转封于齐，即为齐王文学。当时诸王官属多被夷灭，由是弥不自安，因谢病免。"同书炀帝纪上："六月壬子……进封豫章王暕为齐王。"孙万寿惧而辞齐王文学当在本月或稍后。

王贞被召至齐王府，上文集三十三卷，复上《江都赋》；后还乡里，卒。《隋书》文学本传："王贞字孝逸，梁郡陈留人也。少聪敏，七岁好学，善《毛诗》、《礼记》、《左氏传》、《周易》，诸子百家，无不毕览。善属文词，不治产业，每以讽读为娱。……炀帝即位，齐王暕镇江都，闻其名，以书召之曰：……及贞至，王以客礼待之，朝夕遣问安不。又索文集，贞启谢曰：'……孝逸生于战争之季，长于风尘之世，学无半古，才不逮人。……顾想平生，触途多感，但以积年沉痼，遗忘日久，拙思所存，才成三十三卷。……'齐王览所上集，善之，赐良马四匹。贞复上《江都赋》，王赐钱十万贯，马二匹。未几，以疾甚还乡里，终于家。"

七月

杨素（544—606）卒，年六十三，虞世基为撰墓志铭。《隋书》杨素："大业元年，迁尚书令……明年，拜司徒……其年，卒官。……有集十卷。"炀帝纪上："乙亥，上柱国、司徒、楚国公杨素薨。"《全隋文补遗》卷三《大隋纳言上柱国光禄大夫司徒公尚书令太子太师太尉公楚景武公墓志铭并序》："公讳素，字处道……大业二年七月癸丑朔廿三日乙亥遘疾，薨于豫州飞山里第，春秋六十三。粤大业三年八月丁丑朔八日甲申，□窆于华阴东原通零里。"题下署"朝请大夫内史侍郎虞□□□□"。按此文当为虞世基于明年八月所撰。《隋书》杨素传论："杨素少而轻侠，俶傥不羁，兼文武之资，包英奇之略，志怀远大，以功名自许。……考其夷凶静乱，功臣莫居其右，览其奇策高文，足为一时之杰。然专以智诈自立，不由仁义之道，阿谀时主，高下其心，营构离宫，陷君于奢侈，谋废冢嫡，致国于倾危。终使宗庙丘墟，市朝霜露，究其祸败之源，实乃素之由也。"《艺苑卮言》卷三："北朝戎马纵横，未暇篇什。……薛道衡足号才子，未足名家，唯杨处道奕奕有风骨。"《古诗归》卷一五谭元春云："杨公四诗（按指《山斋独座赠薛内史》二首及《赠薛播州》十一、十四章），淡然出世人，是其经世本领也。'景清岩壑深'，'烟生云泽深'，有无穷深衷在内，假清人偶袭其句不得。一章一章自成气候耳。"钟惺云："处道英雄人，作清适语颇像。然世上何有粗浊英雄？"又："其一种幽朴古淡之气，自无文士习。"《说诗晬语》卷上："杨素幽思健笔，词气清苍。"《古诗源》卷一四："杨素，武人亦复奸雄，而诗格清远，转似出世高人，真不可解。"《古诗选》凡例："杨处道沉雄华赡，风骨甚遒，已辟唐人陈、杜、沈、宋之轨，余子莫及。"《野鸿诗的》："越公《赠薛播州》数篇，高迥雅逸，纤靡扫尽，大业之朝，足称首杰。观者不以人废言可也。"《采菽堂古诗选》卷三五："越公诗清远有气格，规模西晋，不意武夫凶人有此雅调。"《艺概》卷二："隋杨处道诗甚为雄深雅健。齐、梁文辞之弊，贵清绮不重气质，得此可以矫之。"

本年

炀帝追四方散乐集于东都，设百戏以夸突厥染干，自是每岁正月以为常。《隋书》音乐志下："始齐武平中，有鱼龙烂漫、俳优、朱儒、山车、巨象、拔井、种瓜、杀马、剥驴等，奇怪异端，百有余物，名为百戏。周时，郑译有宠于宣帝，奏征齐散乐人，并会京师为之。盖秦角抵之流者也。开皇初，并放遣之。及大业二年，突厥染干来朝，炀帝欲夸之，总追四方散乐，大集东都。初于芳华苑积翠池侧，帝帷宫女观之。有舍利先来，戏于场内，须臾跳跃，激水满衢，鼋鼍龟鳖，水人虫鱼，遍覆于地。又有大鲸鱼，喷雾翳日，倏忽化成黄龙，长七八丈，耸踊而出，名曰《黄龙变》。又以绳系两柱，相去十丈，遣二倡女，对舞绳上，相逢切肩而过，歌舞不辍。又为夏育扛鼎，取车轮石臼大瓮器等，各于掌上而跳弄之。并二人戴竿，其上有舞，忽然腾透而换易之。又有神鳌负山，幻人吐火，千变万化，旷古莫俦。染干大骇之。自是皆于太常教习。每岁正月，万国来朝，留至十五日，于端门外，建国门内，绵亘八里，列为戏场。百官起棚夹路，从昏达旦，以纵观之。至晦而罢。使人皆衣锦绣缯彩。其歌舞者，多为妇人服，鸣环佩，饰以花耗者，殆三万人。"

姚察（533—606）卒于洛阳，年七十四，遗命薄葬，卒时梁、陈史尚未撰成。《陈书》本传："年七十四，大业二年，卒于东都，遗命薄葬，务从率俭。其略曰：……"又云："察所撰梁、陈史虽未毕功，隋文帝开皇之时，遣内史舍人虞世基索本，且进上，今在内殿。梁、陈二史本多是察之所撰，其中序论及纪、传有所阙者，临亡之时，仍以体例诫约子思廉，博访撰续，思廉泣涕奉行。……大业初，内史侍郎虞世基奏思廉踵成梁、陈二代史，自尔以来，稍就补续。"赵翼《廿二史札记》卷九："《梁书》虽全据国史，而行文则自出炉锤，直欲远追班、马。盖六朝争尚骈俪，即序事之文，亦多四字为句，罕有用散文单行者，《梁书》则多以古文行之。如《韦叡传》叙合肥等处之功，《昌义之传》叙钟离之战，《康绚传》叙淮堰之作，皆劲气锐笔，曲折明畅，一洗六朝芜冗之习，《南史》虽称简净，然不能增损一字也。至诸传论，亦皆以散文行之。魏郑公《梁书总论》犹用骈偶，此独卓然杰出于骈四俪六之上，则姚察父子为不可及也。世但知六朝之后古文自唐韩昌黎始，而岂知姚察父子已振于陈末唐初也哉。"

彦琮至洛阳，住上林园翻经馆，编叙佛经目录，并依次翻译。《续高僧传》卷二彦琮传："大业二年，东都新治，与诸沙门诣阙朝贺，特被诏入内禁叙故，累夜宵谈，述治体呈示文颂，其为时主见知如此。因即下敕，于洛阳上林园立翻经馆以处之，供给事隆，倍逾关辅。新平林邑所获佛经，合五百六十四夹，一千三百五十余部，并昆仑书，多梨树叶，有敕送馆，付琮披览，并使编叙目录，以次渐翻。乃撰为五卷，分为七例，所谓经律赞论方字杂书七也。必用隋言以译之，则成二千二百余卷。敕又令装

矩共琮修缵《天竺记》，文义详洽，条贯有仪，凡前后译经，合二十三部，一百许卷。"

公元607年　（隋炀帝大业三年　丁巳）

正月

敕诸州请僧行道，度人出家。炀帝《敕度一千人出家》："大业三年正月二十八日，菩萨戒弟子皇帝总持稽首和南……谨于率土之内，建立胜缘，州别请僧七日行道，仍总度一千人出家，以此功德，并为一切，上及有顶，下至无间，蜎飞蠕动，预禀识性，无始恶业，今生罪垢，藉此善缘，皆得清净，三途□献，六趣怨亲，同至菩提，一时作佛。"

三月

炀帝自洛阳返长安，赐大酺，自作五言诗；许善心、王胄等和之，王胄诗为炀帝所称赏。《隋书》炀帝纪上："三月辛亥，车驾还京师。"同书文学王胄传："大业初……帝常（尝）自东都还京师，赐天下大酺，因为五言诗，诏胄和之。其词曰：……帝览而善之，因谓侍臣曰：'气高致远，归之于胄；词清体润，其在世基；意密理新，推庾自直。过此者，未可以言诗也。'"炀帝《还京师诗》："东都礼仪毕，西京冠盖归。是月春之季，花柳相依依。"许善心《奉和还京师诗》："冉冉念和变，迟迟节物徂。余花照玉李，细叶蔚珪梧。"王胄《奉和赐酺诗》："是节春之暮，神皋华实敷。"均为本次返长安时所作。虞世基、庾自直奉和诗已佚。

四月

薛道衡至长安，献《高祖文皇帝颂》，拜司隶大夫。《隋书》本传："炀帝嗣位，转番州刺史。岁余，上表求致仕。帝谓内史侍郎虞世基曰：'道衡将至，当以秘书监待之。'道衡既至，上《高祖文皇帝颂》，其词曰：……帝览之不悦，顾谓苏威曰：'道衡致美先朝，此《鱼藻》之义也。于是拜司隶大夫，将置之罪。'"同书百官志下："炀帝即位，多所改革。三年定令……增置谒者、司隶二台……司隶台大夫一人（正四品），掌诸巡察。"按据《通鉴》卷一八〇，增置司隶台在本年四月，道衡拜司隶大夫当在此时。

诏以文才秀美等十科举人。《隋书》炀帝纪上："甲午，诏曰：'……夫孝悌有闻，人伦之本，德行敦厚，立身之基。或节义可称，或操履清洁，所以激贪厉俗，有益风化。强毅正直，执宪不挠，学业优敏，文才秀美，并为廊庙之用，实乃瑚琏之资。……文武有职事者，五品以上，宜依令十科举人。有一于此，不必求备。朕当待以不次，随才升擢。其见任九品已上官者，不在举送之限。'"

五月

虞世基受诏为皇太子杨昭作哀册文。《隋书》元德太子昭传："未几而薨。诏内史侍郎虞世基为哀册文曰：'维大业二年七月癸丑朔二十三日，皇太子薨于行宫。粤三年五月庚辰朔六日，将迁座于庄陵，礼也。……'"

七月

宇文弼、贺若弼、高颎卒。《隋书》炀帝纪上，"丙子，诛光禄大夫贺若弼、礼部尚书宇文弼、太常卿高颎。"同书宇文弼传："寻转礼部尚书。弼既以才能著称，历职险要，声望甚重，物议时谈，多见推许，帝颇忌之。时帝渐好声色，尤勤远略，弼谓高颎曰：'昔周天元好声色而国亡，以今方之，不亦甚乎？'又言'长城之役，幸非急务'。有人奏之，竟坐诛死，时年六十二，天下冤之。所著辞赋二十余万言，为《尚书》、《孝经》注行于时。"

八月

炀帝巡云中，幸突厥主启民帐，宴饮赋诗。《隋书》炀帝纪上："八月壬午，车驾发榆林。乙酉，启民饰庐清道，以候乘舆。帝幸其帐，启民奉觞上寿，赐宴极厚。"北狄突厥传："帝亲巡云内，泝金河而东北幸启民所居。启民奉觞上寿，跪伏甚恭。帝大悦，赋诗曰：……"

九月

己巳，炀帝至洛阳。见《隋书》炀帝纪上。

本年

彦琮撰《福田论》。《广弘明集》卷二五："隋炀帝大业三年，新下律令格式。令云：'诸僧道士等有所启请者，并先须致敬，然后陈理。'虽有此令，僧竟不行。时沙门释彦琮不忍其事，乃著《福田论》以抗之，意在讽刺。……论曰：……"

上官仪（607？—664）生。上官仪，字游韶，陕州陕人。隋大业末，私度为僧。唐贞观初，举进士，授弘文馆直学士。累迁秘书郎，转起居郎。高宗立，迁秘书少监。龙朔中，拜西台侍郎，同东西台三品。坐谋废武后获罪，麟德初，被构下狱，卒。有《上官仪集》三十卷。据新、旧《唐书》本传。

公元 608 年 （隋炀帝大业四年 戊辰）

正月

薛道衡、许善心同在洛阳，有诗唱和。薛道衡《和许给事善心戏场转韵诗》："京洛重新年，复属月轮圆。"按许善心大业元年或二年左迁给事郎，时薛道衡为番州刺史，必无唱和之事。又道衡上年返长安，明年即卒，故诗当作于本年正月，时道衡与善心同在洛阳。

三月

王绩游京师，作《三月三日赋》。 赋序云："余以大业四年，获游京邑。暮春三月，暂骋娱游。新停隐士之船，即赴群工之席。……不能默尔，聊为赋焉。"（见《王无功文集五卷本会校》）卷一，下引王绩诗文均据是书，不复注。

十月

诏立孔子后为绍圣侯。 《隋书》炀帝纪上："冬十月丙午，诏曰：'先师尼父，圣德在躬，诞发天纵之姿，宪章文、武之道。命世膺期，蕴兹素王，而颓山之叹，忽逾于千祀，盛德之美，不存于百代。永惟懿范，宜有优崇。可立孔子后为绍圣侯。有司求其苗裔，录以申上。'"

本年

许善心撰《方物志》成。 《隋书》本传："四年，撰《方物志》奏之。"同书经籍志二："《方物志》二十卷，许善心撰。"

杜正藏兄弟三人皆以文章被举入京，时人美之。 《北史》杜铨附杜正藏传："大业中，与刘炫同以学业该通，应诏被举。时正藏弟正仪贡充进士，正伦为秀才，兄弟三人同时应命，当世嗟美之。著作郎王劭奏追修史，司隶大夫薛道衡奏拟从事，并以见任且放还。"按薛道衡明年卒，正藏等应诏被举约在本年。《隋书》文学杜正玄附弟正藏传："大业中，学业该通，应诏举秀才，兄弟三人俱以文章一时诣阙，论者荣之。"

岑文本至司隶府为父伸冤，作《莲花赋》。 《旧唐书》本传："父之象，隋末为邯郸令，尝被人所讼，理不得申。文本性沉敏，有姿仪，博考经史，多所贯综，美谈论，善属文。时年十四，诣司隶称冤，辞情慷切，召对明辩，众颇异之。试令作《莲花赋》，下笔便成，属意甚佳，合台莫不叹赏。其父冤雪，由是知名。"本年岑文本年十四。

公元 609 年 （隋炀帝大业五年 己巳）

正月

改东京为东都，炀帝还长安。 《隋书》炀帝纪上："五年春正月丙子，改东京为东都。……戊子，上自东都还京师。"

六月

诏以学业该通、才艺优洽等四科举人。 《隋书》炀帝纪上："辛亥，诏诸郡学业该通、才艺优洽、膂力骁壮、超绝等伦、在官勤奋、堪理政事、立性正直、不避强御四科举人。"

于西域置西海等郡，是时隋朝称极盛。 《通鉴》卷一八一："癸丑，置西海、河源、鄯善、且末等郡，谪天下罪人为戍卒以守之。……是时天下凡有郡一百九十，县一千二百五十五，户八百九十万有奇。东西九千三百里，南北万四千八百一十五里。隋氏之盛，极于此矣。"

十一月

丙子，炀帝幸东都。见《隋书》炀帝纪上。

薛道衡（540—609）卒，年七十。《隋书》本传："将置之罪，道衡不悟。司隶刺史房彦谦素相善，知必及祸，劝之杜绝宾客，卑辞下气，而道衡不能用。会议新令，久不能决，道衡谓朝士曰：'向使高颎不死，令决当久行。'有人奏之，帝怒曰：'汝忆高颎邪？'付执法者勘之。道衡自以非大过，促宪司早断。暨于奏日，冀帝赦之，敕家人具馔，以备宾客来候者。及奏，帝令自尽。道衡殊不意，未能引诀。宪司重奏，缢而杀之，妻子徙且末。时年七十。天下冤之。有集七十卷，行于世。"《通鉴》卷一八一记道衡之卒在本年十一月，从之。《隋书》经籍志四："司隶大夫《薛道衡集》三十卷。"张溥《汉魏六朝百三家集》薛司隶集题辞："张曲江登薛公逍遥堂，感叹言诗，怀湘浦吊赋，汉川沈碑，此岂无意其人哉？玄卿才名蚤盛，官于齐、周，不免仕隋，无特尔之操。然时主迁易，年更代促，南北俯仰，士人尽然，不足云怪。高祖革命，久典文书，储君国相，争交引重，乃岭表配防，襄州出镇，谢山涛之启事，嗟汲黯之淮阳，仕路风云，岂能尽如人意。炀帝素郤，成于江陵，年老入内，夜行宜止，而《文皇》一颂，致殒厥躯。今观其文，铺叙前徽，颂祷为忠，何故招怒？盖事非其主，言违其时，对子谀父，犹有罪焉。伐陈四克，筹略分明，奚啻子房前箸？独江淮祭文，才思少进，无论远不逮古，即比杜弼檄梁，曾几何时，风已下矣。诗篇英丽，名下无虚，得之蹯壁，失之马足，遗亡如《国侨赞辞》、《盘石》诸制者，又不知几何也。"

本年

孙万寿（558？—609？）卒，年五十二。《隋书》文学本传："因谢病免。久之，授大理司直，卒于官。时年五十二。有集十卷行于世。"孙万寿大业二年免官，其卒约在本年。详见曹、沈《丛考》卷五"孙万寿卒年"条。

崔赜等奉诏撰《区宇图志》，称吴人为东夷，为炀帝所责。《隋书》隐逸崔廓附崔赜传："（大业）五年，受诏与诸儒撰《区宇图志》二百五十卷，奏之。帝不善之，更令虞世基、许善心衍为六百卷。"严可均辑《全隋文》卷五《大业拾遗记》："炀帝初敕内史舍人窦威及起居舍人崔祖濬等撰《区域图志》，奏之。又著《丹阳郡风俗》，以吴人为东夷。帝不悦，遣内史舍人柳陆宣敕则威等。别敕虞世基等修《十郡志》。"炀帝《敕责窦威崔祖濬》："昔汉末三方鼎立，以大吴之国，以称人物。故晋武帝云：江东之有吴会，犹江西之有汝颖。衣冠人物，千载一时。及永嘉之末，革夏衣缨，尽过江表，此乃天下之名都。自平陈之后，硕学通儒，文人才子，莫非彼至。尔等著其风俗，乃为东夷之人，度越礼义，于尔等可乎？然著述之体，又无次序，各赐杖一顿。"《隋书》经籍志二："《隋区宇图志》一百二十九卷。"

公元610年 （隋炀帝大业六年 庚午）

正月

炀帝于东都盛陈百戏，天下奇伎毕集。《隋书》炀帝纪上："丁丑，角抵大戏于端门街，天下奇伎异能毕集，终月而罢。帝数微服往观之。己丑，倭国遣使贡方物。"同书音乐志下："六年，诸夷大献方物。突厥启民以下，皆国主亲来朝贺。乃于天津街盛陈百戏，自海内有奇伎，无不总萃。崇侈器玩，盛饰衣服，皆用珠翠金银，锦罽绮绣。其营费巨亿万。"

二月

庚申，征魏、齐、周、陈乐人，悉配太常。见《隋书》炀帝纪上。又《通鉴》卷一八一："庚申，以所征周、齐、梁、陈散乐悉配太常，皆置博士弟子以相传授，乐工至三万余人。"《隋书》裴蕴传："大业初……征为太常少卿。……蕴揣知帝意，奏括天下周、秦、梁、陈乐家子弟，皆为乐户。其六品以下，至于民庶，有善音乐及倡优百戏者，皆直太常。是后异技淫声咸萃乐府，皆置博士弟子，递相教传，增益乐人至三万余。帝大悦。"

三月

癸亥，炀帝幸江都。见《隋书》炀帝纪上。

夏

炀帝作《江都夏》诗，虞世基和之。炀帝、虞世基并有《江都夏》诗，当为本年夏唱和之作。炀帝又有《江都宫乐歌》，附记于此。

七月

二十四日，彦琮（557—610）卒，年五十四。《续高僧传》卷二彦琮传："凡前后译经合二十三部，一百许卷，制序述事备于经首。素患虚冷，发痢无时，因卒于馆，春秋五十有四，即大业六年七月七月二十四日也。"《法苑珠林》卷一〇〇："《达摩笈多传》四卷、《通极论》一卷、《辩教论》一卷、《辨正论》一卷、《通学论》一卷、《善财童子诸知识录》、《新译经序》、《福田论》一卷、《僧官论》一卷、《西域玄志》十卷。右此十部二十二卷，隋朝日严寺沙门释彦琮撰。"

十二月

牛弘（545—611）卒于江都，年六十七；许善心为作伤悼诗，刘斌和之。《隋书》

炀帝纪上："十二月己未，左光禄大夫、吏部尚书牛弘卒。"本传云卒于本年十一月，此从《隋纪》。又牛弘卒年按公历计已在下年。刘斌有《和许给事伤牛尚书（弘）诗》，当作于本年。许给事谓许善心，善心诗已佚。《隋书》经籍志二："《周史》十八卷，未成。吏部尚书牛弘撰。"经籍志四："吏部尚书《牛弘集》十二卷。"《隋书》牛弘传论："牛弘笃好坟籍，学优而仕，有淡雅之风，怀旷远之度，采百王之损益，成一代之典章，汉之叔孙，不能尚也。绸缪省闼三十余年，夷险不渝，始终无际。虽开物成务非其所长，然澄之不清，混之不浊，可谓大雅君子矣。"张溥《汉魏六朝百三家集》牛奇章集题辞："隋杨二帝，猜忌好杀，勋伐旧臣，动遭诛废。独牛里仁始终恩任，悔吝不及，赐诗赞扬，内帐饮食，礼爱尤殊。窃惟彼持何术，能当人主？生平文字，议礼居优，史臣遂谓其损益典章，汉叔孙通无以尚。然叔孙希世度务，委蛇儒宗，里仁得无有其遗邪？非独于明堂郊庙能也，南北用兵，典籍沦丧，里仁详陈五厄，请开购赏，篇章稍备，其有功艺文，岂让王俭《七志》，阮孝绪《七录》哉。文皇锐精作乐，何栖凤规时献议，里仁学疏量宽，依违其间，无所驳正，无咎无誉，其在坤之四爻乎？张苍寿考，公孙晚贵，里仁似之，此杨素所谓愚不可及也。"

本年

高昌献《圣明乐》。《隋书》音乐志下："六年，高昌献《圣明乐》曲，帝令知音者，于馆所听之，归而肄习。及客方献，先于前奏之，胡夷皆惊焉。其歌曲有《善善摩尼》、解曲有《婆伽儿》，舞曲有《小天》，又有《疏勒盐》。"此当指大业六年，《唐会要》卷三三曰开皇六年，《唐声诗》本此，恐误。

刘焯（544—610）卒，年六十七。《隋书》儒林本传："著《稽极》十卷，《历书》十卷，《五经述议》，并行于世。……大业六年卒，时年六十七。刘炫为之请谥，朝廷不许。"

来济（610—662）生。来济，扬州江都人。举进士，贞观中累转通事舍人，迁考功员外郎，历太子司议郎、中书舍人，预撰《晋书》。永徽中拜中书侍郎，进同中书门下三品，迁中书令。显庆初兼太子宾客，进爵南阳县侯。出为台、庭二州刺史。突厥入寇，总兵拒之，没于阵。有《来济集》三十卷。据新、旧《唐书》本传及卢照邻《南阳公集序》等。

公元 611 年 （隋炀帝大业七年 辛未）

二月

诸葛颍（535—611）从驾往涿郡，卒于道，年七十七。《隋书》炀帝纪上："乙亥，帝自江都御龙舟入通济渠，遂幸于涿郡。"同书文学诸葛颍传："从征吐谷浑，加正议大夫。后从驾北巡，卒于道，年七十七。颍性褊急，与柳晉每相忿阋，帝屡责怒之，而犹不止。于后帝亦薄之。有集二十卷，撰《銮驾北巡记》三卷，《幸江都道里记》一卷，《洛阳古今记》一卷，《马名录》二卷，并行于世。"诸葛颍之卒当在本年从驾涿郡途中，参曹、沈《丛考》卷五"诸葛颍生卒年"条。《隋书》经籍志四："著作郎《诸葛颍集》十四卷。"

七月

真观（538—611）卒，年七十四。《续高僧传》卷三一真观传："大业七年四月八日，司马李子深更延出邑，讲《大涅槃》。……至六月六日，以疾而卧……叹曰：'昔六十二应终，讲《法华》力，更延一纪。今七十四，复致斯应，生期毕矣。'……至七月七日中夜……端坐怡然，不觉已灭，逝于众善之旧寺。……观以才学之富，弘导不疲，讲释开悟，荣光俗尘，具于前叙。……著诸导文二十余卷，诗赋碑集三十余卷，近世窃用其言众矣。"

十二月

百姓苦辽东之役，王薄等拥众起义，民间多有歌谣歌其事。《隋书》炀帝纪上："于时辽东战士及馈运者填咽于道，昼夜不绝，苦役者始为群盗。"《通鉴》卷一八一："帝自去岁谋讨高丽……百姓困穷，财力俱竭，安居则不胜冻馁，死期交急，剽掠则犹得延生，于是始相聚为群盗。邹平民王薄拥众据长白山，剽掠齐、济之郊。自称知世郎，言事可知矣；又作《无向辽东浪死歌》以相感劝，避征役者多往归之。……自是所在群盗蜂起，不可胜数，徒众多者至万余人，攻陷城邑。甲子，敕都尉、鹰扬与郡县相知追捕，随获斩决；然莫能禁止。"《隋书》来护儿传："长子楷……楷弟弘……弘弟整，武贲郎将、右光禄大夫。整尤骁勇，善抚士众，讨击群寇，所向皆捷。诸贼甚惮之，为作歌曰：'长白山头百战场，十十五五把长枪，不畏官军十万众，只畏荣公第六郎。'"《古今风谣》载《大业长白山谣》："长白山前知世郎，纯著红罗绵背裆。……譬如辽东死，斩头何所伤。"诸歌谣当作于本年或稍后，姑并系于此。

本年

王劭（550？—611？）卒。《隋书》本传："炀帝嗣位，汉王谅作乱，帝不忍加诛。邵上书曰：'……谅既自绝，请改其氏。'劭以此求媚，帝依违不从。迁秘书少监，数载，卒官。"王劭之卒约在本年，参曹、沈《丛考》卷五"王劭生卒年"条。本传又云："劭在著作，将二十年，专典国史，撰《隋书》八十卷。多录口敕，又采迂怪不经之语及委巷之言，以类相从，为其题目，辞义繁杂，无足称者，遂使隋代文武名臣列将善恶之迹，堙没无闻。初撰《齐志》，为编年体二十卷，复为《齐书》纪传一百卷，及《平贼记》三卷。或文词鄙野，或不轨不物，骇人视听，大为有识所嗤鄙。然其采摘经史谬误，为《读书记》三十卷，时人服其精博。"传论："王劭爱自幼童，迄乎白首，好学不倦，究极群书。搢绅洽闻之士，无不推其博物。雅好著述，久在史官，既撰《齐书》，兼修隋典。好诡怪之说，尚委巷之谈，文词鄙秽，体统繁杂。直愧南、董，才无迁、固，不足观采。"《隋书》经籍志二："《隋书》六十卷未成。秘书监王劭撰。"《旧唐书》经籍志上："《北齐志》十七卷王劭撰。"

许善心免官，复征为守给事郎。《隋书》本传："七年，从至涿郡，帝方自御戎以东讨，善心上封事忤旨，免官。其年复征为守给事郎。"

王绩应孝悌廉洁举，除秘书正字；以疾罢，授扬州六合县丞。《旧唐书》隐逸本传："王绩，字无功，绛州龙门人。少与李播、吕才为莫逆之交。隋大业中，应孝悌廉洁举，授扬州六合县丞。"吕才《王无功文集序》："大业末，应孝悌廉洁举，射策高第，除秘书正字。……以疾罢，乞署外职，除扬州六合县丞。"按王绩大业十年弃六合丞职归乡，见后；其先为秘书正字，后为六合丞，均当在本年前后，姑并系于此。

公元 612 年 （隋炀帝大业八年 壬申）

四月

炀帝亲征辽东，赋诗纪之，王胄从征，亦有诗作。《隋书》炀帝纪下：大业八年三月，"癸巳，上御师。甲午，临戎于辽水桥。……甲午（《校勘记》疑为"甲子"之误，属四月），车驾渡辽。大战于东岸，击贼破之，进围辽东。"同书文学王胄传："从征辽东，进授朝散大夫。"王胄《纪辽东二首》其一："十万元戎才渡辽，扶沴已冰消。"当作于此时。王胄又有《白马篇》诗，炀帝亦有《纪辽东二首》、《白马篇》等诗，均当本年征辽东时所作，并系于此。

虞绰从征辽东，作《大鸟铭》，以功授建节尉。《隋书》文学本传："从征辽东，帝舍临海顿，见大鸟，异之，诏绰为铭。其辞曰：'维大业八年，岁在壬申，夏四月丙子，皇帝底定辽碣……'帝览而善之，命有司勒于海上。以渡辽功，授建节尉。"《全隋文》收虞绰此文，题作《大鸟铭》。

崔赜从征辽东，奉诏撰《东征记》。《隋书》崔廓附崔赜传："辽东之役，授鹰扬长史，置辽东郡县名，皆赜之议也。奉诏作《东征记》。九年……"

九月

庚辰，炀帝归至东都。见《隋书》炀帝纪下。

十一月

于仲文（545—612）卒，年六十八。《隋书》本传："辽东之役，仲文率军指乐浪道。……东至萨水，宇文述以兵馁退归，师遂败绩。帝以属吏，诸将皆委罪于仲文。帝大怒，释诸将，独系仲文。仲文忧恚发病，困笃方出之，卒于家，时年六十八。撰《汉书刊繁》三十卷、《略览》三十卷。"同书炀帝纪下："（十一月）甲申，败将宇文述、于仲文等并除名为民。"仲文卒当在本月或稍后，姑系于此。

本年

国内灾疫流行，炀帝荒淫如旧。《隋书》炀帝纪下："是岁，大旱，疫，人多死，山东尤甚。密诏江、淮南诸郡阅视民间童女，资质端丽者，每岁贡之。"

民间有童谣预言李密反隋之事。《隋书》五行志上："大业中，童谣曰：'桃李子，鸿鹄绕阳山，宛转花林里。莫浪语，谁道许。'其后李密坐杨玄感之逆，为吏所拘，在路逃叛。潜结群盗，自阳城山而来，袭破洛口仓，后复屯兵苑内。莫浪语，密也。宇文化及自号许国，寻亦破灭。谁道许者，盖惊疑之辞也。"杨玄感叛隋在明年六月，见《隋书》炀帝纪下，童谣当产生于本年或稍前。

公元613年　（隋炀帝大业九年　癸酉）

四月

炀帝渡辽，再征高丽。《隋书》炀帝纪下："（二月）壬午……又征兵讨高丽。……（三月）戊寅，幸辽东。……夏四月庚午，车驾渡辽。"

六月

杨玄感叛隋，兵逼东都。《隋书》炀帝纪下："六月乙巳，礼部尚书杨玄感反于黎阳。丙辰，玄感逼东都。"

七月

杜正藏（？—613）卒。《北史》杜铨附杜正藏传："九年，从驾征辽，为夫余道行军长史。还至涿郡，卒。"《隋书》炀帝纪下："（六月）庚午，上班师。"按本年六月癸卯朔，庚午为二十八日，《通鉴》卷一八二虽记炀帝还至涿郡在本年六月，实当已在七月，正藏卒即在此时。《北史》又云："正藏为文迅速，有如宿构。曾令数人并执纸笔，各题一文，正藏口授俱成，皆有文理。为当时所异。又为《文轨》二十卷，论为文体则，甚有条贯。后生宝而行之，多资以解褐，大行于世，谓之《杜家新书》云。"《隋书》文学杜正玄附弟正藏传："著碑诔铭颂诗赋百余篇。又著《文章体式》，大为后进所宝，时人号为文轨，乃至海外高丽、百济，亦共传习，称为《杜家新书》。"

八月

杨玄感乱平。《隋书》炀帝纪下："八月壬寅，左翊卫大将军宇文述等破杨玄感于阌乡，斩之，余党悉平。"

本年

王胄（558—613）卒，年五十六。《隋书》文学本传："及玄感败，与虞绰俱徙边。胄遂亡匿，潜还江左，为吏所捕，坐诛，时年五十六。"又云："帝所有篇什，多令继和。与虞绰齐名，同志友善，于时后进之士咸以二人为准的。……所著词赋，多行于世。"《隋书》经籍志四："著作郎《王胄集》十卷。"

许善心摄左翊卫长史，与崔祖璿撰《灵异记》十卷，又续父志撰成《梁史》。《隋书》许善心传："九年，摄左翊卫长史，从渡辽，授建节尉。帝尝言及高祖受命之符，因问鬼神之事，敕善心与崔祖璇撰《灵异记》十卷。初，善心父撰述《梁史》，未就而殁。善心述成父志，修续家书，其《序传》末，述制作之意曰：……"

　　潘徽、褚亮均以交通杨玄感贬出，行至陇西，徽卒，亮题诗悼之。《隋书》文学潘徽传："授京兆郡博士。杨玄感兄弟甚重之，数相来往。及玄感败，凡交关多罹其患。徽以玄感故人，为帝所不悦，有司希旨，出徽为西海郡威定县主簿。意甚不平，行至陇西，发病卒。"又云："（徽）性聪敏，少受礼于郑灼，受《毛诗》于施公，受书于张冲，讲《庄》、《老》于张讥，并通大义。尤精三史。善属文，能持论。"《旧唐书》褚亮传："大业中，授太常博士。时炀帝将改置宗庙，亮奏议曰：……议未行，寻坐与杨玄感有旧，左迁西海郡司户。时京兆郡博士潘徽亦以笔札为玄感所礼，降威定县主簿。当时寇盗纵横，六亲不能相保。亮与同行，至陇山，徽遇病终，亮亲加棺敛，瘗之路侧，慨然伤怀，遂题诗于陇树，好事者皆传写讽诵，信宿遍于京邑焉。"褚亮《在陇头哭潘学（一作博）士》见《文苑英华》卷三〇二，《全唐诗》卷三二据以收录。

公元 614 年　（隋炀帝大业十年　甲戌）

七月

　　许善心从驾至怀远镇，加授朝散大夫。《隋书》炀帝纪下："秋七月癸丑，车驾次怀远镇。"同书许善心传："十年，又从至怀远镇，加授朝散大夫。"

秋

　　李密作《淮阳感秋》诗。《隋书》本传："玄感败，密间行入关，与玄感从叔询相随，匿于冯翊询妻之舍。寻为邻人所告，遂捕获，囚于京兆狱。是时炀帝在高阳，与其党俱送帝所。……行次邯郸，夜宿村中，密等七人皆穿墙而遁，与王仲伯亡抵平原贼帅郝孝德。孝德不甚礼之……密诣淮阳……聚徒教授。经数月，密郁郁不得志，为五言诗曰：'金风荡初节，玉露凋晚林……'诗成而泣下数行。"按杨玄感之败在大业九年八月，已见前，据《传》中"经数月"等语，知诗当作于本年秋。又韩昱《壶关录》云李密大业十一年尝再次被捕，后逃归郝孝德，《通鉴》卷一八三不取其说，此亦不从。

十月

　　丁卯，炀帝至东都，己丑，还长安。见《隋书》炀帝纪下。

十二月

　　戊子，炀帝至东都。见《隋书》炀帝纪下。

冬

刘炫（547？—614？）卒，年六十八。《隋书》儒林本传："于时群盗蜂起，谷食踊贵，经籍道息，教授不行。炫与妻子相去百里，声问断绝，郁郁不得志，乃自为赞曰：……时在郡城，粮饷断绝……是时夜冰寒，因此冻馁而死，时年六十八。其后门人谥曰宣德先生。炫性躁竞，颇俳谐，多自矜伐，好轻侮当世，为执政所丑，由是官涂不遂。著《论语述议》十卷，《春秋攻昧》十卷，《五经正名》十二卷，《孝经述议》二十卷，《春秋述议》二十卷，《尚书述议》二十卷、《毛诗述议》四十卷，《注诗序》一卷，《算术》一卷，并行于世。"按刘炫卒当在大业九年至十三年间，姑系于此。参见曹、沈《丛考》卷五"刘炫生卒年"条。

本年

萧吉（？—614）卒。《隋书》艺术本传："未几玄感以反族诛，帝弥信之。后岁余，卒官。著《金海》三十卷，《相经要录》一卷，《宅经》八卷，《葬经》六卷，《乐谱》二十卷及《帝王养生方》二卷，《相手版要决》一卷，《太一立成》一卷，并行于世。"杨玄感败死在上年八月，此后岁余萧吉卒，当在本年。《旧唐书》经籍志下："《五行记》五卷，萧吉撰。"

王绩弃六合丞归乡，作诗文以见志。王度《古镜记》："大业十年，度弟勣（绩）自六合丞弃官归。"（《唐人小说》本，下同）《旧唐书》隐逸王绩传："授扬州六合县丞，非其所好，弃官归乡里。"王绩有《解六合丞还》诗，作于本年弃官时。又有《无心子》文，序云："东皋子始仕，以醉懦罢。乡人或诮之，东皋子不屑也，退著《无心子》，以见趣云。"亦当作于本年。

李义府（614—666）生。李义府，原籍瀛州饶阳，徙家梓州永泰。唐贞观中对策擢第，补门下省典仪。刘洎、马周荐为监察御史，迁太子舍人。与太子司议郎来济俱以文翰见知，时称来、李。高宗立，拜中书舍人，兼修国史，加弘文馆学士。以协赞立武昭仪为皇后，擢中书侍郎、同中书门下三品，进中书令。怙宠稔恶，长流巂州，卒。有《李义府集》四十卷。据《旧唐书》本传。

公元615年　（隋炀帝大业十一年　乙亥）

正月

乙卯，炀帝于东都大会蛮夷，设鱼龙曼延之乐。见《隋书》炀帝纪下。

增秘书省官百二十员，皆以学士补之。见《通鉴》卷一八二。

春

虞绰（562—615）卒，年五十四，卒前有诗作。《隋书》文学本传："及玄感败后……徙绰且末。绰至长安而亡，吏逮之急，于是潜渡江，变姓名，自称吴卓。游东阳，抵信安令天水辛大德。大德舍之。……岁余……竟为吏所得，坐斩江都，时年五十四。"

38

所有词赋，并行于世。"虞绰《于婺州被囚诗》："况当此春节，物候惊田里。桃蹊日影乱，柳径秋（按当作和）风起。"婺州即东阳郡，信安为其属县，见《隋书》地理志下。杨玄感大业九年八月败，知诗作于本年春，虞绰卒当在此时或稍后。

八月

炀帝北巡，为突厥困于雁门，许善心摄左亲尉武贲郎将。《隋书》炀帝纪下："八月乙丑，巡北塞。……壬申，车驾驰幸雁门。癸酉，突厥围城，官军频战不利。"同书许善心传："突厥围雁门，摄左亲卫武贲郎将，领江南兵宿卫殿省。"

十月

炀帝至东都，饮于长乐宫，有诗作。《隋书》五行志上："炀帝自京师如东都，至长乐宫，饮酒大醉，因赋五言诗。其卒章曰：'徒有归飞心，无复因风力。'令美人再三吟咏，帝泣下沾襟，侍御者莫不欷歔。"同书炀帝纪下："冬十月壬戌，上至于东都。"按据《通鉴》卷一八二，炀帝乃自太原至东都，《隋志》误。

萧瑀出为河池太守。《通鉴》卷一八二："初，萧瑀以外戚有才行，尝侍帝于东宫。累迁至内史侍郎，委以机务。瑀性刚鲠，数言事忤旨，帝渐疏之。及雁门围解……出为河池郡守。"

本年

炀帝萧皇后作《述志赋》。《隋书》后妃传："炀帝萧皇后，梁明帝岿之女也。……帝每游幸，后未尝不随从。时后见帝失德，心知不可，不敢厝言，因为《述志赋》以自寄。其词曰：……及帝幸江都，臣下离贰。"炀帝明年幸江都，赋当作于本年或稍前，姑系于此。

炀帝乐工弹翻调《安公子曲》，识者谓此乃不祥之音。《隋书》艺术万宝常附王令言传："时有乐人王令言，亦妙达音律。大业末，炀帝将幸江都，令言之子尝从，于户外弹胡琵琶，作翻调《安公子曲》。令言时卧室中，闻之大惊，蹶然而起曰：'变，变！'急呼其子曰：'此曲兴自早晚？'其子对曰：'顷来有之。'令言遂歔欷流涕，谓其子曰：'汝慎无从行，帝必不返。'子问其故，令言曰：'此曲宫声往而不反，宫者君也，吾所以知之。'帝竟被杀于江都。"《安公子曲》当兴于本年前后。

公元 616 年 （隋炀帝大业十二年 丙子）

三月

炀帝与群臣饮于西苑水上，命杜宝撰《水饰图经》。《通鉴》卷一八三："三月，上巳，帝与群臣饮于西苑水上，命学士杜宝撰《水饰图经》，采古水事七十二，使朝散大夫黄衮以木为之，间以妓航、酒船，人物自动如生，钟磬筝瑟，能成音曲。"

五月

　　苏威献《尚书》以讽炀帝，帝怒之。《通鉴》卷一八三："寻属五月五日，百僚多馈珍玩，（苏）威独献《尚书》。或譖之曰：'《尚书》有《五子之歌》，威意甚不逊。'帝益怒。"

七月

　　炀帝幸江都，赋诗留别宫人，初出洛时，庾自直应诏赋诗。《通鉴》卷一八三："甲子，帝幸江都……帝以诗留别宫人曰：'我梦江都好，征辽亦偶然。'"庾自直《初发东都应诏诗》："纵观此何事，巡驾幸淮扬。……照日秋原净，分花曲水香。"为初出洛阳时应诏之作。

　　炀帝幸江都途中，有挽龙舟者夜半悲歌。《隋诗》卷八引《海山记》："隋炀帝大业十年东幸维扬，御龙舟，中道夜半闻歌者甚悲，其辞曰：'我儿征辽东，饿死青山下。今我挽龙舟，又困隋堤道。……'帝闻其歌，遽遣人求其歌者，至晓不得其人。帝颇彷徨，通夕不寐。"按大业十年炀帝未尝幸江都，事当在本年。

　　许善心从驾江都，授通议大夫，诏还本品，行给事郎。见《隋书》本传。

本年

　　百姓困苦，至人相食而活。《通鉴》卷一八三："（炀）帝至江都，江淮郡官谒见者，专问礼饷丰薄，丰则超迁丞、守，薄则率从停解。……由是郡县竞务刻剥，以充贡献。民外为盗贼所掠，内为郡县所赋，生计无遗；加之饥馑无食，民始采树皮叶，或捣藁为末，或煮土而食之，诸物皆尽，乃自相食；而官食犹充牣，吏皆畏法，莫敢振救。"

公元617年　（隋炀帝大业十三年　隋恭帝义宁元年　丁丑））

正月

　　窦建德称长乐王，孔德绍、刘斌皆归之。《隋书》炀帝纪下："丙辰，窦建德坛于乐寿，自称长乐王，置百官，改元丁丑。"同书文学传："会稽孔德绍，有清才，官至景城县丞。窦建德称王，署为中书令，专典书檄。"又："南阳刘斌，颇有词藻，官至信都郡司功书佐。窦建德署为中书舍人。"

二月

　　李密陷兴洛仓，自号魏公，祖君彦往投之，专掌书檄。《隋书》炀帝纪下："庚寅，贼帅李密、翟让等陷兴洛仓。……庚子，李密自号魏公，称元年，开仓以振群盗，众至数十万，河南诸郡相继皆陷焉。"《通鉴》卷一八三："庚寅，密、让将精兵七千人出阳城北，逾方山，自罗口袭兴洛仓，破之。……前宿城令祖君彦自昌平往归之。君彦，珽之子也。博学强记，文辞赡敏，著名海内，吏部侍郎薛道衡尝荐之于高祖，高祖曰：'是歌杀胡律明月人儿邪？朕不须此辈！'炀帝即位，尤疾其名，依常调选东平书佐，检校宿城令。君彦自负其才，常郁郁思乱，密素闻其名，得之大喜，引为上客，军中书檄，一以委之。"

四月

祖君彦作《为李密檄洛州文》。《旧唐书》李密传："密复下回洛仓而据之，大修营堑，以逼东都，仍作书以移郡县曰：……祖君彦之辞也。"《通鉴》卷一八三："己亥，密率众三万复据回洛仓……丁未，密使其幕府移檄郡县，数炀帝十罪，且曰：'罄南山之竹，书罪无穷；决东海之波，流恶难尽。'祖君彦之辞也。"按此文《全唐文》卷一三二收录，题作《为李密檄洛州文》，系祖君彦名篇。

五月

李渊于太原起义。《隋书》炀帝纪下："甲子，唐公起义师于太原。"李渊七岁袭封唐国公，见《旧唐书》高祖纪。又李渊起义事详见《通鉴》卷一八三。

王通（585—617）卒，年三十三。《全唐文》卷一三三薛收《隋故征君文中子碣铭》："以大业十三年五月甲子，遘疾终于万春乡甘泽里第，春秋三十二。"（按以下所引唐人文章，除注明者外，皆出《全唐文》，不复标其卷次）杜淹《文中子世家》："十三年，江都难作。而文中子有疾，召薛收而谓之曰：'吾梦颜回称孔子之命而登吾阶……吾必不起矣。'盖寝疾七日而终。"王绩《游北山赋》自注："吾兄仲淹，以大业十三年卒于乡馆，予时年三十三，门人谥曰'文中子'。"傅璇琮《唐代诗人考略》（《文史》第八辑）谓王绩赋句中"予"字系衍文，盖谓文中子卒时年三十三，非谓王绩时年三十三，其说是。薛收《碣铭》："周道竭而孔子兴，隋风丧而夫子生。五常为之式序，三纲为之无昧。道冲而用，故无德而名；功足化成，故匪爵而重。于稽其类，其生物之匠乎。"杨炯《王勃集序》："祖父通，隋秀才高第，蜀郡司户书佐，蜀王侍读。大业末，退讲艺于龙门。其卒也，门人谥之曰文中子。闻风睹奥，起予道惟，揣摩三古，开阐八风。始摈落于邹、韩，终激扬于荀、孟。……文中子之居龙门也，睹隋室之将散，知吾道之未行，循叹凤之远图，宗获麟之遗制，裁成大典，以赞孔门。讨论汉、魏，迄于晋代，删其诏命为百篇以续《书》。甄正乐府，取其雅奥，为三百篇以续《诗》。又自晋太熙元年，至隋开皇九年平陈之岁，褒贬行事，述《元经》以法《春秋》。"（《杨炯集》卷三）皮日休《文中子碑》："文中子王氏，讳通，生于陈、隋之间，以乱世不仕，退于汾晋，序述《六经》，敷为《中说》，以行教于门人。夫仲尼删《诗》、《书》，定《礼》、《乐》，赞《周易》，修《春秋》；先生则有《礼论》二十五篇，《续诗》三百六十篇，《元经》三十一篇，《易赞》七十篇。孟子之门人，有高第弟子公孙丑、万章焉。先生则有薛收、李靖、魏徵、李勣、杜如晦、房玄龄。孟子之门人，郁郁于乱世；先生之门人，赫赫于盛时。较其道于孔、孟，岂徒然哉？设先生生于孔圣之世，余恐不在游、夏之亚，况七十子欤？惜乎！德与命乖，不及睹吾唐

受命而殁。苟唐得而用之，贞观之治，不在于房、杜、褚、魏矣。后先生二百五十余岁，生曰皮日休，嗜先生道，业先生文，因读《文中子后序》，尚阙于赞述，想先生封隧所在，因为铭曰：大道不明，天地沦精。俟圣畅教，乃出先生。百氏黜迹，六艺腾英。道符真宰，用失阿衡。先生门人，为唐之桢。差肩明哲，接武明卿。逾一纪，致我太平。先生之功，莫之与京。"（《皮子文薮》卷四）按王通其人其书世多歧说，参见王冀民、王素《文中子辨》，载《文史》第二十二辑。

七月

薛举于陇右举兵反隋，自立为帝，引褚亮、褚遂良父子以为属官。《隋书》炀帝纪下："夏四月癸未，金城校尉薛举率众反，自称西秦霸王，建元秦兴，攻陷陇右诸郡。"《旧唐书》薛举传："十三年秋七月，举僭号于兰州。"同书褚亮传："薛举僭号陇西，以亮为黄门侍郎，为之机务。"同书褚遂良传："散骑常侍亮之子也。大业末，随父在陇右，薛举僭号，署为通事舍人。"

八月

陈叔达归降李渊，授丞相府主簿。《旧唐书》本传："大业中，拜内史舍人，出为绛郡通守。义师至绛郡，叔达以郡归款，授丞相府主簿，封汉东郡公，与记室温大雅同掌机密，军书、赦令及禅代文诰，多叔达所为。"《通鉴》卷一八四："丙戌，（李）渊入临汾郡。……庚寅，宿鼓山。绛郡通守陈叔达据守；辛卯，进攻，克之。叔达，陈高宗之子，有才学，渊礼而用之。"

九月

魏徵为李密元帅府参军文学，掌记室。《通鉴》卷一八四："武阳郡丞元宝藏以郡降李密，（九月）甲寅，密以宝藏为上柱国、武阳公。宝藏使其客巨鹿魏徵为启谢密。……密喜……召魏徵为元帅府文学参军，掌记室。徵少孤贫，好读书，有大志，落拓不事生业。始为道士，宝藏召典书记。密爱其文辞，故召之。"时魏徵年三十八。按魏徵（580—643），字玄成，馆陶人。隋末受李密召，为其僚属。随密降唐，授秘书丞。为窦建德所获，署为起居舍人。建德败，归唐，太子建成引为洗马。太宗立，擢谏议大夫，迁秘书监、侍中。以修史功，加左光禄大夫，进封郑国公。以疾请逊位，乃拜特进，仍知门下省事。卒，谥文贞。有《魏徵集》二十卷。据《旧唐书》本传。

于志宁、颜师古、长孙无忌皆归附李渊。《通鉴》卷一八四："庚申，李渊帅诸军济河；甲子，至朝邑，舍于长春宫……冠氏长于志宁、安养尉颜师古及（李）世民妇兄长孙无忌谒见渊于长春宫。师古名籀，以字行；志宁，宣敏之兄子；师古，之推之孙也；皆以文学知名，无忌仍有才略。渊皆礼而用之，以志宁为记室，师古为朝散大夫，无忌为渭北行军典签。"

令狐德棻为李渊从弟李神通记室。《通鉴》卷一八四："（李）渊从弟神通在长安，亡人狱鄠县山中……神通众逾一万，自称关中道行军总管，以前乐城长令狐德棻为记室。……及渊济河……渊以神通为光禄大夫。"

十月

炀帝在江都，有诗作，虞世基、虞世南各应诏奉和。《隋书》五行志上："帝因幸江都，复作五言诗曰：'求归不得去，真成遭个春。鸟声争劝酒，梅花笑杀人。'帝以三月被弑，即遭春之应也。是年盗贼蜂起，道路隔绝，帝惧，遂无还心。帝复梦二竖子歌曰：'住亦死，去亦死，未若乘船渡江水。'由是筑宫丹阳，将居焉。功未就而帝被杀。"虞世基、虞世南并有《奉和幸江都应诏诗》，当为和炀帝此诗而作。世南诗云："冬律初飞管，阳鸟正衔芦。"知作于初冬。据《隋书》炀帝记下，起宫丹阳在本年十一月，则诸诗当作于本年十月。

十一月

李渊入长安，遥尊炀帝为太上皇，立代王杨侑为帝，是为隋恭帝；改元义宁。《隋书》炀帝纪下："十一月丙辰，唐公入京师。辛酉，遥尊帝为太上皇，立代王侑为帝，改元义宁。"参见同书恭帝纪、《旧唐书》高祖纪、《通鉴》卷一八四等。

十二月

萧瑀降归李渊。《通鉴》卷一八四："丁酉，河池太守萧瑀及扶风、汉阳郡相继来降……以……萧瑀为礼部尚书、宋国公。"

本年

《踏谣娘》兴于河朔。《通典》卷一四六："《踏谣娘》生于隋末。河内有人丑貌而好酒，常自号郎中，醉归必殴其妻。妻美色善自歌，乃歌为怨苦之词。河朔演其曲而被之管弦，因写其妻之容。妻悲诉，每摇其身，故号《踏谣》云。近代优人颇改其制度，非旧旨也。"《教坊记》："《踏谣娘》：北齐有人姓苏，𩨹鼻。实不仕，而自号为'郎中'。嗜饮，酗酒，每醉辄殴其妻。妻衔悲，诉于邻里。时人弄之：丈夫著妇人衣，徐步入场行歌。每一叠，旁人齐声和之，云：'踏谣，和来！踏谣娘苦！和来！'以其且步且歌，故谓之'踏谣'；以其称冤，故言'苦'。及其夫至，则作殴斗之状。今则妇人为之，遂不呼郎中，但云'阿叔子'；调弄又加典库，全失旧旨。或呼为《谈容娘》，又非。"

薛收不应秀才举。《旧唐书》本传："大业末，郡举秀才，固辞不应。"

王度欲撰《隋书》而未成。王绩《与江公重借〈隋纪〉书》："仆亡兄芮城，尝典著局。大业之末，欲撰〈隋书〉，俄逢丧乱，未及终毕。"此芮城兄指王度，详见韩理洲《王绩生平求是》，载《文史》第十八辑。

大业年间

曹宪受命与诸学士撰《桂苑珠丛》，又尝为《博雅》作训注。《旧唐书》儒学上曹宪传："曹宪，扬州江都人也。仕隋为秘书学士。每聚徒教授，诸生数百人。当时公卿以下，亦多从之受业。宪又精诸家文字之书，自汉代杜林、卫宏之后，古文泯灭，由宪此学复兴。大业中，炀帝令与诸学者撰《桂苑珠丛》一百卷，时人称其该博。宪又训注张辑所撰《博雅》，分为十卷，炀帝令藏于秘府。"

刘孝孙与虞世南等人交游，常为文会。《旧唐书》褚亮附刘孝孙传："孝孙弱冠知名，与当时辞人虞世南、蔡君和（知）、孔德绍、庾抱、庾自直、刘斌等登山临水，结为文会。大业末……"其为文会当在大业年间。

智果于东都内道场撰佛教诸经目录。《隋书》经籍志四："大业时，又令沙门智果，于东都内道场，撰诸经目，分别条贯，以佛所说经为三部：一曰大乘，二曰小乘，三曰杂经。其余似后人假托为之者，别为一部，谓之疑经。又有菩萨及诸深解奥义、赞明佛理者，名之为论，及戒律并有大、小及中三部之别。又所学者，录其当时行事，名之为记。凡十一种。"

第二章

唐高祖武德元年至唐玄宗先天元年（618—712）共95年

·引　言·

　　卢照邻《南阳公集序》：贞观年中，太宗外厌兵革，垂衣裳于万国，舞干戚于两阶。留思政途，内兴文事。虞、李、岑、许之俦以文章进，王、魏、来、褚之辈以材术显。咸能起自布衣，蔚为卿相，雍容侍从，朝夕献纳。我之得人，于斯为盛。虞博通万句，对问不休；李长于五言，下笔无滞。岑君论诘亹亹，听者忘疲。许生章奏翩翩，谈之未易。王侍中政事精密，明达旧章；魏太师直气鲠词，兼包古义。褚河南风标特峻，早锵声于册府。变风变雅，立体不拘于一途；既博既精，为学遍游于百氏。（《卢照邻集校注》卷六）

　　杨炯《王勃集序》：尝以龙朔初载，文场变体，争构纤微，竞为雕刻。糅之金玉龙凤，乱之朱紫青黄，影带以狥其功，假对以称其美，骨气都尽，刚健不闻。思革其弊，用光志业。薛令公朝右文宗，托末契而推一变；卢照邻人间才杰，览青规而辍九攻。知音与之矣，知己从之矣。于是鼓舞其心，发泄其用，八纮驰骋于思绪，万代出没乎豪端。契将往而必融，防未来而先制。动摇文律，宫商有奔命之劳；沃荡词源，河海无息肩之地。以兹伟鉴，取其雄伯，壮而不虚，刚而能润，雕而不碎，按而弥坚。大则用之以时，小则施之有序。徒纵横以取势，非鼓怒以为资。长风一振，众萌自偃，遂使繁综浅术，无藩篱之固；纷绘小才，失金汤之险。积年绮碎，一朝清廓，翰苑豁如，词林增峻。（《杨炯集》卷三）

　　卢藏用《右拾遗陈子昂文集序》：宋、齐之末，盖颓顿矣。逶迤陵颓，流靡忘返，至于徐、庾，天之将丧斯文也。后进之士若上官仪者，继踵而生，于是《风》、《雅》之道扫地尽矣。《易》曰："物不可以终否，故受之以泰。"道丧五百岁而得陈君。君讳子昂，字伯玉，蜀人也。崛起江汉，虎视函夏，卓立千古，横制颓波，天下翕然，质文一变。（《全唐文》卷二三八）

　　张说《唐昭容上官氏文集序》：自则天久视之后，中宗景龙之际，十数年间，六合清谧。内峻图书之府，外辟修文之馆。搜英猎俊，野无遗才。右职以精学为先，大臣以无文为耻。每豫游宫观，行幸河山，白云起而帝歌，翠华飞而臣赋。雅颂之盛，与三代同风。岂惟圣后之好文，亦云奥主之协赞者也。（《全唐文》卷二二五）

　　王泠然《论荐书》：有唐以来，无数才子。至于崔融、李峤、宋之问、沈佺期、富嘉谋（谟）、徐彦伯、杜审言、陈子昂者，与公（按指张说）连飞并驱，更唱迭和。此数公者，真可谓五百年挺生矣，天丧斯文，凋零向尽。（《全唐文》卷二九四）

沈既济《词科论》：初，国家自显庆以来，高宗圣躬多不康，而武太后任事，参决大政，与天子并。太后颇涉文史，好雕虫之艺，永隆中始以文章选士。及永淳之后，太后君天下二十余年，当时公卿百辟，无不以文章，因循遇久，浸以成风。（《全唐文》卷四七六）

刘禹锡《唐故相国李公集纪》：惟唐以神武定天下，群慝既耋，骤示以文。韶英之音与钲鼓相袭。故起文章为大臣，魏文贞以谏诤显，马高唐以智略奋，岑江陵以润色闻。无草昧汗马之劳，而任遇在功臣上。唐之贵文至矣哉！后王篡承，多以国柄付文士。（《刘禹锡集》卷一九）

刘昫等《旧唐书》儒学传序：高宗嗣位，政教渐衰，薄于儒术，尤重文史。于是醇酿日去，华竞日彰，犹火销膏而莫之觉也。及则天称制，以权道临下，不吝官爵，取悦当时。其国子祭酒，多授诸王及驸马都尉。准贞观旧事，祭酒孔颖达等赴上日，皆讲《五经》题。至是，诸王与驸马赴上，唯判祥瑞按三道而已。至于博士、助教，唯有学官之名，多非儒雅之实。……因是生徒不复以经学为意，唯苟希侥幸。二十年间，学校顿时隳废矣。

方回《瀛奎律髓》卷三：律诗自徐陵、庾信以来，叠叠尚工，然犹时拗平仄。唐太宗时，多见《初学记》中，渐成近体，亦未脱陈、隋间气习。至沈佺期、宋之问，而律诗整整矣。陈子昂《感遇》古诗三十八首，极为朱文公所称。天下皆知其能为古诗，一扫南北绮靡，殊不知律诗极精。……如沈，如宋，如老杜之大父审言，并子昂四家观之可也，盖皆未有老杜以前律诗。（《瀛奎律髓汇评》本）

高棅《唐诗品汇》五言古诗序目：唐诗之变渐矣，隋氏以还，一变而为初唐，贞观、垂拱之诗是也。

同上书五言绝句叙目：五言绝句，作自古也。……唐初工之者众，王、杨、卢、骆尤多。宋之问、韦承庆之流相与继出，可谓盛矣。

康海《樊子少南诗集序》：予昔在词林读历代诗，汉、魏以降顾独悦初唐焉。其词虽缛，而其气雄浑朴略，有《国风》之遗响。……或曰：唐初承六朝靡丽之风，非俪弗语，非工弗传，实雕虫之末技尔。子以雄浑朴略与之，何邪？曰：正以承六朝之后，而能卒然振奋其气，词或稍因其故，而格则力脱其靡也。（《对山集》卷四）

王格《初唐诗序》：初唐居近体之首，质而不俚，华而不艳，其浑厚蒨郁之气，有足观法者。余尝总括上世作者之家，品其大较，以为唐人斯作，亦犹《三百篇》有殷、周之盛，赋有屈原之体，五言有初汉之辞，皆当变更之始，为创制之宗。譬诸天地初分，百为末备，虽风教朴野，而元气蔼如也。（《明文海》卷二二五）

彭辂《与友人论诗》：虞世南、魏徵、杨师道等，而渐入苍古，半为陈子昂之先驱。彼以青黄黼黻为六朝，金玉珠翠为初唐者，误矣。（《明文海》卷一六〇）

何良俊《四友斋丛说》卷二四：唐初，虽相沿陈、隋委靡之习，然自是不同。如王无功《古意》、李百药《郢城怀古》之作，尚在陈子昂之前，然其力已自劲挺。盖当兴王之代，则振迅激昂，气机已动，虽诸公亦不自知也。孰谓文章不关于气运哉？同上书卷二五：沈、宋始创为律，排比律法，稳顺声势，其铸词已别是一格矣。然观其五言古诗，大率以五言律诗句用之。夫律诗句不可用于古诗中，犹古诗句不可用于律诗中也。故五言律虽工，而五言古诗终输陈拾遗一等。又：初唐人歌行，盖相沿梁、陈之体，仿佛徐孝穆、江总持诸作，虽极其绮丽，然不过将浮艳之词模仿凑合耳。

何良俊《唐雅序》：夫唐太宗当草昧之初，即好篇咏，海内风动，群士响臻，是以俊彦在列，风雅盈朝。每朝章国典，锡爵宠行，节候和韶，物色妍冶，苟情有所属而事足乐咏者，则君倡于上，臣和于下，虽以一事之微，而铺张陈写，曲尽其变，猎秘搜奇，穷绮极丽，顾盼而兴风云，咳唾则成珠玉。至景龙中，上官昭容以宫闺之媛，往往与朝士埒能；窦以一以将臣而时有属缀。踔厉之音，初无间于彤管；婉约之辞，亦不遗于武弁。转移之机，有符神宰；陶铸之功，无爽主造。谓之曰盛，信不诬耳。（《明文海》卷二一五）

王世贞《东白草堂集序》：及读所谓唐卢、骆、沈、宋者诗，其属事非不精，其辞非不彬彬中文质也，然往往工于用情，而薄于约性。其显而被之廊庙，则多侈大其所遭以明得意，其气多轻扬而陵物；不幸而挫阨放窜以死，则或追痕其所由得而其旨诽，或微挟其所自树而其旨亢。其下者有所询乞而其旨谀，高者无所顾藉而其旨诞。虽其辞之工，有曲尽挫阨放窜之状，若能致其身于不朽，而天下后世更有羡于其穷者，然而博达超旷之士，固已阴鄙其中之浅，而预识其一踬而不复收矣。（《弇州山人四部稿》卷六六）

王世贞《艺苑卮言》卷四：卢、骆、王、杨，号称四杰。词旨华靡，固沿陈隋之遗，翩翩意象，老境超然胜之。五言遂为律家正始。内子安稍近乐府，杨、卢尚宗汉、魏，宾王长歌虽极浮靡，亦有微瑕，而缀锦贯珠，滔滔洪远，故是千秋绝艺。《荡子从军》，献吉改为歌行，遂成雅什。子安诸赋，皆歌行也，为歌行则佳，为赋则丑。

同上书卷八：燕公大雅，称三兄第一；万回圣僧，呼詹事才子。外议似不专宋，独应制争标，往往擅场，如昆明夜珠入上官之选，龙池锦袍夺东方之气，声华艳羡，遂无其偶。延清诗达如此，直得一横死耳。又有武平一者，以正月八日立春彩花应制诗成，中宗手敕批云："平一年虽最少，文甚警新，悦红蕊之先开，讶黄莺之未啭，循环吟咀，赏叹兼怀，今更赐花一枝，以彰其美。"所赐学士花并插，后复以谑词赐酒一杯，当时叹羡。读《中宗纪》，令人懑懑气塞，惟于诗道，似有小助。至离宫列席，领略佳候，使才士操觚，次第称赏，亦是人主快事，为词林佳话。（《历代诗话续编》本）

王世懋《鷁鹈集后续》：夫唐之人主以诗登士，士之工乎此无惑也，士业由此登。吾以谓，高者当在帝左右任密勿顾问之司，次者乃以试州郡诸散秩，及屈指而计，其人乃多不然。开元以前，人主当命侍臣应制，苏、李、燕、许之流，犹执文柄，厥后实寥寥焉。（《明文海》卷二四三）

胡应麟《诗薮》内编卷二：唐初五言古，殊少佳者。王、杨、沈、宋集中，一二仅存，皆非合作，无论汉、魏，远却齐、梁。此时古意垂烬，而律体骤开，诸子当强弩之末，鼎革之初，故自不得超也。又：审言集殊乏五言（古），仅《乱石》一二首。佺期间出，大概非长。之问篇什颇盛，意似规模三谢，第律语时时杂之。崔融有气骨而未成就。薛稷《郊陕》之外，亡复他章。

同上书内编卷三：初唐短歌，子安《滕王阁》为冠，长歌宾王《帝京篇》为冠。李峤《汾阴行》，玄宗剧赏，然声调未谐，转换多颣，出沈、宋下。薛君采初唐独取此篇，非是。又：张若虚《春江花月夜》，流畅婉转，出刘希夷《白头翁》上，而世代不可考。详其体制，初唐无疑。

同上书内编卷四：唐人句律有全类六朝者……若唐初句格未谐者，自是六朝体。又：初唐五言律，杜审言《早春游望》、《秋宴临津》、《登襄阳城》、《咏终南山》，陈子昂《次乐乡》，沈佺期《宿七盘》、宋之问《扈从登封》，李峤《侍宴甘露殿》、苏颋《骊山应制》，孙逖《宿云门寺》，皆气象冠裳，句格鸿丽。初学必从此入门，庶不落小家窠臼。又：初、盛间五言古，陈子昂为冠；七言短古、五言绝，王勃为冠；长歌，骆宾王为冠；五言律，杜审言为冠；七言律，沈佺期为冠；排律，宋之问为冠。

同上书内编卷五：初唐律体之妙者，杜审言《大酺应制》，沈云卿《古意》、《兴庆池》、《南庄》，李峤《太平山亭》，苏颋《安乐新宅》、《望春台》、《紫薇省》，皆高华秀赡，第起结多不甚合耳。

同上书内编卷六：唐初五言绝，子安诸作已入妙境。七言初变梁、陈，音律未谐，韵度尚乏。惟杜审言《度湘江》、《赠苏绾》二首，结皆作对，而工致天然，风味可掬。至张说"巴陵"之什，王翰《出塞》之吟，句格成就，渐入盛唐矣。又：王无功"眼看人尽醉，何忍独为醒"，骆宾王"昔时人已殁，今日水犹寒"，初唐绝句精巧，犹是六朝余习。然调不甚古，初学慎之。

许学夷《诗学辨体》卷一一：五言律句虽起于齐、梁，而绮靡衰飒，不足为法。必至初唐沈、宋，乃可为正宗耳。……杨用修酷嗜六朝，择六朝以还声韵近律者，名为律祖，其背戾滋甚。

同上书卷一二：武德、贞观间，太宗及虞世南、魏徵诸公五言，声尽入律，语多绮靡，即梁、陈旧习也。……至如（虞）《出塞》、《从军》、《饮马》、《结客》及魏徵《出关》等篇，声气稍雄，与王褒、薛道衡诸作相上下，此唐音之始也。又：五言自汉、魏流至陈、隋，日益趋下，至武德、贞观，尚沿其流。永徽以后，王、杨、卢、骆则承其流而渐进矣。四子才力既大，风气复还，故虽律体未成，绮靡未革，而中多雄伟之语，唐人之气象风格始见。……然析而论之，王与卢、骆绮靡者尚多；杨篇什虽寡，而绮靡者少，短篇则尽成律矣。又：绮靡者，六朝本相；雄伟者，初唐本相也。故徐、庾以下诸子，语有雄伟者为类初唐；王、卢、骆，语有绮靡者为类六朝。又：七言古自梁简文、陈、隋诸公始，进而为王、卢、骆三子。三子偶俪极工，绮艳变为富丽，然调犹未纯，语犹未畅，其风格虽优，而气象不足。

同上书卷一三：初唐五言，虽自陈子昂始复古体，然辅之者尚少。沈佺期、宋之问古诗尚多杂用律体，平韵者犹忌上尾，即唐古而未纯，未可采录也。又：初唐七言古，自王、卢、骆再进而为沈、宋二公。宋、沈调虽渐纯，语虽渐畅，而旧习未除。……然析而论之，沈气为促，宋实胜之。又：五言自王、杨、卢、骆，又进而为沈、宋二公。沈、宋才力既大，造诣始纯，故其体尽整栗，语多雄丽，而气象风格大备，为律诗正宗（至此始为律诗正宗）。又：高廷礼云："五言之兴，源于汉，注于魏，汪洋乎两晋，混浊乎梁、陈，大雅之音，几于不振。"愚按：梁、陈古、律混淆，迄于唐初亦然，至陈子昂而古体始复，至杜、沈、宋三公，而律体始成，亦犹天地再判，清浊始分，四子之功，于是为大矣。又：初唐五言律，杜如"共有樽中好"、"交趾殊风候"，沈如"陇山飞落叶"、"青玉紫骝鞍"，宋如"马上逢寒食"、"归来物外情"数篇，体就浑圆，语就活泼，乃渐入化境矣。又：七言律始于梁简文、庾信、隋炀帝，至唐初诸子，尚演梁、陈旧习，惟杜、沈、宋三公，体多整栗，语多雄伟，而气象风格始备，为七言律正宗。然析而论之，杜独挺苍骨，是唐律之始；宋间出靡调，犹是六朝之余。又：杜、沈、宋七言律虽为正宗，然未能如五言之纯美者，盖五言律体虽成于杜、沈、宋，而律句则自齐、梁始，其来既远，故至此而纯美。七言律虽权舆于梁简文、庾信、隋炀帝，至唐初诸子，尚不多见。七言律之兴，实自杜、沈、宋三公始，故未能纯美耳。此理势之自然，无足为异。又：七言绝自王、卢、骆再进而为杜、沈、宋三公，律始就纯，语皆雄丽，为七言绝正宗。

同上书卷一四：唐人五言排律，其法最严，声调四句一转，故有双韵、无单韵。初唐沈、宋虽为律祖，然尚不循此法，张说、苏颋、李峤、张九龄诸公皆然。此承六朝余弊，不可为法。

胡震亨《唐音癸签》卷一五：唐初歌曲，多用五七言绝句，律诗亦间有采者，想亦有剩字剩句于其间，方成腔调。其后即以所剩者作为实字，填入曲中歌之，不复别用和声，则其法愈密，而其体不能不入于柔靡矣，此填词所繇兴也。

陆时雍《诗镜总论》：初唐七律，简贵多风，不用事，不用意，一言两语，领趣自胜。故事多而寡用之，意多而约出之，斯所贵于作者。（《历代诗话续编》本）

贺贻孙《载酒园诗话又编》：贞观诸公，整缮有余，警醒不足。惟魏郑公《述怀》一篇，磊落露骨性，虞永兴《织锦曲》，情事如见。骆宾王《浮江旅思》、杨景猷《还山宅》、《夏日应诏》，皆歌合律、舞应节之作，已为王子安、杜必简之先鞭矣。（《清诗话续编》本）

吴乔《围炉诗话》卷二：五排，即五古之流弊也。……此体无声病者不善，如唐太宗《正日临朝》等、虞世南《慎刑》、苏味道《在广》，皆不发调。陈拾遗《白帝》、《岷山》二篇，古厚敦重，足称模范。杜审言、宋之问、沈佺期此体诗，凡台阁、山水、行旅、关塞、赠饯、方外，无不极佳。

同上书卷三：贞观之诗，未脱齐、梁，后虽有陈子昂复古，尚未易俗，其诗伤于重滞。（《清诗话续编》本）

叶矫然《龙性堂诗话》初集：初唐法格纯正，自推燕、许、沈、宋、必简诸公，拾遗、曲江别创古调，便开韦、柳法门矣。于鳞称伯玉"以其古诗为古诗"，洵为辨眼，非竟陵所知。（《清诗话续编》本）

宋荦《漫堂说诗》：初唐王、杨、卢、骆，倡为排律，陈、杜、沈、宋继之，大约侍从游宴应制之篇居多，所称"台阁体"也。虽风容色泽，竞相夸胜；未免数见不鲜。（《清诗话》本）

张谦宜《絸斋诗谈》卷一：初唐人作诗，先不作态，所急者笔势飞动，通体匀圆。意不求襮露，故味厚。思不尚刻削，故气浑。字句不求奇谲，故品高。藻采不用繁碎，故色雅。当其格正调和，泰然自得，虽平不避，虽朴不雕，从容醋适，而中通外润，成一代之冠冕。此岂矜才使气者流能窥其涯涘哉！（《清诗话续编》本）

查慎行《初白庵诗评》卷下：初唐人新创格律，即陈、杜、沈、宋亦未能出奇尽变，不过情景相生，取其工稳而已。

沈德潜《唐诗别裁集》卷一：唐初五言古渐趋于律，风格未遒，陈正字起衰而诗品始正，张曲江继续而诗品乃醇。

同上书卷九：初唐五言律不用雕镂，然后人雕镂者正不能到，故曰"大巧若拙"。陈、杜、沈、宋，足以当之。

同上书卷一三：初唐应制多谀美之词，况当武后，中宗朝，又天下秽浊时也。众手雷同，初无颂不忘规之意，故不能多录，取铁中铮铮著几章，以备一体。乔亿《剑溪说诗》卷上：王、杨、卢、骆气古，非气胜也。又：唐初四子外，如李峤《汾阴行》，情词斐然，可歌可泣，古今绝调也。郭元振《宝剑篇》，托兴微婉；王翰《饮马长城窟》足当史断，并皆高作。他如宋之问《明河篇》，词调圆美，乍读之赏其才，细玩之卑其志也。（《清诗话续编》本）

管世铭《读雪山房唐诗序例·七古凡例》：卢照邻《长安古意》、骆宾王《帝京篇》、刘希夷《代悲白头翁》、张若虚《春江花月夜》，何尝非一时杰作，然奏十篇以上，得不厌而思去乎？（《清诗话续编》本）

刘熙载《艺概》卷二：唐初四子，源出子山。观少陵《戏为六绝句》专论四子，而第一首起句便云"庾信文章老更成"，有意无意之间，骊珠已得。又：论诗者谓唐初七古气格虽卑，犹有乐府之意；亦思乐府非此体所能尽乎？豪杰之士，焉得不更思进取。

施补华《岘佣说诗》：唐初五言古，犹沿六朝绮靡之习，唯陈子昂、张九龄直接汉、魏，骨峻神竦，思深力遒，复古之功大矣。

公元618年　（隋炀帝大业十四年　隋恭帝义宁二年　唐高祖武德元年　庚寅）

三月

隋炀帝杨广（569—618）卒，年五十。《隋书》炀帝纪下："（义宁）二年三月，右屯卫将军宇文化及……医正张恺等，以骁果作乱，入犯宫闱。上崩于温室，时年五十。"同书音乐志下："炀帝不解音律，略不关怀。后大制艳篇，辞极淫绮。令乐正白明达造新声，创《万岁乐》、《藏钩乐》、《七夕相逢乐》、《投壶乐》、《舞席同心髻》、《玉女行觞》、《神仙留客》、《掷砖续命》、《斗鸡子》、《斗百草》、《泛龙舟》、《还旧宫》、《长乐花》及《十二时》等曲，掩抑推藏，哀音断绝。"《通鉴》卷一八二："（炀）帝好读书著述，自为扬州总管，置王府学士至百人，常令修撰，以至为帝，前后近二十载，修撰未尝暂停；自经术、文章、兵、农、地理、医、卜、释、道乃至蒲博、鹰狗，皆为新书，无不精洽，共成三十一部，万七千余卷。"《隋书》经籍志四："《炀帝集》五十五卷。"《诗镜总论》："陈人意气恹恹，将归于尽。隋炀起敝，风骨凝然。其于追《风》勒《雅》，返汉还《骚》，相距其远。故去时之病则佳，而复古之情未尽。诗至陈余，非华之盛，乃实之衰耳。不能予其所美，而徒欲夺其所丑，则枵质将安恃乎？隋炀从华得素，譬诸红艳丛中，清标自出。虽卸华谢彩，而绚质犹存。"又："读隋炀帝诗，见其风格初成，精华未备。"张溥《汉魏六朝百三家集》隋炀帝集题辞："隋炀帝志慕秦皇汉武，而内行则刘聪石虎，虽有文，不善也。迷楼凤舸，歌声兆亡，其亦汉成时燕燕诸谣乎？《隋书》文苑传称：'帝意在骄淫，词无浮荡，缀文之士得依取正。'余疑其谀，比观全集，多庄言，简戏谑，似史评非诬也。帝在藩时，谋夺储位，朽弦老婢，矫饰悦亲，文辞矜束，尚其余智。及突厥既来，江都往幸，飞帛戏题，持楔成咏，则槲木心荡，沙丘命尽之日矣。帝朝京师还，作《归藩赋》，命柳䛒序之，今集无有，知传者多缺。他文自诏书外，雅深佞佛，昆昙学圣，黎耶悟真，自谓颜渊值宣尼，尹喜逢老氏矣。身受法戒，而杀炎无惭，开士之谈，岂足信哉。陈、隋文哀，帝王有作，与众同波。抑炀帝云：'多弹曲者如人多读书，读书多则能撰书，弹曲多则能造曲。'以论文学，殆庶乎而。"《古诗源》例言："隋炀帝艳情篇什，同符后主，而边塞诸作，铿然独异，风气将转之候也。杨处道清思健笔，词气苍然。后此射洪、曲江，起衰中立，此为之胜、广矣。"《诗源辩体》卷一一："隋炀帝五言，声尽入律，语多绮靡；乐府七言有《泛龙舟》、《江都夏》、《东宫春》，调虽稍变梁、陈，而体犹未纯。"又："炀帝七言八句，有《江都宫乐歌》，于律渐近（上源于庾信七言八句，转进至杜、沈、宋七言律）。又炀帝幸江都，制《水调歌》，今《诗纪》所载数篇，调纯语畅，为七言绝正体，中复杂以唐人之诗，盖后人所编，非炀帝旧曲也。"《古诗选》凡例："隋混一南北，炀帝之才，实高群下。《长城》、《白马》二篇，殊不类陈、隋间人。"

虞世基（552？—618）、**许善心**（558—618）**并为宇文化及所害，虞年约六十七，许年六十一。**《隋书》恭帝纪："三月丙辰，右屯卫将军宇文化及杀太上皇于江都宫……金紫光禄大夫、内史侍郎虞世基……通议大夫、行给事郎许善心皆遇害。"同书虞世基传："宇文化及杀逆也，世基乃见害焉。"同书许善心传："（大业）十四年，化及杀逆之日，隋官尽诣朝堂谒贺，善心独不至。……因遂害之，时年六十一。及越王称制，赠左光禄大夫、高阳县公，谥曰文节。"同书经籍志二："《符瑞记》十卷，许善心撰。"《旧唐书》经籍志下："《虞茂代集》五卷。"按虞世基字茂世，此云茂代，乃避李世民讳改。

崔赜（550—618）**卒，年六十九。**《隋书》隐逸崔廓附崔赜传："（大业）十二年，从驾江都。宇文化及之弑帝也，引为著作郎，称疾不起。在路发疾，卒于彭城，时年六十九。赜与洛阳元善、河东柳䛒、太原王劭、吴兴姚察、琅邪诸葛颖、信都刘焯、河间刘炫相善，每因休假，清谈竟日。所著词赋碑志十余万言，撰《洽文志》七卷，《八代四科志》三十卷，未及施行，江都倾覆，咸为煨烬。"

庾自直（？—618）**卒。**《隋书》文学本传："化及作逆，以之北上，自载露车中，感激发病卒。有文集十卷行于世。"《旧唐书》经籍志下："《类文》三百七十七卷，庾自直撰。"

四月

岑文本为萧铣典文翰。《旧唐书》萧铣传："武德元年，迁都江陵，修复园庙。引岑文本为中书侍郎，令掌机密。"同书岑文本传："萧铣僭号于荆州，召署中书侍郎，专典文翰。"《通鉴》卷一八五："夏，四月……萧铣即皇帝位，置百官，准梁室故事。……引岑文本为中书侍郎，使典文翰，委以机密。"

五月

甲子，李渊即皇帝位，是为唐高祖，有唐始建，改隋义宁二年为唐武德元年。《旧唐书》高祖纪："甲子，高祖即皇帝位于太极殿……改隋义宁二年为唐武德元年。"《通鉴》卷一八五："壬申，命裴寂、刘文静等修定律令。置国子、太学、四门生，合三百余员，郡县学亦各置生员。"

越王杨侗于洛阳称帝，改元皇泰，以王世充为纳言。《通鉴》卷一八五："隋炀帝凶问至东都，戊辰，留守官奉越王即皇帝位，大赦，改元皇泰。……以……王世充为纳言、郑国公。"按越王名侗，见《隋书》炀三子传。

孔绍安归唐，尝作《石榴诗》，为时所称。《旧唐书》文苑上本传："及高祖受禅，绍安自洛阳间行来奔。高祖见之甚悦，拜内史舍人。……绍安因侍宴，应诏咏《石榴诗》云：'只为时来晚，开花不及春。'时人称之。"

六月

李世民拜尚书令，封秦王，李建成立为皇太子，李元吉封齐王。见《旧唐书》高祖纪。

贺德仁、萧德言、陈子良皆为太子李建成东宫学士。《旧唐书》文苑上贺德仁传："素与隐太子善，及高祖平京师，隐太子封陇西公，用德仁为陇西公友。寻迁太子中舍人，以衰老不习吏事，转太子洗马。时萧德言亦为洗马，陈子良为右卫率府长史，皆为东宫学士。"

袁朗为齐王李元吉文学。《旧唐书》文苑上本传："武德初，授齐王文学、祠部郎中。"

孙伏伽上书请废百戏散乐。《唐会要》卷三四："武德元年六月二十四日，万年县法曹孙伏伽上书曰：'百戏散乐，本非正声，有隋之末，始见崇用，此谓淫风，不可不改。近者，太常官司于人间借妇女裙襦五百余具，以充散乐之服，云拟于玄武门游戏……请并废之。'"又："武德元年，相国参军卢牟子献琵琶，万年县法曹孙伏伽上疏曰：'陛下贵为天子，富有四海，动则左史书之，言则右史书之。既为竹帛所拘，何可恣情不慎？'"附记于此。

七月

许敬宗降李密，为元帅府记室，与魏徵共掌文翰。《旧唐书》许敬宗传："幼善属文，举秀才，授淮阳郡司法书佐，俄直谒者台，奏通事舍人事。江都之难，善心为宇文化及所害，敬宗流转投于李密，密以为元帅府记室，与魏徵同为管记。"《通鉴》卷一八五："王轨等不堪其弊，遣通事舍人许敬宗诣密请降……以敬宗为元帅府记室，与魏徵共掌文翰。"

八月

沈法兴上表于越王杨侗，得置百官，以刘子翼、李百药为僚属。《北史》李德林传："子百药，博涉多才，词藻清赡。大业末，为建安郡丞。"《旧唐书》李百药传："（大业）九年，充戍会稽。寻授建安丞，行达乌程，属江都难作，复为沈法兴所得，署为掾。"《通鉴》卷一八六："八月……沈法兴亦上表于皇泰主，自称大司马、录尚书事、天门公，承制置百官，以……刘子翼为选部侍郎，李百药为府掾。"

九月

王世充破李密，获郑颋、祖君彦等，君彦旋被杀。《通鉴》卷一八六："甲寅旦，将战，世充誓众曰：……迟明，引兵薄密。……密众大溃……密与万余人驰向洛口。世充夜围偃师……又获密将佐裴仁基、郑颋、祖君彦等数十人。世充于是整兵向洛口……密自度不能支，帅麾下轻骑奔虎牢。"《隋书》文学祖君彦传："及密败，为王世充所杀。"

十月

李纲谏拜舞人为五品官。《唐会要》卷三四："至其年　　（按指武德元年）十月，拜舞人安叱奴为散骑常侍。既在朝列，礼部尚书李纲谏曰：'臣按《周礼》，大乐胥不得参于士伍。……今新定天下之业，起义功臣，行赏未遍，高才硕学，尤滞草莱，而先令胡舞，致位五品，鸣玉曳组，驱驰廊庙，恐非创规模、贻子孙之道也。"

李密率魏徵等降唐。《旧唐书》高祖纪："李密率众来降。"时魏徵亦随李密归唐，参见下条。

十一月

魏徵往山东招抚李密旧部，途中作《述怀》诗；至黎阳，以书遗徐世勣，劝其降唐。《通鉴》卷一八六："徐世勣据李密旧境，未有所属。魏徵随密至长安，乃自请安集山东，上以为秘书丞，乘传至黎阳，遗徐世勣书，劝之早降。世勣遂决计西向。"《旧唐书》魏徵传："徵与世勣书曰：……世勣得书，遂定计遣使归国。"魏徵有《述怀》（一作《出关》）诗（见《全唐诗》卷三一；以下凡引唐人诗，除注明者外均据是书，不复另注），当作于本次安辑山东出潼关时。按此诗系魏徵名作。《删补唐诗选脉笺释会通评林》卷一周敬评后诗曰："高华秀丽，远驾六朝，真似朱霞半天。"《唐诗直解》卷一钟惺评："此已具盛唐之骨，离却陈、隋滞靡，想见其人。"《唐诗别裁集》

卷一："气骨高古，变从前纤靡之习，盛唐风格，发源于此。"

李世民破薛举子仁杲，平陇右，褚亮、褚遂良父子归唐。《旧唐书》褚亮传："及（薛）举灭，太宗闻其名，深加礼接……从还京师，授秦王文学。"同书褚遂良传："举败归国，授秦州都督府铠曹参军"。同书高祖纪："秋七月丙午……秦王与薛举大战于泾州，我师败绩。八月壬午，薛举死，其子仁杲复僭称帝，命秦王为元帅以讨之。……十一月己酉……大破薛仁杲于浅水原，降之，陇右平。"

十二月

李密（582—619）卒。《旧唐书》高祖纪："庚子，李密反于桃林，行军总管盛彦师追讨斩之。"按李密卒年以公历计已在明年。

本年

王度撰《古镜记》成。王度《古镜记》文末云："大业十三年七月十五日，匣中悲鸣，其声纤远，俄而渐大，若龙咆虎吼，良久乃定。开匣视之，即失镜矣。"全文撰成约在本年。

李泰（618—652）生。李泰，字惠褒，唐太宗第四子。初封宜都王，进封卫王，改越王，徙魏王。甚得太宗爱宠，特令就府别置文学馆，遂召文士撰成《括地志》五百五十卷。贞观十七年，以争太子位贬顺阳王，后进封濮王。高宗永徽中卒。有《濮王泰集》二十卷。据新、旧《唐书》本传。

公元619年 （唐高祖武德二年 己卯）

闰二月

窦建德破宇文化及，虞世南、欧阳询等皆归之。《通鉴》卷一八七："（窦）建德与（宇文）化及连战，大破之，化及复保聊城。建德纵兵四面急攻，王薄开门纳之。建德入城，生擒化及。……以隋黄门侍郎裴矩为左仆射，掌选事……虞世南为黄门侍郎，欧阳询为太常卿。"

魏徵在黎阳，为李密撰墓志铭。魏徵《唐故刑国公李密墓志铭》："临阵丧元，时年三十有七，故吏上柱国、黎阳总管、曹国公徐世勣等表请收葬，有诏许焉。……粤以武德二年某月日，葬于黎阳山西南五里之平原，礼也。"《旧唐书》高祖纪："己酉，李密旧将徐世勣以黎阳之众及河南十郡降，授黎州总管，封曹国公，赐姓李氏。"魏徵文当作于本月或稍后。王志坚《四六法海》卷一一评此文云："郑公文笔不减徐、庾而不以文字名。"

四月

王世充于洛阳自立为帝，国号郑，杜淹、陆德明等皆为其僚属。《旧唐书》高祖纪："夏四月乙巳，王世充纂越王侗位，僭称天子，国号郑。"《通鉴》卷一八七："乙巳，世充备法驾入宫，即皇帝位。丙午，大赦，改元开明。……戊申……以苏威为太师……杜淹为少吏部，郑颋为御史大夫。……又以国子助教吴人陆德明为汉王师。"

六月

下诏褒崇周公、孔子。《旧唐书》高祖纪 ："六月戊戌，令国子学立周公、孔子庙，四时致祭，仍博求其后。"同书儒学传序："二年，诏曰：'……爰始姬旦，匡翼周邦，创设礼经，尤明典宪。启生人之耳目，穷法度之本源，化起《二南》，业隆八百，丰功茂德，冠于终古。暨乎王道既衰，颂声不作，诸侯力争，礼乐陵迟。粤若宣父，天资睿哲，经纶齐、鲁之内，揖让洙、泗之间，综理遗文，弘宣旧制。四科之教，历代不刊；三千之文，风流无歇。惟兹二圣，道著群生，守祀不修，明褒尚阙。朕君临区宇，兴化崇儒，永言先达，情深绍嗣。宜令有司于国子学立周公、孔子庙各一所，四时致祭。仍博求其后，具以名闻，详考所宜，当加爵土。'是以学者慕向，儒教聿兴。"

十一月

窦建德陷黎阳，虏魏徵，引以为起居舍人。《通鉴》卷一八七："窦建德引兵趣卫州。……过黎阳三十里……还攻黎阳，克之，虏淮安王神通李世勣父盖，魏徵及帝妹同安公主。……以魏徵为起居舍人。"

本年

崔善为在尚书左丞任，有以诗嘲其形貌者，高祖劳勉善为而罪流言者。《旧唐书》方伎崔善为传："武德中，历内史舍人，尚书左丞，甚得誉。诸曹会史恶其聪察，因其身短而伛，嘲之曰：'崔子曲如钩，随例得封侯。髆上全无项，胸前别有头。'高祖闻之，劳勉之曰：'浇薄之人，丑正恶直。昔齐末奸吏歌斛律明月，而高纬愚暗，遂灭其家。朕虽不德，幸免斯事。'因购流言者，使加其罪。"《唐会要》卷三八："武德二年正月四月，尚书左丞崔善〔为〕奏曰：……"善为为人所嘲当在本年前后，姑系于此。

公元 620 年 （唐高祖武德三年 庚辰）

七月

秦王李世民率军往洛阳讨王世充。见《旧唐书》高祖纪、《通鉴》卷一八八。

本年

王绩在河北，依窦建德中书侍郎凌敬，后归龙门。吕才《王无功文集序》："隋季版荡，客游河北。时窦建德始称夏王，其下中书侍郎凌敬，学行之士也。与君有旧，君依之数月。……遂去还龙门。"据《旧唐书》高祖纪，窦建德本年正月称夏王，知王绩依附凌敬及归龙门均当在本年。

李百药为李子通内史侍郎、国子祭酒。《通鉴》卷一八八："是岁，李子通渡江攻沈法兴，取京口……于是丹阳、毗陵等郡皆降于子通。子通以法兴府掾李百药为内史侍郎、国子祭酒。"

傅奕上《漏刻新法》，行于时。见《旧唐书》本传。

公元621年 （唐高祖武德四年 辛巳）

正月

高祖于门下省置修文馆。《唐会要》卷六四："武德四年正月，于门下省置修文馆。"

三月

窦建德自河北来援王世充。见《旧唐书》高祖纪、《通鉴》一八九。

四月

一日，始行贡士之制。《唐摭言》卷一："始自武德辛巳岁四月一日，敕诸州学士及早有明经及秀才、俊士、进士，明于理体，为乡里所称者，委本县考试，州长重覆，取其合格，每年十月随物入贡。斯我唐贡士之始也。"苏鹗《苏氏演义》卷上："近代以诸科取士者甚多，武德四年，复置秀才、进士两科。"

五月

秦王李世民擒窦建德、王世充，平河南河北。《旧唐书》高祖纪："五月己未，秦王大破窦建德之众于武牢，擒窦建德，河北悉平。丙寅，王世充举东都降，河南平。"

孔德绍（？—621）卒。《隋书》文学本传："及窦建德败，伏诛。"

刘斌往归刘黑闼。《隋书》文学本传："建德败，复归刘黑闼为中书侍郎。"

虞世南归唐，为秦王府参军。《旧唐书》本传："从（宇文）化及至聊城，又陷于窦建德，伪授黄门侍郎。太宗灭建德，引为秦府参军。寻转记室，仍授弘文馆学士，与房玄龄对掌文翰。"

魏徵复归唐，太子李建成引为洗马。《旧唐书》本传："及建德就擒，与裴矩西入关。隐太子闻其名，引为洗马，甚礼之。"

刘孝孙归唐，为虞州录事参军。《旧唐书》褚亮附刘孝孙传："大业末，没于王世充，世充弟伪杞王辩引为行台郎中。洛阳平，辩面缚归国，众皆离散，孝孙犹攀援号恸，追送远郊，时人义之。武德初，历虞州录事参军，太宗召为秦府学士。"按孝孙归唐当在本年，《旧传》云"武德初"，不甚确。

六月

傅奕上表请废佛法。傅奕《请废佛法表》："请胡佛邪教，退还天竺，凡是沙门，放归桑梓。……谨上益国利民事十有一条如左。谨言。武德四年六月二十一日上。"

九月

法琳上《破邪论》，驳傅奕废佛法之议。法琳《上秦王破邪论启》："窃见傅奕所上诽毁之事……不任愤懑怒焉之志，谨上《破邪论》一卷。……武德四年九月十二日启。"

诏除太常乐人之乐籍。《唐会要》卷三四："四年九月二十九日诏：太常乐人，本因罪谴，没于官者，艺比伶官。前代以来，转相承袭。或有衣冠继绪，公卿子孙，一沾此色，累世不改，婚姻绝于士庶，名籍异于编氓。大耻深疵，良可矜愍。其太乐鼓吹诸旧乐人，年月已久，时代迁移，宜并蠲除，一同民例。但音律之伎，积学所成，传授之人，不可顿阙，仍令依旧本司上下。若已经仕宦，先入班流，勿更追补，各从品秩。自武德元年配充乐户者，不在此例。"原注："乐工之杂士流，自兹始也。太常卿窦诞又奏用音声博士，皆为太常鼓吹官僚。于后筝簧琵琶人白明达，术逾等夷，积劳计考，并至大官。自是声伎人入流品者，盖以百数。"

十月

李世民加号天策上将，于长安开文学馆，以杜如晦等人为"十八学士"。《旧唐书》高祖纪："冬十月己丑，加秦王天策上将，位在王公上，领司徒、陕东道大行台尚书令。"《唐会要》卷六四："武德四年十月，秦王既平天下，乃锐意经籍，于宫城之西开文学馆，以待四方之士。于是以僚属大行台司勋郎中杜如晦，记室考功郎中房玄龄及于志宁，军谘祭酒苏世长，安（天）策府记室薛收，文学褚亮、姚思廉，太学博士陆德明、孔颖达，主簿李玄道，天策仓曹李守素，记室参军虞世南，参军事蔡允恭、颜相时，著作佐郎摄天策记室许敬宗、薛元敬，太学助教盖文达，军谘典签苏勖等，并以本官兼文学馆学士。"及薛收卒，征东虞州录事参军刘孝孙入馆。令库直阎立本图其状，具题其爵里，令褚亮为文赞，号曰'十八学士'。写真图藏之书府，用彰礼贤之重也。诸学士食五品珍膳，分为三番，更直宿阁下，每日引见，讨论文典。得入馆者，时人谓之'登瀛州'。"又《旧唐书》太宗纪上："于时海内渐平，太宗乃锐意经籍，开文学馆以待四方之士。行台司勋郎中杜如晦等十有八人为学士，每更值阁下，降以温颜，与之讨论经义，或夜分而罢。"

杜淹为天策府兵曹参军。《新唐书》杜如晦附杜淹传："王世充僭号，署少吏部，颇亲近用事。洛阳平，不得调，欲往事隐太子。时封伦领选，以谂房玄龄。玄龄恐失之，白秦王，引为天策府兵曹参军、文学馆学士。"

薛收为天策府记室参军，尝过访王绩，绩有诗纪之。《旧唐书》薛收传："太宗讨王世充也，窦建德率军来据……收建策曰：……太宗纳之，卒擒建德。……及军还，授天策府记室参军。"王绩有《薛记室收过庄见寻率题古意以赠》诗，记室当即指天策府记室参军。诗当作于本年或稍后，姑系于此。

岑文本归唐，任荆州别驾。《旧唐书》高祖纪："乙丑，赵郡王孝恭平荆州，获萧铣。"同书岑文本传："及河间王孝恭定荆州……署文本荆州别驾。"按据《唐会要》卷四六，李孝恭由赵郡王改河间郡王在贞观十一年。

本年

时文学之士多在东宫、秦王府及齐王府。《新唐书》文艺上袁朗传："武德初，隐太子与秦王、齐王相倾，争致名臣以自助。太子有詹事李纲、窦轨、庶子裴矩、郑善果、友贺德仁、洗马魏徵、中舍人王珪、舍人徐师謩、率更令欧阳询、典膳监任璨、直典书坊唐临、陇西公府祭酒韦挺、记室参军事庾抱、左领大都督府长史唐宪；秦王有友于志宁、记室参军房玄龄、虞世南、颜思鲁、谘议参军事窦纶、萧景、兵曹杜如晦、铠曹褚遂良、士曹戴胄、阎立德、参军事薛元敬、蔡允恭、主簿薛收、李道玄、典签苏勖、文学姚思廉、褚亮、燉煌公府文学颜师古、右元帅府司马萧瑀、行军元帅府长史屈突通、司马窦诞、天策府长史唐俭、司马封伦、军谘祭酒苏世长、兵曹参军事杜淹、仓曹李守素、参军事颜相时；齐王有记室参军事荣九思、户曹武士逸、典签裴宣俨、朗为文学。"

公元 622 年 （唐高祖武德五年 壬午）

三月

王绩被征入京，有诗作。吕才《王无功文集序》："武德中，诏征，以前扬州六合县丞待诏门下省。时省官例日给良酝酒三升……待诏（一本作侍中，是）江国公，君之故人也……特判日给王待诏一斗，时人号为'斗酒学士'。"侍中江国公谓陈叔达，本年在侍中任，封江国公，见后。《唐大诏令集》卷一○二《京官及总管刺史举人诏》诏举"岩穴幽居，草莱僻陋，被褐怀珠，无因自达"者，署"武德五年三月"。王绩当是因此被举而入京待诏门下。其《被举应征别乡中故人》、《建德破后入长安咏秋蓬示辛学士》均作于本年。

六月

李百药为杜伏威僚属，遇谮被囚，乃作《省躬赋》以致情。《旧唐书》李百药传："及杜伏威攻灭子通，又以百药为行台考功郎中。或有谮之者，伏威囚之。百药著《省躬赋》以致其情，伏威亦知其无罪，乃令复职。伏威既据有江南，高祖遣使招抚，百药劝伏威入朝，伏威从之，遣其行台仆射辅公祏与百药留守，遂诣京师。"据《通鉴》卷一八九、一九○，杜伏威破李子通在武德四年十一月，入朝在本年七月，李百药被囚即在此期间，姑系于此。

十月

诸州共贡明经一百四十三人，秀才六人，俊士三十九人，进士三十人。见《登科记考》卷一。

十二月

二十六日，诏萧瑀等人分工修撰魏、周、隋、齐、梁、陈史，卒未成功。《唐会要》卷六三："至五年十二月二十六日，诏：'……中书令萧瑀、给事中王敬业、著作郎殷闻礼可修魏史，侍中陈叔达、秘书丞令狐德棻、太史令庾俭可修周史，中书令封德彝、中书舍人颜师古可修隋史，大理卿崔善为、中书舍人孔绍安、太子洗马萧德言可修梁史，太子詹事裴矩、吏部郎中祖孝孙、前秘书丞魏徵可修齐史，秘书监窦琏、给事中欧阳询、秦王府文学姚思廉可修陈史。'绵历数载，竟不就而罢。"《旧唐书》令狐德棻传："德棻尝从容言于高祖曰：'窃见近代已来，多无正史，梁、陈及齐，犹有文籍。至周、隋遭大业离乱，多有遗阙。当今耳目犹接，尚有可凭，如更十数年后，恐事迹湮没。陛下既受禅于隋，复承周氏历数，国家二祖功业，并在周时。如文史不存，何以贻鉴今古？如臣愚见，并请修之。'高祖然其奏。"

进士及第四（或作十四）人、秀才一人，考功员外郎申世宁知贡举。见《登科记考》卷一。

本年

东都书籍经水道运往长安，途中舟覆，亡失殆尽。《隋书》经籍志序："大唐武德五年，克平伪郑，尽收其图书及古迹焉。命司农少卿宋遵贵载之以船，溯河西上，将致京师。行经底柱，多被飘没，其所存者，十不一二。其目录亦为所渐濡，时有残缺。"《新唐书》艺文志序："初，隋嘉则殿书三十七万卷，至武德初，有书八万卷，重复相糅。王世充平，得隋旧书八千余卷，太府卿宋遵贵监运东都，浮舟溯河，西致京师，经砥柱舟覆，尽亡其书。"

令狐德棻迁秘书丞，受诏撰《艺文类聚》，又奏请购募亡逸经籍。《旧唐书》本传："五年，迁秘书丞，与侍中陈书达等受诏撰《艺文类聚》。"《唐会要》卷三五："武德五年，秘书监（丞）令狐德棻奏：'今乘丧乱之余，经籍亡逸，请购募遗书，重加钱帛，增置楷书，专令缮写。'数年间，群书毕备。"

陈叔达在侍中任，封江国公，著《隋纪》二十卷。《旧唐书》本传："二年，兼纳言。四年，封侍中。……五年，进封江国公。"陈叔达《答王绩书》："叔达……妄叨近侍，庙堂多暇，典坟自娱。览后魏、周、齐之纪传，考下官之所闻见，曾不喜怒随意，曲直任情，叙致浮杂，褒贬阿党。……故聊因掌壶之暇，著《隋纪》二十卷。骈词流离，则愧于心矣；书事简要，则尝有志焉。""掌壶"为侍中典事，见《太平御览》卷二一九引《孔丛子》。《隋纪》之作当在本年前后为侍中时，姑系于此。

刘仁轨撰《河洛行年记》十卷。《郡斋读书志》卷五："《河洛行年记》十卷。右唐刘仁轨撰。记唐初李密、王世充事。起大业十三年二月，迄武德四年七月秦王擒窦建德。第九卷述大业都城，第十卷载宫馆园圃。且云'炀帝迁都之诏称务崇节俭，观其宫室，穷极绮丽'云。"书当成于本年或稍后，姑系于此。

公元623年 （唐高祖武德六年 癸未）

正月

皇太子李建成等讨破刘黑闼，山东遂平。见《通鉴》一九○。

本年

高祖幸国学，徐文远因发《春秋》义，驳诸儒，此后不久卒。《旧唐书》儒学上本传："复授国子博士。武德六年，高祖幸国学，观释奠，遣文远发《春秋》题，诸儒设难蜂起，随方占对，皆莫能屈。封东莞县男。年七十四，卒官。撰《左传音》三卷、《义疏》六十卷。"

廉州百姓歌颂刺史颜游秦之仁政。《旧唐书》颜师古传："师古叔父游秦，武德初累迁廉州刺史，封临沂县男。时刘黑闼初平，人多以强暴寡礼，风俗未安，游秦抚恤境内，敬让大行。邑里歌曰：'廉州颜有道，性行同庄、老。爱人如赤子，不杀非时草。'高祖玺书劳勉之。俄拜郓州刺史，卒官。撰《汉书决疑》十二卷，为学者所称。后师古注《汉书》，亦多取其义耳。"传云"刘黑闼初平"，时当在本年或稍后。

李义琰等四人进士及第。见《登科记考补正》卷一。

王绩在长安，有诗作。王绩有《裴仆射宅咏妓》诗。裴仆射谓裴寂。吕才《王无功文集序》："君既妙占算，兼长射覆。尝过仆射裴寂，覆鹦鹉鸟，请君筮之。"《旧唐书》裴寂传："六年，迁尚书左仆射。"王绩诗当作于本年或稍后，姑系于此。

薛元超（623—684）生。薛元超名振，以字行，蒲州汾阴人。薛收子，袭爵汾阴男。累授太子舍人，预撰《晋书》。高宗即位，擢给事中，迁中书舍人，加弘文馆学士。丁母忧解职，起授黄门侍郎，兼检校太子左庶子。出为饶州刺史。入拜东台侍郎，旋贬简州刺史，又坐与上官仪善，配流嶲州。上元初，遇赦还，拜正谏大夫。迁中书侍郎，同中书门下三品，进拜中书令。以疾致仕，卒。有《薛元超集》三十卷。据《旧唐书》薛收附薛元超传、杨炯《中书令汾阳公薛振行状》、崔融《大唐故中书令兼检校太子左庶子户部尚书汾阴男赠光禄大夫使持节都督秦成武渭四州诸军事秦州刺史薛公墓志并序》。

公元624年 （唐高祖武德七年 甲申）

二月

敕崇儒兴学。《唐大诏令集》卷一○五《置学官备释奠礼诏》："六经茂典，百王仰则；四学崇教，千载垂范。是以西胶东序，春诵夏弦，悦礼敦诗，本仁祖义。建邦立极，咸必由之。……方今华夏既清，干戈渐戢，搢绅之业，此则可兴。宜下四方诸州，有明一经以上未被升擢者，本属举选，具以名闻，有司议等，加以叙用。……州县及乡里，并令置学。官僚牧宰，或不存意，普便颁下，早遣修立。"又《兴学敕》："朕今欲敦本息末，崇尚儒宗，开后生之耳目，行先王之典谟。而三教虽异，善归一揆，岂有沙门事佛，灵宇相望，朝贤宗儒，群辟顿废？公王以下，宁得不惭！朕今亲自观讲，仍征集四方胄子，冀日就月将，并得成业。"两文之末俱署"武德七年二月"。

三月

辅公祐乱平，李百药配流泾州。《旧唐书》高祖纪："戊戌，赵郡王孝恭大破辅公祐，擒之，丹阳平。"同书李百药传："（杜）伏威既据有江南……遂诣京师。及渡江至历阳，狐疑中悔，将害百药，乃饮以石灰酒，因大泄痢，而宿病皆除。伏威知百药不死，乃作书与公祐令杀百药，赖伏威养子王雄诞保护获免。公祐反，又授百药吏部侍郎。有谮百药于高祖，云百药初说杜伏威入朝，又与辅公祐同反。高祖大怒。及公祐平，得伏威与公祐令杀百药书，高祖意稍解，遂配流泾州。"

四月

高祖宴王公亲属，因有诗作。《玉海》卷二九："高祖武德七年四月丙午，宴王公亲属于文明殿。……徙坐翠华殿，帝赋诗。王公递上寿，赐帛各有差。"

七月

有诏褒奖通《孝经》之幼童，童子科试由此而始。《登科记考》卷一载武德七年七月诏："自隋以来，乱离永久，雅道沦缺，儒风莫扇。朕膺期御宇，静难齐民……是以广设庠序，益召学徒，旁求俊异，务从奖擢。宁州罗川县前兵曹史孝谦，宁约邱园，服膺道素，有二子，年并幼童。讲习《孝经》，咸畅厥旨。义方之训，实堪励俗。故从优秩，赏以不次，宜普颁示，咸使知闻。如此之徒，并即申上，朕加亲览，时将褒异。"徐松有按语云："此即童子科所由昉也。"

九月

十七日，欧阳询撰《艺文类聚》成，上之。《唐会要》卷三六："武德七年九月十七日，给事中欧阳询奉敕撰《艺文类聚》成，上之。"《旧唐书》儒学上欧阳询传："武德七年，诏与裴矩、陈叔达撰《艺文类聚》一百卷，奏之，赐帛二百段。"《新唐书》艺文志三："欧阳询《艺文类聚》一百卷。令狐德棻、袁朗、赵弘智等同修。"欧阳询《艺文类聚序》："夫九流百氏，为说不同，延阁石渠，架藏繁积，周流极源，颇难寻究，披条索贯，日用宏多。卒欲摘其菁华，采其旨要，事同游海，义等观天。皇帝命代膺期，抚兹宝运，移浇风于季俗，反淳化于区中，戡乱靖人，无思不服。偃武修文，兴开庠序，欲使家富隋珠，人怀荆玉。以为前辈缀集，各抒其意。《流别》、《文选》，专取其文；《皇览》、《遍略》，直书其事。文义既殊，寻检难一。爰诏撰其事且

文，弃其浮杂，删其冗长，金箱玉印，比类相从，号曰《艺文类聚》，凡一百卷。其有
事出于文者，便不破之为事。故事居其前，文列于后，俾夫览者易为功，作者资其用，
可以折衷今古，宪章坟典云尔。太子率更令、弘文馆学士渤海男欧阳询序。"四库提要
卷一三五："《艺文类聚》一百卷，唐欧阳询撰。……是书比类相从，事居于前，文列
于后，俾览者易为功，作者资其用，于诸类书中，体例最善。凡为类四十有八，其中
门目，颇有繁简失宜，分和未当。……然隋以前遗文秘籍，迄今十九不存，得此一书，
尚略资考证。宋周必大校《文苑英华》，多引是集。而近代冯惟讷《诗纪》、梅鼎祚
《文记》、张溥《百三家集》，从此采出者尤多。亦所谓残膏剩馥，沾溉百代者矣。"

本年

薛收（592—624）卒，年三十三，王绩为文悼之。《旧唐书》本传："七年，寝疾
……寻卒，年三十三。……文集十卷。"又云："太宗专任征伐，檄书露布，多出于收，
言辞敏速，还同宿构，马上即成，曾无点窜。"王绩《答处士冯子华书》："吾往见薛收
《白牛溪赋》，韵趋高奇，词义旷远，嵯峨萧瑟，真不可言。壮哉邈乎！扬、班之俦也。
高人姚义常谓吾曰：'薛收此文，不可多得。登太行，俯沧溟，高深极矣！'"吕才《王
无功文集序》："君又与河南董恒、河东薛收友善，二人并早卒，君追惜不已。后为
《思友文》及二人诔，词甚感至君舅河东裴晞览而叹曰：'不图文诔之至于斯也。庄周
读此，亦当酸鼻。'"

进士及第六人，秀才二人。见《登科记考》卷一。

武则天（624—705）生。武则天，名曌，并州文水人。年十四，入宫为太宗才人，
赐号武媚。太宗卒，出为尼。高宗复召入宫，拜昭仪，进号宸妃。永徽六年，立为皇
后。由是参决国政，威权日盛。高宗卒，临朝称制。天授元年，自称圣神皇帝，改国
号为周。神龙元年，传位于中宗，卒，谥曰则天大圣皇后。有《垂拱集》一百卷，《金
轮集》十卷。据新、旧《唐书》则天皇后纪。

公元625年 （唐高祖武德八年 乙酉）

五月

高祖君臣于内殿宴饮赋诗。《玉海》卷二九："八年五月乙巳，宴五品以上及外戚
于内殿，赋诗赐彩。"

本年

进士及第五人、秀才一人。见《登科记考》卷一。

李世民往泾州招李百药，因赐以诗。《册府元龟》卷九七："李百药初为杜伏威行
台郎中……武德中配泾州司户。太宗为秦王，尝至泾州召百药，因赐诗云：'项弃范增
善，纣妒比干才。嗟此二贤没，余喜得卿来。'"亦见《玉海》卷二九。百药去年三月
配流泾州，其为李世民所招约在本年。

温大雅撰成《大唐创业起居注》三卷。《旧唐书》本传："武德元年，历迁黄门侍郎。……寻转工部，进拜陕东道大行台工部尚书。……撰《创业起居注》三卷。"刘知几《史通》卷一二："惟大唐之受命也，义宁、武德间，工部尚书温大雅首撰《创业起居注》三篇。"据今人岳纯之考证，《大唐创业起居注》撰成于武德三年三月至九年五月之间，见其所著《唐代官方史学研究》。今从其说，姑系本年。记起义至受禅三百五十七日史事。《新唐书》卷五八艺文志尚著录其《今上王业记》六卷、《大丞相唐王官署记》二卷，今佚。

张柬之（625—706）生。张柬之字孟将，襄州襄阳人。进士擢第，累补青城丞。中贤良科，擢拜监察御史。圣历初，累迁凤阁舍人。长安中，历司刑少卿，迁秋官侍郎，寻同凤阁鸾台平章事。首谋诛张易之兄弟，以功拜天官尚书、凤阁鸾台三品，迁中书令。神龙中，为武三思所构，贬新州司马，又流泷州，卒。有《张柬之集》十卷。据新、旧《唐书》本传及《大唐新语》卷六。

公元 626 年 　（唐高祖武德九年　丙戌）

正月

十日，诏太常少卿祖孝孙等更定雅乐。《唐会要》卷三二："高祖受禅，军国多务，未遑改创乐府，尚用隋氏旧文。武德九年正月十日，始命太常少卿祖孝孙考正雅乐。"又见《通鉴》卷一九一。《旧唐书》窦威附窦琎传："琎颇晓音律。武德中，与太常少卿祖孝孙受诏定正声雅乐，琎讨论故实，撰《正声调》一卷，行于代。"

二月

诏罢废寺观，放遣僧道。《集古今佛道论衡》卷丙："武德九年，清虚观道士李仲卿、刘进喜猜忌佛法，恒加讪谤，与傅奕唇齿结构，诛翦释宗。卿著《十异九迷论》，喜《显正论》，仍托傅氏上闻天听。孟春下敕：京立三寺，僧限千人，余并放还桑梓，有用者八品处分。"《唐会要》卷四七："武德七年七月十四日，太史令傅奕上疏请去释教，高祖付群官详议。……至九年二月二十二日，以沙门、道士亏违教迹，留京师寺三所，观三所，选耆老高行以实之，余皆罢废。"《旧唐书》高祖纪记此事在本年五月辛巳，《通鉴》记于四月辛巳。按本年五月无辛巳，四月辛巳是二十三日，二月辛巳是二十二日，以《集古今佛道论衡》"孟春下敕"语考之，当以《唐会要》所记近是。罢遣僧道诏全文见《旧唐书》高祖纪。

三月

改修文馆为弘文馆。见《唐会要》卷六四。

六月

敕停放遣僧道。《唐会要》卷四七在述及本年二月敕遣僧道事之后云："至六月四日敕文，其僧、尼、道士、女冠，宜依旧定。"《旧唐书》高祖纪亦云："以京师寺观不甚清净，诏曰：……事竟不行。"

八月

甲子，李世民即皇帝位，是为太宗。《旧唐书》太宗纪上："八月癸亥，高祖传位于皇太子，太宗即位于东宫显德殿。"《通鉴》卷一九一："癸亥，制传位于太子；太子固辞，不许。甲子，太宗即皇帝位于东宫显德殿。"此从《通鉴》。

九月

太宗设弘文馆于弘文殿侧，选虞世南等以本官兼学士。《通鉴》卷一九二："九月……上于弘文殿聚四部书二十余万卷，置弘文馆于殿侧，精选天下文学之士虞世南、褚亮、姚思廉、欧阳询、蔡允恭、萧德言等，以本官兼学士，令更日宿直，听朝之隙，引入内殿，讲论前言往行，商榷政事，或至夜分乃罢（胡三省注：唐太宗以武定祸乱，出入行间，与之俱者，皆西北骁武之士。至天下既定，精选弘文馆学生，日夕与之议论商榷者，皆东南儒生也。然则欲守成者，舍儒何以哉）。又取三品已上子孙充弘文馆学士。"参见《唐会要》卷六四。

十二月

张蕴古上《大宝箴》，为太宗所赏。《通鉴》卷一九二："十二月……前幽州记室直中书省张蕴古上《大宝箴》……上嘉之，赐以束帛，除大理丞。"《贞观政要》卷八："蕴古，初以贞观二年自幽州总管府记室兼直中书省，表上《大宝箴》，文义甚美，可为规诫。"所记年份与此不同。

本年

阎立本作秦府十八学士图，褚亮为赞。《历代名画记》卷九："立德弟立本……初为太宗秦王库直。武德九年，命写秦府十八学士，褚亮为赞。"《唐会要》卷六四："及薛收卒，征东虞州录事参军刘孝孙入馆。令库直阎立本图其状，命褚亮为文赞，号曰十八学士。写真图藏之书府，用彰礼贤之重也。诸学士食五品珍膳，分为三番，更直宿阁下，每日引见，讨论文典。得入馆者，时人谓之'登瀛州'。"

武德年间

江灌为隋州司马，撰《尔雅图》等。《历代名画记》卷三《尔雅图》注："上下两卷。陈尚书令江灌，字德源，至武德中为隋州司马，并著《尔雅赞》二卷，《音》六卷。"

公元 627 年　（唐太宗贞观元年　丁亥）

正月

三日，太宗宴群臣，奏《秦王破阵乐》，因陈文德安邦之论。《唐会要》卷三三："贞观元年正月三日，宴群臣，奏《秦王破阵乐》之曲。太宗谓侍臣曰：'朕昔在藩邸，屡有征伐，世间遂有此歌，岂意今日登于雅乐。然其发扬蹈厉，虽异文容，功业由之，致有今日。所以被于乐章，示不忘本也。'尚书右仆射封德彝进曰：'陛下以圣武戡难，立极安民，功成化定，陈乐象德，实弘济之盛烈，为将来之壮观。文容习仪，岂得为比？'太宗曰：'朕虽武功定天下，终当以文德绥海内。文武之道，各随其时。公谓文容不如蹈厉，斯为过矣。'"参见《通鉴》卷一九二、《通典》卷一四六。

五月

陈子良在相如县令任，为文祭司马相如。陈子良《祭司马相如文》："维大唐贞观元年岁次丁亥五月壬子朔十六日丁卯，相如县令陈子良谨遣主簿谯悦赍挂醊兰殽之奠，敬祭故文园令司马公之灵。惟君凤敏，雅调雍容，含章挺生，慕蔺斯在，题桥去蜀，仗策入关，终倦梁园之游，还悦临邛之客。"

八月

玄奘自长安首途，西去印度求经。《广弘明集》卷二二玄奘《请御制三藏圣教序表》："奘以贞观元年往游西域。"《大慈恩寺三藏法师传》："贞观三年秋八月，将欲首途……至秦州。"按玄奘西行年月多有歧说，据杨廷福《玄奘年谱》考证，玄奘当于本年八月自长安西行，《慈恩传》之"三年"当为"元年"之讹，今以其说。

十二月

太宗言不可妄求神仙。《旧唐书》太宗纪上："元年十二月壬午，上谓侍臣曰：'神仙事本虚妄，空有其名。秦始皇非分爱好，遂为方士所诈。……汉武帝为求仙，乃将女嫁道术人，事既无验，便行诛戮。据此二事，神仙不烦妄求也。'"《贞观政要》卷六记此事于贞观二年。

本年

陆德明（？—627？）**卒。**《旧唐书》儒学上本传："贞观初，拜国子博士，封吴县男，寻卒。撰《经典释文》三十卷、《老子疏》十五卷、《易疏》二十卷，并行于世。"

袁朗（？—627？）**卒。**《旧唐书》文苑上本传："再转给事中。贞观初卒官。太宗为之废朝一日，谓高士廉曰：'袁朗在任虽近，然其性谨厚，特使人伤情。'……有文集十四卷。"

蔡允恭（？—627？）**卒。**《旧唐书》文苑上本传："贞观初，除太子洗马。寻致仕，卒于家，有集十卷，又撰《后梁春秋》十卷。"《新唐书》艺文志四："《蔡允恭集》二十卷。"

　　裴矩（？—627）**卒。**《旧唐书》本传："贞观元年卒……撰《开业平陈记》十二卷，行于代。"《隋书》经籍志二："《隋西域图》三卷，裴矩撰。"又："《开业平陈记》二十卷。"

　　沈婺华（？—627？）**卒。**《南史》后妃下陈后主沈皇后传："后主沈皇后讳婺华……贞观初卒。"《隋书》经籍志四："《陈后主沈后集》十卷。"

　　贺德仁（557？—627？）**卒。**《旧唐书》文苑上本传："贞观初，德仁转赵王友。无几卒，年七十余。有文集二十卷。"《新唐书》艺文志四："《贺德仁集》二十卷。"

　　裴略赋诗嘲温彦博。《大唐新语》卷一三："温彦博为吏部侍郎，有选人裴略被放，乃自赞于彦博，称解白嘲。彦博即令嘲厅前丛竹。略曰：'竹，冬月不肯凋，夏月不肯热。肚里不能容国士，皮外何劳生枝节！'又令嘲屏墙。略曰：'高下八九尺，东西六七步。突兀当厅坐，几许遮贤路。'彦博曰：'此语似伤博。'略曰：'即扳公肋，何止伤博！'博惭而与官。"又见《太平广记》卷二五四。《旧唐书》温大雅附温彦博传："太宗即位，突厥送款，始征彦博还朝，授雍州治中，寻检校吏部侍郎。彦博意有沙汰，多所损益，而退者不伏，嚣讼盈庭。彦博惟骋辞辩，与之相诘，终日喧扰，颇为识者所嗤。……贞观二年，迁御史大夫。"彦博为裴略所嘲当在本年。

　　李百药任中书舍人。《旧唐书》本传："太宗重其才名，贞观元年，召拜中书舍人，赐爵安平县男。受诏修订《五礼》及律令，撰《齐书》。"

　　上官仪、敬播等四人进士及第，仪授弘文馆直学士。《旧唐书》上官仪传："本陕州人也。父弘，隋江都宫副监，因家于江都。……游情释典，尤精三论，兼涉猎经史，善属文。贞观初，杨仁恭为都督，礼待之。举进士。太宗闻其名，召授弘文馆学士。"余见《登科记考》卷一。

　　徐惠（627—650）**生。**徐惠，太宗贤妃，湖州长城人。幼聪慧，善属文。太宗纳为才人，俄拜婕妤，再迁充容。太宗卒，哀慕成疾，因为七言诗及连珠以见志。寻卒，诏赠贤妃。《全唐诗》录其诗五首，《全唐文》录其文两篇。据《旧唐书》后妃上本传。

公元628年　（唐太宗贞观二年　戊子）

六月

　　乙酉，祖孝孙等作唐雅乐成，奏上，太宗与杜淹、魏徵等人论乐。《通鉴》卷一九三："太常少卿祖孝孙，以梁、陈之音多吴、楚，周、齐之音多胡、夷，于是斟酌南北，考以古声，作《唐雅乐》，凡八十四调、三十一曲、十二和。诏协律郎张文收与孝孙同修定。六月，乙酉，孝孙等奏新乐。上曰：'礼乐者，盖圣人缘情以设教耳，治之隆替，岂由于此？'御史大夫杜淹曰：'齐之将亡，作《伴侣曲》，陈之将亡，作《玉树后庭花》，其声哀思，行路闻之皆悲泣，何得言治之隆替不在乐也！'上曰：'不然。夫乐能感人，故乐者闻之则喜，忧者闻之则悲，悲喜在人心，非由乐也。将亡之政，民必愁苦，故闻乐而悲耳。今二曲具存，朕为公奏之，公岂悲乎？'右丞魏徵曰：'古人称"礼云礼云，玉帛云乎哉！乐云乐云，钟鼓云乎哉！"乐诚在人和，不在声音也。'"《通典》卷一四、《新唐书》礼乐志一一俱载祖孝孙等更定雅乐事，《唐会要》卷三二、《贞观政要》卷七俱载太宗论乐事，并可参看。

戊子，太宗与魏徵论隋炀帝之文辞及行事。《通鉴》卷一九三："戊子，上谓侍臣曰：'朕观《隋炀帝集》文辞奥博，亦知是尧、舜而非桀、纣，然行事何其反也！'魏徵对曰：'人君虽圣哲，犹当虚己以受人，故智者献其谋，勇者竭其力。炀帝恃其俊才，骄矜自用，故口诵尧、舜之言而身为桀、纣之行，曾不自知以至覆亡也。'上曰：'前事不远，吾属之师也！'"

太宗自言服膺尧舜周孔之道。《贞观政要》卷六："贞观二年，太宗谓侍臣曰：'……下之所行，皆从上之所好。至如梁武帝父子，志尚浮华，惟好释氏、老氏之教，武帝末年，频幸同太寺，亲讲佛经，百寮皆大冠高履，乘车扈从，终日谈说苦空，未尝以军国典章为意。及侯景率兵向阙，尚书郎已下，多不解乘马，狼狈步走，死者相继于道路，武帝及简文卒被侯景幽逼而死。孝元帝在江陵，为万纽于谨所围，帝犹讲《老子》不辍，百寮皆戎服以听，俄而城陷，君臣俱被囚絷。庾信亦叹其如此，及作《哀江南赋》，乃云："宰衡以干戈为儿戏，缙绅以清谈为庙略。"此事亦足为鉴戒。朕今所好者，唯在尧、舜之道，周、孔之教，以为如鸟有翼，如鱼依水，失之必死，不可暂无耳。'"《通鉴》卷一九三系此于本月，今从之。

十月

杜淹（？—628）卒。《旧唐书》杜如晦附杜淹传："贞观二年卒，赠尚书右仆射，谥曰襄。"同书太宗纪上："冬十月庚辰，御史大夫、安吉郡公杜淹卒。"

本年

始于国学立孔子庙。《旧唐书》儒学传序："贞观二年，停以周公为先圣，始立孔子庙堂于国学，以宣父为先圣，颜子为先师。大征天下儒士，以为学官。"

王珪为太宗论宜重儒轻武。《贞观政要》卷一："贞观二年，太宗问黄门侍郎王珪曰：'近代君臣理国，多劣于前古，何也？'对曰：'……汉家宰相，无不精通一经，朝廷若有疑事，皆引经决定，由是人识礼教，理致太平。近代重武轻儒，或参以法律，儒行既亏，淳风大坏。'自是百官中有学业优长，兼识政体者，多进其阶品，累加迁擢焉。"

王绩在长安，思故乡，有诗作，后即返归龙门。王绩《在京思故园见乡人问》："旅泊多少年，老去不知回。"当作于本年左右。时王绩离乡来京已六七年，且年华渐老，正与诗意切合。参韩理洲《王绩诗文系年考》，载《山西师范大学学报》1983 年第 3 期。又吕才《王无功文集序》云："贞观初，以疾罢归。"王绩离京回乡当即在本年左右。

李百药上《封建论》。《旧唐书》本传："二年，除礼部侍郎。朝廷议将封建诸侯，百药上《封建论》曰：……朝廷竟从其议。"何良俊《四友斋丛说》卷二三："唐人如李百药《封建论》、崔融《武后哀册文》、柳子厚《贞符》、韩昌黎《进学解》，犹是文章之遗，此后不复见矣。"

薛元超六岁，习《左传》。《唐代墓志汇编续集》垂拱〇〇三《大唐故中书令兼检校太子左庶子户部尚书汾阴男赠光禄大夫使持节都督秦成武渭四州诸军事秦州刺史薛公（元超）墓志并序》（以下简称《薛元超墓志》）："六岁，袭汾阴男。受《左传》于同郡韩文汪，便质大义。闻天王狩于河阳，乃叹曰：'周朝岂无良相，何得以臣召君！'文汪异焉。宰辅之器，基于此矣。"

员半千（628—721）生。员半千，本名余庆，字荣期，齐州全节人，客居晋州临汾。应八科举，授武陟尉。复应岳牧举，擢上第。武后朝，历左卫胄曹参军、左卫长史、正谏大夫，兼弘文馆直学士、右控鹤内供奉。左迁水部郎中，预修《三教珠英》。中宗时，为濠、蕲二州刺史。睿宗即位，征拜太子右谕德，兼崇文馆学士，封平原郡公。玄宗朝卒。有《三国春秋》二十卷，《员半千集》十卷。据《旧唐书》文苑中本传。

公元629年 （唐太宗贞观三年 己丑）

正月

岑文本在秘书郎任，撰《藉田颂》、《三元颂》。《旧唐书》礼仪志四："太宗贞观三年正月，亲祭先农，躬御耒耜，藉于千亩之甸。……于是秘书郎岑文本献《藉田颂》以美之。"《唐会要》卷一〇下亦载此。《旧唐书》岑文本传："贞观元年，除秘书郎，兼直中书省。遇太宗行藉田之礼，文本上《藉田颂》。及元日临轩宴百僚，文本复上《三元颂》，其辞甚美。"

二月

魏徵为秘书监，参预朝政，奏引学者校定四部书。《旧唐书》太宗纪上："二月戊寅……右丞魏徵守秘书监，参预朝政。"同书魏徵传："贞观二年，迁秘书监，参预朝政。徵以丧乱之后，典章纷杂，奏引学者校订四部书。数年之间，秘府粲然毕备。"《隋书》经籍志一："贞观初，秘书监臣魏徵，始收聚之（按指石经），十不存一。"

三月

太宗论修史当载录有益政理之词，而无须文体浮华。《大唐新语》卷九："太宗谓监修国史房玄龄曰：'比见前、后汉史，载杨雄《甘泉》、《羽猎》，司马相如《子虚》、《上林》，班固《两都赋》，此既文体浮华，无益劝戒，何暇书之史策。今有上书论事，词理可裨于政理者，朕或从，或不从，皆须备载。'"《通鉴》卷一九三记此于本年年三月，从之。《贞观政要》卷二："三年，（房玄龄）拜尚书左仆射，监修国史。"

六月

马周以上书言事为太宗所称赏。《通鉴》卷一九三："茌平人马周，客游长安，舍于中郎将常何之家。六月，壬午，以旱，诏文武官极言得失。何武人不学，不知所言。周代之陈便宜二十余条。……上即召之；未至，遣使督促者数辈。及谒见，与语，甚悦，令直门下省，寻除监察御史，奉使称旨。"

十一月

太宗宴突利可汗于两仪殿，与长孙无忌等赋柏梁体联句诗。《册府元龟》卷一〇九："戊子，宴突利可汗及群臣三品已上于中华殿，帝赋七言诗，极欢而罢。"《全唐诗》卷一《两仪殿赋柏梁体》题注引《两京记》："贞观五年，太宗破突厥，宴突利可汗于两仪殿，赋七言诗柏梁体。"同赋者为太宗、淮安王（李神通）、长孙无忌、房玄龄、萧瑀。按《旧唐书》突厥传下："贞观三年……突利乃率其众来奔，太宗礼之甚厚，频赐以御膳。……五年，征入朝，至并州，道病卒，年二十九。"知突利贞观五年未尝至京，则《两京记》"五年"乃三年之误。

闰十二月

颜师古因东蛮谢元深来朝，请撰为《王会图》，阎立德等受命图之。《旧唐书》东谢蛮传："贞观三年，元深入朝……中书侍郎颜师古奏言：'昔周武王时，天下太平，远国归款，周史乃书其事为《王会篇》。今万国来朝，至于此辈章服，实可图写，今请撰为《王会图》。'"《宣和画谱》卷一："唐贞观中，东蛮谢元深入朝，颜师古奏言：'……今卉服鸟章，俱集蛮邸，实可图写。'因令立德等图之。其序位之际，折旋规矩、端簪奉笏之仪，与夫鼻饮头飞、人物诡异之状，莫不备该毫末。"《通鉴》卷一九三："闰月，丁未，东谢酋长谢元深、南谢酋长谢强来朝。……是时远方诸国来朝贡者甚众，服装诡异，中书侍郎颜师古请图写以示后，作《王会图》，从之。"《新唐书》艺文志二："颜师古《王会图》，卷亡。"

诏于交兵之处为阵亡者立寺，虞世南等奉命为撰碑铭。《旧唐书》太宗纪上：贞观三年十二月，"癸丑，诏建义以来交兵之处，为义士勇夫殒身戎阵者各立一寺，命虞世南、李伯药、褚亮、颜师古、岑文本、许敬宗、朱子奢等为之碑铭，以纪功业。"按据《二十史朔闰表》，本年十二月丁卯朔，无癸丑日；闰十二月丁酉朔，癸丑为十七日。故知当为闰十二月。参见太宗《为战阵处立寺诏》。

本年

太宗敕令魏徵、令狐德棻等人重修五代史。《唐会要》卷六三："至贞观三年，于中书省置秘书内省，以修五代史。"《旧唐书》令狐德棻德棻传："贞观三年，太宗复敕修撰，乃令狐德棻与秘书郎岑文本修周史，中书舍人李百药修齐史，著作郎姚思廉修梁、陈史，秘书监魏徵修隋史，与尚书左仆射房玄龄总监诸代史。众议以魏史既有魏收、魏澹二家，已为详备，遂不复修。德棻又奏引殿中侍御史崔仁师佐修周史，德棻仍总知类会梁、陈、齐、隋诸史。"

李玄道（？—629？）**卒**。《旧唐书》褚亮附李玄道传："贞观元年，累迁给事中。……三年，表请致仕，加银青光禄大夫，以禄归第，寻卒。"《新唐书》艺文志四："《李玄道集》十卷。"

王绩作书与冯子华，叙己隐居交游赋咏之状。王绩《答处士冯子华书》："吾所居南渚，有仲长先生，结庵独处垂三十载，非其力不食，傍无侍者。"《仲长先生传》："先生名子光，字不曜……开皇之末，始结庵河渚以息身焉。"隋开皇二十年　（600）至本年为二十九年，合于"垂三十载"之数，知书当作于本年左右。书中又云："吾河渚间，元有先人故田十五六顷。……近复都卢弃家，独坐河渚，结构茅屋，并厨厩，总十余间。……床头素书三帙，《老》、《庄》及《易》而已。过此以往，罕尝或披。忽忆兄弟，则渡河归家。维舟岸侧，兴尽便返。遇天地晴朗，则于舟中诵大谢'乱流趋孤屿'之诗，眇然尽山林陂泽之思。……题歌赋诗，以会意为功，不必与夫悠悠闲人相唱和也。……吾所居南渚，有仲长先生……先生又著《独游颂》及《河渚先生传》，开物寄道，悬解之作也。时取玩读，便复江湖相忘。吾往见薛收《白牛溪赋》，韵趣高奇，词义旷远，嵯峨萧瑟，真不可言。壮哉邈乎！扬、班之俦也。……吾近作《河渚独居赋》，为仲长先生所见，以为可与《白牛》连类。今亦写一本以相示，可与青溪诸贤共详之也。"

公元630年　（唐太宗贞观四年　庚寅）

三月

杜如晦卒，太宗手诏虞世南为制碑文。《旧唐书》太宗纪下："甲申，尚书右仆射、蔡国公杜如晦薨。"同书杜如晦传："四年，疾笃……寻薨，年四十六。……太宗手诏著作郎虞世南曰：'朕与如晦，君臣义重。不幸奄从物化，追念勋旧，痛悼于怀。卿体吾此意，为制碑文也。'"

本年

天下安康，百姓乐业。《隋唐嘉话》卷上："贞观四载，天下安康，断死刑至二十九人而已。户不夜闭，行旅不赍粮也。"《旧唐书》太宗纪下、食货志亦载此。

高士廉在益州长史任，与辞人、儒生为文会，论经史。《旧唐书》本传："贞观元年……坐是出为安州都督，转益州大都督府长史。蜀土俗薄……士廉随方训诱，风俗顿改。……又因暇日汲引辞人，以为文会，兼命儒生讲论经史，勉励后进，蜀中学校粲然复兴。……五年，入为吏部尚书。"《唐会要》卷六二："贞观四年，监察御史王凝使至益州。刺史高士廉……"知本年高士廉已在益州长史任。

薛元超赋《咏竹》诗，为房玄龄、虞世南所称赏。《薛元超墓志》："八岁，善属文，时房玄龄、虞世南试公咏竹，挥毫立就，卒章云：'别有邻人笛，偏伤怀旧情。'玄龄等即公之父党，深所感叹。"

公元 631 年 （唐太宗贞观五年 辛卯）

正月

太宗作《正日临朝》诗，魏徵、李百药等和之。太宗《正日临朝》："百蛮奉遐
赆，万国朝未央。"（见《唐太宗全集校注》；以下凡引太宗诗文均据是书，不复注）
颜师古、魏徵、岑文本、杨师道、李百药均有和作。上年李靖破突厥，太宗被尊为天
可汗。诸诗当为本年正月所作。

九月

二十七日，魏徵等编《群书治要》成，太宗手诏褒之。《唐会要》卷三六："贞观
五年九月二十七日，秘书监魏徵撰《群书治要》，上之。"注云："太宗欲览前王得失，
爰自六经，下尽晋年。徵与虞世南、褚亮、萧德言等始成凡五十卷，上之。诸王各赐
一卷。"《大唐新语》卷九："太宗欲见前代帝王事得失，以为鉴戒。魏徵乃以虞世南、
褚遂良、萧德言等，采经史百家之内嘉言善语明王暗君之迹，为五十卷，号《群书理
要》，上之。太宗手诏曰：'朕少尚威武，不精学业，先王之道，茫若涉海。览所撰书，
博而且要，见所未见，闻所未闻。使朕致治稽古，临事不惑，其为劳也，不亦大哉！'
赐徵等绢千匹，彩物五百段。太子诸王，各赐一本。""褚遂良"当据《唐会要》作
"褚亮"，《理要》系避高宗讳而改。魏徵《群书治要序》："近古皇王，财有撰述，并
皆包括天地，牢笼群有，竞采浮艳之词，争驰迂诞之说。骋末学之传闻，饰雕虫之小
技。流荡忘反，殊途同致。虽辩周万物，愈失司契之源；术总百端，弥乖得一之旨。
皇上……以为六籍纷纶，百家蹄駮。穷理尽性，则劳而少功，周观泛览，则博而寡要。
故爰命臣等，采摭群书，翦截浮放，光昭训典。……爰自六经，讫乎诸子，上始古帝，
下尽晋年，凡为五表，合五十卷。本求治要，故以'治要'为名。"《新唐书》艺六志
三："魏徵《群书治要》五十卷。"又："刘伯庄《群书治要音》五卷。"《四库未收书
目提要》卷二："《群书治要》五十卷，唐魏徵等奉敕撰。……是编卷帙与《唐志》
合，《宋史·艺文志》即不著录，知其佚久矣。此本乃日本人摆印，前有魏徵序，惟阙
弟四、弟十三、弟二十三卷。今观所载，专主治要，不事修辞，凡有关乎政本，存乎
劝戒者，莫不汇而辑之。即所采各书，并属初唐善策，与近刊多有不同，如《晋书》
二卷，尚为未修《晋书》以前十八家中之旧本，又桓谭《新论》、崔实（寔）《政要》、
仲长统《昌言》、袁準《正书》、蒋济《万机论》、桓范《政要论》，近多不传，亦藉此
以存其梗概，询唐初古籍也。"

本年

太宗言宜禁断僧尼道士受父母拜之礼，仍令其致拜于父母。《贞观政要》卷七：
"贞观五年，太宗谓侍臣曰：'佛道设教，本行善事，岂遣僧尼道士等妄自尊崇，坐受
父母之拜，损害风俗，悖乱礼经，宜即禁断，仍令致拜于父母。'"

太宗言图谶乃不经之事，不能爱好。《贞观政要》卷六："贞观五年，有人上注解图谶。太宗曰：'此诚不经之事，不能爱好。朕杖德履义，救天下苍生，蒙上天眷命，为四海主，安用图谶。'命焚之。"

李百药在太子右庶子任，撰房彦谦碑铭、僧邕舍利塔铭，太子率更令欧阳询书之；百药又作《赞道赋》、《五色鹦鹉赋》等。王昶《金石萃编》卷四三《唐故都督徐州五州诸军事徐州刺史临淄定公房公（彦谦）碑铭并序》，文后署"太子左庶子、安平男李百药撰，太子中允□□欧阳询书，贞观五年三月二日树。"《旧唐书》李百药传："四年，授太子右庶子。……十年，以撰《齐史》成，加散骑常侍，行太子左庶子。"是百药任太子左庶子在贞观十年。又《旧唐书》儒学上欧阳询传，亦未云询曾任太子中允。碑、传所记不合。按王昶此处录文有误。据缪荃孙艺风堂拓本，"左庶子"实作"右庶子"，"太子中允□□亻扌欧阳询书"实作"太子□□令渤海男欧阳询书"，"太子"下所阙两字当为"率更"，盖本年欧阳询在太子率更令任。参见罗尔纲《金石萃编校补》卷三、卷四。《萃编》卷四三尚载录《化度寺故僧邕禅师舍利塔铭》一篇，题下署"右庶子李百药制文，率更令欧阳询书"，文后署"贞观五年十一月十六日建"。所题百药及询之衔并不误。《贞观政要》卷四："贞观五年，李百药为太子右庶子，时太子承乾颇留意典坟，然闲燕之后，嬉戏过度。百药作《赞道赋》以讽焉，其词曰：……太宗见而遣使谓百药曰：'朕于皇太子处见卿所作赋，述古来储贰事以诫太子，甚是典要。朕选卿以辅弼太子，正为此事，大称所委，但须善始令终耳。'因赐厩马一匹，彩物三百段。"百药又有《奉和初春出游应令》诗，当是为太子右庶子期间应太子令所作，亦可见李承乾嬉游之一斑。又《旧唐书》南蛮西南蛮林邑传："五年，又献五色鹦鹉。太宗异之，诏太子右庶子李百药为之赋。"

有选人以诗嘲高士廉。《朝野佥载》卷四："唐高士廉者，其人齿高，有选人自云解嘲谑，士廉时着木履，令嘲之，应声云：……士廉笑而引之。"《旧唐书》高士廉传："五年，入为吏部尚书。"选人嘲高士廉事当在本年或稍后，姑系于此。

道士成玄英被召至京。《新唐书》艺文志三："道士成玄英注《老子道德经》二卷，又《开题序诀义疏》七卷，注《庄子》三十卷，《疏》十二卷。"注云："玄英，字子实，陕州人，隐居东海。贞观五年，召至京师。永徽中，流郁州。书成，道王元庆遣文学贾鼎就授大义，嵩高山人李利涉为序，唯《老子注》、《庄子疏》著录。"

刘祎之（631—687）生。刘祎之，字希美，常州晋陵人。少以文藻知名。上元中，为左史、弘文馆直学士。与元万顷等皆入禁中修撰，又受命参决朝政，以分宰相之权，时号"北门学士"。武后临朝，擢拜中书侍郎、同中书门下三品。垂拱中，赐死。有《刘祎之集》七十卷。据《旧唐书》本传。

公元632年　（唐太宗贞观六年　壬辰）

正月

太宗命整理钟、王书法真迹。《唐会要》卷三五："贞观六年正月八日，命整治御府古今工书钟、王等真迹，得一千五百卷。"

四月

魏徵奉敕撰《九成宫醴泉碑铭》，欧阳询书。《金石录》卷三：“《唐九成宫醴泉铭》，魏徵撰，欧阳询正书。贞观六年四月。”《金石萃编》卷四三《九成宫醴泉碑铭》：“维贞观六年孟夏之月，皇帝避暑乎九成之宫。”署“秘书监、检校侍中、巨鹿郡公臣魏徵奉敕撰，兼太子率更令、勃海男臣欧阳询奉敕撰”。

七月

陈子良（575—632）卒，年五十八。《唐诗纪事》卷四：“子良，吴人。与萧德言、庾抱为太子学士。贞观六年卒。”《法苑珠林》卷六五引《冥报记》：“唐魏郡马嘉运，以贞观六年正月居家……其年七月……别有吴人陈子良卒。”《新唐书》艺文志四：“《陈子良集》十卷。”胡应麟《诗薮》内编卷三：“余遍阅六朝，得庾子山‘促柱调弦’、陈子良‘我家吴会’二首，虽音节未甚协谐，体实七律。”

闰七月

虞世南上《圣德论》。见《资治通鉴》卷一九四。又太宗有《答虞世南上〈圣德论〉手诏》。

九月

二十九日，太宗幸庆善宫，赋诗，作乐舞。《唐会要》卷三三：“贞观六年九月二十九日，幸庆善宫（在武功县，即高祖旧宅也），宴群臣于渭滨，其宫即太宗降诞之所。上赋诗十韵云：……赏赐闾里，有同汉之宛、沛焉。于是起居郎吕才播于乐府，被之管弦，名曰《功成庆善乐》之曲，令童儿八佾皆冠进德冠，紫袴褶，为《九功之舞》。”《通鉴》卷一九四亦载此事，云“九月己酉”，本月辛巳朔，己酉为二十九日。《旧唐书》音乐志二：“《庆善乐》，太宗所造也。……舞蹈安徐，以象文德洽而天下安乐也。”按太宗所赋十韵诗《乐府诗集》卷五六收录，题作《唐功成庆善乐舞辞》。

本年

诏魏徵等分制雅乐乐章。《旧唐书》音乐志三：“贞观二年，太常少卿祖孝孙既定雅乐，至六年，诏褚亮、虞世南、魏徵等分制乐章。”

崔信明应诏举及第，授兴势丞。《旧唐书》文苑上本传：“贞观六年，应诏举，授兴世丞。迁秦川令，卒。”

马周上疏谓白明达等乐工之流不得列预朝班。《旧唐书》马周传：“六年，授监察御史，奉使称旨。……是岁，周上疏曰：‘……臣伏见王长通、白明达本自乐工，舆皂杂类，韦槃提、斛斯正则更无他材，独解调马。纵使术逾侪辈，伎能有取，乍可厚赐钱帛，以富其家；岂得列预士流，超授高爵。遂使朝会之位，万国来庭，驺子倡人，鸣玉曳履，与夫朝贤君子，比肩而立，同坐而食，臣窃耻之。然朝命既往，纵不可追，谓宜不使在朝班，预于士伍。'太宗深纳之。"又见《唐会要》卷三四。

刘孝孙迁著作佐郎。《旧唐书》褚亮附刘孝孙传："贞观六年，迁著作佐郎、吴王友。"

公元633年 （唐太宗贞观七年 癸巳）

正月

更《破阵乐》名为《七德舞》。《旧唐书》太宗纪下："七年春正月戊子……是日，上制《破阵乐舞图》。"《唐会要》卷三三："七年正月七日，上制《破阵乐舞图》……起居郎吕才依图教乐工一百二十人，披甲指戟而习之。凡为三变，每变为四阵，有来往疾徐击刺之象，以应歌节，数日而就。其后令魏徵、虞世南、褚亮、李百药改制歌词，更名《七德之舞》。十五日，奏之于庭。"《通鉴》卷一九四："癸巳，宴三品已上及州牧、蛮夷酋长于玄武门，奏《七德》、《九功》之舞。"按，本月己卯朔，戊子为十日，《唐会要》之七日或为十日之误；癸巳为十五日。白居易《七德舞》："七德舞，七德歌，传自武德至元和。……尔来一百九十载，天下至今歌舞之。歌七德，舞七德，圣人有作垂无极。岂徒耀神武，岂徒夸圣文；太宗意在陈王业，王业艰难示子孙。"

九月

太宗与侍臣言及虞世南谏作艳诗事。《唐会要》卷六五："七年九月二十三日，上谓侍臣曰：'朕因暇日，每与秘书监虞世南商量今古。朕一言之善，虞世南未尝不悦；有一言之失，未尝不怅恨。尝戏作艳诗，世南进表谏曰："圣作虽工，体制非雅。上之所好，下必随之。此文一出，恐致风靡。轻薄成俗，非为国之利。赐令继和，辄申狂简。而今之后，更有斯文，继之以死，请不奉诏旨。"群臣皆若世南，天下何忧不治！'因顾谓世南曰：'朕更有此诗，卿能死否？'世南曰：'臣闻诗者，动天地，感鬼神，上以风化下，下以俗承上。故季札听诗，而知国之兴废。盛衰之道，实基于兹。臣虽愚诚，愿不奉诏。'"又见《贞观政要》卷一。

十月

太宗作《威凤赋》赐长孙无忌。《旧唐书》长孙无忌传："七年十月，册拜司空。无忌固辞，不许。……太宗追思王业艰难，佐命之力，又作《威凤赋》以赐无忌，其辞曰：……"《贞观政要》卷二："太宗又尝追思王业之艰难，佐命之匡弼，乃作《威凤赋》以自喻，因赐玄龄。"与此不同。

十一月

丁丑，颁颜师古等新定之《五经》。见《旧唐书》太宗纪下。又同书颜师古传："太宗以经籍去圣久远，文字讹谬，令师古于秘书省考定《五经》，师古多所厘正，既成，奏之。太宗复遣诸儒重加详议，于时诸儒传习已久，皆共非之。师古辄引晋、宋以来古今本，随言晓答，援据详明，皆出其意表，诸儒莫不叹服。于是兼通直郎、散骑常侍，颁其所定之书于天下，令学者习焉。"

本年

颜师古拜秘书少监。《旧唐书》本传："贞观七年，拜秘书少监，专典刊正，所有奇书难字，众所共惑者，随疑剖析，曲尽其源。"

魏徵受太宗命撰《自古诸侯王善恶录》，并自为序。《贞观政要》卷四："贞观七年，太宗谓侍中魏徵曰：'自古侯王能自保全者甚少，皆由生长富贵，好尚骄逸，多不解亲君子远小人故尔。朕所有子弟，欲使见前言往行，冀其以为规范。'因命徵录古来帝王子弟成败事，名为《自古诸侯王善恶录》，以赐诸王。其序曰：……"

薛元超年十一，入弘文馆读书。《薛元超墓志》："十一，弘文馆读书，一览不遗，万言咸讽。通人谓之颜、丹，识者知其管、乐。"

公元 634 年 （唐太宗贞观八年 甲午）

三月

诏进士试加读经史一部。《通典》卷一五："自是士族所趋向，唯明经、进士二科而已。起初止试策，贞观八年，诏加进士试读经史一部。"卷一七："大唐贞观八年三月，诏进士读一部经史。"又见《册府元龟》卷六三九。《登科记考》卷一："进士初惟试时务策五道，至是加读经史，仍试以策，非帖经也。"按徐氏此论或不确，所谓"加试读经史一部"当属试帖，而非试策，参见陈飞《唐代试策考述》第四章《常进士试策》。

长孙皇后从幸九成宫，疾笃，太子请度人入道以求福，皇后不从。《旧唐书》后妃上太宗文德皇后长孙氏传："八年，从幸九成宫，染疾危惙，太子承乾入侍，密启后曰：'医药备尽，尊体不瘳，请奏赦囚徒，并度人入道，冀蒙福助。'后曰：'死生有命，非人力所加。若修福可延，吾素非为恶；若行善无效，何福可求。赦者国之大事，佛道者示存异方之教耳，非惟政体靡弊，又是上所不为，岂以吾一妇人而乱天下法？'"据同书太宗纪下，本年三月太宗幸九成宫。

本年

李义府作《咏乌》诗。《旧唐书》本传："贞观八年，剑南巡察大使李大亮以义府善属文，表荐之。对策擢第，补门下省典仪。黄门侍郎刘洎、持书御史马周皆称荐之，寻除监察御史。"《唐诗纪事》卷四："义府初遇，以李大亮、刘洎之荐。太宗召令咏乌，义府曰：'日里飏朝采，琴中伴夜啼。上林如许树，不借一枝栖。'帝曰：'与卿全树，何止一枝！'"参见《登科记考》卷一。

徐惠八岁，已能属文。《旧唐书》后妃上贤妃徐氏传："名惠……八岁好属文。其父孝德试拟《楚辞》，云'山中不可以久留'，词甚典美。自此遍涉经史，手不释卷。太宗闻之，纳为才人。其所属文，挥翰立就，词华绮赡。"

曹宪因扬州长史李袭誉荐，被征为弘文馆学士，以年老不应。《大唐新语》卷九："江淮间为《文选》学者，起自江都曹宪。贞观初，扬州长史李袭誉荐之，征为弘文馆学士。宪以年老不起，遣使就拜朝散大夫，赐帛三百匹。宪以仕隋为秘书，学徒数百人，公卿亦多从之学，撰《文选音义》十卷，年百余岁乃卒。其后句容许淹、江夏李善、公孙罗，相继以《文选》教授。《旧唐书》太宗纪下：贞观八年正月，"壬寅，命尚书右仆射李靖……扬州大都督府长史李袭誉……使于四方，观省风俗。"是李袭誉本年已在扬州长史任，其荐曹宪当在本年前后，姑系于此。

高祖置酒未央宫，命胡、越首领起舞咏诗。《旧唐书》高祖纪："是岁，阅武于城西，高祖亲自临视，劳将士而还。置酒于未央宫，三品已上咸侍。高祖命突厥颉利可汗起舞，又遣南越酋长冯智戴咏诗，既而笑曰：'胡、越一家，自古未之有也。'"

卢照邻（634？—683？）**生。**卢照邻，字升之，自号幽忧子，幽州范阳人。初为邓王府典签，甚受爱重。后拜益州新都尉，秩满弃官。入长安，染疾，移居太白山下，服食疗养。复徙东龙门山、阳翟具茨山，不堪病苦，自投颍水而死。有《卢照邻集》二十卷、《幽忧子集》三卷。据《旧唐书》文苑上本传、《新唐书》文艺上王勃附卢照邻传、《朝野佥载》卷六、《唐才子传校笺》卢照邻传笺。

公元635年 （唐太宗贞观九年 乙未）

四月

虞世南献《狮子赋》。《旧唐书》太宗纪下："夏四月壬寅，康国献狮子。"牛上士《狮子赋序》："贞观九年，西域进狮子，秘书监虞世南献赋，前史美之。窃谓虞公博物洽闻，诚则可重；瑰玮倜傥，或非所长。"《旧唐书》虞世南传："（八年）四月，康国献狮子，诏世南为之赋，命编之东观，辞多不载。"《唐会要》卷九九："贞观九年七月，（康国）献狮子，太宗嘉其远来，使秘书监虞世南为之赋。"此以《旧纪》。

五月

庚子，高祖李渊卒。见《旧唐书》高祖纪。

十一月

戊午，太宗赐萧瑀诗。《通鉴》卷一九四："戊午，以光禄大夫萧瑀为特进，复令参预政事。上曰：'武德六年以后，高祖有废立之心而未定，我不为兄弟所容，实有功高不赏之惧。斯人也，不可以利诱，不可以死胁，真社稷臣也！'因赐瑀诗曰：'疾风知劲草，板荡识诚臣。'"参见《旧唐书》萧瑀传、《贞观政要》卷五。

本年

陈叔达（574？—635）卒，年约六十二。《旧唐书》本传："听以散秩归第。九年卒，谥曰缪。后赠礼部尚书，改谥曰忠。有集十五卷。"《新唐书》艺文志四："《陈叔达集》十五卷。"

长孙无忌与欧阳询以诗互嘲，无忌云询形似猕猴。《隋唐嘉话》卷中："太宗宴近臣，戏以嘲谑。赵无公忌，嘲欧阳询更曰：'耸膊成山字，埋肩不出头。谁家麟阁上，画此一猕猴。'询应声云：……帝改容曰'欧阳询岂不畏后闻？'赵公，后之兄也。"按长孙皇后明年六月卒，长孙无忌与欧阳询互嘲声当在本年或稍前。

义净（635—713）生。义净，俗姓张，名文明，齐州人，一说范阳人。少出家。高宗咸亨初，自广州取海路往印度求佛法。久住那烂陀寺，师从宝师子等高僧。武后证圣初，携梵本佛典数百部归国。组织译场广事翻译，凡译经、律、论一百余部。先天二年卒。著有《大唐西域求法高僧传》二卷、《南海寄归内法传》四卷等。《全唐诗》录其诗七首。据《开元释教录》卷九、《宋高僧传》卷一义净传等。

骆宾王（635？—684？）生。骆宾王，字观光，婺州义乌人。初为道王府属。历武功、长安两县主簿，迁侍御史。以上书讽谏朝政，获罪系狱。遇赦，除临海丞。徐敬业起兵讨武后，署为记室。兵败，卒。或曰亡命不知所之。有《骆宾王文集》十卷传世。据《旧唐书》文苑上本传、《新唐书》文艺上王勃附骆宾王传、《唐才子传校笺》卷一骆宾王传笺。又骆宾王生年历来歧说纷纭，此从张志烈《初唐四杰年谱》。

公元 636 年　（唐太宗贞观十年　丙申）

正月

二十日，房玄龄、魏徵等撰周、隋、梁、陈、齐五代史成，奏上，周、齐、隋史并有文学专论。《唐会要》卷六三："贞观十年正月二十日，尚书左仆射房玄龄、侍中魏徵、散骑常侍姚思廉、太子右庶子李百药、孔颖达、礼部侍郎令狐德棻、中书侍郎岑文本、中书舍人许敬宗等撰成周、隋、梁、陈、齐五代史，上之，进阶颁赐有差。"《旧唐书》魏徵传："初，有诏遣令令狐德棻、岑文本撰《周史》，孔颖达、许敬宗撰《隋史》，姚思廉撰《梁》、《陈》史，李百药撰《齐史》。徵受诏总加撰定，多加损益，务存简正。《隋史》序论，皆徵所作。《梁》、《陈》、《齐》各为总论，时称良史。史成，加左光禄大夫，进封郑国公，赐物二千段。"令狐德棻传："六年，累迁礼部侍郎，兼修国史。十年，以修周史赐绢四百匹。"岑文本传："又先与令狐德棻撰《周史》，其史论多出于文本。至十年史成，封江陵县子。"《新唐书》艺文志二："令狐德棻《后周书》五十卷。"《旧唐书》李百药传："十年，以撰齐史成，加散骑常侍，行太子左庶子，赐物四百段。俄除宗正卿。"《新唐书》艺文志二："李百药《北齐书》五十卷。"《旧唐书》姚思廉传："三年又受诏与秘书监魏徵同撰梁、陈二史，思廉又采谢炅等诸家梁史续成父书，并推究陈事，删益傅缍、顾野王所修旧史，撰成《梁书》五十卷、《陈书》三十卷。魏徵虽裁其总论，其编次笔削，皆思廉之功也。"《周书》王褒庾信传论："然则子山之文，发源于宋末，盛行于梁季。其体以淫放为本，其词以轻险为宗。故能夸目侈于红紫，荡心逾于郑、卫。昔杨子云有言："诗人之赋丽以则，辞人之赋丽以淫。'若以庾氏方之，斯又辞赋之罪人也。原夫文章之作，本乎性情。覃思则变化无方，形言则条流遂广。虽诗赋与奏议异轸，铭诔与书论殊途，而撮其指要，举其大抵，莫若以气为主，以文传意。考其殿最，定其区域，撮六经百氏之英华，探屈、宋、卿、云之秘奥。其调也尚远，其旨也在深，其理也贵当，其辞也欲巧。然后莹金璧，播芝兰，文质因其宜，繁约适其变，权衡轻重，斟酌古今，和而能壮，丽而能典，焕乎若五色之成章，纷乎犹八音之繁会。夫然，则魏文所谓通才足以备体矣，士衡所谓难能足以逮意矣。"《北齐书》文苑传序："江左梁末，弥尚轻险，始自储宫，刑乎流俗，杂恶懘以成音，故虽悲而不雅。爰逮武平，政乖时蠹，唯藻思之美，雅道犹存，履柔顺以成文，蒙大难而能正。原夫两朝叔世，俱肆淫声，而齐氏变风，属诸弦管，梁时变雅，在乎篇什。莫非易俗所致，并为亡国之音。而应变不殊，感物或异，何哉？盖随君上之情欲也。"《隋书》文学传序："自汉、魏以来，迄乎晋、宋，其体屡变，前哲论之详矣。暨永明、天监之际，太和、天保之间，洛阳、江左，文雅尤盛。……闻其风者，声驰景慕，然彼此好尚，互有异同。江左宫商发越，贵于清绮；河朔词义贞刚，重乎气质。气质则理胜其词，清绮则文过其意。理深者便于时用，文华者宜于咏歌，此其南北词人得失之大较也。若能掇彼清音，简兹累句，各去所短，合其两长，则文质斌斌，尽善尽美矣。梁自大同之后，雅道沦缺，渐乖典则，争驰新巧。简文、湘东，启其淫放；徐陵、庾信，分路扬镳。其意浅而繁，其文匿而彩，词尚轻险，情多哀思，格以延陵之听，盖亦亡国之音乎！周氏吞并梁、荆，此风扇于关右，狂简斐然成俗，流宕忘反，无所取裁。"

二月

太宗命魏王李泰置文学馆，得自招学士。《通鉴》卷一九四："二月……上以泰好文学，礼接士大夫，特命于其府别置文学馆，听自引召学士。"据《旧唐书》太宗纪下，李泰由越王徙封魏王在本年正月。又褚亮有《奉和咏月应魏王教》诗、虞世南有《奉和咏风应魏王教》诗，当作于本年或稍后。

四月

慧赜（580—636）卒，年五十七。《续高僧传》卷三慧赜传："以贞观十年四月六日终于所住，春秋五十有七。……文章词体，颇预能流。草隶笔功，名流台府。每有官供胜集，必召而处其中，公卿执纸，请书填赴。赜随纸赋笔，飞骤如风。藻蔚雄态，绮华丰富，故在所流咏，耽玩极多，悬诸屏障，或铭座右。著集八卷行世。"

六月

杨师道代魏徵为侍中，退朝辄为宴集文会。《旧唐书》太宗纪下："甲戌，太常卿、安德郡公杨师道为侍中。"同书杨恭仁附杨师道传："贞观十年，代魏徵为侍中。师道退朝后，必引当时英俊，宴集园池，而文会之胜，当时莫比。雅善篇什，又工草隶，酣赏之际，援笔直书，有如宿构。太宗每见师道所制，必吟讽嗟赏之。"

太宗皇后长孙氏卒。《旧唐书》太宗纪下："己卯，皇后长孙氏崩于立政殿。"同书后妃上太宗文德皇后长孙氏传："后尝撰古妇人善事，勒成十卷，名曰《女则》，自为之序。又著论驳汉明德马皇后，以为不能抑退外戚，令其当朝贵盛。乃戒其龙马水车，此乃开其祸源而防其末事耳。且戒主守者曰：'此吾以自防闲耳。妇人著述无条贯，不欲至尊见之，慎勿言。'崩后，宫司以闻，太宗览而增恸，以示近臣曰：'皇后此书，足可垂于后代。……'"《通鉴》卷一九四："后尝采自古妇人得失事为《女则》三十卷。"《新唐书》艺文志二："长孙皇后《女则要录》十卷。"

十一月

长孙皇后葬于昭陵，李百药、朱子奢为作《挽歌》。《旧唐书》太宗纪下："冬十一月庚寅，葬文德皇后于昭陵。"李百药、朱子奢并有《文德皇后挽歌》，作于此时。

本年

刘孝孙迁吴王友，为王撰《古今类序诗苑》。《旧唐书》褚亮附刘孝孙传："贞观六年，迁著作佐郎、吴王友。尝采历代文集，为王撰《古今类序诗苑》四十卷。"据《旧唐书》太宗纪下，蜀王李恪改吴王在本年正月，则刘孝孙为吴王友及撰书事当在本年或稍后。又《旧唐书》经籍志及《新唐书》艺文志四均著录"刘孝孙《古今类聚诗苑》三十卷"，与《旧传》不同。

杜嗣先为蒋王李恽撰《兔园策府》三十卷。王应麟《困学纪闻》卷一四："《兔园策府》三十卷，唐蒋王恽令僚佐杜嗣先仿应科目策，自设问对，引经史为训注。恽，太宗子，故用梁王兔园名其书。"据《旧唐书》太宗纪下，郯王李恽本年正月封蒋王。《兔园策府》久佚，唯敦煌遗书尚存残卷，所录文不讳"治"字，知作于太宗时，姑系于此。《北梦琐言》卷一九云："然《兔园册》乃徐、庾文体，非鄙朴之谈，但家藏一本，人多贱之也。"当即谓是书。

公元 637 年 （唐太宗贞观十一年 丁酉）

正月

诏崇道教，令当供斋行立及讲论时，道士女冠位在僧尼之前。《唐大诏令集》卷一一三《道士女冠在僧尼之上诏》："至如佛教之兴，基于西域，爰自东汉，方被中华。神变之理多方，报应之缘匪一。洎乎近世，崇信滋深。人冀当年之福，家惧来生之祸，由是滞俗者闻玄宗而大笑，好异者望真谛而多归，始波涌于闾里，终风靡于朝廷。遂使殊俗之典，郁为众妙之先；诸华之教，翻居一乘之后。流遁忘返，于兹累代。朕凤夜寅畏，缅惟至道，思革前弊，纳诸轨物。况朕之本系，出自柱下。鼎祚克昌，既凭上德之庆；天下大定，亦赖无为之功。宜有改张，阐兹玄化。今自已后，斋供行立，

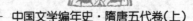
至于称谓，道士女冠可在僧尼之前。庶敦本之俗，畅于九有；尊祖之风，贻诸万叶。"《唐会要》卷四九："贞观十一年正月十五日，诏道士女冠宜在僧尼之前。"

三月

太宗至洛阳，猎于广成泽，有诗作。《旧唐书》太宗纪下："丁亥，车驾至洛阳。丙申，改洛州为洛阳宫。辛亥，大蒐于广成泽。"太宗有《临洛水》诗，云："春蒐驰骏骨，总辔俯长河。"当作于本年。

道恭等奉诏至洛阳宫，太宗召见，令赋诗咏衲袈裟，赐以绢。《大慈恩寺三藏法师传》卷七："秋七月景申，夏罢，又施法师衲袈裟一领，价直百金。……二十二年，驾幸洛阳宫，时苏州道恭法师、常州慧宣法并有高行，学该内外，为朝野所称。帝召之。既至，引入坐言讫，时二僧各披一衲……帝哂其不工，取衲令示，仍遣赋诗以咏。恭公诗曰：……宣公诗末云：'如蒙一披服，方堪称福田。'意欲之。帝并不与，各施绢五十匹，即此衲也。"按据《中华大藏经》本《慈恩传》校记，上引文中之"二十二年"，《影印宋碛砂藏》，元《普宁藏》，明《永乐南藏》、《径山藏》、《清藏》等版本，俱作"往十一年"，知道恭等被诏至洛阳及咏袈裟事均在本年。

四月

魏徵上《十思疏》。《通鉴》卷一九四："夏，四月，己卯，魏徵上疏，以为：'……人主诚能见可欲则思知足……兼是十思而选贤任能，固可以无为而治，又何必劳神苦体以代百司之任哉！'"按此即《论时政疏》之第二疏，亦称《十思疏》。《古文雅正》卷六评云："读《十思》一疏，与圣贤格致省克之功何殊？其对君正直凝定，亦大有浩然之气在。"

诏行新定唐礼及郊庙新乐。《唐大诏令集》卷八一《颁行唐礼及郊庙新乐诏》："先王之辨方正位，体国经野，象天地以制法，通神明以施化。乐由内作，礼自外成。可以安上治民，可以移风易俗，揖让天下而治者，岂惟礼乐乎！……盖知礼乐之情者能作，识礼乐之文者能述，作者之谓圣，述者之谓明。朕虽德谢前王，而情深好古；伤大道之既隐，惧斯文之将坠。故广命贤才，旁求遗逸；探六经之奥旨，采三代之英华。古典之废于今者，咸择善而修复；郑声之乱于雅者，并随违而矫正。莫不本之人心，稽之物理，正性情而节事宜，穷高深而归简易。用之邦国，彝伦以之修叙；施之律吕，金石于是克谐。今修撰既毕，可颁行天下，俾富教之方，有符先圣，人伦之化，贻厥后昆。贞观十一年四月。"

十月

太宗宴群臣于积翠池，君臣各赋咏史诗。《册府元龟》卷四〇："十一年十月辛丑，幸集（积）翠池，宴五品已上。帝曰：'公等酒既酣，宜各赋一事。'帝赋《尚书》，魏徵赋西汉。"《大唐新语》卷八："太宗在洛阳，宴群臣于积翠池。酒酣，各赋一事。

太宗赋《尚书》曰：……。魏徵赋西汉曰：……太宗曰：'魏徵每言，必约我以礼。'"《旧唐书》魏徵传、《唐诗纪事》卷四均载此。

本年

张文收请厘正太乐，太宗未许。《旧唐书》张文收传："十一年，文收表请厘正太乐，上谓侍臣曰：'乐本缘人，人和则乐和。至如隋炀帝末年，天下大乱，纵令改张音律，知其终不和谐。若使四海无事，百姓安乐，音律自然调和，不藉更改。'竟不依其请。"

姚思廉（557—637）卒，年八十一。《旧唐书》本传："十一年卒，太宗深悼惜之，废朝一日，赠大常卿，谥曰康，赐葬地于昭陵。"

王绩以家贫赴长安参选，授太乐丞，有诗赠房玄龄。吕才《王无功文集序》："贞观中，以家贫赴选。时太乐有府史焦革，家善酿酒，冠绝当时。君苦求为太乐丞，选司以非士职，不授。君再三谢曰：'此中有深意，且士庶清浊，天下所知。不闻庄周羞居漆园，老聃耻在柱下也。'卒授之。"王绩有《赠梁公》诗，梁公谓房玄龄。《旧唐书》本传："十一年，与司空长孙无忌等十四人并代袭刺史，以本官为宋州刺史，改封梁国公，事竟不行。"按"事竟不行"云云，谓贞观十三年二月世袭刺史事不行，见《旧唐书》太宗纪下；非谓房玄龄停封梁国公。故知王绩本年或稍后已在京师，姑系于此。

马周奏置街鼓以便民，道人裴倏然因此有诗作。《旧唐书》马周传："十一年，周又上疏曰：……疏奏，太宗称善久之。先是，京城诸街，每至晨暮，遣人传呼以警众。周遂奏诸街置鼓，每击以警众，令罢传呼，时人便之，太宗益加赏劳。……十二年，转中书舍人。"《大唐新语》卷一○："旧制，京城内金吾，晓暝传呼，以戒行者。马周献封章，始置街鼓，俗号'鼕鼕'，公私便焉。有道人裴倏然雅有篇咏，善画，好酒，尝戏为《渭川歌》，词曰：'遮莫鼕鼕动，须倾湛湛杯。金吾倘借问，报道玉山颓。'甚为时人所赏。"

谢偃上封事以言时政得失，为太宗所赏，授魏王府功曹，后又撰《述圣赋》等诗文多篇。《旧唐书》文苑上本传："十一年，驾幸东都，榖、洛泛滥洛阳宫，诏求直谏之士。偃上封事，极言得失，太宗称善，引为弘文馆直学士，拜魏王府功曹。偃尝为《尘》、《影》二赋，甚工。太宗闻而召见，自制赋序，言'区宇乂安，功德茂盛'。令其为赋，偃奉诏撰成，名曰《述圣赋》，赐彩数十匹。偃又献《惟皇诚德赋》以申讽，曰：……"谢偃《尘》、《影》等赋当作于本年之后，并系于此。谢偃又有《乐府新歌应教》诗，当为本年入魏王府后所作，亦系于此。

颜师古奉皇太子李承乾命注《汉书》。《旧唐书》颜师古传："俄又奉诏与博士等撰定《五礼》，十一年，《礼》成，进爵为子。时承乾在东宫，命师古注班固《汉书》，解释详明，深为学者所重。"

武则天年十四，入宫为才人。见《通鉴》卷一九五。

公元 638 年 （唐太宗贞观十二年 戊戌）

正月

乙未，高士廉等受太宗命，以今朝品秩为高下撰成《氏族志》，上之。《旧唐书》太宗纪下："十二年春，正月，乙未，吏部尚书高士廉等上《氏族志》一百三十卷。"《通鉴》卷一九五："十二年春，正月，乙未……吏部尚书高士廉、黄门侍郎韦挺、礼部侍郎令狐德棻、中书侍郎岑文本撰《氏族志》成，上之。先是，山东人士崔、卢、李、郑诸族，好自矜地望，虽累叶陵夷，苟他族欲与为昏姻，必多责财币。或舍其乡里而妄称名族，或兄弟齐列而更以妻族相陵。上恶之，命士廉等遍责天下谱谍，质诸史籍，考其真伪，辩其昭穆，第其甲乙，褒进忠贤，贬退奸逆，分为九等。士廉等以黄门侍郎崔民幹为第一。上曰：'汉高祖与萧、曹、樊、灌皆起闾阎布衣，卿辈至今推仰，以为英贤，岂在世禄乎！高氏偏据山东，梁、陈僻在江南，虽有人物，盖何足言！况其子孙才行衰薄，官爵陵替，而犹印然以门地自负，贩鬻松槚，依托富贵，弃廉忘耻，不知世人何为贵之！今三品以上，或以德行，或以勋劳，或以文学，致位贵显。彼衰世旧门，诚何足慕！而求与为昏，虽多输金帛，犹为彼所偃蹇，我不知其解何也！今欲厘正讹谬，舍名取实，而卿曹犹以崔民幹为第一，是轻我官爵而徇流俗之情也。'乃更命刊定，专以今朝品秩为高下，于是以皇族为首，外戚次之，降崔民幹为第三。凡二百九十三姓，千六百五十一家，颁于天下。'"参见《唐会要》卷三六、《旧唐书》高士廉传。

二月

太宗自洛阳返长安，便道幸陕州、蒲州，途中君臣作有诗文多首。《新唐书》太宗纪："二月癸亥，如河北县，观砥柱。……乙丑，如陕州。……庚午，如蒲州。"魏徵《砥柱山铭》、太宗《春日登陕州城楼俯眺原野回丹碧缀烟霞密翠斑红芳菲花柳即目川岫聊以命篇》、许敬宗《奉和登陕州城楼应制》等诗文，当均为本次返长安途中所作。太宗又有《题河中府逍遥楼》诗。《新唐书》地理志三："河中府河东郡……本蒲州。"诗亦作于本年二月。

闰二月

丙戌，太宗还至长安。见《旧唐书》太宗纪下。

三月

辛亥，邓世隆请编太宗文集，太宗不许。《通鉴》卷一九五："三月，辛亥，著作佐郎邓世隆表请集上文章。上曰：'朕之辞令，有益于民者，史皆书之，足为不朽。若为无益，集之何用！梁武帝父子、陈后主、隋炀帝皆有文集行于世，何救于亡！为人主患无德政，文章何为！'遂不许。"《贞观政要》卷七记此事在贞观十一年，今从《通鉴》。

五月

壬申，虞世南（558—638）卒，年八十一。《通鉴》卷一九五："夏，五月，壬申，弘文馆学士永兴文懿公虞世南卒，上哭之恸。世南外和柔而内忠直，上尝称世南有五绝：一德行，二忠直，三博学，四文辞，五书翰。"《旧唐书》本传："（世南）善属文，常祖述徐陵，陵亦言世南得己之意。……陈灭，与世基同入长安，俱有重名，时人方之二陆。"《法书要录》卷八《书断》中："虞世南，字伯施，会稽余姚人。……世南受业于吴郡顾野王门下，读书十年，国朝拜银青光禄大夫、秘书监、永兴公。……其书得大令之宏规，含五方之正色，姿荣秀出，智勇在焉，秀岭危峰，处处间起，行草之际，尤所偏工，及其暮齿，加以遒逸，臭味羊、薄，不亦宜乎。是则东南之美，会稽之竹箭也。贞观十二年卒，年八十一。伯施隶、行书入妙，然欧之与虞，可谓智均力敌，亦犹韩卢之追东郭㕙也。论其众体，则虞所不逮。欧若猛将深入，时或不利；虞若行人妙选，罕有失辞。虞则内含刚柔，欧则外露筋骨，君子藏器，以虞为优。族子纂书，有叔父体则，而风骨不继。杨师道、上官仪、刘伯庄并立，师法虞公，过于纂矣。"《唐诗品》："虞监师资野王，嗜慕徐、庾。髫卯之年，婉缛已著；琨玙之美，绮藻并丰。虽隋皇忌人之主，贞观睿圣之朝，然而善始之爱，身存乱国，准伦之誉，竟列名臣，骈美二陆，不信知言矣乎。其诗在隋，则洗濯浮夸，兴寄已远；在唐则藻思萦纡，不乏雅道。殆所谓圆融整丽，四德具存，治世之音，先人而兴者也。至如'横空一鸟度，照水百花燃'、'竹开霜后翠，梅动雪前香'，天然秀颖，不烦痕削。又《长春宫应令》云'民瘼谅斯求'，《江都应诏》云'顺动悦来苏'，其视宫体之规，同归雅正，石渠东观之思，自非圣主，何能扬休于后世哉！"

本年

无名氏撰《补汇总白猿传》以谤伤欧阳询。《新唐书》艺文志三："《补汇总白猿传》一卷。"《郡斋读书志》卷九："《补汇总白猿传》一卷，右不详何人撰。述梁大同末，欧阳纥妻为猿所窃，后生子询。《崇文目》以为唐人恶询者为之。"《直斋书录解题》卷一一："《补汇总白猿传》一卷。无名氏。欧阳纥者，询之父也。询貌类狝（猕）猿，盖尝与长孙无忌互相嘲谑矣。此传遂因其嘲，广之以实其事，托言汇总，必无名子所为也。"卞孝萱《〈补汇总白猿传〉新探》（《唐代文学研究第三辑》）："从唐初书坛形势以及褚遂良的野心来分析，以谤伤欧阳询为目的之《补汇总白猿传》，当是贞观十二年，虞世南已死，褚遂良'侍书'之时，为巩固其地位，授意手下的轻薄文人所作。"今以其说，系于此。

孔颖达《五经正义》撰成。《唐会要》卷七七："贞观十二年，国子祭酒孔颖达撰五经义疏一百七十卷，名曰《义赞》，有诏改为《五经正义》。"《旧唐书》孔颖达传："先是，与颜师古、司马才章、王恭、王琰等诸儒受诏撰定《五经》义训，凡一百八十卷，名曰《五经正义》。太宗下诏曰：'卿等博综古今，义理该洽，考前儒之异说，符圣人之幽旨，实为不朽。'付国子监施行。"

以马周为中书舍人。《旧唐书》本传："十二年，转中书舍人。"《通鉴》卷一九五："是岁，以给事中马周为中书舍人。周有机辩，中书侍郎岑文本常称：'马君论事，援引事类，扬榷古今，举要删烦，会文切理，一字不可增，亦不可减，听之靡靡，令人忘倦。'"

李泰奏引文士撰《括地志》。《旧唐书》太宗诸子濮王泰传："十二年，苏勖以自古名王多引宾客，以著述为美，劝泰奏请撰《括地志》。泰遂奏引著作郎萧德言、秘书郎顾胤、记室参军蒋亚卿、功曹参军谢偃等就府修撰。"

杨恭仁与其妾赵方等纂集近代词人杂诗为《燕乐》五调歌词各一卷。《旧唐书》音乐志三："时太常旧相传有宫、商、角、徵、羽《燕乐》五调歌词各一卷，或云贞观中侍中杨恭仁妾赵方等所铨集，词多郑、卫，皆近代词人杂诗。"《唐会要》卷三二："或云贞观中侍中杨恭仁、赵方等所铨集。"据《旧唐书》本传，杨恭仁卒于贞观十三年，若其亦预铨集歌词事，当在本年或稍前，姑系于此。

乔知之（638？—690）生。乔知之，同州冯翊人。武后垂拱中，从军北征，以左补阙摄侍御史，监护燕然西军。后迁右司郎中。坐忤武承嗣，被诛。有《乔知之集》二十卷。生年参垂拱二年七月条，生平事迹据陈子昂《为乔补阙论突厥表》、《旧唐书》文苑中本传等。

公元 639 年 （唐太宗贞观十三年　己亥）

二月

谢偃撰《可汗山铭》。文中有云："维贞观十三年岁在己亥二月甲戌朔八日辛巳……册授大单于真珠毗伽可汗嫡嗣为肆叶护可汗。"

五月

魏徵上《十渐疏》。《贞观政要》卷一○："贞观十三年，魏徵恐太宗不能克终俭约，近岁颇好奢纵，上疏谏曰：……疏奏，太宗谓徵曰：'人臣事主，顺旨甚易，忤情尤难。公作朕耳目股肱，常论思献纳。朕今闻过能改，庶几克终善事。若违此言，更何颜与公相见？复欲何方以理天下？自得公疏，反覆研寻，深觉词强理直。遂列为屏障，朝夕瞻仰。又录付史司，冀千载之下，识君臣之义。'乃赐黄金十斤，厩马二匹。"《通鉴》卷一九五："五月，旱。甲寅，诏五品以上上封事。魏徵上疏，以为：'陛下志业，比贞观之初，渐不克终者凡十条。'"按魏徵所上即《十渐疏》，近人高步瀛《唐宋文举要》甲编卷一评此文云："郑公之文虽用偶句，而词旨剀切，气势雄骏，与六朝骈文俪黄妃白者迥然殊途。陆宣公献纳之文即出于此，后来欧、苏奏议皆用其体，应用之文以此为宜。"

八月

裴孝源撰《贞观公私画录》成。裴孝源《贞观公私画史序》："大唐汉王元昌，天植其材，心专物表，含运覃思，六法俱全，随物成形，万类无失。每燕时暇日，多与其流商榷精奥，以余耿尚，存赐讨论。遂命魏、晋以来前贤遗迹所存及品格高下，列为先后，起于高贵乡公，终于大唐贞观十三年，秘府及佛寺并私家所蓄，共二百九十八卷，屋壁四十七所，目为《贞观公私画录》。……时贞观十三年八月望日序。"《新唐书》艺文志三："裴孝源《画品录》一卷。中书舍人，记贞观、显庆年事。"四库提要卷一一二："《贞观公私画史》一卷，唐裴孝源撰。孝源里贯未详，卷首有贞观十三年八月自序，结衔题中书舍人。按《唐书·艺文志》有裴孝源《画品录》一卷，注曰：'中书舍人'，与此序合。然注又曰：'记贞观、显庆年事'，而此书序中则称：'大唐汉王元昌……'云云，与注所言绝不相符。考张彦远《名画录》引孝源《画录》最多，皆此书所无，盖孝源别有一书，记贞观、显庆间画家品第，如谢赫《古画品录》之例，非此书也。"按提要所言甚是。《贞观公私画史》即《贞观公私画录》，今存；《画品录》则别为一书，已佚。

十一月

三日，李袭誉进奏所撰《忠孝图》，太宗赐书褒之。《唐会要》卷三六："十三年十一月三日，扬州长史李袭誉撰《忠孝图》二十卷，奏之。"《历代名画记》卷三著录《忠孝图》，注云："二十卷，唐故凉州都督李袭誉贞观三年撰。"与此不同。太宗《赐李袭誉进忠孝图书》："卿情深国家，志在忠孝；爰录前列，图之丹青。事兼劝奖，足励风俗；再三循览，朕甚嘉之。"《新唐书》艺文志二："李袭誉《忠孝图传赞》二十卷。"

冬

法琳被陷入狱，毛明素与诗致意。《续高僧传》卷二五法琳传："至十三年冬，有黄巾秦世英者，挟方术以邀荣，遂程器于储贰，素嫉释种，阴陈琳论谤讪皇宗，罪当罔上。帝勃然，下敕沙汰僧尼，见有众侣，宜依遗教，仍访琳身，据法推勘……乃絷以缧绁。"毛明素有《与琳法师》诗，题下注云："贞观十一年，法师幽系，故致诗焉。""十一"当作"十三"。

本年

敕购求王羲之书法真迹，褚遂良为辨定真伪。《法书要录》卷四张怀瓘《二王等书录》："贞观十三年敕购求右军书，并贵价酬之，四方妙迹，靡不毕至。敕起居郎褚遂良、校书郎王知敬等，于玄武门西、长波门外科简。"《唐会要》卷三五："尝以金帛购求王羲之书迹，天下争赍古书，诣阙以献，当时莫能辨其真伪。遂良备论所出，一无舛误。"

傅奕（555—639）卒，年八十五。《通鉴》卷一九五：贞观十三年，"太史令傅奕……临终戒其子不得学佛，时年八十五。又集魏、晋以来驳佛教者为《高识传》十卷，行于世。"《太平广记》卷一一六引《地狱苦记》谓傅奕卒于贞观十四年秋，与此不同。《新唐书》艺文志著录其注《老子》二卷、《老子音义》、《高识传》十卷。《大唐新语》卷一〇："太史令傅奕博综群言，尤精《庄》、《老》，以齐生死、混荣辱为事，深排释氏，嫉之如仇。"李东阳《读唐史》："傅奕可谓独见之士也。上高祖之疏，斥萧瑀之议，答太宗之言，皆以辟佛为事，毅然有不可犯之色。终太宗之世，异端不至于大盛，而萧瑀率（卒）坐是以贬，或者奕有以启之乎？然其说亦不能大行，如韩愈氏之光明于世。愈之言曰：'高祖群臣，材识不远，不能深知先王之道，古今之宜，推阐圣明，以救斯弊以为恨。'是奕之谓也。然则使愈生于太宗之世，其庶几乎！曰：亦如是而已。仁义不明于上，教化不行于下，而欲制强敌于口舌文字之间，难矣哉！"（《怀麓堂集》卷三七）

王绩弃官归乡。吕才《王无功文集序》："君苦求为太乐丞……卒授之。数月而焦革死，革妻袁氏，犹时时送酒。岁余，袁氏又死。君叹曰：'天乃不令吾饱美酒。'遂挂冠归。"王绩为太乐丞约在贞观十一年（已见前），其挂冠返乡约在本年。

于志宁撰皇甫诞及张琮碑文，欧阳询书诞碑。《金石萃编》卷四四《随柱国左光禄大夫宏义明公皇甫府君（诞）之碑》，题下署"银青光禄大夫行太子左庶子上柱国黎阳县开国公于志宁制，银青光禄大夫欧阳询书"，未言及立碑年月。卷四五《张琮碑》："即以（贞观）十三年二月十一日迁厝于始平之原。"题下署"银青光禄大夫□□□□庶子黎阳公于□□撰"。两碑同为于志宁所撰，《皇甫诞碑》亦当撰于本年左右，参岑仲勉《金石论丛·金石证史》"皇甫诞碑"条及《唐史余沈》"再论皇甫诞碑"。

公元640年　（唐太宗贞观十四年　庚子）

二月

太宗幸国子监，时儒学颇兴盛。《通鉴》卷一九五："二月，丁丑，上幸国子监，观释奠，命祭酒孔颖达讲《孝经》，赐祭酒以下至诸生高第帛有差。是时上大征天下名儒为学官，数幸国子监，使之讲论，学生能名一大经以上皆得补官。增筑学舍千二百间，增学生满二千二百六十员……于是四方学者云集京师，乃至高丽、百济、新罗、高昌、吐蕃诸酋长亦遣子弟请入国学，升讲筵者至八千余人。"

孔颖达上《释奠颂》，太宗手诏褒美之。《旧唐书》孔颖达传："十四年，太宗幸国学观释奠，命孔颖达讲《孝经》，既毕，颖达上《释奠颂》，手诏褒美。"太宗《答孔颖达上〈释奠颂〉手诏》："省所上颂，殊为佳作。……翰苑词林，卿其首之也。"

诏求皇侃等前代名儒之后，予以引擢。《旧唐书》太宗纪下："乙未，诏以梁皇侃、褚仲都，周熊安生、沈重，陈沈文阿、周弘正、张讥，隋何妥、刘焯、刘炫等前代名儒，学徒多行其义，命求其后。"太宗《官皇侃等子孙诏》："……可访其子孙健在者录名奏闻，当加引擢。"

岑文本等会于杨师道山池，宴饮赋诗。岑文本、李百药、许敬宗、刘洎、褚遂良、上官仪、杨续并有《安德山池宴集》诗。安德谓安德郡公杨师道，百药诗有"朝宰论思暇"、"风动令公香"等句，知时师道当在中书令任。《旧唐书》杨恭仁附杨师道传：

"十三年，转中书令。"据《新唐书》宰相表上，师道十三年十一月为中书令，十七年四月罢。又刘洎诗有云："春晚花方落，兰深径渐迷"，时在暮春，则诸人之宴集当在本年至十七年间之三月，姑系于此。

四月

太宗自书屏风以示群臣。《唐会要》卷三五："十四年四月二十二日，太宗自为真草书屏风，以示群臣，笔力遒劲，为一时之绝。"

杨师道赋《咏雨》诗，赠褚遂良、上官仪。杨师道有《中书寓直咏雨简褚起居上官学士》诗，云："早荷叶稍没，新篁枝半催"，当作于初夏。褚起居谓褚遂良，上官学士谓上官仪。《旧唐书》褚遂良传："贞观十年，自秘书郎迁起居郎。……十五年……迁谏议大夫，兼知起居事。"遂良明年十月犹在起居郎任，见后。又据诗题，知师道在中书令任，则诗当作于本年或明年初夏，姑系于此。

六月

太宗诏令制庙乐，颜师古、许敬宗议定。《通典》卷一四七："大唐贞观十四年六月，诏曰：'殷荐祖考，以崇功德，比虽加诚洁，而庙乐未称。宜令所司详诸故实，制定奏闻。'秘书监颜师古议曰：……给事中许敬宗议曰：……诏曰：'可。'"又见《唐会要》卷三二等。

七月

法琳（572—640）卒，年六十九。《续高僧传》卷二五法琳传："有下敕徙于益部僧寺，行至百牢关菩提寺，因疾而卒，时年六十九。……琳所著诗赋启颂、碑表章议、大乘教法并绪论记传合三十余卷，并金石击其风韵，缛锦缋其文思，流靡雅便，腾焰弥穆。又善应机说导，即事骋词，言会宫商，义符去籍，斯亦希世罕嗣矣。"《唐护法沙门法琳别传》："言讫而卒，即贞观十四年秋七月二十三日也，春秋六十有九。……但法师艺业优赡，坟索必该，世号词林，时称学海。或复风前日下之咏，春兰称菊之篇，体物缘情，并多丽落。前秘书监虞世南者，名超振古，道迈当今，乃集法师之文，为之叙引云尔。"

十二月

太宗以平高昌所得乐工付太常，增九部乐为十部。《新唐书》礼乐志一一："燕乐，高祖即位，仍隋制设九部乐。……及平高昌，收其乐。……自是初有十部乐。"《通鉴》卷一九五："上得高昌乐工，以付太常，增九部乐为十部。"胡三省注引《唐六典》云："凡大宴会，则设十部之伎于庭，以备华、夷。一曰宴乐伎，有《景云乐》之舞，《庆善乐》之舞，《破阵乐》之舞，《承天乐》之舞；二曰清乐伎，三曰西凉伎，四曰天竺伎，五曰高丽伎，六曰龟兹伎，七曰安国伎，八曰疏勒伎，九曰高昌伎，十曰康国伎。"

本年

王绩乡居无聊，饮酒赋诗，以寄其意。王绩《自作墓志文序》："王绩者……四十、五十而无闻焉。于是退归，以酒德游于乡里。往往卖卜，时时看书。行若无所之，坐若无所据。乡人未有达其意也。"吕才《王无功文集序》："晚年，醉饮无节，乡人或谏止之，则笑曰：'汝辈不解，理正当然。'或乘牛驾驴，出入郊郭，止宿酒店，动经数日。往往题壁作诗，好事者寻录讽咏，并传于代。"王绩有《晚年叙志示翟处士正师》、《过酒家五首》、《醉后口号》、《题酒店壁》、《题酒店楼壁绝句八首》、《醉后》、《剧题卜铺壁》等诗，均当贞观中挂冠归乡后所作，并系于此。

协律郎张文收制《景云河清歌》。《唐会要》卷三三："贞观十四年，有景云见，河水清，协律郎张文收采古《朱雁》、《天马》之义，制《景云河清歌》，名曰燕乐，奏之管弦，为诸乐之首。"

公元641年 （唐太宗贞观十五年 辛丑）

正月

丁丑，文成公主嫁吐蕃。《通鉴》卷一九六："丁丑，命礼部尚书江夏王道宗持节送文成公主于吐蕃。赞普大喜，见道宗，尽子婿礼，慕中国衣服、仪卫之美，为公主别筑城郭宫室而处之，自服纨绮以见公主。其国人皆以赭涂面，公主恶之，赞普下令禁之；亦渐革其猜暴之性，遣子弟入国学，受《诗》、《书》。"

辛巳，太宗幸洛阳。见《旧唐书》太宗纪下。

四月

己酉，吕才奉敕刊定阴阳杂书，书成上之。《旧唐书》本传："太宗以阴阳书近代以来渐致讹伪，穿凿既甚，拘忌亦多，遂命才与学者十余人共加刊正，削其浅俗，存其可用者。勒成五十三卷，并旧书四十七卷，十五年书成，诏颁行之。才多以典故质正其理，虽为术士所短，然颇合经义，今略载其数篇。其叙宅经曰：……叙禄命曰：……其叙葬书曰：……"《通鉴》卷一九六："上以近世阴阳杂书，讹伪尤多，命太常博士吕才与诸术士刊定可行者，凡四十七卷。（四月）己酉，书成，上之；才皆为之叙，质以经史。……术士皆恶其言，而识者皆以为确论。"又见《唐会要》卷三六。《新唐书》艺文志三："吕才《阴阳书》五十三卷。"

七月

太宗赐宴仪鸾殿，有诗作，杨师道、许敬宗等应诏奉和。《翰林学士集》录有太宗《赋得早秋》诗，又录司空长孙无忌、中书令杨师道、国子司业朱子奢、给事中许敬宗人各一首之《五言早秋侍宴应诏》诗，总题《五言奉和侍宴仪鸾殿早秋应诏并同应诏四首并御诗》。仪鸾殿在洛阳，见《唐六典》卷七。按杨师道开元十三年十一月为中书令，十七年四月罢为吏部尚书，期间唯本年太宗幸洛阳，知诗必作于本年。

十月

二十五日，高士廉等撰《文思博要》成。《唐会要》卷三五："其年（按指贞观十五年）十月二十五日，尚书左仆射、申国公高士廉等撰《文思博要》成，凡一千二百卷，诏藏之秘府。同撰人：特进魏徵、中书令杨师道、中书侍郎岑文本、礼部侍郎颜相时、国子司业朱子奢、给事中许敬宗、国子博士刘伯庄、太常博士吕才、秘书监房玄龄、太学博士马嘉运、起居舍人（当从《新唐书》艺文志三作起居郎）褚遂良、晋王友姚思廉、太子舍人司马宅相、秘书郎宋正人。"高俭（士廉）《文思博要序》："帝听朝之暇，属意斯文，精义穷神，微言探赜。……以为观书贵要，则十家并驰；观要贵博，则七略殊致。自非总质文而分其流，混古今而共其辙，则万物虽众，可以同类，千里虽遥，可以同声。然则魏之《皇览》，登巨川之滥觞；梁之《遍略》，标崇山之增构。岁月滋多，论次逾广。《类苑》、《耕录》，齐玉轵而并驰；《要略》、《御览》，杨金镳而继路。虽草创之指，义在兼包，而编录之内，犹多遗阙。……特进、尚书右仆射、申国公士廉，特进、郑国公魏徵……讨论历载，琢磨云毕，勒成一家，名《文思博要》，一百二十帙，一千二百卷，并目录十二卷。义出六经，事兼百氏……斯固坟素（索）之苑囿，文章之江海也。是为国者尚其道德，为家者尚其变通，纬文者尚其溥博。"《新唐书》艺文志三："《文思博要》一千二百卷，《目》十二卷。"注亦列参撰者官职及姓名，与《会要》、高《序》间有不同。

十一月

太宗自洛阳还长安，入潼关，有诗作，许敬宗和之。《旧唐书》太宗纪下："壬申，还京师。"太宗有《入潼关》诗，许敬宗有《奉和入潼关》诗，均写及冬日景象，当本年还长安途中所作。

十二月

颜师古注《汉书》成。颜师古《上汉书注序》："储君体上哲之姿，膺守器之重，俯降三善，博综九流，观炎汉之余风，究其终始，懿孟坚之述作，嘉其宏赡，以为服、应曩说疏紊尚多，苏、晋众家剖断盖鲜，蔡氏纂集尤为牴牾，自兹以降，蔑足有云。怅前代之未周，愍将来之多惑，顾召幽仄，俾竭刍荛，匡正暌违，激扬郁滞，将以博喻贵齿，远覃邦国，弘敷锦带，启导青衿。曲禀宏规，备蒙嘉惠，增容改观，重价流声。斗筲之材，徒思馨力，驽蹇之足，终惭远致。岁在重光，律中大吕，是谓涂月，其书始就。不耻狂简，辄用上闻，粗陈指例，式存扬榷。"云"岁在重光，律中大吕，是谓涂月，其书始就"，《尔雅·释天》："大（太）岁……在辛曰重光"，本年辛丑，当指本年，又大吕、涂月皆指十二月，见《国语注》及《尔雅·释天》。《旧唐书》颜师古传："承乾表上之，太宗令编之秘阁，赐师古物二百段、良马一匹。"《旧唐书》儒学上敬播传："时梁国公房玄龄深称播有良史之才，曰：'陈寿之流也。'玄龄以颜师古所注《汉书》，文繁难省，令播撮其机要，撰成四十卷，传于代。"四库提要卷四五："《汉书》一百二十卷。……师古注条理精密，实为独到，然唐人多不用其说……殆贵远贱今，自古而然欤。要其疏通证明，究不愧班固功臣之目，固不以一二字之出入病其大体矣。"王先谦《前汉书补注序例》："自颜监注行而班书义显，卓然号为功臣。然未发明者固多，而句读讹误、解释踳驳之处亦迭见焉。良由是书义蕴宏深，通贯匪易。"

本年

欧阳询（557—641）**卒，年八十五。**《法书要录》卷八张怀瓘《书断》卷中："皇朝欧阳询，长沙汩罗人，官至银青光禄大夫、率更令。八体尽能，笔力劲险，篆体尤工。高丽爱其书，遣使请焉。……飞白冠绝，峻于古人，有龙蛇战斗之象，云雾轻浓之势，风旋电激，掀举若神。真行之书，虽于大令，亦别成一体：森森焉若武库矛戟，风神严于智永，润色寡于虞世南。其草书迭荡流通，视之二王，可为动色，然惊奇跳骏，不避危险，伤于清雅之致。自羊、薄以后，略无勍敌，唯永公特以训兵精练，议欲旗鼓相当，欧以猛锐长驱，永乃闭壁固守。以贞观十五年卒，年八十五。飞白、隶、行、草入妙，大小篆、章草入能。"《旧唐书》儒学上本传："虽貌甚寝陋，而聪悟绝伦，读书即数行俱下，博览经史，尤精《三史》。……询初学王羲之书，后更渐变其体，笔力险劲，为一时之绝，人得其尺牍文字，咸以为楷范焉。高丽甚重其书，尝遣使求之。……年八十余卒。"

慧净编《续古今诗苑英华》成，刘孝孙为撰序。《大唐新语》卷九："贞观中，纪国寺僧慧静撰《续英华诗》十卷，行于代。慧静尝言曰：'作之非难，鉴之为贵。吾所搜拣，亦《诗》三百篇之次矣。'慧静俗姓房，有藻识。今复有诗篇十卷，与《英华》相似，起自梁代，迄于今朝，以类相从，多于慧静所集，而不题撰集人名氏。""静"当作"净"。《续高僧传》卷三慧静传："净以又（文）之作者，嗟非奇挺，乃搜采近代藻锐者，撰《诗英华》一帙十卷，识者怀铅，采其冠冕。吴王谘议刘孝孙，天才翘跂（拔），为之序曰：释教之为义也，大矣哉！智识所不能名言，视听所不得闻见。马鸣、龙树弘圣旨于前，慧远、道安阐微言于后。至于绍高踪而孤引，蹑逸轨以遐征，谁之谓欤？慧静法师即其人矣。……余昔游京辇，得伸景慕……尝以法师敷演之暇，商确翰林。若乃'园柳'、'天榆'之篇，'阿阁'、'绮窗'之咏，魏王'北上'，陈思'南国'，嗣宗之赋'明月'，彭泽之摘'微雨'，逮乎颜、谢掞藻，任、沈遒文，足以理会八音，言谐四始。咸递相祖述，郁为龟镜，岂独光于曩代，而无继轨者乎？近世文人，才华间出。周武帝震彼雄图，削平漳滏；隋高祖韫兹英略，龛定江淮。混一车书，大开学校。温、邢誉高于东夏，徐、庾价重于南荆；王司空孤秀一时，沈恭子标奇绝代。凡此英彦，安可阙如？自参墟启祚，重光景曜；大弘文德，道冠前王。迈轴之士风趣，林壑之宾云集。故能抑扬汉徹，孕育曹丕，文雅郁兴，于兹为盛。余虽不敏，窃有志焉。……固请法师，暂回清鉴，采撷词什，耘翦繁芜。盖君子不常矜庄，删诗未为斯玷。自刘廷尉所撰《诗苑》之后，纂而续焉。颍川庾初孙，学该坟素（索），行齐颜、闵。京兆韦山甫，耿介有奇节，弋猎综群言，与法师周旋，情逾胶漆，睹斯盛事，咸共赞成。生也有涯，庾侯长逝。……顷观其遗文，久为陈迹，今亦次乎汗简，贻诸后昆。……"《旧唐书》褚亮附刘孝孙传："贞观六年，迁著作佐郎、吴王友。……十五年，迁本府谘议参军。"按慧净传云"吴王谘议刘孝孙"为撰《诗英华》序，而孝孙本年始迁此职，故知书当编成于本年前后，而序则必作于本年或稍后，姑并系于此。《新唐书》艺文志四："僧慧净《续古今诗苑英华集》二十卷。"《郡斋读书志》卷二〇："《续古今诗苑英华集》十卷，右唐僧惠净撰，辑梁武帝大同年中《会三教篇》至唐刘孝孙《成皋望河》之作，凡一百五十四人，歌诗五百四十八篇，孝孙为之序。"按慧净所撰《英华集》实只十卷，《新志》谓二十卷，当是误读《大唐新语》所致。

颜师古迁秘书监。《旧唐书》本传："十五年……师古俄迁秘书监、弘文馆学士。"太宗《授颜师古秘书监诏》："秘书望华，史官任重，选众而举，历代攸难。守秘书监颜师古，体业淹和，器用详敏，学资流略，词兼典丽。职司图书，亟经岁序。朱紫既辨，著述有成，宜正名器，允兹望实。可秘书监。"

王绩游龙门北山，作赋写怀。《旧唐书》隐逸本传："尝游北山，因为《北山赋》以见志。"王绩《游北山赋》："阶庭礼乐，生徒杞梓。山似尼丘，泉凝泗涘（吾兄通，字仲淹。……大业中隐于此溪……门人弟子相趋成市，故溪今号王孔子之溪也）。忽焉四散，于今二纪。……殁而不朽，知何所荣（吾兄仲淹，以大业十三年卒于乡馆。……余因游此溪，周览故迹，盖伤高贤之不遇也）。"由王通卒年大业十三年（617）下推二纪（二十四年），知赋之作当在本年。

王玄度注《毛诗》等儒家经典，上表请废旧注而行己注，崔仁师驳罢之。《旧唐书》崔仁师传："时校书郎王玄度注《尚书》、《毛诗》，毁孔、郑旧义，上表请废旧注，行己所注者，诏礼部集诸儒详议。玄度口辩，诸博士皆不能诘之。郎中许敬宗请付秘阁藏其书，河间王孝恭特请与孔、郑并行。仁师以玄度穿凿不经，乃条其不合大义，驳奏请罢之。诏竟依仁师议，玄度遂废。十六年，迁给事中。"王玄度上表及崔仁师驳奏，其年不可确考，以仁师明年迁给事中，姑系于本年。

骆宾王约七岁，作《咏鹅》诗。骆宾王有《咏鹅杂言》诗，题下注云："时年七岁。"（见《骆临海集笺注》卷三；以下凡引骆宾王诗文均据是书，不复注）郗云卿《骆宾王文集序》："年七岁，能属文"。《新唐书》文艺上王勃附骆宾王传："七岁能赋诗。"《唐诗纪事》卷七："宾王七岁《咏鹅》：……"

公元 642 年　（唐太宗贞观十六年　壬寅）

正月

魏王李泰撰《括地志》成，进上。《唐会要》卷三六："十五年正月三日，魏王泰上《括地志》五十卷。……凡四年而成。"《通鉴》卷一九六作"十六年"。按据《旧唐书》李泰传贞观十二年始修及《唐会要》历四年而成书之语，当以十六年为是。《新唐书》艺文志二："《括地志》五百五十卷。"

六月

颁《刊正氏族诏》。《唐会要》卷八三："十六年六月诏：氏族之盛，实系于冠冕；婚姻之道，莫先于仁义。自有魏失御，齐氏云亡，市朝既迁，风俗陵替。燕、赵右姓，多失衣冠之绪；齐、韩旧俗，或乖德义之风。名虽著于州闾，身未免于贫贱；自号膏粱之胄，不敦匹敌之仪。问名惟在于窃赀，结褵必归于富室。乃有新官之辈，丰财之家，慕其祖宗，竞结婚媾，多纳货贿，有如贩鬻。或贬其家门，受屈辱于姻娅；或矜其旧族，行无礼于舅姑。积习成俗，迄今未已，既紊人伦，实亏名教。朕夙夜兢惕，忧勤政道，往代蠹害，咸已惩革，惟此弊风，未能尽变。自今已后，明加告示，使识嫁娶之序，各合典礼，知朕意焉。"按此即太宗《刊正氏族诏》。

十一月

太宗重幸庆善宫，宴武功士女，赋诗言怀。《旧唐书》太宗纪下："冬十一月丙辰，狩于岐山。……丁卯，宴武功士女于庆善宫南门。酒酣，上与父老等涕泣论旧事，老人等递为起舞，争上万岁寿，上各尽一杯。"太宗《重幸武功》诗有"列筵欢故老，高宴聚新丰。……孤屿含霜白，遥山带日红"等句，与《旧纪》所叙时、事皆合，当作于此次幸庆善宫时。

本年

刘孝孙（？—642？）卒。《旧唐书》褚亮附刘孝孙传："十五年，迁本府谘议参军，寻迁太子洗马，未拜卒。"《新唐书》艺文志四："《刘孝孙集》三十卷。"

孔颖达奉敕复审《五经正义》。《五经正义》即《易正义》、《尚书正义》、《毛诗正义》、《礼记正义》、《春秋正义》，各书皆有孔颖达序，序皆有"至（贞观）十六年，又奉敕与前修疏人……覆更详审，为之正义"等语。《毛诗正义序》有云："夫诗者，论功颂德之歌，止僻防邪之训，虽无为而自发，乃有益于生灵。六情静于中，百物荡于外，情缘物动，物感情迁。若政遇淳和，则欢娱被于朝野，时当惨黩，亦怨刺形于咏歌，作之者所以畅怀舒愤，闻之者足以塞违从正。发诸情性，谐于律吕。故曰：感天地，动鬼神，莫近于诗。此乃诗之为用，其利大矣。若夫哀乐之起，冥于自然，喜怒之端，非由人事。故燕雀表啁噍之感，鸾凤有歌舞之容，然则诗理之先，同夫开辟，诗迹所用，随运而移。上皇道质，故讽谕之情寡，中古政繁，亦讴歌之理切。"亦可见编注者之文学思想。

公元 643 年 （唐太宗贞观十七年 癸卯）

正月

魏徵（580—643）卒，年六十四，太宗为作送葬诗、挽歌词等数首。《旧唐书》太宗纪下：“十七年春正月戊辰……太子少师、郑国公魏徵薨。”魏徵传：“……徵薨，时年六十四。”《魏郑公谏录》卷五：“公葬日……太宗幸苑西楼望哭尽哀，令晋王宣敕祭之。太宗因望送作诗曰：……御制碑文及挽歌辞，仍亲为书。太宗思之不已，遂登凌烟阁观其画，又赋七言诗送灵座焉。……其辞曰：……”褚亮《圣制故司空魏徵挽歌辞表》：“伏见圣制《故司空郑国公挽词十首》，词穷清曲，理备哀伤。”按太宗《故司空郑国公挽词十首》已佚。《通鉴》卷一九六：“上思徵不已，谓侍臣曰：‘人以铜为镜，可以正衣冠，以古为镜，可以见兴替，以人为镜，可以知得失；魏徵没，朕亡一镜矣。’”《旧唐书》魏徵传论：“臣尝阅《魏公故事》，与文皇讨论政术，往复应对，凡数十万言。其匡过弼违，能近取譬，博约连类，皆前代诤臣之不至者。其实根于道义，发为律度，身正而心劲，上不负时主，下不阿权幸，中不侈亲族，外不为朋党，不以逢时改节，不以图位卖忠。所载章疏四篇，可为万代王者法。虽汉之刘向、魏之徐邈、晋之山涛、宋之谢朓，才则才矣，比文贞之雅道，不有遗行乎！前代诤臣，一人而已。”

　　诏阎立本于凌烟阁图画功臣二十四人像，太宗自为赞。《旧唐书》太宗纪下：“戊申，诏图画司徒、赵国公无忌等勋臣二十四人于凌烟阁。”《大唐新语》卷一一：“贞观十七年，太宗画太原倡义及秦府功臣长孙无忌……等二十四人于凌烟阁。太宗亲为之赞，褚遂良题阁，阎立本画。”《历代名画记》卷九：“贞观十七年，又诏（立本）画凌烟阁功臣二十四人图，上自为赞。”《唐大诏令集》卷六五录太宗《图功臣像于凌烟阁诏》，云颁于“贞观十七年二月”，与《旧纪》不同。

四月

　　庚辰朔，废皇太子李承乾为庶人，汉王李元昌坐与通谋，伏诛。《旧唐书》太宗纪下：“四月庚辰朔，皇太子有罪，废为庶人。汉王元昌、吏部尚书侯君集并坐与连谋，伏诛。”《历代名画记》卷九：“汉王元昌，高祖神尧皇帝第七子，太宗皇帝之弟。少博学，能书画。武德三年，封鲁王，十年，封汉王，为梁州都督。坐太子承乾事废。李嗣真云：‘天人之姿，博综伎艺，颇得风韵，自然超举。碣馆深崇，遗迹罕见。在上品二阎之上。’”《法书要录》卷九张怀瓘《书断》下：“皇朝汉王元昌，神尧之子也。尤善行书，金玉其姿，挺生天骨，襟怀宣畅，洒落可观。艺业未精，过于奔放，若吕布之飞将，或轻于去就也。诸王仲季，并有能名，韩王、曹王即其亚也。曹则妙于飞白，韩则工于草、行。魏王、鲁王，即韩王之伦也。”

　　丙戌，晋王李治立为皇太子。见《旧唐书》太宗纪下。

七月

　　十六日，房玄龄等撰高祖、太宗《实录》各二十卷成，上之。《唐会要》卷六三：“贞观十七年七月十六日，司空房玄龄、给事中许敬宗、著作郎敬播等上所撰高祖、太宗《实录》各二十卷。……仍遣编之秘阁，并赐皇太子及诸王各一部，京官三品以上，欲写者亦听。”参见《旧唐书》房玄龄传、许敬宗传、敬播传及《贞观政要》卷九。

本年

谢偃（？—643？）卒。《旧唐书》文苑上本传："时李百药工为五言诗，而偃善作赋，时人称为李诗谢赋焉。十七年，（魏王）府废，出为湘潭令，卒。文集十卷。"谢偃之卒当在本年或稍后，姑系于此。《新唐书》艺文志三："谢偃《英公故事》四卷。"艺文志四："《谢偃集》十卷。"

萧德言为皇太子侍读，太宗以书勉之，寻擢秘书少监。《旧唐书》儒学上本传："时高宗为晋王，诏德言授经讲业。及升春宫，仍兼侍读。寻以年老，请致仕，太宗不许，又遗之书曰：'……惟卿幼挺珪璋，早标美誉。下帷闭户，包括《六经》；映雪聚萤，牢笼百氏。自隋季版荡，庠序无闻，儒道坠泥途，《诗》、《书》填坑阱。眷言坟典，每用伤怀。顷年已来，天下无事，方欲建礼作乐，偃武修文。卿年齿已衰，教将何恃！所冀才德犹茂，卧振高风，使济南伏生，重在于兹日；关西孔子，故显于当今。今问令望，何其美也！念卿疲朽，何以可言。'寻赐爵封阳县侯。十七年，拜秘书少监。"按李治本年立为皇太子，萧德言为太子侍读及拜秘书少监当均在本年。

刘洎上疏论太子宜勤学问，旋受诏为太子宾客。《旧唐书》本传："寻摄黄门侍郎，加上护军。……时皇太子初立，洎以为宜尊贤重道，上书曰：'……伏惟陛下……乙夜观书，事高汉帝；马上披卷，勤过魏后。陛下自励如此，而令太子优游弃日，不习图书，臣所未谕一也。加以暂屏机务，即寓雕虫。综宝思于天文，则长河韬映；摛玉字于仙札，则流霞成彩。固以锱铢万代，冠冕百王，屈、宋不足以升堂，钟、张何阶于入室。陛下自好如此，而太子悠然静处，不寻篇翰，臣所未谕二也。……'"《唐会要》卷二六："是月（按指本年四月），诏宰臣刘洎、岑文本、褚遂良往来东宫，与皇太子游处为宾客。初，洎上疏，以皇太子初立，宜尊师重学，与正人游。故上嘉叹行焉。"

李义府拜太子舍人，与太子司议郎来济俱以文翰见知，时称来、李。《旧唐书》李义府传："又敕义府以本官兼侍晋王。及升春宫，除太子舍人，加崇贤馆直学士，与太子司议郎来济俱以文翰见知，时称来、李。义府尝献《承华箴》，其辞曰……太子表上其文，优诏赐帛四十匹。"

许叔牙迁太子洗马，后尝撰《毛诗纂义》。《旧唐书》儒学上本传："许叔牙，润州句容人。少精于《毛诗》、《礼记》，尤善讽咏。贞观初，累受晋王文学兼侍读，寻迁太常博士。升春宫，加朝散大夫，迁太子洗马，兼崇贤馆学士，仍兼侍读。尝撰《毛诗纂义》十卷，以进皇太子，太子赐帛百段，兼令写本付司经局。御史大夫高智周尝谓人曰：'凡欲言《诗》者，必须先读此书。'

薛元超为皇太子李治僚友，常预宴游赋咏之会，明年迁太子舍人。《薛元超墓志》："廿一，除太子通事舍人，仍为学士，修晋史。太宗尝夜宴王公于玄武内殿，诏公咏烛，赏彩卅段；他日，赋公（按，此二字当乙）《泛鹢金塘》诗成，谓高宗曰：'元超父事我，雅杖名节；我令元超事汝，汝宜重之。'廿二，迁太子舍人。"按薛元超预修《晋书》在贞观二十年，见该年闰三月条；墓志此处所述稍有讹误。

公元 644 年 （唐太宗贞观十八年　甲辰）

二月

十七日，太宗于玄武门宴群臣，作飞白书。《唐会要》卷三五："（贞观）十八年二月十七日，臣五品已上赐宴玄武门，太宗操笔作飞白书。群臣乘酒，就太宗手中相竞。"太宗有《春日玄武门宴群臣》，或作于此时。

八月

太宗作五言组诗《帝京篇》十首，李百药有和作。《玉海》卷二九："《帝京篇》五言，太宗制，褚遂良行书。贞观十八年八月。"《宝刻类编》卷二作"贞观十九年八月"，此姑从《玉海》。《旧唐书》李百药传："太宗尝制《帝京篇》，命百药并作，上叹其工。手诏曰：'卿何身之老而才之壮，何齿之宿而意之新乎！'"太宗《帝京篇》序云："予以万机之暇，游息艺文。……予追踪百王之末，驰心千载之下，慷慨怀古，想彼哲人。庶以尧、舜之风，荡秦、汉之弊；用《咸》、《英》之曲，变烂漫之音。求人之情，不为难矣。故观文教于六经，阅武功于七德，台榭取其避燥湿，金石尚其谐神人，皆节制于中和，不系之于淫放。……释实求华，以从人欲，乱于大道，君子耻之。故述《帝京篇》，以明雅志云尔。"其三云："去兹郑卫声，雅音方可悦。"皆可见其文学思想。按《帝京篇》系太宗代表作。《删补唐诗选脉笺释会通评三林》卷一周珽评曰："《帝京》篇什不失雅道。若比诸得天下于马上之汉高，《大风》三语，气概要胜此多多许矣。"《诗薮》内编卷二："唐初唯文皇《帝京篇》，藻赡精华，最为杰作，视梁、陈神韵少减，而富丽过之。无论大略，即雄才自当驱走一世。然使三百年中，律有余，古不足，已兆端矣。"《诗学渊源》卷八："（太宗）诗袭陈、隋之余，下渐唐律。凡其所作，足为师象。穷源竟委，惟此为宜。《帝京》十篇，规法陈、隋，而精细尤甚，欲知齐、梁、陈、隋之法，非读此不可。"

冬

太宗将征高丽，至洛阳，作《感旧赋》。序云："余将问罪东夷，言过洛邑，聊因暇景，散虑郊畿。"赋云："况复气结隆冬，岁穷余律，对落景之苍茫，听寒风之萧瑟。云散叶而无蒂，雪凝花而不实。"是冬日景象。《旧唐书》太宗纪下："十一月壬寅，车驾至洛阳宫。庚子，发天下甲士，召募十万，并趋平壤，以伐高丽。"与赋所言时序正合。

本年

王绩（590？—644）卒，年约五十五；卒前自撰墓志。吕才《王无功文集序》："贞观十八年，终于家，诗（当作"时年"）若干。临终自剋死日，遗命薄葬，兼预自作墓志。……君所著诗赋杂文二十余卷，多并散逸，鸠访未毕，且编成五卷。君又著《隋书》五十卷未就，君第四兄太原县令凝续成之。君又著《会心高士传》五卷，并

95

《酒经》、《酒谱》二卷及注《老子》，并别成一家，不列于集云。"王绩有《自为墓志文》，当作于本年。《旧唐书》隐逸王绩传："有文集五卷。"《新唐书》艺文志四："《王绩集》五卷。"《郡斋读书记》卷一七："《王绩东皋子集》五卷。"《直斋书录解题》卷一六："《东皋子》五卷。"《宋史》艺文志："陆淳《东皋子集略》二卷。"陆质《删东皋子后序》："等是非，遗物我，方之外者也。……庄叟之后，绵历千祀，几于是道者，余得之王君焉。心与物冥，德不外荡，随变而适，即分而安。忘所居而迹不害教，遗其累而道不绝俗。故有陶公之去职，言不怨时；有阮氏之放情，行不忤物。旷哉渊乎，真可谓乐天之君子者矣！生于隋季，人莫之知，故其遗文高迹不显。余每览其集，想见其人，恨不同时，得为忘形之友。故去彼有为之词，全其悬解之志，庶乎死而可作，无愧异代之知音尔。"按陆质本名淳，以避唐宪宗讳改名质，见《旧唐书》儒学下本传。《韵语阳秋》卷一一："王绩作《被召谢病诗》云：'横裁桑节杖，直剪竹皮巾。鹤警琴亭夜，莺啼酒瓮春。颜回惟乐道，原宪岂伤贫。'观此数语，又岂以招聘为喜乎？《独坐诗》云：'托身千载下，聊游万物初。欲令无作有，翻觉实成虚。'《咏怀诗》云：'故乡行处是，虚室坐间同。日落西山暮，方知天下空。'《赠薛收诗》云：'赖有此山僧，教我以真如。使我视听遗，自觉尘累祛。'则又知绩有得于佛氏者甚深也。"《文献通考》卷二三一引《周氏涉笔》："旧传四声自齐梁至沈、宋，始定为唐律。沈、宋体制，时带徐、庾，未若王绩剪裁锻炼，曲尽清玄，真开迹唐诗也。如云'牧人驱犊返，猎马带禽归'，'琴曲唯留古，书名半是经'。《九月九日》一篇：'野人迷节候，端坐隔尘埃。忽见黄花吐，方知素节回。映岩千段发，临浦万株开。香气徒盈把，无人送酒来。'盖渊明古体蟠屈八句中，浑然天成，又唐末诸家所不能也。无功放逸傲世，而诗句如此，岂其真得于自然乎？"何良俊《四友斋丛说》卷二五："唐时隐逸诗人，当推王无功、陆鲁望为第一。盖当武德之初，犹有陈、隋之遗习，而无功能尽洗铅华，独存体质。且嗜酒诞放，脱落世事，故于情性最近。今观其诗，近而不浅，质而不俗，殊有魏、晋之风。"黄汝亨《东皋子集序》："东皋子放逸物表，游息道内。师老、庄，友刘、阮。其酒德诗妙，魏、晋以来，罕有俦匹。行藏生死之际，澹远真素，绝类陶征君。"四库提要卷一四九："《东皋子集》三卷，唐王绩撰。……绩为王通之弟，而志趣高雅，不随通聚徒讲学，献策干进，其人品亦不可及矣。史称其简放嗜酒，尝作《醉乡记》、《五斗先生传》、《无心子传》。其《醉乡记》为苏轼所称，然他文亦疏野有致。其诗惟《野望》一首为世传诵，然如《石竹咏》，意境高古，《薛记室收过庄见寻诗》二十四韵，气格遒健，皆能涤初唐俳偶板滞之习，置之开元、天宝间，弗能别也。"《石洲诗话》卷一："王无功以真率疏浅之格，入初唐诸家中，如鸾凤群飞，忽逢野鹿，正是不可多得也。然非入唐之正派。"《载酒园诗话又编》："诗之乱头粗服而好者，千载一渊明耳。乐天效之，便伤俚浅，惟王无功差得其髣髴。陶、王之称，余尝欲以东皋代辋川。辋川诚佳，太秀，多以奇思撑其朴趣。东皋潇洒落穆，不衫不履，如'来时常道贳，惭愧酒家胡'，'家贫留客久，不暇道精粗'。至若'相逢宁可醉，定不学丹砂'，'昔我未生时，谁者令我萌？弃置勿重陈，委化何足惊'，真齐得丧、一死生之言。旷怀高致，其人自堪尚友，不徒音响似之。"又："彭泽、东皋，皆素心之士，陶为饥寒所驱，时有凉音；王泰秩果药粗足，故饶逸趣。

以九方皋相马法观之，顾不河汉。"

马周为中书令，太宗以美词体目之。《旧唐书》马周传："（贞观）十八年迁中书令。"《册府元龟》卷三一九："马周为中书令，太宗尝体目群臣，各有其词。体周曰：'材惟献替，秀出珪璋。……因时耀彩，似菊露之结重岩；回进腾芳，如兰风之出幽径。'"

骆宾王约十岁，随父母居博昌。骆宾王《与博昌父老书》："昔吾先君，出宰斯邑，清芬虽远，遗爱犹存。"《上廉察使启》："十年无棣，万里维桑。既而日远长安，出蓬门而西笑。"无棣代指齐境，见《左传》僖公四年，而博昌即属古齐地。骆宾王居齐鲁十年左右始赴长安，时年二十（见永徽五年秋骆宾王条），则其移居博昌当在本年。

公元 645 年　（唐太宗贞观十九年　己巳）

正月

玄奘携佛教经论六百五十七部，自印度归至长安。见《续高僧传》卷四玄奘传、《大慈恩寺三藏法师传》卷六。

二月

太宗亲征辽东，至河阳，作《祭比干文》，至邺，作《祭魏太祖文》。《旧唐书》太宗纪下："十九年春二月庚戌，上亲统六军发洛阳。"《册府元龟》卷四〇："十九年将征辽，二月，次河阳，诏殷少师比干赠太师，自为文祭之。次邺，经魏太祖墓，自为祭文。"《通鉴》卷一九七："丁巳，诏谥殷太师比干曰忠烈。……癸亥，上至邺，自为文祭太祖，曰：'临危制变，料敌设奇，一将之智有余，万盛之才不足。'"《旧唐书》太宗纪下："赠殷比干为太师……上自为文以祭之。"

三月

太宗驾至定州，撰文祭北岳；又有《春日望海》诗，许敬宗、上官仪等应制奉和。《册府元龟》卷四〇："十九年将征辽……三月幸定州，经北岳，自为祭文。"太宗有《祀北岳恒山文》。又《春日望海》："之罘思汉帝，碣石想秦皇。"《尚书·禹贡》："太行恒山，至于碣石，入于海。"诗亦当本年三月所作。杨师道、许敬宗各有《奉和圣制春日望海》诗，见《全唐诗》，又黄门侍郎弘文馆学士褚遂良、司徒赵国公长孙无忌、中书令江陵县开国子弘文馆学士岑文本、侍中清苑县开国男刘洎、秘书郎弘文馆学士上官仪、开府仪同三司申国公高士廉、左宗卫率府长史弘文馆学士郑仁轨并有《五言春日侍宴望海应诏》，见《翰林学士集》。诸诗均当作于此时。

皇太子李治留镇定州，赋《违恋》诗，李元嘉、薛元超和之。李元嘉、薛元超各有《奉和同太子监守违恋》诗。《唐诗纪事》卷五："高宗为太子也，元超为舍人。太宗亲征时，元超、韩王元嘉同太子监守，赋《违恋》诗。"《通鉴》卷一九七："上将发，太子悲泣数日，上曰：'今留汝镇守，辅以俊贤，欲使天下识汝风采。……'命开府仪同三司高士廉摄太子太傅，与刘洎、马周……辅太子。长孙无忌、岑文本与吏部尚书杨师道从行。（三月）壬辰，车驾发定州。"诗作于本月或稍后。

四月

岑文本（595—645）卒，年五十一。《旧唐书》本传："及至幽州，遇暴疾……寻卒，年五十一。……有集六十卷行于代。"太宗纪下："（四月）丁未，中书令岑文本卒于师。"

太宗驾至北平，有诗作。太宗有《于北平作》诗。《通鉴》卷一九七："丁巳，车驾至北平。"诗作于此时。

太宗赋诗悼姜行本。《旧唐书》姜謩附姜行本传："十七年，太宗将征高丽，行本谏以为师未可动，太宗不从。行本从至盖牟城，中流矢卒，太宗赋诗以悼之。"《册府元龟》卷四〇："四月，行军总管姜确督兵攻盖至（牟）城，中流矢而卒。帝甚哀悼，为五言诗以悼之。"卷一四一："姜确为左屯卫将军，辽东之役，以行军总管督兵攻盖牟城，中流矢而卒，时年五十一。太宗甚哀悼之，为五言诗曰：……"行本盖为姜确字。《全唐诗补编·续拾》卷二据此录太宗《五言悼姜确》。

六月

唐军败高丽于驻跸山，刻石纪功；许敬宗受旨草诏，以词采见赏。《旧唐书》太宗纪下："六月丙辰，师至安市城。……上自高峰引军临之，高丽大溃……因名所幸山为驻跸山，刻石纪功焉。"同书许敬宗传："十九年，太宗亲伐高丽，皇太子定州监国，敬宗与高士廉共知机要。中书令岑文本卒于行所，令敬宗以本官检校中书侍郎。大破辽贼于驻跸山，敬宗立于马前受旨草诏书，词彩甚丽，深见嗟赏。"

秋

太宗在辽东，与许敬宗、褚遂良赋诗唱和。《全唐诗补编·续拾》卷二太宗《五言塞外同赋山夜临秋以临为韵》："三韩驻旄节，九野暂登临。"作于辽东。同书卷三许敬宗、同书《补逸》卷一褚遂良各有《五言辽东侍宴山夜临秋同赋临韵应诏》，是同时之作。

十月

太宗回次营州，为文祭征辽阵亡战士。《通鉴》卷一九八："丙午，至营州。诏辽东战亡士卒骸骨并集柳城东南，命有司设太牢，上自作文以祭之，临哭尽哀。"《册府元龟》卷一三五："太宗贞观十年十月征辽回，次营州……太宗临哭尽哀，从臣无不流泪，御制祭文曰：……""十年"是"十九年"之误。

十一月

太宗班师至定州，设宴赋诗，许敬宗奉和。太宗《宴中山》："驱马出辽阳，万里转旆常。"中山，东汉国名，即定州。《新唐书》太宗纪："九月癸未，班师。……十一月……丙戌，次定州。"许敬宗《奉和宴中山应制》是和太宗之作。

崔仁师起为中书舍人，稍前曾因免官而作《体命赋》。《旧唐书》崔仁师传："征辽之役，诏太常卿韦挺知海运，仁师为副……仁师以运夫逃走不奏，坐免官。既不得志，遂作《体命赋》以畅其情，辞多不载。太宗还至中山，起为中书舍人。"

十二月

太宗归至并州，赐刘洎死。《旧唐书》太宗纪下："十二月戊申，幸并州。侍中、清苑男刘洎以罪赐死。"《新唐书》艺文志四："《刘洎集》十卷。"

除夕，太宗召侍臣守岁，赋诗以记。太宗有《于太原召侍臣赐宴守岁》诗。并州即太原，据《通鉴》卷一九八，太宗明年二月乙未（二日）自并州启程返京，故知诗当作于本年。

本年

慧净（578—645）卒，年六十八。《续高僧传》卷三慧净传："及贞观十九年，更崇翻译……下诏追赴，谢病乃止。今春秋六十有八，声闻转高，心疾时动，或停法雨，暂有登临。云屯学馆，义侣则掇其冠冕，文句则定其短长，词彩则揭其菁华，音韵则响其谐调。神高气爽，足引懦夫；墙宇崇深，弥开廉士。斯并自叙而即笔，故不尽其纤隐云也。"

颜师古（581—645）卒，年六十五。《旧唐书》本传："师古俄迁秘书监、弘文馆学士。十九年，从驾东巡，道病卒，年六十五，谥曰戴。有集六十卷，其所注《汉书》及《急就章》，大行于世。永徽三年，师古子扬庭为符玺郎，又表上师古所撰《匡谬正俗》八卷。"传论："师古家籍儒风，该博经义，至于详注史策，探测典礼，清明在躬，天有才格。然而三黜之负，竟在时讥，孔子曰'才难'，不其然乎？"

道宣初撰《续高僧传》成。道宣《续高僧传序》："昔梁沙门金陵释宝唱撰《名僧传》，会稽释惠皎撰《高僧传》，创发异部，品藻恒流，详核可观，华质有据，而辑哀吴、越，叙略魏、燕。良以博观未周，故得随闻成彩。加以有梁之盛，名德云繁，薄传三五，数非通敏，斯则同世相侮，事积由来。中原隐括，未传简录，时无雅赡，谁为补之？致使历代高风，飒焉终古。余青襟之岁，有顾斯文，祖习乃存，经纶攸阙。是用凭诸名器，伫对杀青，而情计栖遑，各师偏竞，遂听成简，载纪相寻。而物忌先鸣，藏舟遽往，徒悬积抱，终掷光阴。敢以不才，辄陈笔记，引踈闻见，即事编韦，谅得列代因之，更为冠冕。自汉明梦日之后，梁武光有以前，代别释门，咸流传史。考酌资其故实，删定节其先闻，遂得类续前驱，昌言大宝。季世情絷，量重声华，至于鸠聚风猷，略无继绪。惟隋初沙门魏郡释灵裕，仪表缀述，有意弘方，撰《十德记》

一卷，偏叙昭玄师保，未粤广嗣通宗。余则孤起支文，薄言行状，终亦未驰高观，可为长太息矣！故使沾预染毫之客，莫不望崖而戾止，故其然乎。今余所撰，恐坠接前绪，故不获而陈。或博谘先达，或取讯行人，或即目舒之，或讨雠集传。南北国史，附见徽音，郊郭碑碣，旌其懿德，皆撮其志行，举其器略，言约繁简，事通野素，足使绍胤前良，允师后听。始岠梁之初运，终唐贞观十有九年，一百四十四载，包括岳渎，历访华夷，正传三百三十一人，附见一百六十人。序而伸之，大为十例：一曰译经，二曰解义，三曰习禅，四曰明律，五曰护法，六曰感通，七曰遗身，八曰读诵，九曰兴福，十曰杂科。凡此十条，世罕兼美，今就其尤最者，随篇拟伦。自前传所叙，通例已颁，回互抑扬，寔遵弘检。且夫经导两术，掩映于嘉苗；护法一科，纲维于正网、必附诸传述，知何续而非功，取其拔滞开元，固可标于等级。余则随善立目，不时须，布教摄于物情，为要解纷静节，总归于末第，区分世务者也。至于韬光崇岳，朝宗百灵，秀气逸于山河，贞概销于林薄，致有声喧玄谷，神凝紫烟，高谢于松乔，俯眄于穷辙，斯皆具诸别纪，闻可言乎！或复匿迹城抑，陆沉浮俗，盛业可列，而吹嘘罕遇。故集见勋风素，且树十科，结成三帙，号曰《续高僧传》。若夫搜擢源派，剖析宪章，粗识今词，琢磨行业，则备于后论。更议而引之，必事接恒篇；终成词费，则削同前传。犹恨逮于末法，世挺知名之僧，未觌嘉猷，有沦典籍，庶将来同好，又尘斯意焉。"（《高僧传合集》本《续高僧传》文有错乱，此据金陵刻经处本校改）按序称止于贞观十九年，乃此书初成之年。今考书中记事，有迟至麟德二年者，知书实止于该年。又序称本书正传三百三十一人，附见一百六十人。今考书中所载，正传实四百八十五人，附见二百一十九人。知书成后著者增补甚多。参陈垣《中国佛教典籍概论》。

李峤（645—714）生。李峤字巨山，赵州赞皇人。弱冠举进士，累转监察御史，迁给事中。忤武后旨，出为润州司马。诏入，转凤阁舍人，寻知天官侍郎事，迁麟台少监。圣历初，迁同凤阁鸾台平章事。罢为成均祭酒，转东都留守，复以本官平章事。中宗即位，贬通州刺史，旋召回，历吏部侍郎、尚书，拜中书令。加修文馆大学士，监修国史，封赵国公，以特进同中书门下三品。睿宗立，出为怀州刺史，寻致仕。玄宗立，贬滁州别驾，改庐州别驾，卒。有《李峤集》五十卷、《杂咏诗》十二卷。据《旧唐书》本传。

杜审言（645？—708）生。杜审言字必简，祖籍襄州襄阳，父迁居洛州巩县。进士擢第，授隰城尉。历江阴尉、洛阳丞，坐事贬吉州司户参军。免官归洛，武后召见，授著作佐郎，俄迁膳部员外郎。中宗立，坐附张易之兄弟，配流峰州。寻召授国子监主簿，加修文馆直学士，卒。有《杜审言集》十卷。据《旧唐书》文苑上杜易简附杜审言传、《唐才子传校笺》卷一。

公元646年 （唐太宗贞观二十年 丙午）

正月

太宗幸晋祠，树碑制铭；谒并州大兴国寺，赋诗以记。太宗有《晋祠铭》。《唐会要》卷二七："二十年正月，幸晋祠，树碑制文。"《金石萃编》卷四六录此铭，据《八琼室金石补正》卷三四，此碑尚有太宗飞白书"贞观廿年正月廿六日"九字题额，碑阴又有长孙无忌、萧瑀、杨师道、马周等七人题名，并为《萃编》漏拓。太宗又有《谒并州大兴国寺》、《咏兴国寺佛殿前幡》诗，亦本年正月所作。

三月

太宗还长安。《通鉴》卷一九八："二月乙未，上发并州。三月己巳，车驾还京师。"

闰三月

四日，诏令史臣重撰《晋书》。《唐会要》卷六三："二十年闰三月四日诏，令修史所更撰《晋书》，铨次旧闻，裁成义类，其所须可依修五代史故事，若少学士，量事追取。于是司空房玄龄、中书令褚遂良、太子左庶子许敬宗掌其事，又中书舍人来济、著作郎陆元仕、著作郎刘子翼、主客郎中卢承基、太史令李淳风、太子舍人李义府、薛元超、起居郎上官仪、主客员外郎崔行功、刑部员外郎辛邱驭、著作（佐）郎刘允之、光禄寺主簿杨仁卿、御史台主簿李延寿、校书郎张文恭，并分功撰录，又令前雅州刺史令狐德棻、太子司仪郎敬播、主客员外郎李安期、屯田员外郎李怀俨详其条例，量加考正。"参见《唐大诏令集》卷八一《修晋书诏》、《旧唐书》房玄龄传等。《旧唐书》儒学上敬播传："参撰《晋书》，播与令狐德棻、阳仁卿、李严等四人总其类。"

四月

太宗以王褒所书《大品般若经》一部并佛像等物赐萧瑀。《旧唐书》萧瑀传："车驾自辽还，请解太保，仍同中书门下。太宗以瑀好佛道，赏赉绣佛像一躯，并绣瑀形状于佛像侧，以为供养之容。又赐王褒所书《大品般若经》一部，并赐袈裟，以充讲诵之服焉。"同书太宗纪下："夏四月甲子……太子少保、宋国公萧瑀各辞调护之职，诏许之。"

七月

玄奘进献所撰《大唐西域记》。《大慈恩寺法师传》卷六："前又洛阳奉见日，敕令法师修《西域记》，至是而成。乙未，又进表曰：'……玄奘幸属天地贞观，华夷静谧……辗转膜拜之乡，流离重译之外。……寻求历览，时序推迁，言还帝京，淹逾一纪，所闻所履，百有二十八国。……谨具编裁，称为《大唐西域记》，凡一十二卷，缮写如别。望班之右笔，饰以左言，掩博物于晋臣，广九丘于皇代。但玄奘资识浅短，遗漏实多，兼拙于笔语，恐无足观览。"

九月

太宗为敕勒诸部尊为天可汗，遂作诗以纪其事。《通鉴》卷一九八："九月，上至灵州，敕勒诸部俟斥遣使相继诣灵州者数千人，咸云：'愿得天至尊为奴等天可汗，子子孙孙常为天至尊奴，死无所恨。'甲辰，上为诗序其事云：'雪耻酬百王，除凶报千古。'公卿请勒石于灵州；从之。"

张昌龄等以文章浮艳为王师旦所黜。《封氏闻见记》卷三："贞观二十年，王师旦为员外郎，冀州进士张昌龄、王公瑾并文词俊楚，声振京邑。师旦考其文策为下等，举朝不知所以。及奏等第，太宗怪无昌龄等名，问师旦。师旦曰：'此辈诚有词华，然其体轻薄，文章浮艳，必不成令器。臣擢之，恐后生仿效，有变陛下风俗。'上深然之。"《唐会要》卷七六：记此事在贞观二十二年九月，"二十二"，《登科记考》卷一引作"二十"，当是，从之。

十月

太宗手诏贬责萧瑀，并论佛教之弊。《通鉴》卷一九八："（萧）瑀因自请出家。上曰：'亦知公雅好桑门，今不违公意。'瑀须臾复进曰：'臣适思之，不能出家。'上以瑀对群臣发言反覆，尤不能平。……冬，十月，手诏数其罪曰：'朕于佛教，非意所遵。求其道者未验福于将来，修其教者翻受辜于既往。至若梁武穷心于释氏，简文锐意于法门，倾帑藏以给僧祇，殚人力以供塔庙。及乎三淮沸浪，五岭腾烟，假余息于熊蹯，引残魂于鸟鷇，子孙覆亡而不暇，社稷俄顷而为墟，报施之征，何其谬也！瑀践覆车之余轨，袭亡国之遗风；弃公就私，未明隐显之际；身俗口道，莫辨邪正之心。修累叶之殃源，祈一躬之福本，上以违忤君主，下则扇习浮华。自请出家，寻复违异。一回一惑，在乎瞬息之间；自可自否，变于帷扆之所。乖栋梁之体，岂具瞻之量乎！朕隐忍至今，瑀全无悛改。可商州刺史，仍除其封。'"参见《旧唐书》萧瑀传。

本年

太宗赋诗饯别来济，许敬宗奉和。太宗有七言律诗《饯中书侍郎来济》一首，《全唐诗》卷一于此诗题下注："一作宋之问诗，非。"按《旧唐书》来济传云："（贞观）十八年，初置太子司议郎，妙选人望，遂以济为之，仍兼崇贤馆直学士。寻迁中书舍人，与令狐德棻等撰《晋书》。永徽二年，拜中书侍郎。"济为中书侍郎在永徽二年（651），而之问生年当在650年至656年之间，故知其非。又永徽二年太宗已卒，则题中"侍郎"当为"舍人"之误。本年左右，来济在中书舍人任，姑系于此。许敬宗《奉和圣制送来济应制》当为奉和太宗之作。参胡可先《唐太宗诗歌考辨》（《唐代文学研究》第五辑）。又岑仲勉《读全唐诗札记》谓此诗当是高宗所作，书此备考。

卢照邻约十三岁，往扬州从曹宪受业。《旧唐书》文苑上本传："年十余岁，就曹宪、王义方受《苍》、《雅》及经史。"《新唐书》文艺上王勃附卢照邻传："十岁从曹宪、王义方受《苍》、《雅》。"按曹宪晚年居扬州，见贞观八年条。卢照邻从之受学，必当亲至扬州，其《五悲·悲昔游》云："忽忆扬州扬子津……茱萸湾兮杨柳春。"（见《卢照邻集校注》卷四；以下凡引卢照邻诗文，均据是书，不复注）即追忆早年游学扬州之词。又照邻师从王义方不得晚于贞观二十三年（见该年条），则其至扬州约当在本年前后，姑系于此。

公元647年 （唐太宗贞观二十一年 丁未）

正月

高士廉卒，太宗为作祭文。《旧唐书》高士廉传："二十一年正月壬辰，薨于京师崇仁里私第，时年七十二。"太宗《祭高士廉文》："自幽明一谢，将历数旬。"当作于本年春。

二月

诏以左丘明等二十一人配享孔子庙。《旧唐书》太宗纪下："二月壬申，诏以左丘明、卜子夏、公羊高、榖梁赤、伏胜、高堂生、戴圣、毛苌、孔安国、刘向、郑众、杜子春、马融、卢植、郑康成、服子慎、何休、王肃、王辅嗣、杜元凯、范甯等二十一人，代用其书，垂于国胄，自今有事于太学，并命配享宣尼庙堂。"

皇太子李治于太学释奠，许敬宗赋四言诗以美其事。《唐会要》卷三五："二十年二月，诏皇太子于国学释奠于先圣先师。……右庶子许敬宗上四言诗以美其事。"许敬宗诗载《翰林学士集》，题《四言奉陪皇太子释奠诗一首应令》，署"银青光禄大夫、中书侍郎、行太子右庶子、高阳县开国男臣许敬宗上"。按《旧唐书》太宗纪下："丁丑，皇太子于太学释奠。"许敬宗传："二十一年，加银青光禄大夫。"知《唐会要》二十年为二十一年之误。

五月

戊子，张昌龄献《翠微宫颂》，又试作《息兵诏》，太宗慰勉之。《旧唐书》文苑上张昌龄传："贞观二十一年，翠微宫成，诣阙献颂。太宗召见，试作《息兵诏》草，俄顷而就。太宗甚悦，因谓之曰：'昔祢衡、潘岳，皆恃才傲物，以至非命。汝才不减二贤，宜追鉴前轨，以副吾所取也。'乃敕于通事舍人里供奉。"《通鉴》卷一九八记此事于本年五月戊子。

崔仁师上《清暑赋》以讽太宗。《旧唐书》崔仁师传："太宗幸翠微宫，仁师上《清暑赋》以讽，太宗称善，赐帛五十段。"

七月

太宗在翠微宫，赋诗，旋还长安。《旧唐书》太宗纪下："庚戌，至翠微宫。"太宗《秋日翠微宫》当作于本月。

本年

褚亮（560—647）卒，年八十八。《旧唐书》褚遂良传："二十一年，以本官检校大理卿，寻丁父忧。明年，起复旧职。"同书褚亮传："卒时年八十八。"又云："亮幼聪敏，好学善属文，博览无所不至，经目必记于心。喜游名贤，尤善谈论。"《新唐书》艺文志四："《褚亮集》二十卷。"

杨师道（？—647）卒。《旧唐书》杨恭仁附杨师道传："二十一年卒，赠吏部尚书、并州都督，陪葬昭陵……并为立碑。"《新唐书》杨恭仁附杨师道传："师道字景猷，恭仁弟。清警有才思。……善草隶，工诗，每与有名士燕集，歌咏自适。帝见其诗，为擿讽嗟赏。后赐宴，帝曰：'闻公每酣赏，捉笔赋诗，如宿构者，试为朕为之。'师道再拜，少选辄成，无所窜定，一座嗟伏。"同书艺文志四："《杨师道集》十卷。"

太宗赐马周飞白书以称赞之。《旧唐书》马周传："二十一年，加银青光禄大夫。太宗尝以神笔赐周飞白书曰：'鸾凤凌云，必资羽翼；股肱之寄，诚在忠良。'"

公元648年 （唐太宗贞观二十二年　戊申）

正月

太宗作《帝范》赐太子。《册府元龟》卷四〇："二十二年正月，帝撰《帝范》十二篇，赐皇太子。顾谓王公曰：'饬躬阐政之道，备在其中。一旦不讳，更无所言矣。'"《通鉴》卷一九八："二十二年春，正月，己丑，上作《帝范》十二篇以赐太子，曰《君体》、《建亲》、《求贤》、《审官》、《纳谏》、《去谗》、《戒盈》、《崇俭》、《赏罚》、《务农》、《阅武》、《崇文》。"除上述各篇外，另有《帝范序》和《帝范后序》各一篇。《帝范》全文见《唐太宗集》。其中《崇文篇》云："夫功成设乐，治定制礼。礼乐之兴，以儒为本。弘风导俗，莫尚于文；敷教训人，莫善于学。因文而隆道，假学以光身。不临深溪，不知地之厚；不游文翰，不识智之源。然则智蕴吴竿，非括羽不美；性怀辨慧，非积学不成。是以建明堂，立辟雍，博览百家，研精六艺，端拱而知天下，无为而鉴古今，飞英声，腾茂实，光于天下不朽者，其唯为学乎！此崇文之术也。"

马周（601—648）卒，年四十八。《旧唐书》太宗纪下："二十二年春正月庚寅，中书令马周卒。"《新唐书》艺文志四："《马周集》十卷。"《旧唐书》马周传："中书侍郎岑文本谓所亲曰：'吾见马君论事多矣，援引事类，扬搉古今，举要删芜，会文切理，一字不可加，一言不可减，听之靡靡，令人忘倦。昔苏、张、终、贾，正应此耳。'"《古文雅正》卷七："丁南湖谓贞观将相皆隋室旧臣，独（马）周出处纯乎无玷。余更喜其奏疏，韩魏公所谓主乎理胜而以至诚将之者也。"

二月

皇太子李治引臣下入阁赋诗，并自制序。《册府元龟》卷四〇："高宗为太子时，贞观二十二年二月引庶子、少詹事、司议、舍人等入阁，乃从容而言曰：'文章词赋，平生所爱，然未之为也。今日风景殊佳，当与公等赋诗言志。'于是援笔以制序。翌日，太宗以皇太子诗序示王公，曰：'朕观太子此文及笔迹，进于常日。'司徒长孙无忌对曰：'皇太子禀承天训，文章笔札，群艺日新。'"

三月

徐惠上疏谏太宗兴宫室，动军旅。《旧唐书》后妃传："太宗贤妃徐氏，名惠，右散骑常侍坚之姑也。……时军旅亟动，宫室互兴，百姓颇倦劳役，上疏谏曰：'自贞观已来，二十二载……'太宗善其言，优赐甚厚。"《大唐新语》卷二："徐充容，太宗造玉华宫于宜君县，谏曰：……词多不尽载。充容名惠，孝德之女，坚之姑也，文彩绮丽，有若生知。"《通鉴》卷一九八记此事在本年三月。

四月

太宗作《玉华宫铭》，诏令太子以下并和。《唐会要》卷三〇："二十二年四月，太宗御制《玉华宫铭》，诏令太子以下并和。"《册府元龟》卷四〇："贞观二十二年……是岁，太子制《玉华宫山铭》，又献《玉华宫赋》。"

六月

敕秘书省手写玄奘新翻经、论为九本，与雍、洛等九州辗转流通。《大慈恩寺三藏法师传》卷六："二十二年春，驾幸玉华宫。……六月庚辰，敕追法师赴宫。……帝又问法师：'比翻何经、论?'答：'近翻《瑜伽师地论》讫，凡一百卷。'……及举纲提目，陈列大义。帝甚爱焉。遣使向京取《瑜伽论》。《论》至，帝自详览，睹其词义宏远，非从来所闻，叹谓侍臣曰：'朕观佛经譬犹瞻天俯海，莫测高深。法师能于异域得是深法，朕比以军国务殷，不及委寻佛教。而今观之，宗源杳旷，靡知涯际，其儒道九流之典比之，犹汀滢之池方溟渤耳。而世云三教齐致，此妄谈也。'因敕所司简秘书省书手写新翻经、论为九本，与雍、洛、并、兖、相、荆、扬、凉、益等九州展转流通，使率土之人同禀未闻之义。"按本年六月庚戌朔，无庚辰日。"庚辰"或是"庚戌"之讹。

萧瑀（575—648）卒，年七十四。《旧唐书》本传："从幸玉华宫，遘疾薨于宫所，年七十四。"太宗纪上："六月癸酉，特进、宋国公萧瑀薨。"《新唐书》艺文志四："《萧瑀集》一卷。"

孔颖达（574—648）卒，年七十五。于志宁《大唐故太子右庶子银青光禄大夫国子祭酒上护军曲阜宪公孔公碑铭》："公讳颖达，……薨于万年县平康里第，春秋七十有五。"《旧唐书》孔颖达传："二十二年卒，陪葬昭陵，赠太常卿，谥曰宪。"明赵崡《石墨镌华》卷二："《唐祭酒孔颖达碑》，此碑于志宁撰。……年寿字半泐，隐隐可读，云'贞观二十二年六月十八日薨'。"《新唐书》艺文志四："《孔颖达集》五卷。"

七月

房玄龄卒，卒前上疏谏讨高丽。《旧唐书》太宗纪下："秋七月癸卯，司空、梁国公房玄龄薨。"同书房玄龄传："（贞观）二十二年……玄龄因谓诸子曰：'吾自度危笃，而恩泽转深，若辜负圣君，则死有余责。当今天下清谧，咸得其宜，唯东讨高丽不止，方为国患。主上含怒意决，臣下莫敢犯颜；吾知而不言，则衔恨入地。'遂抗表谏曰：……太宗见表，谓玄龄子妇高阳公主曰：'此人危惙如此，尚能忧我国家。'"《古文雅正》卷六："太宗东伐之初，李大亮以遗表谏，此（按指房玄龄此表）则于再兴师役时也。二表遂为后世大臣临终上表之始。"又房玄龄善书，《法书要录》卷九《书断》下："王知敬，洛阳人，官至太子家令。工草及行，尤善章草。肤骨兼有，戈戟足以自卫，毛翮足以飞翔，若夫大略宏图，摩霄殄寇，则未奇也。房仆射玄龄与此公同品，房行草亦风流秀颖，可与亚能。"

八月

太宗为玄奘所译众经撰《大唐三藏圣教序》。《大慈恩寺三藏法师传》卷六："六月庚辰，敕追法师赴宫。……帝先许作新经序，国务繁剧，未及措意。至此法师重启，方为染翰，少顷而就，名《大唐三藏圣教序》，凡七百八十一字，神笔自写，敕贯众经之首。"太宗撰序之日期，冥祥《大唐故三藏玄奘法师行状》作八月，是，参见杨廷福《玄奘年谱》。序云："有玄奘法师者，法门之领袖也。幼怀真敏，早悟三空之心；长契神情，先苞四忍之行。……凝心内境，悲正法之陵迟；栖虑玄门，慨深文之讹谬。思欲分条析理，广彼前闻；截伪续真，开兹后学。是以翘心净土，往游西域，乘危远迈，杖策孤征。……周游西宇，十有七年。穷历道邦，询求正教，双林八水，味道餐风，鹿苑鹫峰，瞻奇仰异。承至言于先圣，受真教于上贤。探赜妙门，精穷奥业。一乘五律之道，驰骤于心田；八葬三箧之文，波涛于口海。爰自所历之国，总将三藏要文，凡六百五十七部，译布中夏，宣扬胜业。引慈云于西极，注法雨于东垂。圣教缺而复全，苍生罪而还福。……方冀兹经流施，将日月而无穷，斯福遐敷，与乾坤而永大。"

本年

《晋书》修成，太宗撰《陆机传论》、《王羲之传论》等以论文学及书法。《旧唐书》房玄龄传："寻与中书侍郎褚遂良受诏重撰《晋书》，于是奏取太子左庶子许敬宗、中书舍人来济、著作郎陆元仕、刘子翼、前雍州刺史令狐德棻、太子舍人李义府、薛元超、起居郎上官仪等八人，分功撰录，以臧荣绪《晋书》为主，参考诸家，甚为详洽。然史官多是文咏之士，好采诡谬碎事，以广异闻；又所评论，竞为绮艳，不求笃实，由是颇为学者所讥。唯李淳风深明星历，善于著述，所修《天文》、《律历》、《五行》三志，最可观采。太宗自著宣、武二帝及陆机、王羲之四论，于是总题云御撰。至二十年，书成，凡一百三十卷，诏藏于秘府，颁赐加级各有差。"按《晋书》之重修始于贞观二十年闰三月，已见前，此云成书亦在二十年，误。据今人考证，新撰《晋书》成书实在本年，参见余嘉锡《四库提要辨证》卷三、赵俊《唐修〈晋书〉时间考》（载《史学史研究》1984 年第 3 期）。太宗《陆机传论》："观夫陆机、陆云，实荆衡之杞梓，挺圭璋于秀实，驰英华于早年，风鉴澄爽，神情俊迈。文藻宏丽，独步当时；言论慷慨，冠乎终古。高词迥映，如朗月之悬光；叠意回舒，若重岩之积秀。千条析理，则电坼霜开；一绪连文，则珠流璧合。其词深而雅，其义博而显，故足远超枚、马，高蹑王、刘，百代词宗，一人而已。"《王羲之传论》："所以详察古今，研精篆素，尽善尽美，其惟王逸少乎！观其点曳之工，裁成之妙，烟霏露结，状若断而还连；凤翥龙蟠，势如斜而反直。玩之不觉为倦，览之莫识其端，心慕手追，此人而已。其余区区之类，何足论哉。"刘知几《史通·论赞》："大唐修《晋书》，作者皆当代词人，远弃史、班，近宗徐、庾。夫以饰彼轻薄之句，而编为史籍之文，无异加粉黛于丈夫，服绮纨于高士者矣。"四库提要卷四五："《晋书》一百三十卷，唐房乔等奉敕撰。刘知几《史通·外篇》谓：'贞观中诏前后《晋史》十八家未能尽善，敕史官更加纂撰。'自是言晋史者皆弃其旧本，竞从新撰。然唐人如李善注《文选》，徐坚编《初学记》，白居易编《六帖》，于王隐、虞预、朱凤、何法盛、谢灵运、臧荣绪、沈约之《书》，与夫徐广、干宝、邓粲、王韶、曹嘉之、刘谦之之《纪》，孙盛之《晋阳秋》，习凿齿之《汉晋阳秋》，檀道鸾之《续晋阳秋》，并见征引。是旧本实未尝弃，毋乃书成之日即有不惬于众论者乎。考书中惟陆机、王羲之两传，其论皆称'制曰'，盖出于太宗御撰。夫典午一朝政事之得失，人才之良楷，不知凡几，而九重揽藻，宣王言以彰特笔者，仅一工文之士衡，一善书之逸少，则全书宗旨，大概可知。其所褒贬，略实行而奖浮华，其所采择，忽正典而取小说，波靡不返，有自来矣。……其所载者，大抵弘奖风流，以资谈柄，取刘义庆《世数新语》与刘孝标所注，一一互勘，几于全部收入，是直稗官之体，安得目曰'史传'乎？……正史之中，惟此书及《宋史》，后人纷纷改撰，其亦有由矣。特以十八家之书并亡，考晋事者舍此无由，故历代存之不废耳。"

太宗赐新罗使以新修《晋书》等。《旧唐书》东夷新罗传："二十二年，（新罗王）真德遣其弟国相、伊赞干金春秋及其子文王来朝。……春、秋请诣国学观释奠及讲论，太宗因赐以所制《温汤》及《晋祠碑》并新撰《晋书》。"《唐会要》卷六三："以其书赐皇太子及新罗使者各一部。"

李百药（565—648）卒，年八十四。《旧唐书》本传："二十二年卒，年八十四，谥曰康。白药以名臣之子，才行相继，四海名流，莫不宗仰。藻思沉郁，尤长于五言诗，虽樵童牧竖，并皆吟讽。……及悬车老，怡然自得，穿池筑山，文酒谈赏，以舒平生之志。有集三十卷。"《新唐书》艺文志四："《李百药集》三十卷。"卢照邻《南阳公集序》："李长于五言，下笔无滞。"《唐音癸签》卷五："李安平藻思沉郁，尤长于五言，如'柳色迎三月，梅花隔二年'，含巧于硕，才壮意新，真不虚人主品目。"

裴神符作《胜蛮奴》等乐曲，太宗深爱之。《唐会要》卷三三："贞观末，有裴神符者，妙解琵琶。作《胜蛮奴》、《火凤》、《倾杯乐》三曲，声度清美，太宗深爱之。"

公元649年 （唐太宗贞观二十三年　己酉）

四月

　　太宗召见玄奘于翠微宫，问因果报应之事。《大慈恩寺三藏法师传》卷七："二十三年夏四月，驾幸翠微宫，皇太子及法师并陪从。既至，处分之外，唯谈玄论道，问因果报应，及西域先圣遗芳故迹，皆引经酬对。帝深信纳，数攘袂叹曰：'朕共师相逢晚，不得广兴佛事。'"

五月

　　唐太宗李世民（599—649）卒，年五十一。《旧唐书》太宗纪下："四月己亥，幸翠微宫。五月……己乙，上崩于含风殿，年五十二。"同书郝处俊传记处俊谏高宗语云："昔贞观末年，先帝令婆罗门僧那罗迩婆寐依其本国旧方合长生药。……先帝服之，竟无异效，大渐之际，名医莫知所为。"《唐会要》卷五二引李藩对宪宗语云："贞观末年，有胡僧自天竺至中国，自言能治长生之药，文皇颇信待之。数年药成，文皇因试服之，遂致暴疾。"《旧唐书》宪宗纪下："李藩对曰：'文皇帝服胡僧长生药，遂致暴疾不救。'"知太宗系因误服所谓长生药而卒。《新唐书》艺文志四："《太宗集》四十卷。"《旧唐书》令狐德棻附邓世隆传："初，太宗以武功定海内，栉风沐雨，不暇于诗书。暨于嗣业，进引忠良，锐精思致。数年之后，道致隆平，遂于听览之暇，留情文史。叙事言怀，时有构属，天才宏丽，兴托玄远。"王应麟《困学纪闻》卷一四："郑毅夫谓：唐太宗功业雄卓，然所为文章，纤靡浮丽，嫣然妇人小儿嘻笑之声，不与其功业称，甚矣，淫词之溺人也。神宗圣训亦云：唐太宗英主，乃学庾信为文。"徐献忠《唐诗品》："文皇生更隋代，早事艺文，习气既闲，神标复秀，故绮发天葩，辉扬内藻，声音之本，不徒然矣。及乎大业成就，神气充扬，延揽英贤，流徽四座，其游幸诸作，宫徵铿然，六朝浮靡之习，一变而唐，虽绮丽鲜错，而雅道立矣。其为一代之祖，又何疑焉。然宫体之作，世南导之雅正；而积翠池之赋，魏徵约君以礼。因词立意，又多格心之业。其为风化之端，谅不诬矣。"《艺苑卮言》卷四："唐文皇手定中原，笼盖一世，而诗语殊无丈夫气，习使之也。'雪耻酬百王，除凶报千古'，'昔乘匹马去，今驱万乘来'，差强人意，然是有意之作。《帝京篇》可耳，余者不免花草点缀，可谓远逊汉武，近输曹公。"《唐诗归》卷一钟惺云："太宗诗终带陈、隋滞响，读之不能畅人。取其艳而秀者，句有余而篇不足。"《唐音癸签》卷五："太宗文武间出，首辟吟源，宸藻概主丰丽，观集中有诗'效庾信体'，宗向微旨可窥。然如'一朝辞此地，四海遂为家'，'昔乘匹马去，今驱万乘来'，与'风起云扬'之歌，同其雄盼，自是帝者气象不侔。"《诗辩坻》卷四："唐太宗诗虽偶俪，乃鸿硕壮阔，振六朝靡靡。伯敬以为终带陈、隋滞响，读之不能畅，不知上口轻便非大手也。唐初作者，酝藉一代，专在凝而不流，奈何少之！"《载酒园诗话又编》："《大风歌》冲口而出，卓伟不群。即《鸿鹄》酸楚之音，犹有笼罩一世之气。太宗沾沾铺张功烈，粉饰治平，即此便输汉祖一筹，不徒骨之靡弱。"又："'萤火不温风'，真为宫体之靡。'园花钉菊丛'，何来此丑字!"《全唐诗》卷一太宗小传:"诗笔草隶,卓越千古。至于天文秀发,沈丽高朗,有唐三百年风雅之盛,帝实有以启之焉。"

徐惠作诗文表其哀慕太宗之志。《旧唐书》后妃上贤妃徐氏传:"及太宗崩,追思顾遇之恩,哀慕愈甚,发病不自医。病甚,谓所亲曰:'吾荷顾实深,志在早殁,魂其有灵,得侍园寝,吾之志也。'因为七言诗及连珠以见其志。"

六月

甲戌朔,皇太子李治即皇帝位,是为高宗。见《旧唐书》高宗纪上。

上官仪迁秘书少监。《旧唐书》本传:"高宗嗣位,迁秘书少监。"

诏"游情文藻,下笔成章"等科举人。见《册府元龟》卷六四五。

十二月

诏放还诸州散乐。《唐会要》卷三三:"散乐历代有之,其名不一,非部伍之声,俳优歌舞杂奏,总谓之百戏,跳铃、掷剑、透梯、戏绳、缘竿、弄枕珠、大面、拨头、窟礧子,及幻伎激水化鱼龙、秦王卷衣、筴鼠、夏育扛鼎、巨象行乳、神龟负岳、桂树白雪、画地成川之类。……贞观二十三年十二月,诏诸州散乐,太常上者留二百人,余并放还。"按"弄枕珠"《旧唐书》音乐志二作"弄椀珠","筴鼠"作"竿鼠"。

本年

娄师德等八人进士及第,王师旦知贡举。见《登科记考》卷一。

卢照邻北上洹水,就王义方受学。《旧唐书》文苑上卢照邻传:"年十余岁,就曹宪、王义方受《苍》、《雅》及经史。"卢照邻《释疾文·粤若》:"余幼服此殊惠兮,遂阅礼而闻诗。于是裹粮寻师,褰裳访古,探旧篆于南越,得遗书于东鲁,意有缺而必刊,简无文而咸补。入陈适卫,百舍不厌其栖遑;累茧重胝,千里不辞于劳苦。"《旧唐书》忠义上王义方传:"贞观二十三年,改授洹水丞。"按洹水县属河北道相州,为古鲁卫交界之地,卢照邻"得遗书于东鲁"、"入陈适卫"云云,即指其本年或稍后由扬州赴洹水就学于王义方之事。详见张志烈《初唐四杰年谱》贞观二十三年卢照邻条。

苏味道(649—705)生。苏味道,赵州栾城人。少与乡人李峤俱以文辞知名,时称"苏李"。弱冠举进士,累转咸阳尉。裴行俭引为管记。延载元年,历迁凤阁舍人、检校侍郎、同平章事。出为集州刺史,俄召拜天官侍郎。圣历初,复迁凤阁侍郎、同凤阁鸾台三品。神龙初,坐张易之党贬眉州刺史。俄迁益州长史,未行而卒。有《苏味道集》十五卷。据《旧唐书》本传,参陈冠明《苏味道年谱》。

薛稷(649—713)生。薛稷,字嗣通,蒲州汾阴人。进士擢第,累迁中书舍人。景龙末,为谏议大夫、修文馆学士。睿宗立,累拜中书侍郎、参知政事。罢为左散骑常侍,历工部、礼部二尚书,除太子少保。及窦怀贞谋逆被诛,坐知谋不报,赐死狱中。有《薛稷集》三十卷。据《旧唐书》薛收附薛稷传。

贞观年间

刘伯庄撰《史记音义》二十卷。司马贞《史记索隐序》:"贞观中,谏议大夫、崇贤馆学士刘伯庄达学宏才,钩深探赜,又作《音义》二十卷。"《旧唐书》儒学上刘伯庄传:"贞观中,累除国子助教。与其舅太学博士侯孝遵齐为弘文馆学士,当代荣之。寻迁国子博士,其后又与许敬宗等参修《文思博要》及《文馆词林》。龙朔中,兼授崇贤馆学士。撰《史记音义》、《史记地名》、《汉书音义》各二十卷,行于代。"

秦景通任太子洗马,与其弟昄皆精《汉书》,声名籍甚。《旧唐书》儒学上本传:"秦景通,常州晋陵人也。与弟昄尤精《汉书》,当时习《汉书》者皆宗师之,常称景通为大秦君,昄为小秦君。若不经其兄弟指授,则谓之'不经师匠,无足采也'。景通,贞观中累迁太子洗马,兼崇贤馆学士。"

公元 650 年 (唐高宗永徽元年 庚戌)

正月

辛丑朔,改元永徽。见《通鉴》卷一九九。

十一月

褚遂良罢中书令,左迁同州刺史。《通鉴》卷一九九:"己未,监察御史阳武韦思谦劾奏中书令褚遂良抑买中书译语人地。……是日,左迁遂良为同州刺史。"

本年

刘子翼(—650?)**卒。**《旧唐书》刘祎之传:"父子翼……再迁著作郎、弘文馆直学士,永徽初卒。……有集二十卷。"《旧唐书》经籍志下:"《刘子翼集》十卷。"《新唐书》艺文志四:"《刘子翼集》二十卷。"

徐惠(627—650)**卒,年二十四。**《旧唐书》后妃上贤妃徐氏传:"永徽元年卒,时年二十四,诏赠贤妃。"《载酒园诗话又编·徐贤妃》:"'一朝歌舞荣,凤昔诗书贱',岂徒宫闱中,士之变塞者类然也。此语殆参透人情。"又云:"贤妃诗饶有气骨,殆非上官婉儿可比。"

令狐德棻受诏撰定律令,又监修《五代史志》。《旧唐书》本传:"永徽元年,又受诏撰定律令,复为礼部尚书,兼弘文馆学士,监修国史及《五代史志》。寻迁太常卿,兼弘文馆学士。"

薛元超迁给事中、中书舍人,与上官仪俱以文学蒙高宗恩赏。《薛元超墓志》:"永徽纂历,加朝散大夫,迁给事中,时年廿六。寻迁中书舍人、弘文馆学士,兼修国史,仍与上官仪同入阁供奉,从容朝制,肃穆图书。清晨入龙凤之池,薄暮下麒麟之阁。东京辞赋,孟坚共武仲齐名;西国文儒,刘向与王褒并进。"按本年薛元超年二十八,

《墓志》之"廿六"是"廿八"之误。

新罗女王金真德织锦作五言诗《太平颂》。《旧唐书》东夷新罗传:"永徽元年,真德大破百济之众,遣其弟法敏以闻。真德乃织锦作五言《太平颂》以献之,其词曰:……帝嘉之,拜法敏为太府卿。"

张文琮献《太宗文皇帝颂》,高宗褒美之。《旧唐书》张文琮传:"永徽初,表献《太宗文皇帝颂》,优制褒美,赐绢百匹,征拜户部侍郎。"

敬播拜著作郎,与许敬宗等撰《西域图》。见《旧唐书》儒学上敬播传。

民间唱《桑条歌》、《武媚娘歌》。《朝野佥载》卷一:"永徽年以后,人唱《桑条歌》云:'桑条韦,女韦也乐。'至神龙年中,逆韦应之。谄佞者郑愔作《桑条乐词》十余首进之,逆韦大喜,擢之为吏部侍郎,赏缣百匹。"又:"永徽后,天下唱《武媚娘歌》,后立武氏为皇后。"

沧州百姓以歌颂刺史薛大鼎之美政。《旧唐书》食货志下:"永徽元年,薛大鼎为沧州刺史,界内有无棣河,隋末填废。大鼎奏开之,引鱼盐于海。百姓歌之曰'新河得通舟楫利,直达沧海鱼盐至。昔日徒行今骋驷,美哉薛公德滂被!'"

王勃(650—676)**生。**王勃,字子安,绛州龙门人。文中子王通孙。六岁解属辞,年未及冠,应幽素举及第,授朝散郎。乾封初,沛王李贤召为侍读。以戏撰《檄周王鸡文》,为高宗所斥,客剑南。久之,补虢州参军,坐事除名。往交趾省父,渡海溺水,惊悸而卒。有《王勃集》三十卷。据杨炯《王勃集序》、《旧唐书》文苑上本传、《唐才子传校笺》卷一王勃传笺。

杨炯(650—694?)**生。**杨炯,华阴人,幼聪敏博学,善属文。十岁应神童举,待制弘文馆。后应制举,补校书郎。迁太子詹事司直,充崇文馆学士。武后时,左转梓州司曹参军。秩满调入,选授盈川令,卒于官。有《盈川集》三十卷。据杨炯《浑天赋》序、《旧唐书》文苑上杨炯传、《唐才子传校笺》卷一杨炯传笺。

公元 651 年 （唐高宗永徽二年 辛亥）

七月

己巳,于志宁拜尚书左仆射、同中书门下三品。见《旧唐书》高宗纪上。

本年

高宗诏于志宁等刊正《五经正义》。《新唐书》儒学上孔颖达传:"初,颖达……受诏撰《五经》义训凡百余篇,号《义赞》,诏改为《正义》云。……高宗永徽二年,诏中书门下与国子三馆博士、弘文馆学士考正之,于是尚书左仆射于志宁、右仆射张行成、侍中高季辅就加增损,书始布下。"

卢照邻入长安,以文笔游公卿间。卢照邻《南阳公集序》:"余早游西镐,及周史之阙文。"《释疾文·粤若》:"既而屠龙适就,刻鹄初成,下笔则烟飞云动,落纸则鸾回凤惊。通李膺而窃价,造张华而假成。郭林宗闻而心服,王夷甫见而神倾。俯仰谈笑,顾盼纵横,自谓明主以令仆相待,朝廷以黄散为轻。"照邻后年授邓王府典签,其入长安干谒名公巨卿当在本年前后，姑系于此。

刘希夷（651—679?）生。刘希夷，一名庭芝，或曰字庭芝，汝州人。高宗上元二年进士及第，时年二十五。后为奸人所杀，卒年不可确考，或曰年未及三十而卒。善为从军、闺情之诗，词调哀苦。有《刘希夷集》十卷、《刘希夷诗集》四卷。据《大唐新语》卷八、《旧唐书》乔知之附刘希夷传、《唐才传校笺》卷一。

姚崇（651—721）生。姚崇，本名元崇，字元之，陕州硖石人。应下笔成章举，授濮州司仓。五迁夏官郎中。则天奇其才，超迁夏官侍郎，寻同凤阁鸾台平章事。中宗朝，出为亳、常等州刺史。睿宗立，召拜兵部尚书、同中书门下三品，进中书令。后复出为州刺史。玄宗先天中，召为兵部尚书，同中书门下三品，迁紫微令，进封梁国公。开元四年，授开府仪同三司，罢知政事。九年卒，谥文献。有《姚崇集》十卷。据《旧唐书》本传。

公元 652 年　（唐高宗永徽三年　壬子）

二月

高宗观百戏，自言欲以观人情风俗，非为声乐。《通鉴》卷一九九："二月，甲寅，上御安福门楼，观百戏。乙卯，上谓侍臣曰：'昨登楼，欲以观人情及风俗奢俭，非为声乐。朕闻胡人善为击鞠之戏，尝一观之。昨初升楼，即有群胡击鞠，意谓朕笃好之也。帝王所为，岂宜容易。朕已焚此鞠，冀杜胡人窥望之情，亦因以为诫。'"

十一月

房遗爱贬房州刺史，张文琮赋诗饯之。《旧唐书》张文琮传："从母弟房遗爱以罪贬房州刺史，文琮作诗祖饯。"据《通鉴》卷一九九，房遗爱本年十一月出为房州刺史。

十二月

李泰（618—652）卒，年三十五。《旧唐书》高宗纪上："十二月癸巳，濮王泰薨。"同书太宗诸子濮王泰传："（贞观）二十一年，进封濮王。……永徽三年，薨于郧乡，年三十有五，赠太尉、雍州牧，谥曰恭。文集二十卷。"《新唐书》艺文志四："《濮王泰集》二十卷。"

本年

王无竞（652—705）生。王无竞，字仲烈，东莱人。应下笔成章举及第，授赵州栾城尉。累迁殿中侍御史，左迁太子舍人，旋贬苏州司马。神龙初，坐党张易之兄弟，再贬岭南，卒。《全唐诗》录其诗 5 首。生平事迹据《旧唐书》文苑中阎朝隐附王无竞传、孙逊《太子舍人王公墓志铭》。

公元653年 （唐高宗永徽四年 癸丑）

二月

十四日，长孙无忌上《五经正义》。长孙无忌《进五经正义表》："永徽四年二月十四日，太尉、扬州都督、上柱国、[赵国]公臣无忌等上。"

三月

壬子朔，颁《五经正义》于天下，每年明经依此考试。见《旧唐书》高宗纪上。

十月

唐临撰《冥报记》成。《全唐文补编》卷七唐临《冥报记序》："昔晋高士谢敷、宋尚书令傅亮、太子中舍人张演、齐司徒［从］事中郎陆杲，或一时令望，或当代名家，并录《观世音应验记》，及齐竟陵王萧子良作《宣验记》、王琰作《冥祥记》，皆所以征明善恶，实使闻者深心感悟。临既慕其风旨，亦思以劝人，辄录所闻，集为此记，仍具陈所受及闻见由缘，言不饰文，事专扬确，庶人见者，能留意焉。"据岑仲勉《唐唐临〈冥报记〉之复原》（载《岑仲勉史学论文集》）考证，《冥报记》当撰成于本年十一月前，今从其说，系于此。《新唐书》艺文志三："唐临《冥报记》二卷。"

十一月

长孙无忌进《唐律疏议》，诏颁天下。《唐会要》卷三九："至三年五月诏：律学未有定疏，每年所举明法，遂无凭准，宜广召解律人条《义疏》奏闻。仍令中书门下监定参撰《义疏》，成三十卷，太尉长孙无忌……等同撰。四年十月九日上之，诏颁于天下。"长孙无忌《进律疏议表》云"永徽四年十一月十九日进"，《旧唐书》高宗纪上作十一月"颁新律疏于天下"。此从《进律疏议表》及《旧纪》，参见杨廷福《唐律疏议制作年代考》，载《文史》第五辑。《新唐书》艺文志二："《律疏》三十卷，无忌、李勣、于志宁、刑部尚书唐临、大理卿段志玄、尚书右丞刘燕客、御史中丞贾敏行等奉诏撰，永徽四年上。"

本年

赵弘智（572—653）卒，年八十二。《旧唐书》孝友本传："永徽初，累转陈王师……寻迁国子祭酒，仍兼崇贤馆学士。四年卒，年八十二，谥曰宣，有文集二十卷。"《新唐书》艺文志四："《赵弘智集》二十卷。"

张文琮（？—653?）卒。《旧唐书》本传："及遗爱诛，坐是出为建州刺史。州境素尚淫祀，不修社稷，文琮下教书曰：……于是示其节限条例，百姓欣而行之。寻卒，文集二十卷。"据《旧唐书》高宗纪上，房遗爱本年二月伏诛，张文琮之卒当在本年或稍后，姑系于此。《新唐书》艺文志四："《张文琮集》二十卷。"

卢照邻拜邓王府典签，供职寿州。《朝野佥载》卷六："卢照邻字什之，范阳人。弱冠拜邓王府典签，王府书记一以委之。王有书十二车，照邻总披览，略能记忆。"《旧唐书》文苑上卢照邻传："初授邓王府典签，王甚爱重之，曾谓群官曰：'此即寡人相如也。'"卢照邻《释疾文·粤若》："及观国之光，利用宾王，谒龙旂于武帐，挥凤藻于文昌。"即指为邓王僚属事。本年卢照邻年约二十，其为邓王府典签当在此时。《旧唐书》高祖二十二子邓王元裕传："（贞观）十一年，改封邓王。……元裕好学，善谈名理，与典签卢照邻为布衣之交。……高宗时，又历寿、襄二州刺史、兖州都督。麟德二年薨。"本年邓王当在寿州刺史任，卢照邻亦当随之在寿州。照邻《五悲·悲昔游》："自言少年游宦，来从北燕，淮南芳桂之岭，岘北明珠之川。"淮南即指寿州。

崔融（653—706）生。崔融，字安成，齐州全节人。登词殚文律科，补宫门丞，兼崇文馆学士。武后朝，授著作佐郎，迁右史、著作郎，进凤阁舍人。左授婺州长史，召为春官郎中，再迁凤阁舍人，改司礼少卿。中宗立，坐附张易之兄弟，贬袁州刺史。寻召拜国子司业。以撰《则天哀册文》用思精苦，发病卒。有《崔融集》六十卷。据《旧唐书》本传。

公元 654 年 （唐高宗永徽五年 甲寅）

正月

褚遂良奉旨写《阴符经序》一百二十卷。《八琼室金石补正》卷三五："《褚书〈阴符经序〉》。《阴符经序》，文不录；录其尾款于左：'大唐永徽五年岁次甲寅正月初五日奉旨造。尚书右仆射、监修国史、上柱国、河南郡［公］臣褚遂良奉旨写一百廿卷。'"

三月

高宗幸万年宫，亲撰宫铭。《唐会要》卷三〇："永徽二年九月八日，改九成宫为万年宫。……五年三月，幸万年宫。……乃亲制《万年宫铭并序》七百余字。群臣请刊石建于永光门，从之。"

五月

刊《万年宫铭》于石碑，褚遂良、薛元超等并刻名碑阴。《金石萃编》卷五〇《万年宫铭》，署"永徽五年岁次甲寅五月景午朔十五日庚申建"。碑阴题名有太尉、扬州都督、监修国史长孙无忌，尚书右仆射、监修国史褚遂良，黄门侍郎、护军、颍川县开国男韩□（瑗），中书侍郎、监修国史来济，卫尉卿、高阳县开国公许敬宗，中书舍人、监修国史、弘文馆学士李义府，秘书监、驸马都尉、柱国长孙冲，中书舍人、弘文馆学士薛元超，太子洗马、学士上官仪。上官仪《酬薛舍人万年宫晚景寓直怀友》当作于此时。

秋

骆宾王赴京应举。骆宾王《畴昔篇》："少年重英侠，弱岁贱衣冠。既托寰中赏，方承膝下欢。"《夏日游德州赠高四诗》序："太夫人在堂，义须奉檄，因仰长安而就日，赴常乡以望云。"知其当于"弱岁"即二十岁时西行赴京。行前骆宾王有《上瑕丘韦明府启》、《上郭赞府启》以求荐送。前启云："属以蚕秋应节，雁序届时……不揉雕朽之材，窃冀迁乔之路。"知时在秋季。参张志烈《初唐四杰年谱》本年骆宾王条。

十二月

李贤（655—684）生。《旧唐书》高宗纪上："戊午，发京师谒昭陵，在路生皇子贤。"李贤之生年有歧说，此从《旧纪》；又其生年以公历计已在来年。李贤，字明允，高宗第六子。始封潞王，徙封沛王、雍王。上元二年，立为皇太子，寻令监国。武后忌其才望，废为庶人。迁巴州，被逼自杀。睿宗即位，追谥章怀太子。尝集诸儒注《后汉书》。《全唐诗》录其诗一首。据《旧唐书》高宗中宗诸子本传。

本年

萧德言（558—654）卒，年九十七。《旧唐书》本传："（贞观）十七年，拜秘书少监。……二十三年，累表请致仕，许之。……永徽五年卒于家，年九十七。……有文集三十卷。"同书经籍志下："《萧德言集》三十卷。"《新唐书》艺文志四："《萧德言集》二十卷。"

公元 655 年 （唐高宗永徽六年 乙卯）

三月

武昭仪著《内训》一篇。《旧唐书》高宗纪上："壬午，昭仪武氏著《内训》一篇。"

九月

褚遂良以谏立武昭仪为后，贬授潭州都督。《旧唐书》高宗纪上："九月庚午，尚书右仆射、河南郡公褚遂良以谏立武昭仪，贬授潭州都督。"

十月

武昭仪立为皇后。《旧唐书》高宗纪上："冬十月己酉，废皇后王氏为庶人，立昭仪武氏为皇后，大赦天下。"

本年

薛元超任黄门侍郎。《旧唐书》薛收附薛元超传："永徽五年，丁母忧解，明年起授黄门侍郎，兼检校太子左庶子。"

王勃六岁，以能文为杜易简所称。《旧唐书》文苑传上本传："勃六岁解属文，构思无滞，词情英迈，与兄勔、勮，才藻相类。父友杜易简常称之曰：'此王氏三珠树也。'"按，杜易简为杜审言从祖兄。

公元656年 （唐高宗显庆元年 丙辰）

正月

壬申，改元显庆。见《旧唐书》高宗纪上。

于志宁等奉敕润色玄奘所定佛经。《旧唐书》方伎僧玄奘传："显庆元年，高宗又令左仆射于志宁、侍中许敬宗、中书令来济、李义府、杜正伦、黄门侍郎薛元超等，共润色玄奘所定之经，国子博士范义硕、太子洗马郭瑜、弘文馆学士高若思等，助加翻译。"《大慈恩寺三藏法师传》卷八记此于本年正月。

诏禁幻戏。《唐会要》卷三四："显庆元年正月，御安福门，观大酺，有伎人欲持刀自刺，以为幻戏，诏禁之。"同书卷三三："自汉武帝，幻伎始入中国，其后或有或亡。至国初通西域，复有之。高宗恶其惊俗，敕西域关津，不令入中国。"

二月

诏改《破阵乐》为《神功破阵乐》。见《旧唐书》高宗纪上。《唐会要》卷三三记此于本年正月十五日，此从《旧纪》。

五月

长孙无忌进《五代史志》三十卷，许敬宗进《东殿新书》二百卷。《旧唐书》高宗纪上："五月己卯，太尉长孙无忌进史官所撰梁、陈、周、齐、隋《五代史志》三十卷。弘文馆学士许敬宗进所撰《东殿新书》二百卷，上自制序。"《唐会要》卷六三："显庆元年五月四日，史官修梁、陈、齐、周、隋《五代史（志）》三十卷，太尉无忌进之。"《新唐书》艺文志三："《东殿新书》二百卷。许敬宗、李义府奉诏于武德内殿修撰。其书自《史记》至《晋书》删其烦辞。龙朔元年上，高宗制序。"《唐会要》卷三六："显庆元年十月，诏礼部尚书、弘文馆学士许敬宗等修《东殿新书》。上曰：'略看数卷，全不如抄撮文书，又日月复浅，岂不是卿等用意至此？'因亲制序四百八十字。"按诸书所记《东殿新书》修成时间有异，当以《旧纪》为是，《新志》"龙朔元年"当为"显庆元年"之误，《会要》之"十月"疑为"五月"之讹，参本年薛元超条。又《五代史志》即《隋书》十志，其经籍志四论历代之文云："文者，所以明言也。古者登高能赋，山川能祭，师旅能誓，丧纪能诔，作器能铭，则可以为大夫。言其因物骋辞，情灵无拥者也。唐歌虞咏，商颂、周雅，叙事缘情，纷纶相袭，自斯以降，其道弥繁。世有浇淳，时移治乱，文体变迁，邪正或殊。宋玉、屈原，激清风于南楚，严、邹、枚、马，陈盛藻于西京，平子艳发于东都，王粲独步于漳、滏。爰逮晋氏，见称潘、陆，并黼藻相辉，宫商间起，清辞润乎金石，精义薄乎云天。永嘉已后，玄风既扇，辞多平淡，文寡风力。降及江东，不胜其弊。宋、齐之世，下逮梁初，灵运高致之奇，延年错综之美，谢玄晖之藻丽，沈休文之富溢，辉焕斌蔚，辞义可观。梁简文之在东宫，亦好篇什，清辞巧制，止乎衽席之间，雕琢蔓藻，思极闺闱之内。后生好事，递相放习，朝野纷纷，号为宫体。流宕不已，讫于丧亡。陈氏因之，未能全变。其中原则兵乱积年，文章道尽。后魏文帝，颇效属辞，未能变俗，例皆淳古。齐宅漳滨，辞人间起，高言累句，纷纭络绎，清辞雅致，是所未闻。后周草创，干戈不戢，君臣戮力，事事经营，风流文雅，我则未暇。其后南平汉、沔，东定河朔，讫于有隋，四海一统，采荆南之杞梓，收会稽之箭竹，辞人才士，总萃京师。属以高祖少文，炀帝多忌，当路执权，递相挤压。于是握灵蛇之珠，韫荆山之玉，转死沟壑之内者，不可胜数，草泽怨刺，于是兴焉。古者陈诗观风，斯亦所以关乎盛衰者也。班固有《诗赋略》，凡五种，今引而伸之，合为三种，谓之集部。"又论附道、佛经云："道、佛者，方外之教，圣人之远致也。俗士为之，不通其诣，多离以迂怪，假托变幻乱于世，斯所以为弊也。故中庸之教，是所罕言，然亦不可诬也。故录其大纲，附于四部之末。"

七月

三日，长孙无忌等撰国史成。《唐会要》卷六三："显庆元年七月三日，史官太尉无忌、左仆射于志宁、中书令崔敦礼、国子祭酒令狐德棻、中书侍郎李义府、崇贤学士刘允之、著作郎杨仁卿、起居郎李延寿、秘书郎张文恭等修国史成，起义宁，尽贞观末，凡八十一卷，藏其书于内府。"《旧唐书》长孙无忌传作"八十卷"。

八月

王义方擢侍御史，以奏弹李义府贬莱州司户。《新唐书》王义方传："显庆元年，擢侍御史。不再旬，会李义府纵大理因妇淳于，迫其丞毕正义缢死……义方即上言：……"《通鉴》卷二〇〇："李义府恃宠用事。……侍御史涟水王义方欲奏弹之……上释义府不问，而谓义方毁辱大臣，言辞不逊，贬莱州司户。"

九月

武后制《外戚诫》。见《旧唐书》高宗纪上。

本年

阎立德（？—656）卒。《旧唐书》本传："显庆元年卒，赠吏部尚书、并州都督。"《历代名画记》卷九："阎立德，父毗，在隋以丹青知名，与弟立本俱传家业。

……官至工部尚书，封大安县公。显庆元年赠吏部尚书、并州都督，谥曰康（《文成公主降蕃图》、《玉华宫图》、《斗鸡图》并传代）。"又："李嗣真云：博陵、大安，难兄难弟。自江左陆、谢云亡，北朝子华长逝，象人之妙，号为中兴。至若万国来庭，奉涂山之玉帛，百蛮朝贡，接应门之位序，折旋矩度，端簪奉笏之仪，魁诡谲怪，鼻饮头飞之俗，尽该毫末，备得人情。"

薛元超在黄门侍郎任，荐王义方等人，旋出为饶州刺史。《薛元超墓志》："卅二，丁太夫人忧，哭辄呕血。有敕慰谕，起为黄门侍郎，累表后拜。……修《东殿新书》成，进爵为侯，赐物七百段，敕与许敬宗润色玄奘法师所译经论。疏荐高智周、任希古、王义方、顾胤、郭正一、孟利贞等有材干。……卅四，出为饶州刺史。"《唐会要》卷七五："永徽元年，中书舍人薛元超好汲引寒微，尝表荐任希古、高智周、郭正一、王义方、孟利贞十余人，时论称美。"按薛元超受敕润色玄奘所译经论事在本年正月，《东殿新书》之修成在本年五月，均已见前，据《墓志》所述，其举荐高智周等人亦当在本年，王义方本年擢侍御史或即为元超所荐，则《唐会要》之"永徽元年"当是"显庆元年"之误。又薛元超本年三十四岁，故其出为饶州刺史亦在本年。

郎余令撰《孝子后传》以献皇太子。《旧唐书》儒学下郎余令传："余令少以博学知名，举进士。初授霍王元轨府参军。数上词赋，元轨深礼之。……孝敬在东宫，余令续梁元帝《孝德传》，撰《孝子后传》三十卷以献，甚见嗟重。"孝敬即代王李弘，本年正月立为皇太子，上元二年（675）卒，追谥孝敬皇帝。郎余令撰《孝子后传》当在本年或稍后，姑系于此。

宋之问（656？—712）生。宋之问，一名少连，字延清，虢州弘农人。进士擢第，授洛州参军，迁尚书监丞、左奉宸内供奉。坐阿附张易之兄弟，贬泷州参军。遇赦还，授鸿胪主簿，转户部员外郎，兼修文馆直学士。景龙中迁考功员外郎，知贡举。太平公主疾之，贬越州长史。睿宗即位，配徙钦州。先天初，赐死于徙所。有《宋之问集》十卷。据《旧唐书》文苑中本传、《唐才子传校笺》卷一宋之问传笺及补笺。

郭震（656—713）生。郭震字元振，以字显，魏州贵乡人。举进士，擢第，授通泉尉。武后奇其才，授右武卫铠曹参军。以军功累迁凉州都督。中宗神龙中，迁左骁卫将军、安西大都护。睿宗立，召为太仆卿，进同中书门下三品。先天元年，为朔方军大总管。次年，以兵部尚书复同中书门下三品，封代国公。及玄宗讲武骊山，坐军容不整，流新州。寻起为饶州司马，道病卒。有《郭元振集》二十卷。据《旧唐书》郭元振传、张说《兵部尚书代国公赠少保郭公行状》。

沈佺期（656？—714）生。沈佺期，字云卿，相州内黄人。进士及第。武后朝累迁通事舍人，转考功员外郎，迁给事中。中宗立，坐阿附张易之，流驩州。遇赦归，授起居郎，加修文馆直学士。后历中书舍人、太府少卿、太子少詹事，卒。有《沈佺期集十卷》。据《旧唐书》文苑中本传、《唐才子传校笺》卷一。

公元 657 年　（唐高宗显庆二年　丁巳）

正月

庚寅，高宗幸洛阳。见《旧唐书》高宗纪上。

三月

李义府进为中书令，杜正伦兼度支尚书。《旧唐书》高宗纪上："三月甲子，中书侍郎李义府为中书令兼检校御史大夫，黄门侍郎杜正伦兼度支尚书，依旧同中书门下三品。"

六月

高宗撰《元首》等论，许敬宗等注释之。《唐会要》卷三六："二年六月，上制《元首》、《前星》、《维城》、《股肱论》，令许敬宗等注释，名曰《天训》。"

八月

许敬宗、李义府希武后旨奏贬韩瑗、来济、褚遂良等，敬宗以功迁侍中。《旧唐书》高宗纪上："八月丁卯，侍中、颍川县公韩瑗左授振州刺史，中书令兼太子詹事、南阳侯来济左授台州刺史，皆坐谏立武昭仪为皇后，救褚遂良之贬也。礼部尚书、高阳郡公许敬宗为侍中，以立武后之功也。"《通鉴》卷二○○："许敬宗、李义府希皇后旨，诬奏侍中韩瑗、中书令来济与褚遂良潜谋不轨，以桂州用武之地，授遂良桂州都督，欲以为外援。八月，丁卯，瑗坐贬振州刺史，济贬台州刺史，终身不听朝觐。又贬褚遂良为爱州刺史，容州刺史柳奭为象州刺史。"

十月

高宗讲武于许、郑之郊，作《大唐纪功颂》。《金石萃编》卷五二《大唐纪功颂并序》，前题"御制御书"，后署"显庆四年岁次己未八月乙巳朔十五日□□建"。王昶引《中州金石记》跋云："高宗过郑州，见先皇擒窦建德故地，故缅想功业，因立此碑也。碑文甚宏丽，字亦奇伟。"又自加按语云："此碑文凡二千二百余字，阙者不及三十字，余俱完善可读也。碑立于显庆四年八月十五日。《旧唐书》高宗本纪：显庆二年正月幸洛阳，十月戊戌亲讲武于许、郑之郊，曲赦郑州。遣使祭郑大夫国侨、汉太邱陈寔墓。则高宗之过郑州撰文纪功当在是时。碑文有'九冬狩晚，讲武许、郑'二语可证。其四年八月乃立石之时也。"

十二月

改洛阳宫为东都。《旧唐书》高宗纪上："丁卯，手诏改洛阳宫为东都，洛州官员阶品并准雍州。"

本年

杜正伦尝因夜直，与董思恭论文章之事。《新唐书》杜正伦传："正伦工属文，尝与中书舍人董思恭夜直，论文章。思恭归，谓人曰：'与杜公评文，今日觉吾文顿进。'"杜正伦明年以与李义府不协贬横州刺史，其与董思恭论文当在本年或稍前，姑系此。

卢照邻奉邓王命出使至益州，有诗作。卢照邻有《文翁讲堂》、《相如琴台》、《石镜寺》等诗，均写成都名胜，当本年出使益州时所作。参见李云逸《关于卢照邻生平的若干问题》，载《西北大学学报》1988 年第 2 期。

苏味道九岁，与李峤并有文名。《新唐书》苏味道传："九岁能属辞，与里人李峤俱以文翰显，时号'苏李'。"

李乂（657—716）生。李乂本名尚真，一云字尚真，赵州房子人。进士擢第，景龙中累迁中书舍人，知制诰凡数载。景云初进吏部侍郎，寻转黄门侍郎，封中山郡公。开元初，为紫微侍郎，俄拜刑部尚书，卒。有《李乂集》五卷，又与兄尚一、尚贞有合集《李氏花萼集》二十卷。据《旧唐书》本传、苏颋《唐紫微侍郎赠黄门监李乂神道碑》、《故刑部尚书中山李公诗法记》。

公元 658 年 （唐高宗显庆三年 戊午）

二月

高宗自东都还长安。见《旧唐书》高宗纪上。

三月

卢照邻离蜀赴京，途中有诗作；至京后旋赴襄州，仍任职邓王府。卢照邻《奉使益州至长安发钟阳邑》："跻险方未夷，乘春聊骋望。落花赴丹谷，奔流下清嶂。"当本年暮春自蜀赴京途经钟阳邑时作。高宗《册邓王元裕襄州刺史文》："维显庆三年岁次戊午正月甲申朔二十八日辛亥，皇帝若曰：……寿州刺史、上柱国、邓王元裕……是用命尔为使持节襄州诸军事、襄州刺史，王及勋官如故。"邓王既已为襄州刺史，卢照邻至长安后当旋赴襄州，其《五悲·悲昔游》云："少年游宦……岘北明珠之川"，岘北即指襄州。

五月

遣使访吐火罗等国之风俗物产及古今废置，后史官撰成《西域图志》六十卷。《唐会要》卷三六："其年五月九日，以西域平，遣使分往康国及吐火罗等国，访其风俗物产及古今废置，画图以进。令史官撰《西域图志》六十卷，许敬宗监领之。书成，学者称其博焉。"

九月

李善上《文选注》六十卷。《文选》卷首李善《上文选注表》："臣善言：窃以道光九野，缛景纬以照临；德载八埏，丽山川以错峙。垂象之文斯著，含章之义聿宣。协人灵以取则，基化成而自远。故羲绳之前，飞葛天之浩唱；娲簧之后，掞丛云之奥词。步骤分途，星躔殊建；球钟愈畅，舞咏方滋。楚国词人，御兰芬于绝代；汉朝才子，综鞶悦于遥年。虚玄流正始之音，气质驰建安之体。长离北度，腾雅咏于圭阴；化龙东鹜，煽风流于江左。爰逮有梁，宏才弥劭。昭明太子……搴中叶之词林，酌前修之笔海。……故撰斯一集，名曰《文选》。后进英髦，咸资准的。……臣……握玩斯文，载移凉燠；有欣永日，实昧通津。故勉十舍之劳，寄三余之暇，弋钓书部，愿言注辑，合成六十卷。杀青甫就，轻用上闻。享帚自珍，缄石知谬。敢有尘于广内，庶无遗于小说。谨诣阙奉进，伏愿鸿慈，曲垂照览。谨言。显庆三年九月日上表。"文前署"文林郎守太子右内率府录事参军崇贤馆直学士臣李善"。《旧唐书》儒学上曹宪附李善传："明庆（按即显庆，避中宗讳改）中，累补太子内率府录事参军、崇贤馆学士，兼沛王侍读。尝注解《文选》，分为六十卷，表上之，赐绢一百二十匹，诏藏于秘阁。除潞王府记室参军。"按沛王、潞王均指李贤，永徽六年正月封潞王，龙朔元年九月徙封沛王，见《旧唐书》高宗纪上，知李善显庆中不得为沛王侍读，《旧传》所记有误。参龙朔元年九月条。

十月

许敬宗等撰《文馆词林》一千卷成，上之。《唐会要》卷三六："十月二日，许敬宗修《文馆词林》一千卷，上之。"《新唐书》艺文志四："《文馆词林》一千卷，许敬宗、刘伯庄等撰。"又："崔玄暐训注《文馆词林策》二十卷。"艺文志二："许敬宗《文馆词林文人传》一百卷。"按《文馆词林》今存残卷若干，日本古典研究会昭和四年（1969）版《影弘仁本〈文馆词林〉》辑得三十卷（卷次不明及残简亦按一卷计），为目前最善之版本，罗国威《日藏弘仁本文馆词林校证》即据此本整理，参见该书前言及凡例。

太常丞吕才新定《白雪曲》，又以高宗君臣所赋《白雪诗》为歌词。《唐会要》卷三三："显庆二年，以琴中雅曲，古人歌之，近代以来，此声顿绝，令所司修习旧曲。至三年十月八日，太常丞吕才奏：'按张华《博物志》云：《白雪》是天帝使素女鼓五十弦琴曲。……臣令（今）准敕，依仿琴中旧曲，定其宫商，然后教习，并合于歌。辄以御制《雪诗》为《白雪歌词》。又按古今乐府，奏正曲之后，皆别有声，君倡臣和，事彰前史，辄取侍中许敬宗等奉和《雪诗》十六首以为送声，各十六节。'上善之，仍付太常，编于乐府。"

十一月

杜正伦坐与李义府不协，贬横州刺史，义府贬普州刺史。《旧唐书》高宗纪上：

"冬十一月乙酉，兼中书令、皇太子宾客兼检校御史大夫、河间郡公李义府左授普州刺史，兼中书令、皇太子宾客、襄阳郡公杜正伦左授横州刺史。"

冬

骆宾王参选，为道王府属。《新唐书》文艺上王勃附骆宾王传："初为道王府属。"骆宾王何时为道王府属史籍未载，据考，当在本年冬，参张志烈《初唐四杰年谱》本年骆宾王条。

本年

崔禹锡等十七人进士及第。见《登科记考》卷二。

萧钧（？—658?）卒。《旧唐书》萧瑀附萧钧传："钧寻为太子率更令，兼崇贤馆学士。显庆中卒。所撰《韵旨》二十卷，有集三十卷行于代。"《新唐书》艺文志四："《萧钧集》三十卷。"

王玄策撰《中天竺国行记》十卷，《中天竺国图》三卷。《历代名画记》卷三著录《中天竺国图》，有注云："有《行记》十卷，《图》三卷，明庆三年王玄策撰。"《新唐书》艺文志二："王玄策《中天竺国行记》十卷。"

王勃九岁，读颜师古注《汉书》，撰《指瑕》十卷。见杨炯《王勃集序》。

张鷟（658?—730）生。张鷟，字文成，深州陆泽人。上元二年进士擢第，后复连登制科，历襄乐尉、御史、长安尉、鸿胪寺丞等职。开元初，为人所劾，贬岭南。起为龚州长史，官终司门员外郎。有《朝野佥载》六卷、《龙筋凤髓判》四卷传世。据《朝野佥载》卷一、三、五、六及新、旧《唐书》张荐传，参赵守俨《张鷟和〈朝野佥载〉》（载《文史》第八辑）。

公元659年 （唐高宗显庆四年 己未）

二月

五日，许敬宗等撰贞观二十三年以来之《实录》成，高宗以为所记多不实。《唐会要》卷六三："至四年二月五日，中书令许敬宗、中书侍郎许圉师、太史令李淳风、著作郎杨仁卿、著作郎顾胤，受诏撰贞观二十三以后至显庆三年《实录》，成二十卷，添成一百卷，上以敬宗所记，多非实录。"

高宗亲策试举人，张昌宗、崔行功等五人登上第。《旧唐书》高宗纪上："四年春二月乙亥，上亲策试举人，凡九百人，惟郭待封、张九龄五人居上第，令待诏弘文馆，随仗供奉。"《册府元龟》卷六四三："高宗显庆四年二月，引诸色目举人谒见，下诏策问之，凡九百人，唯李巢、张昌宗、秦相如、崔行功、郭待封五人为上第。"按张九龄生于高宗仪凤三年（678），见后，《旧纪》之"张九龄"当为"张昌宗"之误。《旧唐书》文苑上张昌龄传："兄昌宗，亦有学业，官至太子舍人、修文馆学士，撰《古文纪年新传》三十卷。"盖以张昌宗误为张昌龄，又以张昌龄误为张九龄也。

进士试及第二十三人，试《关内父老迎驾表》、《贡士箴》。见《登科记考》卷二。

吕才撰《隋纪》二十卷成。《唐会要》卷六三："四年二月，太子司更大夫吕才著《隋纪》二十卷。"

六月

诏改《氏族志》为《姓氏录》，以后族为第一等，其余悉以仕唐官位高下为准。《通鉴》卷二〇〇："六月丁卯，诏改《氏族志》为《姓氏录》。初，太宗命高士廉等修《氏族志》……至是，许敬宗以其书不叙武氏本望，奏请改之，乃命礼部郎中孔志约等比类升降，以后族为第一等，其余悉以仕唐官品高下为准，凡九等。于是士卒以军功致位五品，豫士流，时人谓之'勋格'。"《新唐书》艺文志二："《姓氏谱》二百卷，许敬宗、李义府、孔志约、阳仁卿、史玄道、吕才撰。"《姓氏谱》当即《姓氏录》。

七月

长孙无忌（？—659）卒。《通鉴》卷二〇〇："壬寅，命李勣、许敬宗、辛茂将与任雅相、卢承庆更共覆按无忌事。许敬宗又遣中书舍人袁公瑜等诣黔州，再鞫无忌反状，至则逼无忌令自缢。诏柳奭、韩瑗所至斩决。使者杀柳奭于象州。韩瑗已死，发验而还。"

八月

李义府拜相，于志宁贬荣州刺史。《通鉴》卷二〇〇：显庆四年，"八月壬子，以普州刺史李义府兼吏部尚书、同中书门下三品。……乙卯，长孙氏、柳氏缘无忌、奭贬降者十三人，高履行贬永州刺史。于志宁贬荣州刺史，于氏贬者九人。自是政归中宫矣。"《旧唐书》高宗纪上记李义府起为吏部尚书在七月壬子，不确，七月丙子朔，无壬子日。

十月

诏山东士族大姓间不得自为婚姻。《通鉴》卷二〇〇：显庆四年十月，"初，太宗疾山东士人自矜门地，婚姻多责资财，命修《氏族志》例降一等；王妃、主婿皆取勋臣家，不议山东之族。而魏徵、房玄龄、李勣家皆盛与为婚，常左右之，由是旧望不减；或一姓之中，更分某房某眷，高下悬隔。李义府为其子求婚不获，恨之，故以先帝之旨，劝上矫其弊。壬戌，诏后魏陇西李宝、太原王琼、荣阳郑温、范阳卢子迁、卢浑、卢辅、清河崔宗伯、崔元孙、前燕博陵崔懿、晋赵郡李楷等子孙，不得自为婚姻。仍定天下嫁女受财之数，毋得受陪门财。然族望为时所尚，终不能禁，或载女窃送夫家，或女老不嫁，终不与异姓为婚。其衰宗落谱，昭穆所不齿者，往往反自称禁婚家，益增厚价。"

十月

高宗幸东都。见《旧唐书》高宗纪上。

本年

褚遂良（596—659）卒，年六十四。《旧唐书》本传："显庆二年，转桂州都督。未几，贬为爱州刺史。明年卒官，年六十三。"《通鉴》卷二〇〇：显庆三年，"是岁，爱州刺史褚遂良卒。"《法书要录》卷八《书断》中："褚遂良，河南阳翟人。……遂良官至尚书左仆射、河南公。博学通识，有王佐才，忠谠之臣也。善书，少则服膺虞监，长则祖述右军。真书甚得其媚趣，若瑶台青琐，窅映春林，美人婵娟，不任罗绮，增华绰约，欧、虞谢之。其行草之间，即居二公之后。显庆四年卒，年六十四。遂良隶、行入妙，亦尝师授史陵，然史有古直，伤于疏瘦也。"褚遂良之卒年及享年，此从《书断》。《新唐书》艺文志四："《褚遂良集》二十卷。"

杜正伦（？—659？）卒。《旧唐书》本传："三年，坐与中书令李义府不协，出为横州刺史，仍削其封邑。寻卒，有集十卷行于代。"正伦上年十一贬横州刺史，其卒约在本年，姑系于此。《新唐书》艺文志二："杜正伦《春坊要录》四卷。"艺文志三："杜正伦《百行章》一卷。"艺文志四："《杜正伦集》十卷。"《日本国见在书目》小说家类："《文笔要决》一卷，杜正伦撰。"

李延寿撰《南史》、《北史》成。《唐会要》卷六三："四年二月……其年，符玺郎李延寿撰近代诸史，南起自宋，终于陈，北始自魏，卒于隋，合一百八十篇，号《南》、《北史》，上自制序。"

李峤年十五，通《五经》。《新唐书》本传："十五通《五经》。"

王勃十岁，博通群书。杨炯《王勃集序》："十岁包综六经，成乎期月，悬然天得，自符音训。时师百年之学，旬日兼之，昔人千载之机，立谈可见。居难则易，在塞咸通，于术无所滞，于辞无所假。"

杨炯十岁，应神童举及第。《旧唐书》文苑上本传："炯幼聪敏博学，善属文，神童举，拜校书郎。"《唐才子传》卷一杨炯传："显庆六年，举神童，授校书郎。"按据《唐会要》卷七六，凡应童子举者，年龄均须在十岁以下。显庆六年杨炯年十二，已无应举资格；四部丛刊本《杨盈川集》附载《文献通考》文谓杨炯举神童在显庆四年，是。参见傅璇琮《唐代诗人丛考·杨炯考》。又据杨炯《浑天赋》序，其授校书郎乃上元三年应制举及第之后事，此云应神童举后拜校书郎，亦不确。

陈子昂（659—700）生。陈子昂，字伯玉，梓州射洪人。睿宗文明元年进士擢第。献书阙下，武后奇其才，拜麟台正字。转右卫胄曹参军，迁右拾遗。尝两度从军边塞。以父老解职归里，为县令段简构陷入狱，卒。有《陈伯玉文集》十卷传世。据卢藏用《陈子昂别传》、赵儋《大唐剑南东川节度观察处置等使户部尚书兼御史大夫梓州刺史鲜于公为故右拾遗陈公建旌德之碑》（下简称《故右拾遗陈公旌德之碑》）、《旧唐书》文苑中本传、《新唐书》本传，参彭庆生《陈子昂诗注》附录《陈子昂年谱》。

徐坚（659—729）生。徐坚字元固，湖州长城人。举进士，累授太子文学。圣历中为东都留守判官，专掌表奏。预修《三教珠英》，书成，迁司封员外郎。中宗时为给事中，历刑、礼二部侍郎，兼修文馆学士。睿宗朝除太子右庶子，兼崇文馆学士，进爵东海郡公。迁右散骑常侍，拜黄门侍郎，出为绛州刺史。开元中历秘书监、国子祭酒、右散骑常侍，为集贤院学士，副张说知院事，卒。有文集三十卷。据《旧唐书》本传、张九龄《大唐故光禄大夫右散骑常侍集贤院学士赠太子少保东海徐文公神道碑并序》。

贺知章（659—744）生。贺知章，字季真，越州永兴人。进士及第，授四门博士，迁太常博士。累转太常少卿，迁礼部侍郎，加集贤院学士。以事改工部侍郎，迁太子宾客、秘书监。天宝初，上疏请度为道士，寻还乡里，卒。《全唐诗》录其诗为一卷。据《旧唐书》文苑中本传。

公元 660 年 （唐高宗显庆五年　庚申）

三月

高宗幸并州童子寺，赋诗。《玉海》卷二九：“显庆五年三月，幸并州童子寺，赋诗而还。”《旧唐书》高宗纪上：“正月甲子，幸并州。……四月戊寅，车驾还东都。”

八月

唐讨平百济，立碑以纪功。《旧唐书》高宗纪上：“八月庚辰，苏定方等讨平百济，面缚其王扶余义慈。”《金石萃编》卷五三《大唐平百济国碑铭》，前题“洛州河南权怀素书”，后题“显庆五季岁在庚申八月己巳朔十五日癸未建”。

十月

高宗始委政事于武后。《通鉴》卷二〇〇：“冬，十月，上初苦风眩头重，目不能视，百司奏事，上或使皇后决之。后性明敏，涉猎文史，处事皆称旨。由是始委以政事，权与人主侔矣。”

本年

王梵志（？—660？）卒。《太平广记》卷八二引《史遗》：“王梵志，卫州黎阳人也。黎阳城东十五里，有王德祖，当隋文帝时，家有林檎树，生瘿大如斗。经三年朽烂，德祖见之，乃剖其皮，遂见一孩儿，抱胎，而德祖收养之。……因名曰林木梵天，后改曰梵志。曰：‘王家育我，可姓王也。’梵志乃作诗示人，甚有义旨。”亦见《桂苑丛谈》。《王梵志诗集序》：“但以佛教道法，无我苦空。知先薄之福缘，悉后微之因果。撰修劝善，诚勖非违。目录虽则数条，制诗三百余首。其言时事，不浪虚谈。王梵志之遗文，习丁、郭之要义。不守经典，皆陈俗语。非但智士回意，实亦愚夫改容。远近传闻，劝惩令善。贪婪之史，稍息侵渔；尸禄之官，自当廉谨。各虽愚昧，情极怆然。一遍略寻，三思无忘。纵使大德讲说，不及读此善文。逆子定省翻成孝，懒妇晨夕事姑嫜。查郎躯子生惭愧，诸州游客忆家乡。慵夫夜起□□□，懒妇彻明对缉筐。悉皆咸臻知罪福，懃耕恳苦足粮粮。一志五情不改易，东州西郡并称扬。但令读此篇章熟，顽愚暗蠢悉贤良。"（《王梵志诗校注》卷首）按王梵志生平甚难考知，诗歌亦难编年，胡适《白话文学史》第十一章《唐初的白话诗》推断王梵志约卒于本年，今姑从其说，系此备考。

唐临（601？—660？）卒，年六十。《旧唐书》本传："显庆四年，坐事贬为潮州刺史，卒官，年六十。所撰《冥报记》二卷，大行于世。"按唐临之卒当在本年前后，姑系于此。**来济转庭州刺史，赋诗言怀。**《旧唐书》本传："左授台州刺史。五年，徙庭州刺史。"来济《出玉关》当为赴庭州刺史任时所作。

卢照邻在襄州，奉使西行出塞，有诗作。卢照邻《西使兼送孟学士南游》："地道巴陵北，天山弱水东。"谓孟南游巴陵，己西使天山。卢照邻调露元年尝为来济文集撰序（见后），本年来济徙庭州刺史，照邻或即于此时西使，遂得与之相识。参见任国绪《卢照邻集编年笺注》该诗题下注。卢照邻又有《结客少年场行》、《刘生》、《陇头水》、《雨雪曲》、《昭君怨》、《折杨柳》、《梅花落》、《关山月》、《上之回》、《紫骝马》、《战城南》等边塞乐府诗，或即作于本次西使时，并系于此。参见《卢照邻集编年笺注》附录《卢照邻诗文系年及生平事迹》。

杨炯年十一，待制弘文馆。杨炯《浑天赋》序："显庆五年，炯时年十一，待制弘文馆。"

公元 661 年　（唐高宗显庆六年　龙朔元年　辛酉）

正月

诏藏李善《文选注》于秘府；善除潞王府记室参军。《唐会要》卷三六："六年正月二十七日，右内率府录事参军、崇贤馆直学士李善上注《文选》六十卷，藏于秘府。"《旧唐书》儒学上曹宪附李善传："明庆中……尝注解《文选》……诏藏于秘阁。除潞王府记室参军。"按李善上《文选注》在显庆三年九月，已见前，本年正月当是诏藏《文选注》于秘阁之年月。时李善尚为右内率府录事参军，则其除潞王府记室参军当在本月或稍后。

二月

乙未，改元龙朔。见《旧唐书》高宗纪上。

三月

高宗与众臣观《一戎大定乐》舞。《唐会要》卷三三："龙朔元年三月一日，上诏李勣、李义府、任雅相、许敬宗、许圉师、张延师、苏定方、阿史那忠、于阗王伏阇、上官仪等，燕于城门，观屯营新教之舞，名之曰《一戎大定乐》。其时欲亲征辽东，以象用武之势。"见《旧唐书》音乐志。

五月

丙申，武后请禁妇女为俳优之戏，诏从之。见《旧唐书》高宗纪上。《唐会要》卷三四记此事于本年正月。

六月

许敬宗等进《累璧》六百三十卷。《旧唐书》高宗纪上："六月庚寅，中书令许敬宗等进《累璧》六百三十卷，目录四卷。"亦见《唐会要》卷三六。《新唐书》艺文志三作四百卷。

九月

潞王李贤徙封沛王，任扬州都督；李善兼沛王侍读，公孙罗为沛王府参军，二人均以治《文选》名家。《旧唐书》高宗纪上："壬子，徙封潞王贤为沛王。是日，以雍州牧、幽州都督、沛王贤为扬州都督、左武卫大将军，牧如故"。《旧唐书》儒学上曹宪传附："李善者，扬州江都人也。……明庆中，累补太子内率府录事参军、崇贤馆直学士，兼沛王侍读。"又："公孙罗者，江都人也。历沛王府参军，无锡县丞。撰《文选音义》十卷，行于代。"按李善为沛王侍读及公孙罗为沛王参军均当在本年李贤徙封沛王之后，姑系于此。又《唐大诏令集》卷三四《册扬州都督沛王贤文》云李贤徙沛王在本年十月，与《旧纪》所载稍异。参饶宗颐《唐代文选学略述》，载《唐研究》第四卷。

十月

六日，高宗作《冬狩》诗。《唐会要》卷二八："龙朔元年十月五日，狩于陆浑县。六日，至于飞顿……上于是制《冬狩》诗。"

十二月

王勃从曹元受《周易》及医术。王勃《黄帝八十一难经序》："《黄帝八十一难经》，是医经之秘录也。……华伦历六师以授黄公，黄公以授曹夫子。夫子讳元，字真道，自云京兆人也。……以大唐龙朔元年，岁次庚申（蒋清翊注：当作辛酉），冬至后甲子，予遇夫子于长安。……盖授《周易章句》，及《黄帝素问难经》，乃知三才六甲之事，明堂玉匮之数。十五月而毕。"（见《王子安集注》卷九；以下凡引王勃诗文均据是书，不复注）查《二十史闰朔表》，冬至后甲子为十二月三日。

本年

许敬宗等奉命编纂《瑶山玉彩》。《玉海》卷五四："龙朔元年，命宾客许敬宗、右庶子许圉师、中书侍郎上官仪、中书舍人杨思俭，即文思殿，采摘古今文章英词丽句，以类相从，号《摇（瑶）山玉彩》，凡五百篇。"

《翰林学士集》编成。 按此集撰者、编年俱不详，颇疑撰成于龙朔中，姑系于此。又此集久不传于中土，至清季始由陈矩自日本影写携归，今人陈尚君有整理本，见《唐人选唐诗新编》。整理本后附陈田所撰《翰林学士集》序及日人森立之所作解题，论及此集之内容及价值，可供参考。陈氏序："日本尾张国真福寺旧藏唐卷子，《翰林学士集》一卷，太宗诗九首，长孙无忌诗四首，上官仪诗五首（按实为四首），杨师道、褚遂良诗各三首，刘子翼诗二首，许敬宗诗二十二首（按实为十三首，内《释奠应令》十章，是一首）、序一首，岑文本、刘洎、朱子奢、于志宁、沈叔安、张文琮、郑元玮、张后胤、陆揔、高士廉、郑仁轨诗各一首，失名诗二首。考翰林学士，开元时始置，集皆初唐人诗，无缘得加此名。集有御诗，而题'翰林学士'，亦殊不典。此集著录于森立之，《经籍访古志》尚有墓志下一卷。此卷卷尾题'集卷第二'，旁注'诗一'，此必唐初诗文总集残卷，流传殊域，后人见集中多应制诗，遂妄以'翰林学士'题之。森立之云：'旧题翰林学士，未详其谁，姑从旧题录之。'颇为有识。检《唐书·艺文志》，《太宗集》四十卷、《杨师道集》十卷、《许敬宗集》八十卷、《于志宁集》四十卷、《上官仪集》二十卷、《岑文本集》六十卷、《刘子翼集》二十卷、《沈叔安集》二十卷、《褚遂良集》二十卷、《刘洎集》十卷、《张文琮集》二十卷。《崇文总目》、《郡斋读书志》、《直斋书录解题》均未著录，则当宋时，各集完本早已失传。明胡震亨辑《唐音统签》，搜罗最富，我朝御定《全唐诗》，以震亨书为藁本，益以内府所藏唐人诗集，旁搜残碑断碣，稗史杂书，补苴所遗，号为大备。此集所存诗，凡六十，其见于《全唐诗》者十二而已。太宗经武右文，是集所录，皆投戈之余事，弄翰之先驱。长孙元勋硕德，世所传者，特其艳曲短章。登善鲠亮博学，仅见一诗，浏览往籍，为之怃然。儒学如张后胤，峭直如刘子翼，文艺如郑元玮，警悟如高士廉，新、旧《唐书》备列历官名迹，而单词只字，旧简缺如。斯集或增至三四，或存其一二，寻览雒颂，得其覃思敷藻之趣，斯足珍已。自余诸人，唯敬宗存诗多至二十余篇，森立之疑此集为其所辑。考《唐书》所列总集，《文馆词林》一千卷、《芳林要览》三百卷，皆当时词臣所辑，敬宗为之领袖。此集《延庆殿同赋别题得阿阁凤》专举敬宗，疑出其手，良非臆决。敬宗诗序一篇，为《全唐文》所未录，亦足补阙。集中诗见于他本者，字句时有异同。……细绎词句，皆以此集为胜。集中诸诗，皆列进上官衔，犹可见初唐矩式。《旧唐书·儒学传》，朱子奢由弘文馆学士迁国子司业，《新书》无此文。此集系衔正与《旧书》合，亦足资史家考证。卷中刘洎作'刘泊'，当由笔误。目录自《侍宴中山诗序》以上缺，均仍其旧。昔毛子晋刻唐诗八种，不及初唐。此集为一代开先，词藻绮错，风骨遒上，洵为艺苑之鸿律，惊人之秘笈。阅千余年而复归中国，可云幸矣。家弟衡山往岁奉使东国，获奇书数十种，日本金石数千宗，藏之箧笥。……今复刊此本，以餍海内好事者之望。浏览数四，不胜庆幸。爰识此于简端。光绪癸巳元日，贵阳陈田。"森立之解题："《翰林学士集》零本一卷（旧抄卷子本，尾张国真福寺藏）。现存第二卷一轴，简确缺，撰人名氏不可考。前有目录，首载《四言奉陪皇太子释奠诗一首应令》，银青光禄大夫中书侍郎行太子右庶子弘文馆学士高阳县开国男臣许敬宗上，所载诗凡六十首，诗序一首，皆系侍宴应诏同赋并御诗。同作诸臣，如许敬宗及郑元祷、于志宁、沈叔安、张后胤、张文琮、陆揖、长孙无忌、杨师道、朱子奢、褚遂良、上官仪、高士廉、刘洎、岑文本、郑仁轨、刘子翼等，皆列书当时官衔，而御制题云'太宗文皇帝'，其撰当在永徽以后矣。卷末隔一行题'集卷第二'，侧注'诗一'二字。每行字数不整，界长七寸，幅六分半，笔力遒劲，审其字体，当是延喜以前人所誊写者。是书诸家书目绝不载之，知逸亡已久。但憾仅存一卷，全书卷数与编人名氏，皆不可知。旧题'翰林学士'，亦未详其谁。今检书中所载，许敬宗诗居多，而目录每题下称同作几首，似对敬宗言，则或疑敬宗所撰欤。卷末记单称，犹古本白集之例，不可从考核其名氏。要之，是书询为初唐旧帙，近日诗家罕并其目知者，真天壤间仅存之秘笈，零圭碎璧，尤可宝惜，不必问其作者而可也。今姑从旧题录之云。……忠宝云：摄津国人喜平治家又藏是书残卷残本一卷（墓志下），卷端数行摸入于《聆涛阁帖》中者，是也。憾未得觏其全轴，仍附识于斯，以俟他日续录耳。"

元兢为周王府参军，始撰《古今诗人秀句》。《文镜秘府论论》南卷引元兢《古今秀句序》："余以龙朔元年为周王府参军，与文学刘祎之、典签范履冰，时东阁已建，期竟撰成此录。"

民间唱《突厥盐》。《朝野金载》卷一："龙朔以来，人唱歌名《突厥盐》。"

刘知几（661—721）**生。**刘知几字子玄，晚年以字行，徐州彭城人。弱冠举进士，授获嘉主簿。屡上书言事。武后朝累迁左史，兼修国史，擢拜凤阁舍人。历太子中允、太子左庶子，兼崇文馆学士。玄宗朝迁左散骑常侍，以修史功封居巢县子。坐事贬安州别驾，卒。有《史通》二十卷、《刘子玄集》三十卷等。据新、旧《唐书》本传。

公元 662 年 （唐高宗龙朔二年 壬戌）

正月

丙午，始置东都国子监。《旧唐书》高宗纪："丙午，东都初置国子监，并加学士数员，均分与两都教授。"

三月

唐兵作《薛将军歌》。《通鉴》卷二〇〇："三月，郑仁泰等败铁勒于天山。铁勒九姓闻唐兵将至，合众十余万以拒之，选骁健者数十人挑战，薛仁贵发三矢，杀三人，余皆下马请降。仁贵……击其余众，获叶护兄弟三人而还。军中歌之曰：'将军三箭定天山，壮士长歌入汉关。'"

四月

庚申朔，高宗自东都还至长安。见《旧唐书》高宗纪上。

六月

己未，皇子旭轮生。见《旧唐书》高宗纪上、睿宗纪。按旭轮后改名旦，即睿宗。

乙丑，令道士、女冠、僧、尼等并尽礼致拜其父母。见《旧唐书》高宗纪上。

十月

上官仪同东西台三品，其诗流行，时人称之为"上官体"。《旧唐书》高宗纪上："庚戌，西台侍郎上官仪同东西台三品。"上官仪传："龙朔二年，加银青光禄大夫、西台侍郎、同东西台三品，兼弘文馆学士如故。本以词彩自达，工于五言诗，好以绮错婉媚为本。仪既贵显，故当时多有效其体者，时人谓之上官体。"《隋唐嘉话》卷中："高宗承贞观之后，天下无事。上官侍郎仪独持国政，尝凌晨入朝，巡洛水堤，步月徐辔，咏诗云：'脉脉广川流，驱马历长洲。鹊飞山月晓，蝉噪野风秋。'音韵清亮，群公望之，犹神仙焉。"杨炯《王勃集序》："尝以龙朔初载，文场变体，争构纤微，竟为雕刻。糅之金玉龙凤，乱之朱紫青黄，影带以狥其功，假对以称其美，气骨都尽，刚健不闻。"卢藏用《右拾遗陈子昂文集序》："宋、齐之末，盖颓顿矣，逶迤陵颓，流靡忘返，至于徐、庾，天之将丧斯文矣。后进之士若上官仪者，继踵而生，于是风雅之道，扫地尽矣。"宋魏庆之《诗人玉屑》卷七引《诗苑类格》："唐上官仪曰：诗有六对：一曰正名对，天地日月是也；二曰同类对，花叶草芽是也；三曰连珠对，萧萧赫赫是也；四曰双声对，黄槐绿柳是也；五曰叠韵对，彷徨放旷是也；六曰双拟对，春树秋池是也。又曰：诗有八对：一曰的名对，送酒东南去，迎琴西北来是也；二曰异类对，风织池间树，虫穿草上文是也；三曰双声对，秋露香佳菊，春风馥丽兰是也；四曰叠韵对，放荡千般意，迁延一介心是也；五曰联绵对，残河若带，初月如眉是也；六曰双拟对，议月眉欺月，论花颊胜花是也；七曰回文对，情新因意得，意得逐情新是也；八曰隔句对，相思复相忆，夜夜泪沾衣，空叹复空泣，朝朝君未归是也。"此"六对"、"八对"之说，可与杨、卢之论参看。

来济（610—662）**卒，年五十三。**《旧唐书》本传："龙朔二年，突厥入寇，济总兵拒之，谓其众曰：'吾尝挂刑网，蒙赦性命，当以身塞责，特报国恩。'遂不释甲胄附贼，没于阵。时年五十三……有文集三十卷，行于代。"卢照邻《南阳公集序》："自豸冠指佞，鸡树登贤，内掌机密，外修国史。晨趋有暇，持彩笔于瑶轩；夕拜多闲，弄雕章于琴席。含毫顾盼，汉家之城阙风烟；逸韵纵横，秦地之林泉鱼鸟。黄山羽猎，几奏琼篇；汾水楼船，参闻宝思。南津吊屈，去逐苍梧之云；西路悲昂，来挽葱岩之雪。江湖廊庙，造次不忒其仪；沙塞朝廷，颠沛必归于汉。是使名流俱至，兔翰阗门；爱客相寻，鸡谈满席。……绿樽恒湛，齐阁临霞；绮札逾新，园亭坐月。凡所著述，千有余篇，今之刊写，成三十卷。"南阳公即谓来济，永徽五年济以修史功封南阳县男，见《旧唐书》本传。《新唐书》艺文志四："《来济集》三十卷。"

许敬宗、上官仪等始纂《芳林要览》。《新唐书》艺文志四："《芳林要览》三百卷，许敬宗、顾胤、许圉师、上官仪、杨思俭、孟利贞、姚璹、窦德玄、郭瑜、董思恭、元思敬集。"按明年董思恭、顾胤卒，后年上官仪下狱死（皆见后），《芳林要览》当始纂本年。

薛元超由饶州回京，拜右成务。《薛元超墓志》："卅，帝梦公，追授右成务。"本年薛元超年四十。

李峤为国子监太学生，为薛元超所称荐。《新唐书》李峤传："十五通《五经》，薛元超称之。"本年李峤年十八，薛元超本年及明年初在京，其称赏李峤当在本年或稍后，时峤当为国子监太学生，亦在京师。参见陈冠明《李峤年谱》。

卢藏用（662？—714？）生。卢藏用，字子潜，幽州范阳人。进士擢第，铨选不调，隐居终南山。长安中，召授左拾遗。中宗朝，迁中书舍人，兼修文馆学士，转吏部侍郎、黄门侍郎。玄宗先天中，坐附太平公主，配流岭南。起为黔州长史，卒。有《卢藏用集》三十卷（一作二十卷）。据新、旧《唐书》本传。

公元 663 年 （唐高宗龙朔三年 癸亥）

二月

许敬宗等奉太子李弘命，撰《瑶山玉彩》成，表上之。《旧唐书》高宗纪上："太子弘撰《瑶山玉彩》成，书凡五百卷。"同书高宗中宗诸子孝敬皇帝弘传："龙朔元年，命中书令太子宾客许敬宗、侍中兼太子右庶子许圉师、中书侍郎上官仪、太子中舍人杨思俭等于文思殿博采古今文集，摘其英词丽句，以类相从，名曰《瑶山玉彩》，表上之。制赐物三万段，敬宗已下加级赐帛有差。"又见同书文苑上孟利贞传等。《新唐书》艺文志三："许敬宗《摇（瑶）山玉彩》五百卷，孝敬皇帝令太子少师许敬宗、司议郎孟利贞、崇贤馆学士郭瑜、顾胤、右史董思恭等撰。"《唐会要》卷三六记《瑶山玉彩》之进献在本年十月，与此不同。

郭瑜撰《古今诗类聚》、《歌录集》等书。《新唐书》艺文志三："郭瑜《古今诗类聚》七十九卷，《歌录集》八卷。"两书成书年代不详，姑附于此，参见上条。

四月

李义府流嶲州。《旧唐书》高宗纪上："夏四月乙丑，右相李义府下狱。戊子，李义府除名，配流嶲州。"

薛元超拜东台侍郎，献《封禅书》、《平东夷策》，旋出为简州刺史。《薛元超墓志》："卅一，复为东台侍郎。献《封禅书》、《平东夷策》，以事复出为简州刺史。"本年薛元超年四十一。《旧唐书》薛收附薛元超传："三年，拜东台侍郎。右相李义府以罪配流嶲州，旧制流人禁乘马，元超奏请给之，坐贬为简州刺史。"杨炯《中书令汾阴公薛振行状》谓元超之拜东台侍郎及贬简州刺史在其四十岁时，小误。

八月

王勃年十四，司刑太常伯刘祥道称赏之。杨炯《王勃集序》："年十有四，时誉斯扫。太常伯刘公巡行风俗，见而异之曰：'此神童也。'因加表荐。"刘公谓刘祥道。《旧唐书》高宗纪上："戊申……命司元太常伯窦德玄、司刑太常伯刘祥道等九人为持节大使，分行天下。仍令内外官五品已上各举所知。"王勃为刘祥道所赏荐当在本年八月或稍后，姑系于此。

本年

敬播（? —711）**卒。**《旧唐书》儒学上本传："龙朔三年，卒官。播又著《隋略》二十卷。"

董思恭（? —711）**以漏泄进士问目，免死流梧州，寻卒。**《唐语林》卷八："高宗时，进士特难其选。龙朔中，敕左史董思恭与考功员外郎权原崇同试贡举。思恭吴士轻脱，泄进士问目，三司推，赃污狼藉，命西朝堂斩决，告变，免死除名，流梧州。"《册府元龟》卷一五二亦载此事，云在龙朔三年。《旧唐书》文苑上本传："董思恭者，苏州吴人。所著篇咏，甚为时人所重。初为右史，知考功举事，坐预泄问目，配流岭表而死。"

顾胤（? —711）**卒。**《旧唐书》令狐德棻附顾胤传："龙朔三年，迁司文郎中。寻卒。胤又撰《汉书古今集》二十卷，行于代。"

郎余令在幽州录事参军任，撰《冥报拾遗》成。《法苑珠林》卷一〇〇："《冥报拾遗》二卷。右皇朝中山郎余令字符休龙朔年中撰。"同书卷一四录存《冥报拾遗》佚文三则，一则云："唐幽州渔阳县无终戍城内有百许家，龙朔二年夏四月，戍城火灾……中山郎余令既任彼官……"据《旧唐书》儒学下郎余令传"转幽州录事参军"语，知龙朔二年余令当在幽州录事参军任。又《法苑珠林》卷一八录《冥报拾遗》佚文四则，记事最迟者在龙朔二年十月，故知《冥报拾遗》撰成约在本年。按郎余令（? —687?）字符休，定州新乐人。进士擢第。初授霍王府参军，转幽州录事参军，历洛州司功参军，官终著作佐郎。有《孝子后传》三十卷等。据《旧唐书》儒学下本传。

卢照邻随邓王赴兖州任职。卢照邻《五悲·悲昔游》："自言少年游宦，来从北燕……东鲁则过仲尼之故宅。"《旧唐书》高祖二十二子邓王元裕传："高宗时，又历寿、襄二州刺史、兖州都督。麟德二年薨。"卢照邻为官东鲁当在邓王任兖州都督时。邓王显庆三年（658）为襄州刺史，后年卒，其任兖州都督约在本年。

李适（663—711）**生。**李适字子至，京兆万年人。进士擢第，调猗氏尉。预修《三教珠英》，迁户部员外郎。中宗朝，历官中书舍人、给事中，擢修文馆学士。睿宗景云中转工部侍郎，卒。有《李适集》二十卷。据《旧唐书》文苑中阎朝隐附李适传、《新唐书》文艺中李适传、贾至《工部侍郎李公（适）集序》、独孤及《唐故正议大夫右散骑常侍赠礼部尚书李公（季卿）墓志铭》。

宋璟（663—737）**生。**宋璟，邢州南和人。弱冠举进士，累转凤阁舍人，迁御史中丞，甚为则天所重。神龙初，拜黄门侍郎。睿宗朝，以吏部尚书同中书门下三品。开元初，任京兆尹，进御史大夫。出为睦州刺史，徙广州都督。还，历刑部、吏部二尚书，兼黄门监。累封广平郡公。以右丞相致仕，卒。璟为有唐名相，亦善诗赋，有文集十卷。据《旧唐书》本传、颜真卿《有唐开府仪同三司行尚书右丞上柱国赠太尉广平文贞公宋公神道碑铭》。

公元664年 （唐高宗麟德元年　甲子）

二月

五日，玄奘（600—664）卒，年六十五。《续高僧传》卷四玄奘传："麟德元年，告翻拉僧及门人曰：'……行年六十五矣，必卒玉华。于经论有疑者今可速问。'……至二月四日，右肋累足……至五日中夜……言已气绝。"《全唐文补编》卷九。冥祥《大唐故三藏玄奘法师行状》："法师还国已来，于今十载，合翻梵本七十五部，译为唐言总一千三百四十一卷，尚有五百八十二部未译。见翻者《大般若》、《瑜伽论》、《大毗婆沙》、《顺正理》等，皆是镇国之宝，学人薮泽。然译经之事，由来自文，起汉摩腾，迄今三藏，前后道俗百余人。先代翻译，多是婆罗门法师为初，至东□夏，方言未融，承受之者，领会艰阻。……今日法师唐梵二方，言辞明达，传译便巧。如擎一物掌上示人，了然无殊。所以岁月未多，而功倍前哲。"

四月

骆宾王出道王府，旋赴长安，上书刘祥道、李安期，以求汲引。骆宾王《畴昔篇》云："一朝被短褐，六载奉长廊。"指六年为道王府属事。宾王显庆三年入道王府，至本年整六年。《旧唐书》高宗纪上："夏四月，卫州刺史、道王元庆薨。"骆宾王当于此时出道王府，时在卫州。骆宾王《上司列太常伯启》："某……于是竭来瓮牖，利见金门，指帝乡以望云，赴长安而就日。"据考，此司列太常伯为刘祥道，本年八月兼右相（见下），则骆宾王此启当作于八月前。骆宾王又有《上李少常伯启》，亦为本年出道王府后在长安希求援引之作。李少常伯谓李安期，本年前后在司列少常伯任，见《旧唐书》李百药附李安期传。

八月

王勃上书刘祥道，祥道表荐之。王勃有《上刘右相书》。刘右相谓刘祥道。《旧唐书》高宗纪上："（八月）戊子，兼司列太常伯、检校沛王府长史、城阳县侯刘祥道兼右相。……（十二月）戊子……右相、城阳县侯刘祥道为司礼太常伯。"王勃上书当在本年八月至十二月间，姑系于此。《新唐书》文艺上王勃传："麟德初，刘祥道巡行关内，勃上书自陈，祥道表于朝，对策高第。"王勃上书当在刘祥道为右相期间，《新传》谓在巡行关内时，小误。

十二月

上官仪（607？—664）卒，自此政归武后。《通鉴》卷二○一："初，武后能屈身忍辱，奉顺上意。故上排众议而立之；及得志，专作威福，上欲有所为，动为后所制，上不胜其愤。有道士郭行真，出入禁中，尝为厌胜之术，宦者王伏胜发之。上大怒，密召西台侍郎、同东西台三品上官仪议之。仪因言：'皇后专恣，海内所不与，请废之。'上意亦以为然，即命仪草诏。左右奔告于后，后遽诣上自诉。诏草犹在上所，上羞缩不忍，复待之如初。……仪先为陈王谘议，与王伏胜俱事故太子忠，后于是使许敬宗诬奏仪、伏胜与忠谋大逆。十二月丙戌，仪下狱，与其子庭芝、王伏胜皆死，籍没其家。戊子，赐忠死于流所。右相刘祥道坐与仪善，罢政事，为司礼太常伯，左肃机郑钦泰等朝士流贬者甚众，皆坐与仪交通故也。自是上每视事，则后垂帘于后，政无大小，皆与闻之。天下大权，悉归中宫，黜陟、杀生，决于其口，天子拱手而已，中外谓之二圣。"《旧唐书》高宗纪上："十二月丙戌，杀西台侍郎上官仪。"《新唐书》艺文志四："《上官仪集》三十卷。"《后村诗话》后集卷二："上官仪诗律未脱徐、庾，然孤忠大节，遂与褚河南相辉映于史。"《唐音癸签》卷五："贞观、永徽吟贤，褚亮、杨师道、李义府、许敬宗、上官仪，其最也。吉光片羽，仅传人口。仪'鹊飞山月曙，蝉噪野风秋'，音响清越，韵度飘扬，齐、梁诸子，咸当敛衽矣。"

薛元超坐与上官仪交密，自简州刺史配流巂州；在流所期间，著有《醉后集》三卷。《旧唐书》薛收附薛元超传："岁余，西台侍郎上官仪伏诛，又坐与文章款密，配流巂州。"《薛元超墓志》："以事复出为简州刺史。岁余，上官仪伏法，以公尝辞翰往复，放于越巂之邛都。耽味《易》象，以诗酒为事，有《醉后集》三卷行于时。"

本年

员半千上《陈情表》，自夸文才可比曹植、枚皋。员半千《陈情表》："臣贫穷孤露……闻陛下封神岳，举英才，货卖以充粮食，奔走而归帝里。……立身三十有余……未蒙一任。"《登科记考》卷二引《册府元龟》所载麟德元年七月丁未诏："宜以三年正月，式遵故实，有事于岱宗。……其诸州都督、刺史，以二年十二月便集岳下。……天下诸州，明扬才彦，或销声幽薮，或藏器下僚，并随岳牧举送。"半千之表当上于本年七月至明年十二月间，姑系于此。《陈情表》又云："若使臣七步成文，一定无改，臣不愧子建。若使臣飞书走檄，援笔立成，臣不愧枚皋。陛下何惜玉阶前方寸地，不使臣披露肝胆，抑扬词翰？请陛下召天下才子三五千人，与臣同试诗、策、判、笺、表、论，勒字数，定一人在臣先者，陛下斩臣头，粉臣骨，悬于都市，以谢天下才子。望陛下收臣才，与臣官。……如弃臣微见，即烧诗书，焚笔砚，独坐幽岩，看陛下召得何人，举得何士。"可见半千自负与急于用世之情。

李峤进士及第，授安定县尉。《新唐书》本传："二十擢进士第，始调安定尉。"

上官婉儿（664—710）生。上官婉儿，陕州陕县人，上官仪孙女。父祖被诛，时在襁褓，随母配入掖庭。圣历以后，参决百司表奏。中宗立，专掌制命，拜为昭容。数陪帝后游宴，赋诗评文，善颂善祷，备极荣宠。及临淄王李隆基起兵诛韦后，亦被诛。有《上官昭容集》二十卷。据《旧唐书》后妃上本传及张说《唐昭容上官氏文集序》、《昭容上官氏碑铭》。

公元665年 （唐高宗麟德二年 乙丑）

正月

壬午，高宗幸东都。见《旧唐书》高宗纪上。

七月

邓王李元裕卒，卢照邻作千字诗以伤之。《通鉴》卷二〇一：麟德二年，"七月，己丑，兖州都督邓康王元裕薨。"《册府元龟》卷二九二："唐邓王元裕，高祖子。元裕好学，善谈明理，与典签卢炤（照）邻为布衣之交。及薨，炤（照）邻为千字诗以伤之。"按，此诗今已不传。

十月

诏郊庙享宴文舞奏《庆善乐》，武舞奏《破阵乐》。《通典》卷一四七："大唐麟德二年十月，诏：'国家平定天下，革命创制，纪功旌德，久被乐章。今郊祀四悬，犹用干戚之舞，先朝作乐，韫而未发。其郊庙享宴等所奏宫悬，文舞宜用《功成庆善》之乐……其武舞宜用《神功破阵》之乐。'"又见《唐大诏令集》卷八一《用庆善曲破阵乐诏》，亦署"麟德二年十月"。《唐会要》卷三二亦载此诏，署"麟德二年七月二十四日"，与此不同，"七月"或为"十月"之误。

十一月

于志宁（588—665）卒，年七十八。《旧唐书》高宗纪上：麟德二年十一月，"庚寅，华州刺史、燕国公于志宁卒。"令狐德棻《大唐故柱国燕国公于公碑铭》："以麟德二年十月廿日薨于东都安众里之第，春秋七十有八。……缘情极绮靡之能，体物穷浏亮之趣。雕龙谢其辉焕，吐凤惭其符彩。所著文集，勒成十卷。"本年十一月庚寅为廿一日，令狐碑所记于志宁卒之月、日或均脱"一"字。

冬

骆宾王在齐州，作《为齐州父老请陪封禅表》。表云："岂可使稷下遗氓，顿隔陪封之礼；淹中故老，独奏告成之仪。……倘允微诚，许陪大礼，则梦琼余息，玩仙阙以相欢；就木残魂，游岱宗而载跃。"《旧唐书》高宗纪上："冬十月戊午，皇后请封禅，司礼太常伯刘祥道上疏请封禅。……丁卯，将封泰山，发自东都。……十二月丙午，御齐州大厅。乙卯，命有司祭泰山。"

卢照邻入蜀为新都尉。《旧唐书》文苑上本传："初授邓王府典签……后拜新都尉。"卢照邻《五悲·悲昔游》："自言少年游宦，来从北燕……东鲁则过仲尼之故宅，西蜀则耕武侯之薄田。"《释疾文·粤若》："是时也，天子按剑，方有事于八荒：驾风轮而梁弱水，飞日驭而苑扶桑；戈船万计兮连属，铁骑千群兮启行。文臣鼠窜，猛士鹰扬。故吾甘栖栖以赴蜀，分默默以从梁。其后雄图甫毕，登封礼日，方欲访高议于云台，考奇文于石室，销兵车兮为农器，休牛马兮崇儒术，屡下蒲帛之书，值余有幽忧之疾。"本年七月邓王卒，明年正月高宗行封禅之礼，则卢照邻出邓王府为新都尉当在本年。照邻《大剑外送别刘右史》："地咽绵川泠，云凝剑阁寒。倘遇忠孝所，为道忆长安。"当本次入蜀所作，时已届冬日。

本年

吕才（？—665）卒。《旧唐书》本传："才龙朔中为太子司更大夫。麟德二年卒。著《隋记》二十卷，行于时。"据《旧传》及《新唐书》艺文志，吕才尚有《阴阳书》五十三卷（已见前）、《大博经》二卷，又预修《姓氏谱》、《本草图经》、《文思博要》等。

公元666年 （唐高宗乾封元年 丙寅）

正月

高宗至泰山行封禅之礼，改元乾封；归至曲阜，追赠孔子为太师。《旧唐书》高宗纪下："麟德三年春正月戊辰朔，车驾至泰山顿。……己巳，帝升山行封禅之礼。……壬申，御朝觐坛受朝贺。改麟德三年为乾封元年……大赦天下，赐酺七日。癸酉，宴群臣，陈《九部乐》，赐物有差，日昳而罢。……甲午，次曲阜县，幸孔子庙，追赠太师，增修祠宇，以少牢致祭。"

李嗣真撰孔子庙祝文，为高宗所赏。《大唐新语》卷八："李嗣真聪敏多才能，以许州判佐直弘文馆。高宗东封还，幸孔子庙，诏赠太师，命有司为祝文。司文郎中富少颖、沙直撰进，不称旨……遽召嗣真，咋笔立成。其章句云：'庶能不遗百代，助损益而可知；永鉴千年，同比肩而为友。'高宗览之，问曰：'谁作此文？'有司言：'嗣真。'高宗曰：'此人那解我意，遂有此句。'诏加两阶。"

卢照邻在蜀，作《登封大酺歌四首》。诗中有云："明君封禅日重光，天子垂衣历数长"，又："借问乾封何所乐，人皆寿命得千秋"，写本年正月封禅改元事。

二月

高宗归至亳州，追号老子为太上玄元皇帝。《旧唐书》高宗纪下："二月己未，次亳州。幸老君庙，追号曰太上玄元皇帝，创造祠堂；其庙置令、丞各一员。"

四月

甲辰，高宗还长安。见《旧唐书》高宗纪下。

七月

卢照邻为益州大都督府长史胡树礼作赞二篇。卢照邻《相乐夫人檀龛赞》序："相乐夫人韦氏者，益州都督长史胡公之继亲也。……粤以乾封纪岁，流火司辰，敬造灵龛，奉图真相。""流火司辰"指七月。同卷《益州长史胡树礼为亡女作画赞》亦当作于此时。

十月

十四日，诏赵仁本等刊正缮写四部书。《唐会要》卷三五："乾封元年十月十四日，上以四部群书传写讹谬，并亦缺少，乃诏东台侍郎赵仁本、兼兰台侍郎李怀俨、兼东台舍人张文瓘等集儒学之士，刊正然后缮写。"

本年

令狐德棻（583—666）卒，年八十四。《旧唐书》本传："龙朔二年，表请致仕，许之。乾封元年卒于家，年八十四，谥曰康。德棻暮年尤勤于著述，国家凡有修撰，无不参预。"传论："令狐德棻贞度应时，待问平直。征旧史，修新礼，以畅国风；辨治乱，谈王霸，以资帝业。'元首明哉，股肱良哉'，其斯之谓欤！"《新唐书》艺文志四："《令狐德棻集》三十卷。"据《新志》，令狐德棻又有《后周书》五十卷（已见前）、《令狐家传》一卷、《凌烟阁功臣故事》四卷等。

李义府（614—666）卒，年五十三。《旧唐书》本传："乾封元年大赦，长流人不许还，义府忧愤发疾卒，年五十余。文集三十卷，行于代。又著《宦游记》二十卷，寻亡失。"《新唐书》本传作"年五十三"，从之。又《通鉴》卷二〇一系李义府之卒在本年正月，乃联类叙及，非谓即卒于此时也。李义府有《在嶲州遥叙封禅》诗，为本年卒前所作。《旧唐书》经籍志下："《李义府集》三十九卷。"《新唐书》艺文志四："《李义府集》四十卷。"艺文志二："李义府《宦游记》七十卷。"

张昌龄（？—666）卒。《旧唐书》文苑上本传："后贺兰敏之奏引于北门修撰，寻又罢去。乾封元年卒，文集二十卷。"《新唐书》艺文志四："《张昌龄集》二十卷。"

魏知古、王上客登进士第，王勃、苏瓌、刘讷言等十二人举幽素科及第。见《登科记考》卷二。

王勃诣阙献《宸游东岳颂》等文，为沛王李贤召为侍读，撰《平台秘略》十篇，又作《送杜少府之任蜀州》诗。《旧唐书》文苑上王勃传："乾封初，诣阙上《宸游东岳颂》。时东都造乾元殿，又上《乾元殿颂》。沛王贤闻其名，召为沛府修撰，甚爱重之。"杨炯《王勃集序》："沛王之初建国也，博选奇士，征为侍读。奉教撰《平台钞略》十篇，书就，赐帛五十匹。"《王子安集注》载王勃《平台秘略》论并赞各十篇。王勃又有《送杜少府之任蜀州》诗。诗云"城阙辅三秦"，当是在长安送人之作。本年前后王勃在长安，姑系于此。按此系王勃代表作。《唐诗广选》卷三引胡应麟语云："唐初五言律唯王勃《送薛华》及此诗，终篇不着景物而气骨苍然，实首启盛、中妙境。"《唐诗归》卷一钟惺："此等作，取其气完而不碎，有律成之始也。其工拙自不必论，然诗文有创有修，不可靠定此一派，不复求变也。"《古唐诗合解》唐诗卷七："此等诗气格浑成，不以景物取妍，具初唐之风骨。"

公元 667 年 （唐高宗乾封二年 丁卯）

秋

王勃任沛王侍读，游吴越，作《越州秋日宴山亭序》、《白下驿饯唐少府》等诗文。 王勃有《越州秋日宴山亭序》、《越州永兴李明府宅送萧三还齐州序》，乃游吴越时在越州所作。后文王勃自称"梁孝王之下客"，知其时在沛王侍读任。又王勃《绵州北亭宴群公序》云："下官……昔往东吴，已有梁鸿之志；今来西蜀，非无张载之怀。"作于总章二年（669）入蜀时，知其吴越之游在此之前。而明年三月王勃已在长安（见后），则其游吴越当在本年。参张志烈《王勃杂考》，载《四川大学学报》1983 年第 2 期。王勃另有《秋日宴季处士宅序》、《九月九日采石馆宴序》、《秋日登冶城北楼望白下亭》、《白下驿饯唐少府》等诗文，皆本次游吴越时所作。

十月

道宣（596—667）卒于终南山，年七十二。 《宋高僧传》卷一四道宣传："尔后十旬，安坐而化，则乾封二年十月三日也，春秋七十二，僧腊五十二。"又云："撰《法门文记》、《广弘明集》、《续高僧传》、《三宝录》、《羯摩戒疏》、《行事钞》、《义钞》等二百二十余卷。"

本年

元万顷从征高丽，为主帅解离合诗，又作檄高丽文。 《旧唐书》文苑中本传："万顷善属文，起家拜通事舍人。从英国公李勣征高丽，为辽东道总管记室。别帅冯本以水军援裨将郭待封，船破失期。待封欲作书与勣，恐高丽知其救兵不至，乘危迫之，乃作离合诗赠勣。勣不达其意，大怒曰：'军机急切，何用诗为？必斩之！'元顷为解释之，乃止。勣尝令万顷作文檄高丽，其语有讥高丽'不知守鸭绿之险'，莫离支报云'谨闻命矣'，遂移兵固守鸭绿，官军不得入，万顷坐是流于岭外。"

刘讷言以《汉书》授沛王李贤。 《旧唐书》儒学上秦景通传："为《汉书》学者，又有刘纳言，亦为当时宗匠。纳言，乾封中历都水监主簿，以《汉书》授沛王贤。"纳言，《新唐书》儒学上敬播传写作讷言，或是。及贤为皇太子，累迁太子洗马，兼充侍读。

卢照邻在新都尉任，赋诗赠张柬之。 卢照邻《酬张少府柬之》："昔余与夫子，相遇汉川阴。……十年暌赏慰，万里隔招寻。……鹏飞俱望昔，蠖屈共悲今。谁谓青衣道，还叹白头吟。"《旧唐书》张柬之传："襄州襄阳人也。……国子祭酒令狐德芬甚重之。进士擢第，累补青城丞。"《元和郡县图志》卷三二："青神县……西魏恭帝遥于此置青衣县，属眉州之青城郡。隋开皇三年罢郡，徙县居郡理，属眉州。皇朝因之。"卢照邻显庆三年在襄阳，当与张柬之相识，至此首尾十年。时卢、张俱为丞尉卑职，故曰"蠖屈共悲今"。

张说（667—731）生。张说字道济，一字说之，祖籍河东，居洛阳。应制举及第，授太子校书，转右补阙，预修《三教珠英》。长安初迁右史、内供奉，旋迁凤阁舍人。以忤旨配流钦州。中宗召还，累迁工部、兵部侍郎。睿宗拜为中书侍郎，同中书门下平章事，监修国史。开元初进中书令，封燕国公，寻出为相州刺史，左转岳州，迁荆州大都督府长史、幽州都督。召拜兵部尚书、同中书门下三品，俄授右丞相兼中书令。受诏致仕，复为右丞相、左丞相。卒，谥文贞，有《张燕公集》（一作《张说之集》）三十卷行世。据张九龄《故开府仪同三司行尚书左丞相燕国公赠太师张公墓志铭》、《旧唐书》本传、《新唐书》本传、《唐才子传校笺》卷一。

公元 668 年 （唐高宗乾封三年 总章元年 戊辰）

三月

庚寅，改元总章。《旧唐书》高宗纪下："（二月）丙寅……下诏大赦，改元为总章元年。二月戊寅，幸九成宫。"《新唐书》高宗纪："（二月）戊寅，如九成宫。……三月，庚寅，大赦，改元。"《通鉴》卷二〇一："三月，庚寅，赦天下，改元。戊寅，上幸九成宫。"诸说不同。按本年二月乙卯朔，丙寅是十二日，戊寅是二十四日；三月乙酉朔，庚寅为六日，无戊寅。知《通鉴》所记幸九成宫时间有误。今从《新纪》，定高宗幸九成宫在二月戊寅，改元在三月庚寅。

王勃在长安，上《九成宫颂》；又作《山亭思友人序》，自负文才情思远迈前贤。王勃《九成宫颂》序："光总章之瑞纪，嗣乾封之宝历。……臣勃东皋贱节……请追声于匪颂。"又《上九成宫颂表》："臣……虽望卑平叔，空勒《景福》之辞；而文谢子云，愿竭《甘泉》之思。谨凭天造，辄贡《九成宫颂》二十四章。"高宗幸九成宫在本年二月，序云"光总章之瑞纪"，知颂当作于本年三月。王勃又有《九成宫东台山池赋》，写及夏日景象，亦当本年所作，附记于此。王勃《山亭兴序》："下官……乐天知命，一十九年；负笈从师，二千余里。"本年王勃年十九。序中有"清渭"、"北斗之宫"、"春泉"等语，知作于长安春日。《山亭思友人序》当为同时之作，序中有云："大丈夫荷帝王之雨露，对清平之日月。文章可以经纬天地，器局可以蓄泄江河。……至若开辟翰苑，扫荡文场，得宫商之正律，受山川之杰气，虽陆平原、曹子建，足可以车载斗量；谢灵运、潘安仁，足可以膝行肘步。思飞情逸，风云坐宅于笔端；兴洽神清，日月自安于调下云尔。"

道世纂集《法苑珠林》成，李俨作序。《法苑珠林》卷首李俨序："属有西明寺大德道世法师，字玄恽，是释门之领袖也。……以为古今绵代，制作多人，虽雅趣佳词，无足于传记，所以搴文囿之菁华，嗅大义之蕡菖，以类编录，号曰《法苑珠林》。事总百篇，勒成十帙。义丰义约，纽虞氏之《博要》；迹宣道镜，晞祐上之《弘明》。其言以美，其道斯著。举至赜而无遗，包妙门而必尽。但文繁则情堕，义略则寡闻。不欲虚搆浮词，假盈卷轴。以事不可却，文翰似多。披览日久，还知其要。故于大唐总章元年，岁在执徐，律惟姑洗，三月三十日纂集斯毕。"参《宋高僧传》卷四道世传。四库提要卷一四五："《法苑珠林》一百二十卷，唐释道世撰。……此本乃一百二十卷，盖百篇乃其总纲，书中则约略篇页而分卷帙。……每篇各有述意，如史传之序。子目之首，则或有述意，或无述意，为例不一。大旨以佛经故实分类编排，推明罪福之由，用生敬信之念。盖佛法初兴，惟明因果；暨达摩东迈，始启禅宗。譬以六经之传，则因果如汉儒之训诂。虽专门授受，株守师承，而名物典故，悉求依据，其学核实而难诬。禅宗如宋儒之义理，虽覃思冥会，妙悟多方，而拟议揣摩，可以臆测，其说凭虚而易骋。故心印之教既行，天下咸避难趋易。辨才无碍，语录日增。而腹笥三藏之学，在释家亦几于绝响矣。此书作于唐初，去古未远，在彼法之中犹为引经据典。虽其间荒唐悠谬之说，与儒理牴牾，而要与儒不相乱。存之可考释氏之掌故。较后来侈谈心性、弥近理、大乱真者，固尚有间矣。"

九月

唐平高丽，高宗作《大定乐》。《唐会要》卷三三："立部伎有八部……五《大定乐》，亦谓之《八纮同轨乐》，太宗平辽东时作也。"《旧唐书·高宗纪》下："九月癸巳，司空、英国公勣破高丽，拔平壤城，擒其王高藏及其大臣男建等以归。境内尽降，其城一百七十，户六十九万七千，以其地为安东都护府，分置四十二州。"《大定乐》当作于此时。《会宴》之"太宗"，当据《通典》卷一四六作"高宗"。

十二月

王勃上《拜南郊颂》，颂美朝廷平高丽、祀南郊之事。王勃《拜南郊颂》序："辛亥谒于昭陵，癸丑告于太庙，时乘黑帝，月旅玄枵，大唐有国之五十一年，皇帝有天下之一十九载也。"又《上拜南郊颂表》："臣伏见总章元年十二月四日，诏既清东寇，将觐南岳。……谨凭天则，辄贡《拜南郊颂》十章。"

冬

卢照邻自蜀赴京，途中作《早度分水岭》诗。诗云："丁年游蜀道，斑鬓向长安。……曾冰横九折，积石凌七盘。"当作于本年冬。参见李云逸《关于卢照邻生平的若干问题》。

本年

苏味道进士及第。《新唐书》本传："逮冠，州举进士，中第。"本年苏味道年二十。

公元669年 （唐高宗总章二年 己巳）

三月

王勃作《檄周王鸡文》，为高宗所斥，出沛王府。《旧唐书》文苑上本传："诸王斗鸡，互有胜负，勃戏为《檄英王鸡文》。高宗览之，怒曰：'据此是交构之渐。'即日斥勃，不令入府。"《通鉴》卷二〇〇：龙朔元年九月，"壬子，徙潞王贤为沛王。贤闻王勃善属文，召为修撰。……时诸王斗鸡，勃戏为《檄周王鸡文》。"胡三省注引《通鉴考异》曰："《旧传》云'檄英王鸡'，按中宗为英王时，沛王贤已为太子，当云周王。"按《通鉴》记此事于龙朔元年，是因李贤该年封沛王而连类叙及，非谓此事必发生于此时。王勃本年五月离京赴蜀（见下），其被斥出府亦当在本年。据陈鸿《东城老父传》"玄宗在藩邸时，乐民间清明节斗鸡戏"云云，知二、三月清明间为斗鸡盛时，兹定王勃以斗鸡事件被斥出府在本年三月。又关于王勃出沛王府原由，杨炯《王勃集序》云："先鸣楚馆，孤峙齐宫，乘、忌侧目，应、刘失步。临秀不容，寻返初服。远游江汉，登降岷峨"，可以参看。

卢照邻自长安返蜀，赋诗寄示京中好友。卢照邻有《还赴蜀中贻示京邑游好》、《晚渡渭桥寄示京邑游好》等诗，为春日返蜀初离长安时所作。本年五月卢照邻还至成都（见下），其自长安首途当在本年三月。卢照邻又有《至望喜瞩目言怀贻剑外知己》、《中和乐九章》诗，当作于本年返蜀渐至成都时，并系于此。参见张志烈《初唐四杰年谱》。

五月

王勃由长安入蜀，作《入蜀纪行诗》三十首。《新唐书》文艺上本传："勃既废，客剑南。"王勃《入蜀纪行诗序》："总章二年五月癸卯，余自常安观景物于蜀。遂出褒斜之隘道，抵岷峨之绝径。超玄豹，历翠阜，殆弥月而臻焉。若乃采江山之俊势，观天地之奇作，丹壑争流，青峰杂起，陵涛鼓怒以伏注，天壁嵯峨而横立，亦宇宙之绝观者也。虽庄周诧吕梁之险，韩侯怯梦门之峻，曾何足云。盖登培塿者起衡霍之心，游涓浍者发江湖之思。况乎穷览胜事，足践灵区，烟霞为朝夕之资，风月得林泉之助。嗟乎！山川之感召多矣，余能无情哉？爰成文律，用宣行唱，编为三十首，投诸好事焉。"本月戊寅朔，癸卯为十四日。王勃《始平晚息》、《扶风昼届离京浸远》、《长柳》、《普安建阴题壁》诸诗，多写及由京入蜀沿途之地理风物，当为《入蜀纪行诗》三十首中之现存者。

卢照邻由长安返抵成都，作《对蜀父老问》。文中有云："龙集荒落，律纪蕤宾，余自鄜鄗，归于五津，从王事也。丁丑，届于升仙桥，止送客亭。"《尔雅·释天》："（太岁）在巳曰大荒落。"本年己巳，"龙集荒落"当指本年。《礼记·月令》："仲夏之月……律中蕤宾。"《华阳国志·蜀志》："（成都）城北十里有升仙桥，有送客观。"知本年五月卢照邻已至成都。又本月戊寅朔，无丁丑日，丁丑当是丁巳之形讹，为二十八日。卢文又云："若余者，十五而志于学，四十而无闻焉。谈羲、农之化，玩姬、孔之篇。周游几万里，驰骋数十年。时复陵霞泛月，搦札弹弦，随时上下，与俗推迁。门有张公之雾，突无墨子之烟。虽吾道之穷矣，夫何妨乎浩然。今将授子以《中和之乐》，申子以封禅之篇。"知照邻《中和乐九章》之撰成在此之前。

秋冬间

王勃由绵州至梓州，与薛曜、卢照邻等赋诗赠答，又作其他诗文甚多。王勃《秋夜于绵州群官席别薛升华序》："故仆射（按"射"疑"与"字之误）群公，相知非不深也，相期非不厚也。然义有四海之重，而无同方之感；分有一面之深，而非累叶之契。故与夫升华者其异乎！嗟乎！积潘、杨之远好，同河、汾之灵液。目置良友，相依穷路。是月秋也，于时夕也。他乡怨而白露寒，故人去而青山迥，不其悲乎！盍各赋诗云尔。"《仲氏宅宴序》："思传胜饯，敢振文锋，盖同席者高人薛曜等耳。"薛曜字升华，乃薛收子，薛元超孙，见《新唐书》宰相世系表三下、《旧唐书》薛收附薛元超传。薛收尝从王勃祖父王通学，又与王勃叔祖王绩交密，故称"累叶之契"。王勃《别薛华》、《绵州北亭群公宴序》、《登绵州西北楼走笔诗序》等诗文均为本年秋在绵州所作。《别薛华》，《文苑英华》卷二八六作《秋日别薛升华》，是。王勃又有《蜀中九日》诗。《唐诗纪事》卷八"邵大震"条："《九日登玄武山旅眺》云：'九月九日望遥空，秋水秋天生夕风。寒雁一向南飞远，游人几度菊花丛。'卢照邻和云：'九月九日眺山川，归心归望积风烟。他乡共酌金花酒，万里同悲鸿雁天。'玄武山在今东蜀。高宗时，王勃以檄鸡文，斥出沛王府，既废，客剑南，有游玄武山赋诗。照邻为新都尉，大震其同时人也。勃诗云：……"即此诗。玄武山在玄武县东二里，玄武县属剑南道梓州，见《元和郡县图志》卷三三。卢照邻有《宿玄武山二首》、《宴梓州南亭得池字》、《送梓州高参军还京》诗及《宴梓州南亭诗序》，均写及秋日景象，当亦作于此时。王勃除《蜀中九日》外，尚有《出境游山二首》、《述怀拟古》等诗，《游山庙序》、《梓州玄武县福会寺碑》、《梓州飞乌县白鹤寺碑》、《梓州郪县灵瑞寺浮图碑》、《梓州通泉县惠普寺碑》、《梓州郪县兜率寺浮图碑》等文，《江曲孤凫赋》、《涧底寒松赋》、《青苔赋》、《游庙山赋》等赋，均作于本年秋冬间居梓州时。杨炯《王勃集序》："远游江汉，登降岷峨。观精气之会昌，玩灵奇之盼蚃。考文章之迹，征造作之程。神机若助，日新其业。西南洪笔，咸出其词。每有一文，海内惊瞻。"可见其在蜀创作之盛。又上述王勃诸作中，《别薛华》及《蜀中九日》两诗堪称名作。《唐诗归》卷一钟惺评前诗云："此始成律，陈、隋之习变尽。"《删补唐诗选脉笺释会通评林》卷二六周敬曰："此与《杜少府任蜀州》篇全以情胜，所谓车行熟路，浑不着力者也。"《诗辩坻》卷三："'无论去与住，俱是梦中人'（按即诗末两句），中晚劣语，亦见之子安耶！'"《删补唐诗选脉笺释会通评林》卷五一周敬评后诗曰："写登高旅况，情中想情，境中构境，不求刻画，自觉深微，当与杜审言《渡湘江》诗并美。"《唐诗别裁集》卷一九："似对不对，初唐标格，不得认作律诗之半。"《读雪山房唐诗序例·七绝凡例》："初唐七绝，味在酸咸之外。'人情已厌南中苦，鸿雁那从北地来'（按即诗末两句）……读之初似常语，久而自知其妙。"

本年

裴行俭等定铨选之制。《通鉴》卷二〇一：总章二年，"时承平既久，选人益多，是岁，司列少常伯裴行俭始与员外郎张仁祎设长名姓历榜，引铨注之法。又定州县升降、官资高下。其后遂为永制，无能革之者。大略唐之选法，取人以身、言、书、判，计资量劳而拟官。始集而试，观其书、判；已试而铨，察其身、言；已铨而注，询其便利；已注而唱，集众告之。然后类以为甲，先简仆射，乃上门下，给事中读，侍郎省，侍中审之，不当者驳下。既审，然后上闻。……人有格限未至，而能试文三篇，谓之宏词，试判三条，谓之拔萃，入等者不限而授。"

《芳林要览》编成。《旧唐书》文苑上元思敬传："总章中为协律郎，预修《芳林要览》。"按《芳林要览》约始纂于龙朔二年，本年或稍后当已编成，姑系于此。又日僧空海《文镜秘府论》南卷之集论录有"《易》曰"至"此明时所当变也"一段文，日人铃木虎雄认为即为《芳林要览序》，可从。序中有云："然近代词人，争驱诞节，殊流并派，异辙同归。文乖丽则，听无宫羽。声高曲下，空惊偶俗之唱，彩湿文疏，徒夸悦目之美。或奔放浅致，或嘈嘈野音，可以语宣，难以声取；可以字得，难以义寻。谢病于新声，藏拙于古体，其会意也僻，其适理也疏。以重浊为气质，以鄙直为形似，以冗长为繁富，以夸诞为情理。激浪长堤之表，扬镳深埒之外。词多流宕，罕持风检。庸生末学者慕之，若夕鸟之赴荒林；采奇好异者溺之，似秋蛾之落孤焰。奔激潢潦，汩荡泥波，波澜浸盛，有年载矣。且文之为体也，必当词与旨相经，文与声相会。词义不畅，则情旨不宣；文理不清，则声节不亮。诗人因声以缉韵，沿旨以制词，理乱之所由，风雅之所在。固不可以孤音绝唱，写流遁于胸怀；弃徵捐商，混妍媸于耳目。变之者，自当睎圣藻于天文，听仙章于广乐，屈、宋为涯岛，班、马为堤防，粲、植为陡落，潘、陆为郊境，搴琅玕于江、鲍之树，采花蕊于颜、谢之园，何、刘准其衡轴，任、沈程其粉黛，然后为得也。若乃才不半古，而论已过之，妄动刀尺，轻移律吕，脱略前辈，迷诖后昆，此明时所当变也。"可见其时之文学风尚。

王义方卒，门人员半千等为服丧三年。《大唐新语》卷二：（义方）贬莱州司户。秩满，于昌乐聚徒教授。……总章二年卒。撰《笔海》十卷。门人何彦先、员半千制师服三年，丧毕而去。"

李乂年十二，已善属文，薛元超深赏之。苏颋《唐紫微侍郎赠黄门监李乂神道碑》："十一从学，极奥研几。十二属词，含商咀徵。中书令薛元超谓人曰：'此子必负海内盛名。'"按薛元超永隆二年 （681）始进拜中书令，此处所记乃是其日后之衔。

宋璟七岁，能属文，一遍诵《鹏鸟赋》。见颜真卿《有唐开府仪同三司行尚书右丞相上柱国赠太尉广平文贞公宋公神道碑铭》。

公元 670 年 （唐高宗总章三年 咸亨元年 庚午）

三月

甲戌朔，大赦天下，改元咸亨。见《旧唐书》高宗纪下。

王勃在梓州，与卢照邻等宴集并赋诗唱和。王勃《圣泉宴》诗序："玄武山有圣泉焉，浸淫历数百千年。……嗟乎，古今代谢，方深川上之悲；少长同游，且尽山阴之乐。盍题芳什，共写高情。诗得泉字。"诗云："披襟乘石磴，列籍俯春泉。"当本年春所作，时王勃仍在梓州。又王勃《与邵鹿官宴序》："邵少鹿少以休沐乘春，开仲长之别馆；下走以旅游多暇，累安邑之余风。……人赋一言，俱□四韵云尔。"《三月曲水宴得烟字》："彭泽官初去，河阳赋始传。……重檐交密树，复蹬拥危泉。"卢照邻《三月曲水宴得樽字》："风烟彭泽里，山水仲长园。"语意颇类《圣泉宴》诗并序，当为同时之作。

四月

吐蕃寇边，时骆宾王罢东台详正学士，乃献诗裴行俭求从军；临行赋诗留别，李峤以诗送之。《旧唐书》高宗纪下："夏四月，吐蕃寇陷白州等一十八州，又与于阗合众袭龟兹拨换城，陷之。罢安西四镇。辛亥，以右威卫大将军薛仁贵为逻娑道行军大总管，右卫员外大将军阿史那道真、左卫将军郭待封为副，领兵五万以击匈奴。"骆宾王《咏怀古意上裴侍郎》："三十二余罢，鬓是潘安仁。四十九仍入，年非朱买臣。……一得视边塞，万里何苦辛。……若不犯霜雪，虚掷玉京春。"裴侍郎谓裴行俭，《旧唐书》本传："总章中，迁司列少常伯。咸亨初，官名复旧，改为吏部侍郎。"本年骆宾王年约三十六，"三十二余罢"当指罢东台详正学士职，"一得视边塞"云云则直申从军之意。骆宾王《西行别东台详正学士》："塞荒行辨玉，台远尚名轮。……上苑梅花早，御沟杨柳新。只应持此曲，别作边城春。"乃临行赠别之作。按此二诗当均作于本年四月边事已起之后，前诗"虚掷玉京春"之"春"乃"时光"之意，后诗"上苑梅花早……别作边城春"乃虚拟想象之词，未可据此论定作于春日。李峤《送骆奉礼从军》为送骆宾王从军之作，中有"玉塞边烽举"、"营柳带余春"等语，更可证知骆宾王之从军离京在尚"带余春"之初夏。骆宾王又有《早秋出塞寄东台详正学士》诗，乃本年七月出塞时所作，又有《从军行》、《军中行路难同辛常伯作》、《夕次蒲类津》、《边庭落日》等诗，当为出塞后所作，并附系于此。《唐诗选脉会通评林》卷一四周珽评《军中行路难同辛常伯作》云："宾王性质忠烈，故语多愤激，所志惟欲为军国勋劳雪耻。如'君恩如可报，龙剑有雌雄'、'莫作兰山下，空令汉国羞'、'还应雪汉耻，持此报明君'等，言言令人肝胆激发。若此篇，托意征戍之士，谓既受天子阃外之寄，则扬麾远略，奋勇忘家，有所不辞者。前段叙军行节制所自，中段写军行威武所及，末段言军行志愿不负所期许。味'暂令氛祲静皋兰'一语与尾二句，忠义之气凛凛，不独见于讨武氏一檄矣。"

五月

诏令有司速建州县孔子庙堂及学馆。《旧唐书》高宗纪下："五月丙戌，诏曰：'诸州县孔子庙堂及学馆有破坏并先来未造者，遂使生徒无肄业之所，先师阙奠祭之仪，久致飘露，深非敬本。宜令所司速事营造。'"

九月

李峤在长安，作《晚秋喜雨》诗。诗序云："咸亨元年，自四月不雨，至于九月，王畿之内，嘉谷不滋。君子小人，惶惶如也。"《通鉴》卷二〇一："关中旱，饥，九月，丁丑，诏以明年正月幸东都。"诗当作于此时。

　　王勃在益州，作《益州夫子庙碑》等文。王勃《益州夫子庙碑》："咸亨元年，又下诏曰：……银青光禄大夫谯国公讳崇义……高秋九月，振玉瓒于唐丘……辉金章于蜀郡。……县令柳公，讳明，字太易，河东人也。……爰搜复庙之仪，载阐重檑之制。三门四表，焕以维新；上哲宗师，肃焉如在。"乃为益州九陇县孔子庙所作。杨炯《王勃集序》："所制《九陇县孔子庙堂碑文》，宏伟绝人，稀代为宝，正平之作，不能夺也。"即此文。王勃又有《晚秋游武旦山寺序》、《秋晚什邡西池宴饯九陇柳明府序》，亦本年九月所作，"九陇柳明府"即《益州夫子庙碑》提及之"县令柳公"。此外，王勃尚有《游梵宇三学寺》、《观佛迹寺》、《寻道观》、《八仙径》、《重别薛华》、《别人四首》等诗，《宇文德阳宅秋夜山亭宴序》、《送宇文明府序》、《益州德阳县善寂寺碑》、《为人与蜀城父老书》二篇等文，《慈竹赋》等赋，均为本年夏秋游汉州、益州等地时所作，并附记于此。详见张志烈《初唐四杰年谱》咸亨元年王勃条。按以上诸诗文中，除《益州夫子庙碑》为名文外，《游梵宇三学寺》诗亦较知名。《瀛奎律髓汇评》卷四七方回评曰："四十字无一字不工，岂减沈佺期、宋之问哉？……唐律诗之初，前六句叙景物，末后两句以情致缴之，周伯弢四实四虚之说遂穷焉。"纪昀评曰："装点是'四杰'本色。然有骨有韵，故虽沿齐、梁之格，而能自为唐世之音，第四句尤有神致。"无名氏评曰："幽深精健，觉盛唐太壮矣。起笔尚沿旧习。"

秋

　　卢照邻以事系狱，作《狱中学骚体》、《赠李荣道士》；后赖友人救护得免，作《穷鱼赋》。卢照邻《穷鱼赋》序："余曾有横事被拘，为群小所使，将致之深议，友人救护得免。窃感赵壹《穷鸟》之事，遂作《穷鱼赋》。"赋云："有一巨鳞，东海波臣，洗静月浦，涵丹锦津。"锦津当指锦江，知赋作于蜀中。又《狱中学骚体》："夫何秋夜之无情兮，皎晶悠悠而太长！圜户杳其幽邃兮，愁人披此严霜。"《赠李荣道士》："独有南冠客，耿耿泣离群。"诸诗文当作于本年前后，李云逸《卢照邻集校注》附录《卢照邻年谱》系于上年，今参照其说改系本年。

十二月

　　卢照邻赋诗赠益府群官，抒羁旅思归之思。卢照邻有《赠益府群官》诗，写及岁暮思归之情，当作于本年。又有《赠益府裴录事》诗，为同时之作。

本年

　　杜审言、高瑾等五十四人登宋守节榜进士第。见《登科记考》卷一。
　　元兢撰《古今诗人秀句》成。《旧唐书》文苑传上："元思敬者，总章中为协律郎，预修《芳林要览》，又撰《诗人秀句》两卷，传之世。"《新唐书》艺文志四："元

思敬《诗人秀句》二卷。"又："元兢《古今诗人秀句》二卷。"按思敬当为元兢之字，新《志》所列两书当为一书。又《古今诗人秀句》已佚，《文镜秘府论》南卷"集论"录文一节，经铃木虎雄、王利器考订，即元兢《古今诗人秀句》序，见王所撰《文镜秘府论校注》。序云："晚代铨文者多矣。至如梁昭明太子萧统与刘孝绰等，撰集《文选》，自谓毕乎天地，悬诸日月。然于取舍，非无舛谬。方因秀句，且以五言论之。至如王中书'霜气下孟津'，及'游禽暮知返'，前篇则使气飞动，后篇则缘情宛密，可谓五言之警策，六义之眉首。弃而不纪，未见其得。及乎徐陵《玉台》，僻而不雅；丘迟《钞集》，略而无当。此乃详择全文，勒成一部者，比夫秀句，措意异焉。似秀句者，抑有其例。皇朝学士褚亮，贞观中，奉敕与诸学士撰《古文章巧言语》，以为一卷。至如王粲《霸岸》，陆机《尸乡》，潘岳《悼亡》，徐幹《室思》，并有巧句，互称奇作，咸所不录。他皆效此。诸如此类，难以胜言。借如谢吏部《冬序羁怀》，褚乃选其'风草不留霜，冰池共明月'，遗其'寒灯耻宵梦，清镜悲晓发'。若悟此旨，而言于文，每思'寒灯耻宵梦'，令人中夜安寝，不觉惊魂；若见'清镜悲晓发'，每暑月郁陶，不觉霜飞入鬓。而乃舍此取彼，而何不通之甚哉！褚公文章之士也，虽未连衡两谢，实所结驷二虞，岂于此篇，咫步千里？良以箕毕殊好，风雨异宜者耳。余以龙朔元年，为周王府参军，与文学刘祎之、典签范履冰，岜东阁已建，期竟撰成此录。王家书既多缺，私室集更难求，所以遂历十年，未终两卷。今剪《芳林要览》，讨论诸集，人欲天从，果谐宿志。常与诸学士览小谢诗，见《和宋记室省中》，诠其秀句，诸人咸以谢'行树澄远阴，云霞成异色'为最。余曰：诸君之议非也。何则？'行树澄远阴，云霞成异色'，诚为得矣，抑绝唱也。夫夕望者，莫不镕想烟霞，炼情林岫，然后畅其清调，发以绮词，俯行路之远阴，瞰云霞之异色，中人以下，偶可得之；但未若'落日飞鸟还，忧来不可极'之妙者也。观夫'落日飞鸟还，忧来不可极'，谓扣心罕属，而举目增思，结意惟人，而缘情寄鸟，落日低照，即随望断，暮禽还集，则忧共飞来。美哉玄晖，何思之若是也！诸君所言，窃所未取。于是咸服，恣余所详。余于是以情绪为先，直置为本，以物色留后，绮错为末；助之以质气，润之以流华，穷之以形似，开之以振跃。或事理俱惬，词调双举，有一于此，罔或子遗。时历十代，人将四百，自古诗为始，至上官仪为终。刊定已详，缮写斯毕，实欲传之好事，冀得知音，若斯而已，若斯而已矣。"据序中"余以龙朔元年"、"遂历十年"等句，知书当成于本年。元兢又有《诗髓脑》一卷，见《日本国见在书目》，当即《新唐书》艺文志四著录之《宋约诗格》（《宋秘书省四库阙书目》作《沈约诗格》，是）。该书已佚，佚文散见《文镜秘府论》，今人张伯伟有辑本，见其所撰《全唐五代诗格汇考》。张氏缉本"解题"有云："《诗髓脑》内容，目前可考者为'调声'、'对属'及'文病'三部分，反映出古诗向律诗过渡阶段之理论总结。'调声'为律诗之基本条件，其中亦引元氏己作为例；'对属'则显然比上官仪之说宽泛；'声病'则在沈约'八病'基础上，又提出新'八病'，其重点不在声律，而在字义。"可见全书之大旨。《诗脑髓》之写定亦当在龙朔元年至本年之间，附记于此。

史德义被征入洛，旋称疾归，公卿赋诗送之，德义亦以诗留赠。《旧唐书》隐逸传："史德义，苏州崑山人也。咸亨初，隐居武丘山，以琴书自适，或骑牛带瓢，出入郊郭廛市，号为逸人。高宗闻其名，征赴洛阳，寻称疾东归，公卿以下，皆赋诗饯别，德义亦以诗留赠，其文甚美。"

杨炯作《从军行》等边塞乐府诗。杨炯《唐右将军魏哲神道碑》有"越咸亨元年某月日，祔于某原"语，知作于本年。碑铭有云："耻为儒者，自许将军。"其《从军行》云："宁为百夫长，胜作一书生。"语意相类，当作于同时。杨炯复有《刘生》、《骢马》、《出塞》、《战城南》、《紫骝马》等边塞乐府诗，亦当本年前后所作，并系于此。按《从军行》系杨炯代表作。《唐诗评选》卷三："裁乐府作律，以自意起止，泯合入化。"《载酒园诗话又编·四杰》："杨盈川诗不能高，气殊苍厚。'宁为百夫长，胜作一书生'，是愤语，激而能壮。"

苏颋（670—727）生。苏颋字廷硕，京兆武功人。进士及第，授乌程尉。连登贤良方正科、绝伦科，历监察御史。神龙中，迁给事中、修文馆学士、中书舍人。景云中，丁父忧。服阕，为工部侍郎，袭爵许国公。擢中书侍郎，迁紫薇侍郎、同紫薇黄门平章事。罢为礼部尚书，出知益州大都督府长史事。入朝，仍为礼部尚书，又知吏部选事。卒，谥文宪，有《苏颋集》四十卷（《新唐书》艺文志作三十卷）。据《旧唐书》苏瓌附苏颋传、韩休《唐金紫光禄大夫礼部尚书上柱国赠尚书左丞相许国文献公苏颋文集序》。

吴兢（670—749）生。吴兢，汴州浚仪人。博通经史，魏元忠等荐其直史馆。神龙中，迁右补阙，预修《则天实录》。开元初，拜谏议大夫，俄兼修文馆学士，历卫尉少卿、左庶子。贬荆州司马，累迁台、洪、饶、蕲四州刺史，转相州长史。天宝初，为邺郡太守。入为恒王傅，卒。有《贞观政要》十卷等书传世。据新、旧《唐书》本传。

公元 671 年 （唐高宗咸亨二年 辛未）

正月

乙巳，高宗幸东都。见《旧唐书》高宗纪下。

三月

王勃在成都，作上巳诗并序；旋至九陇县，作《春思赋》。王勃《上巳浮江宴序》："兹以上巳芳节，云开胜地。大江浩旷，群山纷纠。出重城而振策，下长浦而方舟。……一言均赋，六韵齐疏。"蒋清翊注云："'云开'，未详，疑是'灵关'之讹。左思《蜀都赋》：廓灵关以为门。刘逵注：灵关，山名，在成都西南汉寿界。"蒋注是，时王勃在成都。又王勃《春日序》："况乎华阳旧壤，井络名都，城邑千仞，峰峦四绝。……严君平之卜肆，里闬依然；杨子云之书台，烟霞犹在。"亦在成都所作。上年三月王勃在梓州，此两序当作于本年。王勃又有《春思赋》，序云："咸亨二年，余春秋二十有二，旅寓巴蜀，浮游岁序。殷忧明时，坎壈圣代。九陇县令河东柳太易，英达君子也，仆从游焉。高谈胸怀，颇泻愤懑。"时王勃当已在九陇县。王勃又有《夏日仙居观宴序》，本年四月在九陇作，《梓潼南江泛舟序》，作于本年六月，并附记于此。

春

卢照邻赋诗寄赠九陇县令柳太易，旋因秩满解新都尉职。卢照邻《益州至真观主黎君碑》："法师又于咸亨二年五（正）月十八日，寝疾之际，闻空中有声曰：……少选之间，所疾便愈。……下官迷方看博，邀赤斧于禹山；失路乘槎，问君平于蜀郡。"时卢照邻当仍在新都尉任。《朝野金载》卷六："卢照邻……后为益州新都县尉，秩满，婆娑于蜀中，放旷诗酒。"其罢任当在本年春。卢照邻《于时春也慨然有江湖之思寄此赠柳九陇》："关山悲蜀道，花鸟忆秦川。"柳九陇即九陇县令柳太易，见上引王勃《春思赋》序；诗当为本年春罢任前所作。卢照邻又有《九陇津集》、《游昌化山精舍》诗，亦当本年所作，附记于此。

六月

李善坐贺兰敏之案，由泾城令配流姚州。《旧唐书》儒学上曹宪附李善传："乾封中，出为经城令。坐于贺兰敏之周密，配流姚州。"经城，当依《新唐书》文艺中李邕传作泾城。《旧唐书》高宗纪下："六月戊寅，左散骑常侍兼检校秘书、太子宾客、周国公武敏之以罪复本姓贺兰氏，除名，流雷州。"李善流姚州在此时。

九月

王勃在长安，作《为霍王祭徐王文》。《旧唐书》高宗纪下："秋九月……司徒、潞州刺史、徐王元礼薨。"王勃文即作于此时，时勃已由巴蜀归至长安。

秋

骆宾王仍在塞外戍边，赋诗念归，未久即赴长安。骆宾王有《在军中赠先还知己》、《久戍边城有怀京邑》诗，写秋日久戍盼归之意，当作于本年。此后不久骆宾王当赴京参选，见本年冬条。骆宾王又有《晚度天山有怀京邑》诗，亦当本年所作，附记于此。

卢照邻离蜀还京，行前赋诗留别。卢照邻有《还京赠别》诗，云："万里同为客，三秋契不凋。……一去仙桥道，还望锦城遥。"当作于本年秋自蜀还京时。卢照邻《至陈仓晓晴望京邑》诗当为本年还京途中所作，亦记于此。

十月

诏求明达礼乐之士。见《旧唐书》高宗纪下。

十一月

义净自番禺行船往印度求经。《宋高僧传》卷一义净传："年十有五，便萌其志，欲游西域，仰法显之雅操，慕玄奘之高风。……咸亨二年，年三十有七，方遂发足。

初至番禺，得同志数十人，将及登舶，余皆退罢。净奋励孤行，备历艰险。所至之境，皆洞言音。"

冬

王勃、杨炯、卢照邻、骆宾王并赴吏部参选，裴行俭以"华而不实"、"浮躁浅露"目之。杨炯《王勃集序》："咸亨之初，乃参时选。"张说《赠太尉裴公神道碑》："在选曹见骆宾王、卢照邻、王勃、杨炯，评曰：'炯虽有才名，不过令长，其余华而不实，鲜克令终。'"《大唐新语》卷七："裴行俭少聪敏多艺，立功边陲，屡克凶丑。及为吏部侍郎，赏拔苏味道、王勮，曰：'二公后当相次掌钧衡之任。'勮，勃之兄也。时李敬玄盛称王勃、杨炯等四人，以示行俭。曰：'士之致远，先器识而后文艺也。勃等虽有才名，而浮躁浅露，岂享爵禄者？杨稍似沈静，应至令长，并鲜克令终。'卒如其言。'"余如《唐会要》卷七五、《旧唐书》文苑上王勃传、《通鉴》卷二〇三等均记裴行俭于选曹评"四杰"事。按王、杨、卢、骆同参吏部选当在本年冬，参见张志烈《初唐四杰年谱》。又或有疑裴行俭评"四杰"事为虚构不实者，参见傅璇琮《唐代诗人丛考·杨炯考》。

苏味道赴吏部选，裴行俭甚赏识之。《通鉴》卷二〇三于永淳元年四月记裴行俭之卒后追述其善藻鉴之事云："行俭有知人之鉴，初为吏部侍郎，前进士王勮、咸阳尉栾城苏味道皆未知名，行俭一见谓之曰：'二君后当相次掌铨衡，仆有弱息，愿以为托。'……勮、味道皆典选，如行俭言。"同时述裴行俭评鉴"四杰"事，参见上条。按苏味道乾封三年进士及第，本年春守选期满，当于本年冬以前进士身份赴吏部参选，始得授官。《通鉴》谓苏味道乃以咸阳尉赴选，误。参王勋成《唐代文学与铨选》及陈冠明《苏味道年谱》。又据《旧唐书》苏味道传"累转咸阳尉"句考之，知味道本次参选所授官亦非咸阳尉。

王勃上书裴行俭，论诗赋选士之不足取。王勃《上吏部裴侍郎启》："殊恩屡及，严命频加。责光耀于昏冥，课宫商于寂寞。……今者接君侯者三矣，承招延者再矣，抑亦可以言乎。夫文章之道，自古称难。圣人以开物成务，君子以立言见志。遗雅背训，孟子不为；劝百讽一，扬雄所耻。苟非可以甄明大义，矫正末流，俗化资以兴衰，国家由其轻重，古人未尝留心也。自微言既绝，斯文不振，屈、宋导浇源于前，枚、马张淫风于后。谈人主者，以宫室苑囿为雄；叙名流者，以沈酗骄奢为达。故魏文用之而中国衰，宋武贵之而江东乱。虽沈、谢争骛，适先兆齐、梁之危；徐、庾并驰，不能止周、陈之祸。于是识其道者，卷舌而不言；明其弊者，拂衣而径逝。《潜夫》、《昌言》之论，作之而有逆于时；周公、孔氏之教，存之而不行于代。天下之文，靡不坏矣。……君侯受朝廷之寄，掌镕范之权，至于舞咏浇淳，好尚邪正，宜深以为念也。伏见铨擢之次，每以诗赋为先，诚恐君侯器人于翰墨之间，求才于简牍之际，果未足以采取英秀、斟酌高贤者也。……尝著文章，非敢自媒，聊以恭命。谨录《古君臣赞》十篇并序，虽不足尘高识之门，亦可以见小人之志也。"裴侍郎谓裴行俭，此启之献亦当本年冬。

　　崔湜（671—713）**生**。崔湜字澄澜，定州安喜人。举进士，累转左补阙，预修《三教珠英》，迁殿中侍御史。神龙初，转考功员外郎，以谄附武三思，迁中书舍人。历兵部、吏部侍郎，寻转中书侍郎、同中书门下平章事。坐赃贬吉州司马，改襄州刺史。入为尚书左丞，复同中书门下三品。睿宗立，出为华州刺史，俄拜太子詹事。为太平公主所引，复迁中书门下三品，拜中书令。以预逆谋，流徙岭外，道赐死。《全唐诗》录存其诗三十八首。据《旧唐书》崔仁师附崔湜传。

公元 672 年　（唐高宗咸亨三年　壬申）

春

　　骆宾王在姚州军中，作诗文多篇。《旧唐书》高宗纪下："三年春正月辛丑，发梁、益等一十八州兵募五千三百人，遣右卫副率梁积寿往姚州击叛蛮。"骆宾王有《兵部奏姚州道破逆贼诺没弄杨虔柳露布》、《兵部奏姚州破贼设蒙俭等露布》等文，叙及正月、二月唐兵于姚州破贼战事，知其本年春已在姚州军中。骆宾王又有《从军中行路难》诗，亦作于从军姚州时。

七月

　　壬午，许敬宗（592—672）**卒，年八十一**。《通鉴》卷二〇二：咸亨三年，"秋，八月，壬午，特进高阳郡公许敬宗卒。"《旧唐书》高祖纪下作"壬子"。按本月己未朔，无壬子，壬午为二十四日。《旧唐书》本传："敬宗自掌知国史，记事阿曲。……初，高祖、太宗两朝实录，其敬播所修者，颇多详直，敬宗又辄以己爱憎曲事删改，论者尤之。然自贞观以来，朝廷所修五代史及《晋书》、《东殿新书》、《西域图志》、《文思博要》、《文馆词林》、《累璧》、《瑶山玉彩》、《姓氏录》、《新礼》，皆总知其事，前后赏赉，不可胜纪。"《唐诗品》："许君仕道卑卑，心无谠正。如《安德山池宴集》云：'宴游穷至乐，谈笑毕良辰。'如《春日望海》云：'惊涛含蜃阙，骇浪掩晨光。'命意芜浅，词亦波荡，并非颂声。乃其伟才挺出，髫年驰誉，词林雄长，并列其左，遭遇文皇之好，遂掌丝纶。今所传录，总非门户。至如'鹊度林光起，凫没水文圆'，又'波拥群凫至，秋飘朔雁归'，并存风格，可称作者。"

秋

　　骆宾王自姚州返长安。骆宾王《为李总管祭赵郎将文》："姚州道大总管李义，祭赵郎将之灵"，又云："九真边徼，万里长安，城危疏勒，山峻皋兰。因原为陇，即壤成棺。夕阴低而平芜晦，秋风急而荒戍寒"，知本年秋宾王仍在姚州军中。明年骆宾王复有自京使蜀之行，则其本年秋或稍后当随军返至长安。参见下年骆宾王条。

十一月

　　高宗自东都还长安。见《旧唐书》高宗纪下。

本年

高宗为飞白书以赐郝处俊等人。《旧唐书》戴胄附戴至德传："咸亨中，高宗为飞白书以赐侍臣，赐至德曰'泛洪源，俟舟楫'；赐郝处俊曰'飞九霄，假六翮'；赐李敬玄曰'资启沃，罄丹诚'；又赐中书侍郎崔知悌曰'竭忠节，赞皇猷'，其辞皆有兴比。"

徐齐聃（629—672）卒，年四十三。《旧唐书》文苑上本传："齐聃善于文诰，甚为当时所称。……咸亨中卒，年四十余。"张说《唐西台舍人赠泗州刺史徐府君碑》："咸亨元年，出为蕲州司马。二年，坐事徙于钦州。……岁余而没，春秋四十有三。"又云："议者以公考果州府君高学才华，香名省闼。武帝贤妃，姊也；大帝婕妤，妹也。公既高步掖垣，子又践修旧职，同生标藻于銮殿，重世含章于凤池。自班姬父兄，文雄汉室；左思女弟，词蔚晋宫；悠哉二族，徐室三矣。才难不其然乎！"按齐聃乃徐惠弟，徐坚父，故云。

卢照邻在长安，作《长安古意》、《双槿树赋》等诗赋。卢照邻《双槿树赋》序："日昨于著作局，见诸著作竞写《双槿树赋》。蓬莱山上，即对神仙；芸香阁前，仍观秘宝。……故复奖刷刍鄙，作《双槿树赋》。"题下注："同崔少监作。"蓬莱山、芸香阁，均指秘书省，著作局属秘书省。崔少监谓崔行功，《旧唐书》文苑上本传："迁兰台侍郎。咸亨中，官名复旧，改为秘书少监。"知赋当作于本年前后。卢照邻又有《长安古意》，亦当本年前后所作。见骆祥发《初唐四杰研究》附录《初唐四杰年谱》咸亨三年卢照邻条。按《长安古意》系卢照邻名篇。《唐诗镜》卷二评云："玮丽中不乏风华，当在骆宾王《帝京篇》上。"《唐诗评选》卷一："是将西京诸赋改入七言者，但不废诗，则此必不废。然此篇似司马长卿，骆丞《帝京篇》乃扬雄之下驷。赋心之别，灵蠢见矣。'自言''自谓'两句颉颃通篇，却似单顶'别有豪华'一段，总别同异，互入一镜，心神笔力，独凌千古。"《载酒园诗话又编》："卢之音节颇类于杨，《长安古意》一篇，则杨所无。……自寄托曰：'寂寂寥寥杨子居，年年岁岁一床书，独有南山桂花发，飞来飞去袭人裾。'不唯视《帝京篇》结语蕴藉，即高达夫'有才不肯学干谒'，亦逊其温柔敦厚也。"《唐诗解》卷一九："此篇对偶虽工，骨力未劲，终是六朝残渖，非初唐健笔。"

王勃为虢州参军，作《倬彼我系》、《送劫赴太学序》等诗文。杨炯《王勃集序》："咸亨之初，乃参时选，三府交辟，遇疾辞焉。友人陵季友时为虢州司法，盛称弘农药物，乃求补虢州参军。"《旧唐书》文苑上本传："久之，补虢州参军。"上年冬王勃参吏部选，又以疾辞三府之辟，则其补虢州参军当在本年或稍后。陵季友，据《史通》卷一一："则天时有李安期、顾胤、张大素、凌季友，斯并当时得名朝廷者也"，则"陵"当作"凌"。王勃有《倬彼我系》诗，云："从役伊何，薄求卑位。告劳伊何，来参军事。"其兄王勔（当作勮）序云："《倬彼我系》，舍弟虢州参军勃所作也。伤迫乎家贫，道未成而受禄，不得如古君子之四十而强仕也。"王勃又有《送劫赴太学序》，云："常耻道未成而受禄，恨不得如古之君子四十强仕也。"均作于任虢州参军时。

公元673年　（唐高宗咸亨四年　癸酉）

二月

苏味道代裴居道作拜官谢表，辞理精密，盛传于代。《旧唐书》苏味道传："孝敬皇帝妃父裴居道再登左金吾将军，访当时才子为谢表，托于味道，援笔而成，辞理精密，盛传于代。"同书高宗纪下："二月壬午，以左金吾将军裴居道女为皇太子弘妃。"太子弘即孝敬皇帝。本年二月裴矩道任左金吾将军，或即为再授之职，则苏味道代作谢表当在本月或稍前，姑系于此。

三月

丙辰，以许敬宗所修国史记事不实，诏刘仁轨等改修。见《通鉴》卷二〇二。

七月

卢照邻在长安，染疾，作《病梨树赋》。赋序云："癸酉之岁，余卧病于长安光德坊之官舍。父老云是鄱阳公主之邑司，昔公主未嫁而卒，故其邑废。时有处士孙君思邈居之。君道洽今古，学有数术，高谈正一，则古之蒙庄子；深入不二，则今之维摩诘。及其推步甲子，度量乾坤，飞炼石之奇，洗胃肠之妙，则其甘公、洛下闳、安期先生、扁鹊之俦也。自云开皇辛丑岁生，今年九十二矣。……然犹视听不衰，神形甚茂，可谓聪明博达不死者矣。余年垂强仕，则有幽忧之疾，椿菌之性，何其辽哉！于时天子避暑甘泉，邈亦征诣行在，余独病卧兹邑，阒寂无人，伏枕十旬，闭门三月。庭无众木，唯有病梨树一株……树犹如此，人何以堪？有感于怀，赋之云尔。"本年四月高宗幸九成宫，见《旧唐书》高宗纪下。此云"避暑甘泉"，即指此事。又据"闭门三月"之语，知此赋当作于本年七月。卢照邻又有《赠许左丞从驾万年宫》诗，万年宫即九成宫，知此诗亦本年所作，附记于此。

十月

壬午，阎立本（？—673）卒。《旧唐书》高宗纪下："冬十月壬午，中书令、博陵县子阎立本卒。"《旧唐书》阎立德附阎立本传："显庆中累迁将作大监……总章元年，迁右相，赐爵博陵县男。立本虽有应务之才，而尤善图画，工于写真，《秦府十八学士图》及贞观中《凌烟阁功臣图》，并立本之迹也，时人咸称其妙。……及为右相，与左相姜恪对掌枢密。恪既历任将军，立功塞外；立本唯善于图画，非宰辅之器。故时人以《千字文》为语曰：'左相宣威沙漠，右相驰誉丹青。'"

十一月

丙寅，高宗自制乐章十二曲。《旧唐书》高宗纪下："十一月丙寅，上制乐章，有《上元》、《二仪》、《三才》、《四时》、《五行》、《六律》、《七政》、《八风》、《九宫》、

《十洲》、《得一》、《庆云》之曲,诏有司,诸大祠享即奏之。"亦见《唐会要》卷三二。

本年

杜易简(?—673?)、贾言忠(?—673?)卒。《旧唐书》文苑上杜易简传:"咸亨中,为考功员外郎。时吏部侍郎裴行俭、李敬玄相与不叶,易简与吏部员外郎贾言忠希行俭之旨,上封陈敬玄罪状。高宗恶其朋党,左转易简为开州司马,寻卒。易简颇善著述,撰《御史台杂注》五卷、文集二十卷,行于代。"同书文苑中贾曾传:"父言忠……累转吏部员外郎。坐事左迁邵州司马,卒。"按杜、贾之卒当在本年或稍后,姑系于此。《新唐书》艺文志二:"杜易简《御史台杂注》五卷。"艺文志四:"《杜易简集》二十卷。"

骆宾王自长安使蜀,居蜀期间作《艳情代郭氏赠卢照邻》、《冒雨寻菊序》等诗文。骆宾王《畴昔篇》:"荣亲未尽礼,徇主欲申功。脂车秣马辞京国,策辔西南使邛僰。"前两句当指从军边塞之事,后两句则写自京使蜀,其事在从军姚州之后,当在本年。骆宾王有《艳情代郭氏赠卢照邻》、《代女道士王灵妃赠道士李荣》等诗及《秋日于益州李长史宅宴序》、《冒雨寻菊序》等文,均当作于居蜀期间。按《代女道士王灵妃赠道士李荣》系骆宾王名篇。《载酒园诗话又编》评云:"《代女道士王灵妃赠道士李荣》曰:'寄语河边值查客,乍可匆匆共百年,谁使遥遥期七夕。'大是情至语。后又云:'假令白里似长安,须使青牛学剑端。蘋风入驭来应易,竹杖成龙去不难。'用诗尤切。余于众选外特搜此篇。"

崔日用(673—722)生。崔日用,滑州灵昌人。弱冠举进士,授芮城尉,擢新丰尉。中宗朝,累官至兵部侍郎,兼修文馆学士。以预讨韦后功,授黄门侍郎,参知政事,封齐国公。开元初,拜吏部尚书。官终并州大都督府长史。著有《姓苑略》一卷,《全唐诗》录其诗 13 首。据新、旧《唐书》本传。

公元 674 年 (唐高宗咸亨五年 上元元年 甲戌)

正月至七月间

王勃在虢州参军任,补定祖父王通所撰《续书》,并为之序;期间勃曾匿杀官奴。王勃《续书序》:"我先君文中子,实秉睿懿,生于隋末,睹后作之违方,忧异端之害正。乃喟然曰:'宣尼既没,文不在兹乎?'遂约大义,删旧章,续《诗》为三百六十篇,考伪乱而修《元经》,正《礼》《乐》以旌后王之失,述《易赞》以申先师之旨。经始汉、魏,迄于有晋,择其典物宜于教者,续《书》为百二十篇,而广大悉备。……遭代丧乱,未行于时。历年永久,稍见残缺。贞观中,太原府君考诸六经之目,则亡其小序;其有录而无篇者,又十六焉。呜呼!兹不可复见矣。家君钦若丕烈,图终休绪。乃例六经,次《礼》、《乐》,叙《中说》,明《易赞》,永惟保守前训,大克敷遗后人。勃……间者承命为百二十篇作序,而兼当补修其阙。爰考众籍,共参奥旨。泉源浩然,罔识攸济。呜呼小子,何敢以当之也,其尽心力乎!始自总章二年,泊乎咸亨五年，刊写文就定，成百二十篇，勒成二十五卷。"本年八月改元上元，序云"咸亨五年"，当作于本年八月改元前。在此期间王勃曾有匿杀官奴之举，参见本年八月条。王勃又有《四分律宗记序》，云："有西京太原寺索律师者，俗姓范氏，其先南阳人也。……咸亨之时……律师乃以道众羽仪，释门栋干，粤自弘济，来游太原。……钻研刊削，五载而就，名曰《开四分律宗记》，凡十卷三十七万六百三十言。"索律师当作素律师。《宋高僧传》卷一四怀素传："咸亨元年，发起勇心别述《开四分律记》。"可知怀素书及王勃序之撰定均在本年，附记于此。

八月

壬辰，改元上元，大赦，赐酺三日；杨炯为赋酺宴诗。《旧唐书》高宗纪下："秋八月壬辰……皇帝称天皇，皇后称天后。改咸亨五年为上元元年，大赦。"《新唐书》高宗纪："大赦，改元，赐酺三日。"杨炯有《奉和上元酺宴应诏》诗，当作于此时。

辛丑，诏道士女冠与僧尼不须分别先后。《唐会要》卷四九："至上元元年八月二十四日辛丑，诏公私斋会及参集之处，道士女冠在东，僧尼在西，不须更为先后。"

李善遇赦还，居汴、郑间授《文选》。《旧唐书》儒学上曹宪附李善传："坐与贺兰敏之周密，配流姚州。后遇赦得还，以教授为业，诸生多自远方而至。"同书文苑中李邕传："敏之败，善坐配流岭外。会赦还，因寓居汴、郑之间，以讲《文选》为业。"所谓"赦"，当指本年八月之改元大赦。

王勃匿杀官奴事发，当诛，遇赦免死除名。《旧唐书》文苑上本传："久之，补虢州参军。勃恃才傲物，为同僚所嫉。有官奴曹达犯罪，勃匿之，又惧事泄，乃杀达以塞口。事发当诛，会赦除名。"

十一月

丙午朔，高宗幸东都。见《旧唐书》高宗纪下。

十二月

二十七日，武后表请百官习《老子》，明经试《老子》策。《唐会要》卷七五："上元元年十二月二十七日，天后上表曰：'伏以圣绪出自玄元，五千之文，实唯圣教，望请王公以下，内外百官，皆习老子《道德经》。其明经咸令习读，一准《孝经》、《论语》。所司临时试策，请施行之。'"又见《旧唐书》高宗纪下、《通鉴》卷二〇二。

本年

崔行功（？—674）卒。《旧唐书》文苑上本传："咸亨中，官名复旧，改为秘书少监。上元元年，卒官。有集六十卷。……行功前后预撰《晋书》及《文思博要》等。"《新唐书》艺文志四："《崔行功集》六十卷。"

卢照邻作《乐府杂诗序》，叙及贾言忠等因高宗君臣游幸九成宫而赋诗编集之事，

盛赞诗集作者自我作古而诗风雅正。序中有云："其后鼓吹乐府，新声起于邺中；山水风云，逸韵生于江左。言古兴者，多以西汉为宗；议今文者，或用东朝为美。《落梅》、《芳树》，共体千篇；《陇水》、《巫山》，殊名一意。亦犹负日于珍狐之下，沈萤于烛龙之前。辛勤逐影，更似悲狂，罕见凿空，曾未先觉。潘、陆、颜、谢，蹈迷津而不归；任、沈、江、刘，来乱辙而弥远。其有发挥新题，孤飞百代之前，开凿古人，独步九流之上，自我作古，粤在兹乎！《乐府》者，侍御史贾君之所作也。……九成宫者，信天子之殊亭，群仙之一都也。……天子万乘，驱凤辇于西郊；群公百僚，扈龙轩而北辅。春秋络绎，冠盖满于青山；寒暑推移，旌节喧于黄道。……经过者徒知其美，揄扬者未歌其事。恭闻首唱，遂属洛阳才子；俯视前修，将丽长安之道。平恩公当朝旧相，一顾增容。亲行翰墨之林，先标唱和之雅。于是怀文之士，莫不向风靡然。动麟阁之雕章，发鸿都之宝思。云飞绮札，代郡接于苍梧；泉涌华篇，岷波连于碣石。万殊斯应，千里不违。同晨风之欹北林，似秋水之归东壑。洋洋盈耳，岂徒悬鲁之音；郁郁文哉，非复从周之说。故可论诸典故，被以笙镛。爰有中山郎余令，雅好著书，时称博物。探亡篇于古壁，征逸简于道人。撰而集之，命余为序。时褫巾三蜀，归卧一丘；散发书林，狂歌学市。虽江湖廓朗，宾庑萧条；绮季留侯，神交仿佛。遂复驱逼幽忧之疾，经纬朝廷之言。凡一百一篇，分为上下两卷。俾夫舞雩周道，知《小雅》之欢娱；击壤尧年，识太平之歌咏云尔。"序中所云"侍御史贾君"当指贾言忠。《唐会要》卷二八："总章二年九月，车驾自九成宫还京，仍西狩校习……殿中侍御史杜易简、贾言忠监围。"《新唐书》贾曾传叙言忠仕履云："累转吏部员外郎。李敬玄兼尚书，言忠尚气，及主选，不能下，贬邵州司马。"据《旧唐书》高宗纪下，李敬玄上元二年八月庚子由吏部侍郎迁吏部尚书，则言忠由侍御史转吏部员外郎是在上元二年八月以前。卢照临此序犹称"侍御史贾君"，知必作于上元二年八月以前言忠未转官时。又序中有"驱逼幽忧之疾"语，上年所作《病梨树赋》则云"余年垂强仕，则有幽忧之疾"，而明年为上元二年，知此序当作于此两三年间，姑系本年。参李云逸《卢照邻集校注》附录《卢照邻年谱》。又序中平恩公指许圉师，《旧唐书》许绍附许圉师传："（显庆）三年，以修实录功封平恩县公。"

苏颋五岁，已善吟咏诵读。韩休《唐金紫光禄大夫礼部尚书上柱国赠尚书右丞相许国文宪公苏颋文集序》："五岁便措意于文，每坐卧吟讽，未尝暂辍。"《朝野佥载》卷四："苏颋年五岁，裴谈过其父。颋方在，乃试诵庾信《枯树赋》，将及终篇，避'谈'字，因易其韵曰：'昔年移树，依依汉阴。今看摇落，凄凄江浔。树犹如此，人何以任。'谈骇叹久之，知其他日必主文章也。"《佥载》所记为小说家言，不尽可信，姑系于此。

公元 675 年　（唐高宗上元二年　乙亥）

正月

敕明经加试《老子》策二条，进士加试帖三条。见《册府元龟》卷六三九《唐会要》卷七五。

三月

武后引元万顷等为"北门学士"。《通鉴》卷二〇二："三月……天后多引文学之士著作郎元万顷、左史刘祎之等，使之撰《列女传》、《臣轨》、《百僚新戒》、《乐书》，凡千余卷。朝廷奏议及百司表疏，时密令参决，以分宰相之权，时人谓之北门学士。"据《旧唐书》刘祎之传、文苑中元万顷传，左史范履冰、苗神客，右史周思茂、胡楚宾等亦在北门学士之列。

沈佺期、宋之问、张鹫、刘希夷等四十五人登进士第，考功员外郎骞味道知贡举。见《登科记考》卷二，参陈尚君《登科记考正补》。

四月

皇太子李弘卒，薛元超为撰哀策文。《薛元超墓志》："五十三，上元赦还，诣洛阳，帝召见，拜正谏大夫。孝敬崩，诏公为哀策。"本年薛元超年五十三。《旧唐书》高宗纪下："（四月）己亥，皇太子弘薨于合璧宫之绮云殿。……五月己亥，追谥太子弘为孝敬皇帝。"

五月

王勃应父命撰《百里昌言》，旋赴交趾省父。王勃《上百里昌言疏》："勃言：乡人奉五月一日诲，子弟各陈百里之术宣于政者。承命煌灼，伏增悲悚。……鸣呼！如勃尚何言哉！辱亲可谓深矣。……今大人上延国谴，远宰边邑，出三江而浮五湖，越东瓯而渡南海。嗟乎！此勃之罪也，无所逃于天地之间矣。然勃尝闻之《大易》曰：'人之所助者，信也；天之所助者，顺也。'是以君子不以否屈而易方，故屈而终泰；忠臣不以困穷而丧志，故穷而必亨。今交趾虽远，还珠者尝用之矣。《书》不云乎：'弗虑胡获，弗为胡成。'不胜愤激之至，谨上《百里昌言》一部，列为十八篇，分为上下卷。"杨炯《王勃集序》："坐免岁余，寻复旧职，弃官沉迹，就养于交趾焉。"《旧唐书》文苑上王勃传："上元二年，勃往交趾省父……"《新唐书》文艺上王勃传："父福畤，繇雍州司功参军坐勃故左迁交趾令，勃往省……"知王勃当于《百里昌言》撰成后不久即赴交趾。

六月

戊寅，立雍王李贤为皇太子，赦天下。见《旧唐书》高宗纪下。

九月

王勃南行省父途经洪州，作《滕王阁序》。王勃《秋日登洪府滕王阁饯别序》："家君作宰，路出名区；童子何知，躬逢胜饯。时维九月，序属三秋。……勃三尺微命，一介书生……舍簪笏于百龄，奉晨昏于万里。"《新唐书》文艺上本传："父福畤，繇雍州司功参军坐勃故左迁交趾令。勃往省，渡海溺水，瘁而卒。……初，道出钟陵，九月九日都督大宴滕王阁，宿命其婿作序以夸客，因出纸笔遍请客，莫敢当，至勃，泛然不辞。都督怒，起更衣，遣吏伺其文辄报。一再报，语益奇，乃瞿然曰：'天才也！'请遂其文，极欢罢。"王勃明年八月渡海溺水而卒，此云"初，道出钟陵"，即指本年。《唐摭言》卷五云王勃十四岁时作此序，误。详见刘汝霖《王子安年谱》（《王子安集注》附）、马茂元《读两〈唐书·文艺（苑）传〉札记》"王勃传"条（《文史》第八辑）。至洪洲前王勃一路经行淮阴、楚州、江宁、鄱阳湖，分别作《过淮阴谒汉祖庙祭文》、《秋日楚州郝司户宅遇饯崔使君序》、《江宁吴少府宅饯宴序》、《采莲赋》等诗文，参《王子安年谱》。按《滕王阁序》是王勃名篇。《集古录跋尾》卷五："右《德州长寿寺舍利碑》，不著书撰人名氏，碑武德中建，而所述乃隋事也。其事迹文辞皆无取，独录其书尔。余屡叹文章至陈、隋，不胜其弊，而怪唐家能臻致治之盛，而不能遽革文弊，以谓积习成俗，难于骤变。及读斯碑有云'浮云共岭松张盖，明月与岩桂分丛'，乃知王勃云'落霞与孤鹜齐飞，秋水共长天一色'，当时士无贤愚，以为警绝，岂非其余习乎？"《容斋四笔》卷五："韩公《滕王阁记》云：'江南多游观之美，而滕王阁独为第一。及得三王所作序、赋、记等，壮其文辞。'注谓：'王勃作游阁序。'又云：'中丞命为记，窃喜载名其上，词列三王之次，有荣耀焉。'则韩之所以推勃，亦为不浅矣。"《野客丛书》卷一三："王勃云：'落霞与孤鹜齐飞，秋水共长天一色。'当时以为工。仆观《骆宾王集》亦曰：'断云将野鹤俱飞，竹响共雨声相乱。'曰：'飚金将玉露俱清，柳黛与荷绸渐歇。'曰：'缁衣将素履同归，廊庙与江湖齐致。'此类不一，则知当时文士皆习为此等语。且勃此语，不独见于《滕王阁序》，如《山亭记》亦曰：'长江与斜汉争流，白云将红尘并落。'欧公《集古录》载《德州长寿寺碑》，与《西清诗话》如此等语不一。仆因观《文选》及晋、宋间集，如刘孝标、王仲宝、陆士衡、任彦升、沈休文、江文通之流，往往多有此语，信知唐人句格皆有自也。"《群书考索续集》卷一八："姚铉录唐文而不录《滕王阁记》，亦犹《文选》之于《兰亭记》，《通鉴》之于《离骚经》乎？且《滕王阁记》作之者谁？唐王勃也。观'落霞''秋水'之句，不特起阁公之叹，虽后世亦谅其为天才也。然勃既得为天才而不得列班于唐之百卷，姚铉掇菁撷华，必非弃珠于渊者。"《诗薮》内编五卷："《滕王阁序》神俊无前，六代体裁，几于一变。即'画栋''珠帘'四韵，亦唐人短歌之绝。"《古文笔法百篇》卷一八："自来手八叉、才七步如曹子建、温庭筠辈，类皆不免枚皋速而不工之弊；至求其可以三《二京》而四《三都》者，则又非相如之工而不速不可。古今所传，惟祢正平《鹦鹉》一篇，庶几兼之。然年非弱冠，而又有黄祖娱宾之迫，不得不顺从以远害，尽辞以效愚。若夫子安路出洪州，躬逢胜饯，既无避祸之苦，又叨末座之宾，出纸慨然，此阁公之所以见恚也。而序珠来去，举笔有神，初不让八叉七步之捷，竟致陈思铜雀能倾魏武之心，以视孟坚之折西宾、太冲之访岷事，其工拙又何如也？"

秋

骆宾王离蜀归长安。骆宾王《畴昔篇》："他乡冉冉消年月，帝里沈沈限城阙。不见猿声助客啼，唯闻旅思将花发。……解鞅欲言归，执袂怆多违。北梁俱握手，南浦共沾衣。别情伤去盖，离念惜徂辉。知音何所托，木落雁南飞。"乃追叙离蜀归京情事之词。骆宾王明年在武功主簿任，又以诗中语考之，其离蜀约在本年秋。

十二月

王勃作《璧鉴图铭序》，赞女性作者才情之不凡。序云："上元一年（蒋清翊注：'一'是'二'字之讹）岁次乙亥，十有一月庚午朔，七日丙子，予将之交趾，旅次南海，有好事者，以转轮钩枝八花鉴铭示予，云当今之才妇人作也。观其藻丽反覆，文字萦回，句读曲屈，韵调高雅，有陈规起讽之意，可以作鉴前烈，辉映将来者也。昔孔诗十兴，不遗卫姜；江篇拟古，无隔班媛。盖以超俊颖拔，同符君子者矣。呜呼！何勤非戒（蒋清翊注：'勤'疑'勒'字之讹），何述非才。风律句存，士女何算。聊抚镜以长想，遂援笔而作序。"查《二十史闰朔表》，本年十二月庚午朔，丙子为七日，知十一月乃十二月之误。参徐俊《王勃行年辨正》，载《文史》第二十七辑。

本年

裴行俭草书《文选》一部，为高宗所称赏。《旧唐书》卷八四裴行俭传："上元二年，加银青光禄大夫，高宗以行俭工于草书，尝以绢素百卷，令行俭草书《文选》一部，帝览之称善，赐帛五百段。行俭尝谓人曰：'褚遂良非精笔佳墨，未尝辄书，不择笔墨而妍捷者，惟余及虞世南耳。'"

卢照邻移居太白山下，服丹砂以疗疾，旋丁父忧。《旧唐书》文苑上本传："处太白山中，以服饵为事。"卢照邻《与洛阳名流朝士乞药直书》："昔在关西太白山下，一隐士多玄明膏，中有丹砂八两，予时居贫，不得好上砂，但取马牙颜色微光净者充用。自尔丁府君忧，每一号哭，涕泗中皆药气流出，三四年羸卧苦嗽，几至于不免。"《寄裴舍人诸公遗衣药直书》："余家咸亨中良贱百口，自丁家难，私门弟妹凋丧，七八年间货用都尽。余不幸遇斯疾，母兄哀怜，破产以供医药。"据后文所云，"丁府君忧"与"丁家难"当为一事，且卢照邻丁父忧当在咸亨年之后，故系于此。卢照邻有《过东山谷口》、《羁卧山中》、《宴凤泉石翁神祠诗序》等诗文，当作于居太白山期间，附记于此。

李邕（675—747）生。李邕字泰和，广陵江都人。少知名，李峤荐为左拾遗。出为南和令，又贬富州司户。召拜左台殿中侍御史，改户部员外郎，又贬崖州舍城丞。开元初，擢户部郎中，为姚崇所构，左迁括州司马，征为陈州刺史。以赃污事发，贬钦州遵化县尉。累转括、淄、滑三州刺史。天宝初，为汲郡、北海二太守。六载，为李林甫所害。有文集七十卷。据《旧唐书》文苑中本传。

公元 676 年 （唐高宗上元三年　仪凤元年　丙子）

正月

崔融应词殚文律科制举及第。《唐会要》卷七六："上元三年正月词殚文律科，崔融及第。"

三月

薛元超同中书门下三品。《旧唐书》高宗纪下："三月癸卯，黄门侍郎来恒、中书侍郎薛元超并同中书门下三品。"《薛元超墓志》："五十四，拜守中书侍郎，寻同中书门下三品。此后得知国政者五年，诏敕日占数百，帝曰：'得卿一人足矣。'"薛元超本年年五十四。《旧唐书》薛收附薛元超传："上元三年，迁中书侍郎，寻同中书门下三品。"

闰三月

薛元超赋《出征》诗，高宗代周王和之。《薛元超墓志》："时吐蕃作梗河源，诏英王为元率。公赋《出征》诗一首，帝览而佳之，亲纤圣笔，代王为和。天文烂烂，月合而星连；睿思飘飘，云飞而风起。君臣之际，朝野称荣。"《旧唐书》高宗纪下："闰三月己巳朔，吐蕃入寇鄯、廓、河、芳等四州。乙酉，洛州牧、周王显为洮州道行军元帅……并州都督、相王轮为凉州道行军元帅……以讨吐蕃。二王竟不行。"按周王李显明年八月始徙封英王，亦见《旧唐书》高宗纪下。

四月

高宗自东都还长安。见《旧唐书》高宗纪下。

骆宾王在武功主簿任，以母老需养，辞裴行俭掌书记之命；后调明堂主簿，作《帝京篇》。骆宾王《上吏部裴侍郎书》："四月一日，武功县主簿骆宾王，谨再拜奉书吏部侍郎裴公执事。……宾王一艺罕称，十年不调。……不图君侯忽垂过听，礼以弓招之恩，任以书记之事。……所以逡巡于成命，踌躇于从事者，徒以凤遭不造，幼丁闵凶，老母在堂，常膺羸恙。……君侯情深锡类，道协天经，明恕待人，慈心应物，倘矜犬马之微愿，悯乌鸟之私情，宽其负恩，遂其终养，则穷魂有望，老母知归。宾王死罪再拜。"《新唐书》文艺上王勃传附骆宾王传："历武功主簿，裴行俭为洮州总管，表掌书奏，不应。"《旧唐书》裴行俭传："改为吏部侍郎。……三年，吐蕃背叛，诏行俭为洮州道左二军总管，寻又为秦州镇抚右军总管，并受元帅周王节度。"骆宾王又有《上吏部侍郎帝京篇启》："宾王启，昨引注日，垂索鄙文，拜手惊魂，承恩累息。"此吏部侍郎亦当为裴行俭。张说《赠太尉裴公神道碑》："上元中，长星出天，秃发入塞。诏公为洮州道左军总管，又为秦州镇抚右军总管并受元帅周王节度。虽祭公有谏，耀武之事不行，而方叔帅师，来威之道备矣。"知裴行俭当以讨吐蕃事未行而旋解军职，复典吏部选事，故骆宾王有诗献之。《朝野佥载》卷一："明堂主簿骆宾王

《帝京篇》曰……"则其作《帝京篇》时已在明堂主簿任。据诗中"十年不调几遭回"之句，知《帝京篇》亦当作于本年。又骆宾王《畴昔篇》云："十年不调为贫贱，百日屡迁随倚伏。"前句与《上吏部裴侍郎书》、《帝京篇》"十年不调"语相合，后句当指自武功主簿旋迁明堂主簿。按《帝京篇》是骆宾王名作。《旧唐书》文苑上骆宾王传："少善属文，尤妙于五言诗，尝作《帝京篇》，当时以为绝唱。"《载酒园诗话又编》："《帝京篇》，铨官时吏部侍郎裴行俭索文，作以献者也，故淋漓磊落，竭其才思。今人或病其过于横溢。余以读诗者如汉文节俭，自不作露台可耳，必不得谓未央壮丽，追罪萧何。"《唐诗观澜集》卷五："藻丽沿六朝，而愈增繁缛，唐初四子往往如此。此诗警豪华之难保，戒骄奢之终衰，移风易俗，有贾生之志焉。义近于风。"《而庵说唐诗》卷三："宾王此作最有体裁，节次相生，又井然不乱。"

七月

王勃（650—676）卒，年二十七。杨炯《王勃集序》："春秋二十八，皇唐上元三年秋八月，不改其乐，颜氏斯殂，养空而浮，贾生终逝。"《旧唐书》文苑上本传："上元二年，勃往交趾省父。……渡南海，堕水而卒，时年二十八。"《新唐书》文艺上本传："渡海溺水，痵而卒，年二十九。"诸说不同。今据王勃《春思赋序》"咸亨二年，余春秋二十有二"，定其生年为永徽元年（650），据杨炯此序所叙王勃卒年，定其享年为二十七。参刘汝霖《王子安年谱》。杨炯《序》："呜呼，天道何哉！所注《周易》，穷乎晋卦，又注《皇帝八十一难》，幸就其功，撰合论十篇，见行于代。君平生属文，岁时不倦，缀其存者，才数百篇。嗟乎促龄，材气未尽，殁而不朽，君子贵焉。……潸然揽涕，究而序之。分为二十卷，具诸篇目。"《新唐书》艺文志四："《王勃集》三十卷。"又："王勃《舟中纂序》五卷。"《郡斋读书志》卷一七："《王勃集》二十卷。……有刘元济序。"四库提要卷一四九："《王子安集》十六卷。……此本乃明崇祯中闽人张燮搜辑《文苑英华》诸书，编为一十六卷，虽非唐、宋之旧，而以视别本，则较为完善矣。勃文为四杰之冠，儒者颇病其浮艳。夫一行、段成式博洽冠绝古今，杜甫、韩愈诗文亦冠绝古今，而其推勃如是，枵腹白战之徒，掇拾语录之糟粕，乃沾沾焉而动其喙，殆所谓蚍蜉撼树者欤！"《唐诗品》："子安早握玄珠，天然艳发，登高而赋，钟石毕陈。盖其上薄云天之气，下缠幽寂之忿，蓄以疏才，发以盛藻，直举胸臆，俯瞰前古，宜其无可为节也。《圣泉》、《泥溪》诸篇，披襟散度，委露流霞，自予束发之年已多慕之，每一诵过，若采芳藻。及观其平生，则纬文相诡，不能商榷前秀。《斗鸡》之作，殊乏治安之志，上干人主之怒，下谢家门之福，海若为侣，孰不凄然。"张逊业《校正王勃集序》："王子才富丽径捷，称冠一时。赋与七言古诗可谓独步。然律及诸作未脱六朝沿染，而沉思工致，亦未易及也。"《诗薮》内编卷四："大历以还，易空疏而难典赡；景龙之际，难雅洁而易浮华。盖齐、梁代降，沿袭绮靡，非大有神情，胡能荡涤？唐初五言律惟王勃'送送多穷路'、'城阙辅三秦'等作，终篇不著景物，而兴象宛然，气骨苍然，实首启盛、中妙境。五言绝亦舒写悲凉，洗削流调。穷其才力，自是唐人开山祖。拾遗、吏部，并极虚怀，非溢美也。"卷六："唐初五言绝，子安诸作已入妙境，七言初变梁、陈，音律未谐，韵度尚乏。"《诗镜总论》："王勃高华，杨炯雄厚，照邻清藻，宾王坦易，子安其最杰乎？调入初唐，时带六朝锦色。"《唐音癸签》卷五："王子安虽不废藻饰，如璞含珠媚，自然发其彩光。"《诗辩坻》卷三："王子安七言古风，能从乐府脱出，故宜华不伤质，自然高浑矣。"《三唐诗品》卷一："其源出于吴、何，而益谐音律，情词朗秀，结风隽响，但言外无妍，微伤深致。五言短绝，隽永见珍。《采莲曲》、《临高台》亦杂言新体之遗也。"

秋

　　李峤在长安尉任，与骆宾王等以文章齐名，旋转三原尉。《新唐书》李峤传："始调安定尉。举制策甲科，迁长安。时畿尉名文章者，骆宾王、刘光业，峤最少，与等夷。"李峤本年秋转三原县尉，见陈冠明《李峤年谱》。

　　骆宾王行役江南，作《在江南赠宋五之问》等诗。骆宾王《畴昔篇》追叙此次江南之行云："只为须求负郭田，使我再干州县禄。百年郁郁少腾迁，万里迢迢入镜川。吴江沸潮冲白日，淮海长波接远天。""再干州县禄"当指本年为武功、明堂主簿事，则其出行江南亦当在本年。骆宾王有《在江南赠宋五之问》、《渡瓜步江》、《棹歌行》、《送费元之还蜀》、《陪润州薛司空丹徒桂明府游招隐寺》、《望月有所思》、《忆蜀地佳人》等诗，当均为本年行役江南时所作。以诸诗所写节序考之，知骆宾王此行乃在秋季。《畴昔篇》又云："眺听烟霞正流盼，即从王事归舻转。……人事谢光阴，俄遭霜露侵。偷存七尺影，分没九泉深。穷途行泣玉，愤路未藏金。茹荼空有叹，怀橘独伤心。"是骆宾王南行后未久即北归，旋遭母丧，时当在本年底，附记于此。

　　杨炯应制举及第，授校书郎，赋诗送同僚从军。杨炯《浑天赋》序："上元三年，始以应制举，补校书郎。"杨炯有《送刘校书从军》诗，当作于任校书郎时，诗云："秋阴生蜀道"，知秋日所作。按此诗系杨炯名篇，《唐诗直解》卷四钟惺评："杨炯排律诗，已存温厚，为盛唐立极，但未开阔耳。"《唐诗镜》卷一："初唐排律最佳。"《删补唐诗选脉笺释会通评林》卷三六周敬曰："庄雅雄整，摆脱陈隋多矣。"

十月

　　郇王李素节进所著《忠孝论》，为武后所诬。《通鉴》卷二〇二：上元三年十月，"郇王素节，萧淑妃之子也，警敏好学。天后恶之，自岐州刺史左迁申州刺史。乾封初，敕曰：'素节既有旧疾，不须入朝。'而素节实无疾，自以久不得入觐，乃著《忠孝论》。王府仓曹参军张柬之因使潜封其论以进。后见之，诬以赃贿，丙午，降封鄱阳王，袁州安置。"

十一月

　　三日，敕新造《上元》之舞。《唐会要》卷三二："上元三年十一月三日，敕新造《上元》之舞。先令大祀享皆将陈设，自今以后，圜丘方泽、太庙祀享然后用此舞，余祭并停。"

壬申，改元仪凤。见《旧唐书》高宗纪下。

十二月

丙申，皇太子李贤等注《后汉书》成，奏上。《旧唐书》高宗中宗诸子章怀太子贤传："贤又招集当时学者太子左庶子张大安、洗马刘讷言、洛州司户格希元、学士许叔牙、成玄一、史藏诸、周宝宁等，注范晔《后汉书》，表上之，赐物三万段，仍以其书付秘阁。"同书岑文本附格辅元传："辅元兄希元，高宗时洛州司户参军，章怀太子召令与洗马刘讷言等注解范晔《后汉书》，行于代。"同书高宗纪下："十二月丙申，皇太子贤上所注《后汉书》，赐物三万段。"本月甲午朔，丙申为三日。《唐会要》卷三六记此事在本月二日。《新唐书》艺文志二："章怀太子贤注《后汉书》一百卷贤命刘讷言、格希元等注。"

本年

陈子昂始折节读书，数年间概览经史百家。卢藏用《陈子昂别传》："陈子昂……奇杰过人，姿状岳立。始以豪家子，驰侠使气，至年十七八未知书。尝从博徒入乡学，慨然立志，因谢绝门客，专精坟典，数年之间，经史百家，罔不该览。尤善属文，雅有相如、子云之风骨。初为诗，幽人王适见而惊曰：'此子必为文宗矣。'"《新唐书》本传："子昂十八未知书，以富家子，尚气决，弋博自如。它日入乡校，感悔，即痛修饬。"本年陈子昂年十八。

公元 677 年　（唐高宗仪凤二年　丁丑）

正月

杨炯在校书郎任，作《晦日药园诗序》。序中有云："于时丁丑之年，孟春之晦，岁阴入于星纪，斗柄临于析木。衣冠杂沓，出城阙而盘游；车马骈阗，俯河滨而帐饮。……阳光稍晚，高兴未阑，请诸文会之游，共纪当年之事。凡厥众作，列之于后。"又《唐会要》卷三一："仪凤二年，太常博士苏知机又上表，以公卿以下冕服，请别立节文，敕下有司详议。崇文馆学士、校书郎杨炯议曰：……由是竟寝知机所请。"按此即杨炯《公卿以下冕服议》，为本年所作，附记于此。又此云杨炯任崇文馆学士，似不确；永隆二年（681）炯始以薛元超之荐任此职，见该年二月条。

夏秋间

李峤在三原县尉任，访夏县尉崔融未遇，有书及诗遗之，又作有《汾阴行》。李峤《与夏县崔少府书》："安成足下，伏闻高义之日久矣。……首路之日，驰情下风。不谓燕雀联翩，鸿鹄已远。形留神往，室迩人遐。孤此宿心，延仁何极！……顷者关塞羁游，风尘旅泊，抒情歌事，略有短篇，未足追踵词人，亦已言其所志。窃不自外，思简知音。……仆事已清白，寻就西辕，仰承背夏涉秋，方期庆止。契阔不会，我劳如何！"夏县崔少府谓崔融，时在夏县尉任，安成即崔融字。书当作于本年。又李峤《汾阴行》："不见至今汾水上，唯有年年秋雁飞。"汾水流经绛州，见《元和郡县图志》卷一二。夏县贞观十七年至乾元元年属绛州，见《旧唐书》地理志一。诗亦当本年李峤访崔融时所作。参陈冠明《李峤年谱》。按《汾阴行》系李峤代表。《本事诗》："天宝末，玄宗尝乘月登勤政楼。命梨园弟子歌数阙。有唱李峤诗者云：'富贵荣华能几时，山川满目泪沾衣。不见只今汾水上，惟有年年秋雁飞。'时上春秋已高，问是谁诗，或对曰李峤。因凄然涕下，不终曲而起，曰：'李峤真才子也。'又明年，幸蜀，登白卫岭，览眺久之，又歌是词，复言：'李峤真才子。'不胜感叹。"《诗薮》内编卷三："李峤《汾阴行》，玄宗剧赏，然声调未谐，转换多踬，出沈、宋下。"《读雪山房唐诗序例》："步伐整齐，词旨凄恻，为有唐一代七言古正声所起。"

本年

员半千在武陟尉任，开仓以赈饥民，薛元超义之。《旧唐书》高宗纪下：仪凤元年十二月，"戊午，遣使分道巡抚：……薛元超河北道。"同书文苑中员半千传："上元初，应八科举，授武陟尉。属频岁旱饥，劝县令殷子良开仓以赈贫馁，子良不从。会子良赴州，半千便发仓粟以给饥人。怀州刺史郭齐宗大惊，因而按之。时黄门侍郎薛元超为河北道存抚使，谓齐宗曰：'公百姓不能救之，而使惠归一尉，岂不愧也！'遽令释之。"事当在本年。

苏味道任咸阳尉。《旧唐书》本传："累转咸阳尉。"苏味道咸亨二年赴吏部选，得释褐授官，"累转"而为咸阳尉，约在本年。

徐彦伯受薛元超表荐，由是入仕。《新唐书》徐彦伯传："七岁能文。结庐太行山下。薛元超安抚河北，表其贤，对策高第。调永寿尉。"按徐彦伯（？—714），兖州瑕丘人，名洪，以字显。对策高第，累转蒲州司兵参军。圣历中除给事中，预修《三教珠英》。中宗神龙初，迁太常少卿。旋出为卫州刺史，转蒲州刺史。入为工部侍郎，寻除卫尉卿，兼修文馆学士。睿宗立，迁右散骑常侍、太子宾客。开元二年卒。有《徐彦伯前集》十卷、《后集》十卷。据新、旧《唐书》本传。

张鷟年二十，应制举及第，授襄乐县尉，任期尝撰《游仙窟》。《桂林风土记》："鷟弱冠应举，下笔成章，中书侍郎薛元超特授襄乐尉。"张鷟撰有《游仙窟》，见《唐人小说》。据文后汪辟疆按语，《游仙窟》原钞卷首题"宁州襄乐县尉张文成作"，知当撰成于本年或稍后，亦系于此。

赵东曦（677—750）生。赵冬曦，字仲爱，定州鼓城人。进士擢第，授校书郎，复登藻思清华科，历右拾遗、监察御史。开元初流岳州，与张说交游。召还，迁考功员外郎、中书舍人。贬合州刺史，累转眉、濮、亳、许、宋等州及弘农、荥阳、华阴等郡。入为国子祭酒，天宝九载卒。著有《王政》三卷、《赵冬曦集》。据《新唐书》儒学下本传、唐故国子祭酒赵君（冬曦）圹。

公元678年 （唐高宗仪凤三年 戊寅）

三月

刘希夷作《代悲白头翁》、《公子行》诗。《代悲白头翁》："洛阳城东桃李花，飞来飞去落谁家？洛阳女儿好颜色，坐见落花长叹息。"约作于本年三月，参见明年春刘希夷条。又《公子行》："天津桥下阳春水，天津桥上繁华子。"节序、地点均同于《白头翁》，或为同时之作，亦系于此。按《代悲白头翁》系刘希夷代表作。《唐诗评选》卷一："一直中露本色风光，即此是七言渊系。后来排撰虚实，横立情景，如游子以他乡为丘壑，忘其本矣。"《公子行》亦称名作。《唐诗归》卷二钟惺评云："情中妙语，然从陶公《闲情赋》语讨出。"《唐诗别裁集》卷五："队仗工丽，上下蝉联，此初唐七古体，少陵云'劣于汉、魏近风骚'也。"《诗法易简录》卷七："此亦初唐体也。初唐声调源本齐、梁，观此诗益见初唐人皆然，不独四子。"

五月

诏自今而后《道德经》为上经，贡举人皆须兼通。见《旧唐书》礼仪志四。《唐会要》卷七五作本年三月，此依《旧志》。

七月

丁巳，高宗与近臣诸亲赋柏梁体联句诗。《旧唐书》高宗纪下："秋七月丁巳，宴近臣诸亲于咸亨殿。上谓霍王元轨曰：'去冬无雪，今春少雨。自避暑此宫，甘雨频降，夏麦丰熟，秋稼滋荣。……思与叔等同为此欢，各宜尽醉。'上因赋七言诗效柏梁体，侍臣并和。"《册府元龟》卷一〇〇："仪凤三年七月丁巳，宴百寮及诸亲于九成宫咸亨殿……帝赋诗作柏梁体曰：…… 皇太子曰：…… 霍王元轨曰：…… 相王轮曰：……右仆射戴至德曰：…… 黄门侍郎来尝（恒）曰：…… 中书侍郎薛元超曰：……自余群臣依次继作，日宴而罢。"

辛酉，韦万石请大宴会复奏《破阵乐》。《通鉴》卷二〇二："上初即位，不忍观《破阵乐》，命撤之。辛酉，太常少卿韦万石奏：'久寝不作，惧成废缺。请自今大宴会复奏之。'上从之。"《唐会要》卷三三："至仪凤三年七月八日，上在九成宫咸亨殿，宴韩王元嘉、霍王元轨及南北将军等。乐作，太常少卿韦万石奏言：'《破阵乐》舞者，是皇祚发迹所由，宜扬祖宗盛烈，传之于后，永永无穷。自太皇临御四海，寝而不作。……今《破阵乐》久废，群下无所称述，将何以发孝思之情！臣望每大宴会，先奏此舞，以光祖宗之功烈。'上矍然改容，俯遂所请。"

九月

军中作歌谣讽李敬玄等临阵怯懦。《朝野佥载》卷四："唐中书令李敬玄为元帅讨吐蕃，至树墩城，闻刘尚书没蕃，着靴不得，狼狈而走。时将军王杲、副总管曹怀舜等惊退，遗却麦饭，首尾千里，地上尺余。时军中谣曰：……"《通鉴》卷二〇二：仪凤三年九月，"丙寅，李敬玄将兵十八万与吐蕃将论钦陵战于青海之上，兵败，工部尚书、右卫大将军彭城僖公刘审礼为吐蕃所虏。……敬玄懦怯，按兵不救。闻审礼战没，狼狈还走。"

魏元忠上封事言御吐蕃之策，论及文武人才之才略。《通鉴》卷二〇二：仪凤三年九月，"太学生宋城魏元忠上封事，言御吐蕃之策，以为：'理国之要，在文与武。今言文者则以辞华为首而不及经纶；言武者则以骑射为先而不及方略。是皆何益于理乱哉！故陆机著《辩亡》之论，无救河桥之败，养由基射穿七札，不济鄢陵之师。此已然之明效也。……'"

本年

崔融复书于李峤。崔融《报三原李少府书》："仆去夏遄征，徂秋戾止，于舍弟圆处，辱吾子赠书……是何词裁清雅，兴旨奥深。"李少府谓李峤，上年有书遗崔融，融书作于本年。

卢照邻移居东龙门山。卢照邻《与洛阳名流朝士乞药直书》："幽忧子学道于东龙门山精舍，布衣藜羹，坚卧于一岩之曲。……昔在关西太白山下……三四年羸卧苦嗽，几至于不免。"《五悲·悲昔游》："一朝憔悴无气力，曝骸委骨龙门侧。"照邻上元二年（675）卧疾太白山，至本年首尾四年，其移居龙门山当在本年前后。

杨炯以疾去官，作《浑天赋》。赋序云："显庆五年，炯时年十一，待制弘文馆。上元三年，始以应制举，补校书郎。朝夕灵台之下，备见铜浑之象。寻返初服，卧疾丘园，二十年而一徙官，斯亦拙之效也。"显庆五年（660）至上元三年（676）为十七年，此举成数。上年杨炯尚在校书郎任，其去官当在本年。

张九龄（678—740）生。张九龄一名博物，字子寿，韶州曲江人。登进士第，连中材堪经邦、道侔伊吕科，授左拾遗。开元中进中书舍人，出为冀州刺史，改洪州都督，俄转桂州刺史，充岭南道按察使。入为秘书少监，转工部侍郎，迁中书侍郎，寻以本官同中书门下平章事，加中书令，封始兴县伯。为李林甫所潜，改尚书右丞相，罢知政事，贬荆州长史。卒，谥文献，有《曲江张先生文集》二十卷传世。据新、旧《唐书》本传及徐浩《唐尚书右丞相中书令张公神道碑》。

公元 679 年 （唐高宗仪凤四年　调露元年　己卯）

正月

己酉，高宗幸东都。见《旧唐书》高宗纪下。

刘希夷（651—679?）卒，年约二十九。《大唐新语》卷八："刘希夷一名挺之，汝州人。少有文华，好为宫体，词旨悲苦，不为时所重。善挡琵琶。尝为《白头翁咏》曰：'今年花落颜色改，明年花开复谁在？'既而自悔曰：'我此诗似谶，与石崇白首同所归何异也？'乃更作一句云：'年年岁岁花相似，岁岁年年人不同。'既而叹曰：'此句复似向谶矣。然死生有命，岂复由此！'乃两存之。诗成未周，为奸所杀。或云宋之问害之。后孙翌撰《正声集》，以希夷为集中之最，由是稍为时人所称。"《刘宾客嘉话录》："刘希夷诗曰：'年年岁岁花相似，岁岁年年人不同。其舅宋之问苦爱此两句，知其未示人，恳乞，许而不与。之问怒，以土袋压杀之。'"（文据唐兰《〈刘宾客嘉话录〉的校辑与辨伪》，载《文史》第四辑）《本事诗》："诗人刘希夷尝为诗曰：'今年花落颜色改，明年花开复谁在？'……果以来春之初下世。"《唐才子传》卷一刘希夷传："之问……使奴以图囊压杀于别舍，时未及三十。"按刘希夷为宋之问所杀事不足信，参见《唐才子传校笺》卷一刘希夷传笺；而《才子传》云刘希夷卒时年"未及三十"，或有所本，今姑从其说，系于本年。又据《新语》云希夷作《白头翁》诗成未周岁而卒、《本事诗》云其卒在诗成之来春初等语，则当在本年正月。《旧唐书》经籍志下："《刘希夷集》三卷。"《新唐书》艺文志四："《刘希夷集》十卷。"又："《刘希夷诗集》四卷。"《旧唐书》文苑中乔知之附传："时又有汝州人刘希夷，善为从军闺情之诗，词调哀苦，为时所重。"《后村诗话》新集卷六："希夷虽则天时人，然格律已有天宝以后之风矣。"《唐才子传》卷一："希夷，字廷芝，颍川人。……苦篇咏，特善闺帷之作，词情哀怨，多依古调，体势与时不合，遂不为所重。"又云："希夷天赋俊爽，才情如此，想其事业勋名，何所不至。孰谓奇蹇之运，遭逢恶人，寸禄不沾，长怀顿挫，斯才高而见忌者也。"《唐诗归》卷二谭元春云："希夷诗，灵快淹远，与刘眘虚可称两手。以前陈、隋滞气，被此君以大江大海挽水洗尽，脱出琉璃光明世界。伯敬称其'江汉以濯之，秋阳以曝之'，可谓知言。"钟惺云："希夷自有绝才绝情，妙舌妙笔，《公子行》、《代悲白头翁》本非其佳处，而俗人专取之，掩其诸作，古人精神不见于世矣。"《载酒园诗话又编》："刘庭芝藻思快笔，诚一时俊才，但多倾怀而语，不肯留余。如《采桑》一篇，真寻味无尽。《春女行》前半亦婉约可思，读至'忆昔楚王宫'以下，不觉兴阑人倦矣。钟氏盛称之，独贬其《代悲白头翁》。此诗悲歌历落，昔人之赏自不谬，特亦微嫌太尽。"又云："《孤松篇》极多佳思，及观宋延清《题张老松树》诗，便觉宋劲净，刘沓拖，大有老稚之别。余尝谓刘诗如花落鸟啼，宋诗似云蒸霞蔚，不徒手笔迥异，各有所长。宋实出于刘上，何苦夺其句而杀之！况'今年花落颜色改，明年花开复谁在'，亦甚无奇，龠州之辨良是。"《石州诗话》卷一："刘汝州希夷诗，格虽不高，而神情清郁，亦自奇才。"

春

骆宾王服阕，授长安主簿。《旧唐书》文苑中本传："高宗末，为长安主簿。"骆宾王遭母忧在仪凤元年底，服除授官当在本年春。参骆祥发《初唐四杰研究》附录《初唐四杰年谱》仪凤四年骆宾王条。

六月

辛亥，改元调露，大赦天下。见《旧唐书·高宗纪》下。

十月

宋之问父令文在左骁卫郎将任，受诏使吐蕃。《旧唐书》高宗纪下："（十月）癸亥，吐蕃文成公主遣其大臣论塞调傍来告丧，请和亲，不许。遣郎将宋令文使吐蕃，会赞普之葬。"按宋令文乃之问父，工文善书，亦能画。《旧唐书》文苑中宋之问传："父令文，有勇力，而工书，善属文。高宗时，为左骁卫郎将、东台详正学士。……世人以之问父为三绝，之问以文词知名，弟之悌有勇力，之逊善书，议者云各得父之一绝。"《法书要录》卷九《书断》下："宋令文，河南陕人，官至左卫中郎将。奇姿伟丽，身有三绝，曰书、画、力，尤于书备兼诸体，偏意在草，甚欲究能，翰简翩翩，甚得书之媚趣。若与高卿比权量力，则邹忌之类徐公也。"

十一月

苏味道从裴行俭征突厥，杜审言赋诗送之。杜审言有《赠苏味道》诗，乃送其从军之作。《旧唐书》苏味道传："弱冠，本州举进士。累转咸阳尉。吏部侍郎裴行俭先知其贵，甚加礼遇。及征突厥阿史那都支，引为管记。"《通鉴》卷二○二：调露元年六月，"初，西突厥十姓可汗阿史那都支及其别帅李遮匐与吐蕃连和，侵逼安西。"《旧唐书》高宗纪下："九月壬午，吏部侍郎裴行俭讨西突厥，擒其十姓可汗阿史那都支及别帅李遮匐以归。"又："十一月……甲辰，裴行俭为定襄道大总管……总三十万众以讨突厥。"知本年曾两次出讨突厥。审言诗有"雨雪关山暗，风霜草木稀"之句，知当作于本年十一月送苏味道再次出征时。参傅璇琮《唐代诗人丛考·杜审言考》。按此诗是杜审言名作。《删补唐诗选脉笺释会通评林》卷三六："意调雄浑，为国家边士生色。"《唐诗评选》卷三："迎头宽衍，迤逦入题，序次中凡五层，折合成一片。布格有神，久压沈、宋者，正以是尔。"

冬

骆宾王在侍御史任，得罪下狱，赋诗言怀。骆宾王有《宪台出繫寒夜有怀》诗，乃冬日于狱中所作。郗云卿《骆宾王文集序》："仕至侍御史，后以天后即位，频贡章疏讽谏，因斯得罪，贬授临海丞。"《旧唐书》文苑上本传："高宗末，为长安主簿。坐赃，左迁临海丞。"骆宾王《畴昔篇》："适离京兆谤，还从御府弹。……慎罚宁凭两造辞，严科直挂三章律。邹衍含悲系燕狱，李斯抱怨拘秦桎。"盖其自长安主簿擢侍御史，旋被罪人狱，郗《序》及《旧传》所载均有缺漏。骆宾王明年秋被释出狱，其入狱当在本年冬。

本年

李贤作《黄台瓜辞》。《唐会要》卷二："承天皇帝倓，既为张良娣所构，肃宗怒而幽死，又欲摇动代宗。时代宗收复两京，遣判官李泌入朝献捷，从容语及倓事。泌曰：'臣幼稚时，念得《黄台瓜辞》，陛下闻其说乎？高宗大帝有子八，天后所生四子，

自为行第，故睿宗第四，长曰孝敬皇帝弘，为太子监国，仁明孝悌，天后方图临朝，乃鸩杀之。立雍王贤，贤每自忧惕，知必不保全……乃作《黄台瓜辞》，令乐工歌之，冀天后闻之哀愍。辞曰：……太子贤终为天后所逐，死于黔中。……'"又见《新唐书》十一宗诸子承天皇帝倓传等。李贤明年被废为庶人，幽于别所，诗当作于本年或稍前，姑系于此。《唐诗归》卷一钟惺评此诗云："深有汉魏遗音，妙于《煮豆歌》。"《载酒园诗话又编》："《黄台瓜辞》不惟音节似古乐府，'三摘犹自可，摘绝抱蔓归'，言外有身不足恤，忧在宗社意，较之《小弁》尤婉尤痛，读此益叹退之《履霜操》之浅。"

卢照邻卧疾东龙门山，与在朝文士唱和，又为来济文集撰序。 卢照邻《与在朝诸贤书》："况下官抱疹东山，不干时事，借人唱和，何损于朋党？""抱疹东山"当指卧疾东龙门山之事，知此书作于本年前后。卢照邻《南阳公集序》："余早游西镐，及周史之阙文；晚卧东山，忆汉庭之遗事。……遂抽短翰，为之序云。"南阳公谓来济，见龙朔二年来济条。序云"晚卧东山"，亦当本年前后所作。此序又云："昔者龙蹲东鲁，陈礼乐而救苍生；虎据西秦，焚《诗》、《书》以愚黔首。通其变，参天二地谓之神；合其机，一阴一阳谓之圣。是以楚、汉方斗，萧、曹、绛、灌负长剑于此时；袁、曹已平，徐、陈、应、刘弄柔翰于当代。圣人方士之行，亦各异时而并宜；讴歌玉帛之书，何必同条而共贯。文质再而复，殷周之损益足征；骊翰三而始，虞夏之兴亡可及。美哉焕乎！斯文之功大矣。自获麟绝笔，一千三四百年。游、夏之门，时有荀卿、孟子；屈、宋之后，直至贾谊、相如。两班叙事，得丘明之风骨；二陆裁诗，含公幹之奇伟。邺中新体，共许音韵天成；江左诸人，咸好瓌姿艳发。精博爽丽，颜延之急病于江、鲍之间；疏散风流，谢宣城缓步于向、刘之上。北方重浊，独卢黄门往往高飞；南国轻清，惟庾中丞时时不坠。嗟乎！古今之士，递相毁誉，至有操我戈矛，启其墨守。《三都》既丽，征夏熟于上林；《九辩》已高，责春歌于下里。踦驳之论，纷然遂多。近日刘勰《文心》，钟嵘《诗评》，异议锋起，高谈不息。人惭西氏，空论拾翠之容；质谢南金，徒辩荆蓬之妙。拔十得五，虽曰肩随；闻一知二，犹为臆说。金曰未可，人称屡中；化鲁成鱼，曷云其远？非夫妙谐钟律，体会风骚，笔有余妍，思无停趣；作龟作镜，听歌曲而知亡，为龙为光，观礼容而识大。齐鲁一变之道，唐虞百代之文，悬日月于胸怀，挫风云于毫翰。含今古之制，扣宫徵之声。细则出入无间，粗则弥纶区宇。逶迤绰约，如玉女之千娇；突兀峥嵘，似灵龟之孤朴。乘槎上汉，谁问坳堂之浅深；荷戟入秦，宁议长安之远近。是非未定，曹子建皓首为期；离合俱伤，陆平叔终身流恨。超然若此，适可操刀；自兹已降，徒劳举斧。八病爰起，沈隐侯永作拘因；四声未分，梁武帝长为聋俗。后生莫晓，更恨文律烦苛；知音者稀，常恐词林交丧。《雅》《颂》不作，则后死者焉得而闻乎？"可见卢照邻文学思想之一斑。

陈子昂由蜀入长安，游太学，赴京途中多有诗作。 卢藏用《陈子昂别传》："年二十一，始东入咸京，游太学，历抵群公，都邑靡然属目矣。由是为远近，籍甚。"陈子昂有《白帝城怀古》、《度荆门望楚》、《岘山怀古》、《晚次乐乡县》、《初入峡苦风寄故乡亲友》等诗（见《陈子昂集》卷一、卷二；以下凡引陈子昂诗文，均据是书，不复注），当均为本次赴京途中初出蜀时所作。参见罗庸《陈子昂年谱》（《陈子昂集》

附）。按诸诗中《晚次乐乡县》、《度荆门望楚》系陈子昂名作。《删补唐诗选脉笺释会通评林》卷二七周敬评曰："子昂《次乐乡》、《度荆门》二诗，古淡雅远，超绝古今。"《诗薮》内编卷四："子昂'野戍荒烟断，深山古木平'（按即前诗中句）、'城分苍野外，树断白云隈'（按为后诗中句）等句，平淡简远，王、孟二家之祖。"又《白帝城怀古》、《岘山怀古》亦称名作。《删补唐诗选脉笺释会通评林》卷三六周敬曰："伯玉《怀古》二诗，楷正之极，唐初妙品。"《瀛奎律髓》卷三评前诗云："陈子昂《感遇》古诗三十八首，极为朱文公所称。天下皆知其能为古诗，一扫南北绮靡，殊不知律诗极精。此一篇置之老杜集中，亦恐难别，乃唐人律诗之祖。"评后诗云："此老杜以前律诗，悲壮感慨，即无纤巧砌垫。"

公元 680 年 　（唐高宗调露二年　永隆元年　庚辰）

正月

上元夜，陈子昂在洛阳，与友人游城，各自赋诗。陈子昂、韩仲宣、高瑾、陈嘉言、长孙正隐并有《上元夜效小庾体同用春字》诗。正隐为撰诗序，云："且九谷帝畿，三川奥域。交风均露，上分朱鸟之躔；溯洛背河，下镇苍龙之阙。多近臣之第宅，即瞰铜街；有贵戚之楼台，自连金穴。美人竞出，锦障如霞；公子交驰，雕鞍似月。同游洛浦，疑寻税马之津；争度河桥，似向牵牛之渚。实昌年之乐事，令节之佳游者焉。……盖陈良夜之欢，共发乘春之藻。仍为庾体，四韵成章，同以春为韵。"本年三月子昂与韩仲宣等宴于王明府山亭，见下，本次夜集亦当在本年，故系于此。

二十一日，高宗、武后观新造《六合还淳舞》。《旧唐书》高宗纪下："二年春正月乙酉，宴诸王、诸三司以上、诸州都督刺史于洛城南门楼，奏新造《六合还淳》之舞。"《唐会要》卷三三："调露二年正月二十一日，则天御洛城南楼，赐宴太常，奏《六合还淳》之舞。"按本月丁丑朔，乙酉为九日，二十一日为丁酉，《旧纪》之乙酉当为丁酉之误。

晦日，陈子昂等二十一人宴于高氏亭林，各自赋诗；同日，陈子昂等九人重宴，又各有诗。诸诗并上元夜诗后编为《高氏三宴诗集》。陈子昂、高正臣、崔知贤、韩仲宣、周彦昭、高球、躬嗣初、高瑾、王茂时、徐皓、长孙正隐、高绍、郎余令、陈嘉言、周彦晖、高峤、刘友贤、周思钧、王勔、张锡、解琬并有《晦日宴高氏亭林》诗，子昂为撰诗序，云："夫天下良辰美景，园林池观，古来游宴欢娱众矣。然而地或幽偏，未睹皇居之盛；时终交丧，多阻升平之道。岂如光华启旦，朝野资欢，有渤海之宗英，是平阳之贵戚。发挥形胜，出凤台而啸侣；幽赞芳辰，指鸡川而留宴。列珍羞于绮席，珠翠琅玕；奏丝管于芳园，秦筝赵瑟。冠缨济济，多延戚里之宾；鸾凤锵锵，自有文雄之客。总都畿而写望，通汉苑之楼台；控伊洛而斜□，临神仙之浦溆。……于时律穷太簇，气淑中京。……伟矣，信皇州之盛观也！岂可使晋京才子，孤标洛下之游；魏氏群公，独擅邺中之会。盍各言志，以记芳游，同探一字，以华为韵。"陈子昂、高正臣、高峤、高瑾、周思钧、周彦晖、韩仲宣、躬嗣初、陈嘉言又各有《晦日重宴高氏林亭》诗，正臣诗下有题注云："是宴九人，皆以池字为韵，周彦晖为之序。"

按以上诸诗中，长孙正隐《晦日宴高氏林亭》可称佳作。《唐诗归》卷一谭元春评云："写景入妙。如'开日'，'开'字必是用字屡换不妙，忽然得之者。问之用心诗人始知。"钟惺："此集诗凡数十首，此作第一。陈子昂亦与焉，其诗不如也，名之不可定人如此。"又本月晦日两次宴集及上元夜集所赋诗后曾编为《高氏三宴诗集》，旧题高正臣编，唐宋书志未见著录，《四库全书》收入。四库提要卷一八六："《高氏三宴诗集》三卷……所载皆同人会宴之诗，以一会为一卷，各冠以序。一为陈子昂，一为周彦晖，一为长孙正隐。三会正臣皆预，故汇而编之。与宴者凡二十一人。考之《新唐书》，有传者三人，则陈子昂、郎余令、解琬也。附见他传者一人，则周思钧也。见于本纪及《世系表》者一人，则张锡也。仅见于《世系表》者五人，则正臣及高瑾、王茂时、高绍、高峤也。余皆不详颠末。按《世系表》，正臣曾为襄州刺史，不云卫尉卿。今诗后叙正臣及周思钧事独详，所云联姻帝室、寓居洛阳，皆与诸序语合，似非无据。……三宴诗之名，新、旧《唐书·志》皆不载。盖当时编次诗歌，装裱卷轴，如兰亭诗之墨迹流传，但归赏鉴之家，故不著藏书之录，后好事者传抄成帙，乃列诸典籍之中耳。惟辗转缮录，不免多讹。……兹并为改正云。"高正臣，见《新唐书》宰相世系表一下，曾任襄州刺史。正臣亦善书，《法书要录》卷九《书断》下："高正臣，广平人，官至卫尉少卿。习右军之法，脂肉颇多，骨气微少，修容整服，尚有风流，可谓堂堂乎张也。玄宗甚爱其书。……自任润州、湖州，筋骨渐备，比见蓄者，多谓为褚。后任申、邵等州，体法又变，几合于古矣。……正臣隶、行、草入能。"

二月

李延寿已卒，以尝撰《太宗政典》，诏赐其家绢五十匹。《旧唐书》高宗纪下："二月丙午，诏曰：'故符玺郎李延寿撰《正典》一部，辞殚雅正，虽已沦亡，功犹可录，宜赐其家绢五十匹。'"《旧唐书》令狐德棻附李延寿传："延寿尝撰《太宗政典》三十卷表上之，历迁符玺郎，兼修国史。寻卒。调露中，高宗尝观其所撰《政典》，叹美久之，令藏于秘阁，赐其家帛五十段。"

高宗幸嵩山处士田游岩、道士潘师正居处，授游岩崇文馆学士。《通鉴》卷二〇二："春，二月，癸丑，上幸汝州之温汤；戊午，幸嵩山处士三原田游岩所居；己未，幸道士宗城潘师正所居，上及天后、太子皆拜之。"《旧唐书》隐逸田游岩传："后入箕山，就许由庙东筑室而居，自称'许由东邻'。调露中，高宗幸嵩山……因将游岩就行宫，并家口给传乘赴都，授崇文馆学士。"

杨炯撰《少室山少姨庙碑》，崔融撰《唐启母庙碑》。《旧唐书》高宗纪下："（二月）丁巳，至少室山。戊午，亲谒少姨庙。……己未，幸嵩阳观及启母庙，并命立碑。"杨、崔两文当作于此时。

三月

三日，陈子昂等六人于洛阳王明府林亭游宴，各赋四言诗。崔知贤《三月三日宴王明府山亭》题下注云："同赋六人，孙慎行为之序。"孙序云："调露二年，暮春三日，同集于王令公之林亭，申交契也。……元巳迨辰，季阳司月，列芳林而荐赏，控清洛以开筵。"同作者六人除崔知贤外，尚有陈子昂、席元明、韩仲宣、高球、高谨，所赋均为四言诗。

陈子昂应试落第，经长安归蜀，赋诗别友人。 陈子昂有《落第西还别刘祭酒高明府》、《落第西还别魏四懔》诗。前诗云："别馆分周国，归骖入汉京。地连函谷塞，川接广阳城。"后诗云："还因北山径，归守东陂田。"知其当自洛阳西经长安归里。

裴行俭大破突厥，苏味道赋诗记其事。《旧唐书》高宗纪下："三月，裴行俭大破突厥于黑山，擒其首领奉职。伪可汗泥熟匐为其部下所杀，传首来降。"苏味道有诗《单于川对雨二首》，当作于此时。

四月

刘思立奏请进士加试杂文。《唐会要》卷七六："调露二年四月，刘思立除考功员外郎。先时，进士但试策而已。思立以其庸浅，奏请帖经及试杂文。自后因以为常式。"按代宗宝应二年（763）礼部侍郎杨绾曾论刘思立此议之弊，云："至高宗朝，刘思立为考功员外郎，又奏进士加杂文，明经填帖，从此积弊，浸转成俗。幼能就学，皆诵当代之诗；长而博文，不越诸家之集。递相党与，用致虚声，六经则未尝开卷，三史则皆同挂壁。"见《旧唐书》杨绾传、《册府元龟》卷六四〇等。据杨绾所言，刘思立所奏请者，乃进士加试杂文，明经加试帖经，非进士并试帖经及杂文。

七月

骆宾王系狱，作《在狱咏蝉》诗及《萤火赋》等。 骆宾王《在狱咏蝉》诗序："余禁所，禁垣西，是法曹厅事也。……每至夕照低阴，秋蝉疏引。……仆失路艰虞，遭时徽纆……感而缀诗，贻诸知己。庶情沿物应，哀弱羽之飘零；道寄人知，悯余声之寂寞。"《萤火赋》序："余猥以明时，久遭幽絷，见一叶之已落，知四运之将终。凄然客之为心乎，悲哉秋之为气也。"骆宾王本年八月遇赦获释，则上引诗及赋当作于获释前之秋日，故系本月。骆宾王又有《狱中书情通简知己》诗，作于本年春，附记于此。按《在狱咏蝉》系骆宾王名作。《删补唐诗选脉笺释会通评林》卷二六周珽曰："咏物诗，此与《秋雁》篇可称绝唱。"《岘佣说诗》："《三百篇》比兴为多，唐人犹得此意。同一《咏蝉》，虞世南'居高声自远，端不藉东风'，是清华人语；骆宾王'露重飞难进，风多响易沈'，是患难人语；李商隐'本以高难饱，徒劳恨费声'，是牢骚人语，比兴不同如此。"《萤火赋》亦堪称名篇。《四溟诗话》卷二："傅咸《萤火赋》：'虽无补于日月兮，期自照于陋形。当朝阳之戢景兮，必宵昧而是征。进不竞于天光兮，退在晦而能明。'骆宾王赋：'光不周物，明足自资。处幽不昧，居照斯晦。'二子皆有托寓，繁简不同。子美'暗飞萤自照'之句，意愈简而词愈工也。"《古赋辨体》卷七："宾王幽絷，有感于夜萤出入之时，托之以写其忧思之意，因作《萤火赋》。唐初王、杨、卢、骆，专学徐、庾，秾纤妖媚，当时尚之。惟此赋犹有发乎情之旨，得《鹦鹉》、《野鹅》之微者，故特辨之。"

八月

李嗣真在太清宫奏太子李贤所作《宝庆乐》，言其哀思不和。《旧唐书》方伎李嗣真传："调露中，为始平令，风化大行。时章怀太子居春宫，嗣真尝于太清观奏乐，谓道士刘概、辅俨曰：'此曲何哀思不和之甚也？'概、俨曰：'此太子所作《宝庆乐》也。'居数日，太子废为庶人。"李贤本月甲子（二十二日）废为庶人，此云"居数日"，当在本月。

甲子，皇太子李贤废为庶人；乙丑，立英王李哲为太子，改元。《通鉴》卷二〇二：调露二年八月，"太子贤闻宫中窃议，以贤为天后姊韩国夫人所生，内自疑惧。……天后尝命北门学士撰《少阳正范》及《孝子传》以赐太子，又数作书诮让之，太子愈不自安。……甲子，废太子贤为庶人，遣右监门中郎将令狐智通等送贤诣京师，幽于别所。……乙丑，立左卫大将军、雍州牧英王哲为太子，改元，赦天下。"按英王李哲即李显，后即皇帝位，是为中宗。

刘讷言以尝撰《俳谐集》献李贤，流配振州。《通鉴》卷二〇二："太子洗马刘讷言常撰《俳谐集》以献贤，贤败，搜得之，上怒曰：'以六经教人，犹恐不化，乃进俳谐鄙说，岂辅导之义邪！'流讷言于振州。"

崔融为皇太子侍读，代作表疏甚多。《旧唐书》本传："中宗在春宫，制融为侍读，兼侍属文，东朝表疏，多出其手。"崔融有《代皇太子请停幸东都表》、《代皇太子贺嘉麦表》、《代皇太子请修书表》等多篇，均作于任太子侍读期间，并系于此。《请修书表》云："伏惟天皇域中居大，天下化成……环林璧沼，金门石室，坟典积于邱山，笔墨盈于泉海。……今欲搴其萧稂，撮其枢要，可以出忠入孝，可以益国利人，极贤圣之大猷，尽今昔之能事。商搉百氏，勒成一家，庶有代于箴规，长不违于左右。又近代书抄，实繁部帙，至如《华林园遍略》、《修文殿御览》、《寿光书苑》、《长洲玉镜》知其时东宫亦有纂修类书之举世闻名。及国家以来新撰《艺文类聚》、《文思博要》等，并包括宏远，卒难详悉。亦望错综群书，删成一部。"

骆宾王被赦出狱，作《畴昔篇》叙其生平。骆宾王《畴昔篇》："邹衍含悲系燕狱，李斯抱怨拘秦桎。……忽闻驿使发关东，传道天波万里通。涸鳞去辙还游海，幽禽释网便翔空。"《旧唐书》高宗纪下："八月丁未，自紫桂宫还东都。……乙丑，立英王哲为皇太子。改调露二年为永隆元年，赦天下。""驿使发关东"云云，当指此次大赦事，则骆宾王之遇赦被释或在本月。按《畴昔篇》系骆宾王名作，《删补唐诗选脉笺释会通评林》卷一四周敬曰："宾王《畴昔》、《帝京》二作，不独富丽华藻，极谈天下之才，而开合曲折，尽神工之致。莫言中晚，即盛唐罕有与敌。歌行长篇绝技，舍两作更何格调可法？"黄家鼎曰："铺叙有法，抑扬有韵。借古文辞，寓己胸臆，而首尾照应，脉络无爽，岂凑砌堆垛者比。"《诗辩坻》卷四："初唐如《帝京》、《畴昔》、《长安》、《汾阴》等作，非巨匠不办。非徒博丽，即气概充硕，无纪涵之养者，一望却走。唐人无赋，此调可以上敌班、张。盖风神流动，词旨宕逸，即文章属第二义。钟、谭更目为板，独取乔知之《绿珠篇》。此等伎俩，为南唐后主搏花中亭子可耳，安知造五凤楼乎！"

十月

己酉，高宗自东都还长安。见《旧唐书》高宗纪下。

本年

宋璟、马怀素、李福业等进士及第；员半千以武陟尉应岳牧举，及第。《唐会要》卷七六："永隆元年，岳牧举，武陟县尉员半千及第。上御武成殿亲问曰：'兵书云天阵、地阵、人阵，各何谓也？'半千对曰：……上深赏之。"余见《登科记考补正》卷二。

乐府有《堂堂》之曲。《南部新书》己卷："至永隆元年，太常丞李嗣真善审音律，能知兴衰，云：'近者乐府有《堂堂》之曲，再言之者，唐祚再兴之兆也。'"又见《唐会要》卷三四。白居易《法曲歌》："法曲法曲歌《堂堂》，堂堂之庆垂无疆。中宗、肃宗复鸿业，唐祚中兴万万业。"

席豫（680—748）生。席豫字建候，襄州襄阳人。进士及第。开元中，累转考功员外郎，典举得士。三迁中书舍人，掌制诰，有能名。拜吏部侍郎，典选六年，复有令誉。天宝初，改尚书左丞。寻检校礼部尚书，封襄阳县子。七载，卒于位。《全唐诗》录其诗五首，《全唐文》录其文三篇。生平事迹据《旧唐书》文苑中本传。

公元 681 年　（唐高宗永隆二年　开耀元年　辛巳）

二月

杨炯、崔融等为薛元超所荐，充崇文馆学士；崔、杨并有诗赋之作。《唐会要》卷六四："永隆二年二月六日，皇太子亲行释奠之礼。礼毕，上表请博延耆硕英髦之士为崇文馆学士，许之。于是薛元超表荐郑祖玄、邓玄挺、杨炯、崔融等并为崇文学士。"《新唐书》文艺上王勃附杨炯传："永隆二年，皇太子已释奠，表豪俊充崇文馆学士，中书侍郎薛元超荐炯及郑祖玄、邓玄挺、崔融等，诏可。"薛元超本年闰七月拜中书令，此云中书侍郎，则其荐杨炯等人当在本年二月至七月间，姑系于此。又《薛元超墓志》云："疏荐郑祖玄、贺敱、沈伯仪、邓玄挺、颜强学、杨炯、崔融等十人为崇文学士，帝可其奏。五十九，加正议大夫。"本年薛元超年五十九，据《墓志》所云，则其荐杨炯等人似在本年以前。《旧唐书》薛收附薛元超传："永隆二年，拜中书舍人，兼太子左庶子。高宗幸东都……于是元超表荐郑祖玄、邓玄挺、崔融等为崇文馆学士。"高宗幸东都在明年四月，则元超荐杨炯等人又在本年以后。《墓志》及《旧传》之说此并不从。杨炯有《崇文馆宴集诗序》、《青苔赋》，当并为初入崇文馆时所作，因系于此。崔融《瓦松赋序》："崇文馆瓦松者，产于屋溜之上，千株万茎，开花吐叶，高不及尺，下才如寸。……俗以其形似松，生必依瓦，故曰瓦松。杨炯谓余曰：'此中草木，咸可为赋。'"与杨炯《青苔赋》"相彼草木兮，或有足言者；吁嗟青苔，今可

173

得而闻也"语意相类，当作于同时，亦系于此。又薛元超所荐崇文馆学士中，杨炯、崔融之外，邓玄挺亦较知名。《旧唐书》文苑上本传："邓玄挺，雍州蓝田人。少善属文，累迁左史。坐与上官仪善，出为顿丘令，有善政，玺书劳问。累授中书舍人。性俊辨，机捷过人，每有嘲谑，朝廷称为口实。……永昌元年得罪，下狱死。"《旧唐书》经籍志下、《新唐书》艺文志四均著录《邓玄挺集》十卷。

李乂等登进士第，考功员外郎刘思立知贡举。见《登科记考》卷二。

七月

太子李显纳妃，太平公主嫁薛绍，高宗因有诗作，刘祎之等和之。《旧唐书》高宗纪下："七月，太平公主出降薛绍，赦京城系囚。"《唐诗纪事》卷一："太平公主，武后所生……帝择薛绍尚之……当时群臣刘祎之诗云：……"高宗有《太子纳妃太平公主出降》诗，刘祎之、元万顷、郭正一、胡元范、任希古、裴守真并有《奉和太子纳妃太平公主出降》诗，均此时所作。太子谓李显，见上年八月条，其纳妃当在本月前后。

闰七月

薛元超拜中书令。《旧唐书》高宗纪下："闰七月丁未，黄门侍郎裴炎为侍中，黄门侍郎崔知温、中书侍郎薛元超并同中书令。"

八月

敕进士试杂文两首。《唐会要》卷七五："永隆二年八月敕：如闻明经射策，不读正经，抄撮义条，才有数卷。进士不寻史籍，惟诵文章，铨综艺能，遂无优劣。自今已后，明经每经，帖十得六已上者，进士试杂文两首，识文律者，然后令试策。其明法并书算举人，亦准此例，即为常式。"参见《唐大诏令集》卷一〇六《条流明经进士诏》。《登科记考》二："按杂文两首，谓箴铭论表之类，开元间始以赋居其一，或以诗居其一，亦有全用诗赋者，非定制也。杂文之专用诗赋，当在天宝之季。"

户部尚书崔知悌卒，崔融为作挽歌。《旧唐书》高宗纪下："（八月）丁亥，户部尚书崔知悌卒。"崔融《户部尚书崔公挽歌》当即为挽知悌而作。按知悌亦能文，《新唐书》艺文志四著录《崔知悌集》五卷。又崔融此诗系其名作。《删补唐诗选脉笺释会通评林》卷二七周珽评曰："挽诗乃碑铭表诔余词也，须摹肖其人，得真始妙。古来作者填实病板，虚模病肤。如此篇述崔之位高责尽，忠贞德泽，素孚上下，而没后君民思念不忘。用事融化恰当，措调悲切感人，故是有唐巨笔。"

秋

骆宾王出为临海丞。《旧唐书》文苑上本传："坐赃，左迁临海丞。"骆宾王《灵泉颂》："有广平宋思礼，字过庭……调露二年，来佐百里。……某出赞荒隅，途经胜壤。三秋客恨，长怀宋玉之悲。……乃作颂曰：……"当作于赴临海任途中，时约在本年。

十月

乙丑，改元开耀。见《旧唐书》高宗纪下。

十一月

徙李贤于巴州。见《旧唐书》高宗纪下。

刘祎之在相王府司马任，为刘应道撰墓志之铭。《唐代墓志汇编续集》开耀○○一《大唐故秘书少监刘府君（应道）墓志铭并序》："粤以开耀元年岁次辛巳十一月景（按即丙）申朔七日壬寅，安厝于雍州明堂县之少陵原，合葬于闻喜县主旧域。……相王府司马、弘文馆学士、临淮刘祎之，学府文宗，声高朝右……敢祈鸿□，勒铭终古。"

十二月

郝处俊卒，杨炯时任詹事司直，为文祭之。《旧唐书》郝处俊传："处俊迁太子少保。开耀元年薨，年七十五。"高宗纪下："（十二月）辛未，太子少保、甄山县公郝处俊薨。"新、旧《志》并著录《郝处俊集》十卷。杨炯有《同詹事府宫寮祭郝少保文》，即为祭郝处俊而作，时炯当在詹事司直任。《新唐书》文艺上王勃附杨炯传："永隆二年……迁詹事司直。"

冬

陈子昂在长安，以薛元超垂索文章，作启上之。陈子昂《上薛令文章启》："某启：一昨恭承显命，垂索拙文。……某闻鸿钟在听，不足论击缶之音；太牢斯烹，安可荐羹藜之味。然则文章薄伎，固弃于高贤；刀笔小能，不容于先达。岂非大人君子以为道德之薄哉？某实鄙能，未窥作者。斐然狂简，虽有劳人之歌；怅而咏怀，曾无阮籍之思。徒恨迹荒淫丽，名陷俳优，长为童子之群，无望壮夫之列。岂图曲蒙荣奖，躬奉德音，以小人之浅才，承令君之嘉惠，岂不幸甚。……谨当毕力竭诚，策驽磨钝，期效忠以报德，奉知己以周旋。文章小能，何足观者，不任感荷之至。"薛令谓薛元超，本年闰七月为中书令，此启当作于本年秋冬间，姑系于此。

本年

卢照邻卧疾东龙门山，作书与洛阳名流朝士以乞药资，又撰乔师望文集序。卢照邻有《与洛阳名流朝士乞药直书》及《寄裴舍人诸公遗衣药直书》，为同时而先后之作。前文云："幽忧子学道于东龙门山精舍，布衣藜羹，坚卧于一岩之曲。"后文云：

"山仆至自都，太子舍人裴瑾之、太子舍人韦方贤（贤，《新唐书》文艺上王勃附卢照邻传作"质"）、左史范履冰、水部员外郎独孤思庄、少府丞舍人内供奉阎知微、符玺郎乔偘，并有书问余疾，兼致束帛之礼，以供东山衣药之费。……余家咸亨中良贱百口，自丁家难，私门弟妹凋丧，七八年间货用都尽。"卢照邻丁父忧在上元二年（675），至本年首尾七年，知此两文当作于本年前后。卢照邻又有《驸马都尉乔君集序》，云："明霞晓挹，终登不死之庭；甘露秋团，倘践无生之岸。凡所著述，多以适意为宗；雅爱清灵，不以繁词为贵。足以传诸好事，贻厥孙谋，故撰而存之，凡为若干卷云尔。"乔君谓乔师望，《旧唐书》文苑中乔知之传："父师望，尚高祖女庐陵公主，拜驸马都尉，官至同州刺史。"《全唐文》卷一八七乔师望小传："显庆三年为凉州刺史，上元二年移华州。"则其为同州刺史必在上元二年之后，而其卒当在本年前后。参见任国绪《卢照邻集编年笺注》卷六该文题下注。又上引卢照邻《寄裴舍人诸公遗衣药直书》所提及之乔偘即为师望子，见《旧唐书》文苑中乔知之传（偘，《旧传》作"侃"）。偘或即因馈赠药资，遂请照邻为其父文集撰序，故并系于此。

公元682年 （唐高宗开耀二年 永淳元年 壬午）

二月

癸未，改元永淳。见《旧唐书》高宗纪下。

春

陈子昂、刘知几等五十五人进士及第，重试，陈、刘等十一人及第。赵儋《故右拾遗陈公旌德之碑》："年二十四，文明元年进士，射策高第。……拜麟台正字。"《唐才子传》卷一陈子昂传："开耀二年许旦榜进士。"陈子昂本年年二十四，《才子传》云其本年登第，当有所据。《旌德碑》盖误其授官之年为登第之年。参彭庆生《陈子昂年谱》（《陈子昂诗注》附）。又《新唐书》刘子玄传："刘子玄名知几，以玄宗讳嫌，故以字行。……与兄知柔俱以善文辞知名。擢进士第，调获嘉主簿。"《史通·自叙》："泪年登弱冠，射策登朝。"本年刘知几年二十。余见《登科记考》卷二。

四月

高宗幸东都。《通鉴》卷二〇三："上以关中饥谨，米斗三百，将幸东都；丙寅，发京师，留太子监国，使刘仁轨、裴炎、薛元超辅之。时出幸仓猝，扈从之士金有饿死于中道者。……乙酉，车驾至东都。"

裴行俭（619—682）卒，年六十四。张说《赠大尉裴公（行俭）神道碑》："永淳元年，诏公为金牙道大总管，未行遭疾，四月二十八日，薨于京师延寿里，春秋六十有四。"《旧唐书》本传："有集二十卷，撰《草字杂体》数万言，并传于代。又撰《选谱》十卷，安置军营、行阵部统、克料胜负、甄别器能等四十六诀，则天令秘书监武承嗣诣宅，并密收于内。"《新唐书》艺文志四："《裴行俭集》二十卷。"《法书要录》卷九《书断》下："裴行俭，河东人，官至兵部尚书。工草书、行及章草，并入能。有若搢绅之士，其貌伟然，华衮金章，从容省达（闼）。"

杨炯在太子詹事司直任，作诗并序送同僚出任外官。杨炯《送徐录事诗序》："徐学士风流蔼蔼，容貌堂堂，汝南则颜子更生，洛下则神人重出。……粤在于永淳元年，孟夏四月，始以内率府录事出摄苍溪县主簿。……于是久敬之善交，平生之故友，临御沟而帐饮，就离亭而出宿。……何以赠行？上路不拜。孙子荆'倾国'之送，岂若是乎；潘安仁《金谷》之篇，尽在斯矣！"

五月

长安、洛阳灾疫，百姓死者相枕于路。《通鉴》卷二〇三："五月，东都霖雨。乙卯，洛水溢，溺民居千余家。关中先水后旱、蝗，继以疾疫，米斗四百，两京间死者相枕于路，人相食。"

九月

九日，杨炯奉薛元超之命，作《庭菊赋》。赋序云："天子幸于东都，皇储监守于武德之殿，以门下内省为左春坊，今庶子裴公所居，即黄门侍郎之厅事也，其庭有菊焉。中令薛公，昔拜琐闼，此焉游处。今兼左庶子，止于东厅，甍宇连接，洞门相向。每罢朝之后，未尝不游于斯，咏于斯，览丛菊于斯。叹其君子之德，命学士为之赋。是日也，薛觐以亲贤为洗马，田〔游〕岩以幽贞为学士，高元思、张师德以至孝托后车，颜强学、沈尊行以博闻兼侍读，周琮、李宪、王祖英、曹叔文以儒术进，崔融、徐彦伯、刘知柔、石抱忠以文章显。……并承高命，咸穷体物。小子托于吹竽之末，敢阙其词哉，遂作赋云。"赋中有云："日之贞兮，于彼重阳；菊之荣兮，于彼华坊。"

本年

孙思邈（581?—682）卒。《旧唐书》方伎孙思邈传："永淳元年卒。……自注《老子》、《庄子》，撰《千金方》三十卷，行于代。又撰《福禄论》三卷，《摄生真录》及《枕中素书》、《会三教论》各一卷。"

李敬玄（615—682）卒。《旧唐书》本传："永淳元年卒，年六十八，赠兖州都督。撰《礼论》六十卷、《正论》三卷、文集三十卷。"《新唐书》艺文志四："《李敬玄集》三十卷。"

卢照邻徙居阳翟具茨山，作《释疾文》、《五悲》。《旧唐书》文苑上本传："后疾转笃，徙居阳翟之具茨山，著《释疾文》、《五悲》等诵，颇有骚人之风，甚为文士所重。"《新唐书》文艺上王勃附卢照邻传："疾甚，足挛，一手又废，乃去具茨山下，买园数十亩，疏颍水周舍，复豫为墓，偃卧其中。……著《五悲文》以自明。"卢照邻《释疾文》序："余羸卧不起，行已十年，宛转匡床，婆娑小室。"照邻自咸亨四年婴疾，至此首尾十年。

王勃文集编成，杨炯为撰序。杨炯《王勃集序》有"薛令公朝右文宗，托末契而推一变"之语，薛令公谓薛元超，上年闰七月拜中书令，则此序当作于本年前后。详参张志烈《初唐四杰年谱》。

公元683年 （唐高宗永淳二年 弘道元年 癸未）

正月

甲午朔，高宗幸奉天宫，遣使祭嵩岳、少室、箕山、具茨等山，西王母、启母、巢父、许由等祠。见《旧唐书》高宗纪下。

春

武后从驾幸嵩山少林寺，有诗作。《金石萃编》卷六〇《天后御制诗书碑》："从驾幸少林寺，睹先妃营建之所，倍切荣袟，逾凄远慕，聊题即事，用述悲怀。"署"永淳二年九月廿五日司门郎中、太孙谘议王知敬书。"据《旧唐书》高宗纪下，本年四月高宗还东都，武后诗当本年春所作，碑署"永淳二年九月"乃刻石之时间。

三月

杨炯在长安，赋诗送李义琰归洛阳。杨炯有《送李庶子致仕还洛》诗。李庶子谓李义琰。《通鉴》卷二〇三："太子右庶子、同中书门下三品李义琰……以足疾乞骸骨，（三月）庚子，以义琰为银青光禄大夫，致仕。"《旧唐书》李义琰传："乃授银青光禄大夫，听致仕。乃将归东都田里，公卿已下祖饯于通化门外，时人以比汉之二疏。"

四月

陈子昂在梓州，赋诗送齐少府入京。陈子昂《晖上人房饯齐少府使入京府序》："永淳二年四月孟夏，东海齐子宦于此州。……属乎銮驾巡方，诸侯纳贡，将欲对扬天子，命我行人。……粤以丙丁之日，次于晖公别舍，盖言离也。……嗟乎！朝廷子入，期富贵于崇朝；林岭吾栖，学神仙而未毕。青霞路绝，朱绂途遥，言此会之何时，愿相逢而谁代。永怀千古，岂知仁者之交。凡我三人，盍崇不朽之迹，斯文未丧，题之此山，同疏六韵云尔。"子昂上年进士及第，本年当在家守选。有关唐及第进士之守选制，参见王勋成《唐代铨选及文学》。陈子昂又有《酬晖上人夏日林泉》等诗，亦当本年所作。

十月

高智周（602—683）卒，年八十二。《旧唐书》良吏上本传："永淳二年十月，卒于家，年八十二。"《新唐书》艺文志四："《高智周集》五卷。"

十二月

丁巳，改元弘道，高宗卒；甲子，皇太子李显即皇帝位，是为中宗，武后临朝称制。《旧唐书》高宗纪下："十二月己酉，诏改永淳二年为弘道元年。……是夕，帝崩于真观殿，时年五十六。"同书则天皇后纪："弘道元年十二月丁巳，大帝崩，皇太子显即位，尊天后为皇太后。既将篡夺，是日自临朝称制。"按本月甲寅朔，无己酉日，丁巳为四日。《通鉴》卷二〇三："甲子，中宗即位，尊天后为皇太后，政事咸取决焉。"甲子为十一日。

本年

卢照邻（634？—683？）卒，年约五十。《旧唐书》文苑上本传："照邻既沉痼挛废，不堪其苦，尝与亲属执别，遂自投颍水而死，时年四十。文集二十卷。"按卢照邻咸亨四年作《病梨树赋》，始云："余年垂强仕，则有幽忧之疾"，后作《释疾文》，又云："余羸卧不起，行已十年"，则其享年当在五十左右，《旧传》云四十，误。又卢照邻上年移居阳翟具茨山，所作《释疾文·粤若》末云："岁将晏兮欢不再，时已晚兮忧来多。东郊绝此麒麟笔，西山秘此凤凰柯。死去死去兮今如此，生兮生兮奈汝何！"已露弃世之念，其卒当在本年前后，姑系于此。《朝野金载》卷六："卢照邻字升之，范阳人。……婆娑于蜀中，放旷诗酒，故世称'王杨卢骆。'照邻闻之曰：'喜居王后，耻在骆前。'时杨之为文，好以古人姓名连用，如'张平子之略谈，陆士衡之所记'，'潘安仁宜其陋矣，仲长统何足知之'，号为'点鬼簿'。骆宾王文好以数对，如'秦地重关一百二，汉家离宫三十六'，时人号为'算博士'。如卢生之文，时人莫能评其得失矣。惜哉，不幸有冉耕之疾，著《幽忧子》以释愤焉。"《新唐书》艺文志四："《卢照邻集》二十卷，又《幽忧子集》十卷。"《郡斋读书志》卷一七："《幽忧子集》十卷。"《直斋书录解题》卷一六："《卢照邻集》十卷。"四库提要卷一四九："《卢升之文集》七卷。唐卢照邻撰。……盖文士之极坎坷者，故平生所作，大抵欢寡愁殷，有骚人之遗响，亦遭遇使之然也。……其集晁氏、陈氏《书目》俱作十卷，此本仅七卷，则其散佚者已多。又《穷鱼赋序》称'尝思报德，故冠之篇首'，则照邻字编之集当以是赋为第一，而此本列《秋霖》、《驯鸢》二赋后，其《与在朝诸贤书》亦非完本，知由后人掇拾而成，非其旧帙矣。"《后村诗话》续集卷三："卢生之文，古今粲粲，文质彬彬，惜哉不幸，有冉耕之疾，为《幽忧子》以释愤焉。"《唐音癸签》卷五："范阳较杨微丰，喜其领韵疏拔，时有一往任笔不拘整对之意。"《唐诗品》："升之河朔英生，盛年振藻，典签之日即擅相如之誉，可谓彬彬学士矣。然神情流荡，早伤痫困，废居太白山中，殆欲采掇若华，曜灵驻节，竟以不堪，自泛颍水，悲夫！壮士激志而横骨朔野，怨妻感泪而魂逐飘蓬，若生之死，谓之何哉！生感时尚法，作《五悲文》，掎摭其志；作《幽忧子》三卷，皆出词赋之上。"《竹林答问》："六朝之为有唐，四杰之力也。中间唯卢升之出入《风》、《骚》，气格遒古，非三子所可及。盈川'愧在卢前'，非虚语也。"《三唐诗品》卷一："其源出于江记室，间以奇气，振其丰采。惟贪排对，致气格不凝。夫其雅情幽怨，凄清自写，虽繁弦损调，固无泛音。《长

179

安古意》，宛转芊绵，则七言佳体，不让子山。开阖往来，犹以气胜。"《诗学渊源》卷八："与骆宾王、王勃、杨炯，天下称为'四杰'，而卢居首。诗有奇气，实出陈、隋之上。咏史诸作高古，几窥魏、晋之藩。七言长篇，颇似子山。七绝则为李、杜所宗者也。"

民间有歌谣咏高宗驾幸嵩山事。《朝野佥载》卷一："调露中，大帝欲封中岳，属突厥叛而止。后又欲封，土番入寇，遂停。至永淳年，又驾幸嵩岳，谣曰：'嵩山凡几层，不畏登不得，只畏不得登。三度征兵马，傍道打腾腾。'岳下遘疾，不愈，回至宫而崩。"

公元 684 年　（唐中宗嗣圣元年　唐睿宗文明元年　唐武后光宅元年　甲申）

正月

甲申朔，改元嗣圣。见《旧唐书》则天皇后纪。

二月

戊午，中宗废为卢陵王；己未，豫王李轮即皇帝位，改元文明，武后仍临朝称制。见《旧唐书》则天皇后纪。

三月

李贤（655—684）卒。《旧唐书》高宗中宗诸子章怀太子贤传："永淳二年，迁于巴州。文明元年，则天临朝，令左金吾将军丘神勣往巴州检校贤宅，以备外虞。神勣遂闭于别室，逼令自杀，年三十二。"同书则天皇后纪："三月，庶人李贤死于巴州。"

春

陈子昂诣阙上书，谏高宗灵驾西归，为武后所赏，拜麟台正字；授官前后子昂作《谏政理书》、《麈尾赋》。卢藏用《陈子昂别传》："以进士对策高第。属高宗大帝崩于洛阳宫，灵驾将西归，子昂乃献书阙下。时皇上以太后居摄，览其书而壮之，召见问状。子昂貌寝寡援，然言王霸大略，君臣之际，甚慷慨焉。上壮其言而未深知也，乃敕曰：'梓州人陈子昂，地籍英灵，文称伟曜。'拜麟台正字。时洛中传写其书，市肆闾巷，吟讽相属，乃至转相货鬻，飞驰远迩。"赵儋《故右拾遗陈公旌德之碑》："年二十四，文明元年进士，射策高第。其年高宗崩于洛阳宫，灵驾将西归于乾陵，公乃献书阙下。天后览其书而壮之，召见金华殿，因言伯王大略，君臣明道，拜麟台正字。由是海内词人，靡然向风，乃谓司马相如、杨子云复起于岷峨之间矣。"陈子昂《谏灵驾入京书》："梓州射洪县草莽臣陈子昂，谨顿首冒死献书阙下。……臣伏见诏书，梓宫将迁坐京师。……但恐春作无时，秋成绝望。"据《通鉴》卷二〇三，高宗灵驾西还在本年五月，陈子昂诣阙上《谏灵驾入京书》当在本年春，其时尚未授官。陈子昂又有《谏政理书》，云："月日，梓州射洪县草莽愚臣陈子昂，谨冒死稽首再拜献书阙下……"亦当本年未授官时所作。文中又云："然臣窃独有私恨，陛下方欲兴崇大化，而不知国家太学之废积岁月矣，堂宇芜秽，殆无人踪，诗书礼乐，罕闻习者。"可见国家太学颓废之状。又陈子昂有《麈尾赋》，序云："甲申岁，天子在洛阳，余始解褐，守麟台正字。太子司直宗秦客置酒金谷亭，大集宾客。酒酣，共赋座上食物，命余为《麈尾赋》焉。"赋为授官后所作，亦系于此。

九月

甲寅，改元光宅，改东都为神都。见《旧唐书》则天皇后纪。

骆宾王从徐敬业起兵反武后，为徐作檄文。《旧唐书》文苑上骆宾王传："文明中，与徐敬业于扬州作乱。敬业军中书檄，皆宾王之词也。"《通鉴》卷二〇三："九月……敬业自称匡复府上将，领扬州大都督。以……宾王为记室，旬日间得胜兵十余万。移檄州县……太后见檄，问曰：'谁所为？'或对曰：'骆宾王。'太后曰：'宰相之过也。人有如此才，而使之流落不偶乎！'"按此文即《代李敬业传檄天下文》，为骆宾王名篇。《古文笔法百篇》卷一六评云："四六体裁，词贵宏整。此文雄词伟论，炳曜日星，唐四杰中正大之作也。乃武氏读之，不惟不怒，且叹惜其才，亦奇矣。"

十一月

骆宾王（635？—684？）卒，年约五十。《旧唐书》文苑上本传："敬业败，伏诛，文多散失。则天素重其文，遣使求之。有兖州人郗云卿集成十卷，盛传于世。"《通鉴》卷二〇三："（十一月）乙丑，敬业至海陵界，阻风，其将王那相斩敬业、敬猷及骆宾王首来降。"郗云卿《骆宾王文集序》："文明中，与嗣业于广陵共谋起义兵，事既不捷，因致逃遁，遂致文集悉皆散失。"《直斋书录解题》卷一六："《骆宾王集》十卷。唐临海丞义乌骆宾王撰。宾王后为徐敬业传檄天下，罪状武后，所谓'一抔之土未干，六尺之孤安在'者也。其首卷有鲁国郗云卿序，言宾王光宅中广陵乱伏诛，莫有收拾其文者，后有敕搜访，云卿撰焉。又有蜀本，卷数亦同，而次序先后皆异。序文视前本加详，而云广陵起义不捷，因致遁逃，文集散失，中宗朝诏令搜访。案：本传言宾王既败，亡命，不知所之，与蜀本序合。"按骆宾王是否即卒于本年未有确论，此姑从《旧传》、《通鉴》，系于此。《新唐书》艺文志四："《骆宾王集》十卷。"又："骆宾王《百道判集》一卷。"四库提要卷一四九："《骆丞集》四卷。唐骆宾王撰。……其集新、旧《唐书》皆作十卷，《宋·艺文志》载有《百道判》三卷，今并散佚。此本四卷，盖后人所裒辑。其注则明给事中颜文选所作。"《诗人玉屑》："骆宾王为诗，格高旨远，若在天上物外，神仙会集，云行驾鹤，想见飘然之状。"《艺苑卮言》卷四：宾王长歌虽极浮靡，亦有微瑕，而缀锦贯珠，滔滔洪远，故是千秋绝艺。"《诗薮》内编卷四："沈、宋前，排律殊寡，惟骆宾王篇什独盛。佳者'二庭归望断'、'蓬转俱行役'、'彭山折阪外'、'蜀地开天府'，皆流丽雄浑，独步一时。"《唐音癸签》卷五："义乌富有才情，兼深组织，正以太整且丰之故，得擅长什之誉，将无风骨有可窥乎！"

《三唐诗品》："其源出于阴、何，特能清远取神，苍然有骨，虽才非纯雅，固于胜处见优。存诗甚少，特见一斑，缘在初唐，仍称家数。"《诗学渊源》卷八："（宾王）诗不减齐、梁诸人，而古质不及卢昇之。近体如《北眺》、《夏日》诸作，立意炼辞，实开盛唐之先路。"

十二月

薛元超（623—684）**卒，年六十二。**《旧唐书》薛收附薛元超传："弘道元年，以疾乞骸，加金紫光禄大夫，听致仕。其年冬卒，年六十二，赠光禄大夫、秦州都督，陪葬乾陵。文集四十卷。"同书则天皇后纪：光宅元年，"十二月，前中书令薛元超卒。"《薛元超墓志》："以光宅元年十二月二日薨于洛阳之丰财里，春秋六十有二。……唯公神韵潇洒，天才磊落，陈琳许其大巫，阮籍称其王才。立辞比事，润色太平之业；述礼正乐，歌咏先王之道。擅一时之羽仪，光百代之宗匠，天下之人谓公为文矣。唯公下帷帐，列缣缃，覃思研精，该通博极。三皇五帝之坟典，指于掌内；四海九州之图籍，焘若胸中。献替王公之言，谋猷庙堂之议，天下之人谓公为学矣。"杨炯《中书令汾阴公薛振行状》："以光宅元年季冬旁死魄，薨于洛阳丰财里之私第。"《祭汾阴公文》："维大唐光宅之元祀，太岁甲申冬十有二月戊寅朔丁亥御辰，杨炯以柔毛清酒之奠，敢昭告于故中书令汾阴公之贵神。"按由以上所引可知，薛元超之卒在本年十二月，《旧传》云弘道元年卒，误。又《薛元超墓志》系崔融所撰，据文中"以垂拱元年岁次乙酉四月景（按即丙）子朔廿二日丁酉，诏陪葬于乾陵，礼也"之语，知墓志作于明年四月。

公元685年　（唐武后垂拱元年　乙酉）

正月

丁未朔，改元垂拱。见《通鉴》卷二○三。

三月

颜元孙等二十七人进士及第，考功员外郎刘廷奇知贡举，试《九河铭》、《高松赋》。颜真卿《朝议大夫守华州刺史上柱国赠秘书监颜君（元孙）神道碑铭》："举进士……省试《九河铭》、《高松赋》。故事，举人就试，朝官毕集，考功郎刘［廷］奇乃先标榜君曰：'铭、赋二首，既丽且新，时务五条，词高理赡，惜其帖经通六，所以不□，屈从常第，徒深悚怍。'由是名动天下。"余见《登科记考》卷三。

杨炯撰薛元超行状，后出为梓州司法参军。杨炯《中书令汾阴公薛振行状》："垂拱元年四月四日，故中书令汾阴公府功曹姓名谨状。"时炯在长安。《旧唐书》文苑上杨炯传："则天初，坐从祖弟神让犯逆，左转梓州司法参军。"又云："（杨德干）子神让，天授初与徐敬业于扬州谋叛，父子伏诛。"按徐敬业举兵及丧败在上年秋冬，非天授初，杨炯之被贬当在本年。而明年正月杨炯作《为梓州官属祭陆郪县文》，时已在梓州，可知其出为梓州司法参军当在本年四月至十二月间。

八月

李隆基（685—762）生。李隆基，即唐玄宗，陇西成纪人。睿宗第三子，封楚王，改临淄郡王。景云初，以诛韦氏功，进封平王，旋立为皇太子。延和元年（即先天元年）即皇帝位。天宝末安禄山反，奔蜀避难。册太子李亨即位灵武，自为太上皇。两京收复，还长安，卒。有《玄宗集》等。据新、旧《唐书》玄宗纪及《旧唐书》肃宗纪。

秋

沈佺期与元万顷赋诗唱和。沈佺期有《和元舍人万顷临池玩月戏为新体》诗（见《沈佺期集校注》卷一；以下凡引佺诗文均据是书，不复注），作于秋季。元舍人谓元万顷，本年七月在凤阁舍人任，见《旧唐书》礼仪志一。《新唐书》文艺中李适附沈佺期传："及进士第，由协律郎累除给事中。"本年佺期或已在协律郎任。

十一月

陈子昂书言军国利害事。《新唐书》本传："后召见，赐笔札中书省，令条上利害。子昂对三事。其一言：……其二言：……其三言：……"《通鉴》卷二○三："十一月……麟台正字射洪陈子昂上疏，以为：'朝廷遣使巡察四方，不可任其非人；及刺史、县令，不可不择。比年百姓疲于军旅，不可不安。'其略曰：……"按此即陈子昂《上军国利害事三条》，分题作《出使》、《牧宰》、《人机》。

本年

孟利贞（？—685?）卒。《旧唐书》文苑上本传："利贞累转著作郎，加弘文馆学士。垂拱初卒。又撰《续文选》十三卷。"《新唐书》艺文志三："孟利贞《碧玉芳林》四百五十卷，《玉藻琼林》一百卷。"艺文志四："孟利贞《续文选》十三卷。"

民间唱《苏羍儿歌》邪曲。《朝野佥载》卷一："周垂拱已来，《苏羍儿歌》词皆是邪曲。后张易之小名苏羍。"

宋之问与田游岩赋诗唱和。宋之问有《敬答田征君》、《答田征君》诗（见《宋之问集校注》卷一；以下凡引宋之问诗文均据是书，不复注）。田征君谓田游岩。《旧唐书》隐逸本传："文明中，进授朝散大夫，拜太子洗马。垂拱初，坐与裴炎交结，特放还山。"《新唐书》隐逸本传："进太子洗马。裴炎死，坐素厚善，放还山。蚕衣耕食，不交当世，惟与韩法昭、宋之问为方外友云。"诗当作于本年或稍后，姑系于此。田游岩有《弘农清岩曲有磐石可坐宋十一每拂拭待余寄诗赠之》诗，宋十一谓宋之问，当同时所作。

公元686年 （唐武后垂拱二年 丙戌）

正月

杨炯在梓州司法参军任，作文祭郪县令陆某。杨炯《为梓州官属祭陆郪盩长史刘县文》："维垂拱二年太岁景戌正月壬寅朔二十二日癸亥，长史刘某，谨以清酌庶羞之奠，敬祭陆明府之灵。"是本年正月杨炯已在梓州参军任。杨炯又有《和刘长史答十九兄》诗。刘长史谓刘延嗣。《旧唐书》刘德威附刘延嗣传："文明年为润州司马，属徐敬业作乱，率众攻润州，延嗣与李思文固守不降。……俄而贼败，竟以裴炎近亲，不得叙功，迁为梓州长史。"诗亦杨炯在梓州时所作，姑系于此。

二月

十四日，新罗王遣使请《礼记》并杂文章。《唐会要》卷三六："垂拱二年二月十四日，新罗王金政明遣使请《礼记》一部并杂文章。命有司写吉凶要礼并《文馆词林》，采其词涉规诫者，勒成五十卷，赐之。"

三月

戊申，武后命铸铜匦，听臣民投献赋颂表疏，由是盛开告密之门。《通鉴》卷二〇三：垂拱二年，"三月，戊申，太后命铸铜为匦：其东曰'延恩'，献赋颂求仕进者投之；南曰'招谏'，言朝政得失者投之；西曰'伸冤'，有冤抑者投之；北曰'通玄'，言天象灾变及军机密计者投之。命正谏、补阙、拾遗一人掌之，先责识官，乃听投表疏。……于是四方告密者蜂起，人皆重足屏息。"

四月

陈子昂从左补阙乔知之北征，至陇山，有诗赠赵贞固，至张掖，赋诗与知之、王无竞唱和。陈子昂有诗《观荆玉篇》，序云："丙戌岁，余从左补阙乔公北征。夏四月，军幕次于张掖河。河洲草木无他异者，惟有仙人杖，往往丛生。……余家世好服食，昔尝饵之……因为乔公昌言其能。时东莱王仲烈亦同旅，闻之大喜，甘心食之，已寻有五日矣。适有行人自谓能知药者，谓乔公曰：'此白棘也，公何谬哉。'……乔公信是言，乃讥余，作《采玉篇》，谓宋人不识玉而宝珉石也。余心知必是，犹以独见之故，被夺于众人，乃喟然叹曰：……感《采玉咏》，作《观玉篇》以答之，并示仲烈，讥其失真也。"诗作于本年四月军次张掖时。陈子昂又有《赠赵六贞固二首》，其一云："回中烽火入，塞上追兵起。此时边朔寒，登陇思君子。东顾望汉京，南山云雾里。"作于行军至陇山时，当在本年三、四月间，亦系于此。又上引诗序中之"左补阙乔公"谓乔知之，"王仲烈"为王无竞，无竞字仲烈。陈子昂有《度峡口山赠乔补阙知之王二无竞》诗，即赠此二人。峡口山当即合黎山峡口，在张掖郡删丹县，见下条所引《新唐书》地理志四。诗亦作于军至张掖时。陈子昂又有《题祀山烽树赠乔十二侍御》诗，乔十二侍御亦谓乔知之，参见下条。又王无竞有《北使长城》诗，陈子昂有《送东莱王无竞学士》诗。各诗亦当本年所作，附记于此。

五月

陈子昂从军至同城、居延海，作《感遇》其三等诗文多首。陈子昂《燕然军人画像铭》序："龙集丙戌……金微州都督仆固始桀骜，惑乱其人。天子命左豹韬卫将军刘敬周发河西骑士，自居延海入以讨之，特敕左补阙乔知之摄侍御史，护其军。夏五月，师舍于同城。"《新唐书》地理志四甘州张掖郡删丹县："北渡张掖河，西北行出合黎山峡口，傍河东壖屈曲东北行千里，有宁寇军，故同城守捉也，天宝二载为军。军东北有居延海。"陈子昂有《题居延古城赠乔十二知之》、《居延海树闻莺同作》诗，均本年五月经同城至居延海时所作。陈子昂又有《感遇》其三、其三十五、其三十七等诗，均作于本次从军至征敌前线时，参见彭庆生《陈子昂诗注》卷一各诗注及韩理洲《陈子昂研究·诗文编年补正》各诗解。又陈子昂有《为乔补阙论突厥表》，当作于本年六月，又《吊塞上翁文》，当作于本年四、五月间过张掖而未至居延海时（见罗庸《陈子昂年谱》），并附记于此。

七月

陈子昂南归，乔知之赋诗送之。陈子昂《还至张掖古城闻东军告捷因赠韦五虚己》："孟秋首归路，仲月旅边亭。"乔知之《拟古赠陈子昂》："别离三河间，征战二庭深。……孟秋七月时，相送出外郊。"是陈子昂七月由前线南归，乔知之赋诗赠别；八月子昂行至张掖，以诗赠韦虚己。乔诗中又有"勤役千万里，将临五十年"语，知本年知之年近五十。又陈子昂有《上西藩边州安危事三条》，当作于本年秋还朝之后，附记于此。

本年

孙过庭撰成《书谱》两卷。孙虔礼《书谱》："余志学之年，留心翰墨。味钟、张之余烈，挹羲、献之前规。极虑专精，时逾二纪。有乖入木之术，无间临池之志。……自汉、魏以来，论书者多矣，妍蚩杂糅，条目纠纷。或重述旧章，了不殊于既往；或苟兴新说，竟无益于将来。徒使繁者弥繁，阙者仍阙。今撰为六篇，分成两卷，第其工用，名曰《书谱》。庶使一家后进，奉以规模；四海知音，或存观省。"《宝刻类编》卷二："孙过庭《书谱》，垂拱二年写记，汴。"《法书要录》卷六《述书赋》卷下："虔礼凡草，闾阎之风。千纸一类，一字万同。如见疑于冰冷，甘没齿于夏虫。"注云："孙过庭，字虔礼，富阳人，右卫胄曹参军。"卷九《书断》下："孙虔礼，字过庭，陈留人，官至率府录事参军。博雅有文章，草书宪章二王，工于用笔，俊拔刚断，尚异好奇，然所谓少功用，有天材。真行之书，亚于草矣。尝作《运笔论》，亦得书之指趣也。与王秘监相善，王则过于迟缓，此公伤于急速，使二子宽猛相济，是为合矣。虽管夷吾失于奢，晏平仲失于俭，终为贤大夫也。过庭隶、行、草入能。"

沈佺期赋《古意》呈乔知之。沈佺期有《古意呈乔补阙知之》诗。乔知之本年在左补阙任，见本年四月陈子昂条。诗当作于本年前后，姑系于此。按此诗一作《独不见》，是沈佺期名作。《升庵诗话》卷一〇："宋严沧浪取崔颢《黄鹤楼》诗为唐人七言律第一。近日何仲默、薛君采取沈佺期'卢家少妇郁金堂'一首为第一。二诗未易优劣。或以问予，予曰：崔诗赋体多，沈诗比兴多。"《唐音癸签》卷一〇："沈诗篇题原名《独不见》，一结翻题取巧，六朝乐府变声，非律诗正格也，不应借材取冠兹体。"《唐诗评选》卷四："从起入颔，羚羊挂角；从颔入腹，独茧抽丝；第七句狮吼雪山，龙含秋水；合成旖旎，韶才惊人。古今推为绝唱，当不诬。"《说诗晬语》卷上："云卿《独不见》一章，骨高气高，色泽情韵俱高，视中唐'莺啼燕语报新年'诗，味薄语纤，床分上下。"

公元687年 （唐武后垂拱三年　丁亥）

五月

刘祎之（631—687）卒，年五十七。《通鉴》卷二〇四：垂拱三年五月，"凤阁侍郎、同凤阁鸾台三品刘祎之窃谓凤阁舍人永年贾大隐曰：'太后既废昏立明，安用临朝称制！不如返正以安天下之心。'大隐密奏之，太后不悦。……或诬祎之受归诚州都督孙万荣金，又与许敬宗妾有私，太后命肃州刺史王本立推之。本立宣敕示之，祎之曰：'不经凤阁鸾台，何名为敕！'太后大怒，以为拒捍制使；庚午，赐死于家。"《旧唐书》本传："垂拱三年……赐死于家，时年五十七。……有集七十卷，传于时。"经籍志下："《刘祎之集》五十卷。"《新唐书》艺文志四："《刘祎之集》七十卷。"

九月

陈子昂自洛还蜀，至散关，赋诗答乔知之。陈子昂《西还至散关答乔补阙知之》："揽衣度函谷，衔涕望秦川。蜀门自兹始，云山方浩然。"当是自洛阳经函谷关、长安还蜀，行至散关时所作。罗庸《陈子昂年谱》谓此诗作于天授二年（691）陈子昂丁继母忧还蜀时，彭庆生《陈子昂年谱》从之，韩理洲《陈子昂研究·行年中的几个问题》则谓作于圣历元年（698）辞官归里时，王辉斌《陈子昂北征与〈西还〉诗作年新考》（《渭南师专学报》1995年第1期）又谓作于垂拱四年（688）自北征前线还长安时。按以上诸说皆有未安之处，唯陶敏、傅璇琮《唐五代文学编年史》（初盛唐卷）谓此诗为垂拱三、四年间自洛还蜀时作，似较合理。今从其说，系于本年。又诗中有"芳岁几阳止"之句，"几"谓几乎、近乎，"阳"谓十月，则诗当作于九月，故系于此。

十二月

陈子昂在蜀，作《感遇》诗以讽讨生羌之役。陈子昂《感遇》其二十九："丁亥岁云暮，西山事甲兵。赢（嬴）粮匝邛道，荷戟惊羌城。"《通鉴》卷二〇四于垂拱四年十二月引陈子昂《谏雅州讨生羌书》，胡三省有注云："西山在成都西。松、茂二州都督府所统诸州，皆西山羌也。"诗当本年年末陈子昂在蜀时作。

冬

宋璟作《梅花赋》及《长松篇》诗。颜真卿《有唐开府仪同三司行尚书右丞相上柱国赠太尉广平文贞公宋公（璟）神道碑铭》："年十六七时，或读《易》旷时不精，公迟而览之，自亥及寅，精义必究。明年进士高第。补上党尉，转王屋主簿。相国苏味道为侍御史，出使，精择判官，奏公为介。公作《长松篇》以自兴，《梅花赋》以激时。苏深赏叹之，曰：'真王佐才也！'转合宫尉。长寿三年从调，判入高等。"刘禹锡《献权舍人书》："尝闻昔宋广平之沈下僚也，苏公味道时为绣衣直指使者。广平投以《梅花赋》，苏盛称之，自是方列于闻人之目。"（《刘禹锡集》卷一〇）皮日休《桃花赋》序："余尝慕宋广平之为相，贞姿劲质，刚态毅状。疑其铁肠石心，不解吐婉媚辞。然睹其文而有《梅花赋》，清便富艳，得南朝徐庾体，殊不类其为人也。后苏相公味道得而称之，广平之名遂振。"（《皮子文薮》卷一）按宋璟《长松篇》诗已佚，现存署名宋璟之《梅花赋》属伪作，宋周密《癸辛杂识》后集已辨之。此伪赋有序云："垂拱三年，余春秋二十有五。战艺再北，随从父之东川，授馆官舍。时病连月，顾瞻圯墙，有梅一本，敷蕤焆于榛莽中。……感而成兴，遂作赋。"今姑从其说，定宋璟作《梅花赋》及《长松篇》之时间在本年冬。又据上引颜真卿等人文，且揆以情理，当是宋璟先以文投献苏味道，后被择为判官，两事均当在本年冬之后。

本年

郎余令（？—687？）撰《隋书》未成而卒，郑愔赋诗哭之。《旧唐书》儒学下郎余令传："累转著作佐郎。撰《隋书》未成，会病卒，时人甚痛惜之。"《唐代墓志汇编》垂拱〇三七《朝散大夫行著作佐郎中山郎余令故妻赵郡李道真之墓》："夫人……以垂拱三年三月廿七日遭疾，终于神都毓财里第，春秋卅有四。粤以其年四月一日假窆于河南县北邙山破陵东北。"知本年三、四月间郎余令在著作佐郎任，其卒当在本年或稍后，姑系于此。郑愔《哭郎著作》："《诗》、《礼》康成学，文章贾谊才。"《历代名画记》卷九："郎余令有才名，工山水古贤。为著作佐郎，撰自古《帝王图》，按据史传，想象风采，时称精妙。"《新唐书》艺文志四："郎余令《孝子后传》三十卷。"按郑愔（？—710），字文靖，沧州人。进士擢第。武后朝，以谄附张易之兄弟，官殿中侍御史。二张败，贬宣州司户参军。中宗景龙中，为修文馆学士，以检校吏部侍郎同中书门下平章事，坐赃贬江州司马。睿宗景云初，预谯王重福谋反，族诛。《全唐诗》编其诗为一卷。据《新唐书》宰相世系表五上、《唐诗纪事》卷一一等。

公元 688 年　（唐武后垂拱四年　戊子）

三月

彦悰为慧立《大慈恩寺三藏法师传》作笺，并序之。彦悰《大唐大慈恩寺三藏法师传序》："《传》本五卷，魏国西寺前沙门慧立所述。立俗姓赵，幽国公刘人，隋起居郎司隶从事毅之子，博考儒释，雅善篇章，妙辩云飞，溢思泉涌。加以直词正色，不惮威严，赴水蹈火，无所屈挠。睹三藏之形行，瞩三藏之形仪，钻之仰之，弥坚弥远，因循撰其事，以贻终古。及削稿云毕，虑遗诸美，遂藏之地府，代莫得闻。尔后役思缠疴，气悬钟漏，乃顾命门徒，掘以启之，将出而卒。门人等哀恸荒鲠，悲不自胜，而此《传》流离分散他所，后累载搜购，近乃获全。因命余以序之，迫余以次之。……错综本文，笺为十卷。"《中华大藏经》本《大唐大慈恩寺三藏法师传》卷首序题下署："垂拱四年三月十五日仰上沙门释彦悰述。"《宋高僧传》卷四彦悰传："释彦悰，未知何许人也。贞观之末，观光上京，求法于三藏法师之门。然其才不逮光、宝，偏长缀习学耳。于玄儒之业，颇见精微。辞笔之能，殊超流辈。有魏国西寺沙门慧立性气炰然，以护法为己任，著《传》五卷，专记三藏自贞观中一行盛化及西域所历夷险等，号《慈恩传》，盖取寺题也。……弟子等命悰排次之，序引之，或文未允，或事稍亏，重更伸明，曰《笺述》是也，乃象郑司农笺毛之训诂训也。"

四月

李峤因洛水出"宝图"事献《皇符》，有识者讥之。《册府元龟》卷八四二："李峤则天朝为侍御史，雍州人唐同泰献洛水瑞石，峤上《皇符》一篇以美其事，有识者多讥之。"李峤《为百寮贺瑞石表》："伏见雍州永安县人唐同泰于洛水中得瑞石一枚，上有紫脉成文，曰'圣母临人，永昌帝业'八字。臣等抃窥灵迹，骇瞩珍图，俯仰殊观，相趋动色。"此表当即所谓《皇符》。《通鉴》卷二〇四："武承嗣使凿白石为文曰：'圣母临人，永昌帝业。'末紫石杂药物填之。（四月）庚午，使雍州人唐同泰奉表献之，称获之于洛水。太后喜，命其石曰'宝图'。"李峤文即作于此时。

崔融奉敕撰《洛图颂》，奏上。崔融《进洛图颂表》："奉某年月日敕，令臣撰《洛图颂》……今臣斟酌前训，拟议鸿猷，述《洛图颂》一篇并序，谨诣宣议门奉进。"《新唐书》本传："融为文华婉，当时未有辈者。朝廷大笔，多手敕委之，其《洛出宝图颂》尤工。"

杨炯在梓州，撰惠义寺重阁铭，后归洛阳。杨炯《梓州惠义寺重阁铭》序："大辰之岁，正阳之月……"据张志烈《初唐四杰年谱》考证，此序作于本年四月。杨炯有《梓州官僚赞》，其中《司法参军杨炯自赞》云："吾少也贱，信而好古。游宦边城，江山劳苦。岁聿云徂，小人怀土。归欤归欤，自卫反鲁。"当作于秩满将离梓州时。明年春杨炯已在洛阳（见后），则其由梓归洛当在本年四月之后，其《广溪峡》、《巫峡》、《西陵峡》等诗当即作于赴洛途中，并系于此。

陈子昂在麟台正字任，上书谏武后滥用刑罚，又上书谏讨生羌。陈子昂《谏用刑书》："将仕郎守麟台正字臣陈子昂，谨顿首冒死诣阙上疏：……顷年以来，伏见诸方告密，囚累百千辈，大抵所告皆以扬州为名，及其穷究，百无一实。陛下仁恕，又屈法容之，傍评他事，亦为推劾。遂使奸恶之党，决意相雠，睚眦之嫌，即称有密。一人被讼，百人满狱，使者推捕，冠盖如云。……臣不敢以微命蔽塞聪明，亦非敢欲陛下顿息刑罚，望在恤刑尔。"岑仲勉《陈子昂及其文集之事迹》据"顷年以来"等句，谓子昂此书当作于本年，又据本年五月武后加"圣母神皇"号而书内未称"神皇"，谓此书作于本年五月以前。今从其说，姑系于此。又陈子昂《谏雅州讨生羌书》："将仕郎守麟台正字臣陈子昂昧死上言，窃闻道路云：国家欲开蜀山，自雅州道入讨生羌，因以袭击吐蕃。……臣愚以为西蜀之祸，自此结矣。"《新唐书》陈子昂传："后方谋开蜀山，由雅州道翦生羌，因以袭吐蕃。子昂上书，以七验谏止之，曰：……"《通鉴》卷二〇四系于本年十二月。按子昂此书亦未称"神皇"，知为本年五月以前所作，亦系于此。

秋

陈子昂代陈嘉言上奉和武后诗表。陈子昂《为陈御史上奉和秋景观竞渡诗表》："臣某言，伏见某月日御制《秋景务余聊观竞渡故陈先作式仵来篇》凡六韵……窃以君唱臣和，固不隔于尊卑；宫变商从，方允谐于金石。辄用斋心扣寂，假翰求词，将以攀日月之末光，继萤爝之微照。"表云"伏惟圣母神皇陛下"，据《旧唐书》则天皇后纪，武后加尊号曰"圣母神皇"在本年五月；表又云："元首康哉，方欲朝明堂之宫"，而《旧纪》云："永昌元年春正月，神皇亲享明堂。"可知此表当作于本年五月至明年正月间，而题中明言"秋景"，则必在本年秋。陈御史为陈嘉言，陈子昂《为陈舍人让官表》、《申宗人冤狱书》均为此人而作，详见岑仲勉《陈子昂及其文集之事迹》。又陈子昂《谏曹仁师出军书》："今神皇陛下应天受箓，将欲郊祭天地，巡拜河洛，建明堂，朝万国。"亦当在本年所作，附记于此。

苏味道在侍御史任，以宋璟为判官出使岭南，有诗作。苏味道有《始背洛城秋郊瞩目奉怀台中诸侍御》、《九江口南济北接蕲春南与浔阳岸》、《使岭南闻崔马二御史并拜台郎》等诗，均当为使岭南时所作，约在本年秋。时苏味道当以宋璟为判官，参见上年冬条。

十二月

武后拜洛受"宝图"，李峤、苏味道等应制赋诗。《旧唐书》则天皇后纪："十二月己酉，神皇拜洛水，受'天授宝图'。"李峤、牛凤及并有《奉和拜洛应制》诗，苏味道有《奉和受图温洛应制》诗，均当作于本月。

刘允济奏上《明堂赋》，为武后所赏。《旧唐书》文苑中本传："垂拱四年，明堂初成，允济奏上《明堂赋》以讽，则天甚嘉叹之，手制褒美，拜著作郎。"据《通鉴》卷二〇四，明堂建成在本年十二月。

本年

周思茂（？—688？）卒。《旧唐书》文苑中元万顷附周思茂传："累迁麟台少监、崇文馆学士。垂拱四年，下狱死。"按周思茂尝为北门学士，见上元二年三月条。

王之涣（688—742）生。王之涣，字季凌，原籍晋阳，自五世祖徙居绛郡。以门荫调补冀州衡水主簿。被诬去官。游历黄河南北，家居十五年，复补文安尉。天宝初卒于官舍。《国秀集》选其诗3首，《全唐诗》录6首。生平事迹据靳能《唐故文安郡文安县太原王府君墓志铭并序》、《唐才子传校笺》卷三王之涣传笺。

公元689年　（唐武后永昌元年　载初元年　己丑）

正月

改元永昌，大赦，大酺七日；时杜审言在江东，作《大酺》、《和晋陵陆丞早春游望》等诗。《旧唐书》则天皇后纪："永昌元年春正月，神皇亲享明堂，大赦天下，改元，大酺七日。"杜审言《大酺》："诏酺欢赏遍，交泰睹惟新。"题下注："永昌元年。"七律《大酺》亦为同时之作，诗云"毗陵震泽九州通……新妆袨服照江东"，知杜审言时在江东毗陵郡。审言又有《和晋陵陆丞早春游望》诗。晋陵为毗陵郡（即常州）属县，见《旧唐书》地理志三。诗亦当本年前后作，附记于此。按《和晋陵陆丞早春游望》系杜审言名作。《升庵诗话》卷五："杜审言《早春游望诗》，《唐诗三体》选为第一首是也。首句'独有宦游人'，第七句'忽闻歌古调'，妙在'独有''忽闻'四虚字。《文选》殷仲文诗'独有清秋日'，审言祖之，盖虽二字，亦不苟也。诗家言子美无一字无来处，其祖家法也。"《诗薮》内编卷四："初唐五言律，'独有宦游人'第一。"

陈子昂、沈佺期在洛阳，赋诗记改元、大赦、大酺事。陈子昂有《洛城观酺应制》诗，作于本月，参见上条。又沈佺期有《则天门观赦改年》诗。《通鉴》卷二〇四："永昌元年春，正月，乙卯朔……太后御则天门，赦天下，改元。"沈诗亦当作于本月。

三月

陈子昂上疏论为政之要，迁右卫胄曹参军。《通鉴》卷二〇四："（三月）壬申，太后问正字陈子昂，当今为政之要。子昂退，上疏，以为'宜缓刑崇德，息兵革，省赋役，抚慰宗室，各使自安。'辞婉意切，其论甚美，凡三千言。"《新唐书》本传："则天临朝，迁凤阁舍人。后复召见，使论为政之要，适时不便者，勿援上古，角空言。子昂乃奏八科：一措刑，二官人，三知贤，四去疑，五招谏，六劝赏，七息兵，八安宗子。其大权谓：……俄迁右卫胄曹参军。"按陈子昂所上疏即《答制事问》（八条）。

八月

元万顷坐与徐敬业友善，配流岭南。《旧唐书》文苑中本传："则天临朝，迁凤阁舍人。无几，擢拜凤阁侍郎。万顷素与徐敬业兄弟友善，永昌元年为酷吏所陷，配流岭南而死。时（苗）神客、（胡）楚宾已卒，（范）履冰、（周）思茂相次为酷吏所杀。"《通鉴》卷二〇四："（八月）乙未，秋官尚书太原张楚金、陕州刺史郭正一、凤阁侍郎元万顷、洛阳令魏元忠，并免死流岭南。楚金等皆为（徐）敬真所引，云与敬业通谋。"按周思茂卒于垂拱四年，已见前；范履冰卒于明年五月，元万顷、苗神客于明年八月在流所被杀，见后。

九月

杜审言于江阴饮宴赋诗。杜审言《重九日宴江阴》云："高兴要长寿，卑栖隔近臣。"知其时在江阴任职。江阴亦为毗陵（常州）属县，诗亦作于本年前后。参见本年正月条。

十月

陈子昂在右卫胄曹参军任，上书谏滥刑。陈子昂《谏刑书》："承务郎、守右卫曹参军臣陈子昂，谨顿首昧死上言：……比者大狱增多，逆徒兹广。愚臣顽昧，初谓皆实。乃去月十五日，陛下……召见高正臣，又重推元万顷，百寮庆悦，皆贺圣明，臣乃知亦有无罪之人挂于疏网者。"《通鉴》卷二〇四记于本年十月，从之。

十一月

庚辰朔，改元载初，始用周正。《旧唐书》则天皇后纪："载初元年春正月，神皇亲享明堂，大赦天下。依周制建子月为正月，改永昌元年十一月为载初元年正月，十二月为腊月，改旧正月为一月，大酺三日。"据《通鉴》卷二〇四，改元在本月庚辰朔。

本年

武后听讲《华严经》，赋诗以纪其事。《全唐诗补编·续拾》卷七武后《听〈华严〉诗》序："暂用务隟，听讲《华严》……既资熏习，顿解深疑。故述所怀，爰题短制。"据释法藏《华严经传记》卷三《智俨传》，诗作于永昌元年。

苏颋进士及第。《旧唐书》苏瓌附苏颋传："弱冠举进士，授乌程尉。"本年苏颋年二十。

孟浩然（689—740）生。孟浩然，襄阳人。早年隐居鹿门山，以诗自适。开元中应进士试，不第。遂漫游吴越等地，流连山水。后返乡家居。张九龄贬荆州长史，署为从事，相互唱和。开元末，与王昌龄欢聚襄阳，食鲜疾动，卒。有《孟浩然诗集》三卷。据王士源《孟浩然集序》、《旧唐书》文苑下本传、《新唐书》文艺下本传、《唐才子传校笺》卷二孟浩然传笺及补笺。

公元 690 年　（唐武后载初元年　周武则天天授元年　庚寅）

二月

张说应制举，对策第一，授太子校书。《通鉴》卷二〇四："二月辛酉，太后策贡

191

士于洛城殿。贡士殿试自此始。"张九龄《故开府仪同三司行尚书左丞相燕国公赠太师张公（说）墓志铭并序》："初，天后称制，举郡国贤良，公时大知名，拔乎其萃者也。起家太子校书。"（见刘斯翰校注《曲江集》；以下凡引张九龄诗文均据是书，不复注）《大唐新语》卷八："则天初革命，大搜遗逸，四方之士应制者向万人。则天御洛阳城南门，亲自临试。张说对策，为天下第一。则天以近古以来，未有甲科，乃屈为第二等。其警句曰：'昔三监玩常，有司既纠之以猛；今四方咸服，陛下宜济之以宽。'拜太子校书，仍令写策本于尚书省，颁示朝集及蕃客等，以光大国得贤之美。"《旧唐书》本传："弱冠应诏举，对策乙第，授太子校书。"《新唐书》本传："永昌中，武后策贤良方正，诏吏部尚书李景谌糊名较覆，说所对第一，后署乙等，授太子校书郎。"《唐才子传》卷一张说传："垂拱四年举学综古今科，中第三等，考策日封进，授太子校书。令曰：'张说文思清新，艺能优洽。金门对策，已居高科之首；银榜效官，宜申一命之秩。'"又《文苑英华》卷四七七载张说《对词标文苑科策》，题下注云"永昌元年"。按《墓志》云"天后称制，"《大唐新语》云"则天初革命"，均指上年十一月"始用周正"事，《通鉴》云本年二月太后策贡士，则张说对策中第当在此时，新旧《唐书》、《唐才子传》、《文苑英华》所记时间并误，详见《唐才子传校笺》卷一张说传笺。又张说所应制举科目，诸书所记不一，或曰贤良方正，或曰学综古今，或曰词标文苑，其实为一科，说见《登科记考》卷三。

三月

乔知之在左司郎中任，以爱婢为武承嗣所夺，作《绿珠篇》寄其情恨。《本事诗》："唐武后时，左司郎中乔知之有婢名窈娘，色艺为当时第一。知之宠爱，为之不婚。武延嗣闻之，求一见，势不可抑。既见即留，无复还理。知之愤痛成疾，因为诗，写以缣素，厚赂阍守以达。窈娘得诗悲惋，结于裙带，赴井而死。延嗣见诗，遣酷吏诬陷知之，破其家。诗曰：……时载初元年三月。四月下狱，八月死。"诗即乔知之《绿珠篇》，文中"延嗣"乃承嗣之讹，参见《朝野佥载》卷二、《隋唐嘉话》卷下、《旧唐书》文苑中乔知之传、《新唐书》外戚武士彟附武承嗣传、《唐诗纪事》卷六等。按《绿珠篇》系乔知之名作。《唐诗归》卷一钟惺评云："初唐诗题用'篇'字者，如《帝京篇》、《明河篇》等作，其诗无不板样。独此诗妙绝，人不可以无情。"

春

苏颋进士及第后授官乌程尉，崔湜赋诗送之。《旧唐书》苏瓌附苏颋传："弱冠举进士，授乌程尉。"崔湜《赠苏少府赴任江南余时还京》作于春日，当即为送苏颋赴乌程尉任而作。颋之尉乌程或稍后于本年，姑系于此。参郁贤皓《苏颋事迹考》，载《唐代文学研究》第四辑。

杨炯居洛阳，与宋之问分直习艺馆。《旧唐书》文苑中宋之问传："初征令与杨炯分直内教。"《新唐书》文艺中李适附宋之问传："甫冠，武后召与杨炯分直习艺馆。"宋之问《秋莲赋》序："天授元年，敕学士杨炯与之问分直于洛城西。入阁……玉池清泠，红葩菡萏。谬履扃闵，自春徂秋，见其生，视其长。"是杨、宋分直内教在本年春，而之问此赋则当作于本年秋。《通鉴》卷二〇八中宗景龙元年十月"习艺馆内教苏安恒"条胡三省注："习艺馆，本名内文学馆，选官人有文学者一人为学士，教习宫人。武后改为习艺馆，又改为翰林内教坊，以地在禁中故也。《新书》曰：掌教习宫人书算众艺。"宋之问《祭杨盈川文》："大君有命，征子文房，余亦叨忝，随君颉颃。同趋北禁，并拜东堂，志事俱得，形骸两忘。载罹寒暑，贫病洛阳，裘马同弊，老幼均粮。"即追记二人任职习艺馆情事。

五月

范履冰（？—690）卒。《旧唐书》文苑中元万顷附范履冰传："垂拱中，历鸾台、天官二侍郎。寻迁春官尚书、同凤阁鸾台平章事，兼修国史。载初元年，坐尝举犯逆者被杀。"《新唐书》宰相表上记范履冰之卒在本年四月，则天皇后纪记于五月，此从《新纪》。按范履冰尝为北门学士，参上元二年三月条。

七月

法明等撰《大云经》四卷，上之。《通鉴》卷二〇四："秋，七月……东魏国寺僧法明等撰《大云经》四卷，表上之，言太后乃弥勒佛下生，当代唐为阎浮提主，制颁于天下。"

八月

因武后残酷杀戮，唐宗室至是殆尽。《通鉴》卷二〇四："八月甲寅，杀太子少保、纳言裴居道；癸亥，杀尚书左丞张行廉。辛未，杀南安王颖等宗室十二人，又鞭杀故太子贤二子。唐之宗室于是殆尽矣，其幼弱存者亦流岭南，又诛其亲党数百家。"

乔知之（638？—690）卒，年约五十三。《新唐书》则天皇后纪："（八月）壬戌，杀将军阿史那惠、右司郎中乔知之。"《通鉴》卷二〇六据卢藏用《陈子昂别传》、赵儋《故右拾遗陈公旌德之碑》及陈子昂《西还至散关答乔补阙知之》诗，系乔知之之卒在神功元年六月，误，说见罗庸《陈子昂年谱》。当以《新纪》为是。《新唐书》艺文志四："《乔知之集》二十卷。"《旧唐书》文苑中本传："知之与弟侃、备，并以文词知名。知之尤称俊才，所作篇咏，时人多讽诵之。"《唐诗品》："右司以风骚自命，藻思横陈，寄情宛委，摛琢俊丽。如《定情篇》，在汉、魏诸子亦当推其闲雅；《绿珠》、《赢骏》之作，梁、陈虽往，径榭更新。然《绿珠》恨情如海，竟招铅华之祸，词虽合节，志实流荡，风人令轨，曷有于此。至若'豫游龙驾转，大乐凤箫闻'，太平景象，宛在眼前；'空余歌舞地，犹是为君王'，感人之泪，闻者倾脱。可谓宫商并奏，风雅综出，艺家门户，鸿朗郁纡者也。"

张楚金、元万顷、苗神客皆于流所被杀。《新唐书》则天皇后纪："（八月）甲子，杀流人张楚金。戊辰，杀流人元万顷、苗神客。"《旧唐书》忠义上张道源附张楚金传：

"则天临朝，历位吏部侍郎、秋官尚书，赐爵南阳侯。为酷吏周兴所陷，配流岭表，竟卒于徙所。著《翰苑》三十卷、《绅诚》三卷，并传于时。"同书文苑中元万顷传："万顷属文敏速，然性疏旷，不拘细节，无儒者之风。"按万顷与苗神客均曾为北门学士，参高宗上元二年条。

九月

武后称帝，改国号为周，改元天授。《通鉴》卷二〇四："九月，丙子，侍御史汲人傅游艺帅关中百姓九百余人诣阙上表，请改国号曰周，赐皇帝姓武氏。太后不许，擢游艺为给事中。于是百官及帝室宗戚、远近百姓、四夷酋长、沙门、道士合六万余人，俱上表如游艺所请，皇帝亦上表自请赐姓武氏。……庚辰，太后可皇帝及群臣之请。壬午，御则天楼，赦天下，以唐为周，改元。"

陈子昂献《大周受命颂》等以取悦武后。《新唐书》本传："后既称皇帝，改号周，子昂上《周受命颂》以媚悦后。"陈子昂有《大周受命颂》并序，含《神凤》、《赤雀》、《庆云》及《皀颂》四章。又《上大周受命颂表》："今者凤鸟来，赤雀至，庆云见，休气升，大周受命之珍符也。……臣不揣朴固，辄献《神凤颂》四章，以言大周受命之事。"题下注云："天授九年"，"九年"是"元年"之误，表及颂当均作于本年。

朝臣赋诗送李嗣真等十道存抚，诸作编为《存抚集》十卷，杜审言等所为诗尤著名。《唐会要》卷七七："天授二年，发十道存抚使，以右肃政、御史中丞知大夫事李嗣真等为之，阖朝有诗送之，名曰《存抚集》，十卷，行于世。杜审言、崔融、苏味道等诗尤著焉。"《南部新书》丙卷亦记此事，"天授二年"作"天授中"。《旧唐书》则天皇后纪："令史务滋等十人分道存抚天下"，《通鉴》卷二〇四记此事亦系于本年本月，从之。杜审言有《和李大夫嗣真奉使存抚河东》诗，即《存抚集》中诗而存于今者。按此诗系杜审言名作，杜甫《八哀诗·赠秘书监江夏李公邕》："例及吾家诗，旷怀扫氛翳。慷慨嗣真作，咨嗟玉山桂。钟律俨高悬，鲲鲸喷迢递。"（见《杜诗详注》卷一六；以下凡引杜甫诗文，均据是书，不复另注）即谓此诗。《诗薮》内篇卷四："初唐四十韵惟杜审言，如《送李大夫作》，实自少陵家法，杜《八哀·李北海》云：'次及吾家诗，慷慨嗣真作'是也。而注者懵然，可为一笑。"《删补唐诗选脉笺释会通评林》卷三六周珽曰："作法千古，何如紫衣拥剑，迭跃挥霍，搃光灵激，横若裂盘，旋若规尺。读必简此与《扈从长安》篇，知少陵《赠哥舒翰》、《上左相》等什，神龙原自有种也。"《柳亭诗话》卷三〇："自六朝以骈俪成诗，而唐人遂制为排律。大约以六韵为准，盖试格也。其长者不过十数韵而止。杜必简《送李嗣真存抚河东》诗四十韵，矩矱森严，遂为文孙衣钵。即少陵集中，百韵者仅得一首。"

本年

武后作《天授乐》。《唐会要》卷三三："坐部伎有六部……三《天授乐》，武太后天授年所作。"

李善（？—690）卒。《旧唐书》儒学上曹宪附李善传：尝注解《文选》，分为六十卷……又撰《汉书辨惑》三十卷。载初元年卒。"按上年自十一月起，亦用载初纪年，李善卒当在此两年间，姑系于此。《新唐书》艺文志二："本善《汉书辨惑》二十卷。"卷文志四："李善注《文选》六十卷。"又："李善《文选辨惑》十卷。"

李隆基六岁，于武后明堂宴席舞《长命女》，其兄弟姐妹并作歌舞。郑万钧《代国长公主碑》："初，则天太后御明堂宴，圣上年六岁，为楚王，舞《长命□》。□□年十二，为皇孙，作《安公子》。岐王年五岁，为卫王，弄《兰陵王》，兼为行主，词曰：'卫王入场，咒愿神圣神皇万岁，孙子成行。'公主年四岁，与寿昌公主对舞《西凉》，殿上群臣咸呼万岁。"文中"圣上"指玄宗李隆基，垂拱三年正月封楚王，见《旧唐书》则天皇后纪。所脱三字当为"女"、"宁王"。《长命女》为唐教坊舞曲，见《教坊记》。宁王李宪本年十二，曾被册为皇太子、皇孙，见《旧唐书》本传。

张九龄年十三，为广州都督王方庆所称赏。徐浩《唐尚书右丞相中书令张公神道碑》："公讳九龄，字子寿……七岁能文……王公方庆出牧广州，时年十三，上书路左。"《旧唐书》张九龄传："九龄幼聪敏，善属文。年十三，以书干广州刺史王方庆，大嗟赏之，曰：'此子必能致远。'"同书王方庆传："则天临朝，拜广州都督。"本年张九龄年十三，王方庆出牧广州当即在本年。

王昌龄（690？—756？）生。王昌龄字少伯，京兆万年人。进士擢第，补秘书省校书郎。举博学宏词科，授汜水尉。以罪谪岭南，遇赦北归，出任江宁丞。天宝中贬龙标尉，安史乱起，还乡里，为刺史闾丘晓所杀。有《王昌龄集》五卷。据《旧唐书》文苑下本传、《新唐书》文艺下孟浩然附王昌龄传、《唐才子传校笺》卷二。

公元 691 年 （周武则天天授二年 辛卯）

四月

二日，敕释教在道教之上。《唐会要》卷四九："至天授二年四月二日，敕释教宜在道教之上，僧尼处道士之前。"又见《旧唐书》则天皇后纪等。

五月

义净以所著译《西域求法高僧传》等书托大津法师带归长安。《大唐西域求法高僧传》卷下《大津法师传》："遂以永淳二年振锡南海……泛舶月余，达尸利佛逝洲。……净于此见，遂遣归唐。……遂以天授二年五月十五日附舶而向长安矣。今附新译杂经论十卷，《南海寄归内法传》四卷，《西域求法高僧传》两卷。"

秋

陈子昂丁继母忧解官归乡。《新唐书》本传："后既称皇帝，改号周，子昂……以母丧去官。"卢藏用《陈子昂别传》："以继母忧解官。"陈子昂《忠州江亭喜重遇吴参军牛司仓序》："昔岁居单阏，适言别于兹都；今龙集昭阳，复相逢于此地。"单阏是卯年别称，昭阳则指癸年，盖云本年辛卯丁母忧自洛归蜀，后年癸巳由蜀返洛，往返均经忠州而与吴、牛二友相遇也。又陈子昂《故宣议郎骑都尉行曹州离狐县丞高府君墓志铭》："天授二年岁在单阏七月二十日考终厥命，卒于陆浑县明高之山庄……即以其年十月，葬于北邙山平乐之原。"北邙山在洛阳城北，知作此文时子昂尚在洛阳。又后年秋子昂服阕经忠州返洛阳（见下），则其丁忧去职不当晚至本年十月，文中"其年十月，葬于……"云云，盖预题之辞。陈子昂当在本年七八月间即解官归乡。

本年

宋之问在洛阳，以疾去官，作《忆嵩山陆浑旧宅》诗。诗云："一身事扃闼，十载隔凉暄。……况以沈疾久，睽辞金马垣。"明年之问归陆浑庄，诗当本年作。

公元 692 年　（周武则天天授三年　如意元年　长寿元年　壬辰）

一月　（周正一月，为一年第三月，即夏正正月）

武后开试官之制，有作诗嘲当时授官之滥者。《通鉴》卷二〇五："春，一月，丁卯，太后引见存抚使所举人，无问贤愚，悉加擢用，高者试凤阁舍人、给事中，次试员外郎、侍御史、补阙、拾遗、校书郎。试官自此始。时人为之语曰：'补阙连车载，拾遗平斗量。𣡃推侍御史，碗脱校书郎。'有举人沈全交续之曰：'𪉟心存抚使，睉目圣神皇。'为御史纪先知所擒，劾其诽谤朝政，请杖之朝堂，然后付法。太后笑曰：'但使卿辈不滥，何恤人言！宜释其罪。'先知大惭。太后虽滥以禄位收天下人心，然不称职者，寻亦黜之，或加刑诛。挟刑赏之柄以驾御天下，政由己出，明察善断，故当时英贤亦竞为之用。"《朝野佥载》卷四："则天革命，举人不试皆与官，起家至御史、评事、拾遗、补阙者，不可胜数。张鷟为谣曰：……时有沈全交者……续四句曰：……"《通鉴》谓"试官自此始"，《佥载》云"不试皆与官"，所记不同。按《通鉴》所谓"试"当是"试用"之意，而《佥载》之"试"，乃是"考试"之意。两处用语虽异，而其意皆在指斥授官冗滥。赵守俨《张鷟与〈朝野佥载〉》（载《文史》第八辑）云："根据《佥载》文义，此为针对举人不试即任官而发，与'试官'无涉，《通鉴》似误"，似尚未达一间。《佥载》卷四又载："周则天朝蕃人上封事，多加官赏，有为右台御史者。因则天尝问郎中张元一曰：'在外有何可笑事？'元一曰：'朱前疑着绿，逯仁杰着朱。闾知微骑马，马吉甫骑驴。将名作姓李千里，将姓作名吴栖梧。左台胡御史，右台御史胡。'胡御史，胡元礼也；御史胡，蕃人为御史者，寻改他官。"亦记于此。

李峤在给事中任，因证狄仁杰等无罪而忤旨，贬为润州司马。《旧唐书》李峤传："累迁给事中。时酷吏来俊臣构陷狄仁杰、李嗣真、裴宣礼等三家，奏请诛之，则天使峤与大理少卿张德裕、侍御史刘宪覆其狱。德裕等虽知其枉，惧罪，并从俊臣所奏。峤曰：'岂有知其枉滥而不为申明哉！孔子曰："见义不为，无勇也。"'乃与德裕等列其枉状，由是忤旨，出为润州司马。"据《通鉴》卷二〇五，来俊臣罗织狄仁杰等人罪状事在本年一月，李峤之出为润州司马当在此时。王无竞有《别润州李司马》诗。

薛谦光上疏以为选士宜重实才而轻文辞。《通鉴》卷二〇五："（一月）甲戌，补阙薛谦光上疏，以为'选举之法，宜得实才，取舍之间，风化所系。……'"《唐会要》卷七六："天授三年，左补阙薛谦光上疏曰：'……有梁荐士，雅爱属辞；陈氏简贤，特珍赋咏。……逮至隋室，余风尚存。开皇中……帝纳李谔之策，由是下制禁断文笔浮辞。……炀帝嗣兴，又变前法，置进士等科。于是后生之徒，复相仿效，缉缀小文，名之策学，不以指实为本，而以虚浮为贵。有唐纂历……树本崇化，唯在旌贤。今之举人，有乖事实。议行决小人之笔，行修无长者之论。策第喧竞于州府，祈恩不胜于拜伏。或明制才出，试遣搜扬，驱驰府寺之门，出入王公之第。察其行而度其才，则人品于兹见矣。……愿降明诏，颁峻科，断浮虚之余辞，取实用之良策。'"参见《通典》卷一七、《旧唐书》薛登传。

四月

丙申，改元如意。见《旧唐书》则天皇后纪。

五月

武后作《织锦回文记》。文云："朕听政之瑕，留心坟典，散帙之次，偶见斯图。因述若兰之才，复美连波之悔过，遂制此记，聊以示将来也。如意元年五月一日，大周天册金轮皇帝御制。"

夏秋间

宋之问以疾归陆浑旧宅，有诗寄杨炯。宋之问有《温泉庄卧病答杨七炯》诗，写及夏秋间景色。温泉庄即陆浑山庄。宋之问有《陆浑南桃花汤》诗，知陆浑有温泉。杨炯明年出为盈川令，未久卒，诗当作于本年，宋之问又有《陆浑水亭》诗，亦当本年作。

七月

杨炯献《盂兰盆赋》。《旧唐书》文苑上本传："如意元年七月望日，宫中出盂兰盆，分送佛寺，则天御洛南门，与百僚观之。炯献《盂兰盆赋》，词甚雅丽。"赋中有云："粤大周如意元年秋七月，圣神皇帝御洛城南门，会十方贤众，盖天子之孝也。"

朱敬则、周矩分别上疏谏酷刑滥杀。《通鉴》卷二〇五：长寿元年七月，"太后自垂拱以来，任用酷吏，先诛唐宗室贵戚数百人，次及大臣数百家，其刺史、郎将以下，不可胜数。……右补阙新郑朱敬则以太后本任威刑以禁异议，今既革命，众心已定，宜省刑尚宽，乃上疏，以为：……太后善之，赐帛三百段。侍御史周矩上疏曰：'……愿陛下缓刑用仁，天下幸甚！'太后颇采其言，制狱稍衰。"

九月

庚子，改元长寿。《通鉴》卷二〇五："太后春秋虽高，善自涂泽，虽左右不觉其衰。丙戌，敕以齿落更生，九月，庚子，御则天门，赦天下，改元。"

本年

阎朝隐在太子舍人任，赋诗以颂武后之仁德。阎朝隐有杂言诗《鹦鹉猫儿篇》，序云："鹦鹉，慧鸟也。猫，不仁兽也。飞翔其背焉，啗啄其颐焉。攀之缘之，蹈之履之，弄之藉之，跄跄然此为自得，彼亦以为自得。畏者无所起其畏，忍者无所行其忍，抑血属旧故之不若。臣叨践太子舍人，朝暮侍从，预见其事。圣上方以礼乐文章为功业，朝野欢娱，强梁充斥之辈，愿为臣妾，稽颡阙下者日万计。寻而天下一统，实以为惠可以伏不惠，仁可以伏不仁，亦太平非常之明证。事恐久远，风雅所缺，再拜稽首为之篇。"《通鉴》卷二〇五于长寿元年下记武后训猫之事，云："太后习猫，使与鹦鹉共处。出示百官。传观未便，猫饥，搏鹦鹉食之，太后甚惭。"诗当作于本年前后。按此诗是阎朝隐名作。《唐诗归》卷四钟惺评云："自首至尾，全用作文排比法成诗，奇甚！"《一瓢诗话》："阎朝隐《咏猫诗》，风雅罪人。……钟伯敬议论，好肉剜疮；谭友夏评骘，缺口咬虱。"

民间传唱《黄獐歌》。《朝野佥载》卷一："周如意年中以来，始唱《黄獐歌》，其词曰：'黄獐，黄獐，草里藏，弯弓射你伤。'"

王泠然（692—725）**生。**王泠然字仲清，太原人。进士及第，登拔萃科，授太子校书郎。秩满，迁右威卫兵曹参军，卒官。《全唐文》录其文十一篇，《全唐诗》录其诗四首。据《唐代墓志汇编》天宝〇〇二《唐故右威卫兵曹参军王府君墓志铭序》。

公元 693 年　（周武则天长寿二年　癸巳）

一月

罢举人习《老子》，更习太后所造《臣规》。见《通鉴》卷二〇五。

二月

杨炯出为盈川令，张说以箴赠行。《旧唐书》文苑上杨炯传："选授盈川令。"《新唐书》文艺上王勃附杨炯传："迁盈川令，张说以箴赠行，戒其苛。"杨炯《后周名威将军梁公神道碑》："公讳待宾，安定临泾人也。……以长寿二年正月六日，终于神都旌善里私第，春秋五十。……粤以大周长寿二年岁次癸巳二月辛酉朔二十四日甲申，迁窆于雍州蓝田县骊山原旧茔，礼也。"时杨炯当尚在洛阳，其出为盈川令则在本月或稍后，姑系于此。张说《赠别杨盈川炯箴》："君居百里，风化之源，才勿骄吝，政勿苛烦。"为《新传》所本。又新、旧《唐书》本传均载杨炯为政苛酷之事，当系由张说此箴推衍而来，或采自毁谤者之言，参见傅璇琮《唐代诗人丛考·杨炯考》。

陈子昂为郭震姬薛氏撰墓志铭，时震官梓州通泉尉。陈子昂《馆陶郭公姬薛氏墓志铭》："姬人姓薛氏，本东明国王金氏之胤也。……父永冲，有唐高宗时，与金仁问归国，帝畴厥庸，拜左武卫大将军。姬人幼有玉色……年十五，大将军薨，遂剪发出家。……静心六年，青莲不至，乃谣曰：……遂返初服而归我郭公。……以长寿二年太岁癸巳二月十七日，遇暴疾而卒于通泉县之官舍。"按郭公谓郭震，《旧唐书》郭元振传："举进士，授通泉尉。"张说《兵部尚书代国公赠少保郭公（震）行状》："十八擢进士第，其年判入高等。时辈皆以校书正字为荣，公独请外官，授梓州通泉尉。"参见岑仲勉《陈子昂及其文集之事迹》"郭元振之新罗尼姬"条。

秋

陈子昂由蜀返洛阳，授官右拾遗。《新唐书》本传："以母丧去官，服终，擢右拾遗。"陈子昂《忠州江亭喜重遇吴参军牛司仓序》："尔其丹藤绿筱，俯映长筵，翠渚洪澜，交流合座。"按此序为子昂服阕由蜀返洛经忠州时所作，已见天授二年秋陈子昂条。考序中所写景物，并以守制期限推之，时当在本年秋。

本年

张说在太子校书任，使蜀，赋诗多首。张说《再使蜀道》："芸阁有儒生，辂车倦驰逐。"知其曾两度使蜀，时当任太子校书。张说又有《蜀道诗》、《被使在蜀》、《正朝摘梅》、《蜀道后期》、《过蜀道山》、《深渡驿》、《下江南向鄂州》、《江路忆郡》、《蜀路二首》等诗，均作于两次使蜀期间。张说万岁通天元年（696）以后之行踪历历可考，无使蜀之可能，其两度使蜀均当在天授二年（690）至天册万岁元年（695）之间，今姑并系于此。参陈祖言《张说年谱》。

许子儒任天官侍郎，尝注《史记》，未成。《旧唐书》儒学上许叔牙附许子儒传："子儒，亦以学艺称。长寿中，官至天官侍郎、弘文馆学士。……其所注《史记》，竟未就而罢。"司马贞《史记索隐后序》："前朝吏部侍郎许子儒，亦作《注义》，不睹其书。"

公元 694 年　（周武则天长寿三年　延载元年　甲午）

正月

武后制《越古长年乐》。《唐会要》卷三三："延载元年正月二十三日，制《越古长年乐》一曲。"又云："坐部伎有六部乐……二《长寿乐》，武太后长寿年所作。"《越古长年乐》当即《长寿乐》。

三月

苏味道任凤阁侍郎、同平章事、朔方道行军司马。《通鉴》卷二〇五："三月甲申，以凤阁舍人苏味道为凤阁侍郎、同平章事，李昭德检校内史。更以僧怀义为朔方道行军大总管，以李昭德为长史，苏味道为司马。"

五月

甲午，改元延载。见《通鉴》卷二〇五。

李峤在江南，以武后加尊号，代杭州刺史撰贺表。李峤《为杭州崔使君贺加尊号表》："伏奉五月十一日制书……伏惟越古金轮圣神皇帝陛下承大云之法纪……"《为杭州刺史崔元将献绿毛龟表》："伏惟金轮圣神皇帝陛下蕴灵沙劫……"据《旧唐书》则天皇后纪，武后去年九月加'金轮圣神皇帝'号，本年五月加"越古金轮圣神皇帝"号，知《献绿毛龟表》作于去年九月至本年五月间，《加尊号表》当即作于本年五月。李峤如意元年贬润州司马，本年当仍在江南。参岑仲勉《唐集质疑》"杭州崔使君"条。

九月

丘愔、郑注上疏著论以攻李昭德。《通鉴》卷二〇五："内史李昭德恃太后委遇，颇专权使气，人多疾之，前鲁王府功曹参军丘愔上疏攻之，其略曰：……长上果毅郑注，又著《石论》数千言，述昭德专权之状。凤阁舍人逢弘敏取奏之，太后由是恶昭德。（九月）壬寅，贬昭德为南宾尉，寻又免死流窜。"

本年

杨炯（650—694?）卒，年约四十五。《旧唐书》文苑上本传："选授盈川令。……无何卒官。中宗即位，以旧僚追赠著作郎，文集三十卷。炯与王勃、卢照邻、骆宾王以文词齐名，海内称为王杨卢骆，亦号为'四杰'。炯闻之，谓人曰：'吾愧在卢前，耻居王后。'当时议者，亦以为然。其后崔融、李峤、张说俱重四杰之文。崔融曰：'王勃文章宏逸，有绝尘之迹，固非常流所及。炯与照邻可以企之，盈川之言信矣。'说曰：'杨盈川文思如悬河注水，酌之不竭，既优于卢，亦不减王。耻居王后，信然；愧在卢前，谦也。'"杨炯上年选授盈川令，其卒约在本年。宋之问有《祭杨盈川文》。《新唐书》艺文志四："杨炯《盈川集》三十卷。"《郡斋读书记》卷一七："杨炯《盈川集》二十卷。……集本三十卷，今多亡佚。"《唐诗品》："杨生神明内颖，卓起少年，词华秀朗，为时令慕，与子安之徒并称杰子。芝含三秀，凤耀四灵，岂不蔚然观美哉！其诗三十卷不尽传，今传二卷，五言律体长于他作。炯尝自言：'吾愧在卢前，耻居王后。'子安词赋翩翩，波翻云写，杨生好欺人，故有此语。文士信己，岂非珍其敝帚，自谓千金者哉！"张逊业《杨炯集序》："炯之赋，词义明畅，若庖丁解牛，自中肯綮，而《浑天》考核，更见沉深，推历氏今犹择焉。五言律工致而得明澹之旨，沈、宋肩偕，开元诸人，去其纤丽，盖启之也。诸作差次之。五言古诗，唐人各自成家，备一代制可也，然以汉、魏镜之，人人悬绝矣。"《诗薮》内编卷四："盈川近体，虽神俊输王，而整肃浑雄，究其体裁，实为正始。然长歌遂尔绝响。"《诗源辩体》卷一二："五言自汉、魏流至陈、隋，日益趋下，至武德、贞观，尚沿其流，永徽以后，王、杨、骆则承其流而渐进矣。四子才力既大，风气复还，故虽律体未成，绮靡未革，而中多雄伟之语，唐人之气象风格始见。……然析而论之，王与卢、骆绮靡者尚多；杨篇什虽寡，而绮靡者少，短篇则尽成律矣。炯尝云：'吾愧在卢前，耻居王后。'……意炯当时必多长篇大什，而零落至此，惜哉！"《唐音癸签》卷五："盈川视王微加澄汰，清骨明姿，居然大雅。"《唐诗归》卷一："王、杨、卢、骆，偶然同时有此称耳，非初唐至处也。王森秀，非三子可比。卢稍优于骆，杨寥寥数作，又不能佳，何其称焉？"皇甫汸《杨盈川集序》："夫著作之文，张道济譬之悬河，宋延清叹其游刃。若《浑天》之制，考覆精详，《冕服》之辨，援引该洽，顾不可传耶？设使生同其时，则吴公之知贾傅，邛令之重长卿，抑奚让焉。"四库总目提要卷一四九："《盈川集》十卷，附录一卷。唐杨炯撰。《唐书·文苑传》称其文集本三十卷，晁公武《读书志》仅著录二十卷，云今多亡逸，是宋代已非完本。然其本今亦不传。此乃明万历中龙游童佩从诸书裒集，诠次成编，并以本传及赠答之文、评论之语别为附录一卷，皇甫汸为之序。凡赋八首，诗三十四首，杂文三十九首。……《旧唐书》本传最称其《盂兰盆赋》，然炯之丽制，不止此篇，刘昫殆以为奏御之作，故特加记录欤。传又载其《驳太常博士苏知几冕服议》一篇，引援经义，排斥游谈，炯文之最有根柢者。知其词章瑰丽，由于贯穿典籍，不止涉猎浮华。"《三唐诗品》卷一："古章残佚，不见本原，唯《西陵》一首，苍健立干，有任、范之体。律诗工对，其源盖出阴铿。才气无前，自谓'耻居王后'，第藻浮于质，时有衰音。"《诗学渊源》卷八："（炯）所为诗雄奇奔放，文质兼备，虽未逮卢之古雅，骆之蕴藉，以较子安，实为胜之。'卢前''王后'，宜彼不为屈也。"

陈子昂坐缘逆党陷狱。陈子昂《谢免罪表》："臣某言：月日司刑少卿郭某奉宣敕旨，以臣所犯，特从放免。……臣巴蜀微贱，名教未闻，陛下降非常之恩，加不次之命，拔臣草野，谬齿衣冠。……不图误识凶人，坐缘逆党，论臣罪累，死有余辜。……陛下……特恕万死，赐以再生。身首获全，已是非分，官服具在，臣何敢安？"《祭韦府君文》："维年月日，左（右）拾遗陈子昂谨以少牢清酌之奠，致祭故人临海韦君之灵。……昔君梦奠之时，值余真在丛棘。狱户咫尺，邈若山河，话言空存，白马不吊。迨天网既开，而宿草成列，言笑无由，梦寐不接。"知陈子昂曾以附逆罪名陷狱，囚禁经年。据罗庸《陈子昂年谱》所考，上引两文当作于明年，而陈子昂入狱则在本年，今从其说。

王维（694？—761）生。王维字摩诘，太原祁人，徙家于蒲。进士擢第，调太乐丞。坐累为济州司曹参军。历右拾遗、监察御史、左补阙、库部郎中。丁母忧，服阕，拜吏部郎中。天宝末，为给事中。安禄山陷两都，迫受伪职。长安收复，以曾赋诗感念唐室，责授太子中允。迁太子左庶子、中书舍人，复拜给事中，转尚书右丞，卒。有《王维集》十卷传世。据《旧唐书》文苑下本传、《新唐书》文艺中本传、《唐才子传校笺》卷二。又王维生年历来说法不一，此从王勋成《王维进士及第之年及生年新考》，载《华中师范大学学报》2001 年第 1 期。

公元 695 年 　（周武则天证圣元年　天册万岁元年　乙未）

正月 （此为周正正月，即夏正上年十一月）

辛巳朔，改元证圣。 见《新唐书》则天皇后纪、《通鉴》卷二〇五。

苏味道贬集州刺史。《通鉴》卷二〇五："周允元与司刑少卿皇甫文备奏内史豆卢钦望、同平章事韦巨源、杜景俭、苏味道、陆元方附会李昭德，不能匡正，钦望贬赵州，巨源贬麟州，味道贬集州，元方贬绥州刺史。"

刘知几上表陈四事，后又作《思慎赋》。《通鉴》卷二〇五："获嘉主簿彭城刘知几表陈四事：……疏奏，太后颇嘉之。是时官爵易得而法网严峻，故人竞为趋进而多陷刑戮，知几乃著《思慎赋》以刺时见志焉。"《旧唐书》本传："知几乃著《思慎赋》以刺时，且以见意。凤阁侍郎苏味道、李峤见而叹曰：'陆机《豪士》所不及也。'"按本年苏味道贬为集州刺史，李峤未为凤阁侍郎，则刘知几《豪士赋》见赏于苏、李，当在本年之后，附记于此。

春

陈子昂在狱中，有诗作，后放免，复官右拾遗。 陈子昂《宴胡楚真禁所》："青蝇一相点，白璧遂成冤。请室闲逾邃，幽庭春未暄。"当本年春系狱时所作。陈子昂狱解复官当在本年春之后，亦系于此。参上年陈子昂条。

四月

武后造天枢成，朝士献诗贺之，李峤诗独胜，时峤任凤阁舍人。《大唐新语》卷八："长寿三年，则天征天下铜五十万余斤，铁三百三十余万，钱二万七千贯，于定鼎门内铸八棱铜柱，高九十尺，径一丈二尺，题曰'大周万国述德天枢'。……武三思为其文，朝士献诗者不可胜纪，唯峤诗冠绝当时，其诗曰：……"据《通鉴》卷二〇五，天枢铸成在本年四月，李峤诗题作《奉和天枢成宴夷夏群僚应制》，作于此时。又《旧唐书》李峤传："出为润州司马。诏入。转凤阁舍人，则天深加接待，朝廷每有大手笔，皆特令峤为之。"时李峤当已在凤阁舍人任。

五月

义净还至洛阳，得武后优礼，与于阗高僧译《华严经》。《宋高僧传》卷一义净传："经二十五年，历三十余国，以天后证圣元年乙未仲夏，还至河洛，得梵本经律论近四百部，合五十万颂，金刚座真容一铺、舍利三百粒。天后亲迎于上东门外，诸寺缁伍具幡盖歌乐前导，敕于佛授记寺安置焉。初与于阗三藏实叉难陀翻《华严经》。"

七月

武后宴群臣于上阳宫，宋之问编君臣席间唱和之作为一集，并为之序。 宋之问

《早秋上阳宫侍宴序》："我金轮圣神皇帝垂妙觉，抚鸿勋，出轩宫而镇紫微，卷翠衣而袭玄衮。……圣皇乃望芝田，赋葛天，和者万，唱者千。乃命小臣，编纪众作，流汗拜首，而为序云。"据两《唐书》本纪，武后长寿二年（693）九月加"金轮圣神皇帝"号，次年五月于帝号前加"越古"二字，本年正月又加"慈氏"二字，二月去"慈氏越古"四字，复"金轮圣神皇帝"号，九月又加"天册"二字。之问序题云"早秋"，文称"金轮圣神皇帝"，知作于本年七月。

十月

敕停糊名考判制。《唐会要》卷七五："天册元年十月二十二日敕：'……糊名考判，立格注官，既乖委任之方，颇异铨衡之术。……其常选人自今已后，宜委所司依常例铨注。其糊名入试，及令学士考判，宜停。"

十二月 （此为夏正十二月）

陈子昂往游嵩山，会司马承祯等，又作序送其出游。陈子昂《送中岳二三真人序》："去嚣世，走青云，登玉女之峰，窥石人之庙，见司马子徽、冯太和，蜕崤裳眇然，冥壑独立。真朋羽会，金浆玉液，则有杨仙翁玄默洞天，贾上士幽栖牝谷，玉笙吟凤，瑶衣驻鹤，方且迷轩辕之驾，期汗漫之游。吾亦何人，躬接兹赏。"题下注："时龙集乙未十二月二十日。"

本年

贺知章、崔日用、苏晋等二十二人登进士第，李迥秀知贡举。《新唐书》隐逸贺知章传："证圣初，擢进士、超拔群类科。"余见《登科记考》卷四。

仁俭进短歌十九首，为武后所赏。《五灯会元》卷二："洛京福先寺仁俭禅师……唐天册万岁中，天后召入殿前。……翌日，进短歌一十九首。天皇览而嘉之，厚加赐赉，师皆不受。又令写歌辞传布天下，其词并敷演真理，以警时俗。唯《了元歌》一首盛行于世。"按《全唐诗补编·续拾》卷七录有仁俭《乐道歌》，题下注："一作《了元歌》。"

郭震被征入京，献《古剑篇》，武后深赏之，李峤等有和作。张说《兵部尚书代国公赠少保郭公（震）行状》："授梓州通泉尉，至县，落拓不拘小节。……则天闻其名，驿征引见。语至夜，甚奇之，问蜀川之迹，对而不隐。令录旧文，乃上《古剑歌》，其词曰：……则天览而佳之，令写数十本，遍赐学士李峤、阎朝隐等。遂授右武卫胄曹、右控鹤内供奉，寻迁奉宸监丞。"郭震明年九月已在右武卫胄曹参军任（见后），知其入京及献诗当在本年前后，姑系于此。李峤亦有《宝剑篇》，当为和郭震诗而作。又郭震有《春江曲》，《乐府诗集》卷七七引郭震语云："《春江》，巴女曲也。"当为任通泉尉时所作，附记于此。

王无竞有书论备边之事，武后称异之。孙逖《太子舍人王公（无竞）墓志铭》：

"初，天册中，公与故人魏州牧独孤庄书，忿林胡之倡狂，哀冀方之阢陧，诚以军志，示之死所。客有荐其书者，则天见而异之，有制召见，骤膺宠渥。"

张鷟为御史。《唐会要》卷七五："证圣元年，刘奇为吏部侍郎，注张文成、司马锽为监察御史。"《新唐书》张荐传："证圣中，天官侍郎刘奇以鷟及司马锽为御史。"

员半千为左卫长史，兼弘文馆直学士。《旧唐书》文苑中本传："证圣元年，半千为左卫长史，与凤阁舍人王处知、天官侍郎石抱忠，并为弘文馆直学士，仍与著作佐郎路敬淳分日于显福门待制。"参《唐会要》卷二六。

元德秀（695—754）生。元德秀字紫芝，世居太原，后迁汝州鲁山。进士擢第，调授邢州南和尉，召补龙武录事参军。以家贫，求为鲁山令。秩满，定居陆浑山，诗酒自娱。卒，门人谥曰"文行先生"。据《旧唐书》文苑下本传、《新唐书》卓行本传、李华《元鲁山墓碣铭并序》等。

公元 696 年 （周武则天天册万岁二年 万岁登封元年 万岁通天元年 丙申）

腊月 （周正腊月，为一年第二月，即夏正上年十二月）

武后由洛阳往嵩山封禅，改元万岁登封。《旧唐书》则天皇后纪："万岁登封元年腊月甲申，上登封于嵩岳，大赦天下，改元，大酺九日。丁亥，禅于少室山。……癸巳，至自嵩岳。"

宋之问从封嵩山，有诗作。见其《扈从登封途中作》、《扈从登封告成颂》等诗。

李峤从封嵩山，作《大周降禅碑》。碑文有云："以天册万岁二年腊月……壬午，柴燎祀昊天上帝于岳南。……甲申……是日大赦，改元为万岁登封元年。……臣峤谬忝司牧，躬陪错事……敢承明制，而为颂云。"

崔融以文辞之美见赏于武后，受命撰朝觐碑文，旋拜著作佐郎。《旧唐书》本传："圣历中，则天幸嵩岳，见融所撰《启母庙碑》，深加叹美，及封禅毕，乃命融撰朝觐碑文。自魏州司功参军擢授著作佐郎。"按圣历中武后虽曾幸嵩山，但未封禅，《旧传》此处所记崔融诸事并当在本年。

春

韦虚心、崔沔、苏晋、裴漼等二十七人进士及第，崔沔、苏颋登贤良方正科，考功员外郎李迥秀知贡举，陈子昂、梁载言为制举典试官。颜真卿《通议大夫守太子宾客东都副留守云骑尉赠尚书左仆射博陵崔孝公宅陋室铭记》："公讳沔，字若冲，博陵安平人。……年二十四，举乡贡进士。考功郎李迥秀器异之，曰：'王佐才也。'遂擢高第。其年举贤良方正，对策万数，公独居第一，而兄浑亦在甲科。典试官梁载言、陈子昂叹曰：'虽公孙、晁郤不过也。'"崔沔卒于开元二十七年，年六十七，本年年二十四，见《唐代墓志汇编》大历〇六〇《有唐通议大夫守太子宾客赠尚书左仆射崔公（沔）墓志》。又《新唐书》苏瓌附苏颋传："武后封嵩高，举贤良方正异等，除左司御率府胄曹参军。"余见《登科记考》卷四。

四月

一日，改元万岁通天；三日，武后因九州鼎铸成，自撰《蔡州鼎铭》，令贾膺福等分题之，又自作《曳鼎歌》。《旧唐书》武天皇后纪："夏四月，亲享明堂，大赦天下，改元为万岁通天，大酺七日。"《唐会要》卷一一："至天册万岁二年三月二日，重造明堂成，号通天宫。四月朔日，又行亲享之大礼，大赦，改元为万岁通天。其年四月三日，铸铜为九州鼎成，置于明堂之庭，各依方位列焉。"注云："蔡州鼎名永昌，高一丈八尺，受一千二百石。冀州鼎名武兴……八州鼎各高一丈四尺，受一千二百石。用铜五十六万七百一十二斤，鼎上各写本州山川物产之象，仍令著作郎贾膺福、殿中丞薛昌容、凤阁主事李元振、司农录事钟绍京等分题之，尚方署令曹元廓图画之。仍令宰相、诸王率南北宿卫兵十余万人并仗内大牛白象曳之，自玄武门外曳入。天后自制曳鼎歌调，令曳者唱和焉。"又有注云："开元二年八月十八日，太子宾客薛谦光献东都九鼎铭，其蔡州铭武后所制，文曰……"又《历代名画记》卷九："曹元廓，天后朝为朝散大夫、左尚方令，师于阎，工骑猎人马山水，善于布置。天后铸九鼎于东都，备九州山川物产，诏命元廓画样，钟绍京书，时称妙绝。"

七月

杜审言、陈子昂各赋诗送崔融从军。杜审言《送崔融》："君王行出将，书记远从征。祖帐连河阙，军麾动洛城。……坐觉烟尘扫，秋风古北平。"陈子昂有《送著作佐郎崔融等从梁王东征》诗，序云："岁七月，军出国门。……时北（比）部郎中唐奉一、考功员外郎李迥秀、著作佐郎崔融，并参帷幕之宾，掌书记之任。燕南怅别，洛北思欢，顿旌节而少留，倾朝庭而出饯。"《通鉴》卷二〇五："秋，七月，辛亥，以春官尚书梁王武三思为榆关道安抚大使……以备契丹。"杜、陈诗即作于此时。

九月

陈子昂随武攸宜讨契丹，有诗留别相送朝臣，又代攸宜上疏论军国机要事。卢藏用《陈子昂别传》："属契丹以营州叛，建安郡王攸宜亲总戎律，台阁英妙，皆署在军麾，特敕子昂参谋帷幕。"《通鉴》卷二〇五："九月，制：'天下系囚及庶十家奴骁勇者，官偿其直，发以击契丹。'初令山东近边诸州置武骑团兵，以同州刺史建安王武攸宜为右武威卫大将军，充清边道行军大总管，以讨契丹。右拾遗陈子昂为攸宜府参谋，上疏曰：……"按此疏即陈子昂《上军国机要事》，据文中措词考之，当是代武攸宜而作者。陈子昂又有《东征答朝臣相送》诗，即此次出征前所作。

张说亦从武攸宜讨契丹，为管记。参见上条及明年三月张说条。

郭震在右武卫胄曹参军任，上疏献应对吐蕃之计。《通鉴》卷二〇五："九月……吐蕃复遣使请和亲，太后遣右武卫胄曹参军贵乡郭元振往察其宜。吐蕃将论钦陵请罢安西四镇戍兵，并求分十姓突厥之地。……朝廷疑未决，元振上疏，以为：……太后从之。元振又上言：……太后深然之。元振名震，以字行。"

宋之问在洛州参军任，与陈子昂有诗赠答。宋之问有《使往天兵军约与陈子昂新乡为期及还而不相遇》诗，作于秋季。二人未得相遇，以子昂已随武攸宜出征矣，知时在本年九月。陈子昂有《东征至淇门答宋参军之问》诗，即答之问此诗。时宋之问在洛州参军任。《旧唐书》文苑中本传："俄授洛州参军。"

十月

潘好礼著论称颂徐有功。《通鉴》卷二〇五："冬，十月……太后思徐有功用法平，擢拜左台殿中侍御史，闻者无不相贺。鹿城主簿宗城潘好礼著论，称有功蹈道依仁，固守诚节，不以贵贱死生易其操履。设客问曰：……"亦见《大唐新语》卷七。

冬

陈子昂赋诗送崔融入都。陈子昂有《登蓟城西北楼送崔著作融入都》诗，序云："以身许国，我则当仁；论道匡君，子思报主。仲冬寒苦，幽朔初平。"明年五月崔融已在洛阳，诗作于本年。

本年

刘如璿官秋官侍郎，受诏议毁《老子化胡经》事。《新唐书》艺文志三："《议化胡经状》一卷。万岁通天元年，僧惠澄上言乞毁《老子化胡经》，敕秋官侍郎刘如璿等议状。"又见《太平广记》卷二六九引《御史台记》。

赵贞固卒，后陈子昂为撰碑文，述其交游及著述。陈子昂《昭夷子赵氏碑》："昭夷子讳元亮，字贞固。……苍龙甲申岁，在大梁遭命不造，发痟疾而卒。时年四十九。……君故人云居沙门释法成、嵩山道士河内司马子微、终南山人范阳卢藏用、御史中丞巨鹿魏元忠、监察御史吴郡陆余庆、秦州长史平昌孟诜、雍州司功太原王适、洛州参军西河宋之问，安定主簿博陵崔璩，咸痛君中夭。……于昭夷昔叹才位不兼，大运有数，尝哀时命而作颂云，诸公以余从君之游最久，故秉翰参详，叙其颂曰：……昭夷作颂云尔，又尝著《汲人默记》，言变化之事。"按文中"甲申"，罗庸《陈子昂年谱》据别本云当作"丙申"，从之。又考文中所叙魏元忠、陆余庆诸人仕履，知子昂碑文非作于本年贞固卒时，而当在明年九月后至后年之间，详见韩理洲《陈子昂研究·诗文编年补正》"昭夷子赵氏碑"条（按韩文此条谓万岁登封元年腊月为夏正本年十二月，误；谓陆余庆任监察御史在本年九月陈子昂东征之后，亦误）。

权龙襄任沧州刺史，自矜能诗，为诗呈州官。《朝野佥载》卷四："唐左卫将军权龙襄性褊急，常自矜能诗。通天年中，为沧州刺史，初到乃为诗呈州官曰：……"

上官婉儿始掌宸翰。《太平广记》卷二七一引《景龙文馆记》："唐上官昭容……自通天后，建（逮）景龙前，恒掌宸翰。其军国谋猷，杀生大柄，多其决。"《唐诗纪事》卷三："昭容名婉儿……自通天以来，内掌诰命。中宗立，进拜昭容。"

孙逖（696—761）生。孙逖，潞州涉县人。登哲人奇士等科，授山阴尉。复登文藻宏丽科，拜左拾遗，转左补阙。黄门侍郎李峤出镇太原，辟为从事。入为起居舍人、集贤院修撰。改考功员外郎，迁中书舍人。历刑部侍郎、左庶子、太子詹事，卒。有《孙逖集》三十卷。据《旧唐书》文苑中本传、《新唐书》文艺中本传、颜真卿《尚书刑部侍郎赠尚书右仆射孙逖文公集序》、《唐才子传校笺》卷一。

公元 697 年 （周武则天万岁通天二年　神功元年　丁酉）

正月 （周正正月，为一年第一月，即夏正上年十一月）

苏味道任天官侍郎，特授李乂为蓝田尉。《旧唐书》苏味道传："证圣元年，坐事出为集州刺史。俄召拜天官侍郎。"据严耕望《唐仆尚丞郎表》卷一〇，味道本年在天官侍郎任。又据陈冠明《苏味道年谱》，味道由集州刺史入为天官侍郎在本年正月。苏颋《唐紫微侍郎赠黄门监李乂神道碑》："调补潞州壶关、婺州武义尉，羁云逸而在泥蟠也。秩满诣选，吏部侍郎苏味道伟藏器而嗟韫椟也，特授蓝田尉。"

杜审言预吏部选，自夸其能。《旧唐书》文苑上杜易简附杜审言传："乾封中，苏味道为天官侍郎，审言预选，试判讫，谓人曰：'苏味道必死。'人问其故。审言曰：'见吾判，即自当羞死矣！'又尝谓人曰：'吾之文章，合得屈、宋作衙官；吾之书迹，合得王羲之北面。'其矜诞如此。"按杜审言乾封中尚未进士及第，其预吏部选并讥苏味道事当在本年，《旧传》误。又或疑此事非真，参见《唐才子传校笺》卷一杜审言传笺。

三月

张说在王孝杰军，驰奏唐兵战败事。《通鉴》卷二〇六："春，三月，戊申，清边道总管王孝杰、苏宏晖等将兵十七万与孙万荣战于东硖石谷，唐兵大败，孝杰死之。……管记洛阳张说驰奏其事。"

陈子昂作《国殇文》等文。陈子昂《国殇文》序："丁酉岁三月庚辰，前将军尚书王孝杰败王师于榆关峡口，吾哀之，故有此作。"按本年三月无庚辰，二月有庚辰（十三日），《旧唐书》则天皇后纪记王孝杰败亡事在二月（未著日），《新唐书》系于三月庚子，则子昂文"三月"为"二月"之讹，抑"庚辰"为"庚子"之误，未可知也，姑系于本月。详见岑仲勉《陈子昂及其文集之事迹》。本月前后，子昂尚有《为建安王与安东诸军州书》、《奏白鼠表》、《祸牙文》、《祭枯骸文》、《为副大总管屯营大将军苏宏晖谢表》等各体应用文章多篇，参见罗庸《陈子昂年谱》。

五月

王方庆进献先祖王导、王羲之等手迹十卷，崔融在右史任，为作《宝章集》序以纪其事。《唐会要》卷三五："神功元年五月，上谓凤阁侍郎王方庆奏曰：'卿家多书，合有右军遗迹。'方庆奏曰：'臣十代再从伯祖羲之书，先存四十余卷，贞观十二年，太宗购求，先臣并以进讫，惟有一卷见在，今亦进讫。臣十一代祖导……已下二十八人书，共十卷。'上之。上御武成殿，示群臣，仍令中书舍人崔融为《宝章集》以叙其事，复赐方庆。当时以为荣。"《法书要录》卷六《述书赋》下："武后临朝，藻翰时钦。顺天经而永保先业，从人欲而不顾兼金。"句下注有云："左史崔融撰《王氏宝章集》序，具纪其事。"《旧唐书》崔融传："自魏州司功参军擢授著作佐郎，寻转右史。"按本月崔融当在右史任，《会要》云"中书舍人"，乃史家追改之辞；《述书赋》云"左史"，当是"右史"之讹。参见本年闰十月条。

陈子昂从建安王武攸宜征契丹，登蓟州北楼，赋诗七首以寄卢藏用，又作《登幽州台歌》。卢藏用《陈子昂别传》："军次渔阳，前军王孝杰等相次陷没，三军震慑。子昂进谏曰：……建安方求斗士，以子昂素是书生，谢而不纳。……他日，又进谏，言甚切至，建安谢绝之，乃署以军曹。子昂知不合，因箝默下列，但兼掌书记而已。因登蓟北楼，感昔乐生、燕昭之事，赋诗数首，乃泫然流涕而歌曰：'前不见古人，后不见来者。念天地之悠悠，独怆然而涕下。'时人莫之知也。"赵儋《故右拾遗陈公旌德之碑》略同。陈子昂有诗《蓟丘览古赠卢居士藏用七首》，序云："丁酉岁，吾北征，出自蓟门，历观燕之旧都……因登蓟丘，作七诗以志之，寄终南卢居士。"卢居士即谓卢藏用。据《通鉴》卷二〇六，王孝杰败死在本年三月，已见上；本年七月武攸宜军凯旋，见下。陈子昂以被贬抑而登蓟北楼赋诗抒愤当在此期间，姑系本月。陈子昂又有《登蓟丘楼送贾兵曹入都》诗，亦系于此。按上列诸诗中《登幽州台歌》系陈子昂代表作。《升庵诗话》卷六："其辞简直，有汉、魏之风。"《柳亭诗话》卷一五："阮步兵登广武城，叹曰：'时无英雄，遂使竖子成名！'眼界胸襟，令人捉摸不定。陈拾遗会得此意，登幽州台曰：'前不见古人，后不见来者，念天地之悠悠，独怆然而涕下。'假令陈、阮邂逅路歧，不知是哭是笑。"

九月

改元神功。《旧唐书》则天皇后纪："九月，以契丹李尽灭等平，大赦天下，改元为神功，大酺七日。"

苏颋登绝伦科。《唐会要》卷七六："神功元年九月，绝伦科，苏颋、……卢从愿及第。"

陈子昂归洛阳，赋诗奉和宋之问，悼赵贞固之亡，伤己之不遇。陈子昂有《同宋参军之问梦赵六赠卢陈二子之作》诗。赵六谓赵贞固，卢子谓卢藏用。诗有"晓霁望嵩丘"、"白露已苍苍"等句，乃深秋于洛阳所作。《通鉴》卷二〇六："（七月）庚午，武攸宜自幽州凯旋。"卢藏用《陈子昂别传》："及军罢，以父老表乞罢职归侍。"陈子昂当于本年七月随军返洛阳，诗即本年作。又陈子昂《感遇》其三十四："朔风吹海树，萧条边已秋。……故乡三千里，辽水复悠悠。"当本年七月在幽州时作，附记于此。

闰十月

崔融在右史任，论不宜委弃安西四镇事。《唐会要》卷七三："长寿二年十一月一日，武威军总管王孝杰克复四镇，依前于龟兹置安西都护府。鸾台侍郎狄仁杰请捐四镇，上表曰：……右史崔融请不拔四镇，议曰：……"《通鉴》卷二〇六："冬，闰十月，甲寅，以幽州都督狄仁杰为鸾台侍郎……仁杰上疏，以为……"所论即请捐安西四镇事。知崔融驳狄仁杰之议当在本月，《会要》所谓"长寿二年十一月一日"乃克复四镇之时间（按据《旧唐书》则天皇后纪及《通鉴》卷二〇五，王孝杰克复四镇在长寿元年十月，《会要》之"二年"为"元年"之误），非谓狄仁杰等议四镇事即在此时也。

李峤以凤阁舍人知天官选事。《通鉴》卷二〇六："凤阁舍人李峤知天官选事，始置员外官数千人。"按李峤始置员外官在神龙元年任吏部尚书时，《通鉴》此说误，参见陈冠明《李峤年谱》。

本年

张易之、张昌宗入侍禁中，为武后所爱幸。《旧唐书》张行成传："行成族孙易之、昌宗。……通天二年，太平公主荐易之弟昌宗入侍禁中，既而昌宗启天后曰：'臣兄易之器用过臣，兼工合炼。'即令召见，甚悦。由是兄弟俱侍宫中……俱承辟阳之宠。俄以昌宗为云麾将军，行左千牛中郎将；易之为司卫少卿。"

李嗣真（？—697）卒。《旧唐书》方伎本传："万岁通天年，征还，至桂阳，自筮死日，预托桂阳官属备凶器。依期暴卒。……撰《明堂新礼》十卷，《孝经指要》、《诗品》、《书品》、《画品》各一卷。"

路敬淳（？—697）卒，曾撰《著姓略记》等。《旧唐书》儒学下本传："万岁通天二年，坐与綦连耀结交，下狱死。敬淳尤明谱学，尽能究其根源枝派，近代已来，无及之者。撰《著姓略记》十卷，行于时。又撰《衣冠本系》，未成而死。"

张元一以诗嘲武懿宗临阵怯懦。《朝野佥载》卷四："契丹贼孙万荣之寇幽，河内王武懿宗为元帅，引兵至赵州，闻贼骆务整从北数千骑来，王乃弃兵甲，南走邢州，军资器械遗于道路。闻贼已退，方更向前。军回至都，置酒高会，（张）元一于御前嘲懿宗曰：'……甲杖纵抛却，骑猪正南蹿。'上曰：'懿宗有马，因何骑猪？'对曰：'骑猪，夹豕走也。'上大笑。懿宗曰：'元一宿搆，不是卒辞。上曰：'尔叶韵与之。'懿宗曰：'请以媚韵。'元一应声曰：……则天大悦，王极有惭色。……周静乐县主，河内王懿宗妹，短丑；武氏最长，时号'大歌'。县主与则天并马行，命元一咏，曰：……则天大笑，县主极惭。"《旧唐书》外戚武承嗣附武懿宗传："万岁通天年中，契丹贼帅孙万荣寇河北，命懿宗为大总管讨之。军次赵州，及闻贼将至冀州，懿宗惧，便欲弃军而遁……时人嗤其怯懦。"同书则天皇后纪："五月，命右金吾大将军、河内王懿宗为大总管……率兵二十万以讨孙万斩。六月……孙万斩为其家奴所杀，余党大溃。"武懿宗班师及为张元一所嘲事当在本年。又《佥载》所记元一嘲懿宗妹静乐县主事，其时不可确知，亦附于此。

公元698年　（周武则天圣历元年　戊戌）

正月　（周正正月，即夏正上年十一月）

甲子朔，改元圣历。

春

杜审言贬吉州司户参军，宋之问、陈子昂赋诗撰序以送之。《旧唐书》文苑上杜易简附杜审言传："累转洛阳丞，坐事贬吉州司户参军。"陈子昂《送吉州杜司户审言序》："杜司户炳灵翰林，研几策府，有重名于天下，而独秀于朝端。徐、陈、应、刘，不得劘其垒；何、王、沈、谢，适足靡其旗。而载笔下寮，三十余载。……群公爱祢衡之俊，留在京师；天子以桓谭之非，谪居外郡。苍龙阉茂，扁舟入吴。……群公嘉之，赋诗以赠，凡四十五人，具题爵里。"据《尔雅·释天》，阉茂指太岁在戌之年，本年戊戌，当指本年。杜审言咸亨元年（670）进士及第，以登第后即授官而论，至本年首尾才二十九年，子昂序云"三十余载"，小有不合。又陈子昂本年秋辞官还乡，其送杜审言当在本年春夏间，姑系于此。宋之问有《送杜审言》诗，为本次送行之作。

春夏间

陈子昂因见东方虬《咏孤桐篇》，作《修竹篇》诗并序。陈子昂有《修竹篇》诗，序云："东方公足下，文章道弊，五百年矣。汉、魏风骨，晋、宋莫传，然而文献有可征者。仆尝暇时观齐、梁间诗，彩丽竞繁，而兴寄都绝，每以永叹。思古人，常恐逶迤颓靡，风雅不作，以耿耿也。一昨于解三处见明公《咏孤桐篇》，骨气端翔，音情顿挫，光英朗练，有金石声。遂用洗心饰视，发挥幽郁。不图正始之音，复睹于兹；可使建安作者，相视而笑。解君云：'张茂先、何敬祖，东方生与其比肩。'仆亦以为知言也。故感叹雅制，作《修竹篇》一首，当有知音，以传示之。"按此篇《唐文粹》卷一七题作《与东方左史修竹篇并序》，东方左史谓东方虬，据《旧唐书》文苑中宋之问传，东方虬任左史在圣历前后。本年秋陈子昂辞官归乡，则诗及序当作于本年或稍前，姑系于此。参见明年春条及《陈子昂诗注》卷三该诗之"说明"。

五月

陈子昂上疏论蜀中安危事宜。陈子昂《上蜀川安危事》："蜀中诸州百姓所以逃亡者，实缘官人贪暴，不奉国法，典吏游容，因此侵渔。剥夺既深，人不堪命，百姓失业，因即逃亡，凶险之徒，聚为劫贼。……惟乞早降使按察，谨状。圣历元年五月十四日，通直郎行右拾遗陈子昂状。"

九月

皇嗣李旦逊位，庐陵王李哲立为皇太子，复名显。见《通鉴》卷二〇六。

苏味道为凤阁侍郎，同平章事，时沈佺期在通事舍人任。《通鉴》卷二〇六："九月……以天官侍郎苏味道为凤阁侍郎、同平章事。味道前后在相位数岁，依阿取容，尝谓人曰：'处事不宜明白，但摸棱持两端可矣。'时人谓之'苏摸棱'。"沈佺期《哭苏眉州崔司业二公》诗序云："苏往任凤阁侍郎，佺期忝通事舍人。"是佺期本年或稍后当已在通事舍人任。《旧唐书》文苑中沈佺期传："长安中，累迁通事舍人。"误。

司马承祯自东都还天台山，李峤、宋之问等赋诗送之。李峤有《送司马先生》诗。司马先生谓司马承祯。《旧唐书》隐逸本传："承祯尝遍游名山，乃止于天台山。则天闻其名，召至都，降手敕以赞美之。及将还，敕麟台监李峤饯之于洛桥之东。"按李峤未尝任麟台监，"麟台监"乃"麟台少监"之讹夺。李峤本月为麟台少监，下月拜相，诗即作于本月。参见陈冠明《李峤年谱》。又宋之问有《送司马道士游天台》诗，薛曜有《送道士入天台》诗，均为同时之作。

秋

陈子昂辞官归乡。卢藏用《陈子昂别传》："服阕，拜右拾遗。……在职默然不乐，私有挂冠之意。……及军罢，以父老，表乞罢职归侍。天子优之，听带官取急而归。"考本年五月子昂有在洛上疏事，本年冬所作《喜马参军相遇醉歌》云："独幽默以三月兮，深林潜居"，明言归乡幽居已有三月，则其还归当在秋季。陈子昂有《感遇》其十、其十五、其二十、其二十五、其三十、其三十六等诗，皆寓挂冠归隐之意，并当作于官右拾遗之后，辞官归乡之前，并系于此。

十月

夏官侍郎姚崇、麟台少监李峤并同凤阁鸾台平章事。见《旧唐书》则天皇后纪。

冬

陈子昂在梓州，与马择游赏宴饮，且为之作歌。卢藏用《陈子昂别传》："荆州仓曹槐里马择曰：'……圣历初，君归宁旧山，有挂冠之志，予怀役南游，遘兹欢甚。幽林清泉，醉歌弦咏，周览所记，倏遍岷峨。'"陈子昂《喜马参军相遇醉歌》序："南荣暴背，北林设置，有客扣门，云吾道存。……时玄冬遇夜，微月在天。白云半山，志逸海上。酒既醉，琴方清，陶然玄畅，浩尔太素。"马参军即马择。

本年

徐彦伯拜给事中，撰《枢机论》以警世。《新唐书》本传："迁职方员外郎，奉迎中宗房州，进给事中。"《旧唐书》本传："彦伯圣历中累除给事中。时王公卿士多以言语不慎密为酷吏周兴、来俊臣等所陷，彦伯乃著《枢机论》以诫于代，其辞曰：……"同书则天皇后纪："春三月，召庐陵王哲于房州。"李哲即李显，后登帝位，是为中宗。知徐彦伯进给事中及撰《枢机论》当在本年。

陆余庆为监察御史，沈佺期有诗送其出使。《新唐书》陆元方附陆余庆传："擢监察御史。圣历初，灵、胜二州党项诱北胡寇边，诏余庆招慰。"沈佺期有《送陆侍御余庆北使》诗，当作于本年。

公元 699 年 　（周武则天圣历二年　己亥）

正月 （周正正月，即夏正上年十一月）

甲子，置控鹤监、丞、主簿等官。《通鉴》卷二〇六："（正月）甲子，置控鹤监丞、主簿等官，率皆嬖宠之人，颇用才能文学之士以参之。以司卫卿张易之为控鹤监，银青光禄大夫张昌宗、左台中丞吉顼、殿中监田归道、夏官侍郎李迥秀、凤阁舍人薛稷、正谏大夫临汾员半千皆为控鹤监内供奉。……半千以古无此官，且所聚多轻薄之士，上疏请罢之；由是忤旨，左迁水部郎中。"

二月

武后幸嵩山，谒王子晋庙，为撰碑文，又有诗作。《旧唐书》则天皇后纪："（二月）戊子，幸嵩山，过王子晋庙。丙申，幸缑山。丁酉，至自嵩山。"《通鉴》卷二〇六："二月，己丑，太后幸嵩山，过缑氏，谒升仙太子庙。……丁酉，自缑氏还。"《金石萃编》卷六三录武后《升仙太子碑》，又录碑阴所刻武后《游仙篇》。碑文题下署"大周天册金轮圣神皇帝御制御书"，文后署"圣历二年岁次乙（己）亥六月甲申朔十九日壬寅建"。碑及诗当作于本年二月，刻石立碑则在六月。

阎朝隐在给事中任，从武后至嵩山，途中有诗作。《通鉴》卷二〇六："二月，己丑，太后幸嵩山。……壬辰，太后不豫，遣给事中栾城阎朝隐祷少室山。朝隐自为牺牲，沐浴伏俎上，请代太后命。太后疾小愈，厚赏之。丁酉，自缑氏还。"阎朝隐有《侍从途中口号应制》诗，当作于本次从幸途中。

崔泰之等使蜀，陈子昂与之宴饮，有诗作。陈子昂有《喜遇冀侍御珪崔司议泰之二使》诗，序云："余独坐一隅，孤愤五蠹，虽身在江海，而心驰魏阙。岁时仲春，幽卧未起。忽闻二星入井，四牡临亭。邀使者之车，乃故人之驾。隐几一笑，把臂入林。既闻朝庭之乐，复此琴樽之事。"又有《赠别冀侍御崔司议》诗，序云："所恨酒未醉，琴方清，王事靡盬，驿骑遄速，不尽平原十日之饮，又谢叔度累日之欢。"二诗为先后之作，当作于本年陈子昂居家侍亲时。

春

武后幸洛阳龙门，宋之问、东方虬、沈佺期等扈从，各有诗作，之问以诗美夺得锦袍。宋之问《龙门应制》："群公拂雾朝翔凤，天子乘春幸凿龙。……云跸才临御水桥，天衣已入香山会。"沈佺期有《从幸香山寺应制》诗，当为同时之作。《旧唐书》文苑中宋之问传："预修《三教珠英》，常扈从游宴。则天幸洛阳龙门，令从官赋诗，左史东方虬诗先成，则天以锦袍赐之。及之问诗成，则天称其词愈高，夺虬锦袍以赏之。"即此诗。亦见《隋唐嘉话》卷下。按据《通鉴》卷二〇六，《三教珠英》始修于久视元年（700）六月，而该年五月宋之问所作《三阳宫石淙侍宴应制》诗有"微臣昔忝方明御"句，王昶《金石萃编》卷六四谓即指龙门夺袍事（均见后），则此游似当在修《三教珠英》之前，今姑系本年。又《龙门应制》系宋之问名作。《唐诗观澜集》卷五评云："逐层衔接，段落分明，其布辞设彩亦极工稳匀称，初唐体格音节如此。"

五月

陈子昂家居，有诗作，又尝撰《后史记》。陈子昂《南山家园林木交映盛夏五月幽然清凉独坐思远率成十韵》："寂寥守穷巷，幽独卧空林。……坐观万象化，方见百年侵。"当作于归田之后，时在本年。陈子昂又有《感遇》其一、其二、其五、其六、其七、其八、其十三、其十四、其十七、其十八、其三十一、其三十二、其三十三、其三十八等诗，多写及玄佛之理，并寓愤世遗世之意。卢藏用《陈子昂别传》："子昂晚爱黄老之言，尤耽味《易》象，往往精诣。"诸诗并归田隐居之后所作，附记于此。《别传》又云："听带官取急而归。遂于射洪西山构茅宇数十间，种树采药以为养。尝恨国史芜杂，乃自汉孝武之后以迄于唐，为《后史记》。纲纪粗立，笔削未终，钟文林府君忧，其书中废。"文林府君即陈子昂父元敬。据陈子昂《我府君有周居士文林郎陈公墓志文》，其父本年七月卒，则其著《后史记》事当在本年六月前，亦记于此。按《感遇》三十八首非作于一时一地，系陈子昂代表作。朱熹《斋居感兴二十首序》："余读陈子昂《感遇诗》，爱其词旨幽邃，音节豪宕，非当世词人所及。如丹砂空青，金膏水碧，虽近乏世用，而实物外难得自然之奇宝。……然亦恨其不精于理，而自托于仙佛之间以为高也。"《诗薮》内编卷二："子昂《感遇》，尽削浮靡，一振古雅，唐初自是杰出。盖魏、晋之后，惟此尚有步兵余韵，虽不得与宋、齐诸子并论，然不可概以唐人。近世故加贬抑，似非笃论。第自三十八章外，余自是陈、隋格调，与《感遇》如出二手。"《唐诗归》卷二钟惺云："子昂《感遇》，自为淡古要眇之音，言多意外，旨无专属，不当逐句求之。"又："《感遇》数诗，其韵度虽与阮籍《咏怀》稍相近，身分铢两实远过之。俗人眼耳贱近贵远，不信也。"谭元春云："子昂《感遇》诸诗，有似丹书者，有似《易》注者，有似《咏史》者，有似《读山海经》者，奇奥变化，莫可端倪，真又是一天地矣。"《删补唐诗选脉笺释会通评林》卷二周敬曰："正字《感遇》诸篇，以秀蕴传其藻采，直追阮籍，是千载埙篪之奏，不可以乏风骨少之。"《艺概》卷二："曲江之《感遇》出于《骚》，射洪之《感遇》出于《庄》，缠绵超旷，各有独至。"

七月

杜审言在吉州司户任，子杜并以复父仇见害。《大唐新语》卷五："杜审言雅善五言，尤工书翰，恃才謇傲，为时辈所嫉。自洛阳县丞贬吉州司户，又与群寮不叶。司马周季重与员外司户郭若讷共搆之。审言系狱，将因事杀之。审言子并年十三，伺季重等酬燕，密怀刃以刺季重。季重中刃而死，并亦见害。……审言由是免官归东都，自为祭文以祭并。士友咸哀并孝烈，苏颋为墓志，刘允济为祭文。"《唐代墓志汇编》长安〇〇七《大周故京兆男子杜并墓志铭并序》："以圣历二年七月十二日终于吉州之厅馆，春秋一十有六。"

十月

韦嗣立上疏请兴儒学，止滥刑，武后不从。《通鉴》卷二〇六：圣历二年十月，"太后自称制以来，多以武氏诸王及驸马都尉为城均祭酒，博士、助教亦多非儒士。又因郊丘，明堂，拜洛，封嵩，取弘文国子生为斋郎，因得选补。由是学生不复习业，二十年间，学校殆废。而曩时酷吏所诬陷者，其亲友流离，未获原宥。凤阁舍人韦嗣立上疏，以为：'时俗浸轻儒学，先王之道，弛废不讲。宜令王公以下子弟，皆入国学，不听以他岐仕进。又，自扬、豫以来（胡三省注：谓徐敬业起兵于扬州，越王贞起兵于豫州也），制狱渐繁，酷吏乘间，专欲杀人以求进。……伏望陛下弘天地之仁，广雷雨之施，自垂拱以来，罪无轻重，一皆昭洗，死者追复官爵，生者听还乡里。如此，则天下知昔之枉滥，非陛下之意，皆狱吏之辜，幽明欢欣，感通和气。'太后不能从。"《旧唐书》韦思谦附韦嗣立传："时学校颓废，刑法滥酷，嗣立上疏谏曰：'……国家自永淳已来，二十余载，国学废散，胄子衰缺。时轻儒学之官，莫存章句之选。贵门后进，竞以侥幸升班；寒族常流，复因凌替弛业。考试之际，秀茂罕登，驱之临人，何以从政？……'"

本年

崔融任著作郎。《旧唐书》本传："寻转右史。圣历二年，除著作郎，仍兼右史内供奉。"李峤《授崔融著作郎制》："具官崔融，长才广度，赡学多闻，词丽扬、班，行高曾、史。……可著作郎，仍兼右史内供奉官。"按本年李峤在同凤阁鸾台平章事任，或仍兼凤阁舍人职事，故得行此制。

公元700年 （周武则天圣历三年 久视元年 庚子）

一月 （此为周正一月，为一年之第三月，即夏正本年正月）

武后幸汝州，与群臣于流杯亭宴饮赋诗，李峤序之。《宝刻丛编》卷五引《集古录目》："唐则天《幸流杯亭诗》，唐麟台丞殷仲容书。武后圣历三年幸汝州，宴饮于州南流杯亭，与群臣分韵赋诗。武后御制及梁王三思等凡七首，平章事李峤为序，以久视元年九月刻石。"《通鉴》卷二〇六："春，一月，丁卯，幸汝州之温汤；戊寅，还神都。"诗及序即作于本月。《旧唐书》则天皇后纪云武后幸汝州在本年腊月（即夏正上年十二月），误。

五月

癸丑，改元久视。《通鉴》卷二〇六："太后使洪州僧胡超合长生药，三年而成，所费巨万。太后服之，疾小瘳。（五月）癸丑，赦天下，改元久视；去天册金轮大圣之号。"癸丑为五日。

十九日，武后游石淙，自制七律一首，李峤、沈佺期等同游者并应制奉和。《金石萃编》卷六四《夏日游石淙诗并序》："爰有石淙者，即平乐涧也。……无烦崐阆之游，自然形胜之所。当使人题彩翰，各写琼篇，庶无滞于幽栖，冀不孤于泉石。各题四韵，咸赋七言。"下列武后七言律诗一首，皇太子李显、太子左奉裕率兼检校大都护相王李旦、太子宾客上柱国梁王武三思、内史狄仁杰、奉宸令张□□（易之）、麟台监中山县开国男张昌宗、鸾台侍郎李峤、凤阁侍郎苏味道、夏官侍郎姚元崇、给事中阎朝隐、凤阁舍人崔融、奉宸大夫汾阴县开国男薛曜、给事中徐彦伯、玉钤卫郎将左奉宸内供奉杨敬述、司封员外于季子、通事舍人沈佺期侍游应制七律各一首。前题"左奉宸大夫汾阴县开国男臣薛曜奉敕书"，后署"大周久视元年岁次庚子律中蕤宾十九日丁卯"。"律中蕤宾"谓仲夏五月。按据《通鉴》卷二〇六，本年六月，始改控鹤府为奉宸府（见下），而上列作者已有署衔"奉宸令"、"奉宸大夫"者，当是本年六月后刻石时追改所致。又宋之问有《三阳宫石淙侍宴应制》诗，未刻石，王昶按语引《说嵩》及《河南通志》，谓亦为本次侍游所作，可从。王昶又谓之问诗中"微臣昔忝方明御"所记为游龙门夺锦袍事，今亦从之。王士禛《香祖笔记》卷二评本次游集诗云："诸诗惟李峤、沈佺期二篇差成章，余皆拗拙，可资笑柄耳。"

六月

改控鹤府为奉宸府，众文士修《三教珠英》，又赋诗以美张昌宗。《旧唐书》张行成附张易之、张昌宗传："久视元年，改控鹤府为奉宸府，又以易之为奉宸令，引辞人阎朝隐、薛稷、员半千并为奉宸供奉。每因宴集，则令嘲戏公卿以为笑乐。若内殿曲宴，则二张、诸武侍坐，樗蒲笑谑，赐与无算。时谀佞者奏云，昌宗是王子晋后身。乃令被羽衣，吹箫，乘木鹤，奏乐于庭，如子晋乘空。辞人皆赋诗以美之，崔融为其绝唱，其句有'昔遇浮丘伯，今同丁令威。中郎才貌是，藏史姓名非。'天后……以昌宗丑声闻于外，欲以美事掩其迹，乃诏昌宗撰《三教珠英》于内。"《通鉴》卷二〇六："六月，改控鹤为奉宸府，以张易之为奉宸令。太后每内殿曲宴，辄引诸武、易之及弟秘书监昌宗饮博嘲谑。太后欲掩其迹，乃命易之、昌宗与文学之士李峤等修《三教珠英》于内殿。武三思奏昌宗乃王子晋后身。太后命昌宗衣羽衣，吹笙，乘木鹤于庭中；文士皆赋诗以美之。"《旧传》所引崔融此四句诗见其《和梁王众传张光禄是王子晋后身》，又宋之问有《王子乔》诗，沈佺期有《凤笙城曲》，皆咏王子晋事，当为同时之作。

沈佺期在通事舍人任，于东观修书，作《黄口赞》。赞序云："圣历中，余时任通事舍人，有敕于东观修书。夏日南轩，诸公共见黄口飞落铅椠间。奉宸主簿李崇嗣，命余小竖苍子采花哺之。河东薛曜邀余为赞。"序云"奉宸主簿"，当在本月改控鹤府为奉宸府之后，姑系于此。又本年五月改元久视，序云"圣历中"，当是仍其旧称。

闰七月

李峤罢知政事，为成均祭酒。《通鉴》卷二〇七："己丑，以天官侍郎张锡为凤阁侍郎、同平章事。鸾台侍郎、同平章事李峤罢为成均祭酒。锡，峤之舅也，故罢峤政事。"

狄仁杰谏造大佛像。《通鉴》卷二〇七："庚申，太后欲造大像，使天下僧尼日出一钱以助其功。狄仁杰上疏谏，其略曰：'今之伽蓝，制过宫阙。功不使鬼，止在役人，物不天来，终须地出，不损百姓，将何以求！'又曰：'游僧皆托佛法，诖误生人；里陌动有经坊，阛阓亦立精舍。化诱所急，切于官征；法事所须，严于制敕。'又曰：'梁武、简文舍施无限，及三淮沸浪，五岭腾烟，列刹盈衢，无救危亡之祸，缁衣蔽路，岂有勤王之师！'又曰：'虽敛僧钱，百未支一。尊容既广，不可露居，覆以百层，尚忧未遍，自余廊宇，不得全无。如来设教，以慈悲为主，岂欲劳人，以存虚饰！'……太后曰：'公教朕为善，何得相违！'遂罢其役。"参《唐会要》卷四九。

九月

狄仁杰（630—700）卒，年七十一。见《旧唐书》则天后纪、狄仁杰传。

崔融在凤阁舍人任，以忤张昌宗意，左迁婺州长史。《旧唐书》本传："圣历……四年，迁凤阁舍人。久视元年，坐忤张昌宗意左授婺州长史，顷之，昌宗怒解，又请召为春官郎中，知制诰事。"按圣历仅三年，此云四年，误。《唐会要》卷四一："圣历三年，断屠钓，凤阁舍人崔融议曰：……"崔融《贺赦表》："臣伏奉久视元年十月十日墨制，以十一月为正，大赦天下。……微臣……迹虽限于一隅，心每驰于双阙。"当作于婺州。是本年崔融先在凤阁舍人任，十月十日以前已贬在婺州；《旧传》又云其贬在久视元年，则当在本年五月改元以后，姑系本月。又《通鉴》卷二〇七记崔融议屠禁事在本年十二月，亦署衔凤阁舍人，当是以解屠禁在十二月而追叙及之，非谓崔融十二月仍在凤阁舍人任而议屠禁事也。

十月

甲寅，制复夏正。《通鉴》卷二〇七："甲寅，制复以正月为十一月，一月为正月。"

本年

陈子昂（659—700）卒，年四十二。卢藏用《陈子昂别传》："钟文林府君忧……哀号柴毁，气息不逮。属本县令段简贪暴残忍，闻其家有财，乃附会文法，将欲害之。子昂荒惧，使家人纳钱二十万，而简意未塞，数舆曳就吏。子昂素羸疾，又哀毁，杖不能起。外迫苛政，自度气力恐不能全，因命著龟筮。卦成，仰而号曰：'天命不佑，吾其死矣！'于是遂绝，年四十二。……其文章散落，多得之于人口，今所存者十卷。"文林府君即陈子昂父元敬。据陈子昂《我府君有周居士文林郎陈公墓志文》，其父元敬上年七月卒，十月葬，则子昂之卒当在本年。《新唐书》艺文志四："《陈子昂集》十卷。"《郡斋读书志》卷一七、《直斋书录解题》卷一六、四库提要卷一四九均著录为十卷。卢藏用《右拾遗陈子昂文集序》："昔孔宣父以天纵之才，自卫返鲁，乃删《诗》、《书》，述《易》道而修《春秋》。数千百年，文章粲然可观也。孔子殁二百岁而骚人作，于是婉丽浮侈之法行焉。汉兴二百年，贾谊、马迁为之杰，宪章礼乐，有老成之风。长卿、子云之俦，瑰诡万变，亦奇特之士也。惜其王公大人之言，溺于流辞而不顾。其后，班、张、崔、蔡、曹、刘、潘、陆，随波而作，虽大雅不足，其遗风余烈，尚有典型。宋、齐之末，盖颠顿矣，逶迤陵穨，流靡忘返，至于徐、庾，天之将丧斯文也。后进之士若上官仪者继踵而生，于是风雅之道，扫地尽矣。……道丧五百岁而得陈君。君讳子昂，字伯玉，蜀人也，崛起江汉，虎视函夏，卓立千古，横制颓波，天下翕然，质文一变。非夫岷峨之精，巫庐之灵，则何以生此？故其谏诤之辞，则为政之先也。昭夷之碣，则议论之当也。国殇之文，则《大雅》之怨也。徐君之议，则刑礼之中也。至于感激顿挫，微显阐幽，庶几见变化之朕，以接乎天人之际者，则《感遇》之篇存焉。观其逸足骎骎，方将抟扶摇而陵太清，蹑遗风而薄嵩岱，吾见其进，未见其止。惜乎湮厄当世，道不偶时，委骨巴山，年志俱夭，故其文未极也。……今采其遗文可存者，编而次之，凡十卷。恨不逢作者，不得列于诗人之什，悲夫！故粗论文之变而为之序。"颜真卿《尚书刑部侍郎赠尚书右仆射孙逖文公集序》："汉、魏已还，雅道微缺，梁、陈斯降，宫体聿兴，既驰骋于末流，遂受嗤于后学。是以……卢黄门之序陈拾遗也，而云'道丧五百岁而得陈君'。若激昂颓波，虽无害于过正，榷其中论，不亦伤于厚诬。何则？雅、郑在人，理乱由俗。桑间濮上，胡为乎绵古之时？正始皇风，奚独乎凡今之代？盖不然矣。"《柳宗元集》卷二一《杨评事文集后序》："文有二道：辞令褒贬，本乎著述者也；导扬讽谕，本乎比兴者也。……兹二者，考其旨义，乖离不合。故秉笔之士，恒偏胜独得，而罕有兼之者焉。……唐兴以来，称是选而不怍者，梓潼陈拾遗。其后燕文贞以著述之余，攻比兴而莫能及；张曲江以比兴之隟，穷著述而不克备。"《后村诗话》前集卷一："唐初王、杨、沈、宋擅名，然不脱齐、梁之体。独陈拾遗首倡高雅冲澹之音，一扫六代之纤弱，趋于黄初、建安矣。太白、韦、柳继出，皆子昂发之。"周履靖《骚坛秘语》卷卜："陈子昂初变齐、梁之弊，以理胜情，以气胜辞。祖《十九首》、郭景纯、陶渊明，故立意玄远而造语精圆。"高棅《唐诗品汇·五言古诗叙目》："唐兴，文章承陈、隋之弊。子昂始变雅正，复然独立，超迈时髦。初为《感遇》诗，王适见之曰：'是必为海内文宗。'噫！公之高才偶悦，乐交好施，学不为儒，务求真适，文不按古，仁兴而成。观其音响冲和，词旨幽邃，浑浑然有平大之意，若公输氏当巧而不用者也。故能掩王、卢之靡韵，抑沈、宋之新声，继往开来，中流砥柱，上遏贞观之微波，下决开元之正派。呜呼，盛哉！"《唐诗品》："唐初律体，声华并隆，音节兼美，属梁、陈之艳藻，铲末路之靡薄，可谓盛矣，而古诗之流尚阻蹊径。拾遗洗濯浮华，斫新雕朴，《感遇》诸作，挺然自树，虽颇峭径，而兴寄远矣。自余七言诸体乃非所长，《春台》之作，纯用楚声，此意寥寥，几乎尺有所短，竟使沈、宋扬波，宗称百代，慷慨瓌奇之气，尚诡于风人之度耶？"《艺苑卮言》："陈正字陶洗六朝铅华都尽，托寄大阮，微加断裁，而天韵不及，律体时时入古，亦是矫枉之过。"《唐诗归》卷二："初唐至陈子昂，始觉诗中有一世界。无论一洗偏安之陋，并开创草昧之意，亦无之矣。以至沈、宋、燕公、曲江诸家，所至不同，皆有一片广大清明气象，真正风雅。"《唐音癸签》卷五："唐人推重子昂，自卢黄门后，不一而足。如杜子美则云：'有才继骚雅'、'名与日月悬'。韩退之则云：'国朝盛文章，子昂始高蹈。'独颜真卿有异论，僧皎然采而著之《诗式》。近代李于麟，加贬犹剧。余谓群贤轩轾，各有深意。子昂自以复古反正，于有唐一代诗功为大耳。正如夥涉为王，殿屋非必沈沈，但大泽一呼，为群雄驱先，自不得不取冠汉史。王弇州云：'陈正字淘洗六朝铅华都尽，托寄大阮，微加裁断，第天韵不及。'胡元瑞云：'子昂削浮靡而振古雅，虽不能远追魏晋，然在唐初，自是杰出。'斯两言良为折衷矣。"《诗源辩体》卷一三："五言自汉、魏流至元嘉，而古体亡。自齐、梁流至初唐而古、律混淆，词语绮靡。陈子昂始复古体，效阮公《咏怀》为《感遇》三十八首，王适见之，曰：'是必为海内文宗。'然李于麟云：'唐无五言古诗，而有其古诗。陈子昂以其古诗为古诗，弗取也。'何耶？盖子昂《感遇》虽仅复古，然终是唐人古诗，非汉、魏古诗也。且其诗尚杂用律句，平韵者犹忌上尾，至如《鸳鸯篇》、《修竹篇》等，亦皆古、律混淆，自是六朝余弊，正犹叔孙通之兴礼乐耳。故刘须溪谓子昂于音节犹不甚近，独刊落凡语，存之隐约，在建安后自成一家，虽未畅达，如金如玉，概有其质矣。"又："子昂五言近体，律虽未成，而语甚雄伟，武德以还，绮靡之习，一洗顿尽。"王夫之《读通鉴论》卷二一："陈子昂以诗名于唐，非但文士之选也，使得名君以尽其才，驾马周而颉颃姚崇，以为大臣可矣。其论开间道击吐蕃，既经国之远猷；且当武氏戕杀诸王凶威方烈之日，请抚慰宗室，各使自安，撄其虓怒而不畏，抑陈酷吏滥杀之恶，求为伸理，言天下之不敢言，而贼臣凶党弗能加害，固有以服其心而夺其魄者，其冒昧无择而以身试虎吻哉？"四库提要卷一四九："唐初文章，不脱陈、隋旧习。子昂始奋发自为，追古作者。……今观其集，惟诸表序犹沿排俪之习，若论事书疏之类，实疏朴近古。"《诗辩坻》卷三："陈伯玉律体，清雄为骨，绵绣为姿，设色妍丽，寓意苍远。由初入盛，此公变之，沈、宋堂皇，悉皆祖搆于此。"《石洲诗话》卷一："唐初群雅竟奏，然尚沿六代余波。独至陈伯玉，岪兀英奇，风骨峻上，盖其诣力毕见于《与东方左史》一书。"《三唐诗品》卷一："骨格清凝，苍苍入汉，源于《小雅》，故有怨诽之音。《感遇》诸篇，穆然冠代，称物既芳，寄托遥远，固当仰驾阮公，俯陵左相。《幽州》豪唱，述为名言，如《河梁赠答》，语似常谈，而脱口天成，适如人意。海内文宗，非虚誉也。"

张鷟才名远播，新罗、日本咸重其文。《大唐新语》卷八："久视中，太官令马仙童陷默啜，问：'张文成何在？'仙童曰：'此人自御史贬官。'默啜曰：'何不见用也？'后遘罗、日本使入朝，咸使人就写文章而去。其才远播如此。"《旧唐书》张荐传："张荐字孝举……祖鷟字文成，聪警绝伦，书无不览。……新罗、日本东夷诸蕃，尤重其文，每遣使入朝，必重出金贝以购其文，其才名远播如此。"

尹元凯在洛阳，预修《三教珠英》，以事返长安，张说等并赋诗送之，宋之问为撰

序。宋之问《送尹补阙入京序》："河间尹公，博物君子，解褐调慈州司仓。白云在天，不乐为吏。有竹林近鄠杜南山，弹琴读书，日益沦放。……无何，敕书到秦，征诣函洛。……命典著作，职在补阙。……既而藉马入关，西携老幼。……凡我同志，赋诗赠行。"张说有《送尹补阙元凯琴歌》，当为同时之作。按宋之问、张说、尹元凯并预修《三教珠英》，诗及序当作于今、明两年间，姑系于此。

卢藏用赋诗酬答宋之问，追悼赵贞固、陈子昂之卒，兼贻陆余庆、司马承祯等。卢藏用《宋主簿鸣皋梦赵六予未及报而陈子云亡今追为此诗答宋兼贻平昔游旧》："鸣皋初梦赵，蜀国已悲陈。……赵侯鸿宝气，独负青云姿。……陈生富清理，卓荦兼文史。思缛巫山云，调逸岷江水。铿锵哀忠义，感激怀知己。负剑登蓟门，孤游入燕市。浩歌去京国，归守西山趾。幽居探元化，立言见千祀。埋没经济情，良图竟云已。……子微化金鼎，仙笙不可求。荣哉宋与陆，名宦美中州。存亡一暌隔，歧路方悠悠。"诗中赵指赵贞固，陈指陈子昂，"子微"是司马承祯字，陆指陆余庆。诗当作于本年下半年陆余庆为凤阁舍人期间，详参韩理州《陈子昂研究·生卒年考辨》。

高适（700？—765）生。高适字达夫，郡望渤海蓨县。举有道科，释褐封丘尉。去职游河右，哥舒翰表为左骁卫兵曹、掌书记。安史乱起，以监察御史佐翰守潼关。及翰兵败，奔行在，擢谏议大夫，迁淮南节度使。为李辅国所谮，左授太子少詹事。出为彭、蜀二州刺史，进剑南西川节度使。召拜刑部侍郎，转左散骑常侍。卒，谥曰忠，有《高适集》二十卷。据新、旧《唐书》本传及《唐才子传校笺》卷二。

公元 701 年 （周武则天大足元年 长安元年 辛丑）

正月

丁丑，改元大足。《通鉴》卷二○七："春，正月，丁丑，以成州言佛迹见，改元大足。"

十五日，苏味道等赋诗咏夜游之盛。《大唐新语》卷八："神龙之际，京城正月望日盛饰灯影之会。金吾弛禁，特许夜行，贵游戚属及下隶工贾，无不夜游。车马骈阗，人不得顾。王主之家，马上作乐，以相夸竞。文士皆赋诗一章，以纪其事。作者数百人。惟中书侍郎苏味道、吏部员外郎郭利贞、殿中侍御史崔液三人为绝唱。味道诗曰：……利贞曰：……液曰：……文多，不尽载。"所载苏味道诗为《正月十五夜》，郭利贞诗为《上元》，崔液诗为《上元夜六首》其三。据陈冠明《苏味道年谱》所考，诗当本年正月诸人在洛阳所作，从之。按苏味道《正月十五夜》系其代表作。《瀛奎律髓汇评》卷一六方回评："味道，武后时人，诗律已如此健快。古今元宵诗少，五言好者殆无出此篇矣。"冯舒评："真正盛唐。《品汇》所分，谬也。"

春

席豫等二十七人进士及第，张说知贡举。见《登科记考》卷四。

崔融在江南，赋诗思洛阳。崔融有《吴中好风景》诗，是春日在江南思洛阳之作，当作于贬婺州以后。参傅璇琮《唐代诗人考略·崔融》。

十月

武后西幸长安，改元长安，王无竞、沈佺期并有诗作。《旧唐书》则天皇后纪：
"冬十月，幸京师，大赦天下，改元为长安。"王无竞《驾幸长安奉使先往检察》、沈佺
期《辛丑岁十月上幸长安时扈从出西岳作》皆为武后本月幸长安而作。王、沈皆为珠
英学士，二诗并收入《珠英集》（沈诗题名稍异），据集中所列作者官班，知时王在右
台殿中侍御史任，沈在通事舍人任。参见本年十一月条。

苏瓌进《圣主还京乐舞》，武后令编于乐府。《唐会要》卷三三："大足元年，天
后幸京师，同州刺史苏瓌进《圣主还京乐舞》，御行宫楼观之，赐以束帛，令编于乐
府。"

十一月

十二日，《三教珠英》一千三百卷撰成奏上，撰者各得迁擢。《唐会要》卷三六：
"大足元年十一月十二日，麟台监张昌宗撰《三教珠英》一千三百卷成，上之。初，圣
历中，以上（上以）《御览》及《文思博要》等书，聚事多未周备，遂令张昌宗召李
峤、阎朝隐、徐彦伯、薛曜、员半千、魏知古、于季子、王无竞、沈佺期、王（李？）
适、徐坚、尹元凯、张说、马吉甫、元希声、李处正、高（乔）备、刘知几、房元阳、
宋之问、崔湜、常（韦）元旦、杨齐哲、富嘉謩、蒋凤等二十六人同撰。于旧书外，
更加佛、道二教及亲属、姓名、方城（域）等部。"《新唐书》艺文志三："《三教珠
英》一千三百卷，目十三卷。"列预修者十二人，有乔侃，当为乔备。《旧唐书》徐坚
传："坚又与给事中徐彦伯、定王府仓曹刘知几、右补阙张说同修《三教珠英》。时麟
台监张昌宗及成均祭酒李峤总领其事，广引文词之士，日夕谈论，赋诗聚会，历年未
能下笔，坚独与说构意撰录，以《文思博要》为本，更加姓氏、亲族二部，渐有条流，
诸人依坚等规制，俄而书成，迁司封员外郎。"《新唐书》文艺中李适传："再调猗氏
尉。武后修《三教珠英》书，以李峤、张昌宗为使，取文学士缀集，于是适与王无竞、
尹元凯、富嘉谟、宋之问、沈佺期、阎朝隐、刘允济在选。书成，迁户部员外郎。"
《旧唐书》张说传："长安初，修《三教珠英》毕，迁右史、内供奉，兼知考功贡举
事。"

崔融编《珠英学士集》成。《新唐书》艺文志四："《珠英学士集》五卷。崔融集
武后时修《三教珠英》学士李峤、张说等诗。"《玉海》卷五四："《刘禹锡集》云：
'《珠英》卷后列学士姓名，蒋凤白衣在选。一本吴少微亦预修。'"又："李适修《三
教珠英》，与刘允济在选。"又："《志·总集》有《珠英学士集》五卷，崔融集学士李
峤、张说等四十七人诗总二百七十六首。"《郡斋读书志》卷二〇："《珠英学士集》五
卷。右唐武后朝，尝诏武三思等修《三教珠英》一千三百卷，预修书者凡四十七人。
崔融编集其所赋诗，各题爵里，以官班为次，融为之序。"按《珠英学士集》宋元之际
已佚，上世纪初于敦煌石窟发现其写本残卷两份，即后来藏于巴黎之伯三七七一及藏
于伦敦之斯二七一七。王重民《敦煌古籍叙录》卷五云："《珠英学士集》，崔融编，

伯三七七一，斯二七一七。伯三七七一与斯二七一七两残卷，笔迹相同，斯氏卷马吉甫诗前，有'珠英集第五'一行，故知同为《珠英学士集》残卷。……是集《崇文总目》、《郡斋读书志》并著录，则宋时犹存。……自是集散佚，诸家诗或不尽传。持与《全唐诗》相校阅，伯氏本：载元希声诗二首，《赠皇甫侍御赴都》第二律与第二首，并不见《全唐诗》。房元阳二首，杨齐悊二首，房、杨诗《全唐诗》不载。胡皓七首、乔备四首，胡四诗、乔二诗，《全唐诗》失载。斯氏本：沈佺期十首，李适三首，崔湜九首，刘知几三首，王无竞八首（实仅七首），马吉甫三首。沈诗今存，刘、马二家全佚，李诗佚一首，崔、王二家各佚四首。合得佚诗二十七首，并辑入《敦煌诗录》中。"今据徐俊校辑《珠英集》（见《唐人选唐诗新编》），斯氏本实载诗：阙名 1 首，通事舍人吴兴沈佺期 10 首，前通事舍人李适 3 首，左补阙清河崔湜 9 首，右补阙彭城刘知几 3 首，右台殿中侍御史内供奉琅琊王无竞 8 首（内 1 首有目无诗），太子文学扶风马吉甫 3 首（内 1 首仅存二残句）；伯氏本载诗：阙名 5 首，蒲州安邑县令宋国乔备 4 首，太子文学河南元希声 2 首，司礼寺博士清河房元阳 2 首，洛阳县尉弘农杨齐悊 2 首，恭陵丞安定胡皓 3 首（内 1 首有目无诗）。合计言之，斯氏本共得作者 7 人，诗 37 首（内残诗 1 首，存题 1 首），伯氏本共得作者 6 人，诗 18 首（内存题 1 首）。与《全唐诗》相较，两卷合得佚诗 30 首（内存题二首，残诗 1 首），王重民《叙录》所云稍误。参《珠英集》前记。

李峤作《杂咏诗》，苏味道作《单题诗》。 李峤有《杂咏诗》一百二十首，实又称《单题诗》。苏味道有《单题诗》五首。据陈冠明《李峤年谱》所考，诸诗并当作于李、苏撰修《三教珠英》时。今从其说，系于此。《新唐书》艺文志四："李峤《杂咏诗》十二卷。"按《杂咏诗》一百二十首，实不足十二卷之数，"十"字当衍。张庭芳《故中书令郑（赵）国公李峤杂咏百二十首序》："顷寻绎故中书令李郑（赵）公百二十咏，藻丽词清，调谐律雅。宏溢逾于灵运，密致掩于延年。特茂霜松，孤悬浩月。高标凛凛，千载仰其清芬；明镜亭亭，万象含其朗耀。味夫纯粹，罕测端倪。故燕公《刺异词》曰：'新诗冠宇宙。'斯言不佞，信而有征。"《石洲诗话》卷一："李巨山咏物百二十首，虽极工切，而声律时有未调，犹带齐梁遗习，未可遽以唐人试帖例视。"方南堂《辍锻录》："咏物题极难，初唐如李巨山多至数百首，但有赋体，绝无比兴，痴肥重浊，止增厌恶。"

崔湜自左补阙迁殿中侍御史，为御史台精舍碑撰铭并序。 《金石续编》卷七四《大唐御史台精舍碑铭并序》："长安初，湜始自左补阙拜殿中侍御史，至止之日，其构适就，游于斯，咏于斯，稽首于斯。……群公以予忝文儒之林，固以碑表相托，辞不获已，而作铭曰：……开元十一年殿中侍御史梁升卿追书。"题下署"中书令崔湜任殿中侍御史日篆文"，文后列碑阴及两侧所刻侍御史、殿中侍御史、检察侍御史六百余人题名。详见清赵钺、劳格《唐御史台精舍题名考》。按崔湜预修《三教珠英》，时官左补阙，见上《珠英学士集》条。其迁殿中侍御史并撰御史台精舍碑铭当在本月《三教珠英》修成之后，姑系于此。

本年

张鷟由御史出为处州司仓，替归后累转柳州司户、德州平昌令。《朝野佥载》卷二："周长安年初，前遂州长江县丞夏文荣，时人以为判冥事。张鷟时为御史，出为处州司仓，替归，往问焉。荣以杖画地，作'柳'字，曰：'君当为此州。'至后半年，除柳州司户，后改德州平昌令。荣刻时日，晷漏无差。"

苏州嘉兴令杨廷玉作《回波辞》。《朝野佥载》卷二："周长安年初……又苏州嘉兴令杨廷玉，则天之表侄也，贪狠无厌，著词曰：'回波尔时廷玉，打獠取钱未足。阿姑婆见作天子，傍人不得桄触。'"

崔翘登拔粹科。《唐会要》卷七六："大足元年，理选使孟诜试拔粹，崔翘、郑少微及第。"《唐语林》卷八："及大足元年，置拔萃，始于崔翘。"按崔翘乃崔融子，后于开元二十七至二十九年三知贡举。

李白（701—762）生。李白字太白，祖籍陇西成纪，少时居绵州彰明县青廉乡。开元中出蜀，漫游江汉、洞庭、金陵、扬州间。娶故相许圉师孙女为妻，居安陆。西入长安求仕，未果，移居山东任城。天宝初应诏入京，供奉翰林。旋为权贵所潜，赐黄金，诏放归。与杜甫结识，同游梁宋、东鲁。复独自南游吴越，北游幽蓟。安史乱中，坐为永王李璘僚佐，系浔阳狱，长流夜郎。遇赦还，往依族叔当涂令李阳冰，寻病卒。有《草堂集》二十卷。据《旧唐书》文苑下本传、《新唐书》文艺中本传、《唐才子传校笺》卷二。

薛据（701?—767?）生。薛据，河中宝鼎人。开元中进士擢第，授永乐主簿，迁涉县令。天宝中登风雅古调科，任大理司直。肃宗朝历太子司议郎、祠部员外郎。后任水部郎中。代宗大历初，客居江陵，卒。《河岳英灵集》选录其诗十一首。据《旧唐书》薛播传、《唐才子传校笺》卷二薛据传笺。

公元702年　（周武则天长安二年　壬寅）

二月

张九龄、徐秀等二十一人登进士第，沈佺期以考功员外郎知贡举，试《东堂画壁赋》。徐浩《唐尚书右丞相中书令张公（九龄）神道碑》："弱冠乡试进士，考功郎沈佺期尤所激扬，一举高第。时有下等，谤议上闻。中书令李公，当代词宗，诏令重试，再拔其萃。"颜真卿《朝议大夫赠梁州都督上柱国徐府君神道碑铭》："君讳秀。……年十五，为崇文生。应举，考功员外郎沈佺期再试《东堂壁画赋》，公援翰立成。沈公骇异之，遂擢高第。"按本年张九龄年二十五，徐秀年十八。余见《登科记考》卷四。

三月

李峤、张说，赋诗送薛季昶、李迥秀北征。李峤有《饯薛大夫护边》诗，张说有《送李侍郎迥秀薛长史季昶同赋得水字》诗。《通鉴》卷二〇七："三月，庚寅，突厥破石岭，寇并州，以雍州长史薛季昶摄右台大夫，充山东防御军大使，沧、瀛、幽、易、恒、定等州诸军皆受季昶节度。"《新唐书》则天皇后纪:"三月丙戌,李迥秀安置山东兵马,检校武骑兵。庚寅,突厥寇并州,雍州长史薛季昶持节山东防御大使以备之。"李、张二诗当作于此时。

四月

杜审言归洛阳,葬子杜并;后至长安,因赋《欢喜诗》为武后嘉赏,授著作佐郎。《唐代墓志汇编》长安〇〇七《大周故京兆男子杜并墓志铭并序》:"今以长安二年四月十二日瘗于津春门东五里。杜君(按指审言)流目四野,抚膺长号,情惟所钟,物为之感,乃谋终古之事,而刻铭云:……"时审言已至洛阳。《旧唐书》文苑上杜易简附杜审言传:"后则天召见审言,将加擢用,问曰:'卿欢喜否?'审言蹈舞谢恩。因令作《欢喜诗》,甚见嘉赏,拜著作佐郎。"武后本年在长安,审言当于本月或稍后至长安朝见武后。参见明年十月条。

五月

王方庆(?—702)卒。《旧唐书》本传:"长安二年五月卒,赠兖州都督,谥曰贞。……方庆博学好著述,所撰杂书凡二百余卷。尤精《三礼》,好事者多询访之。每所酬答,咸有典据,故时人编次,名曰《礼杂答问》。聚书甚多,不减秘阁,至于图画,亦多异本。"亦见《大唐新语》卷七。据《新唐书》艺文志王方庆著述计有:《礼记正义》十卷、《宝章集》十卷、《王氏八体书范》四卷、《王氏工书状》十五卷、《王氏神通记》十卷、《神仙后传》十卷、《南宫故事》十二卷、《文贞公事录》一卷、《宫卿旧事》一卷、《尚书考功簿》五卷、《尚书考功状绩簿》十卷、《友悌录》十五卷、《王氏训诫》五卷、《王氏列传》十五卷、《王氏尚书书传》五卷、《魏文贞故书》十卷、《王氏女记》十卷、《王氏王嫔传》五卷、《续妒记》五卷、《三品官祫庙礼》二卷、《古今仪集》五十卷、《王氏家牒》十五卷、《家谱》二十卷、《王氏著录》十卷、《九嵕山志》十卷、《谏林》二十卷、《神仙后传》十卷、《续世说新书》十卷、《园庭草木疏》二十一卷、《王氏神通记》十卷、《新本草》四十一卷、《药性要诀》五卷、《袖中备急要方》三卷、《岭南急要方》五卷、《王氏神道铭》十五卷等。

六月

沈佺期、李乂各赋诗送友人从军。沈佺期《夏日都门送司马员外逸客孙员外佺北征》:"二庭追虏骑,六月动周师。"李乂有同题诗,题下注云:"时相王为元帅,魏大夫元忠为副。"《通鉴》卷二〇七:"(五月)乙未,以相王为并州牧,充安北道行军元帅,以魏元忠为之副。"是司马逸客、孙佺随相王、魏元忠北征,本月沈、李赋诗送之。

沈佺期与苏味玄唱和,时苏任膳部员外郎。沈佺期《酬苏员外味玄夏晚寓直省中见赠》:"并命登仙阁,分宵直礼闱。"苏味玄,苏味道弟,尝官膳部员外郎、太子洗马，见《元和姓纂》卷三、《旧唐书》苏味道传。诗云"仙阁"、"礼闱"，均指尚书省，盖其时沈佺期为考功员外郎，苏味玄任膳部员外郎，并为尚书省属官。又崔湜（一作乔知之）有《和苏员外寓直》诗，当为同时之作。按《酬苏员外……》系沈佺期名作。《唐诗直解》卷四钟惺评云："意高词古，排律当家。"《删补唐诗选脉笺释会通评林》卷三六周敬曰："高卓渊泓，尔雅典则，言言合节，大启律门。"《瀛奎律髓汇评》卷二冯舒评："发阊阖，谒紫宸，所见所闻无非无人间气息，诗至沈、宋，人巧极而天工错矣。"纪昀评："初唐诸作多骨有余而气不足，肉有余而神不足。此作最有格韵，非复板重之习矣。"

李峤任东都留守。《通鉴》卷二〇七："（六月）壬戌，召神都留守韦巨源诣京师，以副留守李峤代之。"

十月

苏味道拜同凤阁鸾台三品。《新唐书》则天皇后纪：长安二年十月，"甲寅，姚元崇同凤阁鸾台平章事，苏味道、韦安石、李迥秀同凤阁鸾台三品。"

十一月

苏颋在左台监察御史任，受诏重审来俊臣等所造冤狱。《旧唐书》苏瑰附苏颋传："累迁左台监察御史。长安中，诏颋按覆来俊臣等旧狱，颋皆申明其枉，由此雪冤者甚众。"《通鉴》卷二〇七记此事于本年十一月。韩休《唐金紫光禄大夫礼部尚书上柱国赠尚书右丞相许国文宪公苏颋文集序》："公任御史时，两台有送别四韵诗四十余首，试令公诵之一遍。倒覆之，遂不错一字，其敏悟也如此。"述苏颋为御史时事，录以备参。

武三思子崇训尚安乐郡主，张说、宋之问等赋《花烛行》以美其事。《旧唐书》外戚武承嗣附武崇训传："崇训，三思第二子也。则天时，封为高阳郡王。长安中，尚安乐郡主。时三思用事于朝，欲宠其礼，中宗为太子在东宫，三思宅在天津桥南，自重光门内行亲迎礼，归于其宅。三思又令宰臣李峤、苏味道，词人沈佺期、宋之问、徐彦伯、张说、阎朝隐、崔融、崔湜、郑愔等赋《花烛行》以美之。其时张易之、昌宗、宗楚客兄弟贵盛，时假词于人，皆有新句。"天津桥在东都，重光门为东都东宫正门名，见《唐两京城坊考》卷五。宋之问《花烛行》："庭花灼灼歌秾李，此夕天孙嫁王子。……共待洛城分曙色，更看天下凤凰飞。"张说《安乐郡主花烛行》："星昴殷冬献吉日，夭桃秾李遥相匹。"均为武崇训尚主事而作。李峤等所赋诗已佚。张说诗用《尚书·尧典》"日短星昴，以正仲冬"语意，知诗作于十一月。考诸作者长安中行迹，唯本年十一月皆在长安或洛阳，故系于此。参见陈冠明《李峤年谱》。

本年

李乂、崔湜、崔日用等由县尉被举为御史。《唐会要》卷七五："长安二年，则天令雍州长史薛季昶择寮吏堪为御史者。季昶以问录事参军卢齐卿，举长安县尉卢怀慎、季休光，万年县尉李乂、崔湜、咸阳县丞倪若水、鄠县尉田崇璧，新丰县尉崔日用，后皆至大官。"

富嘉谟、吴少微同为晋阳尉，属文以经典为本，时称"富吴体"；富、吴又与太原主簿谷倚并称"北京三杰"。《旧唐书》文苑中富嘉谟传："长安中，累转晋阳尉，与新安吴少微友善，同官。先是，文士撰碑颂，皆以徐、庾为宗，气调渐劣；嘉谟与少微属词，皆以经典为本，时人钦慕之，文体一变，称为'富吴体'。嘉谟作《双龙泉颂》、《千蠋谷颂》，少微撰《崇福寺钟铭》，词最高雅，作者推重。"富嘉谟附吴少微传："少微亦举进士，累至晋阳尉。……嘉谟与少微在晋阳，魏郡谷倚为太原主簿，皆以文词著名，时人谓之'北京三杰'。倚后流寓客死，文章遗失。"吴、富为金阳尉当在本年前后。

刘允济在凤阁舍人、修国史任，尝论史官职权。《旧唐书》文苑中本传："长安中，累迁著作佐郎，兼修国史。未已，擢拜凤阁舍人。"《唐会要》卷三六："长安二年，凤阁舍人、修国史、刘允济尝云：'史官善恶必书，言成轨范，使骄主贼臣，有所知惧，此亦权重，理合贫而乐道也。'"

公元 703 年　（周武则天长安三年　癸卯）

正月

沈佺期由考功郎中迁给事中。《新唐书》文艺中李适附沈佺期传："由协律郎累除给事中。"沈佺期有《寄北使》诗，序云："长安三年，自考功郎中拜给事中，非才旷任，意多惭沮。"诗云："南省推丹地，东曹拜琐闱。……旭日千门启，初春八舍归。"知佺期迁给事中当在本年正月。又序云自考功郎中迁官，知佺期上年曾由考功员外郎转考功郎中。

三月

张说作《和戎篇》。张说《和戎篇送桓侍郎序》："《和戎》，送桓侯之诗。长安三年，吐蕃乞附……凤阁舍人、摄鸾台侍郎桓……季春令日，张旃首路。……凡所赋诗，以存大雅云尔。"

王元感表上所撰《尚书纠谬》等书，大为魏知古等所称。《旧唐书》儒学下："王元感，濮州鄄城人也。少举明经，累补博城县丞。……转四门博士，仍直弘文馆。……长安三年，表上其所撰《尚书纠谬》十卷、《春秋振滞》二十卷、《礼记绳愆》三十卷，并所注《孝经》、《史记》稿草，请官给纸笔，写上秘书阁。诏令弘文、崇文两馆学士及成均博士详其可否。学士祝钦明、郭山恽、李宪等皆专守先儒章句，深讥玄感掎摭旧义，元感随方应答，竟不之屈。凤阁舍人魏知古、司封郎中徐坚、左史刘知几、右司张思敬，雅好异闻，每为元感申理其义，连表荐之。寻下诏曰：'王元感质性温敏，博闻强记，手不释卷，老而弥笃。掎前达之失，究先圣之旨，是谓儒宗，不可多得，可太子司议郎，兼崇贤馆学士。'魏知古尝称其所撰书曰：'信可谓《五经》之指南也。'"《唐会要》卷七七记此于本年三月，并云王元感本次表上者尚有《汉书》注稿草。

闰四月

张说等赋诗送韦安石出守东都。张说《邺公园池饯韦侍郎神都留守序》："鸾台侍郎兼左庶子韦公……岁临单阏，月在长嬴（篇）……天子赋诗，已载宠行之史；群公盛集，须传出宿之文。凡若干首，合成一卷。"邺公指张昌宗，见《旧唐书》张行成附传；韦侍郎为韦安石；岁在单阏指卯年，本年癸卯，当指本年；月在长嬴指夏季，见《尔雅·释天》。《新唐书》宰相表上："闰四月……丁丑，安石为神都留守，判天官、秋官二尚书事。"诗及序作于此时。

五月

一日，敕李峤等修唐史。《唐会要》卷六三："长安三年正月一日敕：'宜令特进梁王三思与纳言李峤、正谏大夫朱敬则、司农少卿徐彦伯、凤阁舍人魏知古、崔融、司封郎中徐坚、左史刘知几、直史馆吴兢等修唐史，采四方之志，成一家之言，长悬楷则，以贻劝诫。'"按本年正月李峤尚未知纳言，"正月"当是"五月"之误。参见陈冠明《李峤年谱》。

九月

张说在凤阁舍人任，证魏元忠无谋反语，坐流钦州。《唐会要》卷六四："长安三年，张易之、昌宗欲作乱，将图皇太子，遂谮御史大夫、知政事魏元忠。昌宗奏言：可用凤阁舍人张说为证。说初不许，遂赂以高官。说被逼迫，乃伪许之。昌宗乃奏：'元忠与太平公主所宠司礼丞高戬交通密谋，构造飞语曰：主上老矣，吾属当挟皇太子，可谓耐久。'时则天春秋高，恶闻其语。凤阁侍郎宋璟恐说阿意，乃谓曰：'大丈夫当守死善道。'殿中侍御史张廷珪又谓曰：'朝闻道，夕死可矣。'起居郎刘知几又谓曰：'无诬青史，为子孙累。'明日，上引皇太子、相王及宰相等于殿庭，遣昌宗与元忠、高戬对于上前。上谓曰：'具述其事。'说对曰：'臣今日对百寮，请以实录。'因历声言：'魏元忠实不反，总是昌宗令臣诬枉耳！'是日，百寮震惧。上闻说此对，谓宰相曰：'张说倾巧，翻覆小人，且总收禁，待更勘问。'异日又召，依前对问，昌宗乃屡诱掖逼促之。说视昌宗言曰：'乞陛下看取，天子前尚逼臣如此。况元忠实无反语，奈何欲令臣空虚加诬其罪？今大事去矣，伏愿记之，易之、昌宗，必乱社稷！'天后默然，令所司且收禁。掌谏议大夫、知政事朱敬则密表奏曰：'魏元忠素称忠正，张说又所坐无名，俱令抵罪，恐失天下之望，愿加详察。'乃贬元忠为高要尉，说流钦州。"其下有注云："时人议曰：昌宗等包藏祸心，遂与说计议，欲拟谋害大臣。宋璟等知说巧诈，恐损良善，遂与之言，令其内省。向使说元来不许昌宗虚证元忠，必无今日之事，乃是自招其咎。赖识通变，转祸为福，不然，皇嗣殆将危矣。"《旧唐书》

本传及《通鉴》卷二〇七均记此事，《通鉴》系于本年九月。

十月

武则天由长安还至洛阳，李峤、杜审言、沈佺期扈从，并赋诗纪行，时审言官膳部员外郎。《旧唐书》则天皇后纪："冬十月丙寅，驾还神都。乙酉，至自京师。"李峤有《扈从还洛呈侍从群官》诗，杜审言、沈佺期各有《扈从出长安应制》诗，李诗云"孟冬霜霰下"，沈诗云"是节严阴始"，知均为本次扈从还洛阳时作。李峤又有《奉和杜员外扈从教阅》诗，亦作于此时。杜员外谓杜审言。《旧唐书》文苑上杜易简附杜审言传："拜著作佐郎，俄迁膳部员外郎。"审言上年为著作佐郎，见该年四月条。

冬

张说赴钦州流所，途中有诗作；至岭南，见张九龄文章，深赏之。徐浩《唐尚书右丞相中书令张公神道碑》："燕公过岭，一见文章，并深提拂，厚为礼敬。"张九龄《祭张燕公文》："迨（追）惟小子，凤荷深期，一顾增价，二纪及兹。"《答严给事书》："仆爱自书生，燕公待以族子，颇以文章见许。"按自本年至开元十八年张说卒，已历二十八载，此云二纪，乃举其成数而言。又张说至岭南当在本年冬，时张九龄进士及第一年有余，当在家守选，未及授官，故自称"书生"。有关唐及第进士之守选制，参见王勋成《唐代铨选与文学》。又张说有《代书寄吉十一》、《冬日见牧牛人担青草归》、《清远江峡山寺》、《广州江中作》、《和朱使欣二首》等诗，均当本年冬赴钦州流所途中所作，并系于此。

本年

自久视元年至此，义净译出佛教经论颂等二十部，武后为制《圣教序》。《宋高僧传》卷一义净传："久视之后，乃自专译。起庚子岁至长安癸卯，于福先寺及雍京西明寺译《金光明最胜王》、《能断金刚般若》、《弥勒成佛》、《一字咒王》、《庄严王陀罗尼》、《长爪梵志》等经，《根本一切有部毗奈耶》、《尼陀那目得迦》、《百一羯磨摄》等，《掌中》、《取因假设》、《六门教授》等论，及《龙树劝诫颂》，凡二十部。北印度沙门阿你真那证梵文义，沙门波崙、复礼、慧表、智积等笔受证文，沙门法宝、法藏、德感、胜庄、神英、仁亮、大仪、慈训等证义，成均太学助教许观监护，缮写进呈。天后制《圣教序》，令标经首。"

徐浩（703—782）生。徐浩字季海，越州剡县人。少举明经，调授鲁山主簿。张说荐为太子校书、集贤殿待诏，迁右拾遗。入幽州节度使张守珪幕，授监察御史。历河阳令、太子司议郎、刑部郎中。安禄山反，从玄宗入蜀，拜中书舍人，迁尚书左丞，国子祭酒。坐事贬庐州长史。大历初拜吏部侍郎，坐妾弟冒选，贬明州别驾。德宗立，征拜彭王傅，封会稽郡公，旋以疾卒。有《书谱》一卷、《古迹记》一卷等。据《旧唐书》本传、张式《大唐故银青光禄大夫彭王傅上柱国会稽郡开国公赠太子少师东海徐公神道碑铭》。

公元 704 年　（周武则天长安四年　甲辰）

正月

卢藏用在左拾遗任，上疏谏武后营造兴泰宫。《旧唐书》本传："长安中，征拜左拾遗。时则天将营兴泰宫于万安山，藏用上疏谏曰：……"《通鉴》卷二〇七载此事在本年正月。

沈佺期因考功受贿事下狱。《新唐书》文艺中李适附沈佺期传："由协律郎累除给事中，考功受赇，劾未究，会张易之败，遂长流驩州。"沈佺期有《寄北使》诗，序云："长安三年，自考功郎中拜给事中……明年献春下狱。"其《枉系》二首当为初系狱时所作，《被弹》诗则作于本年夏，并系于此。

三月

苏味道贬坊州刺史，后除益州大都督府长史。《旧唐书》本传："长安中，请还乡改葬其父，优制令州县供其葬事。味道因此侵毁乡人墓田，役使过度，为宪司所劾，左授坊州刺史。未几，除益州大都督府长史。"《通鉴》卷二〇七："三月……凤阁侍郎、同凤阁鸾台三品苏味道谒归葬其父……监察御史萧至忠劾奏之，左迁坊州刺史。"

进士四十一人，续奏四人，崔湜知贡举。见《登科记考》卷一。

春

张说至钦州，有诗作。张说有《端州别高六戬》、《南中赠高六戬》、《岭南送使》、《卢巴驿闻张御史张判官欲到不得待留赠之》等诗，均当本年春至钦州或将至钦州时作，并系于此。

四月

李峤、张廷珪上疏谏造大佛像。《通鉴》卷二〇七：长安四年四月，"太后复税天下僧尼，作大像于白马阪，令春官尚书武攸宁检校，糜费巨亿。李峤上疏，以为：'天下编户，贫弱者众。造像钱见有一十七万余缗，若将散施，人与一千，济得一十七万余户。拯饥寒之弊，省劳役之勤，顺诸佛慈悲之心，沾圣君亭育之意，人神胥悦，功德无穷。方作过后因缘，岂如见在果报！'监察御史张廷珪上疏谏曰：'臣以时政论之，则宜先边境，蓄府库，养人力；以释教论之，则宜救苦厄，灭诸相，崇无为。伏愿陛下察臣之愚，行佛之意。务以理为上，不以人废言。'太后为之罢役。"《唐会要》卷四九记李峤上疏事于大足元年正月，记张廷珪上疏事于本年十月，今姑据《通鉴》并系于此。

李峤、张廷珪荐李邕为左拾遗。《旧唐书》文苑中李邕传："邕少知名。长安初，内史李峤及监察御史张廷珪，并荐邕词高行直，堪为谏诤之官，由是召拜左拾遗。"按本年四月至六月李峤在内史任，见《通鉴》卷二〇七；其荐李邕当在此时，《旧传》云"长安初"，不确。

七月

杨再思为内史，戴令言作《两脚狐赋》讥其谄媚。《通鉴》卷二〇七："秋，七月，丙戌，以神都副留守杨再思为内史。再思为相，专以谄媚取容。司礼少卿张同休，易之之兄也，尝召公卿宴集，酒酣，戏再思曰：'杨内史面似高丽。'再思欣然，即剪纸帖巾，反披紫袍，为高丽舞。举座大笑。……乙未，司礼少卿张同休、汴州刺史张昌期、尚方少监张昌仪皆坐赃下狱，命左右台共鞫之。丙申，敕，张易之、张昌宗作威作福，亦命同鞫。……杨再思曰：'昌宗合神丹，圣躬服之有验，此莫大之功。'太后悦，赦昌宗罪，复其官。左补阙戴令言作《两脚狐赋》，以讥再思。"胡三省注："言再思妖媚如狐，特两脚耳。"

秋

张说在钦州流所，送使北归，赋诗言怀。见其《南中送北使二首》、《南中别蒋五岑向青州》诗。张说又有《钦州守岁》诗，当本年岁末所作，附记于此。

秋冬间

沈佺期移系大理寺狱，赋诗多首纪事言怀。沈佺期《移禁司刑》："首夏方忧圄，高秋独向隅。"《同狱者叹狱中无燕》："何许乘春燕？多知辨夏台。三时欲并尽，双影未曾来。"司刑即大理寺，光宅元年改，见《新唐书》百官志三。三时指春、夏、秋三季。知此二诗为本年秋移系大理寺狱时所作。又《狱中闻驾幸长安二首》其二："无事今朝来下狱，谁期十月是横河。"当作于本年初冬。

十一月

成均祭酒、同凤阁鸾台三品李峤罢为地官尚书。见《通鉴》卷二〇七。

十二月

李邕在左拾遗任，请武后可宋璟之奏。《大唐新语》卷二："长安末，右卫西街有榜云：'易之兄弟、长孙汲、裴安立等谋反。'宋璟时为御史中丞，奏请穷理其状。……则天不悦。……左拾遗李邕历阶而进曰：'宋璟所奏，事关社稷，望陛下可其所奏。'则天意若解。"《通鉴》卷二〇七记此事于本年十二月。

本年

崔融除司礼少卿，仍知制诰；时融与李峤、苏味道等人皆阿附张易之兄弟。《旧唐书》崔融传："四年，除司礼少卿，仍知制诰。时张易之兄弟颇招集文学之士，融与纳言李峤、凤阁侍郎苏味道、麟台少监王绍宗等俱以文才降节事之。"

公元 705 年　（唐中宗神龙元年　乙巳）

正月

　　壬午朔，改元神龙；癸亥，张柬之等斩张易之、张昌宗兄弟；丙午，太子李显即皇帝位，是为中宗。《通鉴》卷二○七："神龙元年春,正月,壬午朔,赦天下,改元。……太后疾甚，麟台监张易之、春官侍郎张昌宗居中用事，张柬之、崔玄暐与中台右丞敬晖、司刑少卿桓彦范、相王府司马袁恕己谋诛之。……癸卯……柬之等斩易之、昌宗于庑下。……甲辰，制太子监国，赦天下。乙巳，太后传位于太子。丙午，中宗即位。赦天下，惟张易之之党不原。"参见《旧唐书》则天皇后纪、中宗纪等。

二月

　　甲寅，复唐之国号及制度。《通鉴》卷二○八："（二月）甲寅，复国号曰唐。郊庙、社稷、陵寝、百官、旗帜、服色、文字皆如永淳以前故事。复以神都为东都，北都为并州，老君为玄元皇帝。"

　　李峤、崔融、宋之问、沈佺期、杜审言等皆因阿附张易之兄弟而遭贬逐，离京前及流贬途中诸人多有诗作。《旧唐书》张行成附张易之张昌宗传："神龙元年正月……诛易之、昌宗于迎仙院，并枭首于天津桥南。则天逊居上阳宫。……朝官房融、崔神庆、崔融、李峤、宋之问、沈佺期、杜审言、阎朝隐等皆坐二张窜逐，凡数十人"。《通鉴》卷二○八："（二月）乙卯，凤阁侍郎、同平章事韦承庆贬高要尉；正谏大夫、同平章事房融除名，流高州；司礼卿崔神庆流钦州。"是张易之兄弟之败在正月，房融诸人陆续被贬则在二月。《旧唐书》苏味道传："神龙初，以亲附张易之、昌宗，贬授郿（眉）州刺史。"李峤传："中宗即位，峤以附会张易之兄弟，出为豫州刺史。未行，又贬为通州刺史。"崔融传："及易之伏诛，融左授袁州刺史。"《旧唐书》文苑上杜易简附杜审言传："俄迁膳部员外郎。神龙初，坐与张易之兄弟交往，配流岭外。"文苑中刘允济传："擢拜凤阁舍人。中兴初，坐与张易之款狎，左授青州长史。"刘宪传："神龙初，坐尝为张易之所引，自吏部侍郎出为渝州刺史。"宋之问传："累转尚方监丞、左奉宸内供奉。……及易之等败，左迁泷州参军。"阎朝隐传："俄转麟台少监。易之伏诛，坐徙岭外。"阎朝隐附王无竞传："出为苏州司马。及张易之等败，以尝交往，再贬岭外。"《新唐书》文艺中李适附韦元旦传："迁左台监察御史。与张易之有姻属，易之败，贬感义尉。"宋之问传："于时张易之等烝昵宠甚，之问与阎朝隐、沈佺期、刘允济倾心媚附，易之所赋诸篇，尽之问、朝隐所为，至为易之捧溺器。及败，贬泷州，朝隐崖州。"沈佺期传："由协律郎累除给事中。考功受赇，劾未究，会张易之败，遂长流驩州。"韦承庆有《南行别弟》、《南中咏雁》诗，宋之问有《留别之望舍弟》、《途中寒食题黄梅临江驿寄崔融》、《自洪府舟行直书其事》、《题大庾岭北驿》、《度大庾岭》、《早发大庾岭》、《早发始兴江口至虚氏村作》、《至端州驿见杜五审言沈三佺期阁五朝隐王二无竞题壁慨然成咏》、《入泷州江》诗,杜审言有《渡湘江》、《南海乱石山作》诗,崔融有《和宋之问寒食题黄梅临江驿》诗,沈佺期《神龙初废逐南荒途出郴口北望苏耽山》、《遥同杜员外审言过岭》、《入鬼门关》、《度安海入龙编》、《九真山静居寺谒无碍上人》诗,房融有《谪南海过始兴广胜寺果上人房》诗,阎朝隐有诗《度岭二首》(《全唐诗补编》),均为诸人离京前或赴贬所途中所作,并系于此。按上列诸诗中宋之问《至端州驿……》可称名作。《唐诗评选》卷一:"此与沈佺期《遥同杜审言过岭》诗神迹有何不相肖。初唐人于七言不昧宗旨,无复以歌行、近体为别,大历以降,画地为牢,有近体而无七言。"杜审言《渡湘江》亦具特色。《删补唐诗选脉笺释会通评林》卷五一周敬曰:"陈、靡丽极矣,必简翻尽陈调。如'迟日园林'一章(按即指此诗),练神修意,另出手眼,遂令光景一新。"

春

张说在钦州,被召为兵部员外郎,行前及归途皆有诗作。《旧唐书》本传:"中宗即位,召拜兵部员外郎。"张说有《南中别陈七李十》诗,当离钦州前所作。又有《赦归在道中作》、《还至端州驿前与高六别处》、《喜度岭》等诗,皆作于本年春北归途中。

四月

桓彦范、李邕谏中宗信重神仙方术及佛教。《通鉴》卷二〇八:"术士郑普思、尚衣奉御叶静能皆以妖妄为上所信重,夏,四月,墨敕以谱思为秘书监,静能为国子祭酒。桓彦范、崔玄晔固执不可。……彦范曰:'陛下初即位,下制云:"'政令皆依贞观故事。'贞观中,魏徵、虞世南、颜师古为秘书监,孔颖达为国子祭酒,岂普思、静能之比乎!'庚戌,左拾遗李邕上疏,以为:'《诗》三百,一言以蔽之,曰思无邪。若有神仙能令人不死,则秦始皇、汉武帝得之矣;佛能为人福利,则梁武帝得之矣。尧、舜所以为帝王首者,亦修人事而已。尊崇此属,何补于国!'上皆不听。"

七月

张柬之归襄州养疾,中宗赋诗送之。《旧唐书》张柬之传:"中宗即位……其年秋,柬之表请归襄州养疾,许之,仍特授襄州刺史。……上亲赋诗祖道,又令群公钱送于定鼎门外。"据《通鉴》卷二〇八,张柬之归襄州在本年七月。

十一月

乙丑,中宗观泼寒胡戏。《通鉴》卷二〇八:"乙丑,上御洛城南楼,观泼寒胡戏。"

壬寅,武则天(624—705)卒,年八十二。《旧唐书》则天皇后纪:"冬十一月壬寅,则天将大渐……是日,崩于上阳宫之仙居殿,年八十三,谥曰则天大圣皇后。

……太后尝召文学之士周思茂、范履冰、卫敬业，令撰《玄览》及《古今内范》各百卷，《青宫纪要》、《少阳政范》各三十卷，《维城典训》、《凤楼新诫》、《孝子列女传》各二十卷，《内范要略》、《乐书要录》各十卷，《百僚新诫》、《兆人本业》各五卷，《臣轨》两卷，《垂拱格》四卷，并文集一百二十卷，藏于秘阁。"按武则天享年《通鉴》卷二〇八作八十二，从之。

冬

富嘉谟、吴少微由晋阳尉入为左、右台监察御史。《旧唐书》文苑中富嘉谟传："中兴初，为左台监察御史。"富嘉谟附吴少微传："中兴初，调于吏部，侍郎韦嗣立称荐，拜右台监察御史。"《唐代墓志汇编》大历〇六二《有唐朝散大夫守汝州长史上柱国安平县开国男赠卫尉少卿崔公（暟）墓志》："初，安平公之薨也，以神龙元年十有一月廿四日，假葬于邙山，晋阳县尉吴少微、富嘉谟同为志曰：……"知本年十一月吴、富尚在晋阳尉任。《旧唐书》韦思谦附韦嗣立传："寻坐承庆左授饶州长史。岁余，征为太仆少卿，兼掌吏部选事。神龙二年，为相州刺史。"则吴、富二人之为监察御史当在本年冬，或明年韦嗣立出为相州刺史之前，姑系于此。

沈佺期抵达驩州，有诗作。沈佺期《初达驩州二首》其一："自昔闻铜柱，行来向一年。"其二："流子一十八，命予偏不偶。配远天遂穷，到迟日最后。"诗云"行来向一年"，则沈佺期抵驩州当在本年岁末。

本年

进士行三场试，榜中常列诗赋题目。《唐摭言》卷一："后至调露二年，考功员外郎刘思立奏请加试帖经与杂文，文之高者放入策。寻以则天革命，事复因循。至神龙元年方行三场试，故常列诗赋题目于榜中矣。"

苏颋在考功员外郎任，知贡举，六十一人进士及第，重试，权徹等十二人及第。韩休《唐金紫光禄大夫礼部尚书上柱国赠尚书右丞相许国文宪公苏颋文集序》："公任起居郎，属考功员外郎阙，时中书令李峤执笔曰：'考功郎非苏君莫可。'遂拜考功员外郎。"李峤上年在内史（中书令）任，苏颋为考功员外郎亦当在去年，而其知贡举则在本年。参郁贤皓《苏颋事迹考》。独孤及《唐故朝议大夫高平郡别驾权公（徹）神道碑铭并序》："其乡举也，考功郎中（按当作"员外郎"）苏颋拔诸群萃之中。"权徹进士及第亦当在本年。余见《登科记考》卷七。

许景先以献《大像阁赋》擢拜左拾遗。《旧唐书》文苑中本传："许景先，常州义兴人，后徙家洛阳。少举进士，授夏阳尉。神龙初，东都起圣善寺报慈阁。景先诣阙献《大像阁赋》，词甚美丽，擢拜左拾遗。"《新唐书》本传："神龙初，东都造服慈阁，景先献赋，李迥秀见其文，畏叹曰：'是宜付太史！'擢左拾遗。"

李白居蜀中，始受学。李白《上安州裴长史书》："五岁诵六甲。"（见《李太白全集》卷二六；以下凡引李白诗文均据是书，不复注）李白本年五岁。又《秋于敬亭送从侄耑游庐山序》："余小时，大人令诵《子虚赋》。"可以参看。

民间有歌谣预言突厥将为害中土百姓。《朝野佥载》卷一："神龙以后谣曰：'山南乌鹊窠，山北金骆驰。镰柯不凿孔，斧子不施柯。'此突厥强盛，百姓不得斫桑养蚕、种禾刈谷之应也。"

公元706年 （唐中宗神龙二年 丙午）

正月

戊戌，李峤以吏部尚书同中书门下三品。见《旧唐书》中宗纪。

杜审言在峰州，赋诗怀归。杜审言《旅寓安南》："仲冬山果熟，正月野花开。……故乡逾万里，客思倍从来。"当为本年正月在峰州流所所作。《春日怀归》亦大略作于同时。

二月

慧范、叶静能等僧道方术之士并加官进爵。《通鉴》卷二〇八："（二月）丙申，僧慧范等九人并加五品阶，赐爵郡、县公；道士史崇恩等加五品阶，除国子祭酒，同正；叶静能加金紫光禄大夫。"

神秀卒，张说等为撰碑文。《旧唐书》方伎神秀传："神秀以神龙二年卒，士庶皆来送葬。有诏赐谥曰大通禅师。又于相王旧宅置报恩寺，岐王范、张说及征士卢鸿一皆为其碑文。"按卢鸿一，或写作卢鸿，未定何者为是。张说《唐玉泉寺大通禅师碑铭并序》："神龙二年二月二十八日夜中，顾命趺坐，泊如化灭。……盖僧腊八十矣。生于隋末，百有余岁，未尝自言，故人莫审其数也。"

三月

富嘉谟（？—706）卒，吴少微（？—706）作诗哭之，寻亦病卒。《旧唐书》文苑中富嘉谟传："中兴初，为左台监察御史，卒，有文集五卷。"富嘉谟附吴少微传："中兴初……拜右台监察御史。卧病，闻嘉谟死，哭而赋诗，寻亦卒，有文集五卷。"《太平广记》卷二三五引《御史台记》："吴少微，东海人也。少负文华，与富嘉谟友善。……时嘉谟疾卒，为文哭之，其词曰：'维三月癸丑，河南富嘉谟卒，于时寝疾于洛阳北里，闻之，投枕而起，泪沿乎衽席，匍匐于寝门之外，病不能起。……太常少卿徐公，郧州刺史尹公，中书徐、元二舍人，兵部张郎中说，未尝值我不叹于朝。夫情悼之，赋诗以宠亡也。'其词曰：'吾友适不死，於戏社稷臣。……乃无承明籍，遭此敦牂春。……子之文章在，其殆尼父新。鼓兴于河岳，真词毒鬼神。……'词人莫不叹美。既而病亟……慷慨而终。"按"敦牂"系指太岁星在午之年，本年丙午，又以《御史台记》所云张说在兵部郎中任考之，知吴、富二人当卒于本年，详见陈祖言《张说年谱》。《载酒园诗话又编·陈子昂》："诗与乐通，其声宜直廉，不宜粗厉。凡号雅音者，不徒黜淫哇之响，并宜去噍噧也。吴少微、富嘉谟力矫颓靡，张说譬之'浓云郁兴，震雷俱发'，亦犹丘门怪由瑟之意，故必'穆如清风'者，斯为承。"

沈佺期在驩州，赋诗怀归。沈佺期有《三日独坐驩州思忆旧游》诗，当作于本年三月，又有《岭表寒食》、《驩州南亭夜梦》等诗，俱抒远客思归之意，约略作于同时。

　　吕元泰上疏谏作《苏莫遮》之戏。《唐会要》卷三四："二年三月，并州清原县尉吕元泰上疏曰：'比见都邑城市，相率为浑脱，骏马胡服，名为《苏莫遮》。旗鼓相当，军阵之势也；腾逐喧噪，战争之象也；锦绣夸竞，害女工也；征敛贫弱，伤政体也；胡服相效，非雅乐也；浑脱为号，非美名也。安可以礼仪之朝，法戎虏之俗；军阵之势，列庭阙之下？窃观诸王，亦有此好。自家刑国，岂若是也？《诗》云："京邑翼翼，四方是则。"非先王之礼乐，而将则四方者，臣所未喻也。夫乐者，动天地，感鬼神，移风易俗，布德施化。重犬戎之曲，不足以移风也；非宫商之度，不足以易俗也；无八佾之制，不足以布德也；非六代之乐，不足以施化也。四者无一，何以教人？……'"

春夏间

　　苏味道（649—706）卒，年五十八。《旧唐书》本传："贬授郿（眉）州刺史。俄而复为益州大都督府长史，未行而卒，年五十八。……有文集行于代。"味道之卒当在本年春夏间，说见陈冠明《苏味道年谱》。《新唐书》艺文志四："《苏味道集》十五卷。"《朝野佥载》卷四："苏味道才学识度，物望攸归。"《三唐诗品》卷一："盛有时名，藻思相称，惟其速达，故入境未宏。旧集残缺，未窥其所本，拟以连篇排比，其源盖出于王筠。初唐之古芳，实梁、陈之支派也。'火树银花'，时留俊赏，然丰肌靡骨，无复陈、隋。"《诗学渊源》卷八："集中诗皆应制之什，未改陈、隋旧习。用事典雅，后遂成馆阁一体。至蓄意含情，推事及物，则固唐诗之本色，异于六朝所尚者矣。"

五月

　　九日，《则天实录》及则天文集修成奏上。《唐会要》卷六三："神龙二年五月九日，左散骑常侍武三思、中书令魏元忠、礼部尚书祝钦明，及史官太常少卿徐彦伯、秘书少监柳冲、国子司业崔融、中书舍人岑羲、徐坚等修《则天实录》二十卷，文集一百二十卷，上之，赐物各有差。"《册府元龟》卷一三〇："二年，中书令、齐国公魏元忠与武三思等撰《则天皇后实录》二十卷，编次文集一百二十卷，中宗称善。"

　　宋之问在泷州贬所，赋诗挽武则天，后遇赦北归，途中有诗作。宋之问《则天皇后挽歌》："谁怜事虞舜，万里泣苍梧。"《旧唐书》则天武后纪："二年五月庚申，祔葬于乾陵。"诗当本月宋之问于泷州贬所所作。又宋之问《初承恩旨言放归舟》："一朝承凯泽，万里别荒陬。"当本月或稍后遇赦别泷州时所作。《旧唐书》文苑中宋之问传："左迁泷州参军，未几，逃还，匿于洛阳人张仲之家。"言逃归而非遇赦，当误。参《唐才子传校笺》卷一宋之问传补笺。宋之问又有《自湘源至潭州衡山县》、《渡汉江》等诗，当为本年北归途中所作。按《渡汉江》系宋之问名作。《唐诗归》卷三钟惺评云："实历苦境，皆以反说，意又深一层。"

七月

张柬之（625—706）**卒，年八十二。**《通鉴》卷二〇八："五月……武三思使郑愔告朗州刺史敬晖、亳州刺史韦彦范（胡三省注：桓彦范时赐姓韦，因而称之）、襄州刺史张柬之、郓州刺史袁恕己、均州刺史崔玄暐与王同皎通谋，六月，戊寅，贬晖崖州司马，彦范泷州司马柬之新州司马，恕己窦州司马，玄暐白州司马。……秋，七月……乃长流晖于琼州，柬之于泷州，恕己于环州，玄暐于古州。"《旧唐书》张柬之传："授襄州刺史。……寻为武三思所构，贬授新州司马。柬之至新州，忧恚而卒，年八十余。"《新唐书》本传："俄及贬，又流泷州，忧愤卒，年八十二。"同书艺文志四："《张柬之集》十卷。"

崔玄暐（638—706）**卒，年六十九。**《新唐书》本传："检校益州大都督府长史，知都督事。会贬，又流古州，道病卒。年六十九，谥曰文献。"《旧唐书》本传："玄暐少时颇属诗赋，晚年以为非己所长，乃不复构思，唯笃志经籍，述作为事。所撰《行己要范》十卷、《友义传》十卷、《义士传》十五卷、训注《文馆辞林策》二十卷，并行于代。"《新唐书》艺文志著录与《旧传》略同。

桓彦范（653—706）**卒，年五十四。**《旧唐书》本传："乃长流彦范于瀼州……三思犹虑彦范等重被进用，又纳中书舍人崔湜之计，特令湜姨兄嘉州司马周利贞摄右台侍御史，就岭外并矫制杀之。彦范赴流所，行至贵州，利贞遇之于途，乃令左右执缚，曳于竹槎之上，肉尽至骨，然后杖杀，时年五十四。"《新唐书》艺文志四："《桓彦范集》三卷。"

九月

禁乐师教淫声、过声、凶声、慢声。《唐会要》卷三四："其年（按指神龙二年）九月，敕三品已上，听有女乐一部，五品已上，女乐不过三人，皆不得有钟磬。乐师凡教乐，淫声、过声、凶声、慢声皆禁之。淫声者，若郑、卫；过声者，失哀乐之节；凶声者，亡国之音，若桑间濮上；慢声者，惰慢不恭之声也。"

崔融（653—706）**卒，年五十四。**《旧唐书》本传："神龙二年，以预修《则天实录》成，封清河县子。……融为文典丽，当时罕有其比，朝廷所须《洛出宝图颂》、《则天哀册文》及诸大手笔，并手敕付融。撰哀册文，用思精苦，遂发病卒，时年五十四。以侍读之恩，追赠卫州刺史，谥曰文。有集六十卷。"《隋唐嘉话》卷下："崔融司业作武后哀策文，因发疾而卒。时人以为三二百年来无此文。"《朝野佥载》卷一："国子司业、知制诰崔融病百余日，腹中虫蚀极痛，不可忍。有一物如守宫从下部出，须臾而卒。"据《旧唐书》则天皇后纪，武后本年五月葬，崔融撰哀册文并因此染病当即在此时。又《佥载》虽系小说家言，但所言当有所据，今据其说由五月下推"百余日"，则崔融之卒当在本年九、十月间，姑系于此。《新唐书》艺文志四："《崔融集》六十卷。"又："崔融《宝图赞》一卷。"又："《珠英学士集》五卷。崔融集武后时修《三教珠英》学士李峤、张说等诗。"张说《崔司业挽歌二首》之二："海岱英灵气，胶庠礼乐资。风流满天下，人物擅京师。疾起扬雄赋，魂游谢客诗。从今好文主，遗恨不同时。"《载酒园诗话又编》："崔与苏味道、李峤齐名，似为秀出；又合杜审言为'文章四友'，则气力亦似差逊。"

秋

魏元忠还乡，苏颋、张说并赋诗与之唱和。 苏颋有《奉和魏仆射秋日还乡有怀之作》诗，张说有《和魏仆射还乡》诗。魏仆射谓魏元忠。《旧唐书》本传："神龙二年……四年秋，代唐璟为尚书右仆射，兼中书令，仍知兵部尚书事，监修国史。未几，元忠请归乡拜扫。"按神龙无四年，《旧传》校勘记谓"四年"当作"是年"，即指神龙二年。

沈佺期在驩州，移住山间水亭，有诗作。 沈佺期《从驩州廨宅移住山间水亭赠苏使君》："鬼门因苦夜，瘴浦不宜秋。"当作于本年秋。沈佺期又有《敕到不得归题江上石》、《答魑魅代书寄家人》、《从崇山向越常》、《题椰子树》等诗，均当本年在驩州时所作，并系于此。参《沈佺期集校注》卷二诸诗注。

十月

宋之问归至洛阳，在鸿胪主簿任，作《请留驾表》。 宋之问《为东都僧等请留驾表》："臣伏见某月日敕，以今月九日，将幸长安。"《旧唐书》中宗纪："冬十月己卯，车驾还京师。"本月辛未朔，己卯为九日。《表》作于本月九日前。时宋之问当在鸿胪主簿任。《旧唐书》文苑中本传："逃还，匿于洛阳人张仲之家。仲之与驸马都尉王同皎等谋杀武三思，之问令兄子发其事以自赎。及同皎等获罪，起之问为鸿胪主簿。"《新唐书》文艺中李适附宋之问传略同。按告变者乃宋之问弟之逊，而非之问，新、旧《传》所记并误；之问或因之逊功乃得赦归并授鸿胪主簿，未可知也。参见《唐才子传校笺》卷一宋之问传笺。

十一月

韦承庆（640—706）卒，年六十七。《唐代墓志汇编续集》神龙〇一九《大唐故黄门侍郎兼修国史赠礼部尚书上柱国扶阳县开国子韦府君墓志铭并序》："公讳承庆，字延休，京兆杜陵人也。……制辰州刺史。未拜，转秘书少监监修国史，并判礼部侍郎事。修《则天实录》成，有制赐爵扶阳县开国子，食邑四百户……又特奉敕撰《则天皇后纪》。圣文成，授银青光禄大夫，兼赐紫服。……寻除黄门侍郎，方当补衮搋路……粤以神龙二年十一月十九日寝疾，薨于京师万年县大宁里第，春秋六十有七。"前题"秘书少监监修国史兼判刑部侍郎朝阳县开国子岑羲撰，中书舍人郑愔撰铭"。《旧唐书》韦思谦附韦承庆传所载略同。《新唐书》艺文志四："《韦承庆集》六十卷。"

苏颋出为合宫县令，张说、宋之问赋诗送之，说又有诗送王晙赴任永昌令。《唐会要》卷七〇："河南府河南县……二年十一月五日又改为合宫县，以苏颋（颋）为县令。"又："神龙二年十一月二日，改洛阳为永昌县，以王晙为县令。"张说《送苏合宫颂》、《送王晙自羽林赴永昌令》、宋之问《送合宫苏明府颂》诗作于此时。

本年

赵东曦、薛令之、徐安贞等进士及第，张鹭登才膺管乐科、才高位下科，考功员外郎赵彦昭知贡举。见《登科记考补正》卷四。

贺知章名扬上京，与张旭、张若虚、包融号"吴中四士"。《旧唐书》文苑中贺知章传："先是神龙中，知章与越州贺朝、万齐融，扬州张若虚、邢巨，湖州包融，俱以吴、越之士，文词俊秀，名扬于上京。朝万（按万字衍）止山阴尉，齐融昆山令，若虚兖州兵曹，巨监察御史。融遇张九龄，引为怀州司户、集贤直学士。数子人间往往传其文，独知章最贵。"《新唐书》刘晏附包佶传："父融，集贤院学士，与贺知章、张旭、张若虚有名当时，号'吴中四士。'"《旧传》云"神龙中"，姑系于此。按张旭，生卒年不详，字伯高，吴郡人。初为常熟尉，后任金吾长史。又曾为左率府长史。嗜酒，工书善诗，与李颀、高适、李白等交游。《全唐诗》录其诗六首。据《新唐书》文艺中李白附张旭传等。张若虚，扬州人，曾官兖州兵曹参军。《全唐诗》录其诗二首，《春江花月夜》最称名作。据《旧唐书》文苑中贺知章传、《新唐书》刘晏传等。包融，生卒年不详，润州延陵人。开元中，张九龄引为怀州司户参军，历集贤院学士、大理司直等职。有《包融诗》一卷，殷璠曾选其诗入《丹阳集》。据《唐才子传校笺》卷二包融传笺及补笺。

储光羲（706？—762？）生。储光羲，润州延陵人。开元中进士擢第，诏中书试文章，授冯翊主簿。曾任安宜、下邽、汜水诸县尉。辞官归乡，后隐终南山。天宝中出任太祝、监察御史。安禄山陷长安，受伪职。乱平，贬死岭南。有《储光羲集》七十卷。据顾况《监察御史储公集序》、《唐才子传校笺》卷一。

公元707年 （唐中宗神龙三年 景龙元年 丁未）

二月

中宗幸安乐公主宅，宋之问侍宴，有诗作。《旧唐书》中宗纪："（二月）辛卯，幸安乐公主宅。"宋之问有《宴安乐公主宅》诗，当作于此时。

春

苏颋在合宫令任，与杜审言唱和，时审言被召还，授国子监主簿。苏颋《和杜主簿春日有所思》："朝上高楼上，俯见洛阳陌。"杜主簿谓杜审言。《旧唐书》文苑上杜易简附杜审言传："神龙初，坐与张易之兄弟交往，配流岭外。寻召授国子监主簿。"杜审言当于本年被召还京，途经洛阳，遂得与苏颋唱和。于季子有《早春洛阳答杜审言》诗，或亦作于本年。

沈佺期驩州遇赦，旋北归。沈佺期《答宁爱州报赦》："书报天中赦，人从海上闻。"《喜赦》："去岁投荒客，今春肆眚归。"乃春日遇赦之作，作于本年，参见本年八月条。沈佺期又有《早发平昌岛》、《夜泊越州逢北使》等诗，当本年春北归途中所作。

六月

沈佺期北归至端州，作《峡山寺赋》。赋序云："峡山寺者，名隶端州……斋房浴室，眇在云汉。神龙二年夏六月，余投弃南裔，承恩北归，结缆山隅，周谒精舍，因为之赋焉。""二年"为"三年"之误。又沈佺期《自乐昌溯流至白石岭下行入郴州》："岁物应流火，天高云初薄。"乃本年七月行至郴州时所作，亦系于此。

七月

太子李重俊发兵杀武三思、武崇训父子，旋兵败而卒；宋之问、李峤等赋诗挽武氏父子。《通鉴》卷二○八："秋，七月，辛丑，太子与左羽林大将军李多祚……等，矫制发羽林千骑兵三百余人，杀三思、崇训于其第，并其亲党十余人。……太子与多祚引兵自肃章门斩关而入，叩阁索上官婕妤。……上乃与韦后、安乐公主、上官婕妤登玄武门楼以避兵锋。……太子以百骑走终南山……为左右所杀。……癸卯，赦天下。赠武三思太尉、梁宣王，武崇训开府仪同三司、鲁忠王。"宋之问有《梁宣王挽词三首》、《鲁忠王挽词三首》，李峤有《武三思挽歌》，作于本年武氏父子下葬时。李峤又有《马武骑挽歌》，亦同时之作。马武骑乃武驸马之错讹，武驸马谓武崇训，见陶敏《全唐诗人名考》。

八月

沈佺期北归至潭州，知苏味道、崔融已卒，赋诗哭之。沈佺期有《哭苏眉州崔司业二公》诗，序云："同时郎裴知古者，作牧潭府。神龙三年秋八月，佺期承恩北归，途中觏止，访及故旧，知眉州苏使君味道、国子崔司业融，驰旋间相次而逝。……流恸斯文，冀通幽路。"诗云："国宝亡双杰，天才丧两贤。大名齐弱岁，高德并中年。礼乐羊叔子，文章王仲宣。"赞苏、崔之事业文章。

苏颋自合宫令入为给事中。《旧唐书》苏瑰附苏颋传："神龙中，累迁给事中。"韩休《唐金紫光禄大夫礼部尚书上柱国赠尚书右丞相许国文宪公苏颋文集序》："遂拜考功员外郎，迁给事中。"张说《龙门西龛苏合宫等身观世音菩萨像颂》："武功苏君名颋。……御史，天宪也，抗执简之雄；郎官，星象也，高握兰之选。帝车西幸，皇眷东遥，四方之极，一台归妙，苏君于是乎始为政于京邑。……曾未期月，迁给事中。"苏颋为合宫令在去年十一月，此云未期月（即未满一周年）迁给事中，当在本年十一月前。又据陈祖言《张说年谱》所考，说此文作于本年九至十一月间，故知苏颋入为给事中当在本月前后，姑系于此。

九月

庚子，改元景龙，大赦天下。见《旧唐书》中宗纪。

十一月

张说丁母忧去职。《旧唐书》本传："景龙中，丁母忧去职。"事在本年十一月，参见陈祖言《张说年谱》。

十二月

沈佺期在起居郎任，作岁夜侍宴诗。《旧唐书》文苑中本传："神龙中，授起居郎。"《新唐书》文艺中李适附沈佺期传："会张易之败，遂长流驩州。稍迁台州录事参军。入计，得召见，拜起居郎兼修文馆直学士。"沈佺期有《岁夜安乐公主满月侍宴》诗，作于本年除夕，见《沈佺期集校注》卷二该诗注。时佺期当已由台州录事参军迁起居郎，而其以起居郎充修文馆直学士则在明年十月，见后。

本年

沧州民间作歌叹苦役。《朝野佥载》卷二："姜师度好奇诡，为沧州刺史兼按察，造抢车运粮，开河筑堰，州县鼎沸。于鲁城界内种稻置屯，穗蟹食尽，又差夫打蟹。苦之，歌曰：'卤地抑种稻，一概被水沫。年年索蟹夫，百姓不可活。'"姜师度本年在沧州刺史任，见《旧唐书》食货志下。民歌即作于本年前后。

元希声卒，崔湜为撰碑文，张说撰铭，卢藏用篆石。崔湜《故吏部侍郎元公碑》："乃拜吏部侍郎。……春秋四十有六，景龙元年某月终于某。……有文集三十卷，行于世。……余与公一遇相得，二纪同游……追慨畴曩，援毫涕集。公执交兵部侍郎南阳张说、吏部侍郎范阳卢藏用，当代英秀，文华冠时，而卢兼有临池之妙，故张述铭，卢篆石，天下称是碑有二美焉。"《新唐书》艺文志四："《元希声集》十卷。"

张九龄中材堪经邦科，授秘书省校书郎。徐浩《唐尚书右丞相中书令张公神道碑》："擢秘书省校书郎。"《旧唐书》本传："登进士第，应举登乙第，拜校书郎。"《册府元龟》卷六五四："神龙三年材堪经邦科：张九龄、康元环及第。"

阎朝隐遇赦，自崖州还京。《新唐书》文艺中李适附阎朝隐传："景龙初，自崖州遇赦还，累迁著作郎。"

卢藏用任中书舍人，著《析滞论》。《旧唐书》本传："神龙中，累转起居舍人，兼知制诰，俄迁中书舍人。藏用常以俗多拘忌，有乖至理，乃著《析滞论》以畅其事，辞曰：……"明年四月卢藏用以中书舍人充修文馆学士（见后），本年当已在中书舍人任。

郗云卿奉中宗敕搜求骆宾王诗文，集为十卷。郗云卿《骆宾王文集序》："兵事既不捷，因致逃遁，遂致文集悉皆散失。后中宗朝，降敕搜访宾王诗笔，令云卿集焉。所载者即当时之遗漏，凡十卷。此集并是家藏者，亦足传诸好事。鲁国郗云卿。"云

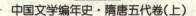

"中宗朝"，当在本年前后，姑系于此。《郡斋读书志》卷一七："《骆宾王集》十卷。……宾王七岁能属文，妙于五言诗。中宗诏求其文，得百余篇，命郗云卿次序之。"

公元708年 （唐中宗景龙二年 戊申）

二月

迦叶志忠奏进《桑韦歌》十二篇。《通鉴》卷二〇八："景龙二年春，二月，庚寅，宫中言皇后衣笥裙上有五色云起，上令图以示百官。韦巨源请布之天下，从之，仍赦天下。迦叶志忠奏：'昔神尧皇帝未受命，天下歌《桃李子》；文武皇帝未受命，天下歌《秦王破阵乐》；天皇大帝未受命，天下歌《堂堂》；则天皇后未受命，天下歌《妩媚娘》；应天皇帝未受命，天下歌《英王石州》；顺天皇后未受命，天下歌《桑条韦》，盖天意以为顺天皇后宜为国母，主蚕桑之事，谨上《桑韦歌》十二篇，请编之乐府，皇后祀先蚕则奏之。'太常卿郑愔又引而申之，上悦，皆受厚赏。"参见《旧唐书》后妃上中宗韦庶人传等。

三月

张谔等四十人进士及第，马怀素知贡举。见《登科记考》卷四、陈尚君《〈登科记考〉正补》。

四月

始置修文馆大学士、学士、直学士，李峤等人被选，从天子四时游宴，以文华取幸。《新唐书》文艺中李适传："初，中宗景龙二年，始于修文馆置大学士四员、学士八员、直学士十二员，象四时、八节、十二月。于是李峤、宗楚客、赵彦昭、韦嗣立为大学士，适、刘宪、崔湜、郑愔、卢藏用、李乂、岑羲、刘子玄为学士，薛稷、马怀素、宋之问、武平一、杜审言、沈佺期、阎朝隐为直学士，又召徐坚、韦元旦、徐彦伯、刘允济等满员。其后被选者不一。凡天子飨会游豫，唯宰相及学士得从。春幸梨园，并渭水祓除，则赐细柳圈辟疠；夏宴蒲萄园，赐朱樱；秋登慈恩浮图，献菊花酒称寿；冬幸新丰，历白鹿观，上骊山，赐浴汤池，给香粉兰泽，从行给翔麟马，品官黄衣各一。帝有所感即赋诗，学士皆属和。当时人所歆羡，然皆狎猥佻佞，忘君臣礼法，惟以文华取幸。"《通鉴》卷二〇九："夏，四月，癸未，置修文馆大学士四员，直学士八员，学士十二员（按当作学士八员，直学士十二员）。选公卿以下善为文者李峤等为之。每游幸禁苑，或宗戚宴集，学士无不毕从，赋诗属和，使上官昭容第其甲乙，优者赐金帛；同预宴者，惟中书、门下及长参王公、亲贵数人而已，至大宴，方召八座、九列、诸司五品以上预焉。于是天下靡然争以文华相尚，儒学忠谠之士莫得进矣。"《唐会要》卷六四："至景龙二年四月二十二日，修文馆增置大学士四员，学士八员，直学士十二员，征攻文之士以充之。二十三日，敕中书令李峤、兵部尚书宗楚客并为大学士。二十五日，敕秘书监刘宪、中书侍郎崔湜、吏部侍郎岑羲、太常卿郑憎、给事中李适、中书舍人卢藏用、李乂、太子中舍刘子玄并为学士。"按《李适传》所列诸学士非尽于本月选定，参本年五月、十月、十二月条。

五月

五日，敕宋之问、杜审言等为修文馆直学士。《唐会要》卷六四："五月五日，敕吏部侍郎薛稷、考功员外郎马怀素、户部员外郎宋之问、起居舍人武平一、国子主簿杜审言并为直学士。"按薛稷职衔"吏部侍郎"当为"吏部郎中"之讹，参见陈冠明《李峤年谱》本年条。

七月

甲午，吕元泰上疏谏兴造佛寺。《通鉴》卷二〇九："（七月）甲午，清源尉吕元泰上疏，以为：'边境未宁，镇戍不息，士卒困苦，转输疲弊，而营造佛寺，日广月滋，劳人费财，无有穷极。昔黄帝、尧、舜、禹、汤、文、武惟以俭约仁义立德垂名，晋、宋以降，塔庙竞起，而丧乱相继，由其好尚失所，奢靡相高，人不堪命故也。伏愿回营造之资，充疆场之费，使烽燧永息，群生富庶，则如来慈悲之施，平等之心，孰过于此！'疏奏不省。"

七日，中宗君臣两仪殿赋诗，李行言唱《步虚歌》。《唐诗纪事》卷九："景龙二年七夕，御两仪殿赋诗。李峤献诗云：'谁言七襄咏，流入五弦歌。'是日，李行言唱《步虚歌》。"卷一一："（李）行言，陇西人。兼文学干事，《函谷关》诗为时所许。中宗时，为给事中。能唱《步虚歌》，帝七月七日御两仪殿会宴，帝命为之。行言于御前长跪，作三洞道士音词歌数曲，貌伟声畅，上频叹美。"按中宗所赋诗今不传，今存李峤、赵彦昭、刘宪、李乂、苏颋、杜审言《奉和七夕两仪殿会宴应制》诗，当为与中宗诗同时而作者。按上列诸人诗题未尽一致，贾晋华《唐代集会总集与诗人群研究》所辑《景龙文馆记》统作此题，从之。以下所及景龙文馆学士诗之作者及诗题，亦均本贾辑《文馆记》，偶有变通。

辛替否上疏谏营佛寺。《通鉴》卷二〇九："七月……上及皇后、公主多营佛寺。左拾遗京兆辛替否上疏谏，略曰：……又曰：'若以造寺必为理体，养人不足经邦，则殷、周已往皆暗乱，汉、魏已降皆圣明，殷、周已往为不长，汉、魏已降为不短矣。陛下缓其所急，急其所缓，亲未来而疏见在，失真实而冀虚无，重俗人之为，轻天子之业，虽以阴阳为炭，万物为铜，役不食之人，使不衣之土，犹尚不给，况资于天生地养，风动雨润，而后得之乎！一旦风尘再扰，霜雹荐臻，沙弥不可操干戈，寺塔不足攘饥馑，臣窃惜之。'疏奏，不省。"

九月

九日，中宗君臣游慈恩寺塔并赋诗。《唐诗纪事》卷三："九月九日，上幸慈恩寺，登浮图，群臣上菊花寿酒赋诗，婕妤献诗云：……"卷九："九月，幸慈恩寺塔，上官氏献诗，群臣并赋。"上官婉儿《九月九日上幸慈恩寺登浮图群臣上菊花寿酒》诗，李峤、赵彦昭、刘宪、郑愔、李乂、宋之问、萧至忠、李迥秀、杨廉、辛替否、王景、毕乾泰、麹瞻、樊忱、孙佺、李从远、周利用、李恒、张景源、张锡、解琬、薛稷、马怀素、崔日用、岑羲、卢藏用、李适《奉和九月九日登慈恩寺浮图应制》诗，当并为本日所作。

闰九月

九日，中宗登总持寺塔，李峤等献诗。《唐诗纪事》卷九："闰九月，幸总持寺，登浮图，李峤等献诗。"李峤、宋之问、刘宪、李乂并有《闰九月九日幸总持寺登浮图应制》诗，作于是日。

秋

宋之问弟赴许州司马任，之问、徐坚等赋诗饯之。宋之问、李适、李乂、卢藏用、薛稷、马怀素、徐坚并有《饯许州宋司马赴任》诗，当作于景龙间诸人为修文馆学士时。卢诗云："零雨征轩骛，秋风别骥嘶。"徐诗云："分襟与秋气，日夕共悲哉。"知作于秋日。宋之问明年秋贬为越州长史，则诸诗当本年秋或明年之间贬出前之秋日所作，姑系于此。又据宋诗"颍郡水东流，荀陈兄弟游。偏伤兹日远，独向聚星州。……当闻力为政，遥慰我心愁"及薛诗"令弟与名兄，高才振两京。别序闻鸿雁，离章动鹡鸰"等句，知诗题之"宋司马"当为宋之问弟之逊或知悌，参《宋之问集校注》卷二该诗注。

十月

三日，中宗驾幸三会寺，上官婉儿等献诗。《唐诗纪事》卷三："十月，驾幸三会寺，婕妤献诗云：……"卷九："十月三日，幸三会寺。"上官婉儿、李峤、郑愔、刘宪、李乂、宋之问并有《奉和幸三会寺应制》诗，作于此时。

四日，苏颋为修文馆学士，沈佺期为直学士。《唐会要》卷六四："十月四日，兵部侍郎赵彦昭、给事中苏颋、起居郎沈佺期并为学士。"亦见《唐诗纪事》卷九。又韩休《唐金紫光禄大夫礼部尚书上柱国赠尚书右丞相许国文宪公苏颋文集序》："迁给事中，特制授修文馆学士。"按沈佺期当为修文馆直学士，见上年十二月及本年四月条。

八日，武平一上表请损抑外戚权宠。《通鉴》卷二〇九："冬，十月，己酉，修文馆直学士、起居舍人武平一上表请抑损外戚权宠；不敢斥言韦氏，但请抑损己家。上优诏不许。"己酉为八日。

杜审言（648？—708）卒，年约六十一，宋之问为文祭之，时之问在考功员外郎任。《旧唐书》文苑上杜易简附杜审言传："寻召授国子监主簿，加修文馆直学士。年六十余卒。有文集十卷。"《新唐书》文艺上本传："入为国子监主簿、修文馆直学士，卒。大学士李峤等奏请加赠，诏赠著作郎。初，审言病甚，宋之问、武平一等省候何如，答曰'甚为造化小儿所苦，尚何言？然吾在，久压公等，今且死，固大慰，但恨不见替人'云。少与李峤、崔融、苏味道为文章四友，世号'崔、李、苏、杜'。"《唐诗纪事》卷六："审言卒，李峤已下请加赠，时武平一为表云：……"宋之问《祭杜学士审言文》："维大唐景龙二年岁次戊申月日，考功员外郎宋之问，谨以清酌之奠，敬祭于故修文馆学士杜君之灵。……缑氏山兮山上云，秦城郊兮郊外坟，孟冬十月兮共归君，君有灵兮闻不闻？"审言当卒于本月或稍前，姑系于此。《新唐书》艺文志四："《杜审言集》十卷。"《郡斋读书志》卷一七："《杜审言集》一卷。……集有诗四十余篇而已。"陈子昂《送吉州杜司户审言序》："徐、陈、应、刘，不得傃其墓；何、王、沈、谢，适足靡其旗。"宋之问《祭文》："运钟唐虞，崇文宠儒，国求至宝，家献灵珠。后俊有王、杨、卢、骆，继之以子跃云衢。王也才参卿于西陕，杨也终远宰于东吴，卢则哀其栖山而卧疾，骆则不能保族而全躯。由运然也，莫以福寿自卫；神将忌也，不得华实斯俱。惟灵昭昭，度越诸子，言必得俊，意常通理。其含润也，若和风欲曙，摇露气于春林；其秉艳也，似凉雨半晴，悬日光于秋水。众辙同遵者摈落，群心不际者探拟，人也不幸而则亡，名兮可大而不死。"王得臣《麈史》卷二："杜审言，子美祖也，则天时以诗擅名，与宋之问唱和，有'绾雾清条弱，牵风紫蔓长'，又'寄语洛城风与月，年年春色倍还人'，子美'林花著雨胭脂落，水荇牵风翠带长'，又云'传语风光共流转，暂时相赏莫相违'，虽不袭取其意，而语脉盖有家风矣。"杨万里《杜必简诗集序》："今观必简之诗，若'牵风紫蔓长'，即'水荇牵风翠带长'之句也；若'鹳子曳童衣'，即屿怪童衣之句也；若'云阴送晚雷'，即'雷声忽送千峰雨'之句也；若'风光新柳报，宴赏落花催'，即'星霜玄鸟变，身世白驹催'之句也。予不知祖孙之相似，其有意乎，抑亦偶然乎？至于'往来花不发，新旧雪仍残'，如'日气残虹影'，如'愁思看春不当春，明年春色倍还人'，如'飞花搅独愁'，皆佳句也，三世之久，莫与京也宜哉。"（《诚斋集》卷八三）《直斋书录解题》卷一九："唐初沈、宋以来，律诗始盛行，然未以平侧失眼为忌。审言诗虽不多，句律极严，无一失粘者，甫之家传有自来矣。"《唐诗品·修文馆直学士杜审言》："学士高才命世，凌轹同等，律调琅然，极其华茂。然其心灵流畅，不烦搆结，而自出雅致。旷代高之，以为家祖，少陵雄生后代，威凤之丸，不离苞素者也。《守岁》篇云：'宫阙星河低拂树，殿庭灯烛上熏天。'气色高华，罕得其比。"《艺苑卮言》卷四："杜审言华藻整栗小让沈、宋，而气度高逸，神情圆畅，自是中兴之祖，宜其矜率乃尔。"《诗薮》内编卷四："初唐无七言律，五言亦未超然。二体之妙，杜审言实为首倡。五言则'行止皆无地'、'独有宦游人'，排律则'六位乾坤动'、'北地寒应苦'，七言则'季冬除夜'、'毗陵震泽'，皆极高华雄整。少陵继起，百代楷模，有自来矣。"《唐诗归》卷二钟惺云："初唐诗至必简，整矣，畅矣。吾尤畏其少，古人作诗不肯多，意甚不善。"又："必简数诗，开诗家齐整平密一派门户，在初唐实亦创作。"《诗源辩体》一三："杜审言五言，律体已成，所未成者，长短两篇而已。今观沈、宋集中，亦尚有四五篇未成者。然则五言律体实成于杜、沈、宋，而后人但言成于沈、宋，何也？审言较沈、宋复称俊逸，而体自整栗，语自雄丽，其气象风格自在，亦是律诗正宗。"《载酒园诗话又编》："杜必简散朗轩豁，其用笔如风发溢生，有遇方成珪、遇圆成璧之妙。即作磊矿语，亦犹苏子瞻坐桄榔林下食芋饮水，略无攒眉蹙额之态。此僻涩苦寒之对剂也。但上苑芳菲，止于明媚之观。"《石洲诗话》卷一："杜必简于初唐流丽中，别具沉挚，此家学所由启也。"《三唐诗品》卷一："承流散藻，词非一骨，间有六代遗音，而律诗清柔，无复陈、隋健响，于初唐最为晚派。自诞'衙官屈、宋'，殊太过情。乃如'云霞出海'、'草绿长门'，亦自独辟生蹊，发为孤秀，以罕见长耳。"

十一月

五日，中宗诞辰，君臣共作柏梁体联句诗。《唐诗纪事》卷九："十一月十五日，中宗诞辰，内殿联句为柏梁体。"卷一："十一月帝诞辰，内殿宴群臣，联句云：……帝谓侍臣曰：'今天下无事，朝野多欢，欲与卿等词人，时赋诗宴乐，可识朕意，不须惜醉。'大学士李峤、宗楚客等跪奏曰：'臣等多幸，同遇昌期。谬以不才，策名文馆。思励驽朽，庶裨河岳。既陪天欢，不敢不醉。'此后每游别殿，幸离宫，驻跸芳苑，鸣笳仙禁，或戚里宸筵，王门香席，无不毕从。"联句诗每句下注明作者，依次为：中宗、李峤、宗楚客、刘宪、崔湜、郑愔、赵彦昭、李适、苏颋、卢藏用、李乂、马怀素、薛稷、宋之问、陆景初、上官婉儿。按据《旧唐书》中宗纪、《唐会要》卷一，并查《二十史朔闰表》，中宗诞辰为十一月五日，《唐诗纪事》谓十一月十五日，误。

二十三日，中宗以安乐公主大婚，宴群臣于两仪殿，武平一因上疏议"合生"之流弊。《通鉴》卷二〇九：景龙二年十一月，"初，武崇训之尚（安乐）公主也，延秀数得侍宴。……及崇训死，遂以延秀尚焉。己卯，成礼，……辛巳，宴群臣于两仪殿，命公主出拜公卿，公卿皆伏地稽首。"辛巳为二十三日。《新唐书》武平一传："后宴两仪殿，帝命后兄光禄少卿婴监酒，婴滑稽敏给，诏学士嘲之，婴能抗数人。酒酣，胡人袜子、何懿等唱'合生'，歌言浅秽，因倨肆，欲夺司农少卿宋廷瑜赐鱼。平一上书谏曰：'……伏见胡乐施于声律，本备四夷之数，比来日益流宕，异曲新声，哀思淫溺。施自王公，稍及闾巷，妖伎胡人、街市童子，或言妃主情貌，或列王公名质，咏歌蹈舞，号曰'合生'。……臣愿屏流僻，崇肃雍，凡胡乐，备四夷外，一皆罢遣。……'不纳。"平一议"合生"事或在本次宴两仪殿时，姑系于此。

上官婉儿由婕妤进为昭容。《旧唐书》后妃上上官昭容传："中宗即位，又令专掌制命，深被信任。寻拜为昭容。"《通鉴》卷二〇九："十一月……以婕妤上官氏为昭容。"

十二月

六日，中宗幸荐福寺，宋之问等应制作诗。《唐诗纪事》卷九："十二月六日，上幸荐福寺。郑愔诗先成，宋之问后进。"李峤、赵彦昭、宋之问、郑愔、刘宪、李乂并有《奉和幸荐福寺应制》诗，作于此时。

二十日，立春，上官婉儿等侍宴赋诗。《唐诗纪事》卷九："立春侍宴赋诗。"卷三："中宗立春日游苑迎春，昭容应制云：……"本年立春在十二月二十日。中宗有《立春日游苑迎春》诗，李适、韦元旦、阎朝隐、沈佺期、卢藏用、马怀素、崔日用并有《奉和立春游苑迎春应制》诗，韦诗云"殷正腊月早迎新"，知作于本年。又李峤、赵彦昭、沈佺期、宋之问、刘宪、上官婉儿、苏颋并有《奉和圣制立春日侍宴内殿出剪彩花应制》诗，李诗云"早闻年欲至"，亦当为本年立春日所作。按韦元旦、阎朝隐预修文馆学士唱和始见于此。《新唐书》文艺中李适附韦元旦传："（张）易之败，贬感义尉。俄召为主客员外郎，迁中书舍人。"《旧唐书》文苑中阎朝隐传："易之伏诛，坐徙岭外。寻召还。"参上年阎朝隐条。《唐诗纪事》卷一一授阎朝隐著作郎直学士制云："朝隐夜光成宝，朝阳擢秀，文高一变，艺总三端。承顾问于鸾掖，掌图书于麟府。顷属播迁，或返班序。方来石室分曹，已参于著述；金门直事，俾崇于伸奖。可修文馆直学士。"韦、阎二人并当于此前不久入修文馆为直学士。

二十一日，中宗幸临渭亭，李峤等应制赋诗。《唐诗纪事》卷九："二十一日，幸临渭亭，李峤等应制。"李峤、李适、李乂、徐彦伯、苏颋并有《游禁苑陪幸临渭亭遇雪应制》诗，作于是日。按徐彦伯本年在卫州刺史任，见《唐刺史考全编》卷一〇一，则其当无缘预修文馆学士唱和，徐彦伯当是赵彦昭之讹误。

二十六日，中宗幸长安故城，李峤等应制赋诗。《唐诗纪事》卷九："三十日，幸长安故城。"《册府元龟》卷一一三："十二月，甲寅，幸汉故未央宫旧基。"甲寅为二十六日，当以此日为是。李峤、赵彦昭、刘宪、宋之问、李乂并有《奉和幸长安故城未央宫应制》诗，为当时所作。

三十日，中宗与诸学士守岁，戏以皇后乳母嫁与窦从一；沈佺期有《守岁应制》诗。《唐诗纪事》卷九："十二月晦，诸学士入阁守岁，以皇后乳母戏适御史大夫窦从一。"《通鉴》卷二〇九："丁巳晦，敕中书、门下与学士、诸王、驸马入阁守岁，设庭燎，置酒，奏乐。……上命从一诵《却扇诗》数首。扇却，去花易服而出，徐视之，乃皇后老乳母王氏，本蛮婢也。上与侍臣大笑。诏封莒国夫人，嫁为从一妻。"按据《二十史朔闰表》，本月己丑朔，丁巳为二十九日，非晦日，晦日为戊午三十日；《通鉴》谓"丁巳晦"，或误，参见吴玉贵《资治通鉴疑年录》。又沈佺期有《守岁应制》诗，当本年除夕所作。

本年

赵东曦上《王政》三卷。《唐代墓志汇编续集》天宝〇六八《唐故国子祭酒赵君（冬曦）圹》："成□□□，举□情性，亦未尝以世务为心也。或曰：全其道，含其光，怀其宝，迷其邦，独善乃可，用大则未已。由是始起，强为著书，核王政之得失，陈理体之终始，凡十七篇。景龙中，河南黜陟使卢怀慎览而钦叹，持表上闻。天子嘉焉。"《新唐书》艺文志三："赵冬曦《王政》三卷，景龙二年上。"

民间有歌谣预言安乐公主及谯王将丧败。《朝野佥载》卷一："景龙年，安乐公主于洛州道光坊造安乐寺，用钱数百万。童谣曰：'可怜安乐寺，了了树头悬。'后诛逆韦，并杀安乐，斩首悬于竿上，改为悖逆庶人。"又："景龙中谣曰：'可怜圣善寺，身着绿毛衣。牵来河里饮，踏杀鲤鱼儿。'至景云中，谯王从均州入都作乱，败走，投洛川而死。"

琅玡妇人王氏撰《天宝回文诗》。高适《为东平薛太守进王氏瑞诗表》："伏见范阳卢某母琅玡王氏……去景龙二载，撰《天宝回文诗》凡八百一十二字，循环有数，若寒暑之递迁；应变无穷，谓阴阳之莫测。"（见《高适集校注》；以下凡引高适诗文均据是书，不复注）按高适此表作于天宝五载，见该年春高适条。胡应麟《诗薮》外篇卷四："苏若兰《璇玑诗》，宛转反覆，相生不穷，古今诧为绝唱。余读高达夫集，有《进王氏瑞诗表》云：'琅琊王氏，于天宝（按当作景龙）二载撰回文诗八百一十二字……'则亦当不在苏下，而湮灭莫传，殊可慨也。"

王维作《过秦皇墓》等诗。《过秦皇墓》题下注："时年十五。"（见《王维集校注》卷一；以下凡引王维诗文均据是书，不复注）又有《题友人云母障子》诗，题注亦云："时年十五。"

公元 709 年　（唐中宗景龙三年　己酉）

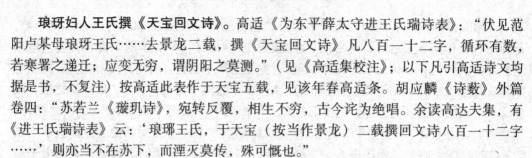

正月

七日，中宗君臣登清晖阁遇雪，李峤等并应制赋诗以纪其胜，沈佺期等又作《回波词》。《唐诗纪事》卷九："三年人日，清晖阁登高遇雪，宗楚客诗云'蓬莱雪作山'是也，因赐金彩人胜。李峤等七言诗。是日甚欢，上令学士递起屡舞，至沈佺期赋《回波》，有齿录牙绯之语。"《本事诗》："沈佺期以罪谪，遇恩，复官秩，朱绂未复。尝内宴，群臣皆歌《回波乐》，撰词起舞，因是多求迁擢。佺期词曰：'回波尔似佺期，流向岭外生归。身名已蒙齿录，袍笏未复牙绯。'中宗即以绯鱼赐之。崔日用为御史中丞，赐紫。是时佩鱼须有特恩，亦因内宴，中宗命群臣撰词，日用曰：'台中鼠子直须谙，信足跳梁上壁龛。倚翻灯脂污张五，还来啮带报韩三。莫浪语，直王相，大家必若赐金龟，卖却猫儿相赏。'中宗亦以绯鱼赐之。"又："中宗朝，御史大夫裴谈崇奉释氏。妻悍妒，谈畏之如严君。……时韦庶人颇袭武氏之风轨，中宗渐畏之。内宴唱《回波词》，有优人词曰：'回波尔时栲栳，怕妇也是大好。外边只有裴谈，内里无过李老。'韦后意色自得，以束帛赐之。"《新唐书》崔日用传："宴内殿，酒酣，起为《回波舞》，求学士，即诏兼修文馆学士。"《唐诗纪事》卷一〇："上宴日，日用起舞，自歌云：'东馆总是鹓鸾，南台自多杞梓。日用读书万卷，何忍不蒙学士？墨制帘下出来，微臣眼看喜死。'其日以日用兼修文馆学士，制曰：'日用书穷万卷，学富三冬。'日用舞蹈拜谢。"《通鉴》卷二〇九：景龙三年二月，"上又尝宴侍臣，使各为《回波辞》，众皆为谄语，或自求荣禄，谏议大夫李景伯曰：'回波尔时酒卮，微臣旨在箴规。侍宴既过三爵，喧哗窃恐非仪。'上不悦。萧至忠曰：'此真谏官也。'"云"又尝宴侍臣"，盖追述之词，非谓此事在本年二月也，当亦本月七日事。按李峤、宗楚客、刘宪、李乂、赵彦昭、苏颋并有五律《奉和人日清晖阁宴群臣遇雪应制》，刘宪、宋之问、沈佺期、萧至忠、李峤、赵彦昭又各有七绝《人日玩雪应制》，均当作于本日，又上引沈佺期、某优人、李景伯、崔日用《回波词》及崔日用《乞金鱼词》，亦当本日所作。

二十九日，中宗幸昆明池，宋之问等应制赋诗。《唐诗纪事》卷九："晦日，幸昆明池，宋之问诗'自有夜珠来'之句，至今传之。"卷三："中宗正月晦日幸昆明池赋诗，群臣应制百余篇。帐殿前结彩楼，命昭容选一首为新翻御制曲。从臣悉集其下，须臾纸落如飞，各认其名而怀之。既进，惟沈、宋二诗不下。又移时，一纸飞坠，竞取而观，乃沈诗也。及闻其评曰：二诗工力悉敌。沈诗落句云：'微臣雕朽质，羞睹豫章材。'盖词气已竭。宋诗云：'不愁明月尽，自有夜珠来。'犹陟健举。沈乃伏，不敢复争。宋之问诗曰：……"按本月己未朔，晦日为二十九日。沈佺期、宋之问、李乂、苏颋并有《奉和晦日幸昆明池应制》诗，作于本日。诸诗中宋之问诗向称名作。《唐诗镜》卷五："三、四语气响湛。'象溟'二语擅场，不及沈佺期'双星'二语色相尤胜。"《删补唐诗选脉笺释会通评林》卷三七："此诗经昭容评后，遂为千秋绝调。然非天挺才华，神情焉得焕发萃美如此，即延清亦不自知其工也。"《唐诗观澜集》卷八："严整精确，无懈可击。结尤神来，固当制胜。"《载酒园诗话又编》："《晦日昆明应制》，精密警丽，自不待言，但反覆读之，终篇有颂无规，律以《卷阿》矢言之义，即宋固非其至。"

二月

八日，中宗、李峤等赋诗送荆州僧人玄奘等还乡。《唐诗纪事》卷九："二月八日，送沙门玄奘等归荆州，李峤等赋诗。"《宋高僧传》卷二四唐荆州白马寺玄奘传："与道俊同被召，在京二载。景龙三年二月八日，孝和帝于林光殿解斋，时诸学士同观盛集。奘等告乞还乡，诏赐御诗，诸学士大僚奉和。中书令李峤诗云：……中书舍人李乂云：……更有诸公诗送，此不殚录。"卷五恒景传："姓文氏，当阳人也。……自天后、中宗朝，三被诏入内供养为受戒师。以景龙三年奏乞归山，敕允其请。……仍送景并道俊、玄奘各还故乡。帝亲赋诗，学士应和，即中书令李峤、中书舍人李乂等数人。"亦见卷八道俊传。李峤、李乂并有《送沙门弘景道俊玄奘还荆州应制》诗。

十一日，中宗幸太平公主南庄，李峤等应制赋诗。《唐诗纪事》卷九："十一日，幸太平公主南庄。"李峤、沈佺期、宋之问、苏颋、李乂、韦嗣立、邵升、赵彦昭并有《奉和初春幸太平公主南庄应制》诗，为此时所作。按诸诗中李峤诗向称名作。《唐诗评选》卷四："吟此结联，笑'笙歌归院落，灯火下楼台'，何物冷淡生活，乃得滥称富贵语？即此可验心旌笔致。"

中宗宴近臣及修文馆学士，令卢藏用等各效伎艺为乐，郭山恽颂《鹿鸣》、《蟋蟀》以讽，中宗赞赏之。《旧唐书》儒学下郭山恽传："景龙中，累迁国子司业。时中宗数引近臣及修文学士，与之宴集，尝令各效伎艺，以为笑乐。工部尚书张锡为《谈容娘舞》，将作大匠宗晋卿舞《浑脱》，左卫将军张洽舞《黄獐》，左金吾卫将军杜元琰诵《婆罗门咒》，给事中李行言唱《驾车西河》，中书舍人卢藏用效道士上章。山恽独奏曰：'臣无所解，请颂古诗两篇。'帝从之，于是颂《鹿鸣》、《蟋蟀》之诗。奏未毕，中书令李峤以其词有'好乐无荒'之语，颇涉规讽，怒为忤旨，遽止之。翌日，帝嘉山恽之意，诏曰：'郭山恽业优经史，识贮古今，《八索》、《九丘》，由来遍览；前言往行，实所该详。昨者因其豫游，式宴朝彦，既乘欢洽，咸使咏歌。遂能志在匡时，潜申规讽，謇謇之诚弥切，谔谔之操逾明。宜示褒扬，美兹鲠直。'赐时服一副。"《通鉴》卷二〇九记此事于本年年二月，从之。胡三省于此注《黄獐》云："如意初，里歌曰：'黄獐黄獐草里藏，弯弓射尔伤。'亦演以为舞。"

李峤、李乂有游苑应制诗。李峤、李乂并有《奉和春日游苑喜雨应诏》诗，当作于景龙中为修文馆学士时。李乂诗有"二月早闻雷"之句，知作于本年或明年之二月，姑系于此。

三月

京中有民谣讽崔湜、郑愔、岑羲。《朝野佥载》卷四："唐郑愔曾骂选人为痴汉，选人曰：'仆是吴痴，汉既是公。'愔令咏痴，吴人曰：……"又："唐崔湜为吏部侍郎贪纵……时崔、岑、郑愔并为吏部，京中谣曰：'岑羲獠子后，崔湜令公孙。三人相比接，莫贺咄最浑。'"《通鉴》卷二〇九："三月，戊午，以宗楚客为中书令，萧至忠为侍中，太府卿韦嗣立为中书侍郎、同中书门下三品。中书侍郎崔湜、赵彦昭并同平章事。崔湜通于上官昭容，故昭容引以为相。……戊寅，以……太常卿郑愔为吏部尚书（按当作"侍郎"）、同平章事。"郑愔本月始为吏部侍郎，其令选人咏痴及因选事而与崔湜、岑羲同被民谣所讽当在本月或稍后。又岑羲任吏侍似较清正，《旧唐书》岑文本附岑羲传云："再迁吏部侍郎。时吏部侍郎崔湜、太常少卿郑愔、大理少卿李允恭分掌选事，皆以赃货闻，羲最守正，时议美之。"与《佥载》所载不同。

韦嗣立上疏谏兴造佛寺等弊政。《通鉴》卷二〇九："三月……时政出多门，滥官充溢，人以为三无坐处，谓宰相、御史及员外官也。韦嗣立上疏，以为：'比者造寺极多，务取崇丽，大则用钱百数十万，小则三五万，无虑所费千万以上，人力劳弊，怨嗟盈路。佛之为教，要在降伏身心，岂雕画土木，相夸壮丽！万一水旱为灾，戎狄构患，虽龙象如云，将何救哉！……'上弗听。"

春

韦述等登进士第，考功员外郎宋之问知贡举。《旧唐书》文苑中宋之问传："景龙中，再转考功员外郎。……及典举，引拔后进，多知名者。"同书韦述传："举进士，西入关，时述甚少，仪形眇小。考功员外郎宋之问曰：'韦学士童年有何事业？述对曰：'性好著书。述有所撰《唐春秋》三十卷，恨未终篇。至如词策，仰待明试。'之问曰：'本求异才，果得迁、固。'是岁登科。"参见陈尚君《〈登科记考〉正补》、孟二冬《登科记考补正》卷四。

中宗幸芙蓉园，李峤等应制赋诗。李乂、苏颋、宋之问、李峤并有《春日侍宴幸芙蓉园应制》诗，当作于为修文馆学士时。宋之问本年秋贬往越州，此后未再回京，而修文馆广置学士始于上年四月，故知诸诗作于本年春。又宋之问有《浣纱篇赠陆上人》诗。宋姚宽《西溪丛语》卷上："因观唐《景龙文馆记》，宋之问分题得《浣纱篇》，云：……"诗亦当本年秋之问贬出之前所作，附记于此。

五月

崔湜、郑愔同知吏部选事，坐赃贿不公贬官，湜贬襄州途中赋诗言志。《旧唐书》中宗纪："夏五月丙戌，崔湜、郑愔坐赃，湜贬襄州刺史，愔贬江州司马。"同书崔仁师附崔湜传："俄拜吏部侍郎，寻转中书侍郎、同中书门下平章事，与郑愔同知选事，铨综失序，为御史李尚隐所劾，愔坐配流岭表，湜左转为江州司马。上官昭容密与安乐公主曲为申理，中宗乃以愔为江州司马，授湜襄州刺史。"《通鉴》卷二〇九："中书侍郎兼知吏部侍郎同平章事崔湜、吏部侍郎同平章事郑愔俱掌铨衡，倾附势要，赃贿狼籍，数外留人，授拟不足，逆用三年阙，选法大坏。……上下湜等狱，……夏，五月，丙寅，愔免死，流吉州，湜贬江州司马。上官昭容密与安乐公主、武延秀曲为申理，明日，以湜为襄州刺史。愔为江州司马。"崔湜《景龙二年余自门下平章事削阶授江州员外司马寻拜襄州刺史春日赴襄阳途中言志》："始佐庐陵郡，寻牧襄阳城。"庐陵郡为吉州，而非江州，然则诗题中"二年"当作三年，"江州"当作吉州，"春日"当作夏日。参岑仲勉《读全唐诗札记》。

卢藏用任吏部侍郎。《旧唐书》本传："景龙中，为吏部侍郎。"苏颋《授卢藏用检校吏部侍郎制》："朝请大夫、守中书舍人、兼知吏部侍郎、修文馆学士、上轻车都尉卢藏用，含和育粹，直道正身。学贯儒墨，词精比兴。风尘之外，独秀瑶林；清白之中，常悬冰镜。自四年掌诰，九品作程，峻而不杂，重轻咸当。……可检校吏部侍郎，仍佩鱼如故。"《封氏闻见记》卷三："中宗景龙末，崔湜、郑愔同执铨管……卢藏用承郑氏之后……"崔、郑以"铨综失序"本月被贬，卢藏用为吏部侍郎当在此时。

沈如筠《正声集》中有诗为卢藏用所赏。谈钥《吴兴志》卷一六："又有沈如筠，有《正声集》，诗三百首。有曰'阴阳燕旧都，美人花不如'，吏部侍郎卢藏用常讽诵之。"卢藏用本月任吏部侍郎，则沈诗之结集当在此前后，姑系于此。按沈如筠又有《异物志》三卷，《新唐书》艺文志三小说家类著录。

六月

杨再思卒，李乂、赵彦昭以诗哭之。《旧唐书》杨再思传："景龙三年，迁尚书右仆射，加光禄大夫，其年薨。"中宗纪："（六月）癸卯，尚书右仆射杨再思薨。"李乂、赵彦昭并有《哭仆射鄂公杨再思》诗。

七月

崔湜在襄州刺史任，有诗寄岑羲。崔湜有《襄阳早秋寄岑侍郎》诗。岑侍郎谓岑羲。本年十一月崔湜被召入京，见下，诗当作于本年七月湜任襄州刺史时。崔湜另有《襄城即事》、《襄阳作》，附记于此。

八月

李峤罢中书令，以特进同中书门下三品。《旧唐书》李峤传："景龙三年，罢中书令,以特进守兵部尚书、同中书门下三品。"中宗纪:"八月乙酉,特进、行中书令、赵国公李峤为特进、同中书门下三品。"

十一日,中宗君臣赋诗送张仁亶赴军。《唐诗纪事》卷九:"七月,幸望春宫,送朔方节度使张仁亶赴军。"《旧唐书》中宗纪:"(八月)乙未,亲送朔方军总管、韩国公张仁亶于通化门外,上制序赋诗。"乙未为十一日。此从《旧纪》。李峤、刘宪、李乂、苏颋、郑愔、李适并有《奉和幸望春宫送朔方军大总管张仁亶》,为本次所作。按郑愔其时已贬为江州司马,不合有此作,疑误。

二十一日,中宗幸安乐公主山庄,李峤等应制赋诗。李峤有《太平公主山亭侍宴应制》诗,题下注云:"景龙三年八月十三日。"《唐诗纪事》卷九:"八月三日,幸安乐公主西庄。"《旧唐书》中宗纪:"(八月)乙巳,幸安乐公主山亭,宴侍臣、学士,赐缯帛有差。"《通鉴》卷二〇九:"己巳,上幸定昆池,命从官赋诗。黄门侍郎李日知诗曰:'所愿暂思居者逸,勿使时称作者劳。'及睿宗即位,谓日知曰:'当是时,朕亦不敢言之。'"《类编长安志》卷三:"定昆池,本安乐公主西庄也。"按本月乙酉朔,无己巳日,乙巳为二十一日,《通鉴》之"己巳"当作"乙巳",《纪事》之"三日"当为"二十一日"之误,李峤诗题之"太平"当作"安乐",而题注之"十三日"亦当为"二十一日"之误。赵彦昭、宗楚客、卢藏用、苏颋、萧至忠、岑羲、李乂、马怀素、韦元旦、李迥秀、李适、薛稷、刘宪、沈佺期并有《奉和幸安乐公主山庄应制》诗,与李峤诗当为同时之作。

九月

九日,中宗登临渭亭,与侍臣学士分韵赋诗。《旧唐书》中宗纪:"九月壬戌,幸九曲亭子,宴侍臣、学士。"壬戌为九日。《唐诗纪事》卷一:"《九月九日幸临渭亭登高作》云:……时景龙三年也。御制序云:'陶潜盈把,既浮九酝之欢;毕卓持螯,须尽一生之兴。人题四韵,同赋五言,其最后成,罚之引满。'……是宴也,韦安石、苏瓌诗先成,于经野、卢怀慎最后成,罚酒。"盖九曲亭子即临渭亭。《纪事》卷九、卷一二等亦略记本次登高赋诗之事。中宗有《九月九日幸临渭亭登高得秋字》诗,韦安石、苏瓌、李峤、萧至忠、窦希玠、韦嗣立、李迥秀、赵彦昭、杨廉、岑羲、卢藏用、李咸、阎朝隐、沈佺期、薛稷、苏颋、李乂、马怀素、陆景初、韦元旦、李适、郑南金、于经野、卢怀慎等依所得韵字不同,各赋《奉和九日幸临渭亭登高应制》诗,俱为本日之作。

苏瓌为相,苏颋时已任中书舍人,父子同掌枢密,时人荣之。《通鉴》卷二〇九:"九月,戊辰,以苏瓌为右仆射、同中书门下三品。"《唐会要》卷八二:"九月,苏瓌拜右仆射、同中书门下三品,与男中书舍人颋联事,奏请出为外官,遂进秘书监。御笔批曰:'仆射不绾中书,苏颋不改也。'明日固让,上曰:'欲得卿长在中书。'遂与父联事通直。"《大唐新语》卷一:"苏颋神龙给事中,并修文馆学士,转中书舍人。时父瓌为宰相,父子同掌枢密,时人荣之。属机事填委,制诰皆出其手。中书令李峤叹曰:'舍人思如泉涌,峤所不及也。'"

秋

宋之问贬越州长史，赴任途中多有诗作。《新唐书》文艺中李适附宋之问传："景龙中，迁考功员外郎，谄事太平公主，故见用，及安乐公主权盛，复往谐结，故太平深疾之。中宗将用为中书舍人，太平发其知贡举时赇饷狼藉，下迁汴州长史，未行，改越州长史。"宋之问赴越取道淮汴，途经淮口、扬州、润州、苏州、杭州等地，多有题咏，《初宿淮口》、《伤王七秘书监寄呈扬州陆长史通简府僚广陵好事》、《酬李丹徒见赠之作》、《陪润州薛司功丹徒桂明府游招隐寺》、《登北固山》、《过史正议宅》、《钱江晓寄十三弟》、《题杭州天竺寺》等诗皆为赴任途中所作。《初宿淮口》有"况值淮南木落时"之句，作于秋日。而本年冬宋之问已在越州（见下），知其遭贬在本年秋。韦述（一作张谔）有《广陵送别宋员外佐越郑舍人还京》诗，乃秋日遇之问于扬州时作。参陶敏、易淑琼《沈佺期宋之问集校注》所附《沈佺期宋之问简谱》。又宋之问《伤王七秘书监……》诗中之王七谓王绍宗，《旧唐书》儒学下有传，参见郁贤皓《宋之问事迹和交游五题考辨》，载其所著《唐风馆杂稿》。

十一月

一日，安乐公主移入新宅，宗楚客等并有诗作。《唐诗纪事》卷九："十一月一日，安乐公主入新宅，赋诗。"宗楚客、赵彦昭、武平一、沈佺期各有《安乐公主移入新宅侍宴应制》诗，作于此时。

崔湜、郑愔被召入京，五日，李峤、郑愔因中宗诞辰应制赋诗。《通鉴》卷二〇九："上召前修文馆学士崔湜、郑愔入陪大礼。（十一月）"《唐诗纪事》卷九："十五日，中宗诞辰，长宁公主满月，李峤诗'神龙见像日，仙凤养雏年'是也。"按中宗诞辰为十一月五日，而非十五日，见上年十一月条。李峤、郑愔并有《中宗降诞日长宁公主满月侍宴应制》诗。

十三日，徐彦伯在蒲州刺史任，因中宗亲祀南郊，遂献《南郊赋》，文辞典美。《通鉴》卷二〇九："上召前修文馆学士崔湜、郑愔入陪大礼。乙丑，上祀南郊。"《旧唐书》徐彦伯传："俄转蒲州刺史，入为工部侍郎，寻除卫尉卿，兼昭文馆学士。景龙三年，中宗亲拜南郊，彦伯作《南郊赋》以献，辞甚典美。"《唐诗纪事》卷九："二十三日，南郊，徐彦伯上《南郊赋》。"按本月癸丑朔，（十一月）乙丑为十三日，知《纪事》之"二十三日"当为"十三日"之误。又本年徐彦伯方为蒲州刺史，拜工部侍郎当在景龙四年，《旧传》所叙有误，见本年十二月十二日条，参《唐刺史考全编》卷七九。

豆卢钦望卒；苏颋为作挽诗。《通鉴》卷二〇九："（十一月）甲戌，开府仪同三司、平章军国重事豆卢钦望薨。"苏颋有《赠司徒豆卢府君挽词》，即为钦望而作。

十二月

十二日，中宗幸温泉宫，上官婉儿等献诗。《通鉴》卷二〇九："（十二月）甲午，上幸骊山温汤。"《旧唐书》睿宗纪："甲子，上幸新丰之温汤。"《唐诗纪事》卷九："十二月十二日，幸温泉宫，敕浦州刺史徐彦伯入仗，同学士例，因与武平一等五人献诗。上官昭容献七言绝句三首。"按本月癸未朔，无甲子日，甲午为十二日，知《旧纪》之"甲子"误。武平一、徐彦伯并有《奉和幸新丰温泉宫应制》诗，上官婉儿有《驾幸温泉宫献诗三首》诗，为是日之作。

十四日，中宗幸韦嗣立山庄，张说等应制赋诗。《唐诗纪事》卷九："十四日，幸韦嗣立庄，拜嗣立逍遥公，名其居曰清虚原、幽栖谷。"卷一一："嗣立庄在骊山鹦鹉谷，中宗幸之。嗣立献食百舉，及木器藤盘等物。上封为逍遥公，谷为逍遥谷，原为逍遥原。中宗留诗，从臣属和，嗣立并镌于石，请张说为之序，薛稷书之。……先一日太平公主、上官昭容题诗数篇，故张说诗云：'舞凤迎公主，雕龙赋婕妤。'"《旧唐书》中宗纪："庚子，幸兵部尚书韦嗣立庄，封嗣立为逍遥公，上亲制序赋诗。"按庚子为十八日，此从《纪事》。张说《东山记》："兵部尚书、同中书门下三品、修文馆大学士韦公……虽翊亮廊庙，而缅怀林薮，东山之曲，有别业焉。……幸温泉之岁也，皇上闻而赏之。……是日，即席拜公逍遥公，名其居曰清虚原幽栖谷。景移乐极，天子赋诗，王后帝女，宫嫔邦媛，歌焉和焉，以宠德也。"张说、李峤、李乂、沈佺期、武平一、赵彦昭、徐彦伯、刘宪、崔湜、苏颋并有五排《奉和幸韦嗣立山庄侍宴应制》，除徐彦伯外，上列诸人又各有七绝《奉和圣制幸韦嗣立山庄应制》一首，均当为同日所作。按张说预修文馆学士唱和首见于此。《旧唐书》本传："景龙中，丁母忧去职，起复授黄门侍郎，累表固辞，言甚切至，优诏方许之。是时风教颓紊，多以起复为荣，而说固节恳辞，竟终其丧制。大为识者所称。服终，复为工部侍郎，俄拜兵部侍郎，加弘文馆学士。"张说服阕在本年十一月，见陈祖言《张说年谱》。

十五日，中宗幸白鹿观，李峤等应制赋诗。《唐诗纪事》卷九："十五日，幸白鹿观。"李峤、李乂、沈佺期、武平一、赵彦昭、刘宪、崔湜、张说、苏颋、徐彦伯并有《幸白鹿观应制》诗，作于是日。

十八日，中宗幸秦始皇陵，有诗作。《唐诗纪事》九："十八日，幸秦始皇陵。"中宗有《幸秦始皇陵》诗，作于此时。

二十二日，中宗幸骊山，有诗作，李峤等应制奉和。《旧唐书》中宗纪："（十二月）甲辰……是日幸骊山。"甲辰为二十二日。中宗《登骊山高顶寓目》诗，李峤、刘宪、赵彦昭、苏颋、崔湜、李乂、武平一、张说、阎朝隐并有《奉和登骊山高顶寓目应制》诗，当作于此时。

元行冲撰《魏典》三十卷。《唐会要》卷六三："景龙三年十二月，太常少卿元行冲以本族出于后魏，未有编年之文，乃撰《魏典》三十卷，事详文简，为学者所称。"

唐贞休赴任永昌令，沈佺期等赋诗饯之。沈佺期、崔日用、阎朝隐、李适、刘宪、徐彦伯、李乂、薛稷、马怀素、徐坚、武平一并有七绝《饯唐永昌》诗。唐永昌即唐贞休，《金石萃编》卷六《大唐莱州刺史唐府君（贞休）德政碑》："拜安国相王府谘议参军。俄迁尚书比部郎中。朝辞兰菀，夕趣芸阁，三（缺）州洛阳令。"永昌即洛阳。《旧唐书》地理志一："神龙二年十一月，改洛阳为永昌县。唐隆元年七月，复为洛阳。"相王李旦加号安国在神龙元年正月，见《旧唐书》中宗纪，知唐贞休神龙中为相王参军。诗当作于诸人景龙中为修文馆学士时。崔日用诗云："冬至冰霜俱怨别，春来花鸟若为情。"时当在冬季，而"春来"云云当是想像之辞，徐彦伯诗云"斗鸡香陌行春倦，为摘东园桃李花"，薛稷诗云"更思明年桃李月，花红柳绿宴浮桥"，亦皆如是。本月十二日徐彦伯方入朝为学士，故系于此。

冬

宋之问在越州，为文祭禹庙，又有诗作。宋之问有《祭禹庙文》，云："维大唐景龙三年岁次己酉月日，越州长史宋之问，谨以清酌之奠，敢昭告于夏后之灵。"时已在越州。又有《泛镜湖南溪》、《游禹穴回出若耶》诗，作于冬日，知宋之问至越州当在本年冬。

本年

颜真卿（709—784）生。颜真卿字清臣，京兆长安人。擢进士第，登文辞秀逸科，授醴泉尉，迁监察御史、殿中侍御史。以不附杨国忠，出为平原太守。安禄山反，举义兵抗敌，拜户部侍郎。转工部、宪部尚书，迁御史大夫。为时宰所忌，出为同、蒲、饶、升四州刺史及蓬州长史。代宗立，除尚书右丞，改检校刑部尚书，封鲁郡公。元载衔之，奏贬硖州别驾，迁抚、湖二州刺史。征拜刑部尚书，改太子太师。会李希烈陷汝州，受命劝谕，被拘，不屈而死。有《韵海镜源》三百六十卷，《礼乐集》、《吴兴集》、《庐陵集》、《临川集》各十卷。据《旧唐书》本传、《新唐书》本传、令狐峘《光禄大夫太子太师上柱国鲁郡开国公颜真卿墓志铭》、殷亮《颜鲁公行状》。

张巡（709—757）生。张巡，字巡，邓州南阳（一说蒲州河东）人。开元二十四年进士及第。天宝中，调授清河令。安禄山反，率军死守睢阳，殉国。李翰、高适、韩愈皆有文记其事。巡今存文三篇，诗二首。生平事迹据《旧唐书》忠义下本传等。

公元 710 年　（唐中宗景龙四年　唐殇帝茂唐隆元年　唐睿宗景云元年　庚戌）

正月

一日，中宗赐群臣柏叶，李乂等应制作诗。《唐诗纪事》卷九："四年正月朔，赐群臣柏树。"赵彦昭、李乂、武平一并有《奉和元日赐群臣柏叶应制》诗，当作于此时。

五日，中宗于蓬莱宫宴吐蕃使，君臣为柏梁体联句诗，吐蕃舍人明悉猎亦赋。《唐诗纪事》卷一："景龙四年正月五日，移仗蓬莱宫，御大明殿，会吐蕃骑马之戏，因重为柏梁体联句。帝曰：……皇后曰：……长宁公主曰：……安乐公主曰：……太平公主曰：……温王重茂曰：……上官昭容曰：……吏部侍郎崔湜曰：……著作郎郑愔曰：……考功员外郎武平一曰：……著作郎阎朝隐曰：……时上疑御史大夫窦从一、将作大将宗晋卿素不属文，未即令续。二人固请，许之。从一曰：……晋卿曰：……此外遗忘。时吐蕃舍人明悉猎请，令授笔与之，曰：……上大悦，赐与衣服。"卷九："五日，蓬莱宫宴吐蕃使，因为柏梁体（吐蕃舍人亦赋）。"按此诗题作《景龙四年正月五日移仗蓬莱宫御大明殿会吐蕃骑马之戏因重为柏梁体联句》）。

七日，中宗重宴大明殿，赐侍臣彩缕人胜，李峤等应制作诗。《唐诗纪事》卷九："七日，重宴大明殿，赐彩缕人胜，又观打球。"李峤、赵彦昭、崔日用、韦元旦、马怀素、苏颋、李乂、郑愔、李适、沈佺期、刘宪、阎朝隐并有七律《人日重宴大明宫恩赐彩缕人胜应制》，当作于此时。

八日，中宗令侍臣游苑迎春，又赐彩花树，武平一应制赋诗，为中宗所称赏。《唐诗纪事》卷九："八日立春，赐彩花。"卷一一："正月八日立春，内出彩花赐近臣，（武平一）应制云：……是日中宗手敕批云：'平一年虽最少，文甚警新。悦红蕊之先开，讶黄莺之未啭。循环吟咀，赏叹兼怀。今更赐花一枝，以彰其美。'……上及侍臣大笑，因更赐酒一杯，当时叹美。"按武平一诗题作《奉和立春内出彩花树应制》诗。

十三日，中宗于梨园亭子赐观打球，崔湜等应制赋诗。《封氏闻见记》卷六："景云中，吐蕃遣使迎金城公主，中宗于梨园亭子赐观打球。……时玄宗为临淄王，中宗又令与嗣虢王邕、驸马杨慎交、武〔延〕秀等四人，敌吐蕃十人。玄宗东西驱突，风回电激，所向无前。……中宗甚悦，赐强明绢数百段，学士沈佺期、武平一等皆献诗。"《册府元龟》卷一一〇："四年正月乙丑，宴吐蕃使于苑内球场，命驸马都尉杨慎交与吐蕃使打球，帝率侍臣观之。"本月癸丑朔，乙丑为十三日。武平一、沈佺期、崔湜并有五律《幸梨园亭观打球应制》，当为此日之作。参见陈冠明《李峤年谱》。

二十九日，中宗幸浐水，宗楚客等应制赋诗。《唐诗纪事》卷九："二十九日晦，幸浐水。"宗楚客、张说、沈佺期并有《正月晦日侍宴浐水应制》诗，当同为本日所作。

二月

一日，中宗送金城公主和蕃，李峤等应制赋诗。《唐诗纪事》卷九："二月一日，送金城公主。"卷一二："金城公主和蕃，中宗送至马嵬，群臣赋诗。帝令御史大夫郑惟忠及〔周〕利用护送入蕃，学士赋诗以钱，徐彦伯为之序云。"李峤、崔湜、刘宪、张说、薛稷、阎朝隐、苏颋、韦元旦、徐坚、崔日用、郑愔、李适、马怀素、武平一、徐彦伯、唐远悊、沈佺期并有《奉和送金城公主适西蕃应制》诗，另张说有《送郑大夫惟忠从公主入蕃》诗，徐彦伯有《送郑惟忠序》，均当为是日所作。

二十一日至二十二日，中宗宴张仁亶于桃花园，以李峤等所献诗入乐府，号曰《桃花行》。《唐诗纪事》卷九："二十一日，张仁亶至自朔方，宴于桃花园，赋七言诗。明日，宴承庆殿，李峤桃花园词，因号《桃花行》。"卷一〇："张仁亶自朔方入朝，中宗于西苑迎之，从臣宴于桃花园。峤歌曰：……赵彦昭曰：……又一从臣歌曰：……明日宴承庆殿，上令宫女善讴者唱之。词既婉丽，歌仍妙绝，乐府号《桃花行》。"李峤、苏颋、张说、李乂、赵彦昭、徐彦伯并有七绝《侍宴桃花园咏桃花应制》，为同时之作。

刘知几撰《史通》成。《新唐书》本传："始，子玄修《武后实录》，有所改正，而武三思等不听。自以为见用于时而志不遂，乃著《史通》内外四十九篇，讥评今古。徐坚读之，叹曰：'为史氏者宜置此坐右也。'"刘知几《史通序录》："长安二年，余以著作佐郎兼修国史，寻迁左史，于门下撰起居注。会转中书舍人，暂停史任，俄兼领其职。今上即位，除著作郎、太子中允、率更令，其修史皆如故。又属大驾还京，以留后在都。无几，驿征入京，专知史事，仍迁秘书少监。自惟历事二主，从官两京，遍居司籍之曹，久处载言之职。……尝以载削余暇，商榷史篇，下笔不休，遂盈筐箧。于是区分类聚，编而次之。昔汉世诸儒，集论经传，定之于白虎阁，因名曰《白虎通》。予既在史馆而成此书，故便以《史通》为目。……博采众议，爰定兹名。凡为廿卷，列之如左，合若干言。于时岁次庚戌，景龙四年仲春之月也。"《唐会要》卷六三："光化三年，直史馆柳璨以刘子玄所撰《史通》议驳经史过当，纪子玄之失，别纂成十卷，号《柳氏释史》，又号《史通析微》。"《四六法海》卷一〇："《史通》一书，持论多有不当处。……至其摘扶瑕疵，令人无不置辩，真史家之争臣也。黄山谷以配《文心雕龙》，为学者要书。诚哉是言。"郭延年《史通评释序》："约而言之，考究精核，义例严整，文字简古，议论慨慷，《史通》之长也；薄尧、禹而贷操、丕，惑《春秋》而信汲冢，诃马迁而没其长，爱王劭而忘其佞，高自标榜，前无贤哲，《史通》之短也。然则徐坚所云'当置座右'者，以义例言，良非虚誉；而宋祁所云'工诃古人'者，以夸诩言，亦非诬善矣。"（《史通通释》卷首）黄叔琳《史通训诂补序》："观其议论，如老吏断狱，难更平反；如夷人嗅金，暗识高下；如神医眼，照垣一方，洞见五藏症结。间有过执己见，以裁量往古，泥定体而少变通，如谓《尚书》'为例不纯'，《史》论'淡薄无味'之类。然其荟萃搜择，钩钛排击，上下数千年，贯穿数万卷，心细而眼明，舌长而笔辣，虽马、班亦有不能自解免者，何况其余。书在文史类中，允与刘彦和之《雕龙》相匹，徐坚谓史氏宜置座右，信也。"（同上）浦起龙《史通通释序》："自汉止立经博士，而史不置师，向、歆《七略》不著类。至唐千年，人为体例，论罕适归，而史之失嗃。彭城刘子玄知几氏作，奋笔为书，原原委委。俾涉学家分睽参观，得所为通行之宗，改废之部，馆撰、山传之殊制，记今、修亡之殊时，与夫合分、全偏、连断之宜，良秽、简芜、核直、夸浮之辨，觏若画井疆，陈绵莚，岂非一大快欤！矧夫衡史匹经，比肩马、郑，而非虫篆雕刻之纤纤者欤！顾其书矜体慎名，斥饰崇质，迹创而孤，其设防或褊以苛。甚者佹辞蔑古以召闹，臆评兴而衷质蔽，莫能直也。"（同上）四库提要卷八八："《史通》二十卷，唐刘子玄撰。……此书成于景龙四年，凡内篇十卷三十九篇，外篇十卷十三篇。盖其官秘书监时，与萧至忠、宗楚客等争论史事不合，发愤而著书者也。其内篇《体统》、《纰缪》、《弛张》三篇有录无书。考本传已称著《史通》四十九篇，则三篇之亡在修《唐书》以前矣。内篇皆论史家体例，辨别是非。外篇则述史籍源流及杂评古人得失，文或与内篇重出，又或抵牾。观开卷《六家》篇，首称自古帝王文籍，外篇言之备矣。是先有外篇，乃撷其精华以成内篇，故删除有所未尽也。子玄于史学最深，又领史职几三十年，更历书局亦最久。其贯穿今古，洞悉利病，实非后人之所及。而性本过刚，词复有激，诋诃太甚，或悍然不顾其安。……小小疏漏，更所不免。然其缕析条分，如别白黑，一经抉摘，虽马迁、班固，几无词以自解。亦可云载笔之法家，著书之监史矣。"

三月

　　二日，中宗游望春宫，崔日用等应制赋诗。崔日用《奉和春日幸望春宫应制》有"渭浦明晨修禊事"句，指本月三日渭滨被禊之事（见下），诗云"明晨修禊"，故知当作于二日。崔日用之外，岑羲、崔湜、张说、刘宪、苏颋、郑愔、薛稷、韦元旦、马怀素、李适、李乂、沈佺期、阎朝隐并有同题之作。按诸诗中苏颋诗最称名作，《升庵诗话》卷八："唐自贞观至景龙，诗人之作，尽是应制。命题既同，体制复一，其绮绘有余，而微乏韵度，独苏颋'东望望春春可怜'（按此是苏颋诗首句）一篇，迥出群英矣。"《删补唐诗选脉笺释会通评林》卷四一周敬曰："初唐声律雄浑厚丽，此如芙蓉赤精，发锷光莹。应制诸篇，当以此为第一。"

　　三日，中宗被禊于渭滨，沈佺期等应制赋诗。《唐诗纪事》卷九："三日上巳，被禊于渭滨，赋七言诗，赐细柳圈。"韦嗣立、徐彦伯、刘宪、沈佺期、李乂、张说并有七绝《上巳日被禊渭滨应制》诗，作于此时。

　　同日，崔日用作歌赠武平一，赞其深通《左氏春秋》。《唐诗纪事》卷九：，"二月……三日，幸司农少卿王光辅庄。是夕岑羲设茗饮，讨论经史。武平一论《春秋》，崔日用请北面。日用赠平一歌曰：'彼名流兮左氏癖，意玄远兮冠今夕。'"《太平御览》卷九七二："唐《景龙文馆记》曰：四月上巳日，上幸司农少卿王光辅庄。驾还顿后，中书侍郎南阳岑羲设茗，饮葡萄浆，与学士等讨论经史。"《纪事》"二月"当是"三月"之误，《御览》"四月"为"四年"之误。崔、武论《春秋》事详见《新唐书》武平一传。

　　八日，中宗宴学士于窦希玠林亭，赋诗，张说序之。《唐诗纪事》卷九："八日，令学士寻胜，同宴于礼部尚书窦希玠亭，赋诗，张说为之序。"卷一二："八日，中宗令学士寻胜，同宴于礼部尚书窦希玠林亭。张说制序云：'召丝竹于伶官，借池亭于贵里。雕俎在席，金羁驻门。远山片云，隔层城而助兴；繁莺芳树，绕高台而共乐。'"按张说此序题作《南省就窦尚书山亭寻花柳宴序》。

　　十一日，中宗幸上官婉儿别院，郑愔献诗。《唐诗纪事》卷九："十一日，宴于昭容之别院。"郑愔《奉和幸上官昭容院献诗四首》当作于此时。

　　二十七日，李峤入都祎庙，徐彦伯赋诗饯之。《唐诗纪事》卷九："二十七日，李峤入都祎庙，徐彦伯等饯之，赋诗。"徐彦伯《送特进李峤入都祎庙》为此时之作。

　　高询赴唐州刺史任，张说等各赋诗饯之。崔湜、韦元旦、苏颋、徐彦伯、张说、李乂、卢藏用、岑羲、马怀素并有《饯唐州高使君赴任》诗，李诗云"春晚别离情"，卢诗云"蕙兰春已晚"，知作于暮春。沈佺期有《饯高唐州询》诗，为同时之作。诸人本年同在修文馆，诗当本年所作。

　　韦元旦作《早朝》诗，徐彦伯等和之。韦元旦有《早朝》诗，徐彦伯、郑愔、沈佺期并有《同韦舍人早朝》诗，当作于景龙中诸人为修文馆学士时。韦舍人即谓韦元旦，时为中书舍人，见前年十二月二十日条。韦诗有"震维芳月季"之句，知时在三月。徐彦伯去年十二月方入朝为修文馆学士，故系本年。

春

宋之问在越州长史任，游湖山寺院，多有诗作。宋之问有《景龙四年春祠海》诗，作于越州。又有《早春泛镜湖》、《游云门寺》、《宿云门寺》、《见南山夕阳召鉴师不至》、《湖中别鉴上人》、《题鉴上人房二首》、《郡宅中斋》、《春湖古意》等诗，多写及春日景色，亦本年在越州时作。《新唐书》文艺中本传："改越州长史。颇自力为政。穷历剡溪山，置酒赋诗，流布京师，人人传讽。"

中宗幸安乐公主新宅，徐彦伯等应制赋诗。徐彦伯、阎朝隐、李乂、苏颋、刘宪、李适、韦元旦、武平一、李迥秀、沈佺期、薛稷、马怀素、崔日用、岑羲、卢藏用等并有《夜宴安乐公主新宅应制》诗，彦伯且有诗序，为同时之作，当作于本年春。

刘允济（？—710）被召为修文馆学士，卒。《新唐书》李适附刘允济传："除青州长史……以内忧去官。服除，召为修文馆学士。既久斥，喜甚，与家人乐饮数日，卒。"《册府元龟》卷八九五："唐刘允济为青州刺史，中宗景龙四年，征为修文学士录才，行至道，病卒。"按本年六月中宗暴卒，修文馆学士多被斥逐，已风光不再，见本年六月、七月条。知刘允济之卒当在本年春夏间。《新唐书》艺文志四："《刘允济集》二十卷。"又："刘允济《金门待诏集》二十卷。"

四月

一日，中宗幸长宁公主庄，李峤等应制赋诗。《唐诗纪事》卷九："四月一日，幸长宁公主庄。"李峤、崔湜、李适、刘宪、李乂、郑愔并有《侍宴长宁公主东庄应制》诗，或为是日之作。

十四日，中宗幸兴庆池，又过窦希玠宅，诸学士赋诗。《唐诗纪事》卷九："六日，幸兴庆池观竞渡之戏，其日过希玠宅，学士赋诗。"景龙四年四月，卷一二："夏日，帝幸五王宅，乃过希玠宅。刘宪诗云：'北斗枢机任，西京肺腑亲。'李乂诗云：'贵游开北第，宸眷幸西乡。'"《通鉴》卷二〇九："乙未，上幸隆庆池，结彩为楼，宴侍臣，泛舟戏象以厌之。"据《类编长安志》卷三，兴庆池在隆庆坊，近五王宅。又据《二十史闰朔表》，本年四月壬午朔，乙未为十四日，与《唐诗纪事》所记不同，此从《通鉴》。徐彦伯、李适、武平一、刘宪、苏颋、沈佺期、韦元旦、张说、苏瓌、李乂、马怀素并有《隆庆池侍宴应制》诗，李乂、沈佺期、苏颋、刘宪又各有《奉和圣制幸礼部尚书窦希玠宅应制》诗，当作于是日。

五月

二十九日，中宗宴诸学士，祝钦明作《八风舞》，为卢藏用所嘲。《唐诗纪事》卷九："（四月）二十九日，御宴，祝钦明为《八风舞》。诸学士曰：'祝公斯举，《五经》扫地尽矣！'"《通鉴》卷二〇九："（五月）己卯，上宴近臣，国子祭酒祝钦明自请作

《八风舞》，摇头转目，备诸丑态；上笑。钦明素以儒学著名，吏部侍郎卢藏用私谓诸学士曰：'祝公《五经》扫地尽矣！'"按本年五月辛亥朔，己卯为二十九日。当从《通鉴》作五月。

六月

中宗暴卒，韦后临朝摄政，改元唐隆，温王李重茂即皇帝位，是为殇帝，亦称少帝。《旧唐书》中宗纪："六月壬午，帝遇毒，崩于神龙殿，年五十五。"《通鉴》卷二〇九："六月，壬午，中宗崩于神龙殿。韦后秘不发丧。……甲申，梓宫迁御太极殿，集百官发丧，皇后临朝摄政，赦天下，改元唐隆。……丁亥，殇帝即位。"《唐音癸签》卷二七："（中宗）待臣下法禁颇宽，恩礼从厚，凡曹司休假，例得寻胜地宴乐，谓之旬假，每月有之。……当时酬唱之多，此亦一助也。"

李隆基举兵诛韦后并其党羽，进封平王；其父相王李旦即皇帝位，是为睿宗；隆基为太子，姚崇入相，韦嗣立等修文馆学士亦各有任命。《通鉴》卷二〇九：景云元年六月，"相王子临淄王隆基，先罢潞州别驾，在京师，阴聚才勇之士，谋匡复社稷。……庚子，晡时，隆基微服与幽求等入苑中……韦后惶惑走入飞骑营，有飞骑斩其首献于隆基。……比晓，内外皆定。辛巳……是日，赦天下……以临淄王隆基为平王……癸卯，太平公主传少帝命，请让位于相王，相王固辞。以平王隆基为殿中监、同中书门下三品……中书令萧至忠贬许州刺史，兵部尚书、同中书门下三品韦嗣立贬宋州刺史，中书侍郎、同平章事赵彦昭贬绛州刺史，吏部侍郎、同平章事崔湜贬华州刺史。……甲辰……乃以少帝制传位相王……睿宗即位，御承天门，赦天下。复以少帝为温王。……丁未，立平王隆基为太子。戊申……以太常少卿薛稷为黄门侍郎，参知机务。……以许州刺史姚元之为兵部尚书、同中书门下三品，宋州刺史韦嗣立、许州刺史萧至忠为中书令，绛州刺史赵彦昭为中书侍郎，华州刺史崔璟为吏部侍郎，并同平章事。"

苏颋受召草平内乱制书，辞理典赡，甚为李隆基所赏。《明皇杂录》卷上："及玄宗既平内乱，将欲草制书，难其人，顾谓璟曰：'谁可为诏？试为思之。'璟曰：'臣不知其他，臣男颋甚敏捷，可备指使。然嗜酒，幸免沾醉，足以了其事。'玄宗遽命召来。至时素醒未解，粗备拜舞，尝醉呕殿下，命中使扶卧于御前，玄宗亲为举衾以覆之。既醒，受简笔立成，才藻纵横，词理典赡。玄宗大喜，抚其背曰：'知子莫如父，有如此邪？'由是器重，已注意于大用矣。韦嗣立拜中书令，璟署官告，颋为之辞，薛稷书，时人谓之三绝。"

上官婉儿（664—710）卒于韦后之乱，年四十七。《通鉴》卷二〇九："（六月）庚子，晡时，隆基微服与幽求等入苑中……及隆基入宫，昭容执烛帅宫人迎之……隆基……斩于旗下。"《新唐书》艺文志四："《上官昭容集》二十卷。"《太平广记》卷二七一引《景龙文馆记》："唐上官昭容……自通天后，建（逮）景龙前，恒掌宸翰。其军国谋猷，杀生大柄，多其决。至若幽求英隽，郁兴词藻，国有好文之士，朝希不学之臣。二十年间，野无遗逸，此其力也。而晚年颇外通朋党，轻弄权势，朝廷畏之矣。"张说《唐昭容上官氏文集序》:"上官昭容者,故中书侍郎仪之孙也。明淑挺生,才华绝代,敏识聪听,探微镜理。开卷海纳,宛若前闻;摇笔云飞,咸同宿构。……自则天久视之后,中宗景龙之际,十数年间,六合清谧。内峻图书之府,外辟修文之馆。搜英猎俊,野无遗才。右职以精学为先,大臣以无文为耻。每豫游宫观,行幸河山,白云起而帝歌,翠华飞而臣赋。雅颂之盛,与三代同风。岂惟圣主之好文,亦云奥主之协赞者也。古者有女史记功书过,复有女尚书决事容(宫)闼,昭宫(容)两朝专美,一日万机,顾问不遗,应接如响。虽汉称班媛,晋誉左嫔,文章之道不殊,辅佐之功则异。"《新唐书》后妃上韦皇后附上官昭容传:"婉儿劝帝侈大书馆,增学士员,引大臣名儒充选。数赐宴赋诗,君臣赓和,婉儿常代帝及后、长宁、安乐二主,众篇并作,而采丽益新。又差第群臣所赋,赐金爵,故朝廷靡然成风。当时属辞者,大抵虽浮靡,然所得皆有可观,婉儿力也。"

李隆基平韦氏内难,民间制《夜半乐》乐曲以歌之。《新唐书》玄宗纪:"累迁卫尉少卿、潞州别驾。景龙四年,朝于京师,遂留不遣。庶人韦氏已弒中宗,矫诏称制。玄宗乃与……朝邑尉刘幽求……定策讨乱。……乃夜率幽求等入苑中……遂诛韦氏。"同书礼乐志一二:"是时,民间以帝自潞州还京师,举兵夜半诛韦皇后,制《夜半乐》、《还京乐》二首。"《乐府杂录》:"《夜半乐》,明皇自潞州入平内难,正夜半,斩长乐门关,领兵入宫翦逆人,后撰此曲。"又云:"《还京乐》,明皇自西蜀返,野人张野狐所制。"以罗隐咏僖宗幸蜀事诗"可怜一曲《还京乐》,重对红蕉教蜀儿"(《中元甲子以辛丑驾幸蜀四首》其三)考之,《还京乐》当作于玄宗自西蜀返京时。

宋之问坐谄附韦、武,流钦州,途中有诗纪行。《旧唐书》文苑中本传:"睿宗即位,以之问尝附张易之、武三思,配徙钦州。"《新唐书》文艺中李适附宋之问传:"睿宗立,以猖险盈恶诏流钦州。"《通鉴》卷二〇九:"(六月)戊申……越州长史宋之问,饶州长史冉祖雍,坐谄附韦、武,皆流岭表。"按之问被贬时间及原因,当以《通鉴》所云为较确。宋之问有《渡吴江别王长史》、《夜渡吴松江怀古》、《宋公宅送宁谏议》、《初发荆府赠崔长史》、《在荆州重赴岭南》、《谒二妃庙》、《晚泊湘江》等诗,均作于赴钦州途中。诗题中宋公谓宋玉,宁谏议谓宁原悌,崔长史谓崔日知,见《宋之问集校注》卷三各诗注。《晚泊湘江》诗有"况复秋雨霁"之句,知至湘江时已在秋季。

李邕拜左台殿中侍御史。《旧唐书》文苑中本传:"唐隆元年,玄宗清内难,召拜左台殿中侍御史。"李邕《谢恩慰谕表》:"实荷陛下诛韦氏之后,收正人之余,特拜臣左台侍御史。"

七月

姚崇、宋璟为相,改革中宗弊政,当时以为复有贞观、永徽之风;李峤等修文馆学士多遭贬逐;改元景云。《通鉴》卷二〇九:"(七月)癸丑,以兵部侍郎崔日用为黄门侍郎,参知机务。……丁巳,以洛州长史宋璟检校吏部尚书、同中书门下三品;岑羲罢为右散骑常侍,兼刑部尚书。璟与姚元之协心革中宗弊政,进忠良,退不肖,赏罚尽公，请托不行，纲纪修举，当时翕然以为复有贞观、永徽之风。壬戌，崔湜罢为尚书左丞……韦嗣立为许州刺史，赵彦昭为宋州刺史。丙寅，姚元之兼中书令，兵部尚书、同中书门下三品李峤贬怀州刺史。……黄门侍郎、参知机务崔日用与中书侍郎、参知机务薛稷争于上前……戊辰，以日用为雍州长史，稷为左散骑常侍。己巳，赦天下，改元。"《隋唐嘉话》卷下："今上既诛韦氏，擢用贤俊，改中宗之政，依贞观故事，有志者莫不想望太平。中书令元之、侍中璟、御史大夫构、河南尹杰，皆一时之选，时人称姚、宋、毕、李焉。"《唐会要》卷六四："景云元年，馆中学士多以罪被贬黜，宰臣遂令给事中一人权知馆事。"

张说迁中书侍郎，旋与褚无量俱为皇太子侍读，甚见亲敬。《旧唐书》张说传："睿宗即位，迁中书侍郎，兼雍州长史。"同书睿宗纪："秋七月癸丑，兵部侍郎兼知雍州长史崔日用为黄门侍郎。"张说之迁职当在此时。《旧传》又云："玄宗在东宫，说与国子司业褚无量俱为侍读，深见亲敬。"《唐大诏令集》卷一〇五玄宗《命张说等两省侍臣讲读敕》："朕往在储副，旁求儒雅，则张说、褚无量等为朕侍读。诗不云乎：'如切如磋，如琢如磨'，斯之谓也。咸能发挥启迪，执经遵道，以微言匡菲德者，朕甚休之。"据《旧传》所载，张说为皇太子侍读在本年八月往东都按谯王李重福案以后，姑系于此。

八月

郑愔附谯王李重福为逆，坐族诛。《旧唐书》中宗纪："八月癸巳，新除集州刺史、谯王重福潜入东都构逆，州县讨平之。"《通鉴》卷二〇九："七月……时愔自秘书少监左迁沅州刺史，迟留洛阳以俟重福，草制，立重福为帝，改元为中元克复。"卷二一〇：八月，"初，愔附来俊臣得进；俊臣诛，附张易之；易之诛，附韦氏；韦氏败，又附谯王重福，竟坐族诛。"

九月

唐贞休赴洛阳，沈佺期赋诗饯之。沈佺期《饯唐郎中洛阳令》："郊筵乘落景，亭传理残秋。"时在深秋九月。唐郎中洛阳令谓唐贞休，上年十二月由比部郎中出为永昌令，而永昌本年七月复改为洛阳，均见上年十二月沈佺期条。诗当作于本年，时唐贞休当因事暂至长安，复归洛阳，故佺期得再饯之。

王维年十七，作《九月九日忆山东兄弟》诗。题下注云："时年十七。"按此诗系王维名作。胡仔《苕溪渔隐丛话》后集卷六："子美《九日蓝田崔氏庄》云：'明年此会知谁健？醉把茱萸仔细看。'王摩诘《九日忆东山兄弟》云：'遥知兄弟登高处，遍插茱萸少一人。'朱放《九日与杨凝崔淑期登江上山有故不往》云：'那得更将头上发，学他年少插茱萸。'此三人，类各有所感而作，用事则一，命意不同。后人用此为九日诗，自当随事分别用之，方得为善用故实也。"《唐诗别裁集》卷一九："即《陟岵》之意，谁谓唐人不近三百篇耶？"

十一月

苏瓌（639—710）卒，年七十二，其子苏颋时在太常少卿任，停官守制，后诏起复为工部侍郎，不听。卢藏用《太子少傅苏瓌神道碑》："维唐景云元年岁在庚戌十一月己巳，太子少傅、许国苏公薨于崇仁里之私第，春秋七十有二。……中书侍郎、同中书门下平章事、昭文馆学士、兼修国史、皇太子侍读范阳张说……刊石纪颂，词如清风。"《新唐书》艺文志四："《苏瓌集》十卷。"《旧唐书》苏瓌附苏颋传："俄迁太常少卿。景云中，瓌薨，诏颋起复为工部侍郎，加银青光禄大夫。颋抗表固辞，辞理恳切，诏许其终制。"诏苏颋起复为工部侍郎当在其守制一段时间之后，姑系于此。

中宗葬于定陵，贾曾为作挽歌。《旧唐书》中宗纪："九月丁卯，百官上谥曰孝和皇帝，庙号中宗。十一月己酉，葬于定陵。"贾曾有《孝和皇帝挽歌》，当作于本月。

本年

王翰等登进士第。《唐才子传》卷一王翰传："翰字子羽，并州人。景云元年卢逸下进士及第。"王翰，生卒年未详，并州晋阳人。进士及第，又登直言极谏科，调昌乐尉。复举超拔群类科，召为秘书正字，擢通事舍人、驾部员外郎。出为汝州长史，改仙州别驾。日与才士豪侠饮乐游畋，坐贬道州司马，卒。有《王翰集》十卷。据《旧唐书》文苑中本传、《新唐书》文艺中本传、《唐才子传校笺》卷一王翰传笺。

孙逖与崔日用订交。《旧唐书》文苑中孙逖传："逖幼而英俊，文思敏速。始年十五，谒雍州长史崔日用。日用小之，令为《土火炉赋》，逖握翰即成，词理典赡。日用览之骇然，遂为忘年之交，以是价誉益重。"本年孙逖年十五。

张说为张希元集作序。张说《洛州张司马集序》："夫言者志之所之，文者物之相杂。然则心不可蕴，故发挥以形容；辞不可陋，故错综以润色。万象鼓舞，人有名之地；五音繁杂，出无声之境。非穷神体妙，其孰能与于此乎。洛州司马张公，名希元，中山人也。……下帷覃思，穿墙嗜古。……加以许与气类，交游豪杰，仕遭夷险，身更否泰。昔尝摄戎幽易，谪居邛巂。亭皋漫漫，兴去国之悲；旗鼓汹汹，助从军之乐。时复江莺迁树，陇雁出云，梦上京之台沼，想故山之风月。发言而宫商应，摇笔而绮绣飞，逸势标，奇情新拔……当代名流，翕然崇尚。……某室迩兰芬，族连棣萼……谨撰令引，式题前集。……起仪凤之后，迄景龙以前，凡若干卷，列之于目。"按本年为景龙之末，序云"迄景龙以前"，知当作于本年前后，姑系于此。又此文系张说名篇，高步瀛《唐宋文举要》乙篇卷二评云："其文以气势胜。此篇词句秀丽，隶事精切，又兼徐、庾之长。"

李白观百家之书，已通《诗经》、《尚书》。《新唐书》文艺中本传："十岁通《诗》、《书》。"李白《上安州裴长史书》："十岁观百家。轩辕以来，颇得闻矣。"本年李白十岁。

钱起（710？—783？）生。钱起，字仲文，吴兴人。进士及第，授秘书省校书郎。乾元至宝应间任蓝田尉。入朝为拾遗，旋罢。大历中历官祠部、司勋员外郎。建中中迁考功郎中，卒。有《钱起诗》一卷。今存《钱考功集》十卷。据《唐才子传校笺》

卷四钱起传笺。

公元711年 （唐睿宗景云二年 辛亥）

正月

　　郭震、张说并同门下平章事。《旧唐书》睿宗纪："（正月）己未，太仆卿郭元振、中书侍郎张说并同中书门下平章事。"

二月

　　张说上书太子李隆基，请"重道尊儒"、"博采文士"。张说《上东宫请讲学启》："臣闻安国家、定社稷者，武功也；经天地、纬礼俗者，文教也。社稷定矣，固宁辑于人和；礼俗兴焉，在刊正于儒范。顺考古道，率由旧章。……臣愚伏愿崇太学，简明师，重道尊儒，以养天下之士。今礼经残缺，学校凌迟，历代经史，率多纰缪，实殿下阐扬之日，刊定之秋。伏愿博采文士，旌求硕学，表正九经，刊考三史，则圣贤遗范，粲然可观。况殿下至性神聪，留情国体，幸以问安之暇，应务之余，引进文儒，详观古典，商略前载，讨论得失，降温颜，闻谠议，则政途礼体，日以增益，继业承祧，永垂德美。"《通鉴》卷二一○："（二月）丁丑，命太子监国，六品以下除官及徒罪以下，并取太子处分。"张说文中有"监国理人，可谓至重矣"之语，知当作于本月或稍后，姑系于此。

三月

　　宋之问流钦州途经韶州，谒慧能，赋诗赠之；旋经端州、藤州以至钦州。宋之问《自衡阳至韶州谒能禅师》："别家万里余，流目三春际。"亦为自越州贬钦州途中所作，时在三月。能禅师谓慧能，《宋高僧传》卷八慧能传："有若宋之问谒能，著长篇"，当即此诗。宋之问又有《游韶州广果寺》、《早发韶州》、《端州别袁侍御》、《发端州初入西江》、《发藤州》等诗，为在韶州时或离韶州后赴钦州途中所作。此后不久宋之问当已赶至钦州流所。

春

　　皇太子李隆基与张说等赋诗唱和。李隆基有《春日出苑游瞩》诗，题下注云："太子时作"，贾曾有《奉和春日出苑瞩目应令》诗，《结一庐丛书》本《张说之文集》卷一有《奉和春日出苑应令》诗，当为同时之作。张说诗后有墨令答赞一首，首两句云"入相论道，资孝为忠"，说本年正月入相，十月罢相，知诸诗作于本年。颜真卿《朝议大夫守华州刺史上柱国赠秘书监颜君（元孙）神道碑铭》："迁洛阳丞、著作佐郎、太子舍人。时玄宗监国，独掌令诰，当时以为纶言之最。……尝和《游苑》诗，御札八分批答云：'孔门入室，鲁国称贤。翰墨之妙，莫之于先。'"所云《游苑》当即李隆基之《春日出苑游瞩》。张说又有《奉和同皇太子过慈恩寺应制二首》，沈佺期有

《奉和圣制同皇太子游慈恩寺应制》诗，亦当本年春所作。

四月

张说为兵部侍郎。《旧唐书》睿宗纪："夏四月庚辰，张说为兵部侍郎，依旧同中书门下平章事。"

敕僧道齐行并进。《唐会要》卷四九："至景云二年四月八日诏，自今已后，僧、尼、道士、女冠，并宜齐行并进。"睿宗《僧道齐行并进制》："朕闻释及玄宗，理均迹异，拯人救俗，教别功齐。……自今每缘法事集会，僧、尼、道士、女冠等，宜齐行并进。"

七月

追复上官婉儿为昭容，集其诗文，张说序之。《通鉴》卷二一〇："秋，七月，癸巳，追复上官昭容，谥曰惠文。"张说《唐昭容上官氏文集序》："镇国太平公主，道高帝妹，才重天人，昔尝共游东壁，同宴北渚，倏来忽往，物在人亡。悯雕琯之残言，悲素扇之空曲。上闻天子，求椒掖之故事；有命史臣，叙兰台之新集。凡若干卷，列之于左。"

十月

张说罢知政事，以尚书左丞分司东都，韦安石为东都留守，亦罢知政事。《旧唐书》睿宗纪："冬十月甲辰……韦安石为尚书左仆射、东都留守，侍中李日知为户部尚书，兵部尚书郭元振为吏部尚书……兵部侍郎兼左庶子张说为尚书左丞：罢知政事。"同书张说传："俄而太平公主引萧至忠、崔湜等为宰相，以说为不附己，转为尚书左丞，罢知政事，仍令往东都留司。"

司马承祯还天台山，李适赋诗以赠，和作者甚众，徐彦伯编诗之美者为《白云记》。《旧唐书》隐逸司马承祯传："景云二年，睿宗令其兄承祎就天台山追之至京，引入宫中，问以阴阳术数之事。……承祯固辞还山，仍赐宝琴一张及霞纹帔而遣之，朝中词人赠诗者百余人。"同书文苑中阎朝隐附李适传："睿宗时，天台道士司马承祯被征至京师。及还，适赠诗，序其高尚之致，其词甚美，当时朝廷之士，无不属和，凡三百余人。徐彦伯编而叙之，谓之《白云记》，颇传于代。"《大唐新语》卷一〇亦载此，云："散骑常侍徐彦伯撮其美者三十一首，为制序，名曰《白云记》。"按李适本年十一月卒，其赋诗送司马承祯事当在本年十月之前，姑系于此。

司马承祯谓终南山为仕宦捷径以讥卢藏用。《大唐新语》卷一〇："卢藏用始隐于终南山中，中宗朝，累居要职。有道士司马承祯者，睿宗遣至京，将还。藏用指终南山谓之曰：'此中大有佳处，何必在远？'承祯徐答曰：'以仆所观，乃仕宦捷径耳。'藏用有惭色。"

十一月

李适（663—711）**卒，年四十九。**《新唐书》文艺中本传："睿宗时，待诏宣光阁，再迁工部侍郎。卒，年四十九。"沈佺期《故工部侍郎李公祭文》："维景云二年岁次辛亥十一月壬申朔二十六日丁酉，中书舍人佺期谨以清酌之奠，祭故工部侍郎、昭文馆学士李公之灵。"即祭李适之文。徐彦伯有诗《题东山子李适碑阴二首》，张说有《李工部挽歌三首》，皆为李适之卒而作。贾至《工部侍郎李公集序》："皇唐绍周继汉，颂声大作。神龙中兴，朝称多士，济济儒术，焕乎文章，则我李公，杰立当代。於戏，斯文将丧久矣。习郑卫者难与言咸韶之节，被毡裘者难与议周公之服。而公当颓靡之中，振洋洋之声，可谓深见尧舜之道，宣尼之旨，鲜哉希矣。观作者之意，得《易》之变，知《书》之达，究《诗》之微，极《春秋》之褒贬，可谓孔门之弟，洙泗遗徒。至其逸韵，扬波扇飙，铺糟啜醨，时有婉丽之什，浮艳之句。皆牵于诏旨，迫于时事，然亦言近而兴深，语细而讽大，罔有不含六经之奥义，览者其知夫子之墙乎。"《旧唐书》经籍志下："《李适集》二十卷。"《新唐书》艺文志四："《李适集》十卷。"

本年

张鷟在岐王府参军任，应制举及第，授鸿胪丞，又加阶授五品。《新唐书》张荐传："祖鷟……授岐王府参军。"《容斋续笔》卷一二引《登科记》谓张鷟"景云二年中贤良方正科，于二十人中为第三。"《朝野佥载》卷一："文成景云二年为鸿胪寺丞，帽带及绿袍并被鼠啮。"卷三："又初为岐王属，夜梦着绯乘驴，睡中自怪：我绿衣当乘马，何为衣绯却乘驴？其年应举及第，授鸿胪丞。未经考而授五品，此其应也。"《太平广记》卷一三七引《佥载》："帽带及绿袍并被鼠啮，有蜘蛛大如栗，当寝门悬丝上。经数日，大赦，加阶授五品。"

袁晖、韩朝宗登文以经国科，朝宗授左拾遗，上疏言乞寒胡戏之不经。《唐会要》卷七六："景云二年，文以经国科，袁晖、韩朝宗及第。"《通典》卷一四六："《乞寒》者，本西国外蕃之乐也。景云二年，左拾遗韩朝宗谏曰：'……今之乞寒，滥触（按《唐会要》卷三四作觞）胡俗，伏乞三思，筹其所以。'"

刘宪（？—711）**卒。**《旧唐书》文苑中本传："景云初，三迁太子詹事。……明年，宪卒，赠兖州都督。有集三十卷。"《新唐书》艺文志四："《刘宪集》三十卷。"

崔湜私附太平公主，门客陈振鹭献《海鸥赋》以讽之。《旧唐书》崔仁师附崔湜传："玄宗在东宫，数幸其第，恩意甚密。湜既私附太平公主，时人咸为之惧，门客陈振鹭献《海鸥赋》以讽之，湜虽称善而心实不悦。"

王维年十八，作《洛阳女儿行》等诗。王维有《哭祖六自虚》、《洛阳女儿行》诗，题下均有注云："时年十八。"按《洛阳女儿行》是王维名篇。顾可久评此诗云："初唐王、杨之体如此，俊丽，结斩绝。"宋征璧《抱真堂诗话》："何大复惜王摩诘七言古未为深造，然《洛阳女儿行》一首，殊是当家。"

张谓（711？—780？）**生。**张谓字正言，河内人。少读书嵩山，天宝二年登进士

264

第。乾元中为尚书郎，尝出使夏口，与李白泛舟游于沔州南湖。迁潭州刺史、太子左庶子。大历间官至礼部侍郎，三知贡举。有《张谓集》、《长沙风土碑》各一卷，《全唐诗》编其诗为一卷。据《唐诗纪事》卷二五、《唐才子传校笺》卷四张谓传笺及补笺。

公元712年 （唐睿宗太极元年 延和元年 唐玄宗先天元年 壬子）

正月

己丑，改元太极。见《旧唐书》睿宗纪。

贾曾上书皇太子李隆基，请禁断女乐，太子称赏之。《旧唐书》文苑传中贾曾传："玄宗在东宫，盛择宫僚，拜曾为太子舍人。时太子频遣使访召女乐，命宫臣就率更署阅乐，多奏女妓。曾启谏曰：'臣闻作乐崇德，以感人神。《韶》、《夏》有容，《咸》、《英》有节，妇人媟黩，无豫其间。……良以妇人为乐，必务冶容，哇咬动心，蛊惑丧志。上行下效，淫俗将成，败国乱人，实由兹起。……至若监抚余闲，宴私多豫，后庭妓乐，古或有之，非以风人，为弊犹隐。至于所司教习，章示群僚，慢伎淫声，实亏睿化。伏愿下教令，发德音，屏倡优，敦《雅》、《颂》，率更女乐，并令禁断，诸使采召，一切皆停。……'太子手令答曰：'比尝闻公正直，信亦不虚。寡人近日颇寻典籍，至于政化，偏所留心，女乐之徒，亦拟禁断。公之所言，雅符本意。'俄特授曾中书舍人。"《唐会要》卷三四："先天元年正月，皇太子令宫臣就率更寺阅女乐。太子舍人贾曾谏曰：……"

晦日，宋之问在桂州，陪都督王晙宴饮，赋诗记之。宋之问有《桂州陪王都督晦日宴逍遥楼》诗。王都督谓王晙，《旧唐书》本传："景龙末，累转为桂州都督。"诗当作于本年正月，时宋之问由钦州至桂州依附王晙。宋之问又有《登逍遥楼》、《桂州三月三日》、《始安秋日》、《桂州黄潭舜祠》、《下桂江龙目滩》、《下桂江县黎壁》等诗，亦本年所作，附记于此。

春

睿宗为玉真公主等建寺观，裴漼谏之。《旧唐书》裴漼传："太极元年，睿宗为金仙、玉真公主造观及寺等，时属春旱，兴役不止。漼上疏谏曰：……"又同书魏知古传："景云二年，迁右散骑常侍。睿宗女金仙、玉真二公主入道，有制各造一观，虽属季夏盛暑，尚营作不止。知古上谏曰：……"亦系于此。

张说以尚书左丞留司东都，与韦嗣立等赋诗唱和。韦嗣立有《自汤还都经龙门北溪赠张左丞崔礼部崔光禄》诗，序云："仆自汤还都，经龙门北溪庄宿，张左丞、崔礼部、崔光禄并枉垂光顾。数公宿敦道义，雅尚林壑，谓急于幽寻，故此命驾，遂不知别有胜赏，偶然相过，寒暄未周，神意已往，云霞之致，蔑而不存，逸辔放驱，清尘徒企，耿叹不已，而赠是诗。"张说有《奉酬韦祭酒自汤还都经龙门北溪庄见贻之作》诗，为唱和之作。韦诗题中"张左丞"即谓张说，上年十月以不附太平公主转尚书左丞，已见前。崔礼部谓崔泰之，《唐代墓志汇编》开元一七四《大唐故银青光禄大夫守

工部尚书赠荆州大都督清河郡开国公上柱国崔公（泰之）墓志铭并序》："今天子肇扬天光……迁礼部侍郎"；又《唐诗纪事》卷一四："泰之时以礼部居洛，故与嗣立、说、日知数有酬唱"。崔光禄即谓崔日知，《旧唐书》崔日用附崔日知传："重福既死，以功加银青光禄大夫"，谯王重福因谋反而死，事在景云元年，亦已见前。韦嗣立又有《偶游龙门北溪忽怀骊山别业因以言志示弟淑奉呈诸大僚》诗，张说有《奉酬韦祭酒嗣立偶游龙门北溪忽怀骊山别业呈诸留守之作》诗，崔泰之、崔日知、魏奉古并有《奉酬韦祭酒偶游龙门北溪忽怀骊山别业因以言志示弟淑奉呈诸大僚》。诸诗多写及春日景象，当作于本年或明年春张说居洛时，姑系于此。

五月

辛巳，改元延和。见《通鉴》卷二一〇。

七月

韩休登文经邦国科，授左补阙；赵冬曦登藻思清华科，授右拾遗；张九龄登道侔伊、吕科，授左拾遗；邢巨等登手笔俊拔超越流辈科。《唐会要》卷七六："先天二年，文经邦国科，韩休及第；藻思清华科，赵东曦及第；寄以宣风则能兴化变俗科，郭璘之及第；道侔伊、吕科，张九龄及第；手笔俊拔超越流辈科，杜昱、张子渐、张秀明、常无咎、赵居正、贾登、邢巨及第。"《册府元龟》卷六四五："玄宗先天元年十二月，制令京文武官及朝集使五品以上，各举堪充将帅者一人。又有文经邦国科（韩休及第）、……"《容斋续笔》卷一二："张九龄以道侔伊吕策高第，以《登科记》及《会要》考之，盖先天元年九月，明皇初即位，宣劳使所举诸科九人，经邦治国、材可经国、才堪刺史、贤良方正与此科各一人，藻思清华、兴化变俗科各二人。"《旧唐书》韩休传云："休早有词学，初应制举，累授桃林丞。又举贤良，玄宗时在春宫，亲问国政，休对策与校书郎赵冬曦并为乙第，擢授左补阙。"《唐代墓志汇编续集》天宝〇六八《唐故国子祭酒赵君圹》："府君讳冬曦……慈州刺史倪若水举文藻绝伦，对策上，中第，除右拾遗。"《旧唐书》张九龄传："玄宗在东宫，举天下文藻之士，亲加策问。九龄对策高第，迁右拾遗。"按张九龄有应道侔伊、吕科对策三道，第三道云："伏惟殿下德成问安……真吾君之子也。……而曰'未能动俗'，殿下之至谦也。"知韩、张、赵等应诸科试，皆在玄宗为皇太子时，《旧传》所云是，而上引《会要》、《册府》、《续笔》所记之日期皆不足据。《册府》卷六四五又云："太极元年二月，命文武官五品以上，各举才堪军将及边州都督、刺史一人。"制举文经邦国等科当与此同时。张九龄等应制科试及第当在本年二月制令下达之后，八月玄宗即位之前，姑系于此。又《旧传》谓张九龄制科及第授右拾遗，不确。徐浩《唐尚书右丞相中书令张公神道碑》："应道侔伊、吕科，对策第二等，迁左拾遗。"是。参杨承祖《唐张子寿先生九龄年谱》。

八月

庚子，太子李隆基即皇帝位，是为玄宗，尊睿宗为太上皇。甲辰，改元先天。见《旧唐书》玄宗纪上。

宋之问（656？—712）卒，年约五十七。《旧唐书》文苑中本传："配徙钦州。先天中，赐死于徙所。之问再被窜谪，经途江、岭，所有篇咏，传布远近。友人武平一为之纂集，成十卷，传于代。"《旧唐书》酷吏下周利贞传："玄宗正位，利贞与薛季昶、宋之问同赐死于桂州驿。"之问赐死当在本月或稍后，姑系于此。《新唐书》艺文志四："《宋之问集》十卷。"《郡斋读书志》卷一七、《直斋书录解题》卷一六均著录为十卷。独孤及《唐故左补阙安定皇甫公集序》："历千余岁，至沈詹事、宋考功，始裁成六律，彰施五色，使言之而中伦，歌之而成声，缘情绮靡之功，至是乃备。"元稹《故工部员外郎杜君墓系铭》："唐兴，官学大振，历世之文，能者互出，而又沈、宋之流，研练精切，稳顺声势，谓之为律诗。由是而后，文变之体极矣。"《新唐书》文艺中李适附宋之问传："魏建安后汔江左，诗律屡变。至沈约、庾信，以音韵相婉附，属对精密。及之问、沈佺期，又加靡丽，回忌声病，约句准篇，如锦绣成文。学者宗之，号为'沈宋'，语曰：'苏、李居前，沈、宋比肩。'谓苏武、李陵也。"《瀛奎律髓》卷一："宋之问，唐律诗之祖，诗未尝不佳……字字细密。"《诗薮》内编卷四："沈七言律，高华胜宋；宋五言排律，精硕过沈。"又："沈、宋本自并驱，然沈视宋稍偏枯，宋视沈较缜密。沈制作亦不如宋之繁富。沈排律工者不过三数篇，宋则遍集中无不工者，且篇篇平正典重，赡丽精严，初学入门，所当熟习。右丞韵度过之，而典重不如；少陵闳大有加，而精严略逊。"又："延清排律，如《登粤王台》、《虚氏村》、《禹穴》、《韶州》、《清远峡》、《法华寺》等篇，叙状景物，皆极天下之工。且繁而不乱，绮而不冗，可与谢灵运游览诸作并驰，古今排律绝唱也。"《唐诗品》："延清天挺瑶华，端然秀颖，身游宇内，而神薄太清。其诗意匠纵出，种种合度，神情所契，在在成声，虽远离颠倒之中，悉谐韵节之妙，唐之上士舍子其谁？大抵世之言诗者，五音□于歌唱，而文或不工；四声弥其绮丽，而调或不协，安能畅风教而通庶情也。今延清含精美之气而按鸿朗之节，极苦辛之变而不离《雅》、《颂》之义，又谁得尚之？后世李太白以天才见称，其归命原根实出宋九。存百代变衰之论，而昧衡枢之旨，岂不上愧师涓，下惭纪宣哉！"曹荃明崇祯刊本《宋学士集》序："自四杰下笔间，生真神，正骨力，从铅华靡丽中洗发以出，而萧、李、沈、宋诸君子，亦各具须眉而存眼鼻，一时风雅，遂擅胜场。吾偶读宋学士延清集，见其刊浮削靡，亦隽亦新。辟诸含光藏匣，而龙文之干霄冲斗者烨烨欲吐，吐者其色，烨烨者其神也。又如挂笋对西山，挹其朝气，棱棱露爽，爽者其气，棱棱者其骨也。以故评延清诗者谓其如良金美玉，无施不可；谓其使曹、刘降格，不能争胜，盖亦推崇极矣。"《载酒园诗话又编》："宋古诗多佳，真苦收之不尽。律诗扈从、应制诸篇，实亦不能高出于沈。山水丽情，则沈犹竹生云梦，宋则伶伦子吹之作凤鸣矣。"《三唐诗品》卷一："其源出于谢玄晖、沈休文。五言长篇蔚密，短篇明秀，高凌宣远，卑拟韩卿。七言短章，独开蹊径，玩词已尽，而寻味方永，实文坛之独帜，韵府之高言。《明河》发咏，为西崑之体所师意焉。应制律词，特饶风韵，后唯钱起足以方之。"

武平一贬苏州司功参军。《新唐书》本传："迁考功员外郎。……玄宗立，贬苏州参军。"按张九龄有《武司功初有幽庭春暄见贻夏首获见以诗报焉》诗，武司功当即武平一，则其被贬所任之职为苏州司功参军。

十月

张说预东都酺宴，赋诗，又与崔日知等赋诗赠答。张说有《东都酺宴诗四首》，序云："先天元祀孟冬十月，东都留守韦公，寅奉圣朝，述宣嘉旨，乃合洛京之五省，招河伊之二县……供张于兴教之门，式酺宴也。……凡我词客，安敢阙如，赋诗展事，垂列于后。"又《酬崔光禄冬日述怀赠答》诗序："太极殿众君子分司洛城，自春涉秋，日有游讨，既而韦公出守，兹乐便废。顷因公燕，方接咏言。崔光禄述志论文，首贻雅唱。诸公嘉德叙事，咸有报章。……是用缀集，勒成一卷。"韦公谓韦安石，《旧唐书》本传："其冬，罢知政事，拜特进，充东都留守。……由是为御史中丞杨茂谦所劾，出为蒲州刺史。"韦安石上年冬充东都留守，而张说明年七月被征入朝，知安石之为蒲州刺史乃在本年冬，张说《酬崔光禄冬日述怀赠答》诗亦必本年冬所作，崔日知原诗、韦嗣立、崔泰之和诗作于同时。

十一月

魏知古赋诗谏玄宗畋猎，受褒奖。《唐会要》卷二八："先天元年十月七日，幸新丰，猎于骊山之下，至十一月三日，侍中魏知古上诗谏曰：……手制曰：'卿所进《猎渭滨十韵》，三复研精，良增叹美。……卿有箴规，辅予不逮，合赐物十五段，以申劝奖。'"《旧唐书》本传："擢拜侍中。先天元年冬，从上畋猎于渭川，因献诗讽曰：……手制褒之曰：……"所叙畋猎地点不同，然当是一事。

平贞眘（？—712）卒。张说《常州刺史平君神道碑》："公讳贞眘……拜常州刺史，居岁余，优诏致仕。享年八十，先天元年仲冬，薨于河南之正平里第。……凡撰《纯孝》、《友悌传》各一篇，以匡储后；撰《先君亲友传》十卷，以笃故旧；撰《家谱》、《家志》各十卷，以明系本；撰《河南巡察记》十卷，以辨风俗。……有文集十卷，行于代。"

本年

阎朝隐（？—712?）卒。《旧唐书》文苑中本传："先天中，复为秘书少监。又坐事贬为通州别驾，卒官。"又云："朝隐文章虽无《风》、《雅》之体，善构奇，甚为时人所赏。"《新唐书》文艺中李适附阎朝隐传："性滑稽，属词奇诡，为武后所赏。"

沈佺期在太府少卿任，预修《一切道经音义》。史崇［玄］《妙门由起序》："名曰《一切道经音义》，并《妙门由起》六篇，具列如左，及今所音经目与旧经目录，都为一百十三卷。"《新唐书》艺文志三："《道藏音义目录》一百十三卷。崔湜、薛稷、沈佺期、道士史崇玄等撰。"史崇玄序载崔湜职衔为"检校中书令,"沈佺期为"正议大夫、行太府少卿、昭文馆学士、上柱国、吴兴县开国男臣沈佺期。"据《新唐书》宰相表,本年八月,崔湜检校中书令,明年七月流窦州。《音义》之修撰当在此期间,姑系本年。

孟浩然赋诗送张子容赴举。孟浩然有《送张子容赴举》诗(见《孟浩然集校注》卷三;以下凡引浩然诗均据是书,不复注)。子容明年进士及第,此诗当作于本年或稍前,姑系于此。

王维年十九,作《桃源行》等诗。王维有《李陵咏》、《桃源行》诗,题下均注:"时年十九。"又《赋得清如玉壶冰》题注:"京兆府试,时年十九。"诸诗并当作于本年。按《桃源行》系王维名作。宋陈岩肖《庚溪诗话》卷下评云:"武陵桃源……如王摩诘、韩退之、刘禹锡,本朝王介甫,皆有歌诗,争出新意,各相雄长。"《唐诗归》卷八钟惺云:"将幽事寂境,长篇大幅,滔滔写来,只如唐人作《帝京》、《长安》富贵气象,彼安得有如此流便不羁?"《带经堂诗话》卷二:"唐、宋以来作《桃源行》最传者,王摩诘、韩退之、王介甫三篇。观退之、介甫二诗,笔力意思甚可喜;及读摩诘诗,多少自在,二公便如努力挽强,不免面赤耳热。此盛唐所以高不可及。"《绠斋诗谈》卷五:"比靖节作,此为设色山水,骨格少降,不得不爱其渲染之工。"《唐诗别裁集》卷五:"顺文叙事,不须自出意见,而夷犹容与,令人味之不尽。"《石州诗话》卷一:"古今咏桃源事者,至右丞而造极,固不必言矣。"

宋庭瑜妻魏氏作《南征赋》,词甚典美;开元中,张说尝叹赏之。《旧唐书》列女宋庭瑜妻魏氏传:"魏氏善属文。先天中,庭瑜自司功少卿左迁涪州别驾,魏氏随夫之任,中路作《南征赋》以叙志,词甚典美。开元中,庭瑜累迁庆州都督。……魏氏恨其夫为外职,乃作书与(张)说,叙亡父畴昔之事,并为庭瑜申理,乃录《南征赋》寄说。说叹曰:'曹大家《东征》之流也。'"先天共两年,今姑系魏氏《南征赋》作于本年。

陆余庆为洛州长史,其子有诗嘲之。《朝野佥载》卷二:"尚书右丞陆余庆转洛州长史,其子嘲之曰:'陆余庆,笔头无力嘴头硬。一朝受词讼,十日判不竟。'送案褥下。余庆得而读之,曰:'必是那狗。'遂鞭之。"据《唐刺史考全编》卷四九,陆余庆任洛州长史约在先天元年至二年间,姑系于此。

杜甫(712—770)生。杜甫字子美,原籍襄阳,自曾祖徙居河南府巩县。早年游吴越,举进士不第,复游齐赵。天宝中客居长安,进《三大礼赋》,授右卫率府胄曹参军。安史乱起,自长安赴肃宗行在凤翔,拜左拾遗,旋出为华州司功参军。弃官入蜀,寓居成都浣花溪畔草堂,复流浪梓、阆诸州间。严武镇蜀,表为节度参谋,检校工部员外郎。武卒,携家由夔州出峡,转徙于岳阳、潭州、衡州,大历五年冬病卒。据《旧唐书》文苑下本传、《新唐书》文艺上杜审言附杜甫传、《唐才子传校笺》卷二。

第三章

唐玄宗开元元年至唐玄宗天宝十四载（713—755）共43年

·引 言·

沈既济《词科论》：初，国家自显庆以来……以至于开元、天宝之中，上承高祖、太宗之遗烈，下继四圣理平之化，贤人在朝，良将在边，家给户足，人无苦窳，四夷来同，海内晏然。虽有宏猷上略无所措，奇谋雄武无所奋。百余年间，生育长养，不知金鼓之声，烽燧之光，以至于老。故太平君子唯门调户选，征文射策，以取禄位，此行己立身之美者也。父教其子，兄教其弟，无所易业，大者登台阁，小者仕郡县，资身奉家，各得其足，五尺童子，耻不言文墨焉。是以进士为士林华选，四方观听，希其风采，每岁得第之人，不浃辰而周闻天下。故忠贤隽彦韬才毓行者，咸出于是，而桀奸无良者或有焉。故是非相陵，毁称相腾，或扇结钩党，私为盟歃，以取科第，而声名动天下；或钩摭隐慝，嘲为篇咏，以列于道路，迭相谈訾，无所不至焉。（《全唐文》卷四七六）

杜确《岑嘉州集序》：圣唐受命，斲雕为朴，开元之际，王纲复举，浅薄之风，兹焉渐革。其时作者，凡十数辈，颇能以雅参丽，以古杂今，彬彬然，灿灿然，近建安之遗范矣。（《全唐文》卷四五九）

皮日休《郢州孟亭记》：明皇世，章句之风，大得建安体。论者推李翰林、杜工部为之尤。（《皮子文薮》卷七）

皮日休《松陵集序》：诗……逮及吾唐开元之世，易其体为律焉，始切于俪偶，拘于声势。（《全唐文》卷七九六）

刘昫等《旧唐书》玄宗纪论：孔子称“王者必世而后仁”。李氏自武后移国三十余年，朝廷罕有正人，附丽无非险辈。持苞苴而请谒，奔走权门；效鹰犬以飞驰，中伤端士。以致斲丧王室，屠害宗枝，骨鲠大臣，屡遭诬陷，舞文酷吏，坐致显荣。礼仪无复兴行，刑政坏于犬马，端揆出阿党之语，冕旒有和事之名，朋比成风，廉耻都尽。我开元之有天下也，纠之以典刑，明之以礼乐，爱之以慈俭，律之以轨仪。黜前朝徼幸之臣，杜其奸也；焚后庭珠翠之玩，戒其奢也；禁女乐而出宫嫔，明其教也；赐酺赏而放哇淫，惧其荒也；叙友于而敦骨肉，厚其俗也；蒐兵而责帅，明军法也；朝集而计最，校吏能也。庙堂之上，无非经济之才；表著之中，皆得论思之士。而又旁求宏硕，讲道艺文。昌言嘉谟，日闻于献纳；长辔远驭，志在于升平。贞观之风，一朝复振。于斯时也，烽燧不惊，华戎同轨。西蕃君长，越绳桥而竞款玉关；北狄酋渠，捐毳幕而争趋雁塞。象郡、炎州之玩，鸡林、鳀海之珍，莫不结辙于象胥，骈罗于典属。膜拜丹墀之下，夷歌立杖之前，可谓冠带百蛮，车书万里。天子乃览云台之义，草泥金之札，然后封日观，禅云亭，访道于穆清，怡神于玄化，与民休息，比屋可封。于时垂髫之倪，皆知礼让；戴白之老，不识兵戈。虏不敢乘月犯边，士不敢弯弓报怨。"康哉"之颂，溢于八纮。所谓"世而后仁"，见于开元者矣。年逾三纪，可谓太平。於戏！国无贤臣，圣亦难理；山有猛虎，兽不敢窥。得人者昌，信不虚语。昔齐桓公行同禽兽，不失霸主之名；梁武帝静比桑门，竟被台城之酷。盖得管仲则淫不害霸，任朱异则善不救亡。开元之初，贤臣当国，四门俱穆，百度唯贞，而释、老之流，颇以无为请见。上乃务清净，事薰修，留连轩后之文，舞咏伯阳之说，虽稍移于勤倦，亦未至于怠荒。俄而朝野怨咨，政刑纰缪，何哉？用人之失也。自天宝已还，小人道长。如山有朽壤，虽大必亏；木有蠹虫，其荣易落。以百口百心之谗谄，蔽两目两耳之聪明，苟非铁肠石心，安得不惑！而献可替否，靡闻姚、宋之言；妒贤害功，但有甫、忠之奏。豪猾因兹而睥睨，明哲于是乎卷怀，故禄山之徒，得行其伪。厉阶之作，匪降自天，谋之不藏，前功并弃。惜哉！

同上书文苑传下：开元、天宝间，文士知名者，汴州崔颢、京兆王昌龄、高适、襄阳孟浩然，皆名位不振，唯高适官达。

欧阳修、宋祁《新唐书》文艺传序：玄宗好经术，群臣稍厌雕琢，索理致，崇雅黜浮，气益雄浑，则燕、许擅其宗。是时，唐兴已百年，诸儒争自名家。

同上节文艺上杜审言附杜甫传赞：唐兴，诗人承陈、隋风流，浮靡相矜。至宋之问、沈佺期等，研揣声音，浮切不差，而号"律诗"，竞相沿袭。逮开元间，稍裁以雅正，然恃华者质反，好丽者壮违，人得一概，皆自名所长。至甫，浑涵汪茫，千汇万状，兼古今而有之，它人不足，甫乃厌余，残膏剩馥，沾丐后人多矣。故元稹谓："诗人以来，未有如子美者。"甫又善陈时事，律切精深，至千言不少衰，世号"诗史"。昌黎韩愈于文章慎许可，至歌诗，独推曰："李、杜文章在，光焰万丈长。"诚可信云。

严羽《沧浪诗话·诗辨》：夫学诗者以识为主：入门须正，立志须高；以汉、魏、晋、盛唐为师，不作开元、天宝以下人物。又：大抵禅道惟在妙悟，诗道亦在妙悟。……然悟有深浅，有分限，有透彻之悟，有但得一知半解之悟。汉、魏尚矣，不假悟也。谢灵运至盛唐诸公，透彻之悟也；他虽有悟者，皆非第一义也。又：诗者，吟咏情性也。盛唐诸人惟在兴趣，羚羊挂角，无迹可求。故其妙处透彻玲珑，不可凑泊，如空中之音，相中之色，水中之月，镜中之象，言有尽而意无穷。（《沧浪诗话校释》本）

严羽《答出继叔临安吴景仙书》：又谓：盛唐之诗，雄深雅健。仆谓此四字，但可评文，于诗则用健字不得。不若《诗辨》雄深悲壮之语，为得诗之体也。毫厘之差，不可不辨。坡、谷诸公之诗，如米元章之字，虽笔力劲健，终有子路事夫子时气象。盛唐诸公之诗，如颜鲁公书，既笔力雄壮，又气象浑厚，其不同如此。（《沧浪诗话校释》附录）

方回《瀛奎律髓》卷一四：玄宗大有好诗，而半山不及取，殆是未见其集。然则开元、天宝盛时，当陈、宋、杜、沈律诗，王、杨、卢、骆诸文人之后，有王摩诘、孟浩然、李太白、杜子美及岑参、高适之徒，并鸣于时。韦应物、刘长卿、严维、秦系亦并世，而不见与李、杜相倡和。诗人至此，可谓盛矣。为之君如明皇者，高才能诗，亦不下其臣，岂非盛之又盛哉！（《瀛奎律髓汇评》本）

高棅《唐诗品汇》五言古诗叙目：诗至开元、天宝间，神秀、声律粲然大备。李翰林天才纵逸，轶荡人群，上薄曹、刘，下凌沈、鲍，其乐府古调若使储光羲、王昌龄失步，高适、岑参绝倒，况其下乎？朱子尝谓：太白诗如无法度，乃从容于法度之中，盖圣于诗者。其《古风》两卷，皆自陈子昂《感遇》中来，且太白去子昂未远，其高怀慕尚也如此。今皆二公为正宗……使学者入门立志，取正于斯，庶无他歧之惑矣。又：夫诗莫盛于唐，莫备于盛唐。论者惟杜、李二家为尤，其间又可名家者十数公。至如子美所赞咏者王维、孟浩然，所友善者高适、岑参。乾元以后，刘、钱接迹，韦、柳光前，人各鸣其所长。今观襄阳之清雅，右丞之精致，储光羲之真率，王江宁之声俊，高达夫之气骨，岑嘉州之奇逸，李颀之冲秀，常建之超凡，刘随州之闲旷，钱考功之清澹，韦之静而深，柳之温而密，此皆宇宙山川英灵间气，萃于时以钟乎人矣。呜呼，盛哉！又：若夫太白、浩然、储、王、常、李、高、岑数公已褐（揭）于前，他如崔颢、薛据、张谓、王季友诸人，皆李、杜当时所称许，相与发明斯道，赓歌鼓舞以鸣乎盛世之音者矣。今以崔司勋等十五人共诗八十一首为上卷，又以殷氏所收之外若崔宗之、魏万之愿交于翰林，元结、孟云卿之见称于工部，张、裴、贾、岑唱和联翩（张子容与孟浩然有永嘉赠答，裴迪与王维有辋川赋咏，贾至与岑参诸人有早朝唱和），萧、李、独孤驰名先后（萧颖士时号萧夫子，李华中宏词，独孤及天宝末举有道），又如《箧中》（元次山编沈千运、赵微明诸人之诗为《箧中集》）、《丹阳》（殷璠编张潮，包融等十八人为《丹阳集》）采葺不少，虽众君子之全集罕得详览，然其言皆足以没世而不忘也。爰自崔颢而下以尽乎天宝诸贤，凡三十六人，得诗七十四首为下卷，合而题曰羽翼。又：五言长篇，自古乐府《焦仲卿》而下，继者绝少。唐初亦不多见，逮李、杜二公始盛。至其铺陈终始，排比声韵，大或千言，次犹数百，辞意曲折，队仗森严，人皆雕饬乎语言，我则直露其肺腑，人皆专犯乎讳忌，我则回护其褒贬，此少陵所长也。太白又次之。

同上书七言古诗叙目：盛唐工七言古调者多，李、杜而下，论者推高、岑、王、李、崔颢数家为胜。窃尝评之：若夫张惶气势，陡顿始终，综核于古今，博大其文辞，则李、杜尚矣。至于沉郁顿挫，抑扬悲壮，法度森严，神情俱诣，一味妙悟，而佳句辄来，远出常情之外，之数子者，诚与李、杜并驱而争先矣。

同上书五言绝句叙目：开元后，独李白、王维尤胜诸人。次则崔国辅、孟浩然可以并肩。……若储光羲、王昌龄、裴迪、崔颢、高适、岑参等数篇，词简而意味尤长，与前数公实相羽翼。

同上书王偁序：诗自《三百篇》以降，汉、魏质过于文，六朝华浮于实，得二者之中，备风人之体，唯唐诗为然。然以世次不同，故其所作亦异。初唐声律未纯，晚唐气习卑下。卓卓乎其可尚者，又惟盛唐为然。此具九方皋目者之论也。故是选专重盛唐，而初唐晚唐，特以备一代之制。

杨士奇《杜律虞注序》：律诗始盛于开元、天宝之际，当时如王、孟、岑、韦诸作者，犹皆雍容萧散，有余味可讽咏也。若雄深浑厚，有行云流水之势，冠冕佩玉之风，流出胸次，从容自然，而皆由夫性情之正，不局于法律，亦不越乎法律之外，所谓从心所欲不逾矩，为诗之圣者，其杜少陵乎？厥后作者代出，雕镂锻炼，力愈勤而格愈卑，志愈笃而气愈弱，盖局于法律之累也。不然，则叫呼叱咤以为豪，皆无复性情之正矣。夫观水者必于海，登高者必于岳，少陵其诗家之海岳欤！（《东里续集》卷一四）

王世贞《艺苑卮言》卷八：开元帝性既豪丽，复工词墨，故于宰相拜上，岳牧出镇，往往亲御宸章，普令和赠，为一时盛事。四明狂客以庶僚投老得之，尤足佳绝。青莲起自布素，入为供奉，龙舟移馔，兽锦夺袍，见于杜诗。及他传奇，所载天子调羹，宫妃捧砚，晚虽沦落，亦自可儿。（《历代诗话续编》本）

胡应麟《诗薮》内编卷二：古诗浩繁，作者至众。虽风格体裁，人以代异，支流原委，谱系具存。……有唐一代，拾遗草创，实阮前踪；太白纵横，亦鲍近媵。少陵才具，无施不可，而宪章祖述汉、魏、六朝，所谓风雅之大宗，艺林之正朔也。

同上书内编卷五：王、岑、高、李，世称正鹄。嘉州词胜意，句格壮丽而神韵未扬。常侍意胜词，情致缠绵而筋骨不逮。王、李二家和平而不累气，深厚而不伤格，浓丽而不乏情，几于色相俱空，风雅备极，然制作不多，未足以尽其变。杜公才力既雄，涉猎复广，用能穷极笔端，范围今古，但变多正少，不善学者，类失粗豪。钱、刘以还，寥寥千载。

同上书内编卷六：摩诘五言绝穷幽极玄，少伯七言绝超凡入圣，俱神品也。又：五言绝二途：摩诘之幽玄，太白之超逸。子美于绝句无所解，不必法也。又：杜陵、太白七言律绝，独步词场。然杜陵律多险拗，太白绝间率露，大家故宜有此。若神韵干云，绝无烟火，深衷隐厚，妙协箫韶，李颀、王昌龄，故是千秋绝调。又：盛唐绝句，兴象玲珑，句意深婉，无工可见，无迹可寻。又：五言绝，唐乐府多法齐、梁，体制自别。七言亦有作乐府体者，如太白《横江词》、《少年行》等，尚是古调。至少伯《宫词》、《从军》、《出塞》，虽乐府体，实唐人绝句，不涉六朝，然亦前无六朝矣。又：盛唐长五言绝，不长七言绝者，孟浩然也；长七言绝，不长五言绝者，高达夫也。五七言各极其工者太白，五七言俱无所解者少陵。又：太白诸绝句信口而成，所谓无意于工而无不工者。少伯深厚有余，优柔不迫，怨而不怒，丽而不淫。余尝谓古诗、乐府后惟太白诸绝近之，《国风》、《离骚》后惟少伯诸绝近之。体若相悬，调可默会。又：李词气飞扬，不若王之自在；然照乘之珠，不以光芒杀直。王句格舒缓，不若李之自然；然连城之璧，不以追琢减称。又：李作故极自然，王作亦和婉中浑成，尽谢炉锤之迹；王作故极自在，李亦飘翔中闲雅，绝无叫噪之风，故难优劣。然李词或太露，王语或过流，亦不得护其短也。又：太白五言绝，自是天仙口语，右丞却入禅宗。如："人闲桂花落，夜静深山空。月出惊山鸟，时鸣春涧中。""木末芙蓉花，山中发红萼。涧户寂无人，纷纷开且落。"读之身世两忘，万念皆寂。不谓声律之中，有此妙诠。又：太白五言如《静夜思》、《玉阶怨》等，妙绝古今，然亦齐、梁体格。他作视七言绝句，觉神韵小减，缘句短逸气未舒耳。右丞辋川诸作，却是自出机轴，名言两忘，色相俱泯。又：唐五言绝，太白、右丞为最，崔国辅、孟浩然、储光羲、王昌龄、裴迪、崔颢次之。又：七言绝，太白、江宁为最，右丞、嘉州、舍人、常侍次之。又：杜之律，李之绝，皆天授神诣。然杜以律为绝，如"窗含西岭千秋雪，门泊东吴万里船"等句，本七言律壮语，而以为绝句，则断锦裂绘类也。李以绝为律，如"十月吴山晓，梅花落敬亭"等句，本五言绝妙境，而以为律诗，则骈拇枝指类也。

同上书外篇卷三：玄宗开元中宰相至十数人，皆文学士也。先是又有魏知古等。古今词人之达，莫盛此时。继之林甫、国忠，虽天资险狯，然俱以不学称。唐治乱判矣。

同上书外编卷四：盛唐萧颖士、李华、元结，文名皆藉甚当时，而湮没异代者，前掩于王、杨，后掩于韩、柳也。又：唐诗之拙怪者，咸以卢玉川、马河南，开元间任华已先之矣。唐文之轧茁者，咸以皇甫湜、樊宗师，天宝间元结已先之矣。

胡应麟《少室山房笔丛》二八：大概六代以还，文尚俳偶，至唐李华、萧颖士及次山辈，始解散为古文。萧、李文尚平典，元独矫峻艰涩，近于怪且迂矣，一变而樊宗师诸人，皆结之倡也。

许学夷《诗源辩体》卷三：汉、魏古诗，盛唐律诗，其妙处皆无迹可求。但汉、魏无迹，本乎天成；而盛唐无迹，乃造诣而入也。

同上书卷一五：汉、魏五言，体多委婉，语多悠圆。唐人五言古变于六朝，则以调纯气畅为主。若高、岑豪荡感激，则又以气象胜；或欲以含蓄酝藉而少之，非所以论唐古也，歌行不必言矣。又：盛唐五言律，惟岑嘉州用字间有涉新巧者，如"孤灯然客梦，寒杵捣乡愁"、"涧水吞樵路，山花醉药栏"、"塞花飘客泪，边柳挂乡愁"，大约不过数联。然高、岑所贵，气象不同，学者不得其气象，而徒法其新巧，则终为晚唐矣。又：高、岑五言不拘律法者，犹子美七言以歌行入律，沧浪所谓"古律"是也。虽是变风，然豪旷磊落，乃才大而失之于放，盖过而非不及也。又：高岑五言、子美七言不拘律法者，皆歌行体也。故意贵倾倒，不贵含蓄，未可以常格论也。

同上书卷一六：王摩诘、孟浩然才力不逮高、岑，而造诣实深，兴趣实远，故其古诗虽不足，律诗体多浑圆，语多活泼，而气象风格自在，多入于圣矣。又：高、岑之诗，才力胜于造诣；王、孟之诗，造诣胜于才力。又：高岑之诗有慷慨侠烈之气，王孟之诗有一丘一壑之风。又：五言排律，有双韵，无单韵。盛唐惟李、杜、高、岑、孟浩然，极守此法，而浩然实不严整。摩诘而外，复多有单韵者矣。《正声》于排律单韵者不录，得之。

同上书卷一七：盛唐五言律，多融化无迹而入于圣；七言字数稍多，结撰稍艰，故于稳帖、匀和、溜亮、畅达，往往不能兼备。王元美云："七言律，李有风调而不甚丽，岑才甚丽而情不足，王差备美。"愚按：岑"鸡鸣紫陌"、"西掖重云"、"长安雪后"、"回风度雨"，王"居延城外"、"渭水自萦"、"汉主离宫"、"洞门高阁"，李"流渐腊月"、"朝闻游子"、"远公遁迹"、"花宫仙梵"诸篇，亦可称全作。但李较岑、王，语虽镕液而气若稍劣，后人每多推之者，盖由盛唐体多失粘，讽之则难谐协，李篇什虽少，则篇篇合律矣。又：盖初唐气格甚胜，而机未圆活；大历过于流婉，而气格顿衰；盛唐浑圆活泼，而气象风格自在，此所以为诣极也。又：山谷诗云："建安才六七子，开元数两三人。"才难，不其然乎！故盛唐李、杜而外，具体仅称高、岑，而高则又亚于岑矣。王、孟律诗虽胜，而古则不逮，其它诸公，仅得一体两体，而亦不能尽工也。又：五言古至于唐，古体尽亡，而唐体始兴矣。然盛唐五言古，李、杜而下惟岑参、元结于唐体为纯，尚可学也；若高适、孟浩然、李颀、储光羲诸公，多杂用律体，即唐体而未纯，此必不可学者。又：唐人沿袭六朝，自幼便为俳偶声韵所拘，故盛唐五言古，自李、杜、岑参、元结而外，多杂用律体，与初唐相类。其仄韵犹可观者，盖仄韵多忌"鹤膝"，声调四句一转，故古声虽没而音节犹可歌咏耳。平韵者虽杜子美"纨袴罢不饿死"、"往者十四五"，亦未免稍杂律体。太白仄韵诸篇又多忌"鹤膝"，他人不足言矣。又：盛唐七言歌行，李、杜而下，唯高、岑、李颀得为正宗，王维、崔颢抑又次之。然今人才力未必能胜高、岑，而驰骋每过之者，盖歌行自李、杜纵横轶荡，穷极笔力，后人往往慕李、杜而薄高、岑，故多不免于强致，非若高、岑诸公出于才力之自然也。又：汉、魏古诗由天成以至作用，故魏为降于汉。初、盛唐律诗由升唐而入于室，故盛为深于初。又：唐人律诗，沈、宋为正宗，至盛唐诸公，则融化无迹而入于圣。沈、宋才力既大，造诣始纯，故体尽整栗，语多雄丽。盛唐诸公，造诣实深，而兴趣实远，故体多浑圆，语多活泼耳。后之论律诗者，皆宗盛唐，而元美之意主于沈、宋，则古人所谓"弹丸脱手"者无当也，安可与入化境乎？又：胡元瑞云："律诗大要，体格、声调、兴象、风神而已。体格、声调，有则可循；兴象、风神，无方可执。故作者但求体正格高，声雄调鬯，积习之久，矜持尽化，形迹俱融，兴象、风神自尔超迈。"予谓：此由初入盛之阶也。所云"积习之久，矜持尽化，形迹俱融"，则造诣之功也。何仲默谓："富于才积，领会神情，临景构结，不仿形迹。"斯可与论盛唐之化矣。又：盛唐诸公律诗，得风人之致，故主兴不主意，贵婉不贵深（谓用意深，非情深也）。冯元成谓"得风人之旨而兼词人之秀"是也。子美虽大而有法，要皆主意而尚严密，故于《雅》为近，此与盛唐诸公，各自为胜，未可以优劣论也。又：盛唐诸公律诗，兴趣极远，虽未尝骋才华，炫葩藻，而冲融浑涵，得之有余。又：盛唐诸公律诗，偶对自然，而意自吻合，声韵和平，而调自高雅。又：盛唐诸公律诗，皆似近非近，可及而未易及。又：盛唐诸公律诗，既景缘情，不必泥题牵带。又：七言律较五言为难。五言，盛唐概多入圣。七言，惟崔颢《雁门》、《黄鹤》为诣极，高适、岑参、王维、李颀虽入圣而未优，李于鳞云"七言律体诸家所难"是也。

同上书卷一八：开元、天宝间，高、岑二公五七言古，再进而为李、杜二公。李、杜才力甚大，而造诣极高，意兴极远（李主兴，杜主意）。故其五七言古，体多变化，语多奇伟，而气象风格大备，多入于神矣。……然详而论之，二公五言古，实所向如意，而优于圣；七言古，则变化不测，而入于神矣。此格有所限，非五言有未至也。又：五言古，七言歌行，其源流不同，境界亦异。五言古源于《国风》，其体贵正；七言歌行本乎《离骚》，其体尚奇。李、杜五言古虽不能如汉、魏之深婉，然不失为唐体之正，过此则变幻百出，流为元和、宋人，不得为正体矣。又：五言古，自汉、魏递变以至六朝，古、律混淆，至李、杜、岑参始别为唐古，而李、杜所向如意，又为唐古之壶奥。故或以李、杜不及汉、魏者，既失之过；又或以李、杜不及六朝者，则愈谬也。

同上书卷一九：五七言乐府，太白虽用古题，而自出机轴，故能超越诸子；至子美则自立新题，自创己格，自叙时事，视诸家纷纷范古者，不能无厌。

同上书卷二〇：盛唐高岑五言、子美七言，以古入律，虽是变风，然气象风格自胜；钱、刘诸子五七言，调虽合律，而气象风格实衰，此所以为不及也。

同上书卷三二：或问予："子之论律诗，宗盛唐而黜晚唐，宜矣。然无乃畏难而乐易乎？"曰：盛唐浑圆活泼，其造诣之功，已非一日，若浩然造思极深，必待自得，则造诣之后，又非卒然可办也，孰谓盛唐易而晚唐难乎？但盛唐沉思忽至，豁焉贯通，种种自见；晚唐衬贴纤巧，一字一句，靡不艰得，斯则盛唐易而晚唐难，信矣。或曰："诗贵超脱，不贵沿袭，子之言，无乃以沿袭为事乎？"曰：盛唐造诣既深，兴趣复远，故形迹俱融，风神超迈，此盛唐之脱也。学者有盛唐之具，斯亦脱矣，若更求脱于盛唐，则吾不知也。

同上书卷三六：唐人五言古自有唐体，故盛唐自李、杜、岑参而外，五言古多不可选。王昌龄体虽近古，而未尽善；储光羲格虽出奇，而不合古；其它体制未纯，声韵多杂，未若李、杜、岑参滔滔自运，体既尽纯，声皆合古耳。

钟惺、谭元春《唐诗归》卷六：六朝帝王鲜不能诗，大抵崇尚纤靡，与文士竞长，偏杂软滞，略于文字中窥其治象。至明皇而骨韵风力，一洗殆尽，开盛唐广大清明气象。真主笔舌，与运数隆替相对。

冯班《钝吟杂录·论乐府与钱颐仲》：歌行之名，本之乐章，其文句长短不同，或有拟古乐府为之，今所见如鲍明远集中有之，至唐天宝以后而大盛，如李太白其尤也。太白多效三祖及鲍明远，其语尤近古耳。（《清诗话》本）

贺贻孙《诗筏》：盛唐人诗，有血痕无墨痕；今之学盛唐者，有墨痕无血痕。又：看盛唐诗，当从其气格浑老、神韵生动处赏之，字句之奇，特其余耳。如王维"鹊乳先春草，莺啼过落花"，孟浩然"石镜山精怯，禅枝怖鸽栖"，张谓"野猿偷纸笔，山鸟污图书"，岑参"瓯香茶色嫩，窗冷竹声干"，此等语皆晚唐人所极意刻画者。然出王、孟、张、岑手，即是盛唐诗；若出晚唐人手，即是晚唐人诗。盖盛唐人一字一句之奇，皆从全首元气中苞孕而出，全首浑老生动，则句句浑老生动，故虽有奇句，不碍自然。若晚唐气卑格弱，神韵又促，即取盛唐人语入其集中，但见斧凿痕，无复前人浑老生动之妙矣。（《清诗话续编》本）

吴乔《围炉诗话》卷一：盛唐诗亦甚高，变汉、魏之古体为唐体，而能复其高雅；变六朝之绮丽为浑成，而能复其挺秀。艺至此尚矣！

同上书卷二：王右丞五古，尽善尽美矣，《观猎者》篇可入《三百》。孟浩然五古，可敌右丞。储光羲诗是沮、溺、丈人语。高达夫五古，壮怀高志，具见其中。子美称"岑参识度清远，诗词雅正。"杜确云："岑今属词尚清，用志尚切，迥拔孤秀，出于常情。"王昌龄五古，或幽秀，或豪迈，或惨恻，或旷达，或刚正，或飘逸，不可物色。李颀五古，远胜七律。常建五古，可比王龙标。崔颢因李兆海一言，殷璠目为"轻薄"；诗实不然，五古奇崛，五律精能，七律尤胜。崔曙五古，载《英灵集》者五篇，商妙沉着。殷璠谓其"吐词委婉，情意悲凉"，未尽其美。殷璠谓薛举"骨鲠有气魄"，斯言得之。陶翰诗沉健、真恻，高旷俱有之。璠又谓刘昚虚"情幽兴远，思苦语奇"，得其真矣。余如张谓、丘为、贾至、卢象诸君，俱有可观，合于李、杜以称盛唐，洵乎其为盛唐也。（《清诗话续编》本）

王夫之《唐诗评选》卷二：右丞于五言自其胜场，乃律已臻化而古体轻忽，迨将与孟为俦。佳处迎目，亦令人欲置不得，乃所以可爱存者，亦止此而已。其他褊促浮露与孟同调者，虽小藻足娱人，要为吟坛之衙官，不足采也。右丞与储唱和，而于古体声价顿绝，趋时喜新，其敝遂至于此。王、孟于五言古体为变法之始，顾其推送，虽以襞纹见凝滞，而气致顺适亦不异人人意，若王昌龄、常建、刘昚虚一流人既笔墨浓败，一转一合，如蹇驴之曳柴车，行数步即踬。不得已，而以溪刻危苦之语，文其拙顿，则其杂冗，尤令人闷烦不堪。龙标超忽之才，自七言绝句能手。常、刘则于诸体率以涩窒行之，又无足论已。历下开口一喝，说唐无五言古诗，自当为此诸公而设。若李、杜、储、韦则夜床袜线，固非历下所知。

同上书卷三：五言之余气始有近体，更从而立之绳墨，割生为死，则李、苏、陶、谢剧遭剿割。其坏极于大历，而开、天之末，李颀、常建、王昌龄诸人，或矫厉为敖僻之音，或残裂为巫鬼之词，已早破坏滨尽，乃与拾句撮字相似。其时之不昧宗风者，唯右丞、供奉、拾遗存元音于圮坠之余。储、孟、高、岑已随蜃蛤而化，况其余乎？故五言之衰，实于盛唐而成不可挽之势，后人顾以之为典型，取法乎凉，其流何极哉？

毛先舒《诗辩坻》卷三：盛唐歌行，高适、岑参、李颀、崔颢四家略同，然岑、李奇杰，有骨有态，高纯雄劲，崔稍妍琢。其高苍浑朴之气，则同乎为盛唐之音也。（《清诗话续编》本）

叶燮《原诗》：盛唐诸诗人，惟能不为建安之古诗，吾乃谓唐有古诗；若必摹汉、魏之声调字句，此汉、魏有诗，而唐无古诗矣。（《清诗话》本）

何良俊《四友斋丛说》卷二四：世之言诗者皆曰盛唐。余观一时如王右丞之清深，李翰林之豪宕，王江陵之俊逸，常征君之高旷，李颀之沉着，岑嘉州之精炼，高常侍之老健，各有其妙，而其所造皆能登峰造极者也，然终输杜少陵一筹。盖盛唐之所重者风骨也，少陵则体备风骨，而复包沈、谢之典雅，兼徐、庾之绵缛，采初唐之藻丽，而清深、豪宕、俊逸、高旷、沉着、精炼、老健，盖无所不备，此其所以为集大成者欤。

王士禛（1634—1711）《古诗选》七言诗凡例：开元、大历诸作者，七言始盛，王、李高、岑四家，篇什尤多。李太白驰骋笔力，自成一家。大抵嘉州之奇峭，供奉之豪放，更为创获。今钞盛唐五家之作为一卷，王龙标、崔司勋间取一、二附之。又：诗至工部，集古今之大成，百代而下无异词者。七言大篇，尤为前所未有，后所莫及。盖天地元气之奥，至杜而始发之。（《古诗笺》本）

王士禛《带经堂诗话》卷一：若考开元、天宝已来，宫掖所传，梨园弟子所歌，旗亭所唱，边将所进，率当时名士所为绝句耳。故王之涣"黄河远上"、王昌龄"昭阳日影"之句，至今艳称之。而右丞"渭城朝雨"，流传尤众，好事者至谱为《阳关三叠》。……由是言之，唐三百年以绝句擅场，即唐三百年之乐府也。

同上书卷四：张曲江开盛唐之始，韦苏州殿盛唐之终。

王士禛《跋声画集》：因念六朝已来，题画诗绝罕见。盛唐如李太白辈，间一为之，拙劣不工。王季友一篇，虽小有致，不能佳也。杜子美始创为画松、画马、画鹰、画山水诸大篇，搜奇抉奥，笔补造化。（《蚕尾集》卷一〇）

宋荦《漫堂说诗》：五言绝句起自古乐府，至唐而盛。李白、崔国辅号为擅场；王维、裴迪辋川唱和，开后来门径不少。

陆时雍《诗镜总论》：七言古，盛于开元以后，高适当属名手。调响气佚，颇得纵横；勾角廉折，立见涯涘。以是知李、杜之气局深矣。观五言古于唐，此犹求二代之瑚琏于汉世也。古人情深，而唐以意索之，一不得也；古人象远，而唐以景逼之，二不得也；古人法变，而唐以格律之，三不得也；古人色真，而唐以巧绘之，四不得也；古人貌厚，而唐以姣饰之，五不得也；古人气凝，而唐以佻乘之，六不得也；古人言简，而唐以好尽之，七不得也；古人作用盘礴，而唐以径出之，八不得也。虽以子美雄材，亦踏蹑于此而不得进矣。庶几者其太白乎？意远寄而不迫，体安雅而不烦，言简要而有归，局卷舒而自得。离合变化，有阮籍之遗踪；寄托深长，有汉、魏之委致。然而不能尽为古者，以其有佻处，有浅处，有游浪不根处，有率尔立尽处。然言语之际，亦太利矣。（《历代诗话续编》本）

沈德潜《说诗晬语》卷上：高、岑、王、李（颀）四家，每段顿挫处，略作对偶，于局势散漫中求整饬也。李、杜风雨分飞，鱼龙百变，读者又爽然自失。（《清诗话》本）

乔亿《剑溪说诗》卷上：太白诗有似《国风》、《小雅》者，有似《楚骚》者，有似汉、魏乐府及古歌谣杂曲者，有似曹子建、阮嗣宗者，有似鲍明远者，似谢玄晖者，又有似阴铿、庾信者，独无一篇似陶。子美间有陶句，亦无全篇似之者。虽李、杜之不为陶，不足为病，而陶之难拟可见也。又：古人诗境不同，譬诸山川：杜诗如河岳；李诗如海上十洲；孟（襄阳）诗如匡庐；王（右丞）诗如会稽诸山；高、岑诗如疏勒、祁连，名标塞上；……此类不可悉数，惟览者自得之耳。

同上书卷下：律诗而有古意，此盛唐诸公独绝，后人极力模拟便着迹。又：开、宝七律，王右丞之格韵，李东川之音调，并皆高妙。高常侍五言质朴，七律别有风味。岑嘉州微伤于巧，而体气自厚。又：五言绝句，工古体者自工，谢朓、何逊尚矣，唐之李白、王维、韦应物可证也。惟崔国辅自齐、梁乐府中来，不当以此论列。又：七言绝句，李供奉、王龙标神化至矣！王翰、王之涣一首两首，冠绝古今。右丞气韵，嘉州气骨，非大历诸公可到。又：读古人诗，要分别古人气象。盛唐诗有极不工者，气象却好；晚唐诗有极工者，气象却不好。

同上书又编：唐诗固称极盛，而五言正脉，亦无多传，陈拾遗、张曲江、李、杜、韦、柳而外，惟储、孟、二王（维、昌龄）、李颀、常建、刘眘虚、沈千运、孟云卿、元结、孟郊，尚不替前人轨则，高、岑体稍近杜，《品汇》列之名家，允称也。至于退之大篇，乐天讽谕，虽同祖少陵，为五言之伟制，然已破扶藩翰，于"言近旨远"之意微矣。（《清诗话续编》本）

袁枚《随园诗话》卷六：七律始于盛唐，如国家缔造之初，宫室粗备，故不过树立架子，创建规模；而其中之洞房曲室，网户罘罳，尚未齐备。

鲁九皋《诗学源流考》：开元、天宝之际，笃生李、杜二公，集数百年之大成。太白天才绝世，而古风乐府，循循守古人规矩；子美学穷奥交，而感时触事，忧伤念乱之作，极力独开生面。盖太白得力于《国风》，而子美得力于大小《雅》，要自子建、渊明而后，二家特为不祧之祖。其辅二家而起者，有王维、孟浩然、高适、岑参、李颀、王昌龄、刘昚虚、裴迪、储光羲、常建、崔颢诸人。而元结又有《箧中集》一选，集沈千运、王季友、于逖、孟云卿、张彪、赵微明、元融七人之作，都为一卷，其诗直接汉人。故论诗至开、宝之世，莫不推为千载之盛也。（《清诗话续编》本）

翁方纲《石洲诗话》卷四：初唐之高者，如陈射洪、张曲江，皆开启盛唐者也。中、之高者，如韦苏州、柳柳州、韩文公、白香山、杜樊川，皆接武盛唐、变化盛唐者也。是有唐之作者，总归盛唐。而盛唐诸公，全在境象超诣，所以司空表圣《二十四品》及严仪卿以禅喻诗之说，诚为后人读唐诗之准的。（《清诗话续编》本）

管世铭《读雪山房唐诗序例》五古凡例：以禅喻诗，昔人所诋。然诗境究贵在悟，五言尤然。王维、孟浩然逸才妙悟，笙磬同音。并时刘昚虚、常建、李颀、王昌龄、丘为、綦毋潜、储光羲之徒，遥相应和，共一宗风，正始之音，于兹为盛。又：岑嘉州独尚警拔，比于孤鹤出群。陶员外、高常侍沉着高蹇，亦不与诸君一律。

同上书七古凡例：一人作一面目，王、李、高、岑、太白所能也。一篇出一面目，王、李、高、岑、太白所不能也。杜工部七言古诗，随物赋形，因题立制，如怒猊抉石，如香象渡河，如秋隼抟空，如春鲸跋浪，如洞庭张乐，鱼龙出听，如昆阳济师，瓴甓皆震，如太原公子，褐裘高步而来，如许下狂生，蹀躞掺挝而至。千态万状，不可殚名，悲喜无端，俯仰自失，观止之叹，意在肆乎？（《清诗话续编》本）

阙名《静居绪言》：岑嘉州、高达夫、李东川诗，皆阔达赡博，要为一家眷属。分而言之：岑诗朴而致，高诗简而冲，李诗奇而峭。读之如与有道接语，初无奥妙之辞令，而言之已窍物理；既非纵横之口术，而闻者足为动容。平正有余，出奇不穷，诗工矣，格尚矣。好奇务新者，宜于三家参之。又：诗有一语不失正鹄不嫌少，左右逢源不嫌多，盖其志各趋，其造同得也。綦毋潜、祖咏、丘为、张子容、卢象、裴迪语皆质实有味，要为孟亭、辋川中人，所谓不嫌少者也。王龙标、常盱眙、刘夏县以下，诗非不具体而微，然如发哀弹、裂秋管，唧咋满耳，荡志移情焉。其间独取储光羲之古澹、元次山之敦厚，可以养吾神，全吾气。（按文据《清诗话续编》，又著者此以刘夏县指刘昚虚，误，刘晏曾官夏县令，非昚虚，参见《唐才子传校笺》卷一刘昚虚传笺）

潘德舆《养一斋诗话》卷一：盛唐中，常征君、王龙标、刘昚虚五言古诗，亦有一段清趣古音，盖陶之支派也。（《清诗话续编》本）

施补华《岘佣说诗》：太白五言古犹是魏、晋遗则，唯天才超妙，逸气横生，遂有尺寸未合处。岑嘉州五言古源出鲍照，而魄力已大，至《慈恩寺塔》诗："秋色从西来，苍然满关中。五陵北原上，万古青濛濛。"雄劲之概，直与少陵匹敌矣。高达夫气骨自遒，微失之窘。又：少陵五言古千变万化，尽有汉、魏以来之长而改其面目。叙述身世，眷念友朋，议论古今，刻划山水，深心寄托，真气坌涌。《颂》之典则，《雅》之正大，《小雅》之哀伤，《国风》之情深文明长于讽喻，息息相通，未尝不简质浑厚，而此例不足以尽之。故于唐以前为变体，于唐以后为大宗，于《三百篇》为嫡支正派。又：摩诘五言古，雅淡之中，别饶华气，故其人清贵；盖山泽间仪态，非山泽间性情也。若孟公则真山泽之癯矣。（《清诗话》本）

朱庭珍《筱园诗话》卷三：唐人七古，高、岑、王、李诸公规格最正，笔最雅炼。散行中时作对偶警拔之句，以为上下关键，非惟于散漫中求整齐，平正中求警策，而一篇之骨，即树于此。兼以词不欲尽，故意境宽然有余；气不欲放，故笔力锐而时敛，最为词坛节制之师。至李、杜而纵横动荡，绝迹空行，如风雨交飞，鱼龙变化，几于鬼斧神工，莫可思议矣。然文成法立，规矩森严，个中自有细针密缕，丝毫不乱，特运用无痕耳。所谓神而明之，大而化之也。歌行至此，已臻绝诣，后人莫能出其范围。（《清诗话续编》本）

公元713年 　（唐玄宗先天二年　开元元年　癸丑）

正月

上元夜，睿宗与百僚观内人踏歌。《旧唐书》睿宗纪："（先天）二年春正月……上元日夜，上皇御安福门观灯，出内人连袂踏歌，纵百僚观之，一夜方罢。"《朝野佥载》卷三："睿宗先天二年正月十五、十六夜，于京师安福门外作灯轮高二十丈，衣以锦绮，饰以金玉，燃五万盏灯，簇之如花树。宫女千数，衣罗绮，曳锦绣，耀珠翠，施香粉。一花冠、一巾帔皆万钱，装束一妓女皆至三百贯。妙简长安、万年少女妇千余人，衣服、花钗、媚子亦称是，于灯轮下踏歌三日夜。欢乐之极，未始有之。"

三月

《新唐书》苏瓌附苏颋传："迁太常少卿，仍知制诰。遭父丧，起为工部侍郎，辞不拜，终制乃就职。"《唐文续拾》卷二苏颋《蒋烈女碑》："大唐□□□□之元祀，王春三月，哉生魄日……诏工部侍郎、许国公臣苏颋询事考能，直笔勒石。"

王湾、张子容等七十一人进士及第，考功员外郎房光庭知贡举，试《出师赋》、《长安早春》诗。见《登科记考》卷五、陈尚君《登科记考正补》（《唐代文学研究》第四辑）。按王湾，生卒年不详，洛阳人。进士及第，授荥阳主簿。召入秘阁编录四部书，为修书学士。出为洛阳尉。后复入为朝官。《河岳英灵集》选其诗8首，《全唐诗》录10首。据《唐才子传校笺》卷一王湾传笺。张子容，生卒年不详，襄阳人。开元中曾任晋陵尉、乐城尉。后弃官归故居。《国秀集》选其诗二首，《全唐诗》编其诗为一卷。据《唐才子传校笺》卷一张子容传笺。

王维年二十，进士及第，尝作《息夫人》诗。《新唐书》文艺中本传："开元初，擢进士，调太乐丞。"《旧唐书》文苑下本传："维开元九年进士擢第。"《唐才子传》卷二王维传："开元十九年状元及第。"《极玄集》、《郡斋读书志》卷一七同《旧传》。此从《新传》。王维有《息夫人》诗，题下注云："时年二十。"《本事诗》："宁王曼贵盛，宠妓数十人，皆绝艺上色。宅左有卖饼者妻，纤白明媚。王一见注目，厚遗其夫取之，宠惜逾等。环岁，因问之：'汝复忆饼师否？'默然不对。王召饼师，使见之，其妻注视，双泪垂颊，若不胜情。时王座客十余人，皆当时文士，无不凄异。王命赋诗，王右丞维先成：'莫以今时宠……'"即此诗。《载酒园诗话》卷一："摩诘'莫以今时宠……'正以咏饼师妇佳耳，若直咏息夫人，有何意味。"《纮斋诗谈》卷五："体贴出怨妇本情，真得三百篇法。"又："止二十字，却有味外味，诗之最高者。"

柳冲与魏知古、陆象先、徐坚、刘知几、吴兢等撰成《姓族系录》二百卷，奏上。见《旧唐书》儒学下柳冲传、《唐会要》卷三六，参明年七月条。

七月

玄宗平太平公主之乱，得专军国政刑，诛萧至忠、岑羲，流崔湜、卢藏用于岭表。《通鉴》卷二一〇："太平公主倚上皇之势，擅权用事，与上有隙，宰相七人，五出其门。文武之臣，大半附之，与窦怀贞、岑羲、萧至忠、崔湜及太子少保薛稷……等谋废立。又与宫人元氏谋于赤箭粉中置毒进于上。……左丞张说自东都遣人遗上佩刀，意欲上断割。……秋，七月，魏知古告公主欲以是月四日作乱。……上乃与岐王范、薛王业、郭元振……等定计诛之。……甲子……执至忠、羲于朝堂，皆斩之。怀贞逃入沟中，自缢死。……乙丑，上皇诰：'自今军国政刑，一皆取皇帝处分。朕方无为养志，以遂素心。'是日，徙居百福殿。太平公主逃入山寺，三日乃出，赐死于家。……湜与右丞卢藏用俱坐私侍太平公主，湜流窦州，藏用流泷州。"参《旧唐书》睿宗纪、玄宗纪上。

薛稷（649—713）卒，年六十五。《旧唐书》薛收附薛稷传："好古博雅，尤工隶书。自贞观、永徽之际，虞世南、褚遂良时人宗其书迹，自后罕能继者。稷外祖魏徵家富图籍，多有虞、褚旧迹，稷锐精模仿，笔态遒丽，当时无及之者。又善画，博探古迹。……及窦怀贞伏诛，稷以知其谋，赐死于万年县狱中。"《新唐书》薛收附薛稷传："窦怀贞诛，稷以知本谋，赐死万年狱，年六十五。"《历代名画记》卷九作"年六十九"，此从《新传》。《新唐书》艺文志四："《薛稷集》三十卷。"《历代名画记》卷九："薛稷字嗣通……多才藻，工书画……尤善花鸟、人物、杂画，画鹤知名。屏风六扇鹤样，自稷始也。"《诗学辩体》卷一四："唐人五言古，自有唐体。初唐古、律混淆，古诗每多杂用律体。惟薛稷《秋日还京陕西作》，声既尽纯，调复雄浑，可为唐古之宗。杜子美诗云：'少保有古风，得之《陕郊篇》'是也。"

张说入朝为检校中书令，封燕国公。《旧唐书》本传："转为尚书左丞，罢知政事，仍令往东都留司。说既知太平等阴怀异计，乃因使献佩刀于玄宗，请先事讨之，玄宗深嘉纳焉。及至忠等伏诛，征拜中书令，封燕国公，赐实封二百户，其冬，改易官名，拜紫微令。"《新唐书》玄宗纪："（七月）乙亥，尚书右（左）丞张说检校中书令。"

八月

惠能（638—713）卒。《宋高僧传》卷八慧能传："以先天二年八月三日俄然示疾……气微目瞑，全身永谢。……春秋七十六矣。"又云："张燕公说寄香十斤并诗，附武平一至。诗云：'大师捐世去，空留法身在！愿寄无碍香，随心到南海。'"

九月

李峤以曾上密表于韦后，制令随子至虔州。《通鉴》卷二一〇："中宗之崩也，同中书门下三品李峤密表韦后，请出相王诸子于外。上即位，于禁中得其表，以示侍臣。峤时以特进致仕，或请诛之，张说曰：'峤虽不识逆顺，然为当时之谋则忠矣。'上然之。九月，壬戌，以峤子率更令畅为虔州刺史，令峤随畅之官。"参见《旧唐书》本传。

十月

赵彦昭任朔方道总管，张说、苏颋各赋诗送其赴边。《通鉴》卷二一〇："己酉，以刑部尚书赵彦昭为朔方道大总管。"张说《送赵二尚书彦昭北伐》、苏颋《饯赵尚书摄御史大夫赴朔方军》当为此次送赵彦昭赴边之作。

崔湜（671—713）卒，年四十三。崔湜《野燎赋序》："先天二年十月，仆客于郢山之胡氏……常以暇日，登高纵观，见火燎于野。……仆时负谴，触物多兴，挥毫斐然，岂近声律。"《旧唐书》崔仁师附崔湜传："时湜与尚书右丞卢藏用同配流俱行，湜谓藏用曰：'家弟承恩，或冀宽宥。'因迟留不速进。行至荆州……其日追使至，缢于驿中，时年四十三。"《载酒园诗话又编》："初唐应制，千口一声，唯崔澄澜力自振拔，与崔（融）、李（峤）较，文翎锦翰中，一抟霄翻也。"

崔液作《幽征赋》，后卒。《旧唐书》崔仁师附崔液传："液尤工五言之作……官至殿中侍御史，坐兄配流，逃匿于郢州人胡履虚之家。作《幽征赋》以见意，辞甚典丽。遇赦还，道病卒。友人裴耀卿纂其遗文为集十卷。"《新唐书》艺文志四："《崔液集》十卷，裴耀卿纂。"

玄觉（665—713）卒，年四十九。《宋高僧传》卷一一玄觉传："以先天二年十月十七日于龙兴别院端坐入定，怡然不动。……春秋四十九。……后李北海邕为守括州，遂录觉行录为碑，号神道焉。觉唱道著明，修证悟入，庆州刺史魏靖都辑缀之，号《永嘉集》是也。"魏静《永嘉集序》："大师在生，凡所宣纪，总有十篇，集为一卷。"玄觉除《永嘉集》外，尚有《永嘉证道歌》，俱见《中华大藏经》第78册。

张说上疏请罢乞寒泼胡戏。《唐会要》卷三四："至先天二年十月，中书令张说谏曰：'……且乞寒泼胡，未闻典故。裸体跳足，盛德何观？挥水投泥，失容斯甚。法殊鲁礼，亵比齐优。恐非干羽柔远之义，樽俎折冲之道。原择刍言，特罢此戏。'"

十二月

庚寅朔，改元开元。见《旧唐书》玄宗纪上。

敕断腊月乞寒戏。《旧唐书》玄宗纪上："开元元年十二月己亥，禁断泼寒胡戏。"《唐会要》卷三四："至开元元年十月（按当作十二月，本年十二月改元）七日，敕：腊月乞寒，外蕃所出，渐浸成俗，因循已久。自今已后，无问蕃汉，即宜禁断。"《唐大诏令集》卷一〇九《禁断腊月乞寒敕》："腊月乞寒，外蕃所出，渐渍成俗，因循已久。至使乘肥衣轻，俱非法服，阗城隘陌，深点华风。朕思革颓弊，泛于淳朴。《书》不云乎：'不作无益害有益，功乃成；不贵异物贱用物，人乃足。'况妨于政要，取紊礼经，习而行之，将何以训？自今以后，即宜禁断。"署"开元二年十二月七日"。

张说预玄武门射礼及其后宴会，赋诗；旋为姚崇所构，出为相州刺史。张说有《玄武门侍射》诗，序云："开元之初，季冬其望，天子始御北阙，朝羽林军礼修事。厥后二日，乃命紫微、黄门、九卿、六事，与熊罴之将、爪牙之臣合宴焉。……退食怀恩，赋诗颂义，凡若干篇。"《旧唐书》张说传："拜紫微令。……俄而为姚崇所构，出为相州刺史，仍充河北道按察使。"玄宗纪上："（十二月）癸丑……紫微令张说为相州刺史。"

苏颋迁中书侍郎，加知制诰。《唐会要》卷五四："开元元年十二月……上曰：'苏颋可除中书侍郎。'仍令宰臣宣旨，移入政事院，便供政事食。明日，加知制诰。"亦见《大唐新语》卷六。

郭震（656—713）卒，年五十八。《旧唐书》本传："事定论功，进封代国公……又令兼御史大夫，持节为朔方道大总管，以备突厥。未行，玄宗于骊山讲武，坐军容不整，坐于纛下，将斩以徇，刘幽求、张说于马前谏曰：'元振有翊赞大功，虽有罪，当从原宥。'乃赦之，流于新州。寻又思其旧功，起为饶州司马。元振自恃功勋，怏怏不得志，道病卒。开元十年，追赠太子少保。有文集二十卷。"张说《兵部尚书代国公赠少保郭公行状》："是岁，大征兵众，阅武骊山，兵一百万，号三百万，并奉公节度。是日，三令之后，上将亲鼓，公虑有大变，因略行礼，上大怒，引坐纛下……上乃曰：'元振有保护之功，宜舍军法流新州。'未至，属开元元年册尊号，敕曰：'元振……可饶州司马。'未至，卒于道，时年五十八。有集二十二卷。文章有逸气，为世所重。'"据《通鉴》卷二一〇，郭震流新州在本年十月，玄宗本年十一月加尊号为"开元神武皇帝"，则震之卒当在本月。《新唐书》艺文志四："《郭元振集》二十卷。"《诗薮》内编卷三："唐人歌行烜赫者，郭元振《宝剑篇》、宋之问《龙门行》、《明河篇》、李峤《汾阴行》、元稹《连昌辞》、白居易《长恨歌》、《琵琶行》、卢仝《月蚀》、李贺《高轩》，并惊绝一时。"《载酒园诗话又编》："《宝剑篇》英气逼人，自是磊落丈夫本色。独其乐府诗，又何凄艳动人也。谁谓儿女情长，则英雄气短乎？"

本年

始置翰林院，以张说等为翰林待诏。《唐会要》卷五七："翰林院，开元初置。……盖天下以艺能技术见召者之所处也。"《旧唐书》职官志二："玄宗即位，张说、陆坚、张九龄、徐安贞、张垍等，召入禁中，谓之翰林待诏。"《新唐书》百官志一："玄宗初，置翰林待诏，以张说、陆坚、张九龄等为之，掌四方表疏批答、应和文章。"《通鉴》卷二一七："上（按指玄宗）即位，始置翰林院，密迩禁廷，延文章之士，下至僧、道，书、画、琴、棋、数术之工皆处之，谓之待诏。"

义净（635—713）卒，年七十九。《宋高僧传》卷一义静传："静虽遍翻三藏，而偏功律部，译缀之暇，曲授学徒。凡所行事皆尚急护。漉囊涤秽，特异常伦。学侣传行，遍于京洛。美哉，亦遗法之盛事也。先天二年卒，春秋七十九，法腊五十九。"传后"系"云："东僧往西，学尽梵书，解尽佛意，始可称善传译者。宋、齐已还，不无去彼回者。若入境观风必闻其政者，奘师、净师为得其实。此二师者两全通达，其犹见玺文知是天子之书，可信也。《周礼》象胥氏通夷狄之言，净之才智，可谓释门之象胥也欤！"

贾曾与苏晋以词学齐名并称。《旧唐书》文苑传中贾曾："开元初，复拜中书舍人……与苏晋同掌制诰，皆以词学见知，时人称为苏贾。"

张九龄与赵东曦同在拾遗任，考吏部选人等第，以平允见称。《旧唐书》张九龄传："九龄对策高第，迁右（按徐浩《碑》作左）拾遗。……九龄以才鉴见推，当时吏部试拔萃选人及应举者，咸令九龄及右拾遗赵东曦考其等第，前后数四，每称平允。"张、赵二人同于上年应制举及第迁拾遗，已见前。

公元714年 （唐玄宗开元二年　甲寅）

正月

玄宗置左右教坊以教俗乐，张廷珪、袁楚客上疏谏之。《通鉴》卷二一一：开元二年正月，"旧制，雅俗之乐，皆隶太常。上精晓音律，以太常礼乐之司，不应典倡优杂伎；乃更置左右教坊以教俗乐，命右骁卫将军范及为之使。又选乐工数百人，自教法曲于梨园，谓之'皇帝梨园弟子'。又教宫中使习之。又选伎女，置宜春院，给赐其家。礼部侍郎张廷珪、酸枣尉袁楚客皆上疏，以为'上春秋鼎盛，宜崇经术，迩端士，尚朴素；深以悦郑声、好游猎为戒。'上虽不能用，咸嘉赏之。"《旧唐书》音乐志一："玄宗又于听政之暇，教太常乐工子弟三百人为丝竹之戏，音响齐发，有一声误，玄宗必觉而正之，号为皇帝弟子，又云梨园弟子，以置院近于禁苑之梨园。"《新唐书》百官志三："开元二年，又置内教坊于蓬莱宫侧，有音声博士、第一曹博士、第二曹博士。京都置左右教坊，掌俳优杂技。自是不隶太常，以中官为教坊使。"又见《唐会要》卷三四。

丙寅，玄宗从姚崇议，命有司沙汰伪妄僧尼。《旧唐书》玄宗纪上："（正月）丙寅，紫微令姚崇上言请检责天下僧尼，以伪滥还俗者二万余人。"《通鉴》卷二一一："中宗以来，贵戚争营佛寺，奏度人为僧，兼以伪妄；富户强丁多削发以避徭役，所在充满。姚崇上言：'佛图澄不能存赵，鸠摩罗什不能存秦，齐襄、梁武，未免祸殃。但使苍生安乐，即是福身；何用妄度奸人，使坏正法！'上从之。丙寅，命有司沙汰天下僧尼，以伪妄还俗者万二千余人。"又见《旧唐书》五行志。

二月

敕不得更建佛寺。《通鉴》卷二一一："丁未，敕：'自今所在毋得创建佛寺；旧寺颓坏应葺者，诣有司陈牒检视，然后听之。'"

闰二月

令佛道教徒致拜父母。《旧唐书》玄宗纪上："闰月癸亥，令道士、女冠、僧尼致拜父母。"详见《唐大诏令集》卷一一三《令僧尼道士女冠拜父母敕》。

褚无量归觐，苏颋作诗及序送之。苏颋《饯常侍舒公归觐序》："是月惟闰，乘春载阳。……于是丝庭华省之家，虎观鸿都之士……莫不捧袂黯然，弹毫以赠。"舒公谓褚无量。《旧唐书》本传："玄宗即位……寻以师傅恩迁左散骑常侍，仍兼国子祭酒，封舒国公。"本年闰二月，序云"是月惟闰，乘春载阳"，知当作于本年。苏颋《送常侍舒公归觐》、《重送舒公》诗亦同时所作。

三月

何延之撰《兰亭记》。《法书要录》卷三何延之《兰亭记》："长安三年，素师已年九十二，视听不衰，犹居永欣寺永禅师之故房，亲向吾说。聊以退食之暇，略疏其始末。……于时岁在甲寅季春之月，上巳之日，感前代之修禊而撰此记。"

韦安石、韦嗣立、赵彦昭、李峤并被弹贬官；韦安石（651—714）、李峤（645—714）旋卒，安石年六十四，峤年七十。《通鉴》卷二一一："御史中丞姜晦以宗楚客等改中宗遗诏，青州刺史韦安石、太子宾客韦嗣立、刑部尚书赵彦昭、特进致仕李峤，于同时为宰相，不能匡正，令监察御史郭震弹之。（三月）甲辰，贬安石为沔州别驾，嗣立为岳州别驾，彦昭为袁州别驾，峤为滁州别驾。"《旧唐书》韦安石传："安石既至沔州……愤激而卒，年六十四。"《旧唐书》李峤传："乃下制曰：'……特进、赵国公李峤……宜听随子虔州刺史畅赴任。'寻起为庐州别驾而卒，有文集五十卷。"《新唐书》李峤传："贬滁州别驾，听随子虔州刺史畅之官。改庐州别驾，卒，年七十。"按《旧传》之"庐州"当为"滁州"之讹；《新传》云李峤尝为庐州别驾，盖涉《旧传》而误，云峤随子赴虔州在贬滁州别驾之后，亦不确。要之，滁州别驾当为李峤之终官，峤当即卒于本年。崔泰之有诗哭之，见《朝野佥载》卷二。《新唐书》艺文志四："《李峤集》五十卷。"《郡斋读书志》卷一七："《李峤集》一卷。……集本六十卷，未见。今所录一百二十咏而已，或题曰《单题诗》，有张方注。"张方当即张庭芳，见长安元年十一月李峤《杂咏诗》条。《直斋书录解题》卷二二："《评诗格》一卷，唐李峤传。峤在昌龄之前，而引昌龄《诗格》八病，亦未然也。"按《评诗格》为伪作，参见张伯伟《全唐五代诗格校考》。张说《五君咏·李赵公峤》："李公实神敏，才华乃天授。……故事遵台阁，新诗冠宇宙。"《新唐书》李峤传："峤富才思，有所属缀，人多传讽。……然其仕前与王勃、杨盈川接，中与崔融、苏味道齐名，晚诸人没，而为文章宿老，一时学者取法焉。"《唐诗品》："唐初诸子，词心共艳，律调俱扬，不可尚已。而擅古作者，宋、李二君之宗尤为炳著。延清之七言，裁茂郁之幽思，按鸿朗之疏节，品第梁、陈，固已含跨其上；而巨山之五言，词华英净，节奏铿谐，置之晋、宋之间，则潘岳之流调，惠连之靡富，微波尚传，不当擅美。若复湔其泾杂，骋其长驾，则七子之流，未知上下其伦。"《唐音癸签》卷五："汉称苏、李，唐亦曰苏、李。以今论之，巨山五言，概多典丽，将味道难为苏；廷硕七言，尤富风华，亦复义难为

285

李尔。"《诗源辩体》卷一四："李峤五言古，平韵者止'奉诏受边服'一篇声韵近古，余皆杂用律体，仄韵者虽忌'鹤膝'而语自工。七言古调虽不纯，而语亦工。五言律在沈、宋之下，燕、许之上，其咏物一百二十首中有极工者。七言律二篇稍近六朝，然颇称完美。"《载酒园诗话又编》："读李巨山咏物百余诗，固是淹雅之士，但整核而已，未甚精出。即如《芙蓉园应制》'飞花随蝶舞，艳曲伴莺娇'，较'风来花自舞，春入鸟能言'，其意相越几何？经慧笔便成秀句，天才洵不可强。"《三唐诗品》卷一："其源远祖文通，近规江令。才多略格，每见率而成篇。七言骈妍，有陈宫艳体。《汾阴》之作，盛传当时，亦只以章尾四言跌宕，振起全篇，前路铺排，已无深致。咏物累牍，取成事类，风味无成，角巧分题，源出梁、陈杂体；试帖之兴，其滥觞矣。"

诏毁天枢，李休烈作诗咏其事。《通鉴》卷二一一："三月……毁天枢，发匠镕其铁钱，历月不尽。"《大唐新语》卷八："开元初，诏毁天枢，发卒销烁，弥月不尽。洛阳尉李休烈赋诗以咏之曰：'天门街里倒天枢，火急先须卸火珠。计合一条丝线挽，何劳两县索人夫。'先有讹言曰：'一线天，挽天枢。'言其不经久也。故休烈赋诗及之。士庶莫不讽咏。"

李昂等十七人登登进士第，考功员外郎王丘知贡举，试《旗赋》，进士试赋始用八字韵脚。吴曾《能改斋漫录》卷二："赋家者流，由汉、晋历隋、唐之初，专以取士。止令以题，初无定韵。至开元二年，王邱员外知贡举，试《旗赋》，始有八字韵脚，所谓'风日云野，军国清肃'。见伪蜀冯鉴所记《文体指要》。"余见《登科记考》卷五。

王翰、席豫、梁升卿等登贤良方正能直言极谏科，崔翘登良材异等科，席豫授阳翟尉。见《登科记考》卷五。

孙逖登手笔俊拔、哲人奇士隐沦屠钓、贤良方正三科，授山阴尉。《旧唐书》文苑中本传："开元初，应哲人奇士举，授山阴尉。"《新唐书》文艺中本传："举手笔俊拔、哲人奇士隐沦屠钓及文藻宏丽等科。"《唐才子传》卷一孙逖传："开元二年，举手笔俊拔、哲人奇士隐沦屠钓及文藻宏丽等科，第一人及第。"颜真卿《尚书刑部侍郎赠尚书右仆射孙逖文公集序》："年未弱冠而三擅甲科。吏部侍郎王丘试《竹帘赋》，降阶约拜，以殊礼待之。"按开元二年孙逖年十九，与颜真卿"年未弱冠"之说相合；据《唐会要》卷七五，王丘为吏部侍郎在开元八年七月，颜氏此处所云乃日后追记之职；本年未设文藻宏丽科，孙逖所中者当为手笔俊拔、哲人奇士隐沦屠钓及贤良方正科。详见《唐才子传校笺》卷一孙逖传笺。

王湾在苏州，有诗赠武平一。王湾有《晚春诣苏州敬赠武员外》诗。武员外谓武平一，先天元年自考功员外郎贬苏州司功参军。王湾上年进士及第，本年在守选期间，故得游江南。

春

张说在相州刺史任，感春赋诗。张说有《相州山池作》诗，写及春日景象，当作于今年或明年春，姑系于此。张说又有《湘州北亭》诗，亦春日所作；"湘州"当为"相州"之误，说见陈祖言《张说年谱》。

六月

太常寺选沈佺期等所作《龙池篇》十首诗为乐章，时佺期在太府少卿任。《唐会要》卷二二："开元二年闰二月诏，令祠龙池。六月四日，右拾遗蔡孚献《龙池篇》，集王公卿士以下一百三十篇。太常寺考其词合音律者，为《龙池篇乐章》，共录十首。"注云："紫微令姚元之、右拾遗蔡孚、太府少卿沈佺期、黄门侍郎卢怀慎、殿中监姜皎、吏部尚书崔日用、紫微侍郎苏颋、黄门侍郎李乂府（李乂）、工部侍郎姜晞、兵部侍郎裴漼等更为乐章。"《享龙池乐章十首》词见《旧唐书》音乐志三、《乐府诗集》卷七等。按诸诗中沈佺期诗最称名作。《唐诗镜》卷四评云："前四语法度恣纵，后四语兴致淋漓，此与《古意》二首，当是唐人律诗第一。"《唐诗评选》卷四："崔颢《黄鹤楼》诗本此，乃此固自然。"《石洲诗话》卷一："沈云卿《龙池篇》，大而拙，其势开启三唐，而非七律之尽善者。'卢家少妇'一篇，斯其佳作。"

七月

柳冲、刘知几刊定《姓族系录》二百卷，奏上。《旧唐书》玄宗纪上："（七月）丙午，昭文馆学士柳冲、太子左庶子刘子玄刊定《姓族系录》二百卷，上之。"同书儒学下柳冲传："开元二年，又敕冲与著作郎薛南金刊定《系录》，奏上，赐绢百匹。"

禁百官家与僧尼道士往还，禁人间铸佛写经。见《唐会要》卷四九、《通鉴》卷二一一。

八月

崔日用以《毛诗》及《封禅书》规讽玄宗。《旧唐书》本传："寻拜吏部尚书。日用尝采《毛诗·大雅》、《小雅》二十篇及司马相如《封禅书》，因上生日表上，以申规讽，并述告成之事。手诏答之曰：……寻出为常州刺史。"崔日用本年在吏部尚书任，玄宗生日为八月五日。

玄宗下诏禁断女乐。《唐大诏令集》卷八一载开元二年八月七日《禁断女乐诏》："朕闻：'乐者起于心，心者动于物，物不正不可为乐，乐不正则不能理人。'况天生黎蒸，区分男女，外则不能道之以理，中则不能由之以乐。苟或不臧，孰云致理！自有隋颓靡，庶政雕缺。征声遍于郑、卫，衒色过于燕、赵，广场角技，长袖生风，聚而观之，浸以为俗，所以鲁君夺志，夫子遂行也。朕方大变浇漓，用清淄浊，眷兹女乐，事切骄淫，伤风害政，莫斯为甚！既违令式，尤宜禁断，自今以后，不得更然。仍令御史金吾，严加捉搦。如有犯者，先罪长官。务令杜绝，以称朕意。"又见《唐会要》卷三四。

苏颋、李乂各赋诗以挽高安长公主。苏颋《高安长公主神道碑》："惟开元二年龙集摄提格夏五月哉生明，高安长公主薨于长安永平里第。……粤某年八月朔十七日，葬于咸阳之北原，礼也。"苏颋《故高安大长公主挽词》、李乂《高安公主挽歌二首》均当本月作。

287

九月

张说在相州，与阴行先赋诗唱和。张说有《湘州九日城北亭子》诗，阴行先有《和张燕公湘中九日登高》诗，为唱和之作。阴行先为张说妹夫，时任相州从事，诗题中"湘"乃"相"字之讹，参见陈祖言《张说年谱》。张说《邺都引》、《相州前池别许郑二判官景先神力》作于秋日，《相州冬日早衙》作于冬日，均本年任相州刺史时所作，亦记于此。按《邺都引》系张说名作，《删补唐诗选脉笺释会通评林》卷一五周珽曰："此诗从群雄争逐、壮士词人，说到贵臣娥眉同归灰尘，思致岂不深沉？似笑似悲，似詈似吊耶！"《唐诗别裁集》卷五："声调渐响，去王、杨、卢、骆体远矣。"又："'草创'二字，居然史笔。'昼携壮士'二句，叙得简老。"《读雪山房唐诗序例·七古凡例》："张燕公《邺都引》：'昼携壮士破坚阵，夜接词人赋华屋。'王、岑而下，均不能为此言。"

秋

张九龄、苏颋各赋诗与崔日用唱和。张九龄有《和崔尚书喜雨》、《奉和吏部崔尚书雨后大明朝堂望终南山》诗，后诗有"秋空月正悬"之句，知作于秋季。吏部崔尚书谓崔日用，见本年六月、八月条，诗当本年所作。苏颋有《敬和崔尚书大明朝堂雨后望终南山见示之作》、《奉和崔尚书赠大理陆卿鸿胪刘卿见示之作》诗，为同时之作。苏颋又有《秋夜寓直中书呈黄门舅》诗，作于本年前后，亦系于此。黄门舅谓李乂，为苏颋之舅，时在黄门侍郎任，见苏颋《唐紫微侍郎赠黄门监李乂神道碑》。参郁贤皓《苏颋年谱》，载其所著《唐风馆杂稿》。

孙逖赴山阴尉任，沿途赋诗咏怀。孙逖有《淮阴夜宿二首》、《夜到润州》、《下京口埭夜行》、《江行有怀》等诗，均写及秋日景象，当是赴任山阴途中所作。

十月

敕禁散乐巡村。《唐会要》卷三四："其年（按即开元二年）十月六日敕：散乐巡村，特宜禁断。如有犯者……其散乐人仍递送本贯入重役。"

本年

卢藏用（？—714）卒。《四唐书》本传："先天中，坐托附太平公主，配流岭表。开元初，起为黔州都督府长史，兼判都督事，未行而卒，年五十余。有集二十卷。"藏用去年七月配流，其卒约在本年。《新唐书》艺文志三："卢藏用注《老子》二卷。"又："卢藏用《子书要略》一卷。"艺文志四："《卢藏用集》三十卷。"

徐彦伯（？—714）卒。《旧唐书》本传："迁右散骑常侍、太子宾客，仍兼昭文馆学士。先天元年，以疾乞骸骨，许之。开元二年卒。……自晚年属文，好为强涩之体，颇为后进所效焉。有文集二十卷，行于时。"《新唐书》艺文志四："徐彦伯《前集》十卷，《后集》十卷。"《唐诗纪事》卷九："中宗与修文馆学士宴乐赋诗，每命彦伯为之序，文彩华缛。……彦伯为文，多变易求新，以凤阁为鹓阁，龙门为虬户，金谷为铣溪，玉山为琼岳，竹马为筱骖，月兔为魄兔，进士效之，谓之'徐涩体'。"《三唐诗品》卷一："其源出于沈休文，古体亦托傅咸遗咏，错彩镂金，端可宝。《唐书》称其典缛，可谓知言。虽谢风雅之清尘，亦修文之嚆矢也。"

张鷟为人所陷，当死，鷟及其子上表陈情，又经李日知等营救，得减死流岭南。《旧唐书》张荐传："祖鷟字文成……迁鸿胪丞。……然性褊躁躁，不持士行，尤为端士所恶，姚崇甚薄之。开元初，澄正风俗，鷟为御史李全交所纠，言鷟语多讥刺时，坐贬岭南。刑部尚书李日知奏论，乃追敕移于近处。"《桂林风土记》："至开元中，姚崇为相，诬其奉使江南受遗，赐死。其子上表请代父死。黄门侍郎张廷珪、刑部尚书李日知等，连表称冤，遂减死流岭南。"《朝野佥载》卷一："开元二年……（张鷟）果被御史李全交致其罪，敕令处尽。而刑部尚书李日知、左丞张廷珪、崔玄升、侍郎程行谋咸请之，乃免死，配流岭南。"张鷟《陈情表》："臣平生好学，颇爱文章，虽不逮于词人，滥流传于视草。近来撰集诗赋表记等若干卷，编集拟进，缮写未周，负谴明时，方从极典。……伏愿陛下遂臣万请之心，宽臣百日之命，集录缮写，奉进阙庭，微愿获申，就死无恨。"张不耀《请代父死表》："臣父文成，充使不了，特置严刑。……臣子情切，骨肉思深，请以微躯，代父当死。"

王维年二十一，作《燕支行》诗。诗题下注："时年二十一。"

公元 715 年 （唐玄宗开元三年 乙卯）

正月

魏知古（647—715）卒，年六十九。《旧唐书》玄宗纪上："（正月）甲辰，工部尚书魏知古卒。"本传："乃除工部尚书，罢知政事。三年卒，时年六十九……文集七卷。"《新唐书》艺文志四："《魏知古集》二十卷。"

二月

玄宗谓苏颋与李乂可比前朝李峤、苏味道。《唐会要》卷五四："至三年二月，上谓曰：'前朝有李峤、苏味道，时人谓之苏、李。朕今有卿及李乂，亦不让之。卿所制文，朕自识之。自今已后，每进书，皆别录一本，云臣某进，朕要留中。'迄今以为故事。"

孙逖在山阴尉任，游览越州名胜并赋诗纪之。孙逖《山阴县西楼》："谁知春色朝朝好，二月飞花满江草。"当作于本年至开元五年间之二月，姑系于此。又有《登越州城》、《宴越府陈法曹西亭》诗，均写及春日景象，又《奉和崔司马游云门寺》、《酬万八贺九云门下归溪中作》诗亦作于山阴。云门寺在越州，见《舆地纪胜》卷一〇。万八谓万齐融，贺九谓贺朝，见《唐人行第录》。诸诗附记于此。

四月

张说由相州刺史转岳州刺史。《旧唐书》本传："俄又坐事左转岳州刺史，仍停所食实封三百户。"张说《岳州刺史谢上表》："伏奉四月十有二日制书，除臣岳州刺史。"按张说于开元五年自岳州迁荆州，其在岳州所作《巴丘春作》云："三岁客长沙"，知其贬岳州在本年四月。

七月

李日知卒，张九龄为作挽诗。《旧唐书》玄宗纪上："秋七月，故刑部尚书李日知卒。"张九龄有《故刑部李尚书挽歌词三首》，当即为挽李日知而作。

秋

张说在岳州刺史任，宴集僚佐，送人入朝，皆有诗作。张说《岳州九日宴道观西阁》："参佐多君子，词华妙赏音。"又有《岳州宴姚绍之》、《岳州别梁六入朝》、《送梁六自洞庭山作》诸诗，均当今明两年秋日在岳州时作，姑系于此。梁六谓梁知微，其《入朝别张燕公》为应和张说之作。

孙逖在山阴尉任，作游览诗多首。孙逖有《立秋日题安昌寺北山亭》、《宿云门寺阁》、《葛山潭》、《和登会稽山》等诗，均写及越州地理名胜及秋日景象，是在山阴尉任所作，姑并系于此。按诸诗中《宿云门阁寺》是孙逖名作。《唐诗评选》卷三："刻炼深奇，束结完好，虽于人为脍炙，而知味者不百一也。三、四为高阁夕景，曲写三毛。'画壁余鸿雁'拾景入神。"

十月

玄宗召马怀素、褚无量更日入内侍读，又命二人整理内库旧书。《旧唐书》玄宗纪上："冬十月甲寅，制曰：'朕听政之暇，常览史籍，事关理道，实所留心，中有阙疑，时须质问。宜选耆儒博学一人，每日入内侍读。'以光禄卿马怀素为左散骑常侍，与右散骑常侍褚无量并充侍读。"参见《唐会要》卷二六、《通鉴》卷二一一。《通鉴》作九月戊寅，误。《唐会要》卷三五："开元三年，右散骑常侍褚无量、马怀素侍宴，言及内库及秘书坟籍。上曰：'内库书皆是太宗、高宗前代旧书，整比日，常令宫人主掌，所有残缺，未能补缉，篇卷错乱，检阅甚难，卿试为朕整比之。'"亦见《旧唐书》经籍志序。《旧唐书》褚无量传："无量以内库旧书，自高宗代即藏在宫中，渐至遗逸，奏请缮写刊校，以弘经籍之道。"

玄宗幸凤泉温汤，苏颋扈从，途中与崔泰之唱和，又赋诗呈李乂、马怀素。《旧唐书》玄宗纪上："（十月）甲子，幸郿县之凤泉汤。十一月己卯，至自凤泉汤。"苏颋有《扈从凤泉和崔黄门喜恩旨解严罢围之作》诗，作于此时。崔黄门谓崔泰之，见《唐代墓志汇编》开元一七四《大唐故银青光禄大夫守工部尚书赠荆州大都督清河郡开国公上柱国崔公墓志铭并序》及明年李乂条。苏颋又有《扈从鄠杜间奉呈刑部尚书舅崔黄门马常侍》诗，当本年扈从凤泉温汤经鄠、杜间时所作。刑部尚书舅谓李乂，本年正月在刑部尚书任，见《唐会要》卷三九；马常侍谓马怀素，时为左散骑常侍，见上条。

张九龄与卢怀慎有诗唱和。《旧唐书》玄宗纪上，"（十一月）乙酉，幸新丰之温汤。……甲午，至自温汤。"张九龄《和黄门卢监望秦始皇陵》："秦帝始求仙，骊山何遽卜。"黄门卢监谓卢怀慎，开元三年迁黄门监，四年卒，见《旧唐书》本传。新丰温汤及秦始皇陵均在骊山，见《元和郡县图志》卷一。卢怀慎本年当从幸新丰温汤，有诗作，张九龄遂和之。

本年

沈佺期任太子少詹事。《旧唐书》文苑中本传："后历中书舍人、太子詹事。"《新唐书》文艺中李适附沈佺期传："寻历中书舍人、太子少詹事。"苏颋《授沈佺期太子少詹事等制》："正议大夫、太府少卿、昭文馆学士、上柱国、吴兴县开国男沈佺期，才标颖拔，思诣精微。早升多士之行，独擅词人之律。……佺期可太子少詹事，余如故。"当从《新传》作太子少詹事。沈佺期去年六月尚在太府少卿任，其为少詹事约在本年。

李邕由江州别驾迁户部郎中。《旧唐书》文苑中本传："开元三年，擢为户部郎中。"苏颋《授李邕户部郎中制》："朝散大夫、守江州别驾李邕，探学精奥，为文沉郁……可守尚书户部郎中。"

李白年十五，学剑学仙，观奇书，作诗赋，已有所成。李白《感兴八首》其五："十五游神仙，仙游未曾歇。"《与韩荆州书》："十五好剑术，遍干诸侯。"《赠张相镐二首》其二："十五观奇书，作赋凌相如。"《唐诗纪事》卷一八引杨天惠《彰明逸事》："时太白齿方少，英气溢发，诸为诗文甚多，微类《宫中行乐词》体。今邑人所藏百篇，大抵皆格律也。虽颇体弱，然短羽褵褷，已有雏凤态。"

李华（715—766）生。李华字遐叔，赵州赞皇人。进士擢第，复登博学宏词科，由南和尉擢秘书省校书郎。历监察御史、右补阙。以尝任安禄山伪职，贬杭州司户。上元中，召为左补阙，加司封员外郎，称疾不拜。李岘领选江南，表置幕府，擢检校吏部员外郎。因病去官，客隐楚州，卒。据《旧唐书》文苑下本传、《新唐书》文艺下本传、独孤及《检校尚书吏部员外郎赵郡李公中集序》、梁肃《为常州独孤使君祭李员外文》。

公元 716 年　（唐玄宗开元四年　丙辰）

二月

张九龄等扈从玄宗至骊山温汤，与姚崇赋诗唱和。苏绾有《奉和姚令公驾幸温汤喜雪应制》诗，苏颋有《扈从温泉奉和姚令公喜雪》，张九龄有《和姚令公从幸温汤喜雪》。姚令公谓姚崇，开元元年十二月兼紫微令，本年闰十二月罢相。苏绾诗有"林变惊春早"之句，当作于春日。考姚崇为紫微令期间，唯本年二月玄宗幸新丰温汤，余皆在冬日，故系诸诗于本年。苏颋《扈从温泉同紫微黄门群公泛渭川得齐字》："虹旗映绿荒，春仗汉丰西"，当亦本次从幸所作。

李乂（657—716）卒，年六十，临卒曾作《扈从诗》，卒后其诗文与兄尚一、尚贞合编为《李氏花萼集》，苏颋等名公为其撰《神道碑》、挽诗等。苏颋《故刑部尚书中山李公诗法记》："唐开元四年太岁景辰二月戊申朔二十六日癸酉，银青光禄大夫、刑部尚书、昭文馆学士、中山公薨于京师宣阳里私第，享年六十。先五日，扈驾自新丰汤井还。其日奉制，持节复赛于汤，所以降雨故也。还，历二日，自说斋祭涤濯之事，愿言赋诗。至其夕，宾友皆散，因作《扈从诗》十韵，迟明，命以示颋。诗成而寝，奄忽生灾，此即夫子获麟之卒章也。"又《唐紫微侍郎赠黄门监李乂神道碑》："四岁转紫微侍郎，掌制数月，兼刑部尚书。明年正除检校尚书，校郡国考绩凡二岁。……享年六十，开元丙辰岁仲春癸酉，薨于京师宣阳里第。……制赠公黄门监。……太常考行曰贞。……枢既引，户部尚书东平毕构、少府监吴郡陆余庆、散骑常侍扶风马怀素、黄门侍郎清河崔泰之泊紫微侍郎武功苏颋祖于延年门外。……黄门监渔阳公卢公，居世有闲散之任，与公有范、张之密，强学伟词，盖撰其实也，遂作颂云。"卢公谓卢怀慎。又云："所著文集，成六十卷。五言之妙，一变乎时。流便清婉，经纶密致，犹乐箫韶、工黼黻也。"张九龄有《和姚令公哭李尚书乂》诗。《新唐书》本传："乂事兄尚一、尚贞孝谨甚，又俱以文章自名，弟兄同为一集，号《李氏花萼集》，乂所著甚多。"同书艺文志四："《李乂集》五卷。"又："《李氏花萼集》二十卷，李乂、尚一、尚贞。"

春

张说在岳州，与赵冬曦、王琚等唱和，时冬曦以事由监察御史贬岳州。张说《伯奴边见归田赋因投赵侍御》，赵侍御谓赵冬曦。唐故国子祭酒赵君（冬曦）圹："除右拾遗，迁监察御史，以他事联及，放于岳州。"赵冬曦《奉酬燕公见归田赋垂赠之作》是应和张说之作。说又有《翻著葛巾呈赵尹》诗，冬曦亦有答诗。张说《与赵冬曦尹懋子均登南楼》亦写及春日景象，赵冬曦、尹懋、张说子张均皆有和诗。张说《赠赵公》："宁知洞庭上，独得平生心。"知亦作于岳州期间。赵公谓王琚，《旧唐书》本传："封赵国公，食实封五百户。……（开元）二年二月回，未及京，便除泽州刺史，削封。历衡、郴、滑、虢、沔、夔、许、润九州刺史。"王琚有《奉答燕公》三首（见《全唐诗》卷九八及《全唐诗补编·续拾》卷一二）。张说又有《游洞湖上寺》诗，王琚、赵冬曦皆有和诗，亦当本年春作。

五月

张说在岳州观竞渡，赋诗；又与赵冬曦等唱和。张说有《岳州观竞渡》，当作于五月。又《岳州夜作》、《岳州山城》均写及夏日景象，亦系于此。赵冬曦有《和燕公岳州山城》诗，张垍（一作张均）有《奉和岳州山城》诗。

六月

　　张九龄与崔泰之有诗唱和。张九龄《和崔黄门寓直夜听蝉之作》："思深秋欲近，声静夜相宜。"时在夏末。崔黄门谓崔泰之，本年在黄门侍郎任，见二月条。诗本年前后作，姑系于此。

八月

　　孟浩然游岳阳，赋诗献张说。孟浩然《洞庭湖》："八月湖水平，涵虚混太清。"此诗《全唐诗》卷一六〇题作《望洞庭湖赠张丞相》，张丞相谓张说。诗当本年孟浩然游岳阳时所作。参见刘文刚《孟浩然年谱》、王辉斌《孟浩然研究》。按此诗系孟浩然名作。曾季狸《艇斋诗话》："老杜有《岳阳楼》诗，孟浩然亦有。浩然虽不及老杜，然'气蒸云梦泽，波撼岳阳城'亦自雄壮。"《升庵诗话》卷二："孟浩然'八月湖水平，涵虚混太清'，虽律也，而含古意，皆起句之妙，可以为法，何必效晚唐哉？"《诗辩坻》卷三："襄阳《洞庭》之篇，皆称绝唱，至欲取压唐律卷。……世目同赏，予不敢谓之然也。"

秋

　　张说与赵冬曦、尹懋等赋诗唱和。尹懋有《秋夜陪张丞相赵侍御游湄湖二首》，张说、赵冬曦、张均并有和诗。尹懋又有《同燕公泛洞庭》诗，张说有《和尹从事懋泛洞庭》，说又有《游洞庭湖》、《游洞庭湖湘》、《岳州作》二首、《岳州西城》、《岳州别赵国公王十一琚入朝》等诗，均写及秋日景象，亦系于此。王琚《自荆湖入朝至岳阳奉别张燕公》是应和张说之诗。张均（一作张说）《岳阳晚景》："长沙卑湿地，九月未成衣。"亦系于此。

　　张九龄以上书言事忤时宰，拂衣告归，途中有诗作。徐浩《唐尚书右丞相中书令张公神道碑》："迁左拾遗，封章直言，不协时宰，方属辞满，拂衣告归。"张九龄有《南还湘水言怀》诗，云："拙宦今何有，劳歌念不成。十年乖凤志，一别悔前行。……江间稻正熟，林里桂初荣。"九龄神龙三年（707）释褐任校书郎，至本年首尾十年。诗当本年南归时所作。张九龄又有《南还以诗代书赠京都旧僚》诗，亦当作于南归途中。

十一月

　　十四日，刘知几、吴兢撰《睿宗实录》等书成，姚崇奏请赏赐。《唐会要》卷六三："开元四年十一月十四日，修史官刘子玄、吴兢撰《睿宗实录》二十卷、《则天实录》三十卷、《中宗实录》二十卷成，以闻。又引古义白于执政。宰相姚崇奏曰：'……子玄等请各赐物五百段。'从之。"

　　张说与赵冬曦等赋诗唱和。赵冬曦有《湄湖作》诗，"巴丘南湄湖者……冬霜既零，则涸为平野。……而此乡炎暑，子月草生，弥望青青。相与游藉，岂盈虚之可叹，亦风景之多伤。感物增怀，因书其事。”子月指十一月。张说《同赵侍御乾湖作》，即和冬曦此诗。张说又有《岳州宴别潭州王熊二首》，王熊《奉别张岳州说二首》、韦嗣立奉和张岳州王潭州别诗二首均为奉和之作。韦嗣立时为海州别驾，见《册府元龟》卷一七二。韦诗有序云“遥申和”，当作于海州。以张说诗写及冬季景象，亦附于此。张说又有《闻雨》诗二首，一首云：“念我劳造化，从来五十年。”另一首云：“穷冬万花匝，永夜百忧攒。”说本年年五十，诗亦作于本年冬。

张说以所作《五君咏》投献苏颋。《明皇杂录》卷下：“张说之谪岳州也，常郁不乐……苏颋方当大用，而张说与瓌相善，张因为《五君咏》，致书，封其诗以遗颋。……使者既至，因忌日赍书至颋门下。……颋因览诗，呜咽流涕，悲不自胜。翌日，乃上封事，陈说忠贞謇谔，尝勤劳王室，亦人望所属，不宜沦滞于遐方。上乃降玺书劳问，俄而迁荆州长史。”王泠然《论荐书》：“相公《五君咏》曰：‘凄凉丞相府，余庆在玄成。’苏公一闻此诗，移相公于荆府。”按苏瓌卒在景云元年十一月，张说明年二月迁荆州长史，知献诗事在本年十一月。张说《五君咏五首》序云：“达志、美类、刺异、感义、哀事，颜氏之心也，拟焉。”所咏五君分别为齐国公魏元忠、许国公苏瓌、赵国公李峤、代国公郭元振、耿国公赵彦昭。

张九龄受命开大庾岭路。张九龄《开凿大庾岭路序》：“兹乎开元四载，冬十有一月，俾使臣左拾遗内供奉张九龄……相其山谷之宜，革其坂险之故。”

十二月

姚崇赋诗怀卢怀慎，苏颋和之。苏颋有《奉和姚令公温汤旧馆永怀故人卢公之作》诗。姚令公谓姚崇，卢公谓卢怀慎。《旧唐书》卢怀慎传：“怀慎与紫微令姚崇对掌枢密，怀慎自以为吏道不及崇，每事皆推让之，时人谓之‘伴食宰相’。四年，兼吏部尚书。其秋，以疾笃，累表乞骸骨，许之。旬日而卒。”同书玄宗纪上：“（十一月）辛丑，黄门监兼吏部尚书卢怀慎卒。十二月乙卯，幸新丰之温汤。……乙丑，至自温汤。”诗当作于本年十二月从幸新丰温汤时。

宋璟自广州入朝，经岳州，张说赋诗以赠。张说《岳州赠广平公宋大夫》：“亚相本时英，归来复国桢。”广平公谓宋璟，《旧唐书》本传：“转京兆尹，复拜御史大夫，坐事出为睦州刺史，转广州都督。……累封广平郡公。”张说诗称亚相，指其曾为御史大夫。《通鉴》卷二一一：“（姚）崇由是忧惧，数请避相位，荐广州都督宋璟自代。十二月，上将幸东都，以璟为刑部尚书、西京留守，令驰驿诣阙。”诗当本月作。

闰十二月

宋璟、苏颋拜相，姚崇罢知政事。《新唐书》玄宗纪：“闰月己亥，姚崇、源乾曜罢。刑部尚书宋璟为吏部尚书兼黄门监，紫微侍郎苏颋同紫微黄门平章事。”《旧纪》记此于本年十二月，误。参《新唐书》宰相表中、《通鉴》卷二一一、《唐大诏令集》卷四四。《通鉴》卷二一一：“姚、宋相继为相，崇善应变成务，璟善守法持正；二人志操不同，然协心辅佐，使赋役宽平，刑罚清省，百姓富庶。唐世贤相，前称房、杜，后称姚、宋，他人莫得比焉。"

本年

沈佺期（656？—716？）**卒，年约六十一。**《旧唐书》文苑中本传："后历中书舍人、太子詹事。开元初卒，有文集十卷。"佺期之卒约在本年，参见《唐才子传校笺》卷一沈佺期传补笺。《新唐书》艺文志四："《沈佺期集》十卷。"《郡斋读书志》卷一七："《沈佺期集》五卷。"《直斋书录解题》卷一六："《沈佺期集》十卷。唐中书舍人内黄沈佺期云卿撰。自沈约以来，始以音韵、对偶为诗，至之问、佺期，益加靡丽。学者宗之，号为沈宋。唐律盖本于此。二人者皆以谄附二张进，景龙中俱为修文馆学士。佺期《回波词》有所谓'齿录牙绯'者，其为人可知。"《唐诗品》："云卿诗，其命意周委，如雪舞岩林，随形宛转，无象不得；其摘词丽则，如春花瑶池，气色照映，自含华态，可谓意象纵横，词锋姿媚者也。其拙语，如田家而殊深俊朗；其形器，如木石而更被华要。仰承贞观，弥见周留；俯待开元，先咀意旨。旷代高之，无以为过，置之往哲之中，其但叔原（源）失步、明远变色者耶！"《诗镜总论》："沈佺期吞吐含芳，安详合度，亭亭整整，喁喁叮叮，觉其句自能言，字自能语，品之所以为美。苏、李法有余闲，材之不逮远矣。"《诗源辩体》卷一三："七言古，沈如'水晶帘外金波下，云母牕前银汉回'、'燕姬彩帐芙蓉色，秦子金炉兰麝香'、'灯华灼烁九衢映，香气氤氲百和然'、'朝霞散彩羞衣架，晚月分光让镜台'、'玳瑁筵中别作春，琅玕牕里翻成昼'……等句，偶俪极工，语皆富丽，与王、卢、骆相类者也。"《载酒园诗话又编》："古称沈为靡丽，今观之，乃见朴厚耳。其云'约句准篇，如锦绣成文'，正就其回忌声病言也。然朴厚自是初唐风气，不足矜，当取其厚中带动，朴而特警者。如《芳树》、《和赵麟台元志春情》、《叹狱中无燕》、《和元万顷临池玩月》，最其振拔。"又："长律至沈而工，较杜、宋实为严整。然唯'卢家少妇'篇，首尾温丽，余亦中联警耳，结语多平熟，易开人浅率一路，若从此入手，恐不高。"《石州诗话》卷一："沈云卿《龙池篇》，大而拙，其势开启三唐，而非七律之尽善者。'卢家少妇'一篇，斯其佳作。"又："沈、宋应制诸作，精丽不待言，而尤在运以流宕之气。此元自六朝风度变来，所以非后来试帖所能几及也。"《三唐诗品》卷一："其源亦出谢、沈，植骨清稳，舒芬华秀，在考功之亚，名并当时。律体特取风神，开盛唐之派。"

王熊在潭州都督任，百姓作歌讥之。《朝野佥载》卷二："王熊为泽州都督……前尹正义为都督公平，后熊来替，百姓歌曰：'前得尹佛子，后得王癫獭。判事驴咬瓜，唤人牛嚼沫。见钱满面喜，无锤从头喝。尝逢饿夜叉，百姓不可活。'""泽州"，当为潭州之误，参《唐刺史考全编》卷一六六。王熊本年在潭州都督任，见本年十一月张说条。

张说自编所作诗为《岳阳集》。王泠然《论荐书》："相公昔在南中，自为《岳阳集》，有送别诗云：'谁念三千里，江潭一老翁。'则知虞卿非穷愁不能著书以自宽，贾谊非流窜不能作赋以自安。公当此时，思欲生入京华，归老田里，脱身瘴疠，其可得乎？"王所引诗出自张说《岳州宴别潭州王熊二首》其二，当作于本年冬，已见前。按

张说编《岳阳集》年月不可确知，以明年说迁荆州，故系于此。《太平寰宇记》卷一一三："岳阳楼，唐开元四年，张说自中书令为岳州刺史，常与才士登此楼，有诗百余篇，列于楼壁。"《通志》收《岳阳楼诗》一卷，即指此。《张说之文集》收说岳州诸诗，并附有赵冬曦、王琚、尹懋、梁知微等人和诗，即《岳阳集》所收者。参见陈尚君《唐人编选诗歌总集叙录》，载其所著《唐代文学丛考》。

李邕贬括州司马。《旧唐书》文苑中本传："开元三年，擢为户部郎中。邕素与黄门侍郎张廷珪友善，时姜皎用事，与廷珪谋引邕为宪官。事泄，中书令姚崇嫉邕险躁，因而搆成其罪，左迁括州司马。"《新唐书》文艺中本传略同。按本年闰十二月姚崇罢相，则李邕之贬当在开元三四年间，姑系于此。

李白隐居大匡山，从赵蕤学，时蕤方著《长短经》。《唐诗纪事》卷一八引《彰明逸事》："太白恐，弃去，隐居戴天大匡山，往来旁郡，依潼江赵征君蕤。蕤亦节士，任侠有气，善为纵横学，著书号《长短经》。太白从学岁余，去游成都。"赵蕤《长短经叙》："恐儒者溺于所闻，不知王霸殊略，故叙以长短术，以经纶通变者。创立题目，总六十三篇，合为十卷，名曰《长短经》。大旨在乎宁固根蒂，革易时弊，兴亡治乱，具载诸篇。为沿袭之远图，作经济之至道。"《长短经》卷六："自隋开皇十年庚戌岁灭陈，至今开元四年丙辰岁，凡一百二十六年，天下一统。"书当成于本年或稍后，姑系于此。李白从赵蕤游亦当在本年前后。《新唐书》艺文志三："赵蕤《长短要术》十卷。字太宾，梓州人。开元中召之不赴。"孙光宪《北梦琐言》卷五："赵蕤者，梓州盐亭县人也。博学韬钤，长于经世。夫妻俱有节操，不受交辟。撰《长短经》十卷，王霸之道，见行于世。"四库提要卷一一七："《长短经》九卷，唐赵蕤撰。是书皆谈王伯经权之要，成于开元四年。自序称凡六十三篇，合为十卷。《唐志》与晁公武《读书志》，卷数并同。……然仅存九卷。……刘向序《战国策》，称或题曰《长短》。此书辨析事势，其源盖出于纵横家，故以'长短'为名。虽因时制变，不免为事功之学，而大旨主于实用，非策士诡谲之谋。其言故不悖于儒者，其文格亦颇近荀悦《申鉴》、刘邵《人物志》，犹有魏、晋之遗。唐人著述，世远渐稀，虽佚十分之一，固当全璧视之矣。"

刘晏（716？—780）**生。**刘晏字士安，曹州南华人。开元中举神童，天宝中累官侍御史。肃宗、代宗朝，历度支郎中、京兆尹、户部侍郎、吏部尚书同中书门下平章事等职，领度支、盐铁、转运、铸钱等使。德宗建中初，为杨炎诬构，诛死。据新、旧《唐书》本传。

公元717年　（唐玄宗开元五年　丁巳）

二月

玄宗至东都。《通鉴》卷二一一："（正月）辛亥，行幸东都。……二月，甲戌，至东都，赦天下。"

张说迁荆州长史，赴任前及赴任途中多有诗作，赵冬曦和之。张说《荆州谢上表》："伏奉二月二十五日制书，除臣荆州大都督府长史，受命荒服，浮舟遄泝，以今月十七日到州上讫。……及一辞庭阙，已涉五年。"张说开元元年十二月出为相州刺史，此云"已涉五年"，当在本年。《祭城隍文》："维大唐开元五年岁次丁巳四月庚午朔二十日己丑，荆州大都督府长史、上柱国、燕国公张说谨以清酌之奠，敢昭告于城隍之神。"《禜城门文》："维大唐开元五年，荆州大都督府长史、上柱国、燕国公张说谨遣议郎行录事参军皇甫峄，敢昭告于大府城门。"亦可证张说本年已在荆州长史任。《册府元龟》卷一七二云开元六年张说始任荆州长史，误，详见陈祖言《张说年谱》。张说《赠赵侍御》、《巴丘春作》、《岳阳早霁南楼》、《别滟湖》等均为本年春赴任荆州长史前在岳州作，《岳阳石门墨山二山相连有禅堂观天下绝境》、《出湖寄赵冬曦》二首为赴任途中所作，赵冬曦《和张燕公别滟湖》、《奉答燕公》（语别意凄凄）、《酬燕公出湖见寄》、《奉和张燕公早霁南楼》诗，系与张说唱和之作。

三月

王泠然登进士第，考功员外郎裴耀卿知贡举，试《丹水赋》。王泠然《论荐书》："长安令裴耀卿于开元五年掌天下举，擢仆高第，以才相知。"又《与御史高昌宇书》："先天年中，仆虽幼小，未闲声律，辄参选举。公既明试，量拟点额。仆之枉落，岂肯缄口。……亦上一纸书，蒙数遍读，重相摩奖，道有性灵，云：'某来掌试，仰取一名。'于是逡巡受命，匍匐而归，一年在长安，一年在洛下，一年坐家园。去年东十月得送，今年春三月及第。往者虽蒙公不送，今日亦自致青云。天下进士有数，自河以北，惟仆而已。"余见《登科记考》卷五。

孙逖迁秘书正字，赋诗别越州；经常州，与刺史崔日用赋诗唱和。《旧唐书》文苑中孙逖传："授山阴尉。迁秘书正字。"孙逖有《春日留别》："越国山川看渐无，可怜愁思江南树。"当是别越州赴秘书正字任时作。又有《和常州崔使君寒食夜》、《和常州崔使君咏后庭梅二首》、《同和咏楼前海石榴二首》等诗。崔使君谓崔日用，孙逖十五岁时，日用为雍州长史，逖曾前往拜谒，见中宗景龙四年孙逖条。《唐代墓志汇编》开元〇五四《大唐义丰县开国男崔四郎墓志并序》："君讳宜之……父日用，吏部尚书、常州刺史、齐国公。……君年方驱竹……以开元五年五月十终。"知本年日用在常州刺史任。本年十二月孙逖在洛阳有诗，其与崔日用常州唱和当在本年三月。按《春日留别》是孙逖名作，《唐诗别裁集》卷五："以上诸篇（按指本篇与张若虚《春江花月夜》等诗），志初唐入盛之渐。"

四月

张说至荆州，赋诗奉和蔡孚《偃松篇》，时和者甚众，后诸诗编为《偃松集》。张说有《四月一日过江赴荆州》诗，知其四月当已在荆州。说又有《遥同蔡起居偃松篇》，诗中有云：'莫比冥灵楚南树，朽老江边代不闻。'自比楚南树，当作于荆州。蔡起居谓蔡孚。《唐文拾遗》卷一八韦璞玉《大唐故朝议郎京兆府功曹上柱国韦君墓志铭并序》："君讳希损，尝应制和蔡孚《偃松篇》曰：'大厦已成无所用，唯将献寿答尧心。'作者称之，深以为遗贤雅刺矣。……享年六十有三，开元七年八月九日，倾于新昌里第之中堂。"张说诗当作于本年四月至后年八月间，姑系于此。蔡孚《偃松篇》及诸奉和之作后编为《偃松集》一卷，《日本国见在书目》著录。参陈尚君《唐人编选诗歌总集叙录》。

秋

张九龄居韶州，与王履震有诗唱和。张九龄《晚憩王少府东阁》："空水秋弥净，林烟晚更浓。"作于秋季。王少府谓王履震。张九龄《陪王司马宴王少府东阁序》："至若《诗》有怨刺之作，《骚》有愁思之文，求之微言，匪云大雅。王六官志其大者，司马公引而申之。"是王少府行六。又据张九龄《与王六履震广州津亭晓望》诗，知王少府即王履震。《晚憩王少府东阁》诗当作于本年张九龄韶州家居时。张九龄又有《酬王六寒朝见贻》、《酬王履震游园林见贻》、《酬王六霁后书怀见示》诗，均为与王履震唱和之作；又有《豀行寄王震》诗，王震当即王履震。诸诗并张九龄本年前后居韶州时所作，附记于此。

十二月

诏马怀素于秘书省领衔编制群书目录，褚无量于乾元殿校写四部书以充内库。《通鉴》卷二一一："十二月……秘书监马怀素奏：'省中书散乱讹缺，请选学术之士二十人整比校补。'从之。于是搜访逸书，选吏缮写，命国子博士尹知章、桑泉尉韦述等二十人同刊正。"《旧唐书》马怀素传："是时秘书省典籍散落，条流无序，怀素上疏曰：'南齐已前坟籍，旧编王俭《七志》。已后著述，其数盈多，《隋志》所书，亦未详悉。或古书近出，前志阙而未编；或近人相传，浮词鄙而犹记。若无编录，难辨淄、渑。望括检近书篇目，并前志所遗者，续王俭《七志》，藏之秘府。'上于是召学涉之士国子博士尹知章等，分部撰录，并刊正经史，粗创首尾。"《新唐书》儒学中马怀素传："开元初，为户部侍郎……玄宗诏与褚无量同为侍读……有诏句校秘书。……即拜怀素秘书监。乃召国子博士尹知章、四门助教王直、直国子监赵玄默、陆浑丞吴绰、桑泉尉韦述、扶风丞马利徵、湖州司功参军刘彦直、临汝丞宋辞玉、恭陵令陆绍伯、新郑尉李子钊、杭州参军殷践猷、梓潼尉解崇质、四门直讲余钦、进士王惬、刘仲丘、右威卫参军侯行果、刑州司户参军袁晖、海州录事参军晁良、右率府胄曹参军毋煚、荥阳主簿王湾、太常寺太祝郑良金等分部撰次；践猷从弟秘书丞承业、武陟尉徐楚璧是正文字。怀素奏秘书少监卢俌、崔沔为修图书副使，秘书郎田可封、康子元为判官。然怀素不善著述，未能有所绪别。"《旧唐书》韦述传："开元五年，为栎阳尉。秘书监马怀素受诏编次图书，乃奏用左散骑常侍元行冲、左庶子齐澣、秘书少监王珣、卫尉少卿吴兢并述等二十六人，同于秘阁详录四部书。"《玉海》卷四八："（韦）述以开元五年冬敕就秘书省撰续王俭《七志》及刊校四库书籍。"《旧唐书》职官志二："玄宗即位，大校群书。开元五年，于乾元殿东廊下写四部书，以充内库。"褚无量传："玄宗令于东都乾元殿前施架排次，大加搜写，广采天下异本。数年间，四部充备。"《通鉴》卷二一一："十二月……以左散骑常侍褚无量为之使，于乾元殿前编校群书。"《玉海》卷五二引《集贤注记》："五年于东京乾元殿写四部书，无量充使检校，六年三月五日，学士以下始入乾元院。"《新唐书》儒学下褚无量传："天子诏于东都乾元殿东厢部汇整比，无量为之使。因表闻喜尉卢僎、江夏尉陆去泰、左监门率府胄参军王择从、武陟尉徐楚璧，分部仁定，卫尉设次，光禄给食。"按马怀素与褚无量所领实为两班人员，前者于秘书省编制群书目录，后者则在乾元殿校写内库书，工作地点及性质均有不同。参郑伟章《唐集贤院考》，载《文史》第十九辑。又褚无量所引卢僎、徐楚璧皆有文名。卢僎（？—749？），相州临漳人。开元初为闻喜尉。入东都乾元殿整比群书。后任祠部员外郎、司勋员外郎、襄阳令、吏部员外郎等职，官终临汝长史。著有《卢公家范》一卷，《全唐诗》录其诗十四首。据《新唐书》儒学下赵冬曦附卢僎传等。徐楚璧后改名徐安贞，见《新唐书》儒学下褚无量附徐安贞传。《旧唐书》文苑中席豫附徐安贞传："尤善五言诗。尝应制举，一岁三擢甲科，人士称之。开元中为中书舍人、集贤院学士。上每属文及作手诏，多命安贞视草，甚承恩顾，累迁中书侍郎。天宝初卒。"

永乐公主嫁契丹王，孙逖在洛阳，赋诗咏其事。《通鉴》卷二一一："十一月，丙申，契丹王李失活入朝。十二月，壬午，以东平王外孙杨氏为永乐公主，妻之。"孙逖《同洛阳李少府观永乐公主入蕃》诗即赋其事。

除日，张九龄与友人登薛道衡逍遥台，撰序并赋诗以抒怀。张九龄有《陪王司马登薛公逍遥台》诗及《岁除陪王司马登薛公逍遥台序》，为同时所作。《序》云："故郡城有荒台焉……斯则薛公道衡之所憩也。"薛道衡隋炀帝时尝为番州刺史，见《隋书》本传。逍遥台在曲江县城南五里，为薛道衡任刺史时所建，见光绪元年修《曲江县志》卷八。诗及序当作于上年或本年张九龄居韶州时，姑系本年，参见杨承祖《唐张子寿先生九龄年谱》。

本年

韩琬撰成《续史记》等，上之。《直斋书录解题》卷六："《御史台记》二十卷，唐殿中侍御史南阳韩琬茂贞撰。自唐初迄开元五年，御史台姓名、行事及官制沿革，皆详著之。第八卷为琬著传，九卷以后为右台。左台创于武后，废于中宗，岁月盖不久也。末有杂说五十七条。"《玉海》卷五七引《集贤注记》："宋州司马韩琬上《续史记》一百三十卷、《南征记》十卷、《御史台记》二十卷。"按韩琬撰成《续史记》诸书并进献朝廷，当在本年以后，姑系于此。

萧颖士（717—760）生。萧颖士，字茂挺，颖州汝阴人。进士及第，授金坛尉，历扬州参军、秘书正字，被劾免官。召为集贤校理，忤李林甫，调广陵参军事。因韦述荐，入史馆待制，寻调河南府参军事。安史乱起，入山南节度使府，掌书记。旋为扬州功曹参军。后客死汝南逆旅。有《萧颖士集》十卷。据《旧唐书》文苑下本传、《新唐书》文艺中本传、李华《扬州功曹萧颖士文集序》等。

公元718年 （唐玄宗开元六年 戊午）

二月

诏举人试策不得用浮艳文词。《册府元龟》卷六三九："玄宗开元六年二月，诏曰：我国家敦古质，断浮艳，礼乐诗书，是弘文德，绮罗珠翠，深革弊风。必使情见于词，不用言浮于行。比来选人试判，举人对策，剖析案牍，敷陈奏议，多不切事宜，广张华饰，何大雅之不足，而小能之是炫。自今以后，不得更然。"又见徐松《登科记考》卷七。

张说离荆州任赴东都，经襄阳，赋诗感怀。张说《襄阳路逢寒食》："去岁寒食洞庭波，今年寒食襄阳路。"当为本年离荆州北归经襄阳时所作。又有《襄州景空寺融上人兰若》诗，为同时之作。时玄宗在洛阳，张说此行亦当径至洛阳，抵洛后说旋任幽州都督，参本年五月条。张说又有《祭殷仲堪羊叔子文并序》、《过庾信宅》诗，为本年离荆州前所作，附记于此。

三月

卢鸿被征至洛阳，固辞所授官，旋归嵩山。《旧唐书》玄宗纪上："二月甲戌，礼币征嵩山隐士卢鸿。"《通鉴》卷二一二："三月，乙巳，征嵩山处士卢鸿入见，拜谏议大夫；鸿固辞。"此从《通鉴》。按卢鸿又作卢鸿一，能诗，现存《嵩山十志十首》。《石洲诗话》卷一评云："卢鸿一《嵩山十志》诗，似是《骚》裔，而去《骚》却远，此不过自适其适而已。"卢鸿又能书善画。《历代名画记》卷九："卢鸿，一名浩然，高士也，工八分书，善画山水树石。"《宣和画谱》卷一〇载鸿之《窠石图》、《松林会真图》、《草堂图》藏于宋内府，评云："颇喜写山水平远之趣，非泉石膏肓、烟霞痼疾，得之心、应之手，未足以造此。画《草堂图》，世传以比王维辋川，草堂盖是所赐，一丘一壑，自己足了此生。今见之笔，乃其志也。"

山人范知璿以为文谀佞，为宋璟所黜。《通鉴》卷二一二："三月……有荐山人范知璿文学者，并献其所为文，宋璟判之曰：'观其《良宰论》，颇涉佞谀。山人当极言谠议，岂宜偷合苟容！文章若高，自宜从选举求试，不可别奏。'"

春

张九龄拜左补阙，辞家赴京，行前有诗作。徐浩《唐尚书右丞相中书令张公神道碑》："始兴北岭，峭险巉绝；大庾南谷，坦然平易。公乃献状，诏委开通。曾不浃时，行可方轨。特拜左补阙。"张九龄《初发道中赠王司马兼寄诸公》："昔岁尝陈力，中年退屏居。……肃命趋仙阙，侨装抚传车。……景物春来异，音容日向疏。"作于奉诏入京前，时当在本年。参杨承祖《唐张子寿先生九龄年谱》。

四月

郑铣、郭仙舟献诗，玄宗度其为道士。《通鉴》卷二一二："夏，四月，戊子，河南参军郑铣、朱阳丞郭仙舟投匦献诗，敕曰：'观其文理，乃崇道法；至于时用，不切事情。宜各从所好。'并罢官，度为道士。"

五月

张说在幽州都督任。《旧唐书》本传："迁右羽林将军，兼检校幽州都督。"孙逖《唐故幽州都督河北节度使燕国文贞张公遗爱颂并序》："开元六祀，宅于幽朔。……征其政理，幽州之良牧也。"影宋刻蜀本《张说之集》卷三〇《幽州论边事表》："开元六年五月七日，燕国公臣说顿首死罪上书皇帝陛下……"知本年五月张说已在幽州都督任。

七月

马怀素（659—718）卒，年六十。《旧唐书》玄宗纪上："秋七月己未，秘书监马怀素卒。"《唐代墓志汇编》开元〇七四《故银青光禄大夫秘书监兼昭文馆学士侍读上柱国常山县开国公赠润州刺史马公墓志铭并序》："公讳怀素……以开元六年七月廿七日终于河南之毓财里第，春秋六十。"

八月

李思训（653—718）卒，年六十六。《旧唐书》宗室长平王叔良附李思训传："开元初，左羽林大将军，进封彭国公……寻转右武卫大将军。开元六年卒。……思训尤善丹青，迄今绘事者推李将军山水。"据李邕《唐故云麾将军右武卫大将军赠秦州都督彭国公谥曰昭公李府君神道碑并序》，李思训卒于本年八月，年六十六。《历代名画记》卷九："李思训，宗室也，即林甫之伯父，早以艺称于当时。一家五人，并善丹青（思训弟思海、思海子林甫、林甫弟昭道、林甫侄凑），世咸重之。书画称一时之妙，官至左武卫大将军，封彭城公，开元六年赠秦州都督。其画山水树石，笔格遒劲，湍濑潺湲，云霞缥缈，时睹神仙之事，窅然岩岭之幽。时人谓之大李将军，其人也。"

十一月

辛卯，玄宗自洛阳还至长安。见《旧唐书》玄宗纪上。

李邕迁渝州刺史。《通鉴》卷二一二："十一月……宋璟奏：'括州员外司马李邕、仪州司马郑勉，并有才略文词，但性多异端，好是非改变；若全引进，则咎悔必至，若长弃捐，则才用可惜，请除渝、硖二州刺史。'……从之。"

十二月

乾元书院更名丽正修书院，褚无量复就丽正殿校写内库书。《玉海》卷五二引《集贤注记》："六年十二月乾元书院更号丽正修书院。"《新唐书》儒学下褚无量传："帝西还，徙书丽正殿，更以修书学士为丽正殿直学士，比京官预朝会。复诏无量就丽正纂续前功。"

冬

张说作《幽州夜饮》诗。诗写及冬日景象，以张说明年十月已归至长安，知诗当作于本年。

本年

尹知章卒，门人孙翌为其立碑；知章曾注《老子》、《管子》等，翌编有《正声诗集》，均行于世。《旧唐书》儒学下尹知章传："开元六年卒，时年五十有余。所注《孝经》、《老子》、《庄子》、《韩子》、《管子》、《鬼谷子》，颇行于时。门人孙季良等立碑于东都国子门监之门外，以颂其德。孙季良者，河南偃师人也，一名翌。开元中，为左拾遗、集贤院直学士。撰《正声诗集》三卷，行于代。"孙季良撰《正声集》之时间不可确考。姑附于此。《新唐书》艺文志四："孙季良《正声集》三卷。"《日本国见在书目》、《崇文总目》、《宋史》艺文志皆著录，宋以后佚。《类说》卷五一录李淑《诗苑类格》有"孙翌论诗"条，云："孙翌曰：汉自韦孟、李陵为四五言之首，建安以曹、刘为绝唱。阮籍《咏怀》、束晳《补亡》，颇得其要。永明文章散错，但类物色，都乏兴寄。晚有词人，争立别体，以难解为幽致，以难字为新奇，攻乎异端，斯无亦太过。"或即为《正声集》序中语。诗人之入《正声集》者今尚可考知一二。《大唐新语》卷八："刘希夷……好为宫体，词旨悲苦，不为时所重。……后孙翌撰《正声集》，以希夷为集中之最，由是稍为时人所称。"赵儋《故右拾遗陈公旌德之碑》谓陈子昂"有诗十首入《正声》。"《白居易集》卷四二《唐扬州仓曹参军王府君墓志铭》："公讳某，字士宽……父讳昇……诗入《正声集》。"《北户录志》卷三谓《正声集》录陈贞节诗。顾陶《唐诗类选序》曾提及此集，以其与《英灵》、《间气》、《南熏》三集并列，以为"朗照之下，罕有孑遗，而取舍之时，能无少误。"参陈尚君《唐人编选诗歌总集叙录》。

吕向等撰《文选集注》三十卷，工部侍郎吕延祚上之。《新唐书》艺文志四："《五臣注文选》三十卷。衢州常山尉吕延济、都水使者刘承祖男良、处士张铣、吕向、李周翰注。开元六年，工部侍郎吕延祚上之。"吕延祚《进集注文选表》："臣尝览古集，至梁昭明太子所撰《文选》三十卷，阅玩未已，吟读无致，风雅其来，不之能尚。则有遗词激切，揆度其事，宅心幽微，晦灭其兆，饰物反讽，假时维情，非夫幽识，莫能洞究。往有李善，时谓宿儒，推而传之，成六十卷。忽发章句，是征载籍，述作之由，何尝措翰。使复精核注引，则陷于末学；质访指趣，则岿然旧文。只谓搅心，胡为析理。臣愍其若是，志为训释。乃求得衢州常山县尉臣吕延济、都水使者刘承祖男臣良、处士臣张铣、臣吕向、臣李周翰等，或艺术精远，尘游不杂，或词论颖曜，岩居自修，相与三复乃词，周知秘旨，一贯于理，杳测澄怀，目无全文，心无留义。作者为志，森乎可观。记其所善，名曰《集注》，并具字音，复三十卷。其言约，其利博，后事元龟，为学之师。豁若彻蒙，烂然见景；载谓激俗，诚惟便人。"《资暇集》卷上："世人多谓李氏立意注《文选》过为迂繁，徒自骋学，且不解文意，遂相尚习五臣者，大误也。所广征引，非李氏立意。盖李氏不欲窃人之功，有旧注者，必逐每篇存之，仍题元注人之姓字。或有迂阔乖谬，犹不削去之。苟旧注未备，或兴新意，必于旧注中称'臣善'以分别。既存元注，例皆引据，李续之雅宜殷勤也。代传数本李氏《文选》，有初注成者、复注者，有三注、四注者，当时旋被传写之。其绝笔之本皆释音、训义、注解甚多。余家幸而有焉。尝将数本并校，不唯注之赡略有异，至于科段，互相不同，无似余家之本该备也。因此而量五臣者，方悟所注尽从李氏注中出。开元中进表，反非斥李氏，无乃欺心欤！且李氏未详处，将欲下笔，引明引凭证，细而观之，无非率尔。"今聊各举其一端。……斯类篇篇有之，学者幸留意，乃知李氏绝笔之本，悬诸日月焉。方之五臣，犹虎狗凤鸡耳。"

孟浩然隐居襄阳，赋诗书怀。 孟浩然《田园作》："粤余任推迁，三十犹未遇。……谁能为扬雄，一荐《甘泉赋》？"本年浩然三十岁，诗当作于本年前后。

鄯州都督郭知运进《凉州》曲。《乐府诗集》卷七九引《乐苑》："《凉州》，宫调曲。开元中，西凉府都督郭知运进。"李上交《近事会元》卷四："《凉州》……唐明皇开元六年西凉州都督郭知运进。又有《新凉州》，并在宫调。"《旧唐书》郭知运传：开元二年秋，"拜知运鄯州都督、陇右诸军节度大使。……九年，卒于军，赠凉州都督。"

凉州都督杨敬述进《婆罗门曲》，玄宗尝改造之，后改名《霓裳羽衣曲》。《乐府诗集》卷八〇引《乐苑》："《婆罗门》，商调曲。开元中，西凉府节度杨敬述进。"《近事会元》卷四引《唐野史》："明皇开元中，道人叶法善引上若月宫。时秋，上苦凄冷，不能久留。回于天半，尚闻仙乐。及归，但记其半曲，遂遽中写之。会西凉都督杨敬述进《婆罗门曲》，与其声调相符，遂以月中所闻为之散序，因敬述所进为曲身，名《霓裳羽衣曲》也。"按据《唐刺史考全编》卷三九，杨敬述开元四年至九年为凉州都督，今姑系其进《婆罗门曲》事在本年。又《唐野史》所述玄宗游月宫事显然荒诞不经，但据此推论玄宗尝以自制新曲加于《婆罗门曲》前，予以改造，却较为近实。参见任半塘《唐声诗》下册"格调"第十三"婆罗门"条。又《婆罗门曲》天宝十三载改称《霓裳羽衣曲》，见《唐会要》卷三三。

杜甫七岁，已能诗。 杜甫《壮游》："七龄思即壮，开口咏凤凰。"《进雕赋表》："自七岁所缀诗笔，向四十载矣，约千有余篇。"

皇甫冉（718—771）**生。** 皇甫冉，字茂政，润州丹阳人，郡望安定。进士擢第，授无锡尉。历左金吾卫兵曹参军，入河南元帅王缙幕，掌书记。大历初召任左拾遗，转左（一作右）补阙。奉使江表，省家至丹阳，卒。有《皇甫冉诗集》三卷。据独孤及《唐故左补阙安定皇甫公集序》、《新唐书》文艺中萧颖士附皇甫冉传、《唐才子传校笺》卷三皇甫冉传笺。

贾至（718—772）**生。** 贾至，字幼邻，一说字幼几。长乐人，贾曾子。明经擢第，授校书郎，出为单父尉。天宝末，拜起居舍人、知制诰，从玄宗入蜀，迁中书舍人。坐房琯党出为汝州刺史，贬岳州司马。宝应初，复官中书舍人，迁尚书左丞。转礼部侍郎，知东都举，加集贤院待制。改兵部侍郎，进京兆尹、兼御史大夫，以右散骑常侍卒，谥曰文。有《贾至集》二十卷，《别集》十五卷，《百家类例》十卷，又尝自编谪岳州所赋诗为《巴陵诗集》。据独孤及《祭贾尚书文》、《旧唐书》文苑中贾曾贾至传、《新唐书》贾曾附贾至传、《唐才子传校笺》卷三贾至传笺。

公元719年　（唐玄宗开元七年　己未）

正月

一日，张说在幽州，赋诗感怀。张说有《幽州新岁作》、《元朝》（一作《幽州元日》）诗。本年十月张说由幽州入朝，旋授检校并州长史，此后未曾再至幽州，知两诗当为本年正月张说在幽州都督任时所作。张说又有《幽州别阴长河行先》诗，作于春季，亦系于此。按诸诗中《幽州新岁作》系名作，《删补唐诗选脉笺释会通评林》卷四一周敬评云："风神气韵，为盛唐立准。"

春

进士二十五人，李纳知贡举，试《北斗城赋》，以"池塘生春草"为韵。见《登科记考》卷六。

春夏间

张九龄任礼部员外郎，奉使广州，至湘水，有诗作。张九龄《使还湘水》："于役已弥岁，言旋今惬情。乡郊尚千里，流目夏云生。"作于春夏间。张九龄上年春自乡赴京任左补阙，已见前；本年在礼部员外郎任，见《旧唐书》良吏下宋庆礼传。据"于役"句、"乡郊"句，诗当是本年九龄任礼部员外郎时奉使广州途中所作。张九龄又有《使至广州》诗，当作于本年出使至广州时，亦系于此。参见陶敏、傅璇琮《唐五代文学编年史》（初盛唐卷）本年张九龄条。

彭州别驾权若讷上计至京师，归，苏颋赋诗赠之。苏颋《赠彭州权别驾》："黄莺急啭春风尽，斑马长嘶落景催。"作于春夏间。权别驾谓权讷，权德舆《唐故通议大夫梓州诸军事梓州刺史上柱国权公（若讷）文集序》："改梓州长史、彭州别驾。……公自布衣时，与许国苏公友善。自彭原上计至京师，而许国当轴，道旧欢甚，谒诗祖饯。"诗当作于苏颋"当轴"为相期间，约在本年。

夏

王维从岐王李范在岐州，应教赋诗。王维有《敕借岐王九成宫避暑应教》诗。九成宫在岐州麟游县西一里，见《元和郡县图志》卷二；岐王李范上年十二月由郑州刺史转岐州刺史，见《旧唐书》玄宗纪上。又李范明年已入朝为太子太傅，见《旧唐书》睿宗诸子惠文太子范传，故知诗当本年夏所作。王维《从岐王过杨氏别业应教》、《从岐王夜燕卫家山池应教》，亦当作于本年前后。按《过杨氏别业》"兴阑啼鸟换，坐久落花多"向称名句。《艇斋诗话》："前人言落花，有思致者三：王维'兴阑啼鸟换，坐久落花多'；李嘉祐'细雨湿衣看不见，闲花落地听无声'（按此是刘长卿《别严士元》诗中句；一作嘉祐诗，误）；荆公'细数落花因坐久，缓寻芳草得归迟'。"《诗薮》内编卷四："审言'风光新柳报，宴赏落花催'，摩诘'兴阑啼鸟换，坐久落花多'，皆佳句也。然'报'与'催'字极工，而意尽语中；'换'与'多'字觉散缓，而韵在言外。观此可以知初、盛次第矣。"《带经堂诗话》卷二："晚唐人诗'风暖鸟声碎，日高花影重'，'晓来山鸟闹，雨过杏花稀'；元人诗'布谷叫残雨，杏花开半村'，皆佳句也。然总不如右丞'兴尽啼鸟缓，坐久落花多'，自然入妙。盛唐高不可及如此。"

七月

元行冲受诏代马怀素于秘书省编录四部书。《新唐书》马怀素传："怀素卒后，诏秘书官并号修书学士，草定四部，人人意自出，无所统一，逾年不成。……诏委行冲，乃令（毌）煚、（韦）述、（余）钦总缉部分，（殷）践猷、（王）惬治经、述、钦治史，煚、（刘）彦直治子，（王）湾、（刘）仲丘治集。"《玉海》卷五二引《集贤注记》："七年七月，行冲代怀素于秘书省综理。"

八月

张九龄自广州返至长安，为苏颋弟苏诜撰挽诗三首。张九龄《故徐州刺史赠吏部侍郎苏公挽歌词三首》其三："返葬长安陌，秋风箫鼓悲。"苏公谓苏诜。《新唐书》苏瓌附苏诜传："出徐州刺史，治有迹。卒，赠吏部侍郎。"《金石录》卷五："《唐徐州刺史苏诜碑》，裴耀卿撰，刘升八分书。开元七年八月。"诗当作于此时。又张九龄有《使还都湘东作》诗，当为本年出使广州还京途中所作，时在八月或稍前，亦系于此。

九月

韦嗣立（654—719）卒，年六十六。《新唐书》韦思谦附韦嗣立传："再徙为陈州刺史。开元中，河南道巡察使表其廉，欲复用，会卒，年六十六，赠兵部尚书，谥曰孝。"张说《中书令逍遥公墓志铭》："春秋六十，遘疾陈郡，还医洛师，开元七年九月二日，薨于归德里。"《文苑英华》卷九三六载此文，作"春秋六十有六"，同《新传》，当是。孙逖有《故陈州刺史赠兵部尚书韦公挽词》。

敕编制丽正殿四库书目录，并修补《三教珠英》。《唐会要》卷三五："七年九月敕：'比来书籍缺亡，及多错乱，良由簿历不明，纲维失错，或须披阅，难可校寻。令丽正殿写四库书，各于本库每部为目录。其有与四库书名目不类者，依刘歆《七略》，排为《七志》。其经史子集及人文集，以时代为先后，以品秩为次第。其《三教珠英》，既有缺落，宜依旧目，随文修补。'"

十月

张说自幽州入朝，受诏撰王仁皎神道碑。《新唐书》张说传："俄以右羽林将军检校幽州都督，入朝以戎服见。帝大喜。"《旧唐书》外戚王仁皎传："开元七年卒，赠太尉……令张说为其碑文，玄宗亲书石焉。"张说《赠太尉益州大都督王公神道碑奉敕撰》："公讳仁皎……开元七年岁次己未四月己未朔廿日戊寅薨于京师。……粤以十月初吉葬。"知本年十月张说已在京师。

本年

郑繇因岐王李范失爱鹰而作《失白鹰》诗，为时所赏。《大唐新语》卷八："郑繇少工五言，开元初，山范为岐州刺史，繇为长史。范失白鹰，深所爱惜，因为《失白鹰》诗以致意焉。其诗曰：……甚为时所讽咏。"按"山范"是岐王范之误。《李范本年在岐州刺史任，见前王维条，旧唐书》玄宗纪上：开元六年十二月，"以太子少师兼郑州刺史、岐王范为岐州刺史。"李范传："开元初……历绛、郑、岐三州刺史。……八年，迁太子太傅。"知郑繇为岐州长史且为李范赋诗当在本年或稍后，，姑系于此。

高适初游长安，失意而返。见其《别韦参军》、《酬庞十兵曹》、《又送族侄式颜》等诗。

王翰在并州，见知于长史张嘉贞，乃撰乐词以叙情。《旧唐书》文苑中王瀚传："王瀚，并州晋阳人。少豪荡不羁，登进士第，日以蒲酒为事。并州长史张嘉贞奇其才，礼接甚厚，瀚感之，撰乐词以叙情，于席上自唱自舞，神气豪迈。"王瀚即王翰。张嘉贞开元四年为并州长史，八年正月入相，见《新唐书》宰相表中，知王翰之见遇于嘉贞当在此数年间，姑系于此。

岑参（719？—769）生。岑参，荆州江陵人，郡望南阳。天宝三载进士擢第，后授右内率兵曹参军。转右威卫录事参军，迁大理评事兼监察御史。两度出塞从军，充节度判官、支度判官、支度副使。肃宗朝迁右补阙，历起居舍人、虢州长史，改太子中允，充关西节度判官。代宗立，任祠部员外郎等职，旋出守嘉州。罢职东归，阻兵，客死成都。有《岑参集》十卷。据杜确《岑嘉州诗集序》、《唐才子传校笺》卷三岑参传笺及补笺，参王勋成《岑参入仕年月及生年考》（《文学遗产》2003 年第 4 期）。

元结（719—772）生。元结字次山，世居太原，后移居汝州鲁山。天宝末登进士第，会安禄山反，举家南奔避难。苏源明荐于肃宗，授右金吾兵曹参军，摄监察御史，充山南东道节度参谋。讨贼有功，进水部员外郎，调荆南节度判官。召为著作郎，历道、容二州刺史，加授容州都督，充本管经略守捉使。拜金吾卫将军、御史中丞，卒。有《元子》十卷、《文编》十卷等。据《新唐书》本传、颜真卿《唐故容州都督兼御史中丞本管经略使元君表墓碑铭并序》、《唐才子传校笺》卷三元结传笺。

公元 720 年 （唐玄宗开元八年　庚申）

正月

褚无量卒，元行冲充丽正修书院使，整比群书。《通鉴》卷二一二："八年春，正月，丙辰，左散骑常侍褚无量卒。辛酉，命右散骑常侍元行冲整比群书。"《唐会要》卷六四："六年，乾元院更号丽正修书院，以秘书监马怀素、右散骑常侍褚无量充使。初，置院经始，皆无量处置。至八年正月，以散骑常侍元行冲充使，检校院内修撰官。"《旧唐书》元行冲传："先是，秘书监马怀素集学者续王俭《今书七志》，左散骑常侍褚无量于丽正殿校写四部书，事未就而怀素、无量卒，诏行冲总代其职。"上年元行冲入秘书省代掌马怀素职事，今年复入丽正院以代褚无量，故曰"总代其职"。

己卯，苏颋为礼部尚书，宋璟为开府仪同三司，并罢知政事。见《旧唐书》玄宗纪上。《通鉴》卷二一一："璟为相，务在择人，随材授任，使百官各称其职；刑赏无私，敢犯颜直谏。上甚敬惮之。……璟与苏颋相得甚厚，颋遇事多让于璟。璟论事则颋为之助。璟尝谓人曰：'吾与苏氏父子皆同居相府，仆射宽厚，诚为国器，然献替可否，吏事精敏，则黄门过其父矣。'"

张说授检校并州长史。《旧唐书》本传："开元七年，检校并州大都督府长史，兼天兵军大使，摄御史大夫。"《旧唐书》玄宗纪上：开元八年正月，"己卯……并州大都督府长史张嘉贞为中书侍郎。"则张说为检校并州长史当在本年正月张嘉贞入为中书侍郎后，《旧传》云"开元七年"，误。

三月

孟浩然卧疾，以诗寄张子容，并从梅道士游宴。孟浩然《晚春卧疾寄张八子容》："南陌春将晚，北窗犹卧病。……念我平生好，江乡从远政。……贾谊才空逸，安仁鬓欲丝。"诗用潘岳《秋兴赋》"余春秋三十有二，始见二毛"语以自喻，知当作于作者三十二岁前后。《清明日宴梅道士房》："林卧愁春尽，开轩览物华"，写春日卧病景况，或为同时之作。

玄宗赋《春台望》诗，苏颋等有和作。《册府元龟》卷四〇："玄宗开元八年，亲制《春雪》诗、《春台望》一章二十八句，起居舍人蔡孚奏曰：'伏见所制，气雄词美，德者相属，鄙炎汉之奢侈，狥有唐之俭陋，知作劳而居逸，念中人之家产。用心如此，天下斯安。臣职在司言，请宣示百寮及编国史。'"玄宗有《春台望》诗，苏颋有《奉和圣制春台望应制》诗，许景先、贺知章各有《奉和御制春台望》诗，是君臣同时唱和之作。玄宗诗云："暇景属三春，高台聊四望。"则当在本年三月。

四月

张九龄转司勋员外郎。四部丛刊本《唐丞相曲江张先生文集》附录《转司勋员外郎敕》："通直郎、判尚书礼部员外郎张九龄，温粹冲简，乐善虚怀。朝议郎、河南府法曹参军袁晖，清直雅正，大器轨物。并富仁践义，崇德著言，词学高步于当时，领袖久彰于后进。……九龄可守尚书司勋员外郎，晖可行尚书礼部员外郎，散官各如故。开元八年四月七日。"

七月

李元瓘表请四海均习《九经》。《册府元龟》卷六三九："八年七月，国子司业李元瓘上言：'《三礼》、《三传》及《毛诗》、《尚书》、《周易》等，并圣贤微旨，生徒教业，必事资经远，则斯道不坠。今明经所习，务在出身，咸以《礼记》文少，人皆谙读。《周礼》经邦之轨则，《仪礼》庄敬之楷模，《公羊》、《穀梁》，历代宗习。今两监及州县，以独学无友，四经殆绝。既事资训诱，不可因循。其学生望请各量配作业，并贡人预试之日，习《周礼》、《仪礼》、《公羊》、《穀梁》，并请帖十通五，许其入策。以此开劝，即望四海均习，九经该备。'从之。"又见《通典》卷一五。

八月

孟浩然在襄阳，赋诗送贾昇赴荆州。孟浩然《送贾昇主簿之荆府》："奉使推能者，勤王不暂闲。观风随按察，乘骑度荆关。送别登何处，开筵旧岘山。征轩明日远，空望郢门间。"《册府元龟》卷一六二："八年五月，置十道按察使。八月，以……襄州刺史裴观为梁州都督、山南道按察使。"《宝刻丛编》卷三引《复斋碑录》："《唐楚（裴）观德政碑》，唐贾昇（昇）撰，僧湛然分书，开元八年立，在岘山。"贾昇此次荆州之行，"观风随按察"，或在裴观初为山南道按察使时，姑系于此。

十月

刘庭琦、张谔坐与岐王李范饮酒赋诗，皆遭贬官。《通鉴》卷二一二："冬，十月……上禁约诸王，不使与群臣交结。……万年尉刘庭琦、太祝张谔数与范饮酒赋诗，贬庭琦雅州司户，谔山茌丞。"

十二月

二十日，诏张说就并州随军修撰国史。《唐会要》卷六三："开元八年十二月二十日诏：'右羽林将军、检校并州大都督府长史、燕国公张说，多识前志，学于旧史，文成微婉，词润金石，可以昭振风雅，光扬轨训。可兼修国史，仍赍史本就并州随军修撰。'"

本年

张鷟撰《朝野佥载》成。《新唐书》艺文志二："张鷟《朝野佥载》二十卷。"其书已佚，现仅存辑本。今据赵守俨点校本《朝野佥载》查考，记事最迟者在开元八年，推知此书当成于本年或稍后，姑系于此。四库提要卷一四○："其书皆纪唐代故事，而于谐噱荒怪，纤悉胪载，未免失于纤碎。故洪迈《容斋随笔》讥其记事琐碎摘裂，且多媟语。然耳目所接，可据者多。故司马光作《通鉴》，亦引用之。兼收博采，固未尝无裨于见闻也。"

司马贞撰《史记索隐》成。 司马贞《史记索隐序》："贞谬闻陋识，颇事钻研，而家传是书，不敢失坠。初欲改更舛错，裨补疏遗，义有未通，兼重注述。然以此书残缺虽多，实为古史，忽加穿凿，难允物情。今止探求异闻，采摭典故，解其所未解，申其所未申，释文演注，又为述赞，凡三十卷，号曰《史记索隐》。"又《史记索隐后序》："崇文馆学士张嘉会独善此书，而无注义。贞少从张学，晚更研寻，初以残缺处多，兼鄙褚少孙诬谬，因愤发而补《史记》，遂兼注之。然其功殆半，乃自惟曰：'千载古史，良难绅绎。'于是更撰音义，重作选述，盖欲以剖盘根之错节，遵北辕于司南也。凡为三十卷，号曰《史记索隐》云。"《新唐书》艺文志二："司马贞《史记索隐》三十卷。"《直斋书录解题》卷四："《史记索隐》三十卷。唐弘文馆学士诃内司马贞撰。采摭异闻，释文演注。末二卷为《述赞》，为《三皇本纪》。世号《小司马史记》。"按司马贞开元初为国子博士，见《新唐书》刘子玄传；又《史记索隐序》题下署"朝散大夫国子博士弘文馆学士河内司马贞"，见《史记》附录。据《旧唐书》玄宗纪上，开元七年九月，昭文馆改称弘文馆，则《史记索隐》之撰成当在上年九月以后，姑系本年，参见钱大昕《十驾斋养新录》卷六。

许景先在给事中任，夜直赋诗，张九龄、崔颢奉和。 张九龄有《和许给事直夜简诸公》诗，崔颢有《奉和许给事夜直简诸公》，许给事谓许景先。《唐会要》卷二六："八年九月七日，制赐百官九日射。给事中许景先驳奏曰：……"诗作于本年前后，姑系于此。按崔颢（？—754），汴州人。开元十一年进士及第，二十三前后入杜希望代州都督府。天宝初，任太仆寺丞，后改司勋员外郎。十三载卒。有《崔颢诗》一卷。《河岳英灵集》选其诗 11 首，《国秀集》选 7 首。据《新唐书》文艺下孟浩然附崔颢传、《唐才子传校笺》卷一崔颢传笺。

皎然（720—796?）**生。** 皎然，俗姓谢，字清昼，湖州长城人。开元末赴京应举求仕，未成。天宝间出家，从律僧守真受戒。至德后定居湖州，住杼山妙喜寺，历任刺史多与交往。大历中颜真卿刺湖州，过从尤密。预撰《韵海镜源》。工诗，与陆羽、顾况、皇甫冉、刘长卿、韦应物等迭相唱和。贞元后期卒。有《皎然集》（一作《杼山集》）十卷、《诗式》五卷等传世。据《宋高僧传》卷二九皎然传、《唐才子传校笺》卷四，参贾晋华《皎然年谱》。

公元 721 年 （唐玄宗开元九年　辛酉）

二月

苏颋赴益州大都督府长史任。《旧唐书》本传："八年，除礼部尚书，罢知政事。俄知益州大都督府长史。"苏颋《将赴益州题小园壁》："岁穷惟益老，春至却辞家。"《慈恩寺二月半寓言》："不驻秦京陌，还题蜀郡舆。"郑惟忠《送苏尚书赴益州》："离忧将岁尽，归望逐春来。"宋璟《送苏尚书赴益州》："我望风烟接，君行霰雪飞。园亭若有送，杨柳最依依。”可知苏颋当于上年岁末拜益州长史，本年二月赴任。参郁贤浩《苏颋事迹考》。

宇文融充扩田使，奏置判官，孙逖有诗送魏判官出行。《唐会要》卷八五：“开元九年正月二十八日，监察御史宇文融请急查色役伪滥并逃户及籍田，因令充使，于是奏劝农判官数人。”《通鉴》卷二一二：开元九年二月，“以宇文融充使，括逃移户口及籍外田，所获巧伪甚众。”孙逖有《送魏骑曹充宇文侍御判官分按山南》诗，当作于此时。

三月

苏颋赴益州，途中有诗纪行言怀。苏颋有《陈仓别陇州司户李维深》、《晓发兴州入陈平路》、《经三泉路作》、《晓发方骞驿》等诗，均作于本次赴益州途中。《经三泉路作》云：“三月松作花，春行日渐赊。”知在三月。又苏颋《初至益州上讫陈情表》：“以臣颇习儒训，更超宗伯。……岂悟西南重镇，巴蜀奥壤，爰杂县道，且联军戎，付臣兼之。”“宗伯”即指礼部尚书，由表可知，苏颋乃以礼部尚书兼益州大都督府长史。

綦毋潜落第还乡，王维、卢象赋诗送之。王维有《送綦毋潜落第还乡》诗，云：“江淮度寒食，京洛缝春衣。”乃春日于京城送别之作。潜开元十四年进士及第，王维本年秋至开元十三年在济州，未尝至京，知诗当作于本年或稍前，姑系于此。卢象《送綦毋潜》诗亦写送潜落第还乡之意，当为同时之作。

春

王泠然参吏部诠选，授官太子校书。《登科记考》卷七：“开元九年，拔萃科：李昂、畅诸、王泠然。”王泠然《论荐书》：“今尚书右丞王丘于开元九年掌天下选，授仆清资，以智见许。”《唐代墓志汇编》天宝〇〇二《唐故右威卫兵曹参军王府君（泠然）墓志铭序》：“以秀才擢第，授东宫校书郎。”按王泠然乃于本年春预吏部常调诠选授官，而非以登吏部拔萃科或制科授官，《登科记考》误。参见王勋成《唐代诠选与文学》第二章、第八章。

九月

丁未，姚崇（651—721）卒，年七十一，遗令儿孙不得佞佛崇道。《旧唐书》玄宗纪上：“（九月）丁未，开府仪同三司、梁国公姚崇薨。”《通鉴》卷二一二：，“丁未，梁文献公姚崇薨，遗令：‘佛以清净慈悲为本，而愚者写经造像，冀以求福。昔周、齐分据天下，周则毁经像而修甲兵，齐则崇塔庙而弛刑政，一朝合战，齐灭周兴。近者诸武、诸韦，造寺度人，不可胜纪，无救族诛。汝曹勿效儿女子终身不寤，追荐冥福！道士见僧获利，效其所为，尤不可延之于家。当永为后法！’”《新唐书》艺文志四：“《姚崇集》十卷。”张说奉敕撰姚崇碑文，题曰《故开府仪同三司上柱国赠扬州刺史大都督梁国公姚文贞公神道碑奉敕撰》，作于明年二月。

癸亥，以张说为兵部尚书，同中书门下三品。《旧唐书》玄宗纪上："（九月）癸亥，右羽林将军、权检校并州大都督长史、燕国公张说为兵部尚书、同中书门下三品。"

秋

王维坐事自太乐丞贬为济州司仓参军，有诗作。《新唐书》文艺中本传："开元初，擢进士，调太乐丞，坐累为济州司仓参军。"《太平广记》卷一七九引《集异记》："及（维）为太乐丞，为伶人舞《黄师子》，坐出官。《黄师子》者，非一人不舞也。"《唐语林》卷五："王维为太乐丞，被人嗾令舞《黄狮子》，坐是出官。《黄狮子》者，非天子不舞也，后辈慎之。"《旧唐书》刘子玄传："九年，长子贶为太乐令，犯事配流。"王维当于本年与刘贶同时坐舞《黄狮子》事遭流贬，参见杨军《王维诗文系年》，载《天津师范大学学报》1983 年第 4 期。王维有《被出济州》、《宿郑州》、《早入荥阳界》诗，作于初离京时及赴任途中。后两诗均写及秋日景象，知王维被贬乃在本年秋。

十月

苏颋在益州，作《长乐花赋》。赋序云："蜀太守庭际有紫华草，秋中始繁英露洗，冬早尚直本霜封。芜杂大同于众卉，盛衰小异于群物，余讶而未识。吏或告余曰：'此长虞所赋蜀长乐花也。'故心暗赏焉。因口授书吏，遂墨而成作。"序云"冬早"，知当作于十月。

十一月

十三日，元行冲上《群书四部录》二百卷。《唐会要》卷三六："九年十一月十三日，左散骑常侍元行冲上《群书四部录》二百卷，藏之内府，凡二千六百五十五部，四万八千一百六十九卷，分为经、史、子、集四部。经库是殷践猷、王恢（愊）编；史库，韦述、余钦；子库，毋照（煚）、刘彦直；集库，王湾、刘仲［丘］。其序例，韦述撰。其后毋照（煚）又略为四十卷，为《古今书录》。"《旧唐书》玄宗纪上云"冬十一月丙辰"，即十三日。毋煚《撰集四部经籍序略》："惜马谈作《史记》，班彪作《汉书》，皆两叶而仅成；刘歆作《七略》，王俭作《七志》，逾二纪而方就。孰有四万卷目，二千部书，名目首尾，三年便令终竟，欲求精悉，不其难乎？所以常有遗恨，窃思追雪。乃与类同契，积思潜心，审正旧疑，详开新制。永徽新集，神龙近书，则释而附也；未详名氏，不知部伍，则论而补也；空张之目，则检获便增；未允之序，则详宜别作。纰缪咸正，混杂必刊。改旧传之失者三百余条，加新书之目者六千余卷。凡经录十二家，五百七十五部，六千二百四十一卷；史录十三家，八百四十部，一万七千九百四十六卷；子录十七家，七百五十三部，一万五千六百三十七卷；集录三家，八百九十二部，一万二千二十八卷。凡四部之录，四十五家，都管三千六十部，五万一千八百五十二卷，成《书录》四十卷。其外有释氏经律论疏，道家经戒符箓，凡二千五百余部，九千五百余卷，亦具翻译名氏，序述指归，又勒成目录十卷，名曰《开元内外经录》。若夫先王秘传，列代奥文，自古之粹籍灵符，绝域之神经怪牒，尽载于此二书矣。"

十二月

刘知几（661—721）卒，年六十一。《通鉴》卷二一二："十二月……安州别驾刘子玄卒。子玄即知几也，避上嫌名，以字行。"《旧唐书》本传："开元初，迁左散骑常侍，修史如故。九年，长子贶为太乐令，犯事配流，子玄诣执政诉理，上闻而怒之，由是贬授安州都督府别驾。子玄掌知国史，首尾二十余年，多所撰著，甚为当时所称。礼部尚书郑惟忠尝问子玄曰：'自古已来，文士多而史才少，何也？'对曰：'史才须有三长，世无其人，故史才少也。三长，谓才也，学也，识也。……'时人以为知言。子玄至安州，无几而卒，年六十一。……预修《三教珠英》、《文馆词林》、《姓族系录》，论《孝经》非郑玄注，《老子》无河上公注，修《唐书实录》，皆行于代。有集三十卷。后数年，玄宗敕河南府就家写《史通》以进，读而善之，追赠汲郡太守；寻又赠工部尚书，谥曰文。"《新唐书》艺文志四："《刘子玄集》三十卷。"《诗薮》外编卷三："刘知几兄弟八人俱有文学，而父藏器，从父廷祐，并显名唐史。知几父子咸富著述，二孙滋、浃，又能世其家，一门之盛，终唐世未有也。"

吴兢拒为张说改史实。《通鉴》卷二一二："十二月……著作郎吴兢撰《则天实录》，言宋璟激张说使证魏元忠事。说修史见之，知兢所为，谬曰：'刘五（按即刘知几）殊不相借。'兢起对曰：'此乃兢所为，史草具在，不可使明公枉怨死者。'同僚皆失色。其后说阴祈兢改数字，兢终不许，曰：'若徇公请，则此史不为直笔，何以取信于后！'"参《唐会要》卷六四。

本年

玄宗遣使迎司马承祯入京，亲受法箓。《旧唐书》隐逸司马承祯传："开元九年，玄宗又遣使迎入京，亲受法箓，前后赏赐甚厚。"

员半千（628？—721？）卒，年九十四。《旧唐书》文苑中本传："开元二年卒。文集多遗失。"《新唐书》本传："开元九年，游尧山、沮水间，爱其地，遂定居。卒，年九十四，即葬焉。"《金石萃编》卷七一《尹尊师碑》，"银青光禄大夫、行太子左谕德、兼崇文馆学士、上柱国、平梁县开国公员半千撰"，开元五年十月二日建。半千卒年似当以《新传》为是。《新唐书》艺文志二："员半千《三国春秋》二十卷。"艺文志四："《员半千集》十卷。"

许景先由给事中转中书舍人，掌知制诰，张说尝赞其文。《旧唐书》玄宗纪上：开元九年七月，"先天中，重修三九射礼，至是，给事中许景先抗疏罢之。"按许景先上疏在上年九月，已见前，此处所叙乃停三九射礼之时间。《旧唐书》文苑中许景先传："开元初，每年赐射，节级赐物，属年俭，甚废府库。景先奏曰：'近以三九之辰，频赐宴射……'自是乃停赐射之礼。俄转中书舍人。"孙逖《送李郎中赴京序》："李公主善秉哲……始以茂才擢第，与今中书舍人许公俱补广陵掾。"序作于开元九年，则本年许景先在中书舍人任。景先传又云："自开元初，景先与中书舍人齐澣、王丘、韩休、张九龄掌知制诰，以文翰见称。中书令张说尝称曰：'许舍人之文，虽无峻峰激流崭绝之势，然属词丰美，得中和之气，亦一时之秀也。'"张九龄明年转中书舍人，见后。

李白谒见苏颋，颋盛赞其才识。李白《上安州裴长史书》："又前礼部尚书苏公出为益州长史，白于路中投刺，待以布衣之礼。因谓群寮曰：'此子天才英丽，下笔不休，虽风力未成，且见专车之骨。若广之以学，可以相如比肩也。'四海明识，具知此谈。"苏公谓苏颋，本年二月出为益州长史，已见前。

公元 722 年　（唐玄宗开元十年　壬戌）

正月

元怀景（？—722）卒。张说《唐故左庶子赠幽州都督元府君墓志铭》："维开元十年正月己未，左庶子武陵公河南元公薨于东京留守之内馆。公讳元景……学综群艺，词擅精微。"《新唐书》艺文志二："元怀景《汉书议苑》，卷亡。"艺文志三："元怀景《属文要义》十卷。"

二月

戊寅，玄宗行幸至东都。《旧唐书》玄宗纪上："十年春正月丁巳，幸东都。……二月戊寅，至东都。"

张九龄由司勋员外郎转中书舍人，张说甚亲重之。《唐丞相曲江张先生文集》附录《转中书舍人敕》："朝散大夫、行尚书省司勋员外郎、上柱国张九龄，含章间出，禀秀挺生，学揔丘坟，词变风雅……可中书舍人内供奉。开元十年二月十七日"。《旧唐书》张九龄传："开元十年，三迁司勋员外郎。时张说为中书令，与九龄同姓，叙为昭穆，尤亲重之，常谓人曰：'后来词人称首也。'九龄既欣知己，亦依附焉。十一年，拜中书舍人。"按张九龄迁司勋员外郎在开元八年，张说拜中书令在十一年，此皆云十年，误；张九龄为中书舍人在开元十年，此云十一年，亦误。

孙逖登文藻宏丽科，拜左拾遗，为张说所重。《旧唐书》文苑中孙逖传："十年，应制登文藻宏丽科，拜左拾遗。张说尤重其才，逖日游其门。"《新唐书》文艺中孙逖传："开元十年，又举贤良方正。玄宗御洛城门引见，命户部郎中苏晋等第其文异等，擢左拾遗。张说命子均、垍往拜之。"颜真卿《尚书刑部侍郎赠尚书右仆射孙逖文公集序》："相国燕公览其策而心醉。……故燕国深赏公才，俾与张九龄、许景先、韦述同游门庭，命子均、垍申伯仲之礼。"按《新传》所谓"贤良方正"，当为"文藻宏丽"，见《唐才子传校笺》卷一孙逖传笺。

闰五月

张说巡边，玄宗赋诗送之，张九龄等皆奉和，说亦应制赋诗。《新唐书》玄宗纪："四月己亥，张说持节朔方军节度大使。"《旧唐书》玄宗纪上："闰五月壬申，兵部尚书张说往朔方军巡边。"贾曾《饯张尚书赴朔方撰序》："乃命元宰兵部尚书燕公专节朔方。……阉茂次年，仲夏贞闰，拜手东洛，驰轺北阙。……有诏具寮，爰开祖宴，且申后命，宠以蕃锡。天章赋别，御札题笺。……天子有念，式叙清风。请编《出车》之什，以继《蒸人》之雅。"玄宗有《送张说巡边》诗，张说有《将赴朔方军应制》诗，张九龄有《奉和圣制送尚书燕国公赴朔方》诗，崔日用、宋璟、徐坚、韩休、苏晋、崔禹锡、张嘉贞、卢从愿、王光庭、徐知仁、席豫、贺知章各有《奉和圣制送张说巡边》诗，崔泰之、源乾曜、胡皓、许景先、王丘、袁晖、王翰各有《奉和圣制送张尚书巡边》诗，均此时所作。

六月

二日，玄宗注《孝经》，颁于天下及国子学。见《旧唐书》玄宗纪上、《唐会要》卷三六。

张说在河北，赋诗咏怀。见其《巡边在河北作》二首。

九月

张说为丽正殿修书使，奏徐坚等入院修书。《职官分纪》卷一五引韦述《集贤注记》："十年春，车驾幸东都，始移书院于明福门外，中书省之北，仍以丽正为名。九月，诏张燕公都知丽正殿修书。"《玉海》卷五二引《集贤注记》："开元十年九月，张说都知丽正殿修书事。秘书监徐坚为副，张悱改充知图书括访异书使。"《旧唐书》文苑中贺知章传："开元十年，兵部尚书张说为丽正殿修书使，奏请知章及秘书员外监徐坚、监察御史赵冬曦皆入书院，同撰《六典》及《文纂》等，累年，书竟不成。"《大唐新语》卷九："开元十年，玄宗诏书院撰《六典》以进。时张说为丽正学士，以其事委徐坚。"

秘书监姜皎卒。《旧唐书》玄宗纪上："（九月）甲戌，秘书监、楚国公姜皎坐事，诏杖之六十，配流钦州，死于路。"《历代名画记》卷九："姜皎，上邽人，善鹰鸟。玄宗在藩时为尚衣奉御，有先识之明。玄宗即位，累官至太常卿，封楚国公。开元五年，以事废，复拜银青光禄大夫、秘书监。十年，复流钦州。"

苏颋自益州归朝，赋诗感怀。苏颋《九月九日望蜀台》、《夜发三泉即事》均写及离蜀赴京之事，时节在九月，以明年正月苏颋已扈从玄宗至太原，知其归朝当在本年。

十二月

司马承祯请还天台山，玄宗赋诗以遗之。《旧唐书》隐逸司马承祯传："十年，驾还西都，承祯又请还天台山，玄宗赋诗以遣之。"《通鉴》卷二一二："十二月……上将幸晋阳，因还长安。"按明年正月玄宗由东都北巡，旋返长安（见后）；司马承祯请还天台山当在玄宗北巡前，约在本月。

本年

崔日用（673—722）卒，年五十。《旧唐书》本传："十年，转并州大都督长史。寻卒，时年五十。赠吏部尚书，谥曰昭。"张说有《崔尚书挽词》，即为崔日用作。崔祐甫《齐昭公崔府君集序》："我族叔公齐昭公讳日用……公薨五十载，嗣孙起居舍人儒以文事主，便蕃禁闼，追怀前烈，思有以发扬垂裕，奉昭公之文集以请焉。伏览碑颂志论表章赞序凡五十余首，诗几三百篇。卓尔孤标，气高调远，若雅琴度曲，众音无味。"

张说作郭震行状。张说有《兵部尚书代国公赠少保郭公行状》，郭公谓郭震。《旧唐书》郭元振传："开元十年，追赠太子少保。"张文当即作于本年。

吕向入翰林，作《美人赋》讽玄宗遣使采择美女，擢左拾遗；其后续有讽谏之作。《新唐书》文艺中本传："玄宗开元十年，召入翰林，兼集贤院校理，侍太子及诸王为文章。时帝岁遣使采择天下姝好，内之后宫，号花鸟使。向因奏《美人赋》以讽，帝善之，擢左拾遗。"《法书要录》卷六窦臮《述书赋》下："吕公，欧、钟相杂，自是一调。虽则筋骨干枯，终是精神险峭。其余小楷，尤更巧妙。"注云："吕向，东平人。开元初，上《美人赋》忤上，时张说作相，谏曰：'夫鬻权胁君，爱君也。陛下纵不能用，容可杀之乎？使陛下后代有愎谏之名，而向得敢谏之直，与小子为便耳。不如释之。'于是承恩特拜补阙，赐彩百段、衣服、银章、朱绶，翰林待诏。频上赋颂，皆在讽谏，兼皇太子文章及书。"

李泌（722—789）生。李泌字长源，京兆人。幼聪敏，善属文，尤工诗。天宝中，上书论时务，召令待诏翰林，供奉东宫。肃宗即位，拜以散官，参预军国大议。旋自请归隐。代宗立，召为翰林学士。时宰忌之，屡被外任。德宗朝，累官至中书侍郎、平章事，卒。有《李泌集》二十卷。据新、旧《唐书》本传。

鲍防（722—790）生。鲍防，字子慎，洛阳人。进士擢第，授太子正字。历署节度府僚属，入为职方员外郎。大历末累官至河东节度使，入为御史大夫。历福建、江西观察使，征拜左散骑常侍。除礼部侍郎，知举，颇称得人。以工部尚书致仕，卒。有《鲍防集》五卷、《杂感诗》一卷。据穆员《鲍防碑》、《旧唐书》本传、《新唐书》本传、《唐才子传校笺》卷三鲍防传笺及补笺。

公元 723 年 （唐玄宗开元十一年 癸亥）

正月

玄宗自东都北巡潞州、并州，置北都；张说等扈从，君臣一路唱和赋诗甚多。《通鉴》卷二一二："十一年春，正月，己巳，车驾自东都北巡；庚辰，至潞州，给复五年；辛卯，至并州，置北都，以并州为太原府，刺史为尹。"《旧唐书》玄宗纪上："十一年春正月……己巳，北都巡狩，敕所至处存问高年、鳏寡茕独、征人之家；……庚辰，幸并州、潞州，宴父老……别改其旧宅为飞龙宫。辛卯，改并州为太原府，官吏补授，一准京兆、河南两府。百姓给复一年，贫户复二年，元从户复五年。武德功臣及元从子孙，有才堪文武未有官者，委府县搜扬，具以名荐。上亲制《起义堂颂》及书，刻石纪功于太原府之南街。"玄宗《早登太行山中言志》、张九龄《奉和圣制早登太行山率而应制》、苏颋《奉和圣制登太行山中言志应制》、张说《奉和圣制太行山中言志应制》、张嘉贞《奉和早登太行山中言志应制》、苗晋卿《奉和圣制早登太行山中言志》，并此次北巡经太行山所作。玄宗《过王濬墓》、张九龄《奉和圣制过王濬墓》、张说《奉和圣制过王濬墓应制》，当为至潞州时所作；据《晋书》本传，王濬浚墓在潞州城东北之柏谷山。玄宗《巡省途次上党旧宫赋》、苏颋《奉和圣制停次旧居应制》，张说《奉和爰因巡省途次旧居应制》，是至潞州上党旧宫时所作；玄宗诗序云："朕昔在初九，佐贰此州。……爰因巡省，途次旧居……空想《大风》，题兹短什。"玄宗又有《过晋阳宫》诗，张九龄有《奉和圣制幸晋阳宫》诗，苏颋、张说各有《奉和圣制过晋阳宫应制》诗，为至并州时所作；据《新唐书》地理志三，晋阳宫在太原西北，贞观十一年建。

玄宗北巡过上党时，诏吴道子等作《金桥图》。《开天传信记》："上封太山回，车驾次上党。……及车驾过金桥，御路萦转，上见数十里间，旗纛鲜洁，羽卫整肃。……上遂诏吴道玄、韦无忝、陈闳，令同制《金桥图》。圣容及上所乘照夜白马，陈闳主之；桥梁、山水、车舆、人物、草树、雁鸟、器仗、帷幕，吴道玄主之；狗马、骡驴、牛羊、骆驼、猫、猴、猪貀四足之类，韦无忝主之。图成，时谓三绝焉。"按玄宗封泰山在开元十三年，礼毕返东都，不经上党，《金桥图》当作于本次北巡途中，参见陈祖言《张说年谱》。

王昌龄在并州，赋诗颂玄宗北巡。王昌龄《驾幸河东》："晋水千庐合，汾桥万国从。开唐天业盛，入沛圣恩浓。下辇回三象，题碑任六龙。睿明悬日月，千载此时逢。"（见《王昌龄诗注》卷三；以下凡引昌龄诗均据是书，不复注）诗中所述"盛恩"、"题碑"诸事与上引《旧纪》所记相合，当为此次玄宗北巡而作。参见谭优学《王昌龄行年考》，载《文学遗产增刊》第十二辑。王昌龄又有《寒食即事》、《潞府客亭寄崔凤童》诗，均作于并州，附记于此。

二月

玄宗自并州南归，出汾州雀鼠谷，与张说等赋诗唱和。张说有《扈从南出雀鼠谷》诗，玄宗有《南出雀鼠谷答张说》诗，宋璟、苏颋、王丘、袁晖、崔翘、张九龄、王光庭、席豫、梁升卿、赵冬曦、徐安贞并有奉和诗，为同时之作。据《新唐书》地理志三，雀鼠谷在河东道汾州，乃本次北巡自并州回京经行之地。《通鉴》卷二一二："二月，戊申，还至晋州。"张说诗有"平路半春归"、"汾河送羽旆"等句，玄宗诗有"川途犹在晋，车马渐归秦"之句，知作于本年二月。按诸诗中王丘所作较著名。《韵语阳秋》卷一三："扈从明皇南出雀鼠谷，张说作诗，和章甚众，皆不若王丘之作为工。如'花缛前茅仗，霜严后殿戈。戍云开晋岭，江雁入汾河。北土分尧俗，南风动舜歌'之句，未有及之者。唐朝推燕、许，而王丘不以诗名，观燕、许之作，惭于丘多矣。至王光庭云：'寒随汾谷尽，春逐晋郊来。'而赵冬曦复云：'寒依汾谷去，春入晋郊来。'更相剽窃如此，更不足论也。"《升庵诗话》卷二："王邱（丘），初唐人，《雀鼠谷应制》诗出沈、宋上。"

壬子，祭后土于汾阴，苏颋等作《祭汾阴乐章》。《通鉴》卷二一二："（二月）壬子，祭后土于汾阴。"《旧唐书》音乐志三："玄宗开元十一年祭皇地祇于汾阴乐章十一首。"所录乐章词之作者分别为：黄门侍郎韩思复、中书侍郎卢从愿、司勋郎中刘晃、礼部侍郎韩休、吏部尚书王晙、刑部侍郎崔玄昧（按，据《旧志》文后校记，此"昧"字当作"同"或"童"）、徐州刺史贾曾、礼部尚书苏颋、太常少卿何鸾、主爵郎中蒋挺、尚书右丞源光裕。

癸亥，张说兼中书令。《通鉴》卷二一二："（二月）癸亥，以张说兼中书令。"玄宗《命张说兼中书令制》："兵部尚书、同中书门下三品、燕国公张说，道合忠孝，文成典礼，当朝师表，一代词宗……可兼中书令。"

三月

庚午，玄宗还至长安，自汾阴还京途中经蒲津，赋诗，张说等奉和。《旧唐书》玄宗纪上："三月庚午，车驾至京师。"庚午为五日。玄宗《早度蒲津关》："鸣銮下蒲坂，飞旆入秦中。……春来（一作深）津树合，月落戍楼空。"张九龄、徐安贞并有《奉和圣制早渡蒲津关》诗，张说有《奉和圣制度蒲关应制》诗，宋璟有《蒲津迎驾》诗，均作于车驾至蒲津时。诸诗作于二月末或三月初，姑系于此。玄宗又有《登蒲州逍遥楼》、《初入秦川路逢寒食》等诗，苏颋、张说有奉和应制之作，亦作于本次归长安途中。按玄宗《早度蒲津关》系名作，《而庵说唐诗》卷一评云："此作中四句，如淡云微界，遥山紧连，排律中能品。"《唐诗观澜集》卷八："气雄骨峻，思密语工，诸和作皆不能及。"《瀛奎律髓汇评》卷一四冯舒评："自足压倒一代。"纪昀评："字句犹带初体，气格已纯是盛唐，此风气初成之体也。"

崔颢进士及第，试《黄龙颂》。《唐才子传》卷一崔颢传："开元十一年源少良下及第。"按据《玉芝堂谈荟》卷二，源少良为本年进士试状元，则"源少良下"是"源少良榜"之误，见《唐才子传校笺》卷一崔颢传补笺。余见《登科记考》卷七。

储光羲、丁仙芝应举不第，同入太学。储光羲《贻丁主簿仙芝别》："摇曳君初起，联翩予复来（丁侯前举，予次年举）。兹年不得意，相命游灵台（同为太学诸生）。……联行击水飞，独影凌虚上（同年举，而丁侯先第）。"按丁仙芝明年进士及第，光羲与之同入太学当在本年。

四月

张说正除中书令。见《旧唐书》玄宗纪上。

五月

张说为丽正院修书使，论文儒典籍有益于国。《通鉴》卷二一二："五月……上置丽正书院，聚文学之士。秘书监徐坚、太常博士会稽贺知章、监察御史鼓城赵东曦等，或修书，或侍讲；以张说为修书使以总之。有司供给优厚。中书舍人洛阳陆坚以为此属无益于国，徒为糜费，欲悉奏罢之。张说曰：'自古帝王于国家无事之时，莫不崇宫室，广声色，今天子独延礼文儒，发挥典籍，所益者大，所损者微。陆子之言，何不达也！'上闻之，重说而薄坚。"

六月

王晙赴边巡军，玄宗、张说等赋诗饯之。《通鉴》卷二一二："夏，四月，甲子，以吏部尚书王晙为兵部尚书、同中书门下三品。五月，巳丑，以王晙兼朔方军节度大使，巡河西、陇右、河东、河北诸军。"《旧唐书》玄宗纪上记王晙赴朔方军在六月。玄宗有《饯王晙巡边》诗，张说《奉和圣制送王晙巡边应制》："六月歌周雅，三边遣夏卿。"张九龄《饯王尚书出边》："汉相推人杰，殷宗伐鬼方。……夏云登陇首，秋露泫辽阳。"均为饯送王晙赴边之作。

崔泰之（667—723）卒，年五十七。《唐代墓志汇编》开元一七四《大唐故银青光禄大夫守工部尚书赠荆州大都督清河郡开国公上柱国崔公（泰之）墓志铭并序》："春秋五十有七，以开元十一年六月七日寝疾，薨于京平康里第。……沔以虚寡，预沾宗属。时忘贵介，见忆少游之言；尝接从容，谬忝惠连之目。……乃为铭曰……"按泰之与陈子昂、李峤、张说、张九龄等交游，已见前。

秋

苏颋再赴蜀，复任益州长史。苏颋有《咏礼部尚书厅后鹊》诗，题下注云："时将重入蜀。"又《蜀城哭台州乐安少府》："万里隔三载，此邦余重来。"知其曾两度入蜀。时在本年，参下王泠然条。苏颋又有《利州北题佛龛记》，首云"礼部尚书、兼益州大都督府长史、使持节剑南安南节度诸军州事、许国公苏颋敬造"，当为本次入蜀途中所作。文云："阳景穊兮翠改色，阴风起兮白增波。"作于秋日。

王泠然作《论荐书》。文云："及仆参常调，而公统军于沙朔。今公复为相，随驾在秦，仆适效官，分司在洛。……今苏屈益部，公坐庙堂。"公谓张说，苏谓苏颋。据岑仲勉《唐集质疑·王泠然上张说书》所考，此书作于开元十一年。文中又言："自十月不雨，至于五月。"知作于本年五月以后，又其时苏颋已在益州，则当作于秋冬间，姑系于此。

王维在济州，赋诗赠祖咏。王维有《赠祖三咏》诗，题下注："济州官舍作"，诗有"仲秋虽未归，暮秋以为期"之句，知作于八月。祖咏开元十二年进士及第，诗当作于此前，约略系此。

十二月

玄宗幸凤泉汤，赋诗，张说应制奉和。《通鉴》卷二一二："十二月，甲午，上幸凤泉汤；戊申，还宫。"玄宗有《幸凤泉汤》诗，张说有《奉和圣制幸凤汤泉（按二字当乙）应制》诗，当为此时所作。

本年

张说手题王湾"海日生残夜，江春入旧年"诗句于政事堂，令为楷式。《河岳英灵集》卷下评王湾诗云："湾词翰早著，为天下所称最者，不过一二。游吴中，作《江南意》诗云：'海日生残夜，江春入旧年。'诗人已来，少有此句。张燕公手题政事堂，每示能文，令为楷式。"张说本年为中书令，又据《通鉴》卷二一二，政事堂改称中书门下亦在本年，姑系于此。

张说等丽正学士献诗，玄宗各作赞以褒美。《玉海》卷三一："开元十一年，丽正学士进诗，上嘉赏之。自燕公以下十八人，各赐赞以褒美之。"《大唐新语》卷八："玄宗朝，张说为丽正殿学士，常（尝）献诗曰：'东壁图书府，西垣翰墨林。讽《诗》关国体，讲《易》见天心。'玄宗深佳赏之，优诏答曰：'得所进诗，甚为佳妙。风雅之道，斯焉可观。并据才能，略为赞述。具如别纸，宜各领之。'玄宗自于彩笺上八分书说赞曰：'德重和鼎，功逾济川；词林秀逸，翰苑光鲜。'其徐坚已下并有赞述，文多，不尽载。"《职官分纪》卷一五："张燕公等因献赋诗，上各赐赞以褒美之。……上自以五色笺八分书之，赍付院，散付学士。张说：'德重和鼎，功逾济川。词林秀逸，翰苑光鲜。'徐坚：'校史天禄，论经上庠。华词宛丽，雄辩抑扬。'贺知章：'礼乐之司，文章之苑。学优艺博，才高思远。'赵冬曦：'白简端严，青史良直。清词雅韵，博览强识。'康子元：'才识清远，言谈幽秘。四科文学，六书仁义。'侯行果：'洪钟仁扣，明镜不疲。搜象系象，动中威仪。'韦述：'职参山甫，业纂玄成。六艺述作，四始飞英。'敬会真：'名乃会真，迹惟契道。抠衣讲习，临筵振藻。'赵玄默：'才比丘明，学兼儒、墨。叙述微婉，讲论道德。'东方颢：'地游天禄，门嗣滑稽。三冬足用，六艺斯齐。'李子钊：'干木流度，指树贻芳。讽谏遗阙，启发篇章。'吕向：'族茂飞熊，才方班马。考理篇籍，抑扬风雅。'母煛（毋煚）：'轩辕之任，谏诤之职。闻诗闻礼，有才有识。'陆去秦（泰）：'才光于晋，价重于张。州县斯屈，文翰尤长。'戚（咸）廙业：'郁郁高文，英英博识。持我行宪，式是谅直。'余钦：'文章两瞻（赡），才术兼美。思在穷经，专学旧史。'孙季良：'蓬山之秀，芸阁之英。雄词卓杰，雅思纵横。'寻敕善写真人貌学士等，欲画像书赞于含象亭。属车驾东行，竟不果。"

李邕在海州刺史任，作《六公咏》诗。《金石录》卷五："《唐六公咏》，李邕撰，胡履虚八分书。开元十一年。"卷二六："初，余读杜甫《八哀诗》，云：'朗咏《六公篇》，忧来豁蒙蔽。'恨不见其诗。晚得石本入录，其文词高古，真一代佳作也。六公，五王为一章，狄丞相别为一章云。"《广川书跋》卷七："李北海《六公咏》，今泰和集中虽有诗而无其姓名，又其说一章不尽，或遗。余见荆州《六公咏》石刻，文既不刊，故得尽存，可以序载于此。按中宗复位，以彦范王扶阳，晖王平阳，玄晖王博陵，柬

319

之王汉阳，恕己王南阳，世谓五王。然皆狄公所进，故邕叹其成大功者六人。诗尤奇伟，豪气激发，如见断鳌立极，时至今读之，令人想望风采，宜老杜有云：昔卢藏用谓邕如干将莫邪，难与争锋。史官所美，谓碑颂是其所长。余见他文，亦不若是壮厉警拔，殆感愤而作，故气激于内而横放于外者也。序言邕为荆州，今《新》、《旧书》……不书尝为荆州也。"按据《唐刺史考全编》卷七二，李邕开元八年至十二年为海州刺史，《六公咏》序云荆州，误。

岑参五岁，始读书受学。岑参《感旧赋》序："五岁读书。"（见陈铁民修订本《岑参集校注》卷五；以下凡引岑参诗文均据是书，不复注）

公元 724 年　（唐玄宗开元十二年　甲子）

春

张九龄、孙逖各赋诗和韦抗弟兄。张九龄有《和韦尚书答梓州兄南亭宴集》诗。韦尚书谓韦抗。《旧唐书》韦安石附韦抗传："十一年，入为大理卿，其年代陆象先为刑部尚书，寻又分掌吏部选事。十四年卒。"梓州兄当谓韦抱贞，为韦抗叔父幼平之子，约开元十二年为梓州刺史，见《新唐书》宰相世系表四上、《唐刺史考全编》卷二二九。又孙逖有《和韦兄（一作韦尚书）春日南亭宴兄弟》诗，题下注云："兄在京"。诗当作于本年春诸人在长安时。

蔡希周、丁仙芝等登贾季阳榜进士第。见陈尚君《登科记考正补》。

四月

郑虔在率更寺主簿任。《唐代墓志汇编》开元一九四《大唐故江州都昌县令荥阳郑府君墓志铭并叙》："君讳承光……以开元八年六月十三日遘疾，终于黄州之官舍。以开元十二年岁次甲子四月庚寅朔八日丁酉葬于洛阳城东北平阴乡吕乐村界平原，礼也。"题下署"通直郎行率更寺主簿骑都尉郑虔撰。"按郑虔（？—764?），字若齐，一字弱齐，郑州荥阳人。开元间，仕历率更寺主簿、左监门录事参军、协律郎。著书被告，贬谪十年。天宝后期，授广文馆博士，迁著作郎。坐安史乱中受伪职，贬台州司户参军，卒。《全唐诗》录其诗 1 首。据杜甫《八哀诗·故著作郎贬台州司户荥阳郑公虔》、《唐才子传校笺》卷二郑虔传笺及补笺。

苏颋自蜀返京，途中有诗，至京仍任礼部尚书。苏颋有《利州北佛龛前重于去岁题处作》诗，写及春夏景象，当为本年由蜀返京途经利州时所作。返京后苏颋仍任礼部尚书。参郁贤皓《苏颋年谱》，载其所著《唐风馆杂稿》。

八月

张说应制赋诗送宇文融安辑户口。《唐会要》卷八五："开元十二年八月，宇文融除御史中丞，充诸色安辑户口使。"《唐诗纪事》卷一四："融安辑户口，明皇赐诗，张说奉和云：……"张说《奉和圣制送宇文融安辑户口应制》："别曲动秋风，恩令生光辉。"作于此时。

秋

李白出蜀，有诗纪行；至江陵，遇司马承祯，作《大鹏遇希有鸟赋》，后经改定，题作《大鹏赋》。李白有《峨眉山月歌》、《渡荆门送别》、《秋下荆门》等诗，为初出蜀时所作，时当在本年秋，参见郁贤皓《李白丛考·李白出蜀年代考》。李白又有《大鹏赋》，序云："余昔于江陵见天台司马子微，谓余有仙风道骨，可与神游八极之表，因著《大鹏遇希有鸟赋》以自广。此赋已传于世，往往人间见之。悔其少作，未穷宏达之旨，中年弃之。及读《晋书》，睹阮宣子《大鹏赞》，鄙心陋之。遂更记忆，多将旧本不同。今复存手集，岂敢传诸作者，庶可示之子弟而已。"司马承祯字子微，李白与之相遇当在本年初出蜀时。按《大鹏赋》系李白名作。祝尧《古赋辨体》卷七："比而赋也。太白盖以鹏自比，而以希有鸟比司马子微。赋家宏衍巨丽之体，楚《骚》、《远游》等作已然。司马、班、扬尤尚此。此显出于《庄子》寓言，本自宏阔，而太白又以豪气雄文发之。事与词称，俊迈飘逸，去《骚》颇近。"又上列诸诗中《峨眉山月歌》为李白名作。《艺苑卮言》卷四："此是太白佳境。然二十八字中，有峨嵋山、平羌江、清溪、三峡、渝州，使后人为之，不胜痕迹矣。益见此老炉锤之妙。"《渡荆门送别》亦称名作。《诗薮》内编卷四："'山随平野阔（尽），江入大荒流'（按即此诗中句），太白壮语也。杜'星垂平野阔，月涌大江流'，骨力过之。"《唐诗评选》卷三："明丽果如初日。结二语得象外于圜中。飘然思不穷，唯此当之。泛滥钻研者，正由思穷于本分耳。"

十一月

玄宗至东都，途中君臣作诗文多篇。《旧唐书》玄宗纪上："冬十一月庚申，幸东都，至华阴，上制岳庙文，勒之于石，立于祠南之道周。"玄宗《西岳太华山碑序》："十有一载，孟冬之月，步自京邑，幸于洛师。停銮庙下……迟回刻石，梗概铭山。"所记年月与《旧纪》稍异。玄宗《途经华岳》、张说《奉和圣制途经华岳应制》、张九龄《奉和圣制途经华山》诸诗，亦同时之作。

十二月

王泠然（692—725）卒。《唐代墓志汇编》天宝〇〇二《唐故右威卫兵曹参军王府君墓志铭序》："君讳泠然，字仲清。……学为儒宗，文为词伯。……授东宫校书郎，满秩，移右威卫兵曹参军。其调补也，皆登甲科选，天下以为美谈。所著篇什，到今称之，洛阳犹为之纸贵。……以开元十二年十二月十八日不禄于位，享年三十有三。"按王泠然卒年，以公历计，已至明年。《唐才子传》卷一王泠然传："工文赋诗，气质豪爽，当言无所回忌。乃卓荦奇才，济世之器。惜其不大显而终。"

本年

房琯献《封禅书》及笺启，授秘书省校书郎。《旧唐书》本传："开元十二年，玄宗将封岱岳，琯撰《封禅书》及笺启以献。中书令张说奇其才，奏授秘书省校书郎。"

公元 725 年　（唐玄宗开元十三年　乙丑）

二月

玄宗自择刺史，于洛滨赋诗遣送之，张说、张九龄有和诗。《通鉴》卷二一二："二月……上自选诸司长官有声望者大理卿源光裕、尚书左丞杨承令、兵部侍郎寇泚等十一人为刺史，命宰相、诸王及诸司长官、台郎、御史饯于洛滨，供张甚盛。赐以御膳，太常具乐，内坊歌妓；上自书十韵诗赐之。"《新唐书》许景先传："十三年，帝自择刺史，景先由吏部侍郎为刺史治虢州……治行，诏宰相、诸王、御史以上祖道洛滨，盛具，奏太常乐，帛舫水嬉，命高力士赐诗，帝亲书，且给笔纸令自赋，赏绢三千遣之。"玄宗有《赐诸州刺史以题座右》诗，张九龄、张说各有应制奉和诗，并为此而作。

三月

二十七日，玄宗宴张说等丽正院学士于集仙殿，君臣赋诗唱和。玄宗有《春晚宴两相及礼官丽正殿学士探得风字》诗，序云："朕以薄德，祗膺历数。……乃命学者，缮落简，缉遗编，纂鲁壁之文章，缀秦坑之煨烬，所以修文教也。……既家六合，时巡两京。……阴阳代谢，日月相推，岂可使春色虚捐，韶华并歇。乃置旨酒，命英贤，有文苑之高才，有掖垣之良佐，举杯称庆，何乐如之。同吟《湛露》之篇，宜振凌云之藻。于时岁在乙丑，开元十三年三月二十七日。"《玉海》卷一六七引《集贤注记》："开元十三年三月，因奏《封禅仪注》，敕学士等赐宴集仙殿，群臣赋诗，上制诗序，时预坐者，宰臣源乾曜、侍中张说、学士徐坚至冯朝隐等。时樱桃新熟，遍赐坐上，饮以酴醾清酤之酒，帘内出彩笺，令群臣赋诗焉。"张说《春晚侍宴丽正殿探得开字》诗当即为本次应制之作。

祖咏等登杜绾榜进士第，考功员外郎赵冬曦知贡举，试《雪霁望终南诗》，祖咏应试诗甚为时所称。姚合《极玄集》祖咏名下注："开元十三年进士。"《唐才子传》卷一祖咏传："开元十二年杜绾榜进士。"《南部新书》卷乙："祖咏试《雪霁望终南诗》，限六十字。成至四句纳主司，诘之，对曰：'意尽。'"《唐诗纪事》卷二〇："有司试《终南即望余雪诗》，咏赋云：'终南阴岭秀，积雪浮云端。林表明霁色，城中增暮寒。'四句即纳于有司。或诘之，咏曰：'意尽。'……咏登开元进士第。"按祖咏当为开元十三年进士，说见孟二冬《登科记考补正》卷七、陈尚君《登科记考正补》。祖咏，生卒年不详，洛阳人。进士及第后仕途失意，移家于汝坟间别业，以渔樵自终。与王维、王翰、储光羲、卢象等为诗友。有《祖咏诗》一卷。据《唐才传校笺》卷一祖咏传笺。

又陈氏《正补》云："《文苑英华》卷四九收高盖、王谞、张甫、陶举、敬括《花萼楼赋》，皆以'花萼楼赋一首并序'为韵，为同年试。《玉海》卷一六四引《登科记》：'开元十三年进士试《花萼楼赋》。'徐氏仅据王赋'百有二十载'语系于廿五年，非是。《全唐文》卷三九五高盖等三人传作二十三年进士，未详孰据，疑误。汲古阁本《唐诗纪事》卷十九录敬括《省试七月流火》试（诗），或亦本年试［题］。"按此说未允。定《花萼楼赋》为本年试题，与王谞赋"我唐有国……于兹百有二十载"语不合（自唐建国至本年为一百零八年），定《七月流火》诗为本年试题又与本年试《雪霁望终南诗》抵牾。疑《花萼楼赋》为开元二十三年进士试题，唐建国至该年为一百一十八年，王谞赋云"百有二十载"，乃举成数，未为不合，《七月流火》亦当为开元二十三年试题。《玉海》所引《登科记》之"十三年"当为"二十三年"之讹，《全唐文》谓高盖等为开元二十三年进士当有所据。

四月

五日，敕改集仙殿丽正书院为集贤院，张说知院事，徐坚为副，另置学士、直学士等数人；稍后，集贤书院成，玄宗赋诗送张说赴任，苏颋等应制奉和。《旧唐书》玄宗纪上："夏四月丁巳，改集仙殿为集贤殿，丽正殿书院改集贤殿书院。"《唐会要》卷六四："十三年四月五日，因奏封禅仪注，敕中书门下及礼官学士等，赐宴于集仙殿。上曰：'今与卿等贤才，同宴于此，宜改集仙殿丽正书院为集贤院。'乃下诏曰：'仙者捕影之流，朕所不取；贤者济治之具，当务其实。'院内五品已上为学士，六品已下为直学士。中书令张说充学士，知院事，散骑常侍徐坚为副。礼部侍郎贺知章、中书舍人陆坚并为学士，国子博士康子元为侍讲学士，考功员外郎赵东曦、监察御史咸廙业、左补阙韦述、李［子］钊、陆元（去）泰、吕向、拾遗毋煚、太学助教余钦、四门博士赵玄默、校书郎孙季良并直学士，太学博士侯行果、四门博士敬会直（真）、右补阙冯骕并侍讲学士。"按本月甲寅朔，丁巳为四日，与《唐会要》之"五日"稍异。《旧唐书》职官志二："集贤学士之职，掌刊辑古今之经籍，以辨明邦国之大典。凡天下图书之遗逸，贤才之隐滞，则承旨而征求焉。其有筹策之可施于时，著述之可行于代者，较其才艺而考其学术，而申表之。凡承旨撰集文章，校理经籍，月终则进课于内，岁终则考最于外。"张九龄《集贤殿书院奉敕送学士张说上赐燕序》："中书令燕国公……拜命之日，荷宠有加。降圣酒之罍，下御厨之膳，食以乐侑，人斯饱德！时则有侍中安阳公等，承恩预焉。学士右散骑常侍东海公等，摄职在焉。……咸可赋诗，以光鸿烈。"玄宗有《集贤书院成送张说上集贤学士赐宴得珍字》诗，作于初夏。苏颋、张说、赵冬曦、源乾曜、徐坚、李元纮、裴漼、刘升、萧嵩、韦抗、李暠、韦述、陆坚、程行谌、褚琇、贺知章、王湾等并有分韵应制诗，为同时之作。

张说因贺知章以礼部侍郎兼集贤学士，论学士之名美于侍郎。《大唐新语》卷一一："贺知章自太常少卿迁礼部侍郎兼集贤学士，一日并谢二恩。时源乾曜与张说同秉政。乾曜问说曰：'贺公久著盛名，今日一时两加荣命，足为学者光耀。然学士与侍郎何者为美？'说对曰：'侍郎自皇朝已来，为衣冠之华选，自非望实具美，无以居之。

虽然，终是具员之英，又非往贤所慕。学士者，怀先王之道，为缙绅轨仪，蕴扬、班之词彩，兼游、夏之文学，始可处之无愧。二美之中，此为最矣。'"

张说重文词之士，韦述等常游其门。《旧唐书》韦述传："转右补阙，中书令张说专集贤院事，引述为直学士，迁起居舍人。说重词学之士，述与张九龄、许景先、袁晖、赵冬曦、孙逖、王翰常游其门。赵冬曦兄冬日、弟和璧、居贞、安贞、颐贞等六人，述弟迪、迥、迥、迟、巡亦六人，并词学登科，说曰：'赵、韦昆季，今之杞梓也。'"

夏

李白与友人吴指南游楚，指南卒，白葬之于洞庭湖侧，旋游金陵。李白《上安州裴长史书》："又昔与蜀中友人吴指南同游于楚，指南死于洞庭之上，白禫服恸哭，若丧天伦。炎月伏尸，泣尽而继之以血。……遂权殡于湖侧，便之金陵。"书作于开元十八年（见该年李白条），所叙之事当在本年夏。李白有《荆州歌》、《江上寄巴东故人》等诗，当为上年至本年游楚时所作，又有《望庐山瀑布二首》、《望天门山》等诗，为赴金陵途中所作，并系于此。

八月

张说议封封禅仪，并改定封禅乐章。《通鉴》卷二一二："秋八月，张说议封禅仪。"《唐会要》卷三二："开元十三年，诏燕国公张说改定乐章，上自定声度，说为之词令。太常乐工就集贤院教习，数月方毕。因定封禅郊庙词曲及舞，至今行焉。"

秋

储光羲自长安赴洛阳，途中赋诗赠祖咏。储光羲有《华阳作贻祖三咏》诗，乃秋日自长安往洛阳途中所作。诗云："夫君独轻举，远近善文雄。岂念千里驾，崎岖秦塞中。"意为咏已进士及第而己尚为此奔波。明年储光羲亦进士及第，知诗作于本年。

十月

玄宗东封泰山，行次成皋，有诗作，苏颋、张九龄、张说应制奉和。《旧唐书》玄宗纪上："冬十月……辛酉，东封泰山，发自东都。"《八琼室金石补正》卷三六《纪功颂》碑阴《行次成皋诗》："五言《行次成皋途经先圣擒建德之所缅思功业感而赋诗》，御制：……开元十三年十月十三日东封之岁，前常州江阴县尉史叙书。"苏颋《奉和圣制行次成皋途经先圣擒建德之所感而成诗应制》、张九龄《奉和圣制次成皋先圣擒建德之所》、张说《奉和圣制行次成皋应制》均为同时之作。

十一月

玄宗封禅泰山，与张说等各制铭颂以纪其事。《旧唐书》礼仪志三："十三年十一月丙戌，至泰山……庚寅，祀昊天上帝于山上封台之前坛。……壬辰，玄宗御朝觐之帐殿，大备陈布。……玄宗制《纪太山铭》，御书勒于山顶石壁之上。其辞曰：……于是中书令张说撰《封祀坛颂》、侍中源乾曜撰《社首坛颂》、礼部尚书苏颋撰《朝觐坛颂》以纪德。"

张说为尚书右丞相兼中书令。《旧唐书》玄宗纪上："壬辰，御帐殿受朝贺，大赦天下……侍中源乾曜为尚书左丞相兼侍中，中书令张说为尚书右丞相兼中书令。"

刘晏十岁，献颂泰山行在，授太子正字。《新唐书》本传："玄宗封泰山，晏始八岁，献颂行在，帝奇其幼，命宰相张说试之，说曰：'国瑞也。'即授太子正字。公卿邀请旁午，号神童，名震一时。"按本年刘晏十岁，《新传》云八岁，误。

玄宗自泰山归，经孔子宅，有诗作，张说、张九龄和之。《旧唐书》玄宗纪上："甲午，发岱岳。丙申，幸孔子宅，亲设奠祭。"玄宗《经邹鲁祭孔子而叹之》、张说《奉和圣制经邹鲁祭孔子应制》、张九龄《奉和圣制经孔子旧宅》均作于此时。按玄宗此诗系名作，《唐诗归》卷六钟惺评云："许大文章，气魄在此命题内。""八句皆用孔子实事，不板，不滞，不砌。人不可以无笔。"

玄宗东封还至汴州，李邕谒见，献词赋，甚称上旨。《旧唐书》文苑中本传："后征为陈州刺史。十三年，玄宗车驾东封回，邕于汴州谒见，累献词赋，甚称上旨。由是颇自矜炫，自云当居相位。张说为中书令，甚恶之。"李邕《谢恩慰谕表》："顷岁陛下东封将还，臣路左谒见，猥承圣顾，广录旧文。朝议恐陛下用臣，薛自勤与外生库狄履温罗织臣至死。"

十二月

玄宗返回东都，君臣赋诗唱和。《旧唐书》玄宗纪上："十二月己巳，至东都。"张九龄《奉和圣制登封礼毕洛城酺宴》、苏颋《广达楼下夜侍酺宴应制》均作于东封泰山礼毕回至洛阳时。

吏部置十铨，有题诗议其事者。《唐会要》卷七四："十三年十二月，封岳回，以选限渐迫，宇文融上策，请吏部置十铨（礼部尚书苏颋、刑部尚书韦抗、工部尚书卢从愿、右散骑常侍徐坚、御史中丞宇文融、朝集使蒲州刺史崔林、魏州刺史崔沔、荆州长史韦虚心、郑州刺史贾曾、怀州刺史王丘等十人）。当时谤诗云：'员外却题铨里膀，尚书不得数中分。'（丘尚书裴灌，员外郎张均）"

王昌龄自塞外归至扶风，赋诗咏怀；此前一二年间昌龄有塞外之行，作边塞诗多首。王昌龄《代扶风主人答》："杀气凝不流，风悲日彩寒。……天子初封禅，贤良刷羽翰。"当作于本年冬或明年秋冬。以王昌龄后年进士及第，明年须应县试、府试，必不得远行，故系于此。王昌龄有《旅望》（一作《出塞行》）、《从军行二首》、《塞下曲四首》、《山行入泾州》等诗，为此前一二年间出塞、入塞途中所作，详见李珍华《王昌龄研究》附录《王昌龄事迹新探》。王昌龄又有《出塞二首》、《从军行七首》等边塞乐府诗，亦系于此。按以上诸诗中多有名作。《唐诗归》卷一一钟惺评《代扶风主人答》云："长诗感事，惟少陵独得风刺之妙，此作近之。微有铺叙之痕，故为少逊。"《唐诗镜》卷一二评《从军行七首》其一云："'烽火城西百尺楼'一绝，'黄昏独坐'一绝，'海风秋'一绝，'更吹羌笛关山月'一绝，'无那金闺万里愁'一绝，昌龄作绝句往往襞积其意，故觉其情之深长而辞之饱快也。"《升庵诗话》卷二评《出塞二首》其一（秦时明月汉时关）云："此诗可入神品。"《艺苑卮言》卷四："李于鳞言唐人绝句当以'秦时明月汉时关'压卷，余始不信，以少伯集中有极工妙者。既而思之，若落意解，当别有所取。若以有意无意可解不可解间求之，不免此诗第一耳。"《诗薮》内编卷六："初唐绝'葡萄美酒'为冠，盛唐绝'渭城朝雨'为冠，中唐绝'回雁峰前'为冠，晚唐绝'清江一曲'为冠。'秦时明月'，在少伯自为常调，用修以诸家不选，故《唐绝增奇》首录之。所谓前人遗珠，兹则掇拾。于鳞不察而和之，非定论也。"《唐音癸签》卷一〇："王少伯七绝，宫词闺怨，尽多诣极之作；若边词'秦时明月'一绝，发端句虽奇，而后劲尚属中驷。于鳞遽取压卷，尚须商榷。"

本年

改翰林待诏为翰林供奉。《新唐书》百官志一："玄宗初，置'翰林待诏'……既而又以中书务剧，文书多壅滞，乃选文学之士，号'翰林供奉'，与集贤院学士分掌制诏书敕。"按翰林待诏何时改翰林供奉史无明文，以本年始置集贤院，姑系于此。

权若讷（？—725？）卒。权德舆《唐故通议大夫梓州诸军事梓州刺史上柱国权公集序》："公讳若讷……出为蜀州司马，改梓州长史、彭州别驾。……拜歙州刺史，迁桂州都督、梓州刺史。……以某年月日奄捐馆舍，享年若干。……公殁后二十余年，德舆先人筮仕河朔，始类公之文章为三十卷……未遑序引，遇幽陵兵乱，故其篇皆亡。德舆既龀而孤，莫知世德。逮志学之岁，距公之下世，年逾四纪，谘谋于诸父兄，故德善行义，不得其详。至大历末，方获其文百余篇。其学富，其才雄，有贾生之正，相如之丽。大抵以彩错峻拔、使善否章明为主。至于吻机楔于动用以（阙）其情，则《栖隐赋》、《归山赋》；体物比事，极风人之丽，则《喜雨赋》、《悲秋赋》；俶傥闳达，以文艺自任，则《诣乐城公奏记》、《上吏部裴李二侍郎书》；叙家世风德，以识幽壤，则司田大夫、水部员外二世父《墓志》；记时贤循吏绩用行实，则《刘冯翊碑》，梁万年、郑拾遗《志铭》；缘情遣词，写境物而谐律吕，则《寄蜀中旧游诗》、《蜀国吟》、《拟古横吹曲》。其余表笺启铭赞序述，合而类之，列为十卷，盖于公述作三之一也。"按权德舆乾元二年（759）生，至大历八年（773）十五岁，为"志学之年"，本年至大历八年首尾四十九年，合于"年逾四纪"之数，姑系于此。

崔颢在相州，上书张说荐樊衡。崔颢《荐樊衡书》："夫相州者，先王之旧都，西山雄崇，足是秀异。窃见县人樊衡，年三十，神爽清悟，才能绝伦。……今国家封山勒崇，希代罕遇，含育之类，莫不踊跃。况诏征隐逸，州贡茂异，衡之际会，千载一时。君侯复躬自执圭，陪銮日观。"按书中所谓"相州者，先王之旧都"，是指玄宗父睿宗曾被封相王，"君侯复躬自执圭"云云指本年玄宗封禅泰山，张说主持其事。详见傅玄琮《唐代诗人丛考·崔颢考》。

　　独孤及（725—777）　生。独孤及字至之，洛阳人。天宝末登洞晓玄经科，授华阴尉。遭安史之乱，避地越州。入江淮都统李峘幕，掌书记，授左金吾卫兵曹参军。征拜左拾遗，迁太常博士，转礼、吏二部员外郎，历濠、舒、常三州刺史，卒。有《毗陵集》二十卷传世。据崔祐甫《故常州刺史独孤公神道碑铭并序》、梁肃《朝散大夫使持节常州诸军事守常州刺史赐紫金鱼袋独孤公行状》、《新唐书》本传、《唐才子传校笺》卷三独孤及传笺。

　　刘太真（725—792）　生。刘太真字仲适，润州上元人。少师事萧颖士，天宝末登进士第，避乱还乡。大历中入浙东观察使府，旋为淮南节度判官，征拜起居郎。累历台阁，自中书舍人转工部、礼部侍郎。贬信州刺史，卒。有《刘太真集》三十卷。据裴度《刘府君神道碑铭并序》、《旧唐书》本传、《新唐书》文艺下本传。

　　秦系（725？—805？）　生。秦系，字公绪，越州会稽人。天宝中应进士试，未第。至德初隐居剡溪，上元初移居剡山。尝被征辟，不就。大历末，以事获谤，流寓泉州。建中末，返归会稽。贞元中，张建封奏加校书郎衔，辟为僚佐。约贞元末卒。有《秦系诗》一卷。据《新唐书》隐逸本传、《唐才子传校笺》卷三秦系传笺。

　　孟云卿（725？—?）　生。孟云卿，郡望平昌，河南人。天宝中应举不第。永泰初官校书郎，客游南海。大历中流寓荆州、广陵，八年犹在世。与元结、杜甫、薛据、韦应物友善，有诗入选《箧中集》，《全唐诗》编其诗为一卷。据《唐才子传校笺》卷二孟云卿传笺。

公元 726 年　（唐玄宗开元十四年　丙寅）

正月

　　张嘉贞出守定州，玄宗君臣赋诗送之，张说为作诗序。张说《送工部尚书弟赴定州诗序》："尚书河东侯，朝廷之旧宰也。……于时春带余寒，野衔残雪。太官重味，御酒百壶。供帐临歧，假丝竹以留宴；倾城出钱，会文章以宠行。……应制华篇，凡若干首。"工部尚书谓张嘉贞。《旧唐书》本传："复代卢从愿为工部尚书、定州刺史，知北平军事，累封河东侯。将行，上自赋诗，诏百僚于上东门外钱之。"据《唐刺史考全编》卷一一二，张嘉贞出为定州刺史在本年。

二月

　　储光羲在洛阳，赋诗五首献吕向，孟浩然和之。储光羲《洛阳道中五首献吕四郎中》其四："春风二月时，道旁柳堪把。"吕四郎中谓吕向。《新唐书》文艺中本传："以起居舍人从帝东巡……久之，迁主客郎中。"东巡指东封泰山，在开元十三年。传云"久之"乃迁主客郎中，恐不确，向当于东封礼毕返至洛阳后即迁主客郎中。诗当作于本年。说见陈铁民《储光羲生平事迹考辨》，载《文史》第十二辑。孟浩然有《同储十二洛阳道中作》诗，为同时之作。

三月

储光羲、崔国辅、綦毋潜等三十一人登严迪榜进士第，考功员外郎严挺之知贡举，试《考功箴》。顾况《监察御史储公（光羲）集序》："开元十四年，严黄门知考功，以鲁国储公进士高第，与崔国辅员外、綦母（毋）潜著作同时。"余见《登科记考》卷七。按崔国辅，生卒年不详，吴郡人，郡望清河。进士及第，授山阴尉。应县令举，授许昌令。入为左补阙，迁起居舍人。天宝中，转礼部员外郎，以事贬竟陵司马。后入广府都督何履光幕，不知所终。有《崔国辅诗》一卷。据《唐才子传校笺》卷二崔国辅传笺。綦毋潜（？—755？），字孝通，虔州人。进士及第，授校书郎。弃官还江东。天宝中任县尉，入为右拾遗，待制集贤院。天宝末迁广文博士，转著作郎，卒。有《綦毋潜诗》一卷。据《唐才子传校笺》卷二綦毋潜传笺及补笺。

王维自济州归，经广武城，有《寒食汜上作》诗。详见陈铁民《王维集校注》附录《王维年谱》。

春

李白离金陵赴扬州，有诗留别、纪行。李白《金陵酒肆留别》："风吹柳花满店香，吴姬压酒唤客尝。"《夜下征虏亭》："船下广陵去，月明征虏亭。山花如绣颊，江火似流萤。"是离金陵往游扬州时所作，当在本年春。李白又有《杨叛儿》、《长干行二首》其一、《对酒》等诗，当作于初游金陵时，并系于此。按上列诸诗中《金陵酒肆留别》为李白名作。《四溟诗话》卷三："太白《金陵留别》诗：'请君试问东流水，别意与之谁短长。'（按即此诗中句）妙在结语，使坐客同赋，谁更擅场？谢宣城《夜发新林》诗：'大江流日夜，客心悲未央。'阴常侍《晓发新亭》诗：'大江一浩荡，悲离足几重。'二作突然而起，造语雄深，六朝亦不多见。太白能变化为结，令人叵测，奇哉！"《唐诗评选》卷一："供奉一味本色，诗则如此，在歌行诚为大宗。"《长干行二首》其一、《杨叛儿》亦为名作。《诗归》卷一五钟惺评前诗云："古秀，真汉人乐府。"《唐诗镜》卷一七："古貌唐音。"《唐宋诗醇》卷三："儿女子情事，直从胸臆间流出，萦迂回折，一往情深。尝爱司空图所云'道不自器，与之圆方'，为深得委曲之妙，此篇庶几近之。"《升庵诗话》卷二评后诗云："古乐府：'暂出白门前，杨柳可藏乌。欢作沉水香，侬作博山炉。'李白用其意，衍为《杨叛儿》，歌曰：……古人谓李诗出自乐府古选，信矣。其《杨叛儿》一篇，即'暂出白门前'之郑笺也。因其拈用，而古乐府之意益显，其妙益见。如李光弼将子仪军，旗帜益精明。又如神僧拈佛祖语，信口无非妙道，岂生吞义山拆洗杜诗者比乎？"《唐诗别裁集》卷六："即《子夜》、《读曲》意，而语不嫚亵，故知君子言有则也。"

四月

庚申，张说停兼中书令。《旧唐书》玄宗纪上："夏四月癸丑，御史中丞宇文融与御史大夫崔隐甫弹尚书右丞相、兼中书令张说，鞫于尚书省。……庚申，张说停兼中书令。"《新唐书》本传:"说既罢知政事,在集贤院专修国史。又乞停右丞相,不许。然每军国大务,帝辄访焉。"

岐王李范卒,张说、袁瓘为作挽歌。《旧唐书》玄宗纪上:"丁卯,太子少师、岐王范薨,册赠惠文太子。"张说《惠文太子挽歌二首》、袁瓘作《惠文太子挽歌》、苏颋《惠文太子哀册文》均为李范之卒而作。

贺知章改任工部侍郎,仍充集贤院学士。《旧唐书》文苑中本传:"俄属惠文太子薨,有诏礼部选挽郎,知章取舍非允……由是改授工部侍郎,兼秘书监同正员,依旧充集贤院学士。"

五月

张九龄受张说罢相牵连,由中书舍人迁太常少卿。《旧唐书》张九龄传:"无几,(张)说果为(宇文)融所劾,罢知政事,九龄亦改太常少卿,寻出为冀州刺史。"《唐丞相曲江张先生文集》附录《转太常少卿制》:"中书舍人、上柱国、曲江县开国男张九龄,凤擅能文,早推强学……可中散大夫、守太常少卿,勋、封如故。开元十三年十一月六日"。按张九龄有《停燕国中书令制》,知本年四月张说罢相时九龄当仍在中书舍人任,《转太常少卿制》所署年月有误。据陈祖言《张说年谱》考证,开元十三年十一月六日实为《转太常少卿制》前《加朝请大夫敕》之日期,而张九龄转太常少卿当在本年四月张说罢相之后,今从其说。又《曲江集》附录《授冀州刺史制》,署"开元十四年五月十四日"。颇疑九龄即于此时转太常少卿,而其何时授冀州刺史则难确知,要当在今冬明春之间。参本年六月、明年三月张九龄条。

六月

玄宗下诏求儒学人才。《唐大诏令集》卷一〇五载开元十四年六月《求儒学诏》:"朕闻以道得人者谓之儒,切问近思者谓之学。故以阳礼教让,则下不争;以阴礼教亲,则远无怨。岂无习不利,教所由生者乎!朕所以厚儒林,辟书殿,讨论易象,研几道源,冀淳风大行,华胥非远。而承平日久,趋竞岁积。谓儒官为冗列,视之若遗;谓吏职为要津,求如不及。顷亦开献书之路,观扬激之人,阙下之奏徒盈,席上之珍盖寡。岂宏奖之义,或有未孚;将敦本之人,隐而未见!天下官人、百姓有精于经史,道德可尊,工于著述,文质兼美者,宜令本司、本州长官,指陈艺业,录状送闻。其吏部选人,亦令所由铨择,各以名荐。朕当明试,用观其能。若行业可甄,待以不次;如妄相褒进,必加明罚。"

张九龄奉敕祭南岳,事毕谒司马承祯,均有诗纪其事。张九龄《奉使自蓝田玉山南行》:"是节暑云炽,纷吾心所尊。"又有《夏日奉使南海在道中作》诗,为同时之作。《册府元龟》卷一四四:"十四年六月丁未,以久旱分命六卿祭山川,诏曰:……宜令工部尚书卢从愿祭东岳……太常少卿张九龄祭南岳及南海……左庶子吴兢祭雨师。"《唐大诏令集》卷七四亦载此诏,下署:"开元十四年正月。"此从《册府》。诗当作于本年。张九龄又有《登南岳事毕谒司马道士》诗。司马道士谓司马承祯。卫凭

《唐王屋山中岩台正一先生庙碣》："幽居于南岳，则玄鹤蔽野。"正一又作贞一，是承祯道号。诗亦本年所作。

夏

李白离扬州往游越剡，有诗留别。李白《别储邕之剡中》诗，："借问剡中道，东南指越乡。舟从广陵去，水入会稽长。竹色溪下绿，荷花镜里香。辞君向天姥，拂石卧秋霜。"当作于本年夏离金陵赴越州时。

九月

韦抗、韦抱贞弟兄相继而卒，苏颋为抗撰神道碑，又赋诗伤抱贞。苏颋《刑部尚书韦抗神道碑》："开元十四年八月某日，薨于洛之永义里第。"又有《夜闻故梓州韦使君明当引绋感而成章》诗，作于秋季。梓州韦使君谓韦抱贞，见开元十二年春条。诗云："对连时亦早，交喜岁才周。……讵期危露尽，相续逝川流。""连"谓谢惠连，喻指韦抗；"喜"谓嵇喜，此喻抱贞。当是抱贞于韦抗卒后未久而卒，故有"相续"之句。参见《唐刺史考全编》卷二二九梓州韦抱贞条。明年七月甲戌（四日）苏颋卒，见后，则诗当作于本年八、九月间，姑系于此。

秋

储光羲在洛阳，赋诗赠别马挺。储光羲有《秋庭贻马九》诗，序云："扶风马挺，余之元伯也，舍人诸昆，知己之目。挺充郑乡之赋，余乃贻此诗。"诗云："大君幸东岳，世哲扈时巡。予亦从此去，闲居清洛滨。……妙年一相得，白首定相亲。重此虚宾馆，欢言冬复春。……其如久离别，重以霜风惊。"储光羲上年秋冬之际由长安至洛阳，诗言自冬及春，当作于本年，又据诗末所写秋景，知作于本年秋。

李白在扬州，赋诗寄赵蕤。《淮南卧病书怀寄蜀中赵征君蕤》："吴会一浮云，飘如远行客。……旅情初结缉，秋气方寂历。"《新唐书》地理志五："淮南道，盖古扬州之域。"《李白全集校注汇释集评》卷一一该诗题解："按李白《上安州裴长史书》云：'暴昔东游维扬，不逾一年，散金三十余万。'此诗当作于开元十四年（七二六）秋天游吴会后回到扬州时。"从之。

十月

玄宗幸温汤行宫，赋雨雪诗，张说和之。《册府元龟》卷四〇："十四年十月，幸汝州，至温汤之行宫。时属雨雪，帝亲赋雨雪诗以示群臣。"玄宗《温汤对雪》、张说《奉和圣制温汤对雪应制》诗，当为其时君臣唱和之作。

时人赋诗议贾昌以斗鸡而获富贵事。陈鸿《东城父老传》："老父，姓贾名昌，长安宣阳里人。……昌生七岁……解鸟语音。……召入，为鸡坊小儿。……开元十三年，笼鸡三百，从封东岳。父忠死太山下，得子礼奉尸归葬雍州。县官为葬器丧车，乘传洛阳道。十四年三月，衣斗鸡服，会玄宗于温泉。当时天下号为'鸡神童'。时人为之语曰：'生儿不用识文字，斗鸡走马胜读书。贾家小儿年十三，富贵荣华代不如。能令金距期胜负，白罗绣衫随软舆。父死长安千里外，差夫持道挽丧车。'"（《唐人小说》本）本年十月玄宗幸汝州广成温泉，见《通鉴》卷二一三，《父老传》之"三月"当是"十月"之误。贾昌事虽系小说家言，亦当有实据，故系于此。

十一月

玄宗幸宁王宅，与张说等探韵赋诗。《册府元龟》卷四〇："十一月，幸宁王宪宅，与诸王宴，探韵赋诗。"按宁王李宪为睿宗长子，本名成器，曾以太子位让于玄宗，故卒后谥让皇帝，见《旧唐书》睿宗诸子让皇帝宪传。玄宗《过大哥宅探得歌字韵》、张说《奉和圣制过宁王宅应制》，当为此次唱和之作。

十二月

玄宗至方秀川，张说赋诗纪行；君臣旋还至洛阳。《旧唐书》玄宗纪上："十二月丁巳，至寿安之方秀川。……壬戌，还东都。"张说有《行从方秀川与刘评事文同宿》诗，写及冬日景象，当作于此时。

赵颐贞赴安西副大都护任，张说等赋诗送之。张说有《送赵顺直（一作颐真）郎中赴安西副大都督（一作护）》诗。按顺直、颐真并误，当作颐贞，系赵冬曦弟，《旧唐书》玄宗纪上：开元十六年正月，"壬寅，安西副大都护赵颐贞败吐蕃于曲子城"，即其人。又安西称都护，不称都督，张说诗题云"安西副大都督"，亦不确。《通鉴》卷二一三：开元十四年十二月，"会（杜）暹入朝，赵颐贞代为安西都护。"张说诗当作于此时。张九龄《送赵都护赴安西》、卢象同题诗、孙逖《送赵大夫护边》（一作《送赵都护赴安西》）均为送赵颐贞赴边之作。按卢象（？—763），字韦卿，汶上人。开元中进士及第，补秘书省校书郎，转左卫仓曹掾。张九龄执政，擢为左补阙、河南府司录、司勋员外郎。以名盛气傲被谤，左迁齐、汾、郑三州司马。入为膳部员外郎。安史乱中，受伪职。由是贬果州长史、永州司户，移吉州长史。征为主客员外郎，道病卒。有《卢象集》十二卷。据刘禹锡《唐故尚书主客员外郎卢公集纪》、《唐才子传校笺》卷二卢象传笺及补笺。

本年

刘长卿（726？—790？）生。刘长卿，字文房，宣州人，郡望河间。进士擢第，肃宗至德中，选授长洲尉，摄海盐令。以事系狱，贬南巴尉。入朝，历监察御史、殿中侍御史，以检校祠部员外郎出为转运使判官，知淮西、岳鄂转运留后。被诬，贬睦州司马。德宗立，擢随州刺史。建中末去官。贞元五、六年间卒。有《刘长卿集》十卷传世。据《唐才子传校笺》卷二刘长卿传笺及补笺。

包佶（726？—792）生。包佶，字幼正，润州延陵人。天宝六载进士及第。大历中累官至谏议大夫，坐元载党贬岭南。德宗立，授江州刺史，权领盐铁转运，旋入朝为户部郎中，充江淮水陆运使。转太常少卿、左庶子，充汴东水陆运盐铁使。贞元初任刑部侍郎，改国子祭酒，权知礼部贡举。转秘书监，卒。有《包佶诗》一卷。据权德舆《祭秘书包监文》、《新唐书》刘晏附包佶传、《唐才子传校笺》卷三包佶传笺及补笺。

公元 727 年　（唐玄宗开元十五年　丁卯）

二月

张说致仕。《通鉴》卷二一三："御史大夫崔隐甫、中丞宇文融，恐右丞相张说复用，数奏毁之，各为朋党。上恶之。二月，乙巳，制说致仕，隐甫免官侍母，融出为魏州刺史。"《新唐书》张说传："隐甫等恐说复用，巧文诋毁，素忿说者又著《疾邪篇》，帝闻，因令致仕。"

三月

王昌龄、常建等十九人登李嶷榜进士第，严挺之知贡举，试《积翠宫甘露颂》、《灞桥赋》。顾况《监察御史储公集序》："开元十四年，严黄门知考功。……其明年，擢第常建少府、王龙标昌龄。"余见《登科记考》卷七。按积翠宫在洛阳神都苑内，见徐松《唐两京城坊考》卷五，知本年进士试当在洛阳。陈铁民《储光羲生平事迹考辨》于此亦有举证，可参看。李嶷，生卒年未详，赵郡赞皇人，曾官右武卫录事参军，《河岳英灵集》卷下收其诗 5 首，《国秀集》卷中选 2 首。据《新唐书》宰相世系表二上、《唐才子传校笺》卷二王昌龄传补笺。常建，（？—752？）里贯未详。进士及第后，曾任盱眙尉。仕宦失意，往来山水间。天宝中寓居鄂渚，尝以诗招王昌龄、张偾同隐。约天宝末卒。有《常建诗》一卷，《河岳英灵集》选录其诗 15 首。据《唐才子传校笺》卷二常建传笺。

张九龄赴洪州刺史任，行至当涂，与宣州刺史裴耀卿有诗唱和。《旧唐书》张九龄传："九龄亦改太常少卿，寻出为冀州刺史。九龄以母老在乡，而河北道里辽远，上疏固请换江南一州，望得数承母音耗，优制许之，改为洪州都督。"《唐丞相曲江张先生文集》附录《授洪州刺史制》："中散大夫、新除冀州刺史、上柱国、曲江县开国男张九龄……可使持节都督洪州诸军事，守洪州刺史。"署"开元十五年三月十三日"。九龄当于上年冬或本年春授冀州刺史，旋改洪州，故曰"新除"。徐浩《唐尚书右丞相中书令张公神道碑》："出冀州刺史，以庭闱在远，表请罢官，改洪州都督。"张九龄有《当涂界寄裴宣州》、《江上使风呈裴宣州》诗。裴宣州谓裴耀卿，开元十四年至十八年为宣州太守，见《唐刺史考全编》卷一五六。诗为张九龄赴洪州刺史任途经当涂时所作。裴耀卿有《敬酬张九龄当途界留赠之作》、《酬张九龄使风见示》诗，为同时酬唱之作。又张九龄有《江上遇疾风》、《湖口望庐山瀑布水》、《入庐山仰望瀑布水》、《彭蠡湖上洑》、《自彭蠡湖初入江》等诗，当作于赴洪州途中，并系于此。按诸诗中《湖口望庐山瀑布水》系张九龄名作。《唐诗归》卷五谭元春评云："瀑布诗此是绝唱矣，进此一想，则有可知不可言之妙！"

五月

一日，徐坚等撰《初学记》成。《唐会要》卷三六："十五年五月一日，集贤学士徐坚等纂经史文章之要，以类相从。上制名曰《初学记》。至是上之。"注云："欲令皇太子及诸王检事缀文。"《大唐新语》卷九："玄宗谓张说曰：'儿子等欲学缀文，须检事，及看文体。《御览》之辈，部帙既大，寻讨稍难。卿与诸学士撰集要事并要文，以类相从，务取省便，令儿子等易见成就也。'说与徐坚、韦述等编此进上。诏以《初学记》为名。赐修撰学士束帛有差。其书行于代。"《新唐书》艺文志三："《玄宗事类》一百三十卷，又《初学记》三十卷。张说类集要事以教诸王，徐坚、韦述、余钦、施敬本、张烜、李锐、孙季良等分撰。"四库提要卷一三五："《初学记》三十卷，唐徐坚等奉敕撰。……其书分二十三部，三百一十三子目，大致与诸类书相同。……其例前为叙事，次为事对，末为诗文。其叙事虽杂取群书，而次第若相连属，与他类书独殊。其诗文兼录初唐，于诸臣附前代后，于太宗御制则升冠前代之首，较《玉台新咏》以梁武帝诗杂置诸臣之中者，亦特有体例。其所采撷，皆隋以前古书，而去取谨严，多可应用。在唐人类书中，博不及《艺文类聚》，而精则胜之。若《北堂书抄》及《六帖》则出此书下远矣。"

六月

苏颋在长安，疾笃，上《陈情表》。表云："臣伏奉今月十三日制，銮驾闰九月十日幸长安。陛下东封礼还，西宾系望。……若臣者，奉辞轩屋，萦疾镐京。"《唐大诏令集》卷七九《北路幸长安制》："朕粤自酆镐，省方东洛。……可以今年闰九月十日取北路幸长安。"署"开元十五年六月。"

诏令张说在家修史，李元纮奏议其事非宜，乃诏说与吴兢并就史馆修撰。《旧唐书》张说传："诏说致仕，仍令在家修史。"张说《谢修史表》："伏奉今月十六日敕，令臣在家修史。……自贻官谤，待罪私门，反鲁之感特深，藏周之望已绝。岂意特流天旨，重辑简书。"《旧唐书》李元纮传："先是，左庶子吴兢旧任史官，撰《唐书》一百卷，《唐春秋》三十卷，其书未成，以丁忧罢职。至是，上疏请终其功，有诏特令就集贤院修成其书。及张说致仕，又令在家修史。元纮奏曰：'国史者，记人君善恶，国政损益，一字褒贬，千载称之，前贤所难，事匪容易。今张说在家修史，吴兢又在集贤撰录，遂令国之大典，散在数处。且太宗别置史馆，在于禁中，所以重其职而秘其事也。望勒说等就史馆参详撰录，则典册有凭，旧章不坠矣。'从之，乃诏说及吴兢并就史馆修撰。"《唐会要》卷六三："二十五年六月二十六日，诏左（右）丞相张说在家修史。中书侍郎李元纮奏曰：……""二十五年六月二十六日"当作"十五年六月十六日"。

萧嵩赴朔方军，玄宗赋诗以宠行。《玉海》卷二九："六月，朔方节度、兵［部尚］书萧嵩赴朔方军，命有司于定鼎门外供帐置酒送之，帝赋诗以宠之。"《通鉴》卷二一三：开元十五年十月，"辛巳，以左金吾卫大将军信安王祎为朔方节度等副大使。……以朔方节度使萧嵩为河西节度等副大使。"知本年六月萧嵩当正在朔方节度使、兵部尚书任。

七月

苏颋（670—727）卒，年五十八。《旧唐书》玄宗纪上："秋七月甲戌……礼部尚书苏颋卒。"《旧唐书》苏瓌附苏颋传："十五年卒，年五十八。……赠尚书右丞相，谥曰文宪。"张说有《右丞相苏公挽歌二首》，苏公即谓苏颋。韩休《唐金紫光禄大夫礼部尚书上柱国赠尚书右丞相许国文宪公苏颋文集序》："谨撰辑文诰，成一家之言，凡四十卷。"《新唐书》艺文志四："《苏颋集》三十卷。"《郡斋读书志》卷一七："《苏颋许公集》二十卷。……韩休为序。集本四十六卷，今亡其半矣。"李德裕《文章论》："进世诰命，唯苏廷硕叙事之外，自为文章，才实有余，用之不竭。"韩休《集序》："故情发于中，而申之以歌咏；文生于情，而饰之以辞采。所以立言会友，感物造端，藻畅襟灵，导扬隐伏，润彼金石，流于管弦，以告其成功，而懿我文德者也。呜呼，斯文未丧，命世聿兴。发挥造化之微，鼓动江山之气，辀轹前古，昭彰后叶，畴克有之，则尚书许公应运而挺生矣。……至乃绪发而宫商应，言形而雅颂兴，爽律与云天并高，繁章与霞月俱亮。故能虚明独照，壮思雄飞，自我心极，为之宰匠。尝亦纪秦望，铭华山，肋函谷之关，刊燕然之石。繁弦间发，缛采相辉。歌奏而白雪送孤，赋成而黄金有贵。岂惟排终拉贾，驾王超陈而已。若乃天言焕发，王命急宣，则翰动若飞，思如泉涌。典谟作制于邦国，书奏便蕃于禁省，敏以应用，婉而有章。则近代以来，未之前闻也。"《开元天宝遗事》卷下："张九龄尝览苏颋文卷，谓同僚曰：'苏生之俊赡无敌，真文振之雄帅也。'"《新唐书》苏瓌附苏颋传："自景龙后，与张说以文章显，称望略等，故时号'燕许大手笔'。帝爱其文，曰：'卿所为诏令，别录副本，署臣某撰，朕当留中。'后遂为故事。其后李德裕著论曰'近世诏诰，惟颋叙事外自为文章'云。"《唐诗品》："许公天命英标，凤年妙悟，遭时丰豫，大启菁华，凡宴赏览游，靡不应制。虽君臣道合，侪辈同声，足以成其令节，而祥麟威凤，世所罕睹，盛时气候，亦可想见之尔。或曰：绮丽太盛，音节太缓，许公安得而辞焉？予解之曰：诗有六义，颂声独扬，非浑厚不足以壮其体，非藻丽不足以华其节，视之郁积感恩之言，其尚异矣。识者谓许公有宫调，其殆此乎？"《诗源辩体》卷一四："张说、苏颋，才藻远让沈、宋，五言古平韵者皆杂用律体，仄韵者多忌'鹤膝'。律诗说五言稍胜，而颋七言稍胜，时称'燕许大手笔'意指文章言也。"文："苏颋七言律较云卿虽甚流畅，而整栗雄伟弗如。至如'宫中下见南山尽，城上平临北斗悬'、'山光积翠遥疑逼，水态含青近若空'，亦初唐佳句也。"《载酒园诗话又编·苏颋》："燕、许并称，燕警敏，许质厚。吾评两公，亦犹庞士元之目顾、陆，一有逸足之用，一任负重之能也。《钱阳将军兼源州都督御史中丞》曰：'旗合无邀正，冠危有触邪'，不惟得讽励体，兼两切其职，隐然有陈力就列之义。此真纶绰之才，安得不推为大手笔？"《三唐诗品》

卷一：“其源出于谢朓，故清俊有余，偶遇佳题，亦能苍远。惟应制诸篇，词浮于质，自复成章，但为台阁之体。至如桃花温树，讽谏清言，乃亦破端为俊。”

郑绩（672—727）卒，年五十六。《文博》1989 年第 4 期载 1988 年西安出土贺知章撰《大唐故中散大夫尚书比部郎中郑公墓志铭并序》：“君讳绩，字其凝，荥阳开封人。……充吐蕃分界使，因撰《拓州记》一卷，深明长久，有识称之。……俄征秘书郎，深惬素意。由是讨论七阁，综核九流，或繁失旨要，或缺遗品条，乃著《新文类聚》一百五十卷，依《春秋》作《甲子纪》七十篇。……拜尚书职方员外郎，暨掌地图，撰《古今录》二百卷。凡所著书，皆宪章遂古，贻范后昆。……重以有书一万卷藏于家，有集五十卷传于代。……春秋五十六，以开元十五年龙集丁卯八月辛丑终于私第。”

秋

张九龄在洪州，赋诗咏怀，又与綦毋学士有诗唱和。张九龄《在郡秋怀二首》其一：“五十而无闻，古人深所疵。”九龄仪凤三年生，本年年五十。又有《忝官二十年尽在内职及为郡尝积恋因赋诗焉》。九龄神龙三年登材堪经邦科，授秘书省校书郎，至本年整二十年。又张九龄《在洪州答綦毋学士》、《同綦毋学士月夜闻雁》等诗亦作于洪州秋日，并系于此。按此綦毋学士非綦毋潜，说见《唐才子传校笺》卷一王湾传、卷二綦毋潜传补笺。

孟浩然陪襄州刺史独孤册游赏，赋诗记其事；此后未久，浩然赴京应进士试。孟浩然《同独孤使君东斋作》：“郎官旧华省，天子命分忧。襄士岁颇旱，随车雨再流。……廨宇宜新霁，田家贺有秋。”独孤使君谓独孤册，曾为襄阳太守。《金石录》卷七：“《唐襄州牧独孤册遗爱颂》，李邕撰，萧诚行书。”《集古录跋尾》卷七：“右独孤府君碑……在岘山下。府君讳册，字伯谋，河南人，尝为襄州刺史。此碑襄人所立也。”王士源《孟浩然集序》（《孟浩然集校注》卷首）载孟浩然与独孤册为“忘形之交”，当在独孤册任襄州刺史期间，诗亦此时作。《旧唐书》五行志：“是秋（按指开元十四年秋），天下八十五州言旱及霜。”《新唐书》五行志二：“十四年秋，诸道州十五，旱。十五年，诸道州十七，旱。”独孤册之为襄州刺史当在本年前后。孟浩然又有《陪独孤使君同与萧员外证登万山亭》诗，“同”乃“册”之讹，“证”当为“诚”之讹。诗亦本年前后作。又《旧唐书》文苑下孟浩然传：“年四十来游京师，应进士不第。”明年浩然年四十，应试为明年事，赴京则当在本年秋冬间。

十月

玄宗自洛阳还至长安。《旧唐书》玄宗纪上：“冬十月己卯，至自东都。”

张说上表讽喻攻讨吐蕃之失计。《旧唐书》本传：“初，说为相时，玄宗意欲讨吐蕃，说密奏许其通和，以息边境，玄宗不从。及瓜州失守，王君㚟死，说因获巂州斗

335

羊，上表献之，以申讽谕。其表曰：……玄宗深悟其意，赐绢及杂彩一千匹。"吐蕃陷瓜州在本年九月，王君㚟死在本年闰九月，见《旧唐书》玄宗纪上。又表末有云："臣缘损足，未堪履地，谨遣男诣金明门奉进。"金明门在长安兴庆宫，见《唐两京城坊考》卷一，则此表之进当在玄宗还长安后，故系于此。

十二月

玄宗登骊山石瓮寺，赋诗，群臣和之。《旧唐书》玄宗纪上："十二月乙亥，至温泉宫。"《玉海》卷二九："十二月，幸温泉宫，登骊山石瓮寺，赋诗，俾群臣和。"

本年

贾曾（？—727）卒。见《旧唐书》文苑传中本传。

张怀瓘撰《书断》成。《法书要录》卷九张怀瓘《书断》下："开元甲子岁，广陵卧疾，始焉草创。其触类生变，万物为象，庶乎《周易》之体也；其一字褒贬，微言劝戒，窃乎《春秋》之意也；其不虚美，不隐恶，近乎马迁之书也。冀其众美，以成一家之言，虽知不知为上，然独善之与兼济，取舍其为孰多，童蒙有求，思盈半矣。且二王既没，书或在兹。语曰：'能言之者未必能行，能行之者未必能言。'何必备能而后为评。岁洎丁卯荐笔削焉。"甲子岁，指开元十二年；丁卯，即本年。卷七《书断序》："怀瓘质蔽愚鲁，识非通敏，承先人之遗训，或纪录万一，辄欲芟夷浮议，扬榷古今，拔狐疑之根，解纷拏之结。考穷乖谬，敢无隐于昔贤；探索幽微，庶不欺乎玄匠。爰自黄帝、史籀、苍颉，迄于皇朝黄门侍郎卢藏用，凡三千二百余年，书有十体源流，学有三品优劣。今叙其源流之异，著十赞一论，较其优劣之差，为神、妙、能三品，人为一传，亦有随事附者，通为一评。究其臧否，分成上、中、下三卷，名曰《书断》，其目录如此，庶儒流君子，知小学亦务焉。"四库提要卷一一二："《书断》三卷，唐张怀瓘撰。……所录皆古今书体，及能书人名。上卷列古文、大篆、籀文、小篆、八分、隶书、章草、行书、飞白、草书十体，各述其源流，系之以赞，末为《总论》一篇。中卷、下卷分神、妙、能三品，每品各以体分。凡神品二十五人，除各体重复，得十二人。妙品九十八人，除各体重复，得三十九人。能品一百七人，除各体重复，得三十五人。前列姓名，后为小传，传中附录又三十八人。其记述颇详，评论公允，张彦远《法书要录》全载其文，盖当代以为精鉴矣。"

王翰、苏晋欲撰《书赋》而不就，张怀瓘自作成之，包融等为论《书赋》及《书断》之得失。《法书要录》卷四张怀瓘《文字论》："时有吏部苏侍郎晋，兵部王员外翰，俱朝端英秀，词场雄伯。谓仆曰：'文章虽久游心，翰墨近甚留意。若此妙事，古来少有知者，今拟讨论之。欲造《书赋》，兼与公作《书断》后序。……公试为薄言之。'……别经旬月后见，乃有愧色，云：'书道亦大玄妙，翰与苏侍郎初并轻忽之，以为赋不足言者，今始知其极难下语，不比于《文赋》。书道尤广，虽沉思多日，言不尽意，竟不能成。'……其后仆赋成，往呈之。遇褚思光、万希庄、包融并会，众读赋迄，多有赏激。苏谓三子曰：'晋及王员外俱造《书赋》，历旬不成，今此观之，固非思虑所际也。'万谓仆曰：'文与书，被公及陆机已把断也，世应无敢为赋者。'苏曰：'此事必然也。'包曰：'知音省文章，所贵言得失，其何为竞悦耳而谀面也？己赋虽能，岂得尽善？无今而乏古。论书道，则妍华有余；考赋体，则风雅不足。才可共梁已来并辔，未得将宋已上齐驱。此议何如？'褚曰：'诚如所评，赋非不能，然与张当分之中，乃小小者耳。其《书断》三卷，实为妙绝。犹蓬山沧海，吐纳风云，禽兽鱼龙，于何不有？见者莫不心醉。后学得渔猎其中，实不朽之盛事。'"

王翰出为汝州长史。《旧唐书》文苑中王澣（翰）传："迁驾部员外。……（张）说既罢相，出澣（翰）为汝州长史。"王翰贬出当在本年或稍后。参见上条。

司马承祯居王屋山阳台观。《历代名画记》卷九："司马承祯，字子微，自梁陶隐居至先生四世，传授仙法。开元中自天台征至，天子师之。十五年，至王屋山，敕造阳台观居之，尝画于屋壁。又工篆、隶、词采众艺，皆类于隐居焉。制雅琴镇铭，美石为之，词刻精绝。开元中，彦远高王父河东公获受教于先生。"《旧唐书》隐逸司马承祯传："十五年，又召至都。玄宗令承祯于王屋山自选形胜，置坛室以居焉。……承祯颇善篆隶书，玄宗令以三体写《老子经》，因刊正文句，定著五千三百八十言为真本以奏上之。以承祯王屋所居为阳台观，上自题额，遣使送之。赐绢三百匹，以充药饵之用。俄又令玉真公主及光禄卿韦绦至其所居修金箓斋，复加以锡赉。"

李白娶妻安陆，又隐于寿山，撰文言志。李白《秋于敬亭送从侄耑游庐山序》："余小时，大人令诵《子虚赋》，私心慕之。及长，南游云梦，览七泽之壮观。酒隐安陆，蹉跎十年。"《上安州裴长史书》："见乡人相如大夸云梦之事，云梦有七泽，遂来观焉。而许相公家见招，妻以孙女，便憩迹于此，至移三霜焉。"许相公谓许圉师，高宗显庆、龙朔中为相，见《旧唐书》许绍传。云梦泽在安陆县南五十里，见《元和郡县图志》卷二七。又《上安州裴长史书》作于开元十八年（见后），知李白之婚于许氏、安家安陆当始于本年。李白又有《代寿山答孟少府移文书》："近者逸人李白自峨眉而来，尔其天为容，道为貌，不屈己，不干人，巢、由以来，一人而已。乃虬蟠龟息，遁于此山。"寿山在安陆县西北六十里，见《方舆胜览》卷三一。此书当本年所作。书中又云："达则兼济天下，穷则独善一身。安能餐君紫霞，荫君青松，乘君鸾鹤，驾君虬龙，一朝飞腾，为方丈、蓬莱之人耳，此方未可也。乃相与卷其丹书，匣其瑶瑟，申管、晏之谈，谋帝王之术，奋其智能，愿为辅弼，使寰区大定，海县清一。事君之道成，荣亲之义毕，然后与陶、朱留侯，浮五湖，戏沧州，不足为难矣。"可见李白之人生态度与理想。

储光羲应制举及第，赴冯翊任职，赋诗记之。储光羲《贻丁主薄仙芝别》："下愚忝闻见（予后及第，又应制授官），上德犹遭迍。"《新唐书》艺文志三："储光羲《正论》十五卷。"注有云："开元进士第，又诏中书试文章。"盖储光羲进士及第后不久又应制授官，而此时丁仙芝尚未入仕，故云。储光羲有《赴冯翊作》诗，有"崎岖从下位"、"甘为刀笔吏"等语，颇类初次入仕语气，当是储光羲制科及第授官后，赴冯翊任职途中所作，时约在本年。参见《唐才子传校笺》卷一储光羲传笺。

岑参九岁，始属文。岑参《感旧赋》序："九岁属文。"

灵一（727—762）生。灵一，俗姓吴，广陵人。少出家，从律僧法慎学。多历名寺，白业精进。喜赋咏，与朱放、张继、皇甫冉、严维等为诗友，酬赠甚多。肃宗宝应初卒于杭州龙兴寺。有《灵一集》一卷。据独孤及《唐故扬州庆云寺律师一公塔铭并序》、《宋高僧传》卷一五灵一传、《唐才子传校笺》卷三灵一传笺。

顾况（727？—816？）生。顾况，字逋翁，润州丹阳人，徙居苏州海盐。至德二载进士及第。德宗朝任浙江东西节度使韩滉判官，入为秘书郎，迁著作佐郎，贬饶州司户。去官隐茅山。宪宗元和中卒。有《顾况集》二十卷。据皇甫湜《唐故著作佐郎顾况集序》、《旧唐书》李泌附顾况传、《唐才子传校笺》卷三顾况传笺及补笺。

公元728年 （唐玄宗开元十六年 戊辰）

正月

张九龄在洪州刺史任，巡县赋诗。张九龄有《岁初巡属县登高安南楼言怀》诗。又《巡属县道中作》："知命且何欲，所图唯退耕。"本年张九龄年五十一，故云知命。两诗并当本年作。

二月

张说复兼集贤殿学士。《通鉴》卷二一三："二月，壬申，以尚书右丞相致仕张说兼集贤殿学士。说虽罢政事，专文史之任，朝廷每有大事，上常遣中使访之。"

春

贺兰进明等二十人登虞咸榜进士第，考功员外郎严挺之知贡举。见《登科记考》卷七。

李白游江夏，又至洞庭，移葬友人吴指南尸骨。李白《早春于江夏送蔡十还家云梦序》："海草三绿，不归国门。又更逢春，再结乡思。"作于离蜀已历四春时，当在本年。又李白《上安州裴长史书》："（吴）指南死于洞庭之上……遂权殡于湖侧，便之金陵。数年来观，筋肉尚在。白雪泣持刃，躬申洗削。裹骨徒步，负之而趋。寝兴携持，无辍身手，遂丐贷营葬于鄂城之东。"鄂即鄂州，亦即江夏郡，见《旧唐书》地理志三。李白改葬吴指南事当在本年游江夏时。李白又有《江夏行》诗，亦系于此。

五月

玄宗作《喜雨赋》，张说等应制奉和。玄宗有《喜雨赋》，张说、韩休、徐安贞、贾登、李宙并有应制之作，诸赋俱载《文苑英华》卷一四。韩休赋有"惟十有六祀"之句，李宙赋有"既五月兮生一阴"之句，故知作于本年五月。

徐浩在集贤校理任，以应制《喜雨赋》等为张说所称。《旧唐书》徐浩传："浩少举明经，工草隶，以文学为张说所器重，调授鲁山主簿。说荐为丽正殿校理，三迁右拾遗，仍为校理。"张式《大唐故银青光禄大夫彭王傅上柱国会稽郡开国公赠太子少师东海徐公神道碑铭》："始擢汝州鲁山主簿，□□□卑，时论称之。无何诏征，俾□□

贤院。大学士燕国公说，文之沧溟，间代宗师，尝览公应制《喜雨赋》及《五色鸽赋》兼和制等诗，曰：'后进之英，今知所在。'赏叹不足，□为上闻，赐帛出于中禁，依声播于乐府。"

七月

孙逖在太原李暠幕，作《伯乐川记》。《旧唐书》文苑中孙逖传："黄门侍郎李暠出镇太原，辟为从事。暠在镇，与蒲州刺史李尚隐游于伯乐川，逖为之记，文士盛称之。"孙逖《伯乐川记》："太原元帅黄门侍郎李公……戊辰秋七月，公以疆场之事，会幽州长史李公于伯乐川。"

八月

张说进僧一行所制《大衍历》，并为之序。《旧唐书》玄宗纪上："八月己巳，特进张说进《开元大衍历》，诏命有司颁行之。"张说《大衍历序》："十有三祀，诏沙门一行，上本轩、顼、夏、殷、周、鲁五王一侯之遗式，下集太初至于麟德二十三家之众议，比其异同，课其疏密。……杼轴万象，优游四载，奏章朝竟，一公夕落。臣说奉诏金门，成书册府……因而辑合编次，勒成一部，名曰《开元大衍历》。谨以十六年八月端午……献万寿之新历。伏望藏之书殿，录于纪言，掌之太史，颁于司历。"

秋

孟浩然应进士不第，滞留长安，游秘书省作诗，为众所赏，又作赠友、感怀等诗多首。《旧唐书》文苑下本传："年四十来游京师，应进士不第，还襄阳。"《直斋书录解题》卷一九："《孟襄阳集》三卷，唐进士孟浩然撰。"知浩然确曾应进士试，时当在本年。王士源《孟浩然集序》："闲游秘省，秋月新霁，诸英华赋诗作会。浩然句曰：'微云淡河汉，疏雨滴梧桐。'举座嗟其清绝，咸搁笔不复为继。"亦当本年事。孟浩然又有《秦中苦雨思归赠袁左丞贺侍郎》、《题长安主人壁》、《秦中感秋寄远上人》等诗，均本年秋在长安所作，参见刘文刚《孟浩然年谱》。又孟浩然《闻裴侍御胐自襄州司户除豫州司户因以投寄》、《送袁太祝尉豫章》等诗亦当作于本次游长安时，附记于此。袁太祝当谓尉赣县之袁瓘，见开元二十年正月孟浩然条，详参王辉斌《孟浩然研究》第二章第三节"孟袁交往"。

张九龄在洪州刺史任，赋诗思归。张九龄有《秋晚登楼望南江入始兴郡路》诗，寓怀乡思归之意，作于任洪州刺史时，姑系本年。又有《秋夕望月》、《望月怀远诗》，疑亦本年前后所作，并系于此。

冬

王湾有诗哭綦毋学士。王湾《哭补阙亡友綦毋学士》："远日寒旌暗，长风古挽哀。"当冬日所作。綦毋学士名未详，与上年秋张九龄赋诗答赠之綦毋学士（见前）当为一人。王湾诗约作于本年。参见《唐才子传校笺》卷一王湾传、卷二綦毋潜传补笺。

本年

张说咏"动静方圆"以试李泌。《新唐书》李泌传："七岁知为文。玄宗开元十六年，悉召能言佛、道、孔子者，相答难禁中。……因问：'童子岂有类若者？'俶跪奏：'臣舅子李泌。'帝即驰召之。泌既至，帝方与燕国公张说观弈，因使说试其能。说请赋'方圆动静'，泌逡巡曰：'愿闻其略。'说因曰：'方若棋局，圆若棋子，动若棋生，静若棋死。'泌即答曰：'方若行义，圆若用智，动若骋才，静若得意。'说因贺帝得奇童。帝大悦曰：'是子精神，要大于身。'赐束帛，敕其家曰：'善视养之。'"按李泌本年七岁。

公元 729 年 （唐玄宗开元十七年 己巳）

三月

庚子，张说复拜尚书右丞相。《旧唐书》玄宗纪上："十七年二月……庚子，特进张说复为尚书左丞相。"按本年二月壬戌朔，无庚子日，三月辛卯朔，庚子为十日，知《旧纪》"二月"为"三月"之误。又"左丞相"当为"右丞相"，本年八月张说始迁左丞相，见下。

张说为徐坚论当世诸学士之文。《大唐新语》卷八："张说、徐坚同为集贤学士十余年，好尚颇同，情契相得。时诸学士凋落者众，惟说、坚二人存焉。说手疏诸人名，与坚同观之。坚谓说曰：'诸公昔年皆擅一时之美，敢问孰为先后？'说曰：'李峤、崔融、薛稷、宋之问，皆如良金美玉，无施不可。富嘉谟之文，如孤峰绝岸，壁立万仞，丛云郁兴，震雷俱发，诚可畏乎；若施于廊庙，则为骇矣。阎朝隐之文，则如丽色靓装，衣之绮绣，燕歌赵舞，观者忘忧；然类之风雅，则为罪矣。'坚又曰：'今之后进，文词孰贤？说曰：'韩休之文，有如太羹玄酒，虽雅有典则，而薄于滋味；许景先之文，有如丰肌腻体，虽秾华可爱，而乏风骨；张九龄之文，有如轻缣素练，虽济时适用，而窘于边幅；王翰之文，有如琼林玉斝，虽烂然可珍，而多有玷缺。若能箴其所阙，济其所长，亦一时之秀也。'"《职官分纪》卷一五："十六年，张燕公拜右丞相，依旧学士知院事。燕公与徐常侍圣（坚）历年同为珠英学士，每相推重。至是，旧学士死亡并尽，唯二人在。……"张说复为右丞相在本年二月，《职官分纪》云十六年，不确，故系于此。

樊系等二十六人登王正卿榜进士第。见《登科记考》卷七。

五月

徐坚（659—729）卒，年七十一。《旧唐书》玄宗纪上："五月癸巳……右散骑常侍徐坚卒。"同书徐坚传："坚多识典故，前后修撰格式、氏族及国史等，凡七入书府，时论美之。十七年卒，年七十余。……坚长姑为太宗充容，次姑为高宗婕妤，并有文藻。坚父子以词学著闻，议者方之汉世班氏。"张九龄《大唐故光禄大夫右散骑常侍集贤院学士赠太子少保东海徐文公神道碑并序》："十四而孤。……享年若干，以开元十七年龙集己巳五月丁酉，薨于长安颁政里之私第。"按徐坚父徐齐聃卒于咸亨三年，见该年条；时徐坚年十四，则其生当显庆四年，本年年七十一。碑又云："尝注《礼记》，修《晋书》、《续文选》、《大隐传》，及有文集三十卷，皆资于故实，博于遗训，古今通变，河汉共高，或藏名山，或升天府，亹亹然各得其所。"《续文选》当即《新唐书》艺文志四所谓"徐坚《文府》二十卷"，参见开元十九年二月条。《新志》亦著录"《徐坚集》三十卷"。张说有《右侍郎（一作常侍）集贤院学士徐公挽词二首》，为挽徐坚而作。

八月

癸亥，玄宗生日，张说等上表请以是日为千秋节，玄宗手诏允之。《册府元龟》卷二："开元十七年八月癸亥，以降诞之日，大置酒张乐，宴百寮于花萼楼下。终宴，尚书左丞相源乾曜、右丞相张说率文武百官等上表曰：'……请以八月五日为千秋节，著之甲令，布于天下，咸令宴乐，休假三日。……'帝手诏报曰：'……八月五日，当朕生辰……卿等请为令节，上献嘉名。胜地良游，清秋高兴，百谷方熟，万宝以成，自我作古，举无越礼，朝野同欢，是为美事。依卿来请，宜付所司。'"本月己未朔，癸亥为五日。玄宗有《千秋节宴》诗，张说有《奉和圣制千秋节宴应制》诗，当本年所作。

乙酉，张说复为左丞相，宋璟为右丞相，源乾曜为太子少傅。《玉海》卷一六一："开元十七年八月乙酉，尚书右丞相张说为尚书左丞相，开府仪同三司兼吏部尚书宋璟为尚书右丞相，尚书左丞相源乾曜为太子少傅。"乙酉为二十七日。

九月

一日，玄宗以张说、宋璟、源乾曜三人同日拜官，赐宴赋诗，张说等应制奉和。《旧唐书》宋璟传："十七年，迁尚书右丞相，与张说、源乾曜同日拜官。敕太官设馔，太常奏乐，于尚书都省大会百僚。玄宗赋诗褒述，自写与之。"玄宗《左丞相说右丞相璟太子少傅乾曜同日上官命宴东堂赐诗》："赤帝收三杰，黄轩命二臣。"苏晋《丞相少傅拜职天子作三杰之诗以命宴序》："咨日于朔，择时于秋，俾对命王庭，受职公府。"《旧唐书》张说传："十七年，复拜尚书左（右）丞相、集贤院学士，寻代源乾曜为尚书左丞相。视事之日，上敕所司供帐，设音乐，内出酒食，御制诗一篇以叙其事。"盖上月二十七日三人同日迁官，本月朔日始视事，玄宗赐宴赋诗贺之。张说、宋璟、源乾曜、萧嵩、裴光庭、宇文融并有奉和应制诗。张说又有《奉萧令嵩酒并诗》、《奉宇文黄门融酒》、《奉裴中书光庭酒》三诗，《奉萧令》题注云："已下三首，俱赐宴东堂作。"知亦作于此时。

秋

张九龄在洪州刺史任，游东湖，有诗作。张九龄有《临泛东湖时任洪州》诗，作于秋季，姑系本年。又有《东湖临泛饯王司马》、《候使石头驿楼》、《登郡城南楼》、《洪州西山祈雨是日辄应因赋诗言事》等诗，均作于任洪州刺史时。明年九龄迁桂州，诸诗并系于此。

王湾夜直，有诗怀赠萧嵩、裴光庭；此后未久，王湾卒。王湾有《秋夜寓直即事怀赠萧令公裴侍郎兼通简南省诸友人》诗。萧令公谓萧嵩，裴侍郎谓裴光庭。《新唐书》宰相表中：开元十七年，"六月甲戌……（萧）嵩为兼中书令，兵部侍郎裴光庭为中书侍郎。"诗当作于本年秋。此后王湾之行迹不可考知，或未久即下世，参见《唐才子传校笺》卷一王湾传笺。按王湾未有诗文集见录于《旧唐书》经籍志、《新唐书》艺文志及宋人书目，天宝间编成之《国秀集》载其诗一首，《河岳英灵集》载诗八首。《英灵集》卷下评云："湾词翰早著，为天下所称最者，不过一二。游吴中，作《江南意》诗云：'海日生残夜，江春入旧年。'诗人已来，少有此句。张燕公手题政事堂，每示能文，令为楷式。又《捣衣篇》：'月华照杵空随妾，风响传砧不到君。'所有众制，咸类若斯。非张、蔡之未曾见也，觉颜、谢之弥远乎！"

孟浩然离洛赴吴越，赋诗抒怀。孟浩然《自洛至越》："遑遑三十载，书剑两无成。山水寻吴越，风尘厌洛京。"当作于本年秋。参见刘文刚《孟浩然年谱》开元十七年秋及二十三年九月条。孟浩然又有《适越留别谯县张主簿申屠少府》、《杨子津望京口》、《问舟子》、《宿杨子津寄润州长山刘隐士》等诗，均当作于本年赴越途中。

十一月

张说作《唐享太庙乐章》。《旧唐书》音乐志四："玄宗开元七年（按当作十七年）享太庙乐章十六首。"注："特进、行尚书左丞相燕国公张说作。"《新唐书》玄宗纪："十七年……十一月庚寅，享于太庙。"张说有《唐享太庙乐章》十九题二十四首，作于此时。

冬

孟浩然至杭州，逆浙江西上游览，有诗作。孟浩然《浙江西上留别富阳裴刘二少府》："谁怜问津者，岁晏此中迷。"此诗《全唐诗》卷一六〇题作《游江西留别富阳裴刘二少府》。富阳属杭州余杭郡，见《新唐书》地理志五。诗当作于本年冬。孟浩然又有《经七里滩》、《宿桐庐江寄广陵旧游》、《宿建德江》诗，均为逆江游览途中所作，当作于今冬或明春，并系于此。

本年

玄宗、张说赋诗送崔日知赴潞州长史任。玄宗《赐崔日知往潞州》："潞国开新府，壶关宠旧林。"张说有《奉和圣制赐崔日知往潞州应制》、《送崔二长史日知赴潞州》

诗。《旧唐书》崔日用附崔日知传:"开元十六年,出为潞州大都督府长史。"《旧唐书》地理志二:"开元十七年,以玄宗历职此州,置大都督府。"考张说后诗有"南省怅悲翁"之句,南省谓尚书省,张说本年三月复为尚书右丞相,八月迁左丞相,知诸诗必作于本年。

白履忠（？—729？）卒。《旧唐书》隐逸本传:十七年,国子祭酒杨玚又表荐履忠堪为学官,乃征赴京师。……履忠寻表请还乡……乃停留数月而归。……寻寿终。著《三玄精辩论》一卷,注《老子》及《黄庭内景经》,有文集十卷。"履忠卒当在本年或稍后,姑系于此。

吴兢上《贞观政要》。吴兢《贞观政要序》:"有唐良相曰侍中安阳公、中书令河东公,以时逢圣明,位居宰辅,寅亮帝道,弼谐王政,恐一物之乖所,虑四维之不张,每克己励精,缅怀故实,未尝有乏。太宗时,政化良足可观,振古而来,未之有也。至于垂代立教之美,典谟谏奏之词,可以弘阐大猷,增崇至道者,爰命不才,备加甄录,体制大略,咸发成规。于是缀集所闻,参详旧史,撮其指要,举其宏纲,词兼质文,义在惩劝,人伦之纪备矣,军国之政存焉。凡一帙十卷,合四十篇,名曰《贞观政要》,庶乎有国有家,克遵前轨,择善而从,则可久之业益彰矣,可大之功尤著矣,岂必祖述尧、舜,宪章文、武而已哉!"按吴兢上《贞观政要》当在本年,说见谢保成《贞观政要集校》。《新唐书》艺文志二:"吴兢《太宗勋史》一卷,又《贞观政要》十卷。"

王维始从大荐福寺道光禅师学顿教。王维《大荐福寺大德道光禅师塔铭并序》:"禅师讳道光,本姓李,绵州巴西人。……遇五台宝荐禅师曰:'吾周行天下,未有如尔可教。'遂密授顿教,得解脱……以大唐开元二十七年五月二十三日,入般涅槃于荐福僧坊,门人明空等,建塔于长安城南毕原。……维十年座下,俯伏受教。"知王维受教道光始于本年。

李白投书安州李长史,并献所赋诗若干首。李白《上安州李长史书》:"伏惟君侯,明夺秋月,和均韶风,扫尘词场,振发文雅。陆机作太康之杰士,未可比肩;曹植为建安之雄才,惟堪捧驾。天下豪俊,翕然趋风,白之不敏,窃慕余论。……敢以近所为《春游救苦寺》诗一首十韵、《石岩寺》诗一首八韵、《上杨都尉》诗一首三十韵,辞旨狂野,贵露下情,轻干视听,幸乞详览。"李长史谓李京之。李白《上安州裴长史书》:"前此郡督马公,朝野豪彦,一见尽礼,许为奇才。因谓长史李京之曰:……"即其人。李京之为安州长史在裴姓长史之前,《上安州裴长史书》作于明年,则上李长史书当作于本年或稍前,姑系于此。

卜长福上《续文选》三十卷。《新唐书》艺文志四:"卜长福《续文选》三十卷,开元十七年上之,授富阳尉。"又:"卜隐之《拟文选》三十卷。开元处士。"按卜隐之上《拟文选》之具体时间未详,姑附记于此。

李镇上《史记注》一百三十卷,与韩佑等俱以上书授官。《新唐书》艺文志二:"李镇注《史记》一百三十卷,开元十七年上,授门下典仪。"又:"韩佑《续古今人表》十卷,开元十七年上,授太常寺太祝。"艺文志三:"辛之鄂《叙训》二卷,"开元十七年上,授长社尉。"艺文志四:"裴杰《史汉异义》三卷。河南人,开元十七年上，授临濮尉。"《登科记考》卷七：开元十七年，"上书拜官五人：李镇、韩佑、辛之谔、卜长福、裴杰。"《封氏闻见记》卷三："开元中，有唐频上《启典》一百三十卷……卜长福上《续文选》三十卷……如此者并量事授官，或沾赏赉，亦一时之美。"

常衮（729—783）生。常衮，京兆人。天宝十四载进士及第，授太子正字。永泰元年任中书舍人，加集贤院学士。大历九年迁礼部侍郎，三知贡举。十二年拜门下侍郎、同平章事。建中四年卒。有《常衮集》十卷（《旧唐书》本传作六十卷，此从《新唐书》艺文志）。据《旧唐书》本传。

公元730年 （唐玄宗开元十八年 庚午）

三月

三日，百官宴于定昆池，赋诗唱和。《旧唐书》玄宗纪上："是春，命侍臣及百僚每旬暇日寻胜地燕乐，仍赐钱，令所司供帐造食。"《新唐书》文艺中孙逖传："以起居舍人入为集贤院修撰。时海内少事，帝赐群臣十日一燕。宰相萧嵩会百官赋《天成》、《玄泽》、《维南有山》、《杨之华》、《三月》、《英英有兰》、《和风》、《嘉木》等诗八篇，继《雅》、《颂》体，使逖序所以然。"孙逖《宰相及百官定昆明（按明字衍）池旬宴序》："皇帝御天下之十有九载……乃赐群臣十日宴，所以毕春气，乐太平也。越三日（按当依《文苑英华》作月）巳巳（按当为上巳之误），会于定昆池。……我上相裴公、中书令萧公……以为正国风、美王化者，莫近于诗。微言浸远，大义将缺，乃命革刬浮靡，导扬雅颂，斲雕为朴，取实弃华，亲题首章，以倡在位。"张说《三月三日诏宴定昆池宫庄赋得筵字》、《三月三日定昆池奉和萧令得潭字韵》为此时所作。萧令即谓萧嵩，上年六月以兵部尚书兼中书令，见《旧唐书》玄宗纪上。

陶翰等二十六人进士及第，考功员外郎刘日政知贡举，试《冰壶赋》，以"清如玉壶冰，何惭宿昔意"为韵。见《登科记考》卷七、陈尚君《〈登科记考〉正补》。陶翰（？—754？），润州丹阳人。进士擢第，复登博学宏词科，授华阴丞。擢大理评事。天宝中历太常博士、礼部员外郎，卒。有《陶翰集》。据顾况《礼部员外郎陶氏集序》、《唐才子传校笺》卷二陶翰传笺及补笺。

春

张九龄在洪州刺史任，赋诗言怀。张九龄《戏题春意》："一作江南守，江林三四春。"九龄开元十五年任洪州刺史，至本年首尾四年，已历三春。

李白在安陆，上书裴长史为己辨诬，随即西入长安。李白有《安陆白兆山桃花岩寄刘侍御绾》诗，题一作《春归桃花岩贻许侍御》，云："云卧三十年，好闲复爱仙。"李白本年年三十，诗当作于本年春。又《上安州裴长史书》："白本家金陵，世为右姓。遭沮渠蒙逊难，奔流咸秦。因官寓家，少长江汉……迄于今三十春矣。"亦本年所作。书中又云："白窃慕高义，已经十年。云山间之，造谒无路。今也运会，得趋末尘，承颜接辞，八九度矣。常欲一雪心迹，崎岖未便。何图谤言忽生，众口攒毁，将恐投杼下客，震于严威。……愿君侯惠以大遇，洞开心颜，终乎前恩，再辱英盼。……若赫然作威，加以大怒，不许门下，逐之长途，白即膝行于前，再拜而去，西入秦海，一观国风，永辞君侯，黄鹄举矣。何王公大人之门，不可以弹长剑乎？"又《与韩荆州书》云："白陇西布衣……三十成文章，历抵卿相。"知李白当是本年上书裴长史后，未蒙谅解，遂有西入长安干谒卿相之举。据李白后来所作《豳歌行上新平长史兄粲》"忆昨去家此为客，荷花初红柳条碧"及《酬坊州王司马与阎正字对雪见赠》"游子东南来，自宛适京洛"等句，知其当于本年夏自安陆启程，取道南阳（宛）而至长安。参见郁贤皓《李白丛考·李白两入长安及有关交游考辨》。

四月

十三日，玄宗宴群臣于宁王园池，君臣赋诗唱和。《旧唐书》玄宗纪上："丁卯，侍臣已下燕于春明门外宁王宪之园池，上御花萼楼邀其回骑，便令坐饮，递起为舞，颁赐有差。"玄宗《首夏花萼楼观群臣宴宁王山亭回楼下又申之以赏乐赋诗》序："近命群官，欣时乐宴，尽九春之丽景，匪三旬之暇日。……今年带闰，节候全晚，暑气犹清，芳草未歇。申布雅意，复叙初筵。"本年闰六月，与"今年带闰"语合，又序题云"首夏"，知为此次宴饮而作。张说《四月十三日诏宴宁王亭子赋得好字》诗亦作于此时。本月乙卯朔，十三日正为丁卯。

孟浩然在杭州，将往游天台，有诗留别；至天台，亦有诗作。孟浩然《将适天台留别临安李主簿》："念离当夏首，漂泊指炎裔。"作于本年四月。又《舟中晓望》："问我今何适，天台访石桥"，作于前往天台途中。又有《寻天台山作》、《宿天台桐柏观》诗，为至天台山游览时所作。

闰六月

贺知章赋诗送陆象先赴荆州长史任，张说和之。张说有《同贺八送兖公赴荆州》诗。贺八谓贺知章，见《唐人行第录》；兖公谓陆象先，先天二年封兖国公，见《旧唐书》陆元方附陆象先传。《通鉴》卷二一三开元十八年六月条，胡三省注引《考异》曰："是岁闰六月以太子少保陆象先兼荆州长史。"

七月

张九龄由洪州刺史改任桂州刺史，行前与孙翌有诗唱和，翌时任监察御史。《唐丞相曲江张先生文集》附录《转授桂州刺史兼岭南按察使制》："中大夫、守洪州刺史使持节都督桂州诸军事守桂州洪州诸军事、上柱国、曲江县开国男张九龄，雅有才干，兼达政理……可使持节都督桂州诸军事守桂州刺史，散官勋封如故，仍充当管经略使，兼岭南道按察使，摄御史中丞，借紫金鱼袋，驰驿赴任，主者施行。开元十八年七月三日"。张九龄《自豫章南还江上作》，当为由洪州赴桂州刺史任时所作。九龄又有《郡江南上别孙侍郎（御）》诗，云："身负邦君弩，情纡御史骢。王程不我驻，离思逐秋风。"孙翊（翌）有《奉酬张洪州九龄江上见赠》诗，为同时唱和之作。两诗亦当作于张九龄欲赴桂州时。孙翌尝为监察御史，见《御史台精舍题名考》卷二。

八月

五日，赐群臣物品，又与张说等赋诗唱和。《旧唐书》玄宗纪上："八月丁亥，上御花萼楼，以千秋节百官献贺，赐四品已上金镜、珠囊、缣彩，赐五品已下束帛有差。上制八韵诗，又赋《秋景诗》。"玄宗《千秋节赐群臣镜》诗作于此时，张说《奉和圣制赐王公千秋镜应制》、《舞马千秋万岁乐府词三首》当亦同时之作。

储光羲在安宜尉任，赋诗咏大酺。储光羲有《大酺得长字韵时任安宜尉》诗，云："中朝发玄泽，下国被天光。明诏始端午，初筵当履霜。"端午谓八月五日，诗写千秋节酺宴之事，当本年所作，详见陈铁民《储光羲生平事迹考辨》。

秋

李白客终南山玉真公主别馆，赋诗赠张说子张垍。李白有诗《玉真公主别馆苦雨赠卫尉张卿二首》，作于秋季。玉真公主为睿宗之女，玄宗之妹，太极元年出家为道士，见《新唐书》诸帝公主传。卫尉张卿谓张垍，为张说次子。张九龄《故开府仪同三司行尚书左丞相燕国公赠太师张公（说）墓志铭并序》："次曰垍，驸马都尉、卫尉卿。"即其人。张说本年十二月卒（见下），知垍本年在卫尉卿任，诗当作于本年或稍后，姑系于此。又玉真公主别馆在终南山，李白入长安后即寓居此山。详见郁贤皓《李白丛考·李白与张垍交游新证》。李白又有《玉真仙人词》、《秋山寄卫尉张卿及王征君》、《答长安崔少府叔封游终南翠微寺太宗金沙泉见寄》、《下终南山过斛斯山人宿置酒》等诗，均当作于初入长安居终南山时，并系于此。按《下终南山……》诗系李白名作。《唐诗评选》卷二："清旷中无英气，不可效陶。以此作视孟浩然，真山人诗尔。"《唐诗别裁集》卷二："太白山水诗亦带仙气。"《御选唐宋诗醇》卷七："此篇及《春日独酌》、《春日醉起言志》等作，逼真泉（按即渊）明遗韵。"

十月

吐蕃遣使请《毛诗》、《文选》等书。《旧唐书》吐蕃传上："十八年十月，名悉腊等至京师……时吐蕃使奏云：'（金城）公主请《毛诗》、《礼记》、《左传》、《文选》各一部。'制令秘书省写与之。"

十一月

席豫在户部侍郎任，撰李述墓志铭。《唐代墓志汇编续集》开元〇九九《大唐故中散大夫守少府监上柱国赵郡李府君墓志铭并序》："君讳述，字处直，赵郡元氏人。……以开元十年二月十日遘疾，终于东都陶化里之私第，春秋五十有八。以开元十八年十一月十日迁厝于河南洛阳邙山，礼也。惟君行洁识精，词高气逸。……君又著《忠经》一卷，《经邦书》一部，并文集十卷，见行于代。其《经邦书》数章未就，落简犹存。悲夫!"

十二月

孟浩然至剡县，有诗作。孟浩然有《腊八日于剡县石城寺礼拜》诗，当作于本年。

张说（667—731）卒，年六十四。《旧唐书》本传："十八年，遇疾，玄宗每日令中使问疾，并手写药方赐之。十二月薨，时年六十四。……有文集三十卷。……玄宗为说自制神道碑文，御笔赐谥曰文贞。"同书玄宗纪上："戊申，尚书左丞相、燕国公张说薨。"张九龄《故开府仪同三司行尚书左丞相燕国公赠太师张公墓志铭并序》："大唐有天下一百一十三年，开元十有八载，龙集庚午，冬十二月戊申，开府仪同三司、行尚书左丞相、燕国公薨于位，享年六十四。"本年十二月辛巳朔，戊申为二十八日，以公历计已在明年。张九龄又有《祭张燕公文》，孙逖有《故右丞相赠太师燕文贞公挽词二首》，皆为张说之卒而作。《新唐书》艺文志四："《张说集》二十卷。"《直斋书录解题》卷一六："《张燕公集》三十卷。"四库提要卷一四九："《张燕公集》二十五卷，唐张说撰。……《唐书·艺文志》载其集三十卷，今所传本止二十五卷。然自宋以后，诸家著录并同，则其五卷之佚久矣。"张九龄《墓志铭》："公志玄远，而性高亮……其于经理世务，杂以军国，决事如流，应物如响，纷纶辐辏，其犹指掌。及夫先圣微旨，稽古未传，缺文必补，坠礼咸甄，与经籍为笙簧，于朝廷为粉泽，固不可详而载也。始公之从事，实以懿文，而风雅陵夷，已数百年矣。时多吏议，摈落文人，庸引雕虫，沮我胜气。邱明有耻，子云不为，乃未知宗匠所作，王霸尽在。及公大用，激昂后来，天将以公为木铎矣!"皇甫湜《谕业》："燕公之文，如梗木柟枝，缔构大厦，上栋下宇，孕育气象，可以燮阴阳而阅寒暑，坐天子而朝群后。"《旧唐书》本传："前后三秉大政，掌文学之任凡三十年。为文俊丽，用思精密，朝廷大手笔，皆特承中旨撰述，天下词人，咸讽诵之。尤长于碑文、墓志，当代无能及者。喜延纳后进，善用己长，引文儒之士，佐佑王化，当承平岁久，志在粉饰盛时。"《新唐书》本传："朝廷大述作多出其手，帝好文辞，有所为必使视草。善用人之长，多引天下知名士，以佐佑王化，粉泽典章，成一王法。天子尊尚经术，开馆置学士，修太宗之政，皆说倡之。为文属思精壮，长于碑志，世所不逮。既谪岳州，而诗益凄婉，人谓得江山之助云。"《唐诗品》："燕公精藻逼人，敷华当世，文堪作栋，调亦含宫，于绮丽鲜错之中，有神惊独运之美。故时体稍变，适其旨趣。自岳州而后，声郁益隆，华要并存，清辉四运，时称燕、许手笔，何惭何惑! 惟古风凋委，差谢前流，综理遗篇，仅有《杂兴》一首，可窥曹、谢，珪璋未合，良有余恨。"《诗薮》内编卷四："二张（按指说与九龄）五言律，大概相似，于沈、宋、陈、杜景物藻绘中，稍加以情致，剂以清空。学者间参，则无冗杂之嫌，有隽永之味。然气象便觉少隘，骨体便觉稍卑。品望之雌，职此故耶?"又："燕国如《岳州燕别》、《深度驿》、《还端州》、始兴如《初秋忆弟》、《旅宿淮阳》、《豫章南还》等作，皆冲远有味，而格调严整，未离沈、宋诸公，至浩然乃纵横自得。"《唐音癸签》卷五："张燕公诗率意多拙，但生态不痴。律体变沈、宋典整前则，开高、岑清矫后规。"《诗源辩体》卷一四："张说五言律，才藻虽不及沈、宋，而声气犹有可取。至如'西楚茱萸节'一篇，则宛似少陵。排律尚多有失黏者。七言律气格苍莽，不足为法。"《古文雅正》卷七："昌黎公未出以前，推燕公为巨手。未能去排偶之习，然典重矜贵，有两汉之风味，而无六朝之绮靡，擅名一代，不虚也。经生家学作古文，多虚率寒俭，尤当学此一种。"《载酒园诗话又编》："燕公中年淹縻江潭，曲江晚亦沦荆楚，其诗皆多哀伤憔悴。然燕公惟切归阙之思，曲江已安止足之分，恬竞自别。言发于衷，作者亦不自知也。"又："燕公热中躁进人也，然亦有见道之言，如'息心观有欲，弃智反无名'，是大解人语。"又："燕公大雅之才，虽轩昂不受羁绁，终带声希味澹之致。惟'秋风不相待，先到洛阳城'，未免与利齿儿竞慧，特其气浑，固不类中晚。"《三唐诗品》卷一："其源出于谢玄晖，而词取排丽，深容苍态，自谢古人。惟古音寥然，有六朝遗则。名并燕、许，不独出廷硕一头。迁谪后词益以凄婉，人谓得江山之助，良不虚言。"

本年

裴耀卿上疏论宜以雅声古乐教化州县百姓。《唐会要》卷二六："至十八年，宣州刺史上疏曰：'州牧县宰，所主者宣扬礼乐，典校经籍；所教者返古还淳，上奉君亲，下安乡族。圣朝制礼作乐，虽行之日久，而外州远郡，俗习未知，徒闻礼乐之名，而不知礼乐之实。窃见以乡饮酒礼颁于天下，比来唯贡举之日，略用其仪，闾里之间，未通其事。臣在州之日，率当州所管县，一一与父老百姓劝遵行礼。奏乐歌至《白华》、《华黍》、《南陔》、《由庚》等章，言孝子养亲及群物遂性之义，或有泣者，则人心有感，不可尽诬。但州县久绝雅声，不识古乐。伏计太常具有乐器，大乐久备和声，望天下三五十大州，简有性识人，于太常调习雅声，仍付笙竽琴瑟之类，各三两事，令比州转次造习。每年各备礼仪，准令式行礼，稍加劝奖，以示风俗。'"

张鷟（658？—730？）**卒，年七十三。**《旧唐书》张荐传："祖鷟字文成，开元中，入为司门员外郎卒。"《桂林风土记》："（鷟）遂减死流岭南。数年，起为龚州长史。卒，年七十三。……著《雕龙策》、《帝王龟镜》、《朝野佥载》，二百卷。"《太平广记》卷二五〇引《御史台记》："唐司门员外郎张文成，好为俳谐诗赋，行于代。"《新唐书》张荐传："鷟属文下笔辄成，浮艳少理致，其论著率诋诮芜猥，然大行一时，晚进莫不传记。"同书艺文志二："张鷟《朝野佥载》二十卷。自号浮休子。"艺文志四："《才命论》一卷，张鷟撰，郗昂注。一作张说撰，潘询注。"又："张文成《龙筋凤髓》十卷。"《郡斋读书志》卷一三："《朝野佥载补遗》三卷，右唐张鷟文成撰，分三十五门，载唐朝杂事。"卷一七："张鷟《龙筋凤髓判》十卷，右唐张鷟字文成撰。辞章藻丽，尝八中制科。此乃其书判也，凡一百首。"《直斋书录解题》卷一一："《朝野佥载》一卷，唐司门郎中饶阳张鷟文成撰。其书本三十卷，此特其节略尔。"郎中当为员外郎之误。卷一六："《龙筋凤髓判》十卷，唐司门员外郎陆泽张鷟文成撰。……唐以书判拔萃科选士，此集凡百题，自省、台、寺、监百司，下及州县，类事属辞，盖待选预备之具也。"四库提要卷一三五："《龙筋凤髓判》四卷，唐张鷟撰。鷟字文成，自号浮休子，深州陆梁人。……员半千称其文词犹青钱，万选万中，时号'青钱学士'。日本、新罗使至，必出金帛购其文。然所著作不概见。存于今者，惟《朝野金载》及此书。《金载》已窜乱失真，惟此书尚为原帙。其文胪比官曹，条分件系，组织颇工。盖唐制以身、言、书、判，诠试选人。今见于《文苑英华》者颇多，大抵不著名氏。惟白居易编入文集，与骘此编之自为一书者，最传于世。居易判主流利，此则缛丽，各一时之文体耳。洪迈《容斋随笔》尝讥其堆垛故事，不切于蔽罪议法。然骘作是编，取备程试之用，则本为隶事而作，不为定律而作，自以征引赅洽为主。言各有当，固不得指为骘病也。"

薛据以科场失意而赋诗抒怀。薛据《怀哉行》："怀策望君门，岁晏空迟回。……夫君何不遇，为泣黄金台。"《古兴》："丈夫须兼济，岂能乐一身。君今皆得志，肯顾憔悴人。"《早发上东门》："十五能文西入秦，三十无家作路人。时命不将明主合，布衣空惹洛阳尘。"均未第时所作。薛据明年进士及第，上引诸诗当作于本年或稍前，姑系于此。以本年薛据年三十计，其生年当在长安元年。

王昌龄上书李林甫。王昌龄《上李侍郎书》："昌龄拜手奉书吏部侍郎李公座右。……天生贤才，必有圣代用之。用之于天子，先自铨衡。则明公主司天下，开塞天下之所由也，可不慎之！嗟乎，持衡取士，专在文墨，固未尽矣。况文章体势，其多面焉。苟不相容，则太迂阔。一时不合，便即弃之，伏恐伤钩赜之明，结志士之怨，吁可畏也。……昌龄常在暇日著《鉴略》五篇，以究知人之道，将俟后命，以黩清尘。"李侍郎当谓李林甫，开元二十年七月在吏部侍郎任，见叶梦得《避暑录话》卷下，其始任此职当在本年左右。又此书当为王昌龄进士及第而未授官时所作，以明年昌龄授校书郎，故系于此。

智升撰《开元释教录》成。卷首序云："夫目录之兴也，盖所以别真伪，明是非，记人代之古今，标卷部之多少，摭拾遗漏，删夷骈赘，欲使正教纶理，金言有绪，提纲举要，历然可观也。但以法门幽邃，化网恢弘，前后翻传，年移代谢，屡经散灭，卷轴参差，复有异人，时增伪妄，致令混杂，难究踪由。是以先德儒贤，制斯条录，今其存者，殆六七家。然犹未极根源，尚多疏阙。升以庸浅，久事披寻，参练异同，指陈臧否，成兹部帙，庶免乖违，幸诸哲人俯共详览。……自后汉孝明皇帝永平十年岁次丁卯，至大唐神武皇帝开元十八年庚午之岁，凡六百六十四载，中间传译缁素总一百七十六人，所出大小二乘三藏及圣贤集传并及失译，总二千二百七十八部，都合七千四十六卷，其见行阙本并该前数。新录合二十卷，开为总、别。总录括聚群经，别录分其乘藏，二录各成十卷。就别更有七门。今先叙科条，余次编载。"该书共二十卷，各卷下均署"庚午岁西崇福寺沙门智升撰"。参见《宋高僧传》卷五智升传。

公元 731 年 （唐玄宗开元十九年 辛未）

正月

命有司写《毛诗》、《文选》等书赐金城公主。《唐会要》卷三六："开元十九年正月二十四日，命有司写《毛诗》、《礼记》、《左传》、《文选》各一部，以赐金城公主，从其请也。秘书正字于休烈上表，投招谏匦，言曰：……表入，敕下中书门下议。侍中裴光庭等曰：'西戎不解礼经，心昧德义，频负明约，孤背国恩。今所请诗书，随时给与，庶使渐陶声教，混一车书，文轨大同，斯可使也。休烈虽见情伪变诈于是乎生，而不知忠信节义于是乎在。'上曰：'善。'乃以经书赐与之。"参上年十月条。又《通鉴》卷二一三："春，正月……辛未，遣鸿胪卿崔琳使于吐蕃。……吐蕃使者称公主求《毛诗》、《春秋》、《礼记》。……遂与之。"按崔琳使吐蕃在本年三月，见《旧唐书》玄宗纪上。此处所记当是命有司写《毛诗》等书之时日。又本月庚戌朔，辛未为二十二日，与《会要》之二十四日稍异。

二月

徐安贞等进上徐坚等所撰《文府》二十卷。《新唐书》艺文志四："徐坚《文府》二十卷。开元中，诏张说括《文选》外文章，乃命坚与贺知章、赵冬曦分讨，会诏促之，坚乃先集诗赋二韵为《文府》上之。余不能就而罢。"《玉海》卷五四引《集贤注记》："燕公初入院，奉诏搜括《文选》外文章，别撰一部。于是徐常侍及贺、赵分部检讨。徐等且集诗赋二类，独简杂文，历年撰成三十卷。燕公以所撰非精，更加研考。"《旧唐书》文苑中贺知章传："开元十年，兵部尚书张说为丽正殿修书使，奏请知章及秘书员外监徐坚、监察御史赵冬曦皆入书院，同撰《六典》及《文纂》等，累年，书竟不就。"《唐会要》卷三六："十九年二月，礼部员外郎徐安贞等撰《文府》二十卷，上之。"《玉海》卷五四引《集贤注记》："及萧令（嵩）知院，以《文选》是先祖所撰，喜于嗣美（十九年，嵩为学士知院事），奏皇甫彬、徐安贞、孙逖、张环修《续文选》。徐、孙所取，与常侍相乖，别为二十卷。张始兴嫌其取舍未允，其事竟寝。"常侍谓徐坚，张始兴谓张九龄。盖《唐会要》所云本年二月徐安贞等所上之《文府》，即徐坚等所修撰者；此后安贞等又尝修成《续文选》二十卷，为张九龄所病，竟未得进上。

储光羲在长安，赋诗送人随崔琳和蕃。储光羲《送人随大夫和蕃》："解剑聊相送，边（一作"秦"，是）城二月春。"大夫当谓崔琳。《旧唐书》玄宗纪上："二月甲午，以崔琳为御史大夫。三月乙（己）酉朔，崔琳使于吐蕃。"诗作于本年二月，时储光羲在长安。

三月

张九龄拜秘书少监，入京前与周子谅有诗赠答。四部丛刊本《唐丞相曲江张先生文集》附录《守秘书少监制》："中大夫、使持节都督桂州诸军事守桂州刺史、充当管经略使、兼岭南道按察使、摄御史中丞、借紫金鱼袋、上柱国、曲江县开国男张九龄，履行高厉，含章挺生，学究而精，词丽而则。……属书院综缉，必藉英儒；蓬山典校，是资宏达。宜膺兼副之职，俾叶文明之理，可守秘书少监，兼集贤院学士，仍副知院事。散官勋封如故。开元十九年三月七日。"张九龄有《酬周判官巡至始兴会改秘书少监见贻之作兼呈耿广州》诗，作于奉诏入京前。周判官谓周子谅，见张九龄《荆州谢上表》。

萧嵩奏王智明等助冯光震改注《文选》，后陆善经亦预其事，竟未成。《玉海》卷五四引《集贤注记》："开元十九年三月，萧嵩奏王智明、李玄成、陈居注《文选》。先是，冯光震奉敕入院校《文选》，上疏以李善旧注不精，请改注。从之。光震自注得数卷。嵩以先代旧业，欲就其功，奏智明等助之。明年五月，令智明、玄成、陆善经专注《文选》，事竟不就。"《大唐新语》卷九："开元中，中书令萧嵩以《文选》是先代旧业，欲注释之，奏请左补阙王智明、金吾卫佐李玄成、进士陈居等注《文选》。先是，东宫卫佐冯光震入院校《文选》，兼复注释，解'蹲鸱'云：'今之芋子，即是着毛萝葡。'院中学士向挺之、萧嵩抚掌大笑。智明等学术非深，素无修撰之艺，其后或迁，功竟不就。"

孟浩然至越州，游镜湖、云门寺、若耶溪等胜迹，各赋诗记游。孟浩然《与崔二十一游镜湖寄包贺二公》："帆得樵风送，春逢谷雨情。"当作于本年春。崔二十一疑为崔国辅，包为包融，贺为贺朝。见佟培基《孟浩然诗集笺注》卷上该诗注。孟浩然又有《题大禹寺义公禅房》、《云门寺西六七里闻符公兰若最幽与薛八同往》、《耶溪泛舟》、《游云门寺寄越府包户曹徐起居》等诗，均为同时之作。

薛据等二十三人登进士第，考功员外郎裴敦复知贡举。见《登科记考》卷七。

陶翰、王昌龄登博学宏词科，翰授华阴丞，昌龄授秘书省校书郎。《唐会要》卷七六："十九年，博学宏词科，郑昉、陶翰及第。"《宝刻丛编》卷一〇引《集古目录》："《唐华岳真君碑》，唐华阴丞陶翰撰，韦腾书。玄宗开元十九年，加五岳神号曰真君，初建祠宇，立此碑。"《旧唐书》文苑下王昌龄传："进士登第，补秘书省校书郎。"《唐才子传》卷二："昌龄字少伯……又中宏辞，迁校书郎。"《登科记考》卷七列王昌龄开元十九年登博学宏词科。王昌龄《郑县宿陶大公馆赠冯六元二》："幽居与君近，出谷同所骛。昨日辞石门，五年变秋露。云龙未相感，干谒亦已屡。子为黄绶羁，余忝蓬山顾。"昌龄开元十五年进士及第，至本年首尾五年，诗当作于本年或稍后。诗云"余忝蓬山顾"，当是王昌龄本年登宏词科后始授校书郎，《旧传》云进士及第即授此职，或误。参见李珍华《王昌龄研究》附录《王昌龄事迹新探》。

春

李白在长安，作《蜀道难》等诗。李白《送友人入蜀》："芳树笼秦栈，春流绕蜀城。"《蜀道难》："蚕丛及鱼凫，开国何茫然。尔来四万八千岁，不与秦塞通人烟。……问君西游何时还，畏途巉岩不可攀。"同为长安送人之作，当作于李白初入长安时，约在本年。参见郁贤皓《李白丛考·李白两入长安及有关交游考辨》及安旗《新版李白全集编年注释》。又李白《剑阁赋》，原注云："送友人王炎入蜀。"赋云："鸿别燕兮秋声，云愁秦而暝色。"当作于本年秋日，附记于此。李白又有《行路难三首》、《古风》其十五、其二十四、《少年行二首》、《白马篇》等诗，多写及长安情事，当作于本年前后，并系于此。按上列诸诗赋中《蜀道难》是李白代表作。《河岳英灵集》卷上评云："白性嗜酒，志不拘检，常林栖十数载，故其为文章，率皆纵逸。至如《蜀道难》等篇，可谓奇之又奇。然自骚人以还，鲜有此体调也。"《四溟诗话》卷一："江淹有《古别离》，梁简文、刘孝威皆有《蜀道难》。及太白作《古别离》、《蜀道难》，乃讽时事，虽用古题，体格变化，若疾雷破山，颠风簸海，非神于诗者不能道也。"卷二："九言体……惟太白长篇突出两句，殊不可及，若'上有六龙回日之高标，下有冲波逆折之回川'是也。"《诗薮》内篇卷二："乐府则太白擅奇古今……《蜀道难》、《远别离》等篇，出神入化，惝恍莫测。"卷三："太白《蜀道难》……无首无尾，变幻错综，窈冥昏默，非其才力学之，立见颠踬。"陆时雍《唐诗镜》卷一八："《蜀道难》，近赋体，魁梧奇谲，知是伟人。"《唐诗别裁集》卷六："笔阵纵横，如虬飞蠖动，起雷霆乎指顾之间。任华、卢仝辈仿之，适得其怪耳，太白所以为仙才也。"《昭昧詹言》卷一二："'朝避猛虎'四句，同屈子《招魂》。"《送友人入蜀》向称名作。《瀛奎律髓》卷二四："太白此诗，虽陈、杜、沈、宋不能加。"《唐宋诗醇》卷七："此五律正宗也。"《行路难三首》亦为名篇。《诗境总论》："七言古，自魏文、梁武以外，未见有佳。鲍明远虽有《行路难》诸篇，不免宫商乖互之病。太白其千古之雄乎？气骏而逸，法老而奇，音越而长，调高而卓。少陵何事得与执金鼓而抗颜行也？"《剑阁赋》亦自具特色。祝尧《古赋辨体》卷七："赋也。其前有'上则'、'旁则'等语，是摹敛《上林》、《两都》铺叙体格，而裁入小赋，所谓'天吴与紫凤，颠倒在短褐'者欤！故虽以小赋，亦自浩荡，而不伤简陋。盖太白才飘逸，其为诗也，或离旧格而去之，其赋亦然。"

八月

　　孟浩然往杭州观潮，旋复返越州。孟浩然《与颜钱塘登樟亭望潮作》："照日秋云迥，浮天渤澥宽。"当作于本年秋日。其《与杭州薛司户登樟亭驿》诗当为同时之作。又《初下浙江舟中口号》："八月观潮罢，三江越海浔。"知时在八月。又《夜登孔伯昭南楼时沈太清朱升在座》："山水会稽郡，诗书孔氏门。再来值秋杪，高阁夜无喧。"秋杪，即秋末，知孟浩然当于本年九月复返越州。

九月

　　李白离终南山游邠州，赋诗叙穷愁之状。李白《赠裴十四》："身骑白鼋不敢度，金高南山买君顾。徘徊六合无相知，飘若浮云且西去。"《登新平楼》："去国登兹楼，怀归伤暮秋。"又有《赠新平少年》、《豳歌行上新平长史兄粲》诗。豳即邠，《元和郡县图志》卷三关内道邠州："后汉于此置新平郡。……武德元年复为豳州。开元十三年，以'豳'与'幽'字相涉……改为'邠'字。"知李白当是终南山"买君顾"之愿未遂，乃西游邠州，时当在本年。《豳歌行》云："宁知流寓变光辉，胡霜萧飒绕客衣。寒灰寂寞凭谁暖，落叶飘扬何处归。"《赠新平少年》云："而我竟何为，寒苦坐相仍。长风入短袂，内手如怀冰。故友不相恤，新交宁见矜。摧残槛中虎，羁绁韝上鹰。"足见其时李白穷窘之状。

秋

张九龄与李林甫有诗唱和。李林甫有《秋夜望月忆韩席等诸侍郎因以投赠》："握镜惭先照，持衡愧后行。"张九龄《和吏部李侍郎见示秋夜望月忆诸侍郎之什其卒章有前后行之戏因命仆继作》："南宫尚为后，东观何其辽。"为唱和之作。"东观"云云，盖指九龄时任秘书少监之职。明年秋间九龄迁工部侍郎，诗当本年所作。

十月

丙申，玄宗幸东都。见《通鉴》卷二一三。

时集贤院所存四库书达八万余卷。《唐会要》卷三十五："十九年冬，车驾发京师，集贤院四库书总八万九千卷：经库一万三千七百五十二卷，史库二万六千八百二十卷，子库二万一千五百四十八卷，集库一万七千九百六十卷。"《职官分纪》卷一五引《集贤记注》："开元十九年冬驾发京时，集贤院四库书总八万九十卷：经库一万三千七百五十三，史库二万六千八百二十，子库二万一千五百四十八，集库一万七千九百六十九。"按《唐会要》所载各库卷数相加实得八万八十卷，《职官分纪》各库相加正得八万九十卷。知《唐会要》之"八万九千卷"为"八万九十卷"之误，唯经库少载一卷，集库少载九卷。又《唐会要》卷六四："九年冬幸东都，时集贤院四库书总八万一千九百九十卷，经库一万三千七百五十三卷，史库二万六千八百二十卷，子库二万一千五百四十八卷，集库一万九千八百六十九卷。"所载卷数又稍有不同，"九年"当作"十九年"。

十二月

裴光庭上《瑶山往则》、《维城前轨》各一卷，玄宗以之赐皇太子等。见《唐会要》卷三六、《旧唐书》玄宗纪上。

孟浩然浮海至乐城，与张子容相会，赋诗赠答。孟浩然《岁暮海上作》："仲尼既已殁，余亦浮于海。"《除夜乐城张少府宅作》："云海访瓯闽，风涛泊岛滨。如何岁除夜，得见故乡亲。……平生能复几，一别十余春！"其当于本年自越州浮海往乐城，遂得与张子容相见。孟浩然曾于先天元年（712）作《送张子容赴举》诗（已见前），至本年首尾二十年，此云"一别十余春"，知其间二人又曾会面。孟浩然又有《岁除夜会乐城张少府宅》诗，亦本年所作。张子容有《除夜乐城逢孟浩然》诗，为同时之作。

本年

王翰徙仙州别驾，祖咏时居汝坟间，与之赋诗唱和。《旧唐书》文苑中王瀚（翰）传："出瀚（翰）为汝州长史，改仙州别驾。至郡，日聚英豪，从禽击鼓，恣为欢赏，文士祖咏、杜华常在座。"王翰徙仙州别驾约在本年。祖咏有《汝坟秋同仙州王长史翰闻百舌鸟》、《寄王长史》等诗，王长史即谓王翰。参见《唐才子传校笺》卷一王翰传笺。祖咏又有《汝坟别业》等诗，亦系于此。

高适离宋中北游燕赵，登蓟门，访王之涣等不遇，赋诗纪行。《淇上酬薛三据兼寄郭少府》："自从别京华，我心乃萧条。十年守章句，万事空寥落！北上登蓟门，茫茫见沙漠。"《途中酬李少府赠别之作》："余亦惬所从，渔樵十二年，种瓜漆园里，凿井卢门边。"漆园、卢门皆古宋国地名，知高适客居宋中为十二年，十年云者盖举成数而言，则其北游燕赵当在本年左右。高适后有《酬裴员外以诗代书》追忆此次北游："单车入燕赵，独立心悠哉，宁知戎马间，忽展平生怀？且欣清论高，岂顾夕阳颓！题诗碣石馆，纵酒燕王台。北望沙漠陲，漫天雪皑皑。临边无策略，览古空徘徊！"《蓟门五首》、《塞上》等诗当为此次北游时所作，《蓟门不遇王之涣郭密之因以留赠》云："适远登蓟丘，兹晨独搔屑。贤交不可见，吾愿终难托说。迢递千里游，羁离十年别"，云"十年别"者，盖亦举其成数，指十二年前游长安时与王、郭之相交相别。

独孤及七岁，诵《孝经》，以立身行道、扬名后世自勉。崔佑甫《故常州刺史独孤公神道碑铭并序》："独孤常州讳及，字至之……常州禀元和以生，幼有成人之量。秘监府君亲授以《孝经》，常州一览成诵。秘监问曰：'汝志于何句？'对曰：'立身行道，扬名于后世，是所尚也。'"梁肃《朝散大夫使持节常州诸军事守常州刺史赐紫金鱼袋独孤公行状》："七岁诵《孝经》，先秘书异其聪敏，问曰：'汝志如何尚？'公曰：'立身行道，扬名于后，是所尚也。'"

公元732年 （唐玄宗开元二十年 壬申）

正月

李白在坊州，赋诗赠别友人，旋返长安。李白《酬坊州王司马与阎正字对雪见赠》："游子东南来，自宛适京国。飘然无心云，倏忽复西北。……积雪明远峰，寒城锁春色。"时在初春。阎正字，王琦注云："按《宝刻丛编》，天宝中太子正字阎宽，撰《襄阳令卢僎德政碑》，未知即此阎正字否？"又李白《留别王司马嵩》："余亦南阳子，时为《梁甫吟》。……愿一佐明主，功成还旧林。"两诗之王司马当为一人，诗为同时之作。盖李白上年自邠州至坊州，本年正月别去；未久即返至长安，参见下条。

信安王李祎率军北伐，李白、储光羲在长安，各赋诗送友人从军。李白有《送梁公昌从信安王北征》诗。又储光羲《贻鼓吹李丞时信安王北伐李公王之所器者也》："出车发西洛，营军临北平。"《新唐书》玄宗纪："二十年正月乙卯，信安郡王祎为河东、河北道副行军元帅，以伐奚、契丹。"李、储二诗作于此时。西洛，指长安。郑文《李白第一次赴长安的取道及其在长安附近的行踪》："盖古时称伊洛之洛作雒，后改作洛，为别于渭洛之洛，因谓洛阳之洛为东洛，而以渭洛之洛为西洛。渭洛地近长安，故储诗以西洛代长安而与北平为偶。由储诗可见信安王北伐，出于长安，其幕僚梁公昌亦应在长安。太白赠梁诗，自在长安而不在洛阳。"（见《中国李白研究》一九九一年第一、二期）

孟浩然由乐城往永嘉，赋诗寄崔国辅，复与张子容相逢，旋别去。孟浩然有《初年乐城馆中卧疾怀归》、《宿永嘉江寄山阴崔少府国辅》、《江上寄山阴崔少府》、《永嘉上浦馆逢张八子容》、《永嘉别张子容》等诗，当作于本年正、二月间。张子容《送孟八浩然归襄阳二首》为同时之作。子容又有《泛永嘉江日暮回舟》、《自乐城赴永嘉枉路泛白湖寄嵩阳李少府》、《永嘉作》、《永嘉即事寄赣县袁少府瑾》等诗，亦为本年前后所作，附记于此。

三月

鲜于仲通、谭戟等二十四人进士及第，考功员外郎裴敦复知贡举。见《登科记考补正》卷七。

高适在李祎军中，赋诗赞祎幕僚佐，自伤失意。高适《信安王幕府诗》序："开元二十年，国家有事林胡，诏礼部尚书信安王总戎大举。时考功郎中王公、司勋郎中刘公、主客郎中魏公、侍御史李公、监察御史崔公，咸在幕府，诗以颂美数公，见于词凡三十韵。"信安王北伐事见前，《新唐书》玄宗纪又云："三月己巳，信安郡王祎及奚、契丹战于蓟州，败之。"适诗云："《落梅》横吹后，春色凯歌前"，即咏此事，知作于唐军三月获胜以后；诗又云："直道常兼济，微才独弃捐。曳裾诚已矣，投笔尚凄然。作赋同元淑，能诗匪仲宣。云霄不可望，空欲仰神仙"，则是自言从军后失意之状。按此诗是高适名作，《诗薮》内编卷四评云："盛唐排律，杜外，右丞为冠，太白次之。常侍篇什空澹，不及王、李之秀丽豪爽，而《信安王幕府》二（三）十韵，典重整齐，精工赡逸，特为高作，王、李所无也。"

孟浩然在越州，有诗赠贺朝，后返襄阳。孟浩然《久滞越中赠谢南池会稽贺少府》："未能忘魏阙，空此滞秦稽。两见夏云起，再闻春鸟啼。"贺少府谓贺朝。《国秀集》目录："会稽尉贺朝三首。"诗当作于本年三月。此后不久孟浩然当即离越返襄阳。

春

张九龄预龙门公宴，赋诗，崔沔奉敕撰公宴诗序。张九龄有《龙门旬宴得月字韵》诗。颜真卿《通议大夫守太子宾客东都副留守云骑尉赠尚书左仆射博陵崔孝公（沔）宅陋室铭记》："二十年春，奉敕撰龙门公宴诗序，赐绢百匹。"诗当作于此时。

李白归终南山隐居，有诗怀元丹丘。李白有《春归终南山松龙旧隐》诗，当为西游邠、坊等州后本年春归终南山时所作。又《以诗代书答元丹丘》："离居在咸阳，三见秦草绿。"白开元十八年入长安，至本年首尾三年，诗当作于本年春。

四月

玄宗宴百官于上阳东州，张九龄、孙逖各应制赋诗。《旧唐书》玄宗纪上："夏四月乙亥，燕百僚于上阳东州，醉者赐以床褥，肩舆而归，相属于路。"张九龄《上阳水窗旬宴得移字韵》、孙逖《奉和四月三日上阳水窗赐宴应制得春字》当为此次宴饮所赋诗。本月癸酉朔，乙亥正为三日。又张九龄有《天津桥东旬宴得歌字韵》诗，亦系于此。

五月

李白离长安，泛舟黄河直至宋州，赋诗咏怀。李白《梁园吟》："我浮黄河去京阙，挂席欲进波连山。天长水阔厌远涉，访古始及平台间。……平头奴子摇大扇，五月不热疑清秋。"梁园即汉梁孝王园，又称兔园，与平台俱在河南道宋州，见《元和郡县图志》卷七。诗当作于本年，参见郁贤皓《李白丛考·李白两入长安及有关交游考辨》。按此诗系李白名作。《唐诗镜》卷一八评云："不衫不履，体气自负。"《唐宋诗醇》卷五："怀古之作，慷慨悲歌，兴会飙举。范传正有云：'李白脱屣轩冕，释羁缰锁，自放宇宙间，饮酒非嗜其酣乐，取其昏以自秽；好神仙非慕其轻举，欲耗壮心遣余年；作诗非事其文律，取其吟咏以自适。'三诵斯篇，信然。"《昭昧詹言》卷一二："寻常俗士，但知正衍故实，以为咏古炫博，或叙后人议论，炫才识，而不知此凡笔也。此却以自己为经，偶触此地之事，借作指点慨叹，以发泄我之怀抱，全不专为此地考古迹发议论起见。所谓以题为宾为纬，于是实者全虚，凭空御风，飞行绝迹，超超乎仙界矣，脱离一切凡夫心胸识见矣。杜公《咏怀古迹》，便是如此。解此可通之近体，一也。"又："诗最忌段落太分明，读此可得音节转换及章法大规。"

七月

颜元孙（？—732）卒。颜真卿《朝议大夫守华州刺史上柱国赠秘书监颜君（元孙）神道碑铭》："开元二十年秋七月才生明，薨于绛州翼城县丞之官舍。……文集三十卷，著《干禄字书》一卷，并行于世。"《新唐书》艺文志一："颜元孙《干禄字书》一卷。"艺文志四："《颜元孙集》三十卷。"四库提要卷四一："《干禄字书》一卷，唐颜元孙撰。……是书为章表书判而作，故曰'干禄'。其例以四声隶字，又以二百六部排比字之后先。每字分俗、通、正三体，颇为详核。……虽皆不免千虑之失，然其书酌古准今，实可行用，非诡称复古，以奇怪钓名。言字体者，当以是为酌中焉。至二百六部之次序，与《广韵》间有不同。或元孙所用，乃陆法言之旧第，而《广韵》次序，乃宋人所改欤？"

八月

张九龄在工部侍郎任，敕加知制诰。《唐丞相曲江张先生文集》附录《知制诰敕》："中大夫、守尚书工部侍郎、集贤院学士仍副知院事、上柱国、曲江县开国男、赐紫金鱼带张九龄，宜知制诰。开元二十年八月二十日"。

九月

孟浩然在襄阳，值张愿休沐还乡，与之交游唱和。孟浩然有《奉先张明府休沐还乡海亭宴集探得阶字》诗，作于秋季。张明府谓张愿。《唐会要》卷七〇："新升赤县：……奉先县，开元十七年十一月十日升，以奉陵寝，以张愿为县令。"张愿为武后、中宗朝名臣张柬之之孙，襄阳人。诗云："自君理畿甸，余亦经江淮。万里音信断，数年云雨乖。归来休浣日，始得赏心谐。"知孟浩然是在自洛赴越、结束越中游赏还乡之后，值张愿休沐居襄阳，始得与之相聚，时当在本年。孟浩然又有《秋登张明府海亭》诗，亦当本年所作。参见《唐才子传校笺》卷二孟浩然传补笺、刘文刚《孟浩然年谱》本年条。

十二月

玄宗还长安。《旧唐书》高宗纪上："十二月壬申，至京师。"

本年

王昌龄有诗忆崔国辅。王昌龄有《同从弟销南斋玩月忆山阴崔少府》诗。崔少府谓崔国辅，本年在山阴尉任，见正月孟浩然条。崔国辅有《宿法华寺》、《宿范浦》等诗，均写及越州地理形胜，当为任山阴尉时所作，亦系于此。

高希峤上《晋书注》一百三十卷。《新唐书》艺文志二："高希峤注《晋书》一百三十卷，"开元二十年上，授清池主簿。"

陈庭玉上《老子疏》，柳纵上《庄子注》，帅夜光上《三玄异义》，各授官。《新唐书》艺文志三："陈庭玉《老子疏》，开元二十年上，授校书郎。卷亡。"又："柳纵注《老子》，开元二十年上，授章怀太子庙丞。"又："帅夜光《三玄异义》三十卷。幽州人。开元二十年上，授校书郎，直国子监。"

皇甫冉年十五，以文才为张九龄所称赏。独孤及《唐故左补阙安定皇甫公（冉）集序》："十岁能属文，十五岁而老成，右丞相曲江张公深所叹异，谓清颖秀拔，有江、徐之风。"按本年张九龄在工部侍郎任，此云"右丞相"，乃称其后职。

戴叔伦（732—789）生。戴叔伦，字次公，一作幼公。一说名融，字叔伦。润州金坛人。至德中，避永王兵乱移居鄱阳。大历中，受辟于刘晏转运使府，以监察御史主湖南转运。建中初，出补东阳令。历官节度使府从事、抚州刺史、容州刺史兼本管经略使。贞元五年罢职，卒。有《述稿》十卷、《戴叔伦诗》一卷。据《新唐书》本传、《唐才子传校笺》卷五戴叔伦传笺及补笺。

公元 733 年 （唐玄宗开元二十一年 癸酉）

正月

制令士庶家藏《老子》一本，贡举人加试《老子》策。《旧唐书》玄宗纪上："二十一年春正月庚子朔，制令士庶家藏《老子》一本，每年贡举人量减《尚书》、《论语》两条策，加《老子》策。"《封氏闻见记》卷一："玄宗开元二十一年，亲注老子《道德经》，令学者习之。"

春

储光羲南归故乡，赋诗留别阎防。储光羲《游茅山五首》其一："十年别乡县，西去入皇州。此意在观国，不言空远游。……北洛返初路，东江还故丘。"按储光羲开元十一年在京应进士试，不第入太学，至本年已历十年，知其还乡当在本年。又《贻阎处士防卜居终南》："春风摇杂树，言别还江汜。"当是返乡时留赠阎防之作。诗言"还江汜"，储光羲故乡延陵离长江甚近，故云。又诗题称阎防为处士，知其尚未登第入仕。防明年进士及第，亦可证诗当作于本年。刘眘虚有《寄阎防》诗，注云："防时在终南丰德寺读书。"诗或亦作于本年前后。

刘眘虚、阎伯玙等进士及第。《唐才子传》卷一刘眘虚传："开元十一年徐徵榜进士。卷二刘长卿传："开元二十一年徐徵榜进士。"《登科记考》卷八引《玉芝堂谈荟》则谓徐徵为开元二十年状元。合而言之，盖《唐才子传》卷一及《谈荟》所记年份皆有脱文，徐徵当是开元二十一年状元，刘眘虚即于是年登第。按刘眘虚（？—752？），字全乙，洪州人。进士擢第，又登宏词科，授校书郎。名高位下，天年不永。有《鹡鸰集》五卷。《河岳英灵集》选其诗 11 首，《全唐诗》录其诗为一卷。据《唐才子传校笺》卷一刘眘虚传笺。

张愿奉先令秩满，还襄阳，有诗作，孟浩然和之；未久，浩然赴长安。孟浩然《同张明府碧溪赠答》："秩满休闲日，春余景色和。"张愿开元十七年十一月任奉先令，秩满当在本年。孟浩然又有《同张明府清镜叹》、《寒夜宴张明府宅》、《和张明府登鹿门山》诸诗，当作于去年张愿休沐还乡时或本年春，附系于此。又王士源《孟浩然集序》："山南采访使本郡守昌黎韩朝宗，谓浩然间代清律，真诸周行，必咏穆如之颂。因入秦，与谐行。先扬于朝。与期，约日引谒。及期，浩然会寮友文酒讲好甚适。或曰：'子与韩公预约而怠之，无乃不可乎？'浩然斥曰：'仆已饮矣，身行乐耳，遑恤其他！'遂毕席不赴，由是间罢。既而浩然亦不之悔也。其好乐忘名如此。"知孟浩然尝再赴长安，时当在本年，说见《唐才子传校笺》卷二孟浩然传笺。浩然由襄阳启程当在本年春夏间，亦系于此。

五月

敕百姓得立私学。《唐会要》卷三十五："开元二十一年五月敕："……许百姓任立私学，欲其寄州县受业者亦听。"

夏

王昌龄在校书郎任，预花萼楼酺宴，应制赋诗。王昌龄《夏月花萼楼酺宴应制》："汾阴备冬礼，长乐应和风。……愚臣忝书赋，歌咏颂丝桐。"《通鉴》卷二一三：开元二十年，"十一月，庚申，祀后土于汾阴。"诗言"汾阴备冬礼"，指此，则当作于本年。诗又言"愚臣忝书赋"，知昌龄当在校书郎任。

秋

孟浩然在长安，赋诗与王维别，离长安出潼关，有诗寄王昌龄。孟浩然《初出关旅亭夜坐怀王大校书》:"烛至萤光灭,荷枯雨滴闻。永怀蓬阁友,寂寞滞扬云。"王大校书谓王昌龄,时任校书郎,见上条。诗当作于本年秋孟浩然自长安出始过潼关时。浩然又有《宿终南翠微寺》、《留别王维》等诗,当本年在长安时所作,并系于此。

王维赋诗赠房琯,又有诗送綦毋潜弃官归乡。王维有《赠房卢氏琯》诗,写及秋日景象。《旧唐书》房琯传:"应堪任县令举,授虢州卢氏令,政多惠爱,人称美之。二十二年,拜监察御史。"诗当本年或稍前所作,姑系于此。王维又有《送綦毋校书弃官还江东》诗,亦作于秋季。綦毋校书谓綦毋潜,开元十四年进士及第,校书郎盖其及第后始授之职。据今人研究,唐及第进士需守选三年方得授官,以此计之,潜授校书郎当在十八年春,参见王勋成《唐代文学与铨选》第二章。至本年潜任校书郎已满三考,其弃官当在本年。又李颀有《题綦毋校书别业》诗,亦当本年秋所作。储光羲有《酬綦毋校书梦耶溪见赠之作》诗,当作于本年之前。孟浩然有《题李十四庄兼赠綦母(毋)校书》诗,当作于本年秋冬间自长安返乡途经洛阳时。按李欣(?—752?),籍贯不详。进士及第,曾官新乡尉。去职,归隐颍阳东川,卒。有《李颀诗》一卷。《河岳英灵集》选录其诗 14 首。据《唐才子传校笺》卷二李颀传笺。

李白往嵩山,从元丹丘游;后又数往洛阳,与元演结交,共为歌酒之游。李白有《题元丹丘颍阳山居》诗,序云:"丹丘家于颍阳,新卜别业,其地北倚马岭,连峰嵩丘,南瞻鹿台,极目汝海,云岩映郁,有佳致焉。白从之游,故有此作。"时当在本年,参郁贤皓《李白洛阳行踪新探索》,载《南京师大学报》1986 年第 3 期。李白《闻丹丘子于城北山营石门幽居中有高凤遗迹仆离群远怀亦有栖遁之志因叙旧以寄之》:"畴昔在嵩阳,同衾卧羲皇。绿萝笑簪绂,丹壑贱岩廊。"即追忆此时同游之事。李白又有《元丹丘歌》、《赠嵩山焦炼师》、《嵩山采菖蒲者》等诗,均当作于本年。《赠嵩山焦炼师》有"还归东山上,独拂秋霞眠"之句,知其时在秋季。又李白《秋夜宿龙门香山寺奉寄王方城十七丈奉国莹上人从弟幼成令问》:"朝发汝海东,暮栖龙门中。"为自嵩山至洛阳时所作,见安旗、薛天纬《李白年谱》。李白又有《忆旧游寄谯郡元参军》诗,约作于天宝十载,见该年三月李白条。诗云:"忆昔洛阳董糟丘,为余天津桥南造酒楼。黄金白璧买歌笑,一醉累月轻王侯。海内贤豪青云客,就中与君心莫逆。回天山转海不作难,倾情倒意无所惜。"天津桥在洛阳,见《元和郡县图志》卷五。诗中所写即为作者与元参军洛阳交游之事。元参军谓元演,见明年冬李白条。李白与元演结交当在本年秋或稍后。

十二月

制张九龄起复中书侍郎、同中书门下平章事。《唐丞相曲江张先生文集》附录《起复拜相制词》:"正议大夫、前检校中书侍郎、集贤院学士、仍副知院事、上柱国、曲江县开国男、赐紫金鱼袋张九龄……可起复中书侍郎、同中书门下平章事入兼修国史,余如故。主者施行。开元二十一年十二月十四日。"

冬

李白作《梁甫吟》诗。李白《冬夜醉宿龙门觉起言志》："去去泪满襟，举声《梁甫吟》。"当作于本年冬往来嵩山、洛阳时。李白又有《梁甫吟》，当亦作于此时。按此诗系李白名作。《唐诗别裁集》卷六："始言吕尚之耄年，郦食其之狂士，犹乘时遇合，为壮士者，正当自奋。然欲以忠言寤主，而权奸当道，言路壅塞。非不愿剪除之，而人主不听，恐为匪人戕害也。究之论其常理，终当以贤辅国，惟安命以俟有为而已。后半拉杂使事而不见其迹，以气胜也。若无太白本领，不易追逐。"

孟浩然南返襄阳，途中遇雪，有诗作，至襄阳，亦有诗作。孟浩然《行至汝坟寄卢征君》："行乏憩余驾，依然见汝坟。洛川方罢雪，嵩嶂有残云。"《南阳北阻雪》："我行滞宛许，日夕望京豫。……十上耻还家，徘徊守章句。"均当本年冬自长安返襄阳途中所作。孟浩然又有《岁暮归南山》诗。《唐摭言》卷一一："襄阳诗人孟浩然，开元中颇为王右丞所知。……维待诏金銮殿，一旦，召之商较风雅，忽遇上幸维所，浩然错愕伏床下，维不敢隐，因之奏闻。上欣然曰：'朕素闻其人。'因得诏见。……上即命吟。浩然奉诏，拜舞念诗曰：'北阙休上书，南山归敝庐。不才明主弃，多病故人疏。'上闻之忱然曰：'朕未曾弃人，自是卿不求进，奈何反有此作！'因命放归南山。终身不仕。"浩然所念者即此诗前四句。《新唐书》文艺传下、《郡斋读书志》卷一七均载此事。按孟浩然此诗非作于在长安时，而当为再赴长安还襄阳时所作，刘文刚《孟浩然年谱》于此有详辨，可参看。唯刘谱系于开元二十二年，似有不合，今改系本年。又此诗系孟浩然名作。《瀛奎律髓汇评》卷二三冯舒评云："一生失意之诗，千古得意之作。"

本年

孙逖入为考功员外郎、集贤修撰。见《旧唐书》文苑中孙逖传。

王昌龄赋诗送刘眘虚归乡取宏词解。王昌龄有《送刘眘虚归取宏词解》诗。清同治十年重修之江西《奉新县志》卷八："唐开元中刘眘虚……开元中举宏词，累官弘文馆校书郎。"据今人研究，宏词科为吏部科目选，见王勋成《唐代铨选与文学》第八章。眘虚本年进士及第，其应宏辞科试当在本年或稍后，又明年王昌龄授汜水尉，不在长安，故系本年。

邢南和上《老子注》。《新唐书》艺文志三："邢南和注《老子》，开元二十一年上。"

岑参年五十，隐居嵩阳，时其父已卒，赖兄教导，遍览经史。岑参《感旧赋》序："十五隐于嵩阳。"赋云："志学集其荼蓼，弱冠干于王侯。荷仁兄之教导，方励己以增修。无负郭之数亩，有嵩阳之一丘。"杜确《岑嘉州集序》："早岁孤贫，能自砥砺，遍览史籍，尤工缀文。"盖岑参移居嵩阳时其父岑植已卒。岑参《丘中春卧寄王子》、《寻巩县南李处士别居》、《寻少室张山人闻与偃师周明府同入都》、《巩北秋兴寄崔明允》、《缑山西峰草堂作》等诗皆居嵩阳时所作。王夫之《唐诗评选》卷二评《缑山西峰草堂作》诗云："多炼句之意，亦不冗沓，自高于《登塔》诗十倍。"

陆羽（733—?）生。陆羽，字鸿渐；一名疾，字季疵。复州竟陵人。少为伶人。天宝中，河南尹李齐物出守竟陵，拔入士伍。安史乱起，避地湖州，与名僧高士游。大历中，预颜真卿重修《韵海镜源》事。德宗朝，诏拜太子文学，徙太常寺太祝，不就。后入岭南节度使李复幕。约贞元末卒。有《茶经》三卷传世，《全唐诗》录其诗二首，《全唐文》录其文四篇。据《陆文学自传》、《新唐书》隐逸本传、《唐才子传校笺》卷三陆羽传笺及补笺。

公元 734 年 （唐玄宗开元二十二年　甲戌）

正月

玄宗以关中乏粮，行幸东都洛阳。《旧唐书》玄宗纪上：开元二十一年，"是岁，关中久雨害稼，京师饥，诏出太仓米二百万石给之。"二十二年正月，"己巳，幸东都。……乙酉，怀、卫、邢、相等五州乏粮，遣中书舍人裴敦复巡问，量给种子。己丑，至东都。"

张九龄自韶州至洛阳。《通鉴》卷二一四："开元二十二年春，正月，己巳，上发西京；己丑，至东都。张九龄自韶州入见，求终丧；不许。"

二月

初置十道采访处置使，张九龄作奉和圣制诗送之。《唐会要》卷七八："采访处置使宰相张九龄奏置。开元二十二年二月十九日，初置十道采访处置使，以御史中丞卢绚等为之。"张九龄《奉和圣制送十道采访使及朝集使》当作于此时。

张果应诏至洛阳，李颀谒之，赋诗记其事。《通鉴》卷二一四："方士张果自言有神仙术……上遣中书舍人徐峤赍玺书迎之。（二月）庚寅，至东都。"李颀有《谒张果先生》诗，当作于此时。

三月

阎防、颜真卿、杜鸿渐、郗昂、梁洽、申堂构等二十九人登进士第，考功员外郎孙逖知贡举，试《武库诗》、《梓材赋》。《旧唐书》文苑中孙逖传："二十一年，入为考功员外郎、集贤修撰。逖选贡士二年，多得俊才。初年则杜鸿渐至宰辅，颜真卿为尚书。"颜真卿《尚书刑部侍郎赠尚书右仆射孙逖文公集序》："公又雅有清鉴，典考功时，精核进士，虽权要不能逼。所奖擢者二十七人。数年间，宏词判等入甲第者一十六人，授校书郎者九人，其余咸著名当世，已而多至显官。明年典举亦如之。故言第者必称孙公而已。夫然，信可谓人文之宗师，国风之哲匠者矣。"按《唐语林》卷八"累为主司"条："孙逖再：开元二十二年、二十三年。"是孙逖于上年入为考功员外郎，本年、明年连续两年知贡举。余见《登科记考补正》卷八。

王昌龄应博学宏词试登第，授汜水尉。《旧唐书》文苑下本传："又以博学宏词登科，再迁汜水县尉。"陈振孙《直斋书录解题》卷一九："二十二年选宏辞，超绝群类。

为汜水尉。"余见《登科记考》卷八。

李白往来洛阳、嵩山间，别元演、元丹丘而返安陆。李白《古风》其十八："天津三月时，千门桃与李。……鸡鸣海色动，谒帝罗公侯。"本年玄宗在洛阳，诗当作于本年三月。又李白《忆旧游寄谯郡元参军》："忆昔洛阳董糟丘，为余天津桥南造酒楼。……我向淮南攀桂枝，君留洛北愁梦思。"《颍阳别元丹丘之淮阳》："别尔东南去，悠悠多悲辛。……已矣归去来，白云飞天津。"记其于洛阳及嵩山别元演、元丹丘而还家之事，时当在本年三月或稍后。李白又有《春夜洛城闻笛》、《洛阳陌》、《君马黄》等诗，多写及洛阳春日情景，当为本年春在洛阳时所作，并系于此。按上列诸诗中《春夜洛城闻笛》为李白名作。《诗薮》内编卷六："太白七言绝如'杨花落尽子规啼'、'朝辞白帝彩云间'、'谁家玉笛暗飞声'（按即指此诗）、'天门中断楚江开'等作，读之真有挥斥八极、凌属九霄意。贺监谓为谪仙，良不虚也。"《古风》其十八亦称名作。《唐宋诗醇》卷一："此刺当时贵幸之徒，怙侈骄纵而不恤其后也。杜甫《丽人行》，其刺杨国忠也微而婉，此则直而显，自是异曲同工。《书》曰：'居高思危，罔不惟畏。'读此能令权门胆落。《诗眼》以为：建安气骨，惟李、杜有之。良然。"

春

綦毋潜归江东，游若耶溪等名胜，有诗作。綦毋潜有《春泛若耶溪》、《若耶溪逢孔九》诗，作于春季。又有《题灵隐寺山顶禅院》、《登天竺寺》、《题鹤林寺》、《题栖霞寺》、《题招隐寺绚公房》、《茅山洞口》等诗，均写及吴越胜迹，当本年归江东后所作，并系于此。

薛据于吏部参选，求为万年录事，为流外官所诉，改授永乐主簿。封演《封氏闻见记》卷三："开元中，河东薛据自恃才名，于吏部参选，请授万年县录事。吏曹不敢注，以谐执政，将许之矣。诸流外共见宰相诉云：'酝署丞等三官，皆流外之职，已被士人夺却。惟有赤县录事是某等清要，今又被进士欲夺，则某等一色之人无措手足矣。'于是遂罢。"又见《唐摭言》卷一二。刘长卿有《送薛据宰涉县》诗，题下注云："自永乐主簿陟状，寻复选受此官。"（见《刘长卿诗编年笺注》；以下凡引长卿诗均据是书，不复注）永乐主簿当为薛据进士及第后所授之初官。薛据开元十九年进士及第，以唐及第进士三年守选期满方可授官之例推之，其授永乐主簿当在本年春。

五月

张九龄为中书令，李林甫为礼部尚书、同中书门下平章事；王维有诗献九龄。《旧唐书》玄宗纪上："五月戊子，黄门侍郎裴耀卿为侍中，中书侍郎张九龄为中书令，黄门侍郎李林甫为礼部尚书、同中书门下平章事。"《唐丞相曲江张先生文集》附录《加银青光禄大夫中书令制》："正议大夫、中书侍郎、同中书门下平章事、兼修国史、赐紫金袋、上柱国、曲江县开国男张九龄……可银青光禄大夫、守中书令、集贤院学士知院事、修国史，勋封如故。"署"开元二十三年五月二十七日。"王维有《上张令公》诗，张令公即谓张九龄，诗当作于本年五月或稍后。

十一月

是光乂在秘书正字任，上《十九部书语类》，孟浩然有诗寄之。《玉海》卷五四引《集贤注记》："开元二十二年十一月，秘书正字是光乂上《十九部书语类》，敕留院修撰。"孟浩然有《寄赵正字》诗。"赵"，敦煌残卷伯二五六七作"是"，是正字即是光乂。

冬

李白在随州，送元演往隐仙城山，有诗及序。李白《冬夜于随州紫阳先生餐霞楼送烟子元演隐仙城山序》："吾与霞子元丹、烟子元演，气激道合，结神仙交，殊身同心，誓老云海，不可夺也。历行天下，周求名山，入神农之故乡，得胡公之精术。……白乃语及形胜，紫阳因大夸仙城。元侯闻之，乘兴将往。……诗以宠别，赋而赠之。"《题随州紫阳先生壁》："松雪窗外晓，池水阶下明。忽耽笙歌乐，顿失轩冕情。"当为同时之作。随州，即汉东郡，见《元和郡县图志》卷二一。仙城山在随州东八十里，见《舆地纪胜》卷八三。紫阳先生即胡紫阳，亦称胡公，详见李白《汉东紫阳先生碑铭》。李白与元丹丘等游随州约在本年，参见郁贤皓《李白丛考·李白与元丹丘交游考》。李白《忆旧游寄谯郡元参军》云："不忍别，还相随，相随迢迢访仙城……汉东太守来相迎。紫阳之真人，邀我吹玉笙。餐霞楼上动仙乐，嘈然宛似鸾凤鸣。"即忆此时之游，元参军即元演。

本年

孟浩然预韩朝宗文会，赋诗纪之。孟浩然有《韩大使东斋会岳上人诸学士》诗。韩大使谓韩朝宗。《新唐书》韩思复附韩朝宗传："累迁荆州长史。开元二十二年，初置十道采访使，朝宗以襄州刺史兼山南东道。"诗当作于本年或稍后。

綦毋潜游苏州龙兴寺，为作寺碑铭，房琯撰序。綦毋潜有《龙兴寺碑铭》，房琯有《龙兴寺碑序》。序云："开元十七年，天火下焚，仅获半存。州将皇三从叔无言……以家率先，施钱数万……同力来奉佛塔。"《宝刻丛编》卷一四州引《复斋碑录》"《唐重建龙兴寺碑》，唐房琯撰序，綦毋潜铭，徐挺古分书，贞元十四年十月十五日韦夏卿重刊立。"《吴郡志》卷三一："龙兴寺在吴县西南，梁所置，绍兴间于官仓瓦砾中得房琯所作寺碑，韦夏卿再立者。"注云："唐金紫光禄大夫、守吏部尚书、同中书门下平章事、清河公房琯寺碑序，秘书省校书郎綦母（毋）潜铭"。房琯序当作于本年其贬睦州司马途经苏州时，綦毋潜碑铭为同时之作。潜又有《宿龙兴寺》诗，亦当作于此时。参见蒋方《唐人綦毋潜生平中几个问题的考辨》，载《湖北大学学报》1990 年第 4 期。

公元 735 年　（唐玄宗开元二十三年　乙亥）

二月

张守珪至东都献捷，玄宗赋诗褒美。《旧唐书》本传："二十三年春，守珪诣东都献捷，会籍田礼毕酺宴，便为守珪饮至之礼，上赋诗以褒美之。"《通鉴》卷二一四："二月，守珪诣东都献捷。"

三月

二十七日，玄宗注《老子》，并修《疏义》八卷，制《开元文字音义》三十卷，颁示公卿。见《唐会要》卷三六。

李颀、萧颖士、李华、赵骅、李崿等登贾季邻榜进士第，孙逖知贡举，试《花萼楼赋》、《七月流火》诗。《旧唐书》文苑中孙逖传："逖选贡士二年，多得俊才。初年则杜鸿渐至宰辅，颜真卿为尚书。后年拔李华、萧颖士、赵骅登上第，逖谓人曰：'此三人便堪掌纶诰'。"李华《杨骑曹集序》："弘农杨君讳极，字齐物。……举进士时，刑部侍郎乐安孙公逖以文章之冠为考功员外郎，精试群材，君以南阳张茂之、京兆杜鸿渐、琅邪颜真卿、兰陵萧颖士、河东柳芳、天水赵骅、顿丘李琚、赵郡李崿、李颀、南阳张阶、常山阎防、范阳张南容、高平郗昂等连年高第，华亦与焉。"李华《寄赵七侍御》诗注云："华与赵七侍御晔（骅）、故萧十功曹皆苦贫，同年三人登科。"《唐摭言》卷三："萧颖开开二十三年及第。"李华《扬州功曹萧颖士文集序》："十九进士擢第。"参见《登科记考补正》卷八。按本年进士试题《登科记考》原缺，兹定为《花萼楼赋》、《七月流火》诗，说见开元十三进士试条。

张九龄封始兴县子，王维为右拾遗，赋诗献之。王维有《献始兴公》诗，题下注："时拜右拾遗。"始兴公谓张九龄。《唐丞相曲江张先生文集》附录《封始兴县开国子食邑四百户制》："金紫光禄大夫、中书令、集贤院学士、修国史、上柱国、曲江县开国男张九龄。右可进封始兴县开国子。"署"开元二十三年三月九日"。《新唐书》文艺中王维传："张九龄执政，擢右拾遗。"王维诗当作于本月或稍后。

春

李白在襄阳，献书韩朝宗以自荐，未蒙叙用；旋赴江夏，有诗别宋之悌、孟浩然。李白《与韩荆州书》："白闻天下谈士相聚而言曰：'生不用万户侯，但愿一识韩荆州。'……君侯制作侔神明，德行动天地，笔参造化，学究天人。幸愿开张心颜，不以长揖见拒。必若接之以高宴，纵之以清谈，请日试万言，倚马可待。今天下以君侯为文章之司命，人物之权衡，一经品题，便作佳士，而君侯何昔衔前盈尺之地，不使白扬眉吐气、激昂青云耶？"韩荆州谓韩朝宗，本年前后为荆州大都督府长史，兼判襄州刺史、山南道采访处置使，见《新唐书》韩思复附韩朝宗传及张九龄《贬韩朝宗洪州刺史制》。此书约作于本年。据李白《忆襄阳旧游赠马少府巨》"昔为大堤客，曾上山公楼。……高冠佩雄剑，长揖韩荆州"，知白之谒韩朝宗乃在襄阳。李白有《襄阳曲四首》、《大堤曲》、《襄阳歌》等诗，多写及襄阳春景，当本年春游襄阳时所作，并系于此。又李白《暮春江夏送张祖监丞之东都序》云：'刘表不用于祢衡，暂来江夏。'当指前此见拒于韩朝宗，遂来游江夏，时亦在本年。李白《江夏送友人》："雪点翠云裘，送君黄鹤楼。"《黄鹤楼送孟浩然之广陵》："故人西辞黄鹤楼，烟花三月下扬州。"当作于本年春游江夏时，参见王辉斌《孟浩然研究》第二章第二节"孟李过从"之"黄鹤楼送别"。李白又有《江夏别宋之悌》诗，亦当本年游江夏时所作，参见郁贤皓《李白丛考·李白诗〈江夏别宋之悌系年辨误〉》。宋之悌为宋之问弟，见《旧唐书》文苑中宋之问传。按上列诸诗文中《襄阳歌》为李白名作。《唐宋诗醇》卷五："意旷神逸，极颓唐之趣，入后俯仰含情，乃有心人语。'韬精日沈饮，谁知非荒宴'，亦同此怀抱耳。子美云：'长镵长镵白木柄，我生托子以为命'，语奇矣。此诗云：'舒州杓，力士铛，李白与尔同死生。'苦乐不同，造语正复匹敌。"《昭昧詹言》卷一二："笔如天半游龙，断非学力所能到，然读之使人气王。"《黄鹤楼送孟浩然之广陵》向称名作。《唐宋诗醇》卷六："语近情遥，有'手挥五弦，目送飞鸿'之妙。"《江夏别宋之悌》亦有特色。《诗薮》内编卷四："太白'人分千里外，兴在一杯中'（按即此诗第二联），达夫'功名万里外，心事一杯中'，甚类。然高虽浑厚易到，李则超逸入神。"《唐音癸签》卷一一："太白'人分千里外，兴在一杯中'，达夫'功名万里外，心事一杯中'，似皆从庾抱之'悲生万里外，恨起一杯中'来。而达夫较厚，太白较逸，并未易轩轾。"

六月

司马承祯（647—735）**卒，年八十九。**《旧唐书》隐逸本传："是岁，卒于王屋山，时年八十九。"卫凭《唐王屋山中岩台正一先生庙碣》："岁乙亥夏六月十八日……已蜕形矣。……制赠银青光禄大夫，谥曰贞一，并上自制碑，申宠章也。"《历代名画记》卷九："二十三年尸解……年八十一。"承祯之享年，此从《旧传》。《新唐书》艺文志三："道士司马承祯《坐忘论》一卷，又《修生养气诀》一卷，又《洞元灵宝五岳名山朝仪经》一卷。"《郡斋读书志》卷一六："《坐忘论》一卷。右唐司马承祯子微撰。凡七篇。其后有文元公跋，谓子微之所谓'坐忘'，即释氏之言'宴坐'也。"《直斋书录解题》卷九："《坐忘论》一卷。唐逸人河内司马承祯子微撰。言坐忘安心之法凡七条，并《枢翼》一篇，以为修道阶次。其论与释氏相出入。"

七月

李白在太原，有诗作。李白有《太原早秋》诗。又《秋日于太原南栅饯阳曲王赞公贾少公石艾尹少公应举赴上都序》："今年春，皇帝有事千亩，湛思八埏，大搜群才，以缉邦政。而王公以令宰见举，贾公以王霸升闻。"《旧唐书》玄宗纪上："二十三年春正月己亥，亲耕籍田……大赦天下。……其才有霸王之略、学究天人之际、及堪将帅牧宰者，令五品已上清官及刺史各举一人。"诗及序当作于本年秋。李白《忆旧游寄谯郡元参军》云："君家严君勇貔虎，作尹并州遏戎虏。五月相呼渡太行，摧轮不道羊肠苦。行来北凉岁月深，感君贵义轻黄金。"北凉，王琦注云："上文言并州太行，下文言晋祠，中间忽言北凉，不合。当是北京之讹耳。盖天宝之初，号太原为北京也。"是。知李白乃与元演共赴太原游览，时在本年五月。

九月

玄宗亲注《金刚经》，张九龄等请出示天下传习。《册府元龟》卷五一："二十三年九月，亲注《金刚经》及修义诀。中书令张九龄等上言：'臣等伏见御注前件及义诀，佛法宗旨，撮在此经。……伏乞示天下，宜伏史官。'许之。参见张九龄《贺御注金刚经状》、《请御注经内外传授状》。"

卢僎于岘山宴张愿等人，孟浩然预宴，赋诗记之；未久张愿迁王府司马，孟浩然等赋诗为其饯行。孟浩然有《卢明府九日岘山宴袁使君张郎中崔员外》诗。卢明府谓卢僎，曾为襄阳令，《宝刻丛编》卷三著录《唐襄阳令卢僎德政碑》可证；又与孟浩然为"忘形之交"，见王士源《孟浩然集序》。张郎中谓张愿，开元二十一年十月在驾部郎中任，见《唐文拾遗》卷一八张愿《唐故秀士张君墓志并序》。诗当作于张愿以驾部郎中衔回襄阳休沐时。孟浩然又有《同卢明府饯张郎中除义王府司马海园作》诗。义王谓李泚，开元二十一年九月封义王，二十三年七月改名李玭（《通鉴》卷二一四谓二十四年二月改名李玭），得开府置官属，见《旧唐书》玄宗纪上，则张愿除义王府司马当在本年七月以后，其还乡亦当在本年或稍后。而以《卢明府九日……》诗观之，孟浩然赋诗饯张愿当在该年九月以后，今并系于此。孟浩然又有《卢明府早秋宴张郎中海园即事得秋字》诗，当作于本年或稍后之七月张愿初还乡时，而《送张郎中迁京》及《张郎中梅（海）园作》则作于送张愿离襄阳赴京时。又孟浩然《和卢明府送郑十三还京兼寄之什》、《陪卢明府泛舟回岘山作》等诗亦当作于本年前后，附记于此。

十二月

李邕在括州刺史任，撰《秦望山法华寺碑》，并自书之。《旧唐书》文苑中本传："贬为钦州遵化县尉……又累转括、淄、滑三州刺史。"《新唐书》文艺中本传："开元二十三年，起为括州刺史。"《八琼室金石补正》卷五五《秦望山法华寺碑并序》，前题"括州刺史李邕撰并书"，后署"唐开〔元〕廿三年十二月八日建"。

本年

李尚隐赴益州长史任，玄宗赋诗送之，张九龄奉和。张九龄有《奉和圣制送李尚书入蜀》诗。李尚书谓李尚隐，玄宗有《授李尚隐户部尚书益州长史剑南节度采访使制》，知尚隐入蜀是赴任益州长史。《新唐书》李尚隐传："（陈）思问流死岭南。改尚隐太子詹事。不阅旬，进户部尚书，前后更扬、益二州长史，东都留守。"《旧唐书》玄宗纪上：开元二十二年，"冬十月甲辰，试司农卿陈思问以赃私配流瀼州。"同书良吏下李尚隐传："二十四年，拜户部尚书、东都留守。"知李尚隐为户部尚书、益州长史当在本年。

王翰（？—735？）卒。《旧唐书》文苑中王瀚（翰）传："于是贬道州司马，卒。有文集十卷。"王翰之卒约在本年。《新唐书》艺文志四："《王瀚（翰）集》十卷。"

高适应制科试，落第。高适有《酬秘书弟兼寄幕下诸公》诗，序云："乙亥岁，适征诣长安。"当是应制科举。适天宝八载始以登有道科授官，知本年应举未登第。

杜甫由吴越返洛阳，应县试、府试。杜甫《壮游》："归帆拂天姥，中岁贡旧乡。"即叙其事。杜甫明年应进士试，则其应县试、府试当在本年。参见邝健行《杜甫贡举考试问题的再审察、论析和和推断》，载其所著《诗赋合论稿》。

元结年十七，始折节读书。颜真卿《唐故容州都督兼御史中丞本管经略使元君表墓碑铭并序》："十七始知书，乃授学于宗兄先生德秀。"《新唐书》本传："结少不羁，十七乃折节向学，事元德秀。"

崔颢在代州都督府，作边塞诗多首。崔颢《结定襄郡狱效陶体》："我在河东时，使往定襄里。"定襄郡即忻州，属河东道代州中都督府，见《旧唐书》地理志二。《新唐书》杜佑传："父希望……自代州都督召还京师，对边事，玄宗才之。……希望爱重文学，门下所引如崔颢等皆名重当时。"杜希望引崔颢为门下士当在任代州都督时。据傅璇琮《唐代诗人丛考·崔颢考》及郁贤皓《唐刺史考全编》卷九一，杜希望开元二十一年至二十四年任代州都督，崔颢游河东即在此期间，今姑系本年。崔颢有《古游侠呈军中诸将》、《赠王威古》、《雁门胡人歌》等边塞诗，均作于在代州都督府时，并系于此。参见李炳海《崔颢边塞诗考辨》，载《文学遗产》1999 年第 6 期。按诸诗中《雁门胡人歌》系崔颢名作，《河岳英灵集》选录此诗。《诗源辩体》卷一七："崔颢七言有《雁门胡人歌》，声韵较《黄鹤》尤为合律。胡元瑞、冯元成俱谓'《雁门》是律'，是也。《唐音》、《品汇》俱收入七言古者，盖以题下有'歌'字故耳。然太白《秋浦歌》有五言律，《峨眉山月歌》乃七言绝也。崔诗《黄鹤》首四句诚为歌行语，而《雁门胡人》实当为唐人七言律第一。"《载酒园诗话又编》："唐人最喜写勇悍之致，有竭力形容而妙者，王龙标之'邯郸饮来酒未消，城北原平掣皂雕。射杀空营两腾虎，回身却月佩弓弰'是也。有专叙萧条沦落而沉毅之概令人回翔不尽者，崔司勋之'闻道辽西无战斗，时时醉向酒家眠'（按即此诗中句）是也。觉摩诘'试拂铁衣如雪色，聊持宝剑动星文'，未免着色欠苍。"

韦应物（735？—792？）**生。**韦应物，京兆万年人。少任侠，以三卫郎事玄宗。天宝乱后，始折节读书。历官洛阳丞、京兆府功曹、鄠县令、栎阳令。德宗朝除比部郎中，出为滁州刺史，转江州刺史。入为左司郎中，旋出刺苏州。罢职，未几卒。有《韦应物诗集》十卷。据《唐才子传校笺》卷四韦应物传笺，参陶敏《韦应物生平新考》（《湘潭师范学院学报》1998 年第 1 期）。

张建封（735—800）**生。**

杜佑（735—812）**生。**

公元 736 年 （唐玄宗开元二十四年　丙子）

三月

张巡等二十人进士及第，考功员外郎李昂知贡举。见《登科记考》卷八。

诏改由礼部侍郎知贡举。《唐摭言》卷一："隽、秀等科，比皆考功主之。开元二十四年，李昂员外性刚急，不容物，以举人皆饰名求称，摇荡主司，谈毁失实，窃病之而将革焉。……既而昂外舅常与进士李权邻居相善，乃举权于昂。昂怒，集贡人，召权庭数之。……既出，权……乃阴求昂瑕以待之。异日会论，昂果斥权章句之疵以辱之。……权曰：'耳临清渭洗，心向白云闲，岂执事之词乎？'昂曰：'然。'权曰：'昔唐尧衰耄，厌倦天下，将禅于许由，由恶闻，故洗耳。今天子春秋鼎盛，不揖让于足下，而洗耳，何哉？'……昂闻惶骇，蹶起，不知所酬，乃诉于执政，谓权风狂不逊。遂下权吏。……由是庭议以省郎位轻，不足以临多士，乃诏礼部侍郎专之矣。"《旧唐书》玄宗纪上："三月乙未，始移考功贡举遣礼部侍郎掌之。"

杜甫应进士试落第。 杜甫《奉赠韦左丞丈二十二韵》："甫昔少年日，早充观国宾。读书破万卷，下笔如有神。赋料扬雄敌，诗看子建亲。……此意竟萧条，行歌非隐沦。"《奉赠鲜于京兆二十韵》："学诗犹孺子，乡赋忝嘉宾。不得同晁错，吁嗟后郤诜。"《壮游》："归帆拂天姥，中岁贡旧乡。气劘屈贾垒，目短曹刘墙。忤下考功第，独辞京尹堂。"皆叙早年应举下第之事。杜甫自云"忤下考功第"，而本年三月进士试后已诏令改由礼部侍郎知贡举，明年即实行之，则杜之下第不得晚于本年，故旧谱多系于上年。按上年知贡举者为考功员外郎孙逖，逖以清鉴知人著称，若杜甫应举而为此人所黜，则适见杜之不才，杜当不至屡次言及此事。本年知贡举者为李昂，由上引《唐摭言》所载，知其颇遭物议，声誉不佳，杜甫"忤"此人而屡言之，方于情理较合，故改系本年。参见邝健行《杜甫贡举考试问题的再审察、论析和和推断》。

颜真卿以判入高等，授秘书省校书郎。《唐语林》卷八："开元二十四年，置平判入等，始于颜真卿。"殷亮《颜鲁公行状》："二十四年，吏部擢判入高等，授朝散郎、秘书省著作局校书郎。"

韦济在恒州刺史任，撰《白鹿泉神祠碑》，未己入为户部侍郎。《八琼室金石补正》卷五五《白鹿泉神祠碑》："开元式十四年王春三月……群公毕会，□□乎建碑，故勒其名，用昭不朽矣。"题下署"恒州刺史韦济文，岠岳山人裴抗书"。陆增祥跋引《常山贞石志》云："右碑两面刻文……有篆额甚工，颇得汉人遗意，当亦抗所书。《唐书》有两韦济……又小逍遥公房，武后、中宗相嗣立弟三子济。……史称济早以辞翰闻，今此碑璨奇绝特，非俗士所能，所云恒州刺史，当即此人。"《旧唐书》韦思谦附韦嗣立传："济早以辞翰闻。……二十四年为尚书户部侍郎。"参下年二月王维条。

春

李白在太原，尝北游雁门关；后南返至洛阳，遇元丹丘。 李白《闻丹丘子于城北山营石门幽居中有高凤遗迹仆离群远怀亦有栖遁之志因叙旧以寄之》："仆在雁门关，君为峨嵋客。心悬万里外，影滞两乡隔。长剑复归来，相逢洛阳陌。"即忆此事。又《忆旧游寄谯郡元参军》："时时出向城西曲，晋祠流水如碧玉。……兴来携妓恣经过，其若杨花似雪何。"知本年春李白尚在太原，其归洛阳当在夏秋间。

六月

张九龄作《咏燕》诗及《白羽扇赋》。 张九龄有《白羽扇赋》，序云："开元二十四年，夏，盛暑。奉敕使大将军高力士赐宰臣白羽扇。某与焉，窃有所感，立献赋曰：……"赋有云："纵秋气之移夺，终感恩于箧中。"《唐诗纪事》卷一五："九龄在相位，有謇谔匪躬之诚，明皇既在位久，稍怠庶政，每见帝，极言得失。林甫时方同列，阴欲中之。将加朔方节度使牛仙客实封，九龄称其不可，甚不叶帝旨。他日，林甫请见，屡陈九龄颇怀诽谤。于时方秋，帝命高力士持白羽扇以赐，将寄意焉。九龄惶恐，因作赋以献。又为《燕诗》以贻林甫曰：……林甫览之，知其必退，恚怒稍解。""方秋"盖将秋之意，则《纪事》所叙亦当为本年六月事，与《白羽扇赋》及序正合。又张九龄赋《咏燕》诗事亦见《本事诗》。

八月

五日，张九龄献《千秋金镜录》贺玄宗生日。《通鉴》卷二一四："秋，八月，壬子，千秋节，群臣皆献宝镜。张九龄以为以镜自照见形容，以人自照见吉凶。乃述前世兴废之源，为书五卷，谓之《千秋金镜录》，上之；上赐书褒美。"

御楼设绳技，卫士胡嘉隐作《绳技赋》以献，词甚宏畅。《唐语林》卷五："明皇开元二十四年八月五日，御楼设绳技。技者先引长绳，两端属地，埋鹿卢以系之。鹿卢内数丈，立柱以起，绳之直如弦。然后技女自绳端摄足而上，往来倏忽，望若飞仙。有中路相遇，侧身而过者；有著履而行，从容俯仰者；或以画竿接胫，高六尺；或蹋肩蹋顶，至三四重，既而翻身直倒至绳，还往曾无蹉跌，皆应严鼓之节，真可观也。卫士胡嘉隐作《绳技赋》献之，词甚宏畅，上览之大悦，擢拜金吾卫仓曹参军。"

张守节撰《史记正义》成，献上。张守节《史记正义序》："守节涉学三十余年，六籍九流地里苍雅锐心观采，评《史》、《汉》众训释而作正义，郡国城邑委曲申明，古典幽微窃探其美，索理允惬，次旧书之旨，兼音解注，引致旁通，凡成三十卷，名曰《史记正义》。发挥膏肓之辞，思济沧溟之海，未敢侔诸秘府，冀训诂而齐流，庶贻厥子孙，世畴兹史。于时岁次丙子，开元二十四年八月，杀青斯竟。"（《史记》附录）《新唐书》艺文志二："张守节《史记正义》三十卷。"

九月

孟浩然赋诗送韩朝宗守洪州。孟浩然有《送韩使君除洪府都督》诗。韩使君谓韩朝宗。《新唐书》韩思复附韩朝宗传："朝宗以襄州刺史兼山南东道。……坐所任吏擅赋役，贬洪州刺史。"《册府元龟》卷九二九："玄宗开元二十四年九月，邓州南阳县令李泳擅兴赋役。……泳之为令也，朝宗所荐，乃贬为洪州刺史。"

秋

李白与元丹丘、岑勋饮宴，作《将进酒》等诗。李白《酬岑勋见寻就元丹丘对酒相待以诗见招》："对酒忽思我，长啸临清飙。"清飙指秋风，时当在本年秋，又据诗中所写，其地当在嵩山元丹丘隐居处。李白又有《将进酒》诗，云："岑夫子，丹丘生，进酒君莫停。"岑夫子即谓岑勋,丹丘生即元丹丘,诗亦当作于此时。又李白《观元丹丘坐巫山屏风》诗当为同时之作。按《将进酒》系李白名作,[日]近藤元粹《李太白诗醇》卷一引谢叠山语云:"此篇可与子美《曲江》高兴并驰,虽似放达,亦以不遇而自慰之意。"《而庵说唐诗》卷四:"太白此歌最为豪放,才气千古无双。"

十月

戊申,玄宗自东都归长安,张九龄等扈从,各有诗作。《旧唐书》玄宗纪上:"冬十月戊申,车驾发东都,还西京。甲子,至华州,曲赦行在系囚。丁丑,至自东都。"张九龄有《奉和圣制初出洛城》、《奉和圣制次琼岳韵》、《奉和圣制温泉歌》诗,李林甫、韦济并有《奉和圣制次琼岳应制》诗,多写及十月车驾西回之事,为本年所作。

礼部侍郎姚奕请进士帖《左氏传》、《周礼》、《仪礼》。见《唐会要》卷七六。

十一月

张九龄为尚书右丞相,罢知政事。《旧唐书》玄宗纪上:"十一月壬寅,侍中裴耀卿为尚书左丞相,中书令张九龄为尚书右丞相,并罢知政事。"《通鉴》卷二一四评张九龄罢相一事云:"上即位以来,所用之相,姚崇尚通,宋璟尚法,张嘉贞尚吏,张说尚文,李元纮、杜暹尚俭,韩休、张九龄尚直,各其所长也。九龄既得罪,自是朝廷之士,皆容身保位,无复直言。"《新唐书》崔群传记群语云:"世谓禄山反,为治乱分时。臣谓罢张九龄,相林甫,则治乱固已分矣。"

本年

吴道玄于景公寺画《地狱变》,都人咸观,皆惧罪修善,两市屠沽不售。见《佛祖统纪》卷四〇。

孙逖由吏部郎中擢中书舍人。《旧唐书》文苑中本传:"二十四年,拜逖中书舍人。"同书苗晋卿传:"二十四年,与吏部郎中孙逖并拜中书舍人。"

高适在长安,与颜真卿、张旭等交游。高适有《奉寄平原颜太守》诗,序云:"初颜公任兰台郎,与余有周旋之分,而与词赋特为深知。"本年颜真卿授校书郎,高、颜当于此时在长安订交。高适又有《醉后赠张旭》诗。高、张交往亦约在本年,参见周勋初《高适年谱》本年条。

公元737年 （唐玄宗开元二十五年　丁丑）

正月

敕明经试时务策,进士准明经帖一大经。《册府元龟》卷六三九:"二十五年正月诏曰:致理兴化,必在得贤;强识博闻,可以从政。且今之明经、进士,则古之孝廉、秀才。近日以来,殊乖本意。进士以声韵为学,多昧古今;明经以帖诵为功,罕穷旨趣。安得为敦本复古,经明行修?以此登科,非选士取贤之道也。其明经,自今已后,每经宜帖十，取通五已上，免旧试一帖。仍案问大义十条，取通六已上，免试经策十条。令答时务策三道，取粗有文性者与及第。其进士宜停小经，准明经例帖大经十帖，取通四已上。然后准例试杂文及策，考通与及第。其明经中，有明五经以上，试无不通者；进士中，兼有精通一史，能试策十条得六已上者，委所司奏听进止。其应试进士等，唱第讫，具所试杂文及策，送中书门下详覆。其所问明经大义，日仍须对同举人考试。庶能否共知，取舍无愧。有功者达，可不勉与!"《唐会要》卷七五系此事于本年二月。

尹愔以道士拜谏议大夫、集贤院学士。《新唐书》儒学下赵冬曦附尹愔传："初为道士，玄宗尚玄言，有荐愔者，召对，甚喜，厚礼之，拜谏议大夫、集贤院学士，兼修国史，固辞不起。有诏以道士服视事，乃就职，颛领集贤、史馆图书。"《旧唐书》玄宗纪下："（正月）癸卯，道士尹愔为谏议大夫、集贤学士兼知史馆事。"

二月

王维赋诗与卢象唱和，时象在左拾遗任。王维有《同卢拾遗韦给事东山别业二十韵给事首春休沐维已陪游及乎是行亦预闻命会无车马不果斯诺》诗。卢拾遗谓卢象。《新唐书》艺文志四："《卢象集》十二卷。字纬卿，左拾遗。"刘禹锡《唐故尚书主客员外郎卢公（象）集纪》："转右卫仓曹掾。丞相曲江公方执文衡，揣摩后进，得公深器之。擢为左补阙。"（《刘禹锡集》卷一九）左补阙或为左拾遗之误。韦给事谓韦恒，韦嗣立次子，曾官给事中，见《旧唐书》韦思谦附韦嗣立传。韦给事东山别业即指韦嗣立骊山别业，在所谓逍遥谷者。诗云"是时阳和节"，用《史记》秦始皇本纪"时在中春，阳和方起"语意，指二月。诗又云："侍郎文昌宫，给事东掖垣。"侍郎谓韦济，韦恒弟，上年为户部侍郎，而上年三月犹在恒州刺史任（见前），知诗当作于本年。

李颀离长安归故山，赋诗留别王维、卢象。李颀有《留别卢王二拾遗》："春风灞水上，饮马桃花时。……留书下朝客，我有故山期。"卢王谓卢象、王维，象本年在左拾遗任，见上条，维为右拾遗，见前年三月条。诗当作于本年前后，附记于此。

三月

劲轸等二十七人进士及第，礼部侍郎姚奕知贡举。见《登科记考补正》卷八。

张九龄等宴集韦氏逍遥谷，有诗作，王维为撰序。王维《暮春太师左右丞相诸公于韦氏逍遥谷燕集序》："时则有太子太师徐国公、左丞相稷山公、右丞相始兴公、少师宜阳公、少保崔公、特进邓公、吏部尚书武都公、礼部尚书杜公、宾客王公……以诣夫逍遥谷焉。"韦氏逍遥谷见本年二月王维条。徐国公谓萧嵩，稷山公谓裴耀卿，始兴公谓张九龄，宜阳公谓韩休，崔公谓崔琳，武都公谓李暠，杜公谓杜暹，王公谓王丘，见陈铁民《王维集校注》该文注。邓公谓张玮，见《旧唐书》本传。赵殿成《王右丞集笺注》于王维此文后加按语云："据刘昫《唐书》本纪云，开元二十四年十一月，侍中裴耀卿为尚书左丞相，中书令张九龄为尚书右丞相，尚书右丞相萧嵩为太子太师，工部尚书韩休为太子少保，至二十五年四月，张九龄左授荆州长史，不在朝廷矣，是诸公燕集，实在二十五年之春。"张九龄有《骊山下逍遥公旧居游集》诗，当作于此时。

春

孟浩然在襄阳，赋诗赠韩朝宗，又与襄州刺史宋鼎有诗唱和。孟浩然有《和于判官登万山亭因赠洪府都督韩公》诗。韩公指韩朝宗，于上年九月贬洪州都督。诗中有"新堤柳欲阴"之句，当作于本年春日。孟浩然又有《和宋大使北楼新亭》诗。宋大使谓宋鼎，开元二十四年继韩朝宗为荆州大都督府长史兼襄州刺史，本年四月为张九龄所代，见明年宋鼎条，参《唐刺史考全编》卷一八九。诗亦当作于本年春。

四月

张九龄为李林甫所谮，左迁荆州长史。《旧唐书》张九龄传："初，九龄为相，荐长安尉周子谅为监察御史。至是，子谅以妄陈休咎，上亲加诘问，令于朝堂决杀之。九龄坐引非其人，左迁荆州大都督府长史。"《通鉴》卷二一四："夏四月辛酉，监察御史周子谅弹牛仙客非才，引谶书为证。上怒，命左右搒于殿庭，绝而复苏；仍杖之朝堂，流瀼洲，至蓝田而死。李林甫言：'子谅，张九龄所荐也。'甲子，贬九龄荆州长史。"张九龄有诗《荆州作二首》、《登荆州城楼》等诗，当作于初至荆州时。王维有《寄荆州张丞相》诗，作于张九龄贬荆州之后。

五月

李白移家东鲁，有诗作。李白有《五月东鲁行答汶上翁》诗，乃移居东鲁时作。李白《秋于敬亭送从侄耑游庐山序》云："酒隐安陆，蹉跎十年。"考白开元十五年于安陆娶妻安家，至本年整十年，其移家东鲁当在本年或稍后。李白又有《客中作》、《嘲鲁儒》等诗，当初至东鲁时所作，亦系于此。

秋

王维以监察御史使至河西，有诗作。王维《出塞作》："暮云空碛时驱马，秋日平原好射雕。"题下注云："时为御史，监察塞上作。"又《为崔常侍祭牙门姜将军文》："维大唐开元二十五年，岁次丁丑，十一月辛未朔四日甲戌，左散骑常侍、河西节度副大使摄御史中丞崔公，致祭于故姜公之灵。"崔常侍谓崔希逸，据《旧唐书》牛仙客传，希逸于开元二十四年秋以右散骑常侍代仙客知河西节度事。诗当作于本年秋王维至河西节度使府时。王维又有《使至塞上》诗，云："征蓬出汉塞，归雁入胡天。"当作于本年夏出使途中，亦系于此。按《出塞作》系王维名作。《艺苑卮言》卷四："'居延城外猎天骄'一首（按即此诗），佳甚，非两'马'字犯，当足压卷。"《唐诗评选》卷四："自然缜密之作，含意无尽，端自《三百篇》来，次亦不失《十九首》，不可以两押'马'字病之。"《昭昧詹言》卷一六:"此是古今第一绝唱,只是声调响入云霄。……浑颢流转,一气喷薄,而自然有首尾起结章法。其气若江海水之浮天,惟杜公有之;不及杜公者,以用意浮而无物也。"《使至塞上》亦向称名篇。《唐诗镜》卷一〇:"五六得景在'日圆'二字,是为不琢而佳,得意象故。"《唐诗评选》卷三:"右丞每于后四句入妙,前以平语养之,遂成完作。"又:"一结平好蕴藉,遂已迥异。盖用景写意,景显意微,作者之极致也。"《绠斋诗谈》卷五:"'大漠孤烟直,长河落日圆。'边景如画,工力相敌。"

十一月

宋璟(663—737)卒,年七十五。《旧唐书》玄宗纪下:"丁丑,开府仪同三司、广平郡公宋璟薨。"颜真卿《有唐开府仪同三司行尚书右丞相上柱国赠太尉广平文贞公宋公(璟)神道碑铭》:"二十五年仲冬月十九日寝疾终于东都明教里第,享年七十五。"《新唐书》艺文志四:"《宋璟集》十卷。"

冬

孟浩然在张九龄幕,常陪从公干或游赏,有诗唱和。孟浩然《荆门上张丞相》:"共理分荆国,招贤愧楚材。……始慰蝉鸣柳,俄看雪间梅。"张丞相谓张九龄。《旧唐书》文苑下孟浩然传:"张九龄镇荆州,署为从事,与之唱和。"《新唐书》文艺下孟浩然传:"张九龄为荆州,辟置于府。"诗当作于本年冬。又以"始慰蝉鸣柳"考之,知孟浩然入张九龄幕当在本年夏。孟浩然又有《陪张丞相登荆州城楼因寄蓟州张使君及浪泊戍主刘家》、《从张丞相游纪南城猎赠裴迪张参军》、《陪张丞相祠紫盖山途经玉泉寺》、《陪张丞相自松兹江东泊渚宫》、《陪张丞相登嵩(当)阳楼》等诗,多作于冬季,亦当本年在张九龄幕府时所作,张九龄《祠紫盖山经玉泉山寺》等诗是与孟浩然唱和之作,并系于此。又张九龄有《冬中至玉泉山寺属穷阴冰闭崖谷无景及仲春行县复往焉故有此作》诗,当作于明年二月,附记于此。

本年

玄宗君臣赋诗制序送邢璹出使新罗。《旧唐书》东夷新罗传:"二十五年,(新罗王)兴光卒,诏赠太子太保,仍遣左赞善大夫邢璹摄鸿胪少卿,往新罗吊祭,并册立其子承庆袭父开府仪同三司、新罗王。璹将进发,上制诗序,太子以下及百僚咸赋诗以送之。上谓璹曰:'新罗号为君子之国,颇知书记,有类中华。以卿学术,善与讲论,故选使充此。到彼宜阐扬经典,使知大国儒教之盛。'"

韦绦命人铨叙乐章,厘正燕乐歌词。《唐会要》卷三二:"二十五年,太常卿韦绦令博士韦逌、直大乐李尚冲、乐正沈元礼、郊社令陈虔、申怀操等铨叙前后所行用乐章,为五卷,以付大乐、鼓吹两署,令工人习之。时太常旧相传有《燕乐》五调歌词各一卷,或云贞观中侍中杨恭仁、赵方等所铨集,词多郑、卫,皆近代词人杂诗。至是，绍又令太乐令孙玄成更加厘革，编为七卷。"

高适在宋州，有诗哭梁洽。高适有《哭单父梁九少府》诗，《文苑英华》卷三〇三题作《哭单父梁洽少府》。梁洽开元二十二年登进士第，授官当在本年，卒官当在本年或稍后，姑系于此。又单父为宋州属县，知其时高适当已在宋州。杜甫漫游齐赵间，与苏源明订交，又作《望岳》等诗。

杜甫晚年有《壮游》诗写及游齐赵事。云："放荡齐赵间，裘马颇清狂。……苏侯据鞍喜，忽如携葛强。""苏侯"两字下原注："监门胄曹苏预。"苏预即苏源明，后以避代宗讳而改名。杜甫有《望岳》（岱宗夫如何）、《登兖州城楼》等诗，当作于本年至开元二十八年游齐赵期间，姑系于此。参见闻一多《少陵先生年谱会笺》（载其所著《唐诗杂论》）、陈贻焮《杜甫壮游踪迹初探》（载《文史》第十四辑）。按《望岳》是杜甫名篇。《杜诗详注》卷一评云："少陵以前题咏泰山者，有谢灵运、李白之诗。谢诗八句，上半古秀，而下却平浅。李诗六章，中有佳句，而意多重复。此诗遒劲峭刻，可以俯视两家矣。"又："《龙门》及此章，格似五律，但句中平仄未谐，盖古诗之对偶者。而其气骨峥嵘，体势雄浑，能直驾齐、梁以上。"《读杜心解》卷一："杜子心胸气魄，于斯可观。取为压卷，屹然作镇。"《岘佣说诗》："《望岳》一题，若入他人手，不知作多少语？少陵只以四韵了之，弥见简劲。'齐鲁青未了'五字，囊括数千里，可谓雄阔。后来唯退之'判山已去华山来'七字足以敌之。"

公元738年 （唐玄宗开元二十六年 戊寅）

正月

诏各州县置乡学，择师教授。《旧唐书》玄宗纪下："天下州县，每乡一学，仍择师资，令其教授。诸乡贡每年令就国子监谒先师，明经加口试。内外八品已下及草泽有博学文辞之士，各委本司本州闻荐。"《唐大诏令集》卷七三《敕亲祀东郊德音》："宜令天下州县，每一乡之内，别各置学，仍择师资，令其教授。"

张九龄、孟浩然同在荆州，有诗唱和。张九龄有《立春日晨起对积雪》诗，孟浩然有《和张丞相春朝对雪》诗，为二人本年正月在荆州唱和之作，参见杨承祖《唐张子寿先生九龄年谱》。

三月

张九龄在荆州刺史任，登龙山，有诗作。张九龄有《三月三日登龙山》诗。龙山在荆州江陵县西，见《舆地纪胜》卷六四。诗当作于本年或明年三月，姑系于此。张九龄又有《九月九日登龙山》诗，附记于此。

崔曙等二十三人进士及第，礼部侍郎姚奕知贡举，试《拟孔融荐祢衡表》及《明堂火珠诗》，崔曙诗甚为时人所赏。《直斋书录解题》卷一九："（崔曙）开元二十六年进士状头。"《本事诗》："崔曙进士作《明堂火珠诗》试帖曰：'夜来双月满，曙后一星孤。'当时以为警句。"《太平广记》卷一九八引《明皇杂录》、《封氏闻见记》卷四、《唐诗纪事》卷二〇等亦记此事。余见《登科记考》卷八。

春

王昌龄与缑氏尉沈兴宗宴饮，有诗作。王昌龄《缑氏尉沈兴宗置酒南溪留赠》诗，写及春日景象。《金石萃编》卷八三有《大唐开元寺故禅师珸塔铭》，题下署"缑氏尉沈兴宗纂"，文末云："开元贰拾陆年七月十五日弟子宗本为亡和上敬造此塔。"知本年沈兴宗在缑氏尉任。缑氏与汜水同属河南府，相距较近，时昌龄当在汜水尉任。诗作于本年前后。

薛据自昌乐主簿迁涉县令，刘长卿赋诗送之。刘长卿有《送薛据宰涉县》诗，作于春季。诗题下注："自永乐主簿陟状，寻复选受此官。"《唐会要》卷八一："凡入仕之后，迁代则以四考为限。"薛据约开元二十二年为永乐主簿，以四考计之，其授涉县令当在本年。参见佟培基《薛据生平及其作品考辨》，载《中华文史论丛》1983 年第 1 辑。

五月

王维罢河西节度判官返长安；在河西时维多有诗作。王维有《双黄鹄歌送别》、《凉州赛神》诗，题下均注："时为节度判官，在凉州作。"作于在河西崔希逸幕时。据《通鉴》卷二一四，希逸本年五月迁河南节度使，王维亦当于此时罢节度判官归京，则两诗当作于本年五月之前。王维又有《凉州郊外游望》、《灵云池送从弟》等诗，皆在凉州作，其《从军行》、《陇西行》、《陇头吟》、《老将行》等边塞乐府诗疑亦作于在河西幕时，今并系于此。

六月

渤海遣使请写《三国志》、《晋书》等。《唐会要》卷三六："二十六年六月二十七日，渤海遣使求写《唐礼》及《三国志》、《晋书》、《三十六国春秋》，许之。"

七月

萧颖士在扬州参军任，为李长史作表文，未几丁家艰去职。萧颖士《为扬州李长史贺立皇太子表》："臣某言：伏奉制书，皇太子以今月嘉辰，肃膺典册。"《旧唐书》玄宗纪下："六月，立忠王玙为皇太子。秋七月己巳，册皇太子，大赦天下。"表当作于七月。颖士又有《为扬州李长史作千秋节进毛龟表》，当作于玄宗八月五日生日前，亦当在本月。时萧颖士为扬州参军。李华《扬州功曹萧颖士文集序》："历金坛尉、桂（当从《文苑英华》卷七〇一作扬）州参军……为扬州参军也，丁家艰去官。"颖士之丁家艰去官当在此后不久。

八月

甲申，玄宗亲试文词雅丽科举人。《册府元龟》卷六四三："二十六年八月甲申，亲试文词雅丽举人，命有司置食，敕曰：'……并宜坐食，食讫就试。'"

秋

王维有诗送岐州源长史。王维《送岐州源长史归》："秋风正萧索，客散孟尝门。"题下注云："同在崔常侍幕中，时常侍已没。"崔常侍谓崔希逸。《通鉴》卷二一四："夏，五月，乙酉，李林甫兼河西节度使。丙申，以崔希逸为河南尹。希逸自念失信于吐蕃，内怀愧恨，未几而卒。"诗当作于本年秋。《围炉诗话》卷三："'秋风正萧索，客散孟尝门'，十字抵一篇《别赋》。"

孟浩然自荆州归襄阳，南游洞庭湖，有诗寄阎访，时访以事谪湘中。孟浩然《湖中旅泊寄阎九司户防》："襄王梦行雨，才子谪长沙。"《洞庭湖寄阎九》："洞庭秋正阔，余欲泛归船。"阎防开元二十二年进士及第，其授官后被谪约在本年，参见《唐才子传校笺》卷一阎防传笺。诗当作于本年秋孟浩然离张九龄荆州幕归襄阳途经洞庭湖时，参见王辉斌《孟浩然三游湖湘始末》，载《襄樊学院学报》2000年第1期。

本年

翰林供奉改称翰林学士，别置学士院。《新唐书》百官志一："开元二十六年，又改翰林供奉为学士，别置学士院，专掌内命。"《唐会要》卷五七："至二十六年，始以翰林供奉改称学士，由是别置学士院，俾掌内制。于是太常少卿张洎（垍）、起居舍人刘光谦等首居之，而集贤所掌，于是罢息。"

《唐六典》书成奏上。《大唐新语》卷九："开元十年，玄宗诏书院撰《六典》以进。时张说为丽正学士，以其事委徐坚。……其后张九龄委陆善经，李林甫委苑咸，至二十六年，始奏上。百寮陈贺，迄今行之。"《新唐书》艺文志二："《六典》三十卷。开元十年，起居舍人陆坚被诏集贤院修'六典'，玄宗手写六条，曰理典、教典、礼典、政典、刑典、事典。张说知院，委徐坚，经岁无规制，乃命毋煚、余钦、咸廙业、孙季良、韦述参撰。始以令式象《周礼》六官为制。萧嵩知院，加刘郑兰、萧晟、卢若虚。张九龄知院，加陆善经。李林甫代九龄，加苑咸。二十六年书成。"《唐会要》卷三六："二十七年二月，中书令张九龄等撰《六典》三十卷成，上之，百官称贺。"此从《新语》、《新志》。

贺知章为太子宾客。孙逖《授贺知章等太子宾客制》："庆王侍读、银青光禄大夫、秘书监员外置同正员贺知章等，衣冠耆旧，词学宗师，或恬淡风流，独擅东南之美，或清贞介特，是称江汉之英。……方之四老，用列宾友之任；综彼三坟，俾在图书之府。可依前件。"按据《旧唐书》文苑中贺知章传，乾元元年，肃宗以知章为侍读之旧，追赠礼部尚书，则知章所侍者为肃宗。肃宗本年立为太子，知章为太子宾客当在本年或稍后，姑系于此。

宋鼎在沔州刺史任，至荆州，与张九龄有诗唱和。宋鼎有《赠张丞相》诗，序云："张丞相与予有孝廉校理之旧，又代余为荆州，余改汉阳，仍兼按使，巡至荆州，故有此赠。"张丞相谓张九龄，汉阳即沔州。宋鼎明年自广州刺史改潞府长史，见《册府元龟》卷四八。诗当本年所作。张九龄有《酬宋使君作》、《酬宋使君见贻》诗,为酬答宋鼎之作。

高适作《燕歌行》诗。诗序云:"开元二十六年,客有从元戎(按《全唐诗》"元戎"作"御史大夫张公")出塞而还者,作《燕歌行》以示,适感征戍之事,因而和焉。"按此诗系高适代表作。《唐诗镜》卷一三:"'战士军前半死生,美人帐下犹歌舞',语意警绝。高适七言古多句调琅琅,振响欲绝。"《唐诗评选》卷一:"词浅意深,铺排中即为诽刺,此道自《三百篇》来,至唐而微,至宋而绝。"《唐诗别裁集》卷五:"七言古中时带整句,局势方不散漫。若李、杜风雨分飞,鱼龙百变,又不可以一格论。"

李白在东鲁,有诗送张谓游河北。李白有《鲁郡尧祠送张十四游河北》诗。张十四谓张谓,见陶敏《唐人行第录正补》,载《文史》第三十一辑。张谓开元二十八年在幽蓟边地,见后。李白送其北游约在本年。

岑参至长安献书,此后十年,屡往返于京洛间。岑参《感旧赋》序:"二十献书阙下。"赋云:"弱冠干于王侯",又云:"我从东山,献书西周,出入二郡,蹉跎十秋。"西周指长安,二郡谓长安、洛阳。本年岑参年二十。

公元 739 年 (唐玄宗开元二十七年 己卯)

春

李岑、吕谭等二十四人登进士第,礼部侍郎崔翘知贡举,试《冀莢赋》及《美玉诗》。见《登科记考补正》卷八。

李白过襄阳,有诗赠孟浩然。李白《赠孟浩然》:"吾爱孟夫子,风流天下闻。红颜弃轩冕,白首卧松云。醉月频中圣,迷花不事君。高山安可仰,徒此揖清芬。"当作于本年春,参见詹锳《李白诗文系年》。

四月

孙逖丁父忧,免中书舍人职。《旧唐书》文苑中本传:"二十四年,拜逖中书舍人。……丁父丧免。"孙逖《宋州司马先府君墓志铭》:"府君讳嘉之……以开元二十七年四月二十四日弃背于东都集贤里之私第。"

八月

追赠孔子为文宣王。《旧唐书》玄宗纪下:"甲申,制追赠孔宣父为文宣王,颜回为兖国公,余十哲皆为侯,夹坐。"

秋

高适赋诗送族侄赴括州。高适有《宋中送族侄式颜时张大夫贬括州使人召式颜遂有此作》诗。张大夫谓张守珪,《旧唐书》玄宗纪下,"六月甲戌……幽州节度使、兼御史大夫张守珪以贿贬为括州刺史。"诗云"旅雁悲啾啾"，当作于本年秋。稍后高适又作《又送族侄式颜》诗，诗云："我今行山东，离忧不能已。"或谓此后高适即有山东之游，行至汶上，遂与杜甫订交。参闻一多《少陵先生年谱会笺》、周勋初《高适年谱》。

李白在江南，有诗寄崔宗之。李白《月夜江行寄崔员外宗之》："飘飖江风起，萧飒海树秋。……岸曲迷后浦，沙前瞰前洲。"作于江南秋季。《旧唐书》礼仪志六："至二十七年，礼部员外郎崔宗之驳下太常，令更详议。"本年崔宗之在员外郎任，李白诗当亦作于本年。

王昌龄贬岭南，至襄阳，孟浩然赋诗送行；昌龄旋至巴陵，赋诗送李白，后至衡山，有诗寄张九龄。王昌龄《次汝中寄河南陈赞府》："汝山方联延，伊水才明灭。"《见谴至伊水》："得罪由己招，本性易然诺。"《留别伊阙张少府郭都尉》："迁客就一醉，主人空金罍。……郭侯未相识，策马伊川来。"《河岳英灵集》卷下："余尝睹王公（按指王昌龄）《长平伏冤》文、《吊枳道赋》，仁有余也。奈何晚节不矜细行，谤议沸腾，再历遐荒，使知音叹惜。"此为初次之贬。以上诸诗均作于贬谪途中未出河南界时。孟浩然《送王昌龄之岭南》："洞庭去远近，枫叶早惊秋。岘首羊公爱，长沙贾谊愁。"为王昌龄行至襄阳时孟浩然送行之作。又王昌龄《巴陵别刘处士》、《岳阳别李十七越宾》、《巴陵送李十二》等诗均作于秋季，为行至巴陵时所作，李十二谓李白。王昌龄又有《奉赠张荆州》诗，云："祝融之峰紫云衔，翠如何其雪崒岩。"张荆州谓张九龄，祝融为衡山主峰，诗当为王昌龄南行至衡山时寄张九龄之作，时在冬季，亦系于此。王昌龄贬岭南当在本年，详见詹锳《李白诗文系年》。

十一月

崔沔（673—739）卒，年六十七。《唐代墓志汇编》大历〇六〇《有唐通议大夫守太子崔客赠尚书左仆射崔公墓志》："初，孝公之薨也，以开元廿九年十二月廿九日权窆于邙山，故人北海太守江夏李邕为志曰：……公讳沔，字若冲，博陵安平人也。……终东都副留守。时春秋六十有七。呜呼！以开元廿七年十一月十七日薨于居守之内馆。……注老子《道德经》，文集三十卷。"李华《赠礼部尚书清河孝公崔沔集序》："……薨于位，时开元二十四年冬仲月旬有七日，春秋六十七。……文集经乱离多散逸，今其存者二十九卷。"两处所记崔沔卒年不同，今从墓志。

本年

崔曙（？—739）卒。《唐诗记事》卷二〇："曙以是诗（按指上年所试之《明堂火珠诗》）得名，明年卒，惟一女名星星，始悟其谶也（按指'曙后一星孤'为曙卒女孤之谶语）。"《国秀集》目录："河内尉崔曙五首。"则崔曙当于上年进士及第后授河内尉，本年卒于任上。《河岳英灵集》卷下选崔署（曙）诗六首，评云："署诗言词款要，情兴悲凉，送别登楼，俱堪下泪。"《诗学渊源》卷八："（曙）集中所载，殊未脱齐、梁排偶之习，与王翰同工，远逊孟云卿古朴。"

张九龄在荆州长史任，赋诗多首以寄意抒怀。徐浩《唐尚书右丞相中书令张公神道碑》："贬荆州长史。三岁为相，万邦厎宁。而善恶太分，背憎者众。虞机密发，投杼生疑，百犬吠声，众狙皆怒。每读韩非《孤愤》，涕泣沾襟。"张九龄有《始兴南山下有林泉尝卜居焉荆州卧病有怀此地》、《郢城西北有大古冢数十观其封域多是楚时诸王而年代久远不可复识惟直西有樊妃冢因后人为植松柏故行路尽知之》、《咏史》、《庭梅咏》、《杂诗五首》等诗，多抒忧愤危苦之怀，写忠贞孤高之志，又其《感遇十二首》之大半亦每寓此意，均当作于贬在荆州时。明年五月九龄卒，诸诗姑并系于此。《载酒园诗话》卷一评《庭梅咏》云："余观此诗，字字危栗，起结皆自占地步，正是寄托之词，亦犹《咏燕》，特稍深耳。"《唐诗归》卷五："《感遇》诗，正字气运蕴含，曲江精神秀出。正字深奇，曲江淹密，皆出前人之上。"《删补唐诗选脉笺释会通评林》卷二周珽曰："曲江《感遇》诸诗言言历落，字字玄微，《十九首》之后无此陆离精致。"《诗筏》："张曲江《感遇》，则语语本色，绝无门面矣，而一种孤劲秀澹之致，对之令人意消。"《唐诗别裁集》卷一："《感遇》诗，正字古奥，曲江蕴藉，本原同出嗣宗，而精神面目各别，所以千古。"

崔国辅由许昌令迁左补阙，钱起赋诗赠之。钱起有《诏许昌崔明府拜补阙》诗。崔明府谓崔国辅。李翛《泗州刺史李君神道碑》："今夫人清河人也……弟国辅，秀才擢第，制举登科，历补阙、起居、礼部员外郎。"国辅开元二十三年应县令举，授许昌令，见《登科记考》卷八；其迁补阙约在本年。参见《唐才子传校笺》崔国辅传笺及补笺。

公元 740 年 （唐玄宗开元二十八年 庚辰）

春

诏徐安贞、裴朏等十学士评定吏部选人书判之等第，考判之目由此而始。独孤及《唐故朝议大夫高平郡别驾权公（徹）神道碑铭并序》："初，选部旧制，每岁孟冬以书判选多士。至开元十八年，乃择公廉无私工于文者考校甲乙丙丁科，以辨论其品。是岁，公受诏与徐安贞、王敬从、吴巩、裴朏、李宙、张烜等十学士参焉。凡所升奖，皆当时才彦。考判之目，自此始也。于时天下无兵百二十余载，搢绅之徒用文章为耕耘，登高不能赋者，童子大笑。公攘臂其间，以仁义为己任，片言只字，动为学者所法，时辈荣之。"按自唐立国之年（618）至开元十八年（730）时只一百一十三年，不合"百二十余载"之数，又参以碑文前叙权徹之仕履，知"十八年"当是"二十八年"之误。又孙逖《太子右庶子王公神道碑》云："公讳敬从，字某，京兆人也。……春秋六十有二，以开元二十八年五月二十八日终于西京静恭里之私第。"王敬从既以本年五月卒，则诏敬从等十学士考判自不能在本年"孟冬"，而当在本年春。参陶敏、傅璇琮《唐五代文学编年史》（初盛唐卷）本年十月条、王勋成《唐代铨选与文学》第八章。

王昌龄由岭南北归，经襄阳，再访孟浩然，与之欢饮；浩然（689—740）食鲜疾动，遂致暴卒，年五十二。《新唐书》文艺下孟浩然传："开元末，病疽背卒。"王士源

《孟浩然集序》："孟浩然字浩然，襄阳人也。骨貌淑清，风神散朗。救患释纷以立义表，灌蔬艺竹以全高尚。交游之中，通脱倾盖，机警无匿。学不为儒，务掇菁藻；文不按古，匠心独妙。五言诗天下称其尽美矣。……丞相范阳张九龄、侍御史京兆王维、尚书侍郎河东裴朏、范阳卢僎、大理评事河东裴揔、华阴太守荥阳郑倩之、太守河南独孤册，率与浩然为忘形之交。……士源他时尝笔赞之曰：'道漾挺灵，寔生楚英。浩然清发，亦其自名。'开元二十八年，王昌龄游襄阳，时浩然疾瘵发背且愈，相得欢甚，浪情宴谑，食鲜疾动，终于冶城南园。时年五十有二。子曰仪甫。浩然文不为仕，伫兴而作，故或迟；行不为饰，动以求真，故似诞；游不为利，期以放性，故常贫。名不系于选部，聚不盈于担石，虽屡空不给而自若也。……今集其诗二百一十八首，分为四卷，诗或缺逸未成，而制思清美，及他人酬赠，咸录次而不弃耳。"（《孟浩然集校注》卷首）孟浩然之卒当在本年春，参见刘文刚《孟浩然年谱》。《新唐书》艺文志四："《孟浩然诗集》三卷。弟洗然、宜城王士源所次，皆三卷也。士源别为七类。"《郡斋读书志》卷一七："《孟浩然诗》一卷。右唐孟浩然也。……所著诗二百一十首。宜城处士王士源序次为三卷，今并为一，又有天宝中韦绦序。"《直斋书录解题》卷一九："《孟襄阳集》三卷。唐进士孟浩然撰，宜城王士源序之。凡二百十八首，分为七类，太常卿韦绦为之重序。"《河岳英灵集》卷下："余尝谓祢衡不遇，赵壹无禄，其过在人也。及观襄阳孟浩然馨折谦退，才名日高，天下籍甚，竟沦落明代，终于布衣，悲夫！浩然诗，文彩芊茸，经纬绵密，半遵雅调，全削凡体。至如'众山遥对酒，孤屿共题诗'，无论兴象，兼复故实。又'气蒸云梦泽，波动岳阳城'，亦为高唱。"皮日休《郢州孟亭记》："明皇世，章句之风，大得建安体。论者推李翰林、杜工部为之尤。介其间能不愧者，唯吾乡之孟先生也。先生之作，遇景入咏，不拘奇抉异，令龌龊束人口者，涵涵然有干霄之兴，若公输氏当巧而不巧者也。北齐美萧悫，有'芙蓉露下落，杨柳月中疏'。先生则有'微云淡河汉，疏雨滴梧桐'。乐府美王融，'日霁沙屿明，风动甘泉浊'。先生则有'气蒸云梦泽，波撼岳阳城'。谢朓之诗句，精者有'露湿寒塘草，月映清淮流'。先生则有'荷风送香气，竹露滴清响'。此与古人争胜于毫厘也。他称是者众，不可悉数。"《后山诗话》："子瞻谓孟浩然之诗，韵高而才短，如造内法酒手而无材料尔。"《沧浪诗话》："孟襄阳学力下韩退之远甚，而其诗独出退之之上者，一味妙悟而已。"又："孟浩然之诗，讽咏之久，有金石宫商之声。"《唐诗品》："襄阳气象清远，心惊孤寂，故其出语洒落，洗脱凡近，读之浑然省净而彩秀内映，虽悲感谢绝而兴致有余，藻思不及李翰林，秀调不及王右丞，而闲澹疏豁，倏倏自得之趣，亦非二公之长也。世代下流，崇慕冠绂，孟君沦落江海，遂阻声华，传之后世，悠然隐意更高。孟君之节，夫亦久而后定者耶！"《四溟诗话》卷二："浩然五言古诗近体，清新高妙，不下李、杜；但七言长篇，语平气缓，若曲涧流泉而无风卷江河之势。"《诗薮》内编卷二："孟五言不甚拘偶者，自是六朝短古，加以声律，便觉神韵超然，此其占便宜处。英雄欺人，要领未易勘也。"卷四："孟诗淡而不幽，时杂流丽；闲而匪远，颇觉轻扬。可取者，一味自然。"《唐诗归》卷一〇钟惺云：浩然诗，当于清浅中寻其静远之趣，岂可故作清态，饰其寒窘，为不读书不深思人便门？若右丞诗，虽欲窃其似以自文，不可得矣。此王、孟之别也。"《诗源辩体》卷一六："孟浩然古律之诗，五言为胜。五言则短篇为胜。”又：“唐人律诗以兴象为主，风神为宗。浩然五言律兴象玲珑，风神超迈，即元瑞所谓‘大本先立’，乃盛唐最上乘，不得偏于闲淡幽远求之也。”又：“古人为诗，有语语琢磨者，有一气浑成者。语语琢磨者称工，一气浑成者为圣。语语琢磨者，一有相类，疑为盗袭。一气浑成者，兴趣所到，忽然而来，浑然而就，不当以形似求之。试观浩然五言律，入录者无一句人不能道，然未有一篇人易道也。后人才小者辄慕浩然，然但得其浅易耳。”又：“李、杜二公诗甚多，而浩然诗甚少。盖二公才力甚大，思无不获。浩然造思极深，必待自得，故其五言律皆忽然而来，浑然而就，而圆转超绝，多入于圣矣。须溪谓‘浩然不刻画，只似乘兴’，沧浪谓‘浩然一味妙悟’，皆得之矣。”《载酒园诗话又编》：“诗忌闹，孟最静；诗忌板，孟最圆。然律诗有一篇如一句者，又有上句即有下句者，往往稍涉于轻，乃知有所避必有所犯。”又：“笔力强弱，实由性生，不可复强，智者善藏其短耳。如孟襄阳写景、叙事、述情，无一不妙，令读者躁心欲平。但瑰奇磊落，实所不足，故不甚作七言，专精五字。””《骚坛秘语》：“（浩然诗）祖建安，宗渊明，冲澹中有壮逸之气。”《蠛斋诗话》：“襄阳五言律、绝句，清空自在，淡然有余；衍作五言排律，转觉易尽，大逊右丞。盖长篇中须警策语耐看，不得专以气体取胜也，故必推老杜擅场。”《原诗》卷四：“孟浩然诸体似乎澹远，然无缥缈幽深思致，如画家写意，墨气都无；苏轼谓：‘浩然韵高而才短，如造内法酒手，而无材料。’诚为知言。后人胸无才思，易于冲口而出，孟开其端也。”《唐诗别裁集》卷一：“襄阳诗从静悟得之，故语淡而味终不薄，此诗品也。然比右丞之浑厚，尚非鲁、卫。”卷九：“孟诗胜人处，每无意求工，而清超越俗，正复出人意表。”又：“清浅语，诵之自有泉流石上，风来松下之音。”《诗辩坻》卷三：“襄阳歌行，便已下右丞一格，无论高、岑、崔、李也。盖全用姿胜，不复见气，但未及隽语，为能立足耳。”又：“襄阳五言律体无他长，只清苍酝藉，遂自名家，佳什亦多。《洞庭》一章，反见索露，古人以此作孟公声价，良不解也。”《石洲诗话》卷一：“读孟公诗，且毋论怀抱，毋论格调，只其清空幽冷，如月中闻磬，石上听泉，举唐初以来诸人笔虚笔实，一洗而空之，真一快也。”

刘眘虚寄诗友人，以访求孟浩然遗文。刘眘虚《寄江滔求孟六遗文》：“南望襄阳路，思君情转亲。偏知汉水广，应与孟家邻。……相如有遗草，一为问家人。”孟六当指孟浩然。《载酒园诗话又编》评此诗云：“作律至此，几于以笔为舌矣。然已隐隐逗张水部一派。”

高适与房琯赋诗唱和，时琯任宋城令。高适有《同房侍御山园新亭与刑判官同游》诗，写及春日景象。房侍御谓房琯，以其曾为监察御史，故称。诗云“灌坛有遗风，单父多鸣琴”，用太公为灌坛令、宓子贱为单父宰典实，知房琯时为县令。《旧唐书》房琯传：“二十二年，拜监察御史。……历慈溪、宋城、济源县令……天宝元年，拜主客员外郎。”高适诗当作于房琯为宋城令时。同书地理志三：“奉化、慈溪、翁山，已上三县，皆鄞县地。开元二十六年，析置。”知房琯为慈溪令不早于开元二十六年，则其转宋城令当在本年左右。

五月

张九龄（678—740）卒，年六十三。《旧唐书》本传："俄请归拜墓因遇疾卒，年六十八……有集二十卷。"徐浩《唐尚书右丞相中书令张公神道碑》："开元二十八年春，请拜扫南归。五月七日遭疾，薨于韶州曲江之私第，享年六十三。"张九龄之享年，当以徐浩《碑》为是。《新唐书》艺文志四："《张九龄集》二十卷。"杜甫《八哀诗·故右仆射相国曲江张九龄》："宾客引调同，讽咏在务屏。诗罢地有余，篇终语清省。一阳发阴管，淑气含公鼎。乃知君子心，用才文章境。散帙起翠螭，倚薄巫庐并。绮丽玄晖拥，笺诔任昉骋。自我一家则，未阙只字警。千秋沧海南，名系朱鸟影。《刘禹锡集》卷二一《读张曲江集作引》："及今读其文，自内职牧始安，有瘴疠之叹；自退相守荆门，有拘囚之思。托讽禽鸟，寄词草树，郁然与骚人同风。"《郡斋读书志》卷一七："张九龄《曲江集》二十卷。……九龄风流酝藉，幼善属文。玄宗朝，知制诰，雅为帝知。为相，谔谔有大臣节。及贬荆州，惟以文史为娱，朝廷许其胜流。徐坚论九龄之文，如轻缣素练，实济实用，而窘边幅（按据《大唐新语》卷九及《新唐书》文艺传上，此系张说之言）。柳宗元以九龄兼工诗文，但不能究其极尔。"《唐诗品》："曲江藻思翩翩，体裁疏秀，深综古意，通于远调。上追汉、魏，而下开盛唐，虽风神稍劣，而词旨冲融，其源盖出于古之平调曲也。自余诸子，驰志高雅，则峭径挺出；游泳时波，则蘼芜莫剪，安能少望其风哉！近体诸作，绮密闲澹，复持格力，可谓备其众美。虽与初唐作者骈肩而出，更后诸名家亦皆丈人行也，而况节义相先，称古之遗直者耶！"《诗薮》内篇卷二："张子寿首创清澹之派。盛唐继起，孟浩然、王维、储光羲、常建、韦应物，本曲江之清澹，而益以风神者也。"卷四："初唐沈、宋外，苏、李诸子，未见大篇。独曲江诸作，含清拔于绮绘之中，寓神俊于庄严之内，如《度蒲关》、《登太行》、《和许给事》、《酬赵侍御》等作，同时燕许称大手，皆莫及也。"《唐音癸签》卷五："张曲江五言以兴寄为主，而结体简贵，选言清冷，如玉磬含风，晶盘盛露，故当于尘外置赏。"《诗源辨体》卷一四："张九龄五言古，平韵者多杂用律体。《感遇》十三首，体虽近古而辞多不达，去子昂远甚。五言律才藻远让沈、宋，故入录者仅称平淡。胡元瑞谓'子寿首创清淡之派'，非也。"《唐诗别裁集》卷一："唐初五言古渐趋于律，风格未遒，陈正字起衰而诗品始正，张曲江继续而诗品乃醇。"四库提要卷一四九："九龄守正嫉邪，以道匡弼，称开元贤相，而文章高雅，亦不在燕、许诸人下。《新唐书·文艺传》载徐坚之言，谓其文如轻缣素练，实济时用而窘边幅。今观其《感遇》诸作，神味超轶，可与陈子昂方驾。文笔宏博典实，有垂绅正笏气象，亦具见大雅之遗。坚局于当时风气，以富艳求之，不足以为定论。至所撰制草，明白切当，多得王言之体。"《诗辩坻》卷三："张子寿忠謇之士，陈诗讽主，动合典则，质直有余，微伤雅致，不徒窘于边幅也。"《石洲诗话》卷一："曲江公委婉深秀，远出燕、许诸公之上，阮、陈而后，实推一人，不得以初唐论。"《昭昧詹言》卷一："张曲江以风雅之道，兴寄为上，故一篇一咏，莫非兴寄，此意是矣。然僻者为之，则又入于空泛，捕风捉影，似是而非。夫六义，风、雅、颂、赋、比、兴兼之，奈何独主风与兴二端乎？大约天下义理及古今载籍文字，惟变所适，无所不备，但用各有当耳。不能观其会通而偏提一端，即为病痛。知味者鲜，所以末流多歧也。"《三唐诗品》卷一："其源出于鲍明远、江文通，次叙连章，见铺排之迹。《感遇》诸篇，犹为高调，情词芬恻，清亮音多，骨格未及拾遗，每以丰条伤干。至如汉上游女，遥襭古馨，清江白云，蔚发明秀，哀梨爽口，不必与橄榄同功，若斯之类，亦其独至也。"

秋

储光羲行经新丰，有诗寄殷遥。储光羲《过新丰道中》："雨多车马稀，道上生秋草。……诏书植嘉木（二十八年有诏植果），众言桃李好。"作于秋季。储光羲又有《新丰作贻殷四校书》诗，云："鸡犬暮声合，城池秋霁空。"亦当本年秋所作。殷四谓殷遥，见《唐人行第录》。

张谓在幽蓟边地，与友人有诗唱和。张谓有《同孙构免官后登蓟楼》诗，作于秋季。诗云："去年大将军，忽复乐生谤。北别伤士卒，南迁死炎瘴。"大将军谓张守珪，开元二十三年拜辅国大将军、羽林大将军，二十七年坐贿牛仙童自幽州节度使贬括州刺史，未几卒官。见《旧唐书》玄宗纪下及张守珪传。诗当作于本年。张谓又有《代北州老翁答》诗，亦当作于客幽州时，附记于此。参见熊飞《唐代诗人张谓生平事迹考略》（下），载《文献》1999 年第 4 期。按《代北州老翁答》系张谓名作，《河岳英灵集》卷上："谓《代北州老翁答》及《湖中对酒行》，并在物情之外，但众人未曾说耳，亦何必历遐远，探古迹，然后始为冥搜。"《唐诗镜》卷二八："张谓七言古，风格矫矫，可配高达夫一流。"《唐诗别裁集》卷五："为明皇黩武而言，与老杜《石壕吏》相似。"

秋冬间

王维以殿中侍御史知南选，途经襄阳，赋诗哭孟浩然，又作《汉江临泛》诗。王维《哭孟浩然诗》："故人不可见，汉水日东流。"题下注："时为殿中侍御史，知南选，至襄阳有作。"又有《汉江临泛》诗，亦作于至襄阳时。据陈铁民《王维年谱》所考，王维以殿中侍御史知南选约在本年秋冬间，今从其说。按《汉江临泛》系王维名作，诗中"江流天地外，山色有无中"向称名句。《庚溪诗话》卷下："六一居士平山堂长短句云：'平山栏槛倚晴空，山色有无中。'岂用摩诘语耶？然诗人意所到，而语偶相同者，亦多矣。"《瀛奎律髓》卷一："右丞此诗，中两联皆言景，而前联尤壮，足敌孟、杜《岳阳》之作。"《薑斋诗话》卷二："有大景，有小景，有大景中小景。……若'江流天地外，山色有无中'，'江山如有待，花鸟更无私'，张惶使大，反令落拓不亲。"《读雪山房唐诗序例》："太白'山随平野尽，江入大荒流'，摩诘'江流天地外，山色有无中'，少陵'星垂平野阔，月涌大江流'，意境同一高旷，而三人气韵各别，'识曲识其真'，可以窥前贤家数矣。"《哭孟浩然》亦称名作，《笺注唐贤诗集》卷上："王孟交情无间，而哭襄阳之诗只二十字，而感旧推崇之意已至，盛唐人作近古如此，后人则尚敷衍。"

冬

王昌龄谪为江宁丞，赴任前与岑参有诗赠答。王昌龄《留别岑参兄弟》、岑参《送王大昌龄赴江宁》诗均写及冬日景象，当作于本年，详见闻一多《唐诗杂论·岑嘉州系年考证》。王诗有"副职守兹县"之语，知其所任乃为江宁丞。或举唐人记载为证，谓昌龄此去江宁所任乃县尉而非县丞，见《唐才子传校笺》卷二王昌龄传补笺，可备一说。

李白有诗送孔巢父等归山，时白与巢父等隐于徂徕山，号"竹溪六逸"。李白《送韩准裴政孔巢父还山》："昨宵梦里还，云弄竹溪月。今晨鲁门东，帐引与君别。雪崖滑去马，萝径迷归人。"《旧唐书》文苑下李白传："少与鲁中诸生孔巢父、韩沔（准）、裴政、张叔明、陶沔隐于徂徕山，酣歌纵酒，时号'竹溪六逸'。天宝初……"诗当作于开元末李白居东鲁时，约在本年。

本年

海内富安，米绢价皆极低廉。《旧唐书》玄宗纪下："其时频岁丰稔，京师米斛不满二百，天下乂安，虽行万里不持兵刃。"《通鉴》卷二一四亦云："是岁，天下县千五百七十三，户八百四十一万二千八百七十一，口四千八百一十四万三千六百九。西京、东都米斛直钱不满二百，绢匹亦如之。海内富安，行者虽万里不持寸兵。"

牛肃在怀州，其女应贞撰《魍魉问影赋》。《太平广记》卷二七一引《纪闻》："牛肃长女曰应贞……年二十四而卒。今采其文《魍魉问影赋》著于篇。其序曰：'庚辰岁，予婴沈痛之疾，不起者十旬。……'"卷三六二引《纪闻》："开元二十八年春二月，怀州武德、武陟、修武三县人无故食土。……牛肃时在怀，亲遇之。"按《纪闻》乃牛肃所撰。《新唐书》艺文志三："牛肃《纪闻》十卷。"

道标（740—823）生。

公元 741 年　（唐玄宗开元二十九年　辛巳）

正月

制两京、诸州各置玄元皇帝庙并崇玄学，开四子举，亦称道举。《旧唐书》玄宗纪下："二十九年春正月丁丑，制两京、诸州各置玄元皇帝庙并崇玄学，置生徒，令习《老子》、《庄子》、《列子》、《文子》，每年准明经例考试。"《新唐书》选举志上："二十九年，始置崇玄学，习《老子》、《庄子》、《文子》、《列子》，亦曰道举。其生，京、都各百人，诸州无常员。官秩、荫第同国子，举送、课试如明经。"《通典》卷一五："玄宗方弘道化，至二十九年，始于京师置崇玄馆，诸州置道学，生徒有差（京、都各百人，诸州无常员。习《老》、《庄》、《文》、《列》，谓之四子。荫第与国子监同），谓之道举，举送、课试与明经同。"按本年正月癸未朔，无丁丑日，《唐会要》卷七七记此事在正月十五日，则《旧纪》之"丁丑"当是"丁酉"之误。

春

柳芳、李揆等十三人登进士第，礼部侍郎崔翘知贡举。见《登科记考》卷八。

李邕赴滑州刺史任，玄宗赋诗送之。玄宗《送李邕之任滑台》："远别初首路，今行方及春。"《旧唐书》文苑中李邕传："又累转括、淄、滑三州刺史。"滑州即以古滑台得名，见《旧唐书》地理志一。据《唐刺史考全编》卷五七，李邕开元二十九年至天宝元年在滑州刺史任，诗当作于本年。

杜甫归居偃师，为文祭远祖杜预。杜甫《祭远祖当阳君文》："维开元二十九年岁次辛巳月日，十三叶孙甫，谨以寒食之奠，敢昭告于先祖晋驸马都尉、镇南大将军、当阳成侯之灵。……小子筑室首阳之下，不敢忘本，不敢违仁，庶刻丰石，树此大道。"首阳山在偃师县西北二十五里，见《元和郡县图志》卷五。杜甫《奉寄河南韦尹丈人》诗题下注："甫故庐在偃师。"本年杜甫当已自齐、赵归至偃师。

四月

玄宗赋诗送裴宽赴太原尹任。《旧唐书》玄宗纪下："壬午，以左右（按右字衍）金吾大将军裴宽为太原尹、北都留守。"同书裴漼附裴宽传："改左金吾卫大将军。一年，除太原尹，赐紫金鱼袋。玄宗赋诗而饯之，曰：'德比岱云布，心如晋水清。'"

闰四月至五月

玄宗遣使迎老子像，又命画其真容，分置诸州开元观。《通鉴》卷二一四："上梦玄元皇帝告云：'吾有像在京城西南百余里，汝遣人求之，吾当与汝兴庆宫相见。'上遣使求之于盩厔楼观山间。夏，闰四月，迎置兴庆宫。五月，命画玄元真容，分置诸州开元观。"

五月

萧颖士作书及诗与韦述，述有书答之。萧颖士《赠韦司业书》："以正月二十五日至自东京，参后追兹，遽承足下屡垂访引。……仆生于汝颖，幼而苦贫，孜孜强学，业成冠岁。射策甲科，见称朝右。……何言日损一日，年贬一年，蹉跎半纪，乃殊方一下吏耳。……仆以三月二十六日拜谢阙庭，迩来凡四十余日。……自今月五日始作书，首末千余言，经半旬乃就。……杂诗五首，谨以奉投，聊用代情，不近文律耳。"韦司业谓韦述，《旧唐书》本传："二十七年，转国子司业。……天宝初，历左右庶子。"萧颖士开元二十三年进士及第，至本年整六年，书云"蹉跎半纪"，知当作于本年。又书中有"近日见苗侍郎"等语，苗侍郎谓苗晋卿，《旧唐书》本传："二十七年，以本官（中书舍人）权知吏部选事。……二十九年，拜吏部侍郎。"据萧颖士所言苗晋卿官职，亦可证此书当作于本年。又以书中所记作书时日推之，知当作于本月。萧颖士有诗《仰答韦司业垂访五首》，当即书中所称之"杂诗五首"。书中又云："仆平生属文，格不近俗。凡所拟议，必希古人。魏、晋以来，未尝留意。"可见萧颖士之

文学追求。韦述有《答萧十书》，当为回复萧颖士此书而作。

六月

制以《大唐乐》名东封泰山所定之雅乐。《通典》卷一四七："开元二十九年六月，太常奏：'东封泰山日所定雅乐……皆祠前累月，考定音律。请编入史册，万代施行。'乃下制曰：'王公卿士，爰及有司，频诣阙上言，请以《唐乐》为名者。斯至公之事，朕安得而辞焉！然则《大咸》、《大韶》、《大濩》、《大夏》，皆以大字表其乐章。今依所请，宜曰《大唐乐》。'"又见《唐大诏令集》卷八一《雅乐名大唐乐制》、《唐会要》卷三二等。

夏

王昌龄离洛阳赴江宁丞任，有诗别綦毋潜、李颀，顾亦赋诗送之。王昌龄《东京府县诸公与綦毋潜李颀相送至白马寺宿》："南风开长廊，夏夜如凉秋。江月照吴县，西归梦中楼。"作于本年夏离洛阳赴江宁任时。李颀有《送王昌龄》诗，为同时之作。又王昌龄有《洛阳尉刘晏与府县诸公茶集天宫寺岸道上人房》诗，当为本年在洛阳逗留时所作，附记于此。

九月

玄宗亲试明四子举人。《旧唐书》玄宗纪下："九月……壬申，御兴庆门，试明四子人姚子产（彦）、元载等。"《册府元龟》卷六四三："二十九年八月，御兴庆门楼，亲试明《道德经》、及《庄》、《文》、《列子》举人。……有姚子彦、靳能、元载等入第，各授之以官。"

秋

王昌龄在江宁丞任，有诗作。王昌龄有《宿京江口期刘眘虚不至》、《万岁楼》、《芙蓉楼送辛渐二首》等诗，作于秋季，均涉及润州之地理形胜。江宁属润州，见《旧唐书》地理志三。诸诗当为王昌龄任江宁丞时所作，姑并于此。

十一月

宁王李宪卒，卢僎为作挽歌二首。《旧唐书》玄宗纪下："辛未，太尉、宁王宪薨，谥为让皇帝，葬于惠陵。"卢僎《让帝挽歌词二首》即为挽李宪而作，《国秀集》收录。

本年

武平一（？—741？）卒。《新唐书》本传："平一见宠中宗，时虽宴豫，尝因诗颂规诫，然不能卓然自引去，故被谪。既谪而名不衰。开元末，卒。"平一之卒当在本年或稍前，姑系于此。《新唐书》艺文志二："武平一《景龙文馆记》十卷。"《直斋书录解题》卷七："《景龙文馆记》八卷。唐修文馆学士武甄平一撰。中宗初置学士以后馆中杂事，及诸学士应制、倡和篇什杂文之属。亦颇记中宗君臣宴褒无度，以及暴崩。其后三卷，为诸学士传。今阙二卷。平一，以字行。"《玉海》卷五七："《唐景龙文馆记》。《志》，武平一撰，十卷。中宗景龙二年，诏修文馆置大学士、学士、直学士，凡二十四员。赋诗赓唱，是书咸记录，为七卷。又学士二十九人传，为三卷。"

　　李邕在滑州刺史任，上计京师，为人阴中，复归滑州。《旧唐书》文苑中本传："又累转括、淄、滑三州刺史，上计京师。邕素负美名，频被贬斥，皆以邕能文养士，贾生、信陵之流，执事忌胜，剥落在外。人间素有声称，后进不识，京、洛阡陌聚观，以为古人，或将眉目有异，衣冠望风，寻访门巷。又中使临问，索其新文，复为人阴中，竟不得进。天宝初，为汲郡、北海二太守。"李邕《辞官归滑州表》："况臣今兹，六十有七。……即以今日归州。"本年李邕年六十七。

　　王维隐居终南山，作《终南别业》等诗。王维有《终南山》、《终南别业》、《白鼋窝》等诗，皆隐居终南山时所作，约在本年，参见陈铁民《王维年谱》。按《终南别业》、《终南山》均为王维名作。《诗人玉屑》卷一五引《后湖集》语评前诗云："此诗造意之妙，至与造物相表里，岂直诗中有画哉！观其诗，知其蝉蜕尘埃之中，浮游万物之表者也。山谷老人云：余顷年登山临水，未尝不读王摩诘诗，顾知此老胸次，定有泉石膏肓之疾。"《唐诗评选》卷二："清靡为时调之冠，亦令人欲割爱而不能。"《绳斋诗谈》卷五："古秀天然，杜不能尔。"又："'行到水穷处，坐看云起时。'（按即此诗中句）或问：'此果是禅否？'答曰：'详文义，只言无心得趣耳，不应开口便是说禅。且善《易》者不谈《易》，岂有此拘泥诗人，死抠禅客？'问者大笑。"《瀛奎律髓汇评》卷二三纪昀云："此诗之妙，由绚烂之极，归于平淡，然不可以躐等求也。学盛唐者，当以此种为归墟，不得以此种为初步。"又云："此种皆镕炼之至，渣滓俱融，涵养之熟，秾躁尽化，而后天机所到，自在流出，非可以模拟而得者。无其镕炼涵养之功，而以貌袭之，即为窠臼之陈言，敷衍之空调。矫语盛唐者，多犯是病。此亦如禅家者流，有真空、顽空之别，论诗者不可不辨。"《唐诗评选》卷三评后诗云："工苦安排备尽矣！人力参天，与天为一矣！"又："'连山到海隅'，非徒为穷大话，读《禹贡》自知之。结语亦以形其阔大，妙在脱卸，勿但作诗中画观也。此止是画中有诗。"《绳斋诗谈》卷五："于此看积健为雄之妙。"

　　高适寓居淇上，有诗赠薛据。高适《淇上酬薛三据兼寄郭少府》："飘飖劳州县，迢递限言谑。"薛据约开元二十二年为永乐主簿，二十六年为涉县令，均已见前，"飘飖"云云当指此，诗约作于本年。高适又有《淇上别业》，《淇上别刘少府子英》、《淇上送韦司仓往滑台》等诗，并作于寓居淇上时，亦系于此。参见周勋初《高适年谱》本年条。

　　储光羲隐居终南山，作田园诗多首。储光羲《田家杂兴八首》其二："日与南山老，兀然倾一壶。"当作于隐居终南山时，约在本年。参见陈铁民《储光羲生平事迹考辨》。

　　民间唱《得宝歌》。《开天传信记》："唐开元末，于弘农古函谷关得宝符，白石赤文，正成'乘'字。……得宝之时，天下歌之曰：'得宝耶？弘农耶？弘农耶？得宝耶？'得宝之年，遂改元天宝也。"

甘晖等奉诏注《庄子》。《新唐书》艺文志三："甘晖、魏包注《庄子》，卷亡。开元末奉诏注。"

殷璠编《丹阳集》成。高仲武《大唐中兴间气集序》："《丹阳》止录吴人。"《新唐书》艺文志四："《包融诗》一卷。润州延陵人。历大理司直。……融与储光羲皆延陵人；曲阿有余杭尉丁仙芝、缑氏主簿蔡隐丘、监察御史蔡希周、渭南尉蔡希寂、处士张彦雄、张潮、校书郎张晕、吏部常选周瑀、常州尉谈戭，句容有忠王府仓曹参军殷遥、砅石主簿樊光、横阳主簿沈如筠，江宁有右拾遗孙处玄、处士徐（余）延寿，丹徒有江都主簿马挺，武进尉申堂构。十八人皆有诗名。殷璠汇次其诗，为《丹杨集》者。"胡震亨《唐音癸签》卷三〇："一方人士诗有《丹阳集》。开元中，丹阳进士殷璠汇次润州包融……十八人诗，前各有评，一卷。"按《丹阳集》已佚，今人陈尚君有辑本（见《唐人选唐诗新编》），凡辑得诗20首，残句13联，分别为：包融诗2首；储光羲诗3首；丁仙芝诗2首，句2联；蔡隐丘诗1首，句2联；蔡希周诗1首；蔡希寂诗1首，句1联；张彦雄句1联；张潮诗1首；张晕诗1首；周瑀诗2首；谈戭诗1首，句1联；殷遥诗2首；樊光句1联；沈如筠诗1首，句2联；孙处玄诗1首，句2联；余延寿诗1首；马挺无诗；申堂构句1联。卷首有辑自《吟窗杂录》卷四一之《丹阳集序》，云："李都尉没后九百余载，其间词人，不可胜数。建安末，气骨弥高，太康中体调尤峻，元嘉筋骨仍在，永明规矩已失，梁、陈、周、隋，厥道全丧。盖时迁推变，俗风异革，信乎人文化成天下。"各诗人（孙处玄、马挺除外）名下有辑自《吟窗杂录》卷二四至二六之殷璠评语，分别为："融诗情幽语奇，颇多剪刻"；"光羲诗宏赡纵逸，务在直置"；"仙芝诗婉丽清新，迥出凡俗，恨其文多质少"；"隐丘诗体调高险，往往惊奇，虽乏绵密，殊多骨气"；"希周词彩明媚，殊得风规"；"希寂词句清迥，情理绵密"；"彦雄诗但责潇洒，不尚绮密。至如'云壑凝寒阴，岩泉激幽响'，亦非凡俗所能至也"；"潮诗委曲怨切，颇多悲凉"；"晕诗巧用文字，务在规矩"；"瑀诗窈窕鲜洁，务为奇巧"；"戭诗精典古雅"；"遥诗闲雅，善用声"；"光诗理周旋，词局妥贴"；"如筠早岁驰声，白首一尉"；"延寿诗婉娈艳美"；"堂构善叙事状物，长于情理。"《丹阳集》成书之年份不能确知，陈尚君《殷璠〈丹阳集〉辑考》（载其所著《唐代文学丛考》）考定为开元二十三年至二十九年之间，可信从，今姑系于此。

孙逖服阕，复为中书舍人，充河东黜陟使。《旧唐书》文苑中本传："丁父丧免，二十九年服阕，复为中书舍人。其年充河东黜陟使。"

开元年间

卜隐之撰《拟文选》三十卷。《新唐书》艺文志四："卜隐之《拟文选》三十卷。开元处士。"

乐人何满子作《何满子曲》。白居易《听歌六绝句·何满子》："世传满子是人名，临就刑时曲始成。一曲四词歌八叠，从头便是断肠声。"题下注云："开元中，沧州有歌者何满子，临刑，进此曲以赎死，上竟不免。"（《白居易集》卷三五）元稹《何满子歌》："何满能歌态婉转，天宝年中世称罕。婴刑系在囹圄间，水调哀音歌愤懑。梨园弟子奏玄宗，一唱承恩羁网缓。便将《何满》为曲名，御谱亲题乐府纂。"（《元稹集》卷二六）两说不同，此姑从白居易说。

　　郑昈、王昌龄、王之涣、崔国辅等迭相唱和，名动一时。白居易《故滁州刺史赠刑部尚书荥阳郑公墓志铭并序》："公……好学，攻词赋，进士中第，判入高等，始授鄢城尉。……公尤善五言诗，与王昌龄、王之焕（涣）、崔国辅辈联唱迭和，名动一时。逮今著乐词，播人口者非一。"（《白居易集》卷四二）文云郑公有子云逵、公逵等，据《旧唐书》郑云逵传，知所谓郑公乃郑昈。考王之涣卒于天宝元年，则诸人之唱和当在开元年间。

　　王昌龄、高适、王之涣旗亭画壁比诗名。薛用弱《集异记》："开元中诗人王昌龄、高适、王之涣（按原作涣之，误）齐名，时风尘未偶，而游处略同。一日，天寒微雪，三诗人共诣旗亭贳酒小饮。忽有梨园伶官十数人，登楼会燕。……俄有妙妓四辈寻续而至，奢华艳曳，都冶颇极。旋则奏乐，皆当时之名部也。昌龄等私相约曰：'我辈各擅诗名，每不自定其甲乙，今者可以密观诸伶所讴。若诗入歌词之多者，则为优矣。'俄而一伶拊节而唱，乃曰：'寒雨连江夜入吴……'昌龄则引手画壁曰：'一绝句。'寻又一伶讴之曰：'开箧泪沾臆……'适则引手画壁曰：'一绝句。'寻又一伶讴曰：'奉帚平明金殿开……'昌龄则又引手画壁曰：'二绝句。'之涣自以得名已久……因指诸妓中之最佳者曰：'待此子所唱如非我诗，吾即终身不敢与子争衡矣。……'须臾，次至双鬟发声，则曰：'黄河远上白云间……'之涣即揶揄二子曰：'田舍奴，我岂妄哉！'因大谐笑。"

　　李龟年弟兄三人并以歌舞著称于世。《明皇杂录》："唐开元中，乐工李龟年、彭年、鹤年兄弟三人，皆有才学盛名。彭年善舞，鹤年、龟年能歌，尤妙制《渭川》，特承顾遇。"

　　传有宫女以自作情诗夹于所制征袍寄往边塞。《本事诗》："开元中，颁赐边军纩衣，制于宫中。有兵士于短袍中得诗曰：'沙场征戍客，寒苦若为眠。战袍经手作，知落阿谁边？蓄意多添线，含情更著绵。今生已过也，重结后身缘。'兵士以诗白于帅，帅进之。玄宗以诗遍示六宫曰：'有作者勿隐，吾不罪汝。'有一宫人自言万死。玄宗深悯之，遂以嫁得诗人。仍谓之曰：'吾与汝结今身缘。'边人皆感泣。"

　　黄幡绰、李仙鹤等以演《参军》戏著称。《乐府杂录》："开元中，黄幡绰、张野孤弄《参军》，始自后汉馆陶令石耽。耽有赃犯，和帝惜其才，免罪。每宴乐，即令衣白夹衫，命优伶戏弄辱之，经年乃放。后为'参军'，误也。开元中有李仙鹤善此戏，明皇特授韶州同正参军，以食其禄。是以陆鸿渐撰词云'韶州参军'，盖由此也。"

公元 742 年 　（唐玄宗天宝元年　壬午）

正月

　　丁未朔，改元天宝，赦天下。见《旧唐书》玄宗纪下。

安禄山为平卢节度使；时边兵浸多，公私劳费，民渐困苦。《通鉴》卷二一五："天宝元年春，正月……壬子，分平卢别为节度，以安禄山为节度使。是时天下声教所被之州三百三十一，羁縻之州八百，置十节度、经略使以备边。……凡镇兵四十九万人，马八万余匹。开元之前，每岁供边兵衣粮，费不过二百万；天宝之后，边将奏益兵浸多，每岁用衣千二十万匹，粮百九十万斛，公私劳费，民始困苦矣。"

二月

王之涣（688—742）**卒，年五十五。**《唐代墓志汇编》天宝〇二八《唐故文安郡文安县尉太原王府君（之涣）墓志铭并序》："以天宝元年二月十四日遘疾，终于官舍，春秋五十五。惟公孝闻于家，义闻于友，慷慨有大略，倜傥有异才。尝或歌《从军》，吟《出塞》，曒兮极关山明月之思，萧兮得易水寒风之声，传乎乐章，布在人口。至夫雅颂发挥之作，诗骚兴喻之致，文在斯矣，代未知焉。惜乎！"《唐才子传》卷三："之涣，蓟门人。少有侠气，所从游皆五陵少年，击剑悲歌，从禽纵酒。中折节工文，十年名誉自振。耻困场屋，遂交谒名公。为诗情致雅畅，得齐、梁之风。每有作，乐工辄取以被声律。"

制庄子等四人号为真人，其所著书称真经。《旧唐书》玄宗纪下："辛卯，亲享玄元皇帝于新庙。……丙申……庄子号为南华真人，文子号为通玄真人，列子号为冲虚真人，庚桑子号为洞虚真人。其四子所著书改为真经。崇玄学置博士、助教各一员，学生一百人。"

三月

王维任左补阙，预玄宗曲江之宴，应制赋诗。《旧唐书》文苑下本传："历右拾遗、监察御史、左补阙、库部郎中。"王维《春日直门下省早朝》诗题下注："时为左补阙。"《三月三日曲江侍宴应制》云："从今亿万岁，天宝纪春秋。"作于本年。王维得以侍宴应制，当已在左补阙任，参见本年十月条。王维又有《奉和圣制从蓬莱向兴庆阁道中留春雨中春望之作应制》诗，李憕有同题诗。据王维《魏郡太守河北采访处置使上党苗公（晋卿）德政碑并序》，知晋卿亦有此题之作，详见天宝七载王维条。考晋卿明年正月贬出，则诸诗亦当作于本年，附记于此。

柳载（浑）、许登等二十三人进士及第，礼部侍郎韦陟知贡举。见《登科记考补正》卷九。

韦陟命举人于省试前先纳旧日所作诗文，此或为纳省卷之始。《旧唐书》韦安石附韦陟传："后为礼部侍郎，陟好接后辈，尤鉴于文，虽辞人后生，靡不谙练。曩者主司取与，皆以一场之善，登其科目，不尽其才。陟先责旧文，仍令举人自通所工诗笔，先试一日，知其所长，然后依常式考核，片善无遗，美声盈路。"韦陟本年以礼部侍郎知贡举，见上条。程千帆《唐代进士行卷与文学》（第9页）云："纳省卷的风尚可能即由此而形成。"（第9页）

丘为落第还江东，王维、祖咏赋诗送之，为亦有诗留别。王维有《送丘为落第归江东》诗，丘为有《留别王维》诗，祖咏有《送丘为下第》诗，均写及春日景象，当为同时之作。王维诗云："知祢不能荐，羞为献纳臣。"当作于任左补阙时，故系本年。

五月

李白在东鲁，游泰山，赋诗言怀。李白有诗《游泰山六首》，题下注云："一作《天宝元年四月从故御道上泰山》。"其一："四月上泰山，石平御道开。"其五："山花异人间，五月雪山白。"当作于本年五月或稍后。《唐宋诗醇》卷七评其二云："琅琅数语，真觉飘然欲仙，风格最高。"评其三云："白性本高逸，复遇偃蹇，其胸中磊砢一于诗乎发之。泰山观日，天下之奇，故足以舒其旷渺而写其块垒不平之意。是篇骨气高峻而无恢张之象。后三篇状景奇特，而无刻削之迹。盖浩浩落落，独往独来，自然而成，不假人力。大家所以异人者在此。若其体近游仙，则其寄兴云耳。"

六月

岑参赋诗送友人许登归江宁，兼寄王昌龄。岑参《送许子擢第归江宁拜亲因寄王大昌龄》："玄元告灵符，丹洞获其铭。"《通鉴》卷二一五：天宝元年正月，"甲寅，陈王府参军田同秀上言：'见玄元皇帝于丹凤门之空中，告以"我藏灵符，在尹喜故宅。"'上遣使于故函谷关尹喜台旁求得之。"岑诗"玄元"句即指此事，诗又云"六月槐花飞"，知作于本年六月。诗题中之"许子"指许登，本年进士擢第，已见前。岑参有《送许拾遗恩归江宁拜亲》、《送许员外江外置常平仓》等诗，均为送此人而作，详见刘开扬《岑参诗集编年笺注》诸诗注。

七月

岑参自长安出潼关东归。岑参《宿关西客舍寄东山严许二山人时天宝初七月初三日在内学见有高道举征》："云送关西雨，风传渭北秋。"又有《宿华阴东郭客舍忆阎防》、《戏题关门》等诗，均往来二京途中所作，并系于此。

九月

玄宗御花萼楼宴突厥毗伽可汗之妻，君臣赋诗美其事。《旧唐书》玄宗纪下："九月辛卯，上御花萼楼，出宫女燕毗伽可汗妻可登及男女等，赏赐不可胜纪。"《新唐书》突厥传下："毗伽可汗妻骨咄禄婆匐可敦率众自归，天子御花萼楼宴群臣，赋诗美其事，封可敦为宾国夫人，岁给粉直二十万。"

秋

李白应诏入京，行前有诗留别，至京后待诏翰林院。李白《为宋中丞自荐表》："臣伏见前翰林供奉李白，年五十有七。天宝初，五府交辟，不求闻达，亦由子真谷口，名动京师。上皇闻而悦之，召入禁掖。"《玉壶吟》："凤凰初下紫泥诏，谒帝称觞登御筵。揄扬九重万乘主，谑浪赤墀青琐贤。朝天数换飞龙马，敕赐珊瑚白玉鞭。"魏颢《李翰林集序》："白久居峨眉，与丹丘因持盈法师达，白亦因之入翰林。"李阳冰《唐李翰林草堂集序》："天宝中，皇祖下诏，征就金马。降辇步迎，如见绮皓。以七宝床赐食，御手调羹以饭之，谓曰：'卿是布衣，名为朕知，非素畜道义，何以及此？'置于金銮殿，出入翰林中。问以国政，潜草诏诰，人无知者。"刘全白《唐故翰林学士李君碣记》："天宝初，玄宗辟翰林待诏，因为和蕃书，并上《宣唐鸿猷》一篇。"《旧唐书》文苑下李白传："天宝初，客游会稽，与道士吴筠隐于剡中。既而玄宗诏筠赴京师，筠荐之于朝，遣使召之，与筠俱待诏翰林。"魏颢序中丹丘即元丹丘，持盈法师即玉真公主。李白入京在本年，实由玉真公主之荐，《旧传》谓吴筠荐白入朝，误。详见郁贤皓《李白丛考·吴筠荐李白辨疑》。李白《南陵别儿童入京》："白酒新熟山中归，黄鸡啄黍秋正肥。……会稽愚妇轻买臣，余亦辞家西入秦。仰天大笑出门去，我辈岂是蓬蒿人。"为本次入京前在南陵所作，时在秋季。南陵在东鲁，李白《酬张卿夜宿南陵见赠》云"月出鲁城东"，可以证之。李白又有《侍从游宿温泉宫作》、《温泉侍从归逢故人》、《驾去温泉宫后赠杨山人》等诗，当作于本年冬侍从玄宗游温泉宫时，附记于此。

储光羲至嵩山，谒神秀、普寂塔，有诗作。储光羲有《至岳寺即大通大照禅塔上温上人》诗，写及秋日景色。大通谓神秀，神龙二年卒，谥大通禅师，见《宋高僧传》卷八神秀传。大照谓普寂，开元二十七年卒，册谥大照禅师，开元二十九年十一月恩旨造寺建塔，本年二月十五日李邕为作塔碑文，见李邕《大照禅师塔铭》。知诗当作于本年或稍后，姑系于此。储光羲又有《至嵩阳观观即天皇故宅》、《至闲居精舍呈正上人》（题下注：即天后故宫）诗，亦作于嵩山，附记于此。

十月

颜真卿、崔明允登文词秀逸科，真卿授醴泉尉。《唐会要》卷七六："天宝元年，文辞秀逸科，崔明允、颜真卿及第。"《册府元龟》卷六四三："十月，应文辞秀逸举人崔明允等二十人、儒学博通刘迅等八人、军谋越众令狐朝等七人并科目各依资授官。"卷六四五："是年，有举文辞秀逸科，崔明允、颜真卿及第。"殷亮《颜真卿行状》："天宝元年秋，扶风郡太守崔琇举博学文词秀逸，玄宗御亲政楼，策试上第，以其年授京兆府醴泉县尉。"是颜真卿之被举在本年秋，及第授官在十月。

萧颖士在秘书正字任，奉使搜求遗书，至临河，作赋咏怀。《新唐书》文艺中本传："天宝初，颖士补秘书正字。于时裴耀卿、席豫、张均、宋遥、韦述皆先进，器其材，与钧礼，由是名播天下。奉使括遗书赵、卫间。"萧颖士《登临河城赋》序："既而射策桂林，校书芸阁。……天宝元年秋八月，奉使求遗书于人间。越来月，届于临河之旧邑。览物增怀，泫然有赋。"越来月，对八月而言，来月为九月，越来月即十月。又萧颖士有《答邹象先》诗。《唐诗纪事》卷二二："象先尉临涣，萧颖士自京邑无成东归，以象先同年生也，作诗赠之。来年，萧补正字，象先寄诗重述前事云：'六月度关云，三峰玩山翠。尔时黄绶屈，别后青云致。'萧答云：……"即此诗，亦当作于本年，附记于此。

孙逖从玄宗至骊山，应制赋诗。《旧唐书》玄宗纪下："冬十月丁酉，幸温泉宫。辛丑，改骊山为会昌山。"孙逖《奉和登会昌山应制》诗当作于此时。

李林甫从驾至骊山温汤，有诗作，王维和之。王维有《和仆射晋公扈从温汤》诗，题下注："时为右补阙。""右"当是'左'之误，参见本年三月条。仆射晋公谓李林甫，其进爵晋国公在开元二十五年七月，本年八月加尚书左仆射，见《旧唐书》玄宗纪下。诗本年或稍后作。

高适在睢阳（宋州），与太守李少康交游，有诗作。高适有《同群公十月朝宴李太守宅》诗，又《奉酬睢阳李太守》云"冬至招摇转"，亦作于冬季。李太守谓李少康。独孤及《唐故睢阳太守赠秘书监李公神道碑铭并序》："公讳少康……玄宗后元年，改宋州为睢阳郡，命公为太守。……天不惠于宋，乃崇降厉疾，三年春，赐告归洛阳。是岁十二月丙午薨。"两诗当作于本年或明年冬，姑系于此。高适又有诗《画马篇》，《全唐诗》卷二一三该诗题下注云："同诸公宴睢阳李太守，各赋一物。"约作于本年。参见傅璇琮《唐代诗人丛考·高适年谱中的几个问题》。

十二月

李颀赴任新乡尉，有诗答崔颢綦毋潜。李颀《欲之新乡答崔颢綦毋潜》："数年作吏家屡空，谁道黑头成老翁。……明朝东路把君手，腊日辞君期岁首。自知寂寞无去思，敢望县人致牛酒。"当为赴新乡尉任时所作。李颀约于天宝四载罢新乡尉，见该年条，其始任此职当在本年。

本年

李邕在滑州刺史任，作《灵岩寺碑并序》；又作《鹘赋》，高适和之。李邕《灵岩寺碑》："灵昌郡太守邕……"滑州天宝元年改称灵昌郡。《八琼室金石补正》卷五七录李邕此文，后署"大唐天宝元年岁次壬午□□月壬寅朔十五日景辰建。"查《二十史朔闰表》，本年十一月壬寅朔。李邕又有《鹘赋》。高适亦有同题之作，序云："天宝初，有自滑台奉太守李公《鹘赋》以垂示，适越在草野，才无能为，尚怀知音，遂作《鹘赋》。"

郑虔以著书为人所告，坐谪十年。《新唐书》文艺中本传："天宝初，为协律郎，集缀当世事，著书八十余篇。有窥其稿者，上书告虔私撰国史，虔仓黄焚之，坐谪十年。"参天宝九载七月郑虔条。

李白以文才风度为贺知章所激赏。李白《对酒忆贺监二首》序："太子宾客贺公，于长安紫极宫一见余，呼余为'谪仙人'，因解金龟，换酒为乐。《唐摭言》卷七："李白始自西蜀至京，名未甚振，因以所业贽谒贺知章。知章览《蜀道难》一篇，扬眉谓之曰：'公非人世之人，可不是太白星精耶？'"《本事诗》："李太白初自蜀至京师，舍于逆旅。贺监知章闻其名，首访之。既奇其姿，复请所为文。出《蜀道难》以示之。

读未竟，称叹者数四，号为'谪仙'，解金龟换酒，与倾尽醉。"范传正《赠左拾遗翰林学士李公新墓碑》："在长安时，秘书监贺知章号公为谪仙人，吟公《乌栖曲》，云：'此诗可以哭鬼神矣。'"事当在本年。

尚衡作《文道元龟》。序云："天宝初，适与平阳。平阳太守、稷山公，则衡之从考舅，雅好古道，门尚词客，当今文人，相与多矣。尝叹曰：'取士之道，才其难乎。或精文而薄于行，或敦行而浅于文，斯乃有失其道，一至于此。'顾衡曰：'吾尝谓尔知言，尔其言之。'衡……敢著《元龟》，以叙其事。"文中有云："古人之贵有文者，将以饰行表德，见情著事。杼轴乎天人之际，道达乎性命之元，正复乎君臣之位，昭感乎鬼神之奥。苟失其道，无所措矣。"

贾至在单父尉任，作《微子庙碑颂》。贾至《微子庙碑颂》："皇帝二十有一载，予作吏于宋，……乃作颂曰……"《虑子贱碑颂》："天宝初，至始以校书郎尉于单父，想先生行事，征其颂声。"按皇帝二十一载是指玄宗即位二十一年，时当开元二十年（732），贾至年十五，当无作吏之事。二十一盖为三十一之误，玄宗即位三十一年，当天宝元年，正合《虑子贱碑颂》"天宝初"之说。参见傅璇琮《唐代诗人丛考·贾至考》。

吴筠被征至京师，请度为道士，乃就嵩山冯齐整学道。权德舆《中岳宗玄先生吴尊师集序》："先生讳筠，字贞节，华阴人。生十五年，笃志于道，与同术者隐于南阳倚帝山。……天宝初，玄缥鹤版，征至京师。……请度为道士，宅于嵩丘，乃就冯尊师齐整授正一之法。"吴筠有《缑山庙》诗，是天宝年间居嵩山时所作。

公元743年 （唐玄宗天宝二年 癸未）

正月

苗晋卿、裴朏等以考判舞弊贬官。《唐会要》卷七四："天宝元年冬选，六十四人判入等。时御史中丞张倚男奭判入高等。有下第者尝为蓟令，以其事白于安禄山。禄山遂奏之。至来年正月二十一日，遂于勤政楼下，上亲自重试。惟二十人比类稍优，余并下第。张奭不措一词，时人谓之'曳白'。吏部侍郎宋遥贬武当郡太守，苗晋卿贬安康郡太守，考官礼部郎中裴朏、起居舍人张烜、监察御史宋昱、左拾遗孟国（匡）朝并贬官。"《旧唐书》苗晋卿传："时天下承平，每岁赴选常万余人。李林甫为尚书，专任庙堂，铨事唯委晋卿及同列侍郎宋遥主之。选人既多，每年兼命他官有识者同考定书判，务求其实。天宝二年春，御史中丞张倚男奭参选，晋卿与遥以倚初承恩，欲悦附之，考选人判等凡六十四人，分甲乙丙科，奭在其首。……上怒，晋卿贬为安康郡太守，遥为武当郡太守，张倚为淮阳太守。"参见《册府元龟》卷一六二、《通鉴》卷二一五。

三月

丙寅，玄宗登望春楼观楼下新潭，陕尉崔成甫于船中唱《得宝歌》。《通鉴》卷二一五："江、淮南租庸等使韦坚引浐水抵苑东望春楼下为潭，以聚江、淮运船，役夫匠通漕渠，发人丘垄，自江、淮至京城，民间萧然愁怨。二年而成。丙寅，上幸望春楼观新潭。坚以新船数百艘，扁榜郡名，各陈郡中珍货于船背；陕尉崔成甫著锦半臂，铄胯绿衫以褐之，红袙首，居前船唱《得宝歌》，使美妇百人盛饰而和之，连樯数里；坚跪进诸郡轻货，仍上百牙盘食。上置宴，竟日而罢，观者山积。"又见两《唐书》韦坚传、《新唐书》食货志三等。

刘单、丘为、孟彦深、张谓、乔琳等二十六人登进士第，礼部侍郎达奚珣知贡举；时有"赎帖"之制。见《登科记考》卷九。《封氏闻见记》卷三："文士多于经不精，至有白首举场者，故进士以帖经为大厄。"又："天宝初，达奚珣、李岩相次知贡举，进士文名高而帖落者，时或试诗放过，谓之赎帖。"参见《唐语林》卷八。

春

李白陪玄宗游宴，应制赋《清平调》等诗。李濬《松窗杂录》："开元中，禁中初种木芍药，即今牡丹也。得四本红紫浅红通白者，上因移植于兴庆池东沉香亭前。会花方繁开，上乘月夜召太真妃以步辇从。诏特选梨园弟子中尤者，得乐十六色。李龟年以歌擅一时之名，手捧檀板，押众乐前欲歌之。上曰：'赏名花，对妃子，焉用旧乐辞为？'遂命龟年持金花笺宣赐翰林学士李白，进《清平调词》三章。白欣承诏旨，犹苦宿醒未解，因援笔赋之。……龟年遽以词进。上命梨园弟子约略调抚丝竹，遂促龟年以歌。……上因调玉笛以倚曲。每曲遍将换，则迟其声以媚之。……龟年常话于五王，独忆以歌得自胜者，无出于此，抑亦一时之极致耳。"《本事诗》："玄宗……尝因宫中行乐，对高力士曰：'对此良辰美景，岂可独以声伎为娱，倘时得逸才词人吟咏之，可以夸耀于后。'遂命召白。……上知其薄声律，谓非所长，命为《宫中行乐》五言律诗十首……白取笔抒思，略不停辍，十篇立就，更无加点。笔迹遒利，凤跱龙拏。律度对属，无不精绝。其首篇曰：'柳色黄金嫩……'文不尽录。"李白有《宫中行乐词八首》、《清平调词三首》，多写及春日景象，当作于本年春。李白又有《侍从宜春苑奉诏赋龙池柳色初青听新莺百啭歌》、《春日行》、《阳春歌》等诗，为同时之作。按《侍从宜春苑……》诗系李白名作。《唐诗别裁集》卷六："应制诗有此，非仙才不能。"又云："三唐应制诗以此篇及摩诘之'云里帝城，雨中春树'为最上。"《唐宋诗醇》卷五："清圆流丽，可以鼓吹休明。'千门万户'一语，气象颇大。全篇格调，想见初唐余响。"《清平调词三首》亦较著名。《原诗》："太白天才自然，出类拔萃，然千古与杜甫齐名，则犹有间。盖白之得此者，非以才得之，乃以气得之也。……如白《清平调》三首，亦平平宫艳体耳，然贵妃捧砚，力士脱靴，无论懦夫于此战栗趑趄万状，秦武阳壮士不能不色变于秦皇殿上，则气未有不先馁者，宁暇见其才乎？观白挥洒万乘之前，无异长安市上醉眠时，此何如气也！"《唐诗别裁集》卷二〇："三章合花与人言之，风流旖旎，绝世丰神。或谓首章咏妃子，次章咏花，三章合咏，殊近执滞。"

五月

二十二日，玄宗重注《孝经》，颁行天下。见《唐会要》卷三六。

秋

李白供奉翰林院，遭谗被疏，赋诗抒怀，又与崔宗之唱和；同僚亦为白赋歌数百首。李阳冰《唐李翰林草堂集序》："丑正同列，害能成谤，格言不入，帝用疏之。公乃浪迹纵酒，以自昏秽，咏歌之际，屡称东山。又与贺知章、崔宗之等自为八仙之游，谓公'谪仙人'，朝列赋谪仙之诃凡数百首，多言公之不得意。"其事当在本年。李白《玉壶吟》："烈士击玉壶，壮心惜暮年。三杯拂剑舞秋月，忽然高咏涕泗涟。……世人不识东方朔，大隐金门是谪仙。西施宜笑复宜颦，丑女效之徒累身。君王虽爱蛾眉好，无奈宫中妒杀人。"《秋夜独坐怀故山》："入侍瑶池宴，出陪玉辇行。夸胡新赋作，谏猎短书成。但奉紫霄顾，非邀青史名。……拙薄遂疏绝，归闲事耦耕。……秋山绿萝月，今夕为谁明？"作于受谗被疏后，时在秋季。又李白《酬崔五郎中》："朔云横高天，万里起秋色。……幸遇圣明时，功业犹未成。奈何怀良图，郁悒独愁坐。"《赠崔郎中崔之》："胡雁拂海翼，翱翔鸣素秋。……岁晏归去来，富贵安可求。"亦当被疏后所作，时亦在秋季。崔宗之有《赠李十二》诗，为与李白唱和之作。李白又有《翰林读书言怀呈集贤诸学士》、《忆东山二首》、《惧谗》、《送裴十八图南归嵩山二首》、《夕霁杜陵登楼寄韦繇》、《杜陵绝句》、《鞠歌行》、《怨歌行》、《长信宫》、《玉阶怨》、《怨情》、《于阗采花》、《长门怨二首》、《妾薄命》、《白头吟二首》、《夜坐吟》、《中山孺子妾歌》及等诗，多抒忧谗畏讥、怨愤怀归之意，当作于本年秋或稍后，并系于此。

十月

裴耀卿卒后归葬绛州，岑参作歌挽之。岑参有《仆射裴公挽歌》三首，其一云："门瞻驷马贵，时仰八裴名。罢市秦人送，还乡绛老迎。"其二："礼容还故绛，宠赠冠新田。"仆射裴公谓裴耀卿。《旧唐书》玄宗纪下：天宝二年七月，"丙辰，尚书右仆射裴耀卿薨。"同书裴耀卿传："天宝元年，改为尚书右仆射，寻转左仆射。一岁薨，年六十三。"许孟容《唐故侍中尚书右仆射赠司空文献公裴公墓志铭并序》："耀卿字子涣，河东闻喜人也。……以天宝三载七月十八（阙十九字）震悼罢朝……以其年十月归葬绛州稷山县姑射山之阳，尚书府君茔东四里。有子八人，遂、泛、淑、综、延（阙十九字）汉数。"以《旧纪》及《传》考之，碑文之"三载"当为二年之误。岑参诗之"八裴"与碑文"有子八人"相符，诗之"还故绛"与碑之"归葬绛州"亦符，故知是本年为挽裴耀卿而作；闻一多《岑嘉州系年考证》谓诗作于大历四年，挽裴冕，误。参刘尚勇《岑参生卒年考》（《成都大学学报》1983 年第 2 期）及《唐才子传校笺》卷三岑参传补笺。

殷遥（？—743？）卒，王维、储光羲各赋诗哭之。《唐诗纪事》卷一七："遥，丹阳人。天宝间终于忠王府仓曹参军。"王维有《送殷四葬》诗，殷四即谓殷遥，见开元二十八年秋储光羲条。此诗载《国秀集》卷中，而《国秀集》选诗至天宝三载，见该年条，则殷遥之卒当在本年前后，姑系于此。王维又有《哭殷遥》诗，储光羲有《同王十三维哭殷遥》诗，储诗云："太阳蔽空虚，雨雪浮苍山。"知时在冬季。

本年

崔颢在太仆寺丞任，作《结定襄郡狱效陶体》诗。按此诗选入《国秀集》，而《国秀集》收诗止于天宝三载（见后），又据《旧唐书》地理志二，天宝元年忻州改为定襄郡，则此诗当作于天宝元年至三载间，姑系于此。又《国秀集》目录："太仆寺丞崔颢七首。"知本年崔颢当在太仆寺丞任。崔颢又有《赠轻车》、《辽西作》等边塞诗，均写为太仆寺丞时出使辽西之经历，并系于此。参李炳海《崔颢边塞诗考辨》，载《文学遗产》1999 年第 6 期。

李华登博学宏词科，擢秘书省校书郎。独孤及《检校尚书吏部员外郎赵郡李公（华）中集序》："开元二十三年举进士，天宝二年举博学宏词，皆为科首，由南和尉擢秘书省校书郎。"

萧颖士免官，客濮阳，尹徵、阎士和等并从受学。《新唐书》文艺中萧颖士传："奉使括遗书赵、卫间，淹久不报，为有司劾免，留客濮阳。于是尹徵、王恒、卢异、卢士式、贾邕、阎士和、柳并等皆执弟子礼，以次授业，号萧夫子。"萧颖士奉使括书事在上年，其为有司劾免约在本年。

薛据漫游吴越，有诗纪行。薛据有《登秦望山》、《西陵口观海》、《泊震泽口》、《题丹阳陶司马厅壁》等诗，均写及吴越之地理形胜，知其曾南游吴越。薛据约于开元二十六年授涉县令，至天宝初任满，又于天宝六载登风雅古调科。意者薛据涉县令秩满后选调未得授官，遂有吴越之游，至天宝六载登制科后始再得授官。其《登秦望山》云："予本萍泛者，乘流任西东。"《泊震泽口》云："晨钟海边起，独坐嗟远游。"非有官在身者口吻。又润州天宝元年改为丹阳郡，见《旧唐书》地理志三，据薛据《题丹阳陶司马厅壁》诗题，亦可证知其游吴越当在本年或稍后，姑系于此。

公元 744 年　（唐玄宗天宝三载　甲申）

正月

丙申朔，改年曰载。见《通鉴》卷二一五。

庚子，贺知章将归越州，玄宗赋诗送之，李适之等三十人应制奉和；卢象、李白、储光羲亦各赋诗送知章。《旧唐书》文苑中贺知章传："天宝三载，知章因病恍惚，乃上疏请度为道士，求还乡里，仍舍本乡宅为观。上许之……御制诗以赠行，皇太子已下咸就执别。"同书玄宗纪下："（正月）庚子，遣左右相已下祖别贺知章于长乐坡，上赋诗赠之。"玄宗有《送贺知章归四明》诗，序云："天宝三年，太子宾客贺知章鉴止足之分，抗归老之疏，解组辞荣，志期入道。朕以其年在迟暮，因循挂冠之事，俾遂赤松之游。正月五日，将归会稽，遂饯东路，乃命六卿庶尹大夫供帐青门，宠行迈也。……乃赋诗赠行。"李适之、李林甫、嗣许王瓘褒信郡王璆、席豫、宋鼎、郭虚己、李岩、韦斌、李慎微、韦坚、齐澣、崔璘、梁涉、王漪、王瑀、康瓘、韩［朝］宗、郭慎微、于休烈、齐光乂、韦述、韩倩、杜昆吾、张绰、陆善经、胡嘉鄠、魏盈、李彦和、张博望、辛替否等并有应制五言诗，均作于是日。诸诗见《会稽掇英总集》

卷二。又卢象有《紫阳真人歌并序》（《掇英集》卷二），李白有《送贺宾客归越》诗，亦均为送贺知章东归而作。又储光羲有《献八舅东归》诗，亦作于此时。贺知章行八，见《唐人行第录》，八舅即谓知章。

二月

李白与王昌龄赋诗唱和，时昌龄由江宁暂归长安。李白《同王昌龄送族弟襄归桂阳二首》其一："秦地见碧草，楚谣对清樽。……予欲罗浮隐，犹怀明主恩。"作于长安春日，当在本年，时王昌龄由江宁归至长安，参见李珍华《王昌龄研究》附录《王昌龄事迹新探》。以本年三月李白被遣离京归山，故系其与王昌龄唱和之事在本年二月。李白又有《灞陵行送别》诗，亦长安春日所作，附记于此。按此诗是李白名作，《唐诗评选》卷一评云："夹乐府入歌行，掩映百代。"《李太白诗醇》卷三："长短错综，亦一奇格也。"

三月

安禄山以平卢节度使兼范阳节度使，益为玄宗所宠信。《通鉴》卷二一五："三月，己巳，以平卢节度使安禄山兼范阳节度使；以范阳节度使裴宽为户部尚书。礼部尚书席建侯为河北黜陟使，称禄山公直；李林甫、裴宽皆顺旨称其美。三人皆上所信任，由是禄山之宠益固不摇矣。"

岑参、乔潭，等二十九人进士及第，礼部侍郎达奚珣知贡举。《唐摭言》卷四："乔潭天宝十三年及第。"乔潭《霜钟赋》序："潭忝预少宗伯达奚公特达之遇，擢秀才甲科。"《会昌主簿厅壁记》："潭忝以词赋见知春官。钦惟教忠，即簿领之能事；敢序施政，有门人之直词。乙酉岁抄志于南轩之东壁。"乙酉岁为天宝四载，其时已擢第。《唐语林》卷八："神龙元年已来，累为主司者：……达奚珣四，天宝二年、三年、四年、五年。"则乔潭之进士及第当在本年，《唐摭言》盖误衍一"十"字。又《唐才子传》卷三岑参传："天宝三年赵岳榜第二人进士及第。"余见《登科记考》卷九。

王昌龄在长安，与王维等游青龙寺，有诗唱和。王维有《青龙寺昙壁上人兄院集》诗，序中有云："时江宁大兄持片石命维序之，诗五韵，座上成。"江宁大兄谓王昌龄。王缙《同王昌龄裴迪游青龙寺昙壁上人兄院集和兄维》、裴迪《青龙寺昙壁上人院集》、王昌龄《同王维集青龙寺昙壁上人兄院五韵》等诗均作于同时。据王维诗中"渺渺孤烟起，芊芊远树齐"之句，知诸诗当作于春末夏初。王昌龄本年在长安，今姑系于本年三月。

李白被敕归山，离朝前后多有诗作。李阳冰《唐李翰林草堂集序》："帝用疏之。公乃浪迹纵酒，以自昏秽。……天子知其不可留，乃赐金归之。"刘全白《唐故翰林学士李君碣记》："上重之，欲以纶诰之任委之。为同列者所谤，诏令归山。遂浪迹天下，以诗酒自适。"范传正《赠左拾遗翰林学士李公新墓碑》："公自量疏远之怀，难久于密侍，候间上疏，请还旧山。玄宗甚爱其才，或虑乘醉出入省中，不能不言温室树，恐掇后患，惜而遂之。"李白有诗《月下独酌四首》，安旗《新版李白全集编年注释》系于天宝三载，且云："四首俱写饮酒行乐，然孤独之感，穷愁之绪，情溢乎词。其三有句'三月咸阳城'，当系本年春去朝前夕一时所作。"又《古风》其二十二："秦水别陇首，幽咽多悲声。……昔视秋蛾飞，今见春蚕生。……急节谢流水，羁心摇悬旌。挥涕且复去，恻怆何时平？"詹锳《李白全集校注汇释集评》亦系天宝三载，谓乃李白去京时作，则其去京归山乃在本年三月。李白又有《白云歌送刘十六归山》、《来日大难》、《东武吟》（题下注：一作《出金门后书怀留别翰林诸公》）、《初出金门寻王侍御不遇咏壁上鹦鹉》（题下注：一作《敕放归山留别陆侍御不遇咏鹦鹉》）、《赠参寥子》、《春陪商州裴使君游石娥溪》、《商山四皓》、《过四皓墓》等诗，当为本年离朝前后所作，并系于此。又据《商山四皓》等诗，知李白本次离京乃经由商洛陆路，与开元间浮舟黄河而去者不同。按以上诸诗中，《月下独酌四首》其一（花间一壶酒）是李白名作，《唐诗别裁》卷二："脱口而出，纯乎天籁，此种诗，人不易学。"《唐宋诗醇》卷八："千古奇趣，从眼前得之。尔时情景虽复潦倒，终不胜其旷达。陶潜云'挥杯劝孤影'，白意本此。"

四月

岑参在醴泉，赋诗送颜真卿弟允臧。岑参有《夏初醴泉南楼送太康颜少府》："爱君兄弟好，书向颍中夸。"颜少府谓颜允臧。颜真卿《朝请大夫行江陵少尹兼侍御史荆南行军司马上柱国颜君神道碑铭》："君讳见臧……解褐太康尉，太守张倚、采访使韦陟皆器其清严，与之均礼。天宝十载，制举县令对策及第，授延昌令。"颜允臧为真卿弟，亦以书法称，天宝二年至五载为太康尉，时颜真卿在醴泉尉任。岑诗之作则当在天宝三载至五载间，姑系于此。参见《岑参诗校注》（陈铁民修订本）该诗注。岑参又有《春日醴泉杜明府承恩五品宴席上赋诗》、《醴泉东溪送程皓元镜微入蜀》诗，作于春日，亦系于此。

夏

高适在宋州，赋诗送人谒魏郡太守。高适有《送虞城刘明府谒魏郡苗太守》，写及夏日景象。苗太守谓苗晋卿，本年闰二月任魏郡太守，见《旧唐书》本传。诗当作于本年或稍后。高适又有《登子贱琴堂赋诗三首》，序云："甲申岁，适登子贱琴堂，赋诗三首。……次章美太守李公能嗣子贱之政，再造琴台。"本年岁在甲申。又高适《观彭少府树宓子贱祠碑作》、《同群公秋登琴台》诗并写及秋日景象，亦当本年作，附记于此。

九月

李白、高适、杜甫同游梁宋，登台酣歌。《新唐书》文艺上杜审言附杜甫传："尝从白及高适过汴州，酒酣登吹台，慷慨怀古，人莫测也。"《唐诗纪事》卷一八引杨天惠《彰明逸事》："始太白与杜甫相遇梁宋间，结交欢甚，久乃去。"杜甫《寄李十二

399

白二十韵》："乞归优诏许，遇我宿心亲。"《赠李白》："二年客东都，所历厌机巧。……李侯金闺彦，脱身事幽讨。亦有梁宋游，方期拾瑶草。"汴州即古梁地，知杜甫客东都二年后有梁宋之游，始与李白相遇，其时在李白被遣放归后未久。杜甫又有《遣怀》、《昔游》（昔者与高李）诗，均曾忆及早年与李白、高适畅游梁宋之事，前诗云："昔我游宋中，惟梁孝王都。……忆与高李辈，论交入酒垆。两公壮藻思，得我色敷腴。气酣登吹台，怀古视平芜。芒砀云一去，雁鹜空相呼。"后诗云："昔者与高李，晚登单父台。寒芜际碣石，万里风云来。……清霜大泽冻，禽兽有余哀。"知其时在深秋。李白有《秋猎孟诸夜归置酒单父东楼观妓》诗，当作于同游梁宋时。孟诸、单父均在宋州，见《元和郡县志》卷七。高适《同群公秋登琴台》诗（见上条）之所谓"群公"，或当包括李、杜在内。按高、李、杜同游梁宋乃唐代文坛盛事，其发生之年份向有异说。黄鹤《杜工部诗年谱》定为开元二十五年，钱谦益《钱注杜诗》卷一〇《寄李十二白二十韵》诗后笺语云当在天宝三、四载之间，闻一多《少陵先生年谱会笺》则定为天宝三载。闻说出而遂为学界广泛采用。近有学者重倡开元二十五年说，论证亦较详密，见邝健行《杜甫、高适、李白梁宋之游疑于开元二十五、六年说》，载其所著《诗赋合论稿》。兹从天宝三载说。

高适离梁宋适楚，赋诗留别诸友。 高适《东征赋》："岁在甲申，秋穷季月，高子游梁既久，方适楚以超忽。"知其离梁宋东行在本年九月。其《宋中十首》其五、《宋中别周梁李三子》等诗，均及别宋远游之意，时在秋季，为本年所作。"周梁李三子"之李当指李白。

秋

储光羲期王维不至，有诗作。 储光羲《蓝上茅茨期王维补阙》："浅濑寒鱼少，丛兰秋蝶多。"诗约作于本年秋，参见本年王维条。

十二月

诏天下民间家藏《孝经》一本。 见《旧唐书》玄宗纪下。

冬

李白至齐州，从北海高天师受道箓。 李阳冰《唐李翰林草堂集序》："天子知其不可留，乃赐金归之，遂就从祖陈留采访大使彦允，请北海高天师授道箓于齐州紫极宫。"李白《访道安陵遇盖寰为予造真箓临别留赠》："学道北海仙，传书蕊珠宫。"王琦注云："北海仙，谓北海高天师如贵。太白于齐州请高天师授道箓，故盖寰为之书造真箓也。"又李白《草创大还赠柳官迪》："抑予是何者？身在方士格。……不向金阙游，思为玉皇客。"是出金门入道籍受道箓后学炼内丹大还丹时所作。又《奉饯高尊师如贵道士传道箓毕归北海》："离心无远近，长在玉京悬。"闻一多《少陵先生年谱会笺》："白至齐州于紫极宫从高天师受道箓，疑在归兖以前，天宝三载秋冬之际。"今从其说，姑系于此。

本年

贺知章（659—744）卒，年八十六。《旧唐书》文苑中本传："天宝三载……求还乡里……至乡无几寿终，年八十六。"又云："知章性放旷，善谈笑，当时贤达皆倾慕之。工部尚书陆象先，即知章之族姑子也，与知章甚相亲善。……知章晚年尤加纵诞，无复规检，自号四明狂客，又称'秘书外监'，遨游里巷。醉后属词，动成卷轴，文不加点，咸有可观。又善草隶书，好事者供其笺翰，每纸不过数十字，共宝传之。时有吴郡张旭，亦与知章相善。"《载酒园诗话又编》："若虚与贺季真同时齐名，遽分初、盛，编者殊草草。吾读诗至贺秘书，真若云开山出，境界一新，毋宁置张于初，列贺于盛耳。"贺知章有《回乡偶书》二首，当作于本年回乡之后，卒之前。

王维始营蓝田辋川别业，此后间断性居是处达十余年，多有山水田园诗佳作。《旧唐书》文苑下本传："晚年长斋，不衣文彩。得宋之问蓝田别墅，在辋口，辋水周于舍下，别涨竹洲花坞，与道友裴迪浮舟往来，弹琴赋诗，啸咏终日。尝聚其田园所为诗，号《辋川集》。"王维《辋川集序》："余别业在辋川山谷，其游止有孟城坳、华子冈、文杏馆、斤竹岭、鹿柴、木兰柴、茱萸沜、宫槐陌、临湖亭、南垞、欹湖、柳浪、栾家濑、金屑泉、白石滩、北垞、竹里馆、辛夷坞、漆园、椒园等，与裴迪闲暇各赋绝句云尔。"《山中与裴秀才迪书》："近腊月下，景气和畅，故山殊可过，足下方温经，猥不敢相烦，辄便独往山中，憩感配寺，与山僧饭讫而去。……此时独坐，僮仆静默，多思曩昔，携手赋诗，步仄径，临清流也。当待春中，草木蔓发……傥能从我游乎？"王维、裴迪各有以上述游止处所为题名之五言绝句二十首，即所谓《辋川集》。此集一向附收于《王摩诘文集》，明清时有单行本，如宛委别藏本《说郛》及《水边林下》均收此集，系从文集抽出者。参陈尚君《唐人编选诗歌总集叙录》（载其所著《唐代文学丛考》）。按王维营蓝田别墅及辋川唱和之具体年月不可确知。王维《请施庄为寺表》云："臣亡母故博陵县君崔氏，师事大照禅师三十余岁，褐衣蔬食，持戒安禅，乐住山林，志求寂静，臣遂于蓝田县营山居一所。草堂精舍，竹林果园，并是亡亲宴坐之余，经行之所。"王维母崔氏卒于天宝九载二月，蓝田别墅之经营当在此前数年。又储光羲有《蓝上茅茨期王维补阙》诗，蓝上茅茨即谓蓝田别墅，由诗题知当时王维仍在左补阙任。考下年王维已迁侍御史（见后），故知其营蓝田别墅最迟应在本年，王、裴唱和亦当在本年前后，姑系于此。《诗薮》内编卷六："右丞《辋川》诸作，却是自出机轴，名言两忘，色相俱泯。"又曰："'千山鸟飞绝'二十字，骨力豪上，句格天成，然律以《辋川》诸作，便觉太闹。"王士禛《带经堂诗话》卷三："严沧浪以禅喻诗，余深契其说，而五言尤为近之。如王、裴《辋川》绝句，字字入禅。他如'雨中山果落，灯下草虫鸣'，'明月松间照，清泉石上流'……妙谛微言，与世尊拈花，迦叶微笑，等无差别。通其解者，可语上乘。"《漫堂说诗》："王维、裴迪辋川倡和，开后来门径不少。"《北江诗话》卷五："庾信《哀江南赋》，无意学《骚》，亦无一类《骚》，而转似《骚》。王维、裴迪《辋川》诸作……无意学陶，亦无一类陶，而转似陶。则又当

于神明中求之耳。"《养一斋诗话》卷一："辋川唱和，须溪论王优于裴，渔洋论裴、王劲敌吾以须溪之言为允。"《岘佣说诗》："辋川诸五绝清幽绝俗，其间'空山不见人'、'独坐幽篁里'、'木末芙蓉花'、'人闲桂花落'四首尤妙，学者可以细参。"除《辋川集》中与裴迪唱和诸作外，王维辋川之诗尚夥。陈铁民《王维年谱》（《王维集校注》附录）云："维之蓝田山居，盖供母奉佛持戒之用，非为己隐居习静而营，他自得蓝田山居至天宝十五载陷贼前，除一度因丁母忧离职外，一直在长安为官。他有时较长时间住在辋川，有时又较长时间离开辋川，《辋川别业》云：'不到东山向一年，归来才及种春田'可证。"本年前后至天宝十五载之间，王维居辋川时所作诗计有：《辋川闲居赠裴秀才迪》、《答裴迪辋口遇雨忆终南山之作》、《赠裴十迪》、《黎拾遗昕裴秀才迪见过秋夜对雨之作》、《赠裴迪》、《登裴迪秀才小台作》、《过感化寺昙兴上人山院》、《游感化寺》、《辋川闲居》、《积雨辋川庄作》、《戏题辋川别业》、《归辋川作》、《春中田园作》、《春园即事》、《山居即事》、《山居秋暝》、《田园乐七首》、《酬虞部苏员外过蓝田别业不见留之作》、《蓝田山石门精舍》、《山中》、《别辋川别业》、《辋川别业》、《秋夜独坐》等（据《王维集校注》卷五"辋川之什"）。诸诗作年不可确考，并附于此。其中多有名作。《山居即事》，《唐诗评选》卷三评曰："八句景语，自然含情，亦自齐、梁来，居然风雅典则。俗汉轻诋六代铅华，谈何容易！"《山居秋暝》，《唐诗评选》卷三评曰："凡使皆新，此右丞之似储者。"《田园乐七首》是一组六言绝句其六"桃红复含宿雨"一首最称佳作，《诗人玉屑》卷一九引黄升《玉林诗话》评曰："六言绝句，如王摩诘'桃红复含夜雨'及荆公'杨柳鸣蜩绿暗'二诗，最为警绝，后难继者。近世惟杨诚斋《醉归》一章：'月在荔枝梢上，人行豆蔻花间。但觉胸吞碧海，不知身落南蛮。'雄健富丽，殆将及之。"《瀛奎律髓》卷二三："右丞有六言《田家乐七首》。'花落家童未扫，莺啼山客犹眠'（按此是该诗后两句），举世称叹。"《养一斋诗话》卷五："或问六言句法，予曰：王右丞'花落家童未扫，鸟啼山客犹眠'，康伯可'啼鸟一声村晚，落花满地人归'，此六言之式也。必如此自在谐协方妙，若稍有安排，只是减字七言绝耳，不如无作也。"《秋夜独坐》"雨中山果落，灯下草虫鸣"向称名句，《诗筏》评云："'枫落吴江冷'，'空梁落燕泥'，与摩诘'雨中山果落'，老杜'叶里松子僧前落'，四'落'字俱以现成语为灵幻。"《甚原诗说》卷一："写景之句，以工致为妙品，真境为神品，淡远为逸品。如'芳草平仲绿，清夜子规啼'（沈佺期），'明月松间照，清泉石上流'（王维），'雨中山果落，灯下草虫鸣'（同上）……皆逸品也。"《养一斋诗话》卷三："一唱三叹，由于千锤百炼。今人都以平澹为易易，知其未吃甘苦来也。右丞'雨中山果落，灯下草虫鸣'，其难有十倍于'草枯鹰眼疾，雪尽马蹄轻'者。到此境界，乃自领之，略早一步，则成口头语，而非诗矣。"

芮挺章编《国秀集》成。集序云："昔陆平原之论文，曰'诗缘情而绮靡'。是彩色相宣，烟霞交映，风流婉丽之谓也。仲尼定礼乐，正雅颂，采古诗三千余什，得三百五篇，皆舞而蹈之，弦而歌之，亦取其顺泽者也。近秘书监陈公、国子司业苏公，尝从容谓芮侯曰：'风雅之后，数千载间，诗人才子，礼乐大坏。讽者溺于所誉，志者乖其所之，务以声折为宏壮，势奔为清逸。此蒿视者之目，聒听者之耳，可为长太息也。运属皇家，否终复泰。优游阙里，唯闻子夏之言；惆怅河梁，独见少卿之作。及源流浸广，风云极致，虽发词遣句，未协风骚，而披林撷秀，揭厉良多。自开元以来，维天宝三载，谴谪芜秽，登纳菁英，可被管弦者都为一集。'芮侯即探书禹穴，求珠赤水，取太冲之清词，无嫌近涸；得兴公之佳句，宁止掷金。道苟可得，不弃于厮养；事非适理，何贵于膏粱。其有岩壑孤贞，市朝大隐，神珠匿耀，剖巨蚌而宁周，宝剑韬精，望斗牛而未获，目之缣素，有愧遗才。尚欲巡采风谣，旁求侧陋，而陈公已化为异物，堆案飒然，无与乐成，遂因绝笔。今略编次，见在者凡九十人，诗二百二十首，为之小集，成一家之言。"（《唐人选唐诗新编》本《国秀集》卷首）此集分上、中、下三卷，上卷收二十四人诗七十五首，据其目录迻录如次：天官侍郎李峤四首，考功员外郎宋之问六首，膳部员外郎杜审言五首，太子詹事沈佺期五首，右丞相张说五首，中书侍郎徐安贞六首，京兆张敬忠一首，秘书监贺知章二首，太子宾客徐彦伯一首，仙州别驾王翰二首，中书舍人董思恭一首，新安丞杜俨一首，殿中少监崔涤一首，太子洗马沈宇一首，广文进士刘希夷三首，左丞相张九龄三首，礼部尚书席豫二首，灵昌太守李邕一首，吏部员外郎卢僎十三首，司勋员外张鼎二首，邢部侍郎孙逖六首，兵部员外赵良器二首，金部员外郎黄麟一首，太子尉郭向一首。中卷收二十四人诗七十三首，分别为：金部员外郭良二首，考功员外蒋洌二首，西河长史刘庭琦二首，安定太守王乔一首，陈王掾张谔五首，司勋员外郑审一首，大理司直薛奇章三首，大理寺丞崔颢七首，河阴尉徐九皋五首，醴泉尉阎宽五首，河阴令康定之一首，尚书右丞王维七首，崑昆山令万齐融二首，进士楼颖五首，左补阙崔国辅六首，右武卫录事李嶷二首，校书郎王泠然一首，右武卫录事李牧二首，会稽尉贺朝三首，进士杨重玄一首，前进士常建一首，处士孟浩然七首，进士程弥纶一首，余杭尉丁仙芝一首。下卷收四十人诗七十二首，分别为：进士范朝二首，鲁郡录事徐晶三首，执戟梁锽二首，千牛兵曹屈同仙二首，前崇玄生豆卢复二首，进士丘为二首，校书郎荆冬倩一首，晋陵尉张子容二首，新乡尉李颀四首，进士褚朝阳二首，河内尉崔曙五首，校书郎王昌龄五首，进士梁洽一首，武进尉郑绍一首，进士严维三首，处士朱斌一首，左拾遗苏绾一首，右补阙王谞二首，右补阙卢象二首，四门助教梁德裕二首，永乐丞杨谏一首，进士芮挺章二首，进士张万顷二首，西河尉常非月一首，无锡尉沈颂二首，前进士樊晃一首，大理司直包融二首，薛维翰二首，长安尉张良璞一首，孙欣一首，王之涣三首，王羡门一首，绛郡长史高适一首，洛阳尉王湾一首，进士万楚二首，侍御史于季子一首，校书郎吕令问一首，校书郎敬括二首，监察御史韦承庆一首，进士祖咏二首。集中实收诗数与目录所标间或小有出入。曾彦和跋云："《国秀集》三卷，唐人诗总二百二十篇，天宝三载国子生芮挺章撰，楼颖序之。其诗之次，自天官侍郎李峤，至进士祖咏凡九十人，挺章二篇、颖五篇，亦在其间。内王湾一篇，有'海日生残夜，江春入旧年'之语，题曰《次北固山下作》，而殷璠所撰《河岳英灵集》作于天宝十一载，岁月稍后。然挺章编选，非璠之比，览者自得之。此集《唐书·艺文志》洎本朝《崇文总目》，皆阙而不录，殆三馆所无。浚仪刘景文顷岁得之鬻古书者，元佑戊辰孟秋从景文借本录之，因识于后。龙溪曾彦和题。大观戊子冬，贺方回传于曾氏，名欠一士，而诗增一篇。"（《国秀集》卷后附）该书版本：明嘉靖三十六年周日东抄本，作一卷，实含三卷内容；明刻三卷本，三册；明刻三卷本，二册；郑振铎藏并跋之

《唐人选唐诗（六种）》本；崇祯元年毛氏汲古阁刻《唐人选唐诗（八种）》本，有傅增湘跋并录何焯批校题识；四部丛刊影印秀水沈氏藏明翻宋刻本。参见《国秀集·后记》。

公元745年 （唐玄宗天宝四载　乙酉）

正月

王维等赋诗送惠上人归江东，陶翰为撰序。陶翰《送惠上人还江东序》："今钱塘惠上人，捉一盂，振一锡，则呼吸词府，颉颃朝颜。长江之南，世有词人旧矣。长江之南，世有词人旧矣。于是侍御史王公维、太子舍人裴公总，寄彼好事，于焉首唱。贤才盦集，文墨敷芬。作者为之不宁，词林为之一振。此公家本富春，栖于天竺……正月，祓裳东旅，征帆南岸……"按王士源有《孟浩然集序》，云："丞相张九龄、侍御史京兆王维……率与浩然为忘形之交。"序作于本年，见下，则王维之迁侍御史当在本年或稍前，其与裴总等送惠上人约在本年。

三月

岑参东游淇上，与杜华唱和。岑参《敬酬杜华淇上见赠兼呈熊曜》："我从京师来，到此喜相见，共论穷途事，不觉泪满面！忆昨癸未岁，吾兄自江东，得君江湖诗，骨气凌谢公。……三月犹未还，客愁满春草，赖蒙瑶华赠，讽咏慰怀抱。""癸未岁"是天宝二年，诗约作于本年。

春

王维在侍御史任，出使榆林、新秦二郡，有诗作。王维《榆林郡歌》："千里万里春草色，黄河东流流不息。黄龙戍上游侠儿，愁逢汉使不相识。"又有《新秦郡松树歌》。两诗当是王维任侍御史出使时所作，约在本年春，参见《王维集校注》附录《王维年谱》。

六月

王士源被征至京，闻孟浩然已卒，乃敷求其诗，编为四卷，亲序之。王士源《孟浩然集序》："天宝四载徂夏，诏书征诣京邑，与冢臣八座讨论，山林之士麇至，始知浩然物故。嗟哉！未禄于代，史不必书，安可哲踪妙韵，从此而绝！故详问文者，随述所论，美行嘉闻，十不纪一。浩然凡所属缀，就辄毁弃，无复编录，常自叹为文不逮意也。流落既多，篇章散逸，乡里购采，不有其半。敷求四方，往往而获。既无他士为之传次，遂使海内衣冠搢绅，经襄阳思睹其文，益有不备见而去，惜哉！今集其诗二百一十八首，分为四卷，诗或缺逸未成，而制思清美，及他人酬赠，咸录次而不弃耳。"

夏

王维、卢象等游崔兴宗林亭，有诗唱和。王维有《与卢员外象过崔处士兴宗林亭》诗，写及夏日景象。卢象有《同王维过崔处士兴宗林亭》诗，王缙、裴迪各有《与卢员外象过崔处士兴宗林亭》诗，崔兴宗有《酬王维卢象见过林亭》诗，并为同时之作。刘禹锡《唐故尚书主客员外郎卢公（象）集纪》："擢为左补阙、河南府司录、司勋员外郎。名盛气高，少所卑下。为飞语所中，左迁齐、汾、郑三郡司马。"卢象明年已在齐州司马任（见后），诸诗作于本年或稍前其任司勋员外郎时，姑系于此。以上诸人又各有《青雀歌》，当亦作于此时。

八月

壬寅，册太真妃杨氏为贵妃。《通鉴》卷二一五："八月，壬寅，册杨太真为贵妃。"《旧唐书》玄宗纪下云在本月甲辰，此从《通鉴》。

九月

高适由涟水北返，至东平，有诗纪行。高适《东征赋》："高子游梁既久，方适楚以超忽。……历山阳之村墅，投襄鄙之邑居。"期间历经鄚县、谯郡、彭城、垓下、徐县、盱眙、淮阴等地，至襄鄙当在本年，赋亦当作于本年。襄鄙，《全唐文》卷三五七作襄贲，即泗州涟水县。《元和郡县图志》卷九："（隋开皇）五年，改襄贲为涟水县，因县界有涟水，故名。"高适有《涟上别王秀才》诗，云"客思满穷秋"，当作于本年九月。《涟上题樊氏水亭》当亦同时所作。高适又有《鲁西至东平》、《东平路作三首》、《东平路中遇大水》等诗，作于秋日。《旧唐书》玄宗纪下：天宝四载八月，"是月，河南睢阳、淮阳、谯等八郡大水。"知高适当于本年九月离涟水北归，至东平而遇大水，遂赋诗记之。

秋

李白、杜甫会于东鲁，同登览访友，饮酒论诗，旋亦别去。杜甫《昔游》（昔谒华盖君）："东蒙赴旧隐，尚忆同志乐。"闻一多《少陵先生年谱会笺》："公客东蒙，与太白诸人同游好，所谓同志乐也。"杜甫《与李十二白同寻范十隐居》："李侯有佳句，往往似阴铿。予亦东蒙客，怜君如弟兄。醉眠秋共被，携手日同行。"李白《寻鲁城北范居士失道落苍耳中见范置酒摘苍耳作》："雁度秋色远，日静无云时。"为同时之作。杜诗云东蒙，李诗题曰鲁城，实为一地，均指东鲁。上年秋杜甫、李白同游梁宋，东鲁之游当在本年秋。又杜甫有《赠李白》诗，云："秋来相顾尚飘蓬，未就丹砂愧葛洪。"李白有《戏赠杜甫》诗。《本事诗》："白才逸气高，与陈拾遗齐名，先后合德。其论诗云：'梁、陈以来，艳薄斯极。沈休文又尚以声律，将复古道，非我而谁欤?'故陈、李二集律诗殊少。尝言：'兴寄深微，五言不如四言，七言又其靡也，况使束于声调俳优哉。'故戏杜云：'饭颗山头逢杜甫，头戴笠子日卓午。借问何来太瘦生，总为从前作诗苦。'"即此诗。按或谓此诗为伪作,不确,说见郭沫若《李白与杜甫》。两诗亦当本年秋所作。李白又有《鲁郡东石门送杜二甫》诗,云:"醉别复几日,登临遍池台。何时石门路,重有金樽开? 秋波落泗水,海色明徂徕。飞蓬各自远,且尽手中杯。"为赠别之作,可见二人游览之状及惜别之情,时亦在本年秋。

李白、杜甫同在东鲁时,与元丹丘游,后白有诗送丹丘还华山。杜甫《玄都坛歌寄元逸人》:"故人昔隐东蒙峰,已佩含景苍精龙。故人今居子午谷,独并阴崖白茅屋。"李白《西岳云台歌送丹丘子》:"云台阁道连窈冥,中有不死丹丘生。……九重出入生光辉,东求蓬莱复西归。"元逸人当即元丹丘。前诗作于杜甫后居长安时,所叙东蒙交游当在本年。后诗则是本年左右李白在东蒙山一带送元丹丘归华山时所作。参见郁贤皓《李白丛考·李白与元丹丘交游考》。按《西岳云台歌》系李白名篇,《唐宋诗醇》卷五评云:"健笔凌云,一扫靡靡之调。"

本年

常建授盱眙尉。《直斋书录解题》卷一九称"盱眙尉常建。"然《国秀集》目录犹称常建为"前进士",盖至天宝三载建尚未授官,今姑系其官盱眙尉在本年。

李颀罢新乡尉任,归隐颍阳东川别业,有诗作。李颀有《不调归东川别业》诗,当是罢新乡尉后所作。东川在颍阳,说见傅璇琮《唐代诗人丛考·李颀考》。《唐代墓志汇编》大历〇一七《唐故瀛州乐寿县丞陇西李公墓志铭》:"惟陇西李公湍……酷好寓兴,雅有风骨。时新乡尉李颀、前秀才岑参皆著盛名于世,特相友重。"前秀才即前进士,及第进士关试后称前进士。岑参上年进士及第,同年过关试,始称前进士。据此及《墓志铭》所叙可知,在岑参进士及第后一段时间内,李颀当尚在新乡尉任,其罢任当约在本年。参见王勋成《岑参入仕年月及生年考》,载《文学遗产》2003 年第 4期。

颜真卿罢醴泉尉任,诣京洛从张旭学书法。颜真卿《张长史十二意笔法记》:"予罢秩醴泉,特诣京洛,访金吾长史张公旭,请师笔法。长史于时在裴儆宅憩止,已一年矣。"殷亮《颜鲁公行状》:"天宝元年秋……以其年授京兆府醴泉县尉。……授通直郎、长安尉。六载,迁监察御史。"颜真卿罢醴泉尉约在本年。李颀有《赠张旭》诗,附记于此。

公元 746 年 (唐玄宗天宝五载 丙戌)

正月

李颀有诗寄卢象,望其荐举。李颀有《寄司勋卢员外》诗,作于初春。卢员外谓卢象,参见本年秋卢象条。诗云:"早晚荐雄文似者,故人今已赋《长杨》。"寄望于卢象之荐引,知李颀时当罢任家居。

岑参游河东,有诗作,后返长安。岑参有《题平阳郡汾桥边柳树》诗,题下原注:"参曾居此郡八九年。"诗云:"可怜汾上柳,相见也依依。"作于初春。又有《骊姬墓下作》诗。平阳郡即晋州,骊姬墓在绛州,晋、绛二州同属河东道,见《元和郡县图志》卷一二。岑参游河东当在进士及第而未授官期间，姑系本年。又岑参《宿蒲关东店忆杜陵别业》、《入蒲关先寄秦中故人》诗，为游河东返长安途中所作，亦系于此。

春

　　高适在东平，赋诗奉赠薛太守，又有诗送别李少府。高适有《东平旅游奉赠薛太守二十四韵》、《送前卫县李寀少府》（《全唐诗》卷二一四作《东平别前卫县李寀少府》）二诗，均写及春日景象，当作于本年。又有《为东平薛太守进王氏瑞诗表》，亦本年所作。

四月

　　李适之罢相，作诗抒愤。《旧唐书》本传："天宝元年，代牛仙客为左相，累封清和县公。与李林甫争权不叶，适之性疏，为其阴中。……五载，罢知政事，守太子少保。遽命亲故欢会，赋诗曰：'避贤初罢相，乐圣且衔杯。为问门前客，今朝几个来？'"据同书玄宗纪下，李适之罢相在本年四月，诗作于此时。《诗辩坻》卷三评此诗云："李适之《罢相作》，敖子发以为不如钱起《暮春归故山草堂》。不直李诗朴直，钱诗便巧，李出钱上自远，子发未审格耳。"

　　陈希烈以门下侍郎、崇玄馆大学士同平章事。《通鉴》卷二一五："以门下侍郎、崇玄馆大学士陈希烈同平章事。希烈，宋州人，以讲《老》、《庄》得进，专用神仙符瑞取媚于上。李林甫以希烈为上所爱，且柔佞易制，故引以为相；凡政事一决于林甫，希烈但给唯诺。"

夏

　　李邕在北海太守任，与杜甫登览齐州历下亭，赋诗论文，高适自东平来赴，亦预此游。高适有《奉酬北海李太守丈人夏日平阴亭》诗，云："寄书汶阳客，回首平阴亭"，知其当时尚在汶阳，即东平郡。李太守谓李邕，《旧唐书》文苑中本传："天宝初，为汲郡、北海二太守。"时李邕在北海太守任。高适又有《同李太守北池泛舟宴高平郑太守》诗。北池即大明湖，在济南郡历城。时高适当是奉李邕召离东平赴济南，《东平留赠狄司马》即为其留别东平故人之作。李邕有《登历下古城员外孙新亭》诗，杜甫有《陪李北海宴历下亭》、《同李太守登历下古城员外新亭》二诗，皆作于济南夏日。杜甫后诗题下原注："时李之芳自尚书郎出齐州，制此亭。"之芳是邕族孙，邕之来作济南游，当是受之芳邀。杜甫后有《八哀诗·赠秘书监江夏李公邕》诗，追述当年与李邕醋酒论文之事，云："伊昔临淄亭，酒酣托末契。重叙东都别，朝阴改轩砌。论文到崔苏，指尽流水逝。近伏盈川雄，未甘特进丽。是非张相国，相扼一危脆。争名古岂然，关键欻不闭。例及吾家诗，旷怀扫氛翳。慷慨嗣真作，咨嗟玉山桂。钟律俨高悬，鲲鲸喷迢递。"临淄郡本年改称济南郡，临淄亭当即指济南历下亭，诗中所叙论文事当即发生于本年夏二人游览济南时。又李白有《东海有勇妇》诗，云："北海李使君，飞章奏天庭。"李使君谓李邕，李白或亦预此济南之游。

李颀赋诗送綦毋潜谒房琯。李颀有《送綦毋三谒房给事》诗。綦毋三谓綦毋潜，房给事谓房琯。《旧唐书》房琯传："五年正月，擢试给事中，赐爵漳南县男。……坐与李适之、韦坚等善，贬宜春太守。"房琯贬宜春太守在明年正月，见后。此诗写及夏日景象，知必作于本年。李颀又有《听董大弹胡笳声兼寄语弄房给事》诗，亦作于本年，附记于此。按《听董大……》是李颀名篇。《笺注唐贤诗集》卷中："形容佳妙，比之白氏《琵琶行》等，亦自有一种奇气。"

七月

民间作歌咏杨贵妃得宠。《通鉴》卷二一五："杨贵妃方有宠，每乘马则高力士执辔授鞭，织绣之工专供贵妃院者七百人，中外争献器服珍玩。岭南经略使张九章，广陵长史王翼，以所献精美，九章加三品，翼入为户部侍郎；天下从风而靡。民间歌之曰：'生男勿喜女勿悲，君今看女作门楣。'妃欲得生荔支，岁命岭南驰驿致之，比至长安，色味不变。"

韦坚、李适之等为李林甫所诬，或流或贬。《通鉴》卷二一五："太子之立，非林甫意。……而（韦）坚，又太子之妃兄也。……（正月）癸酉，下制，责坚以干进不已，贬缙云太守；……七月……酉子，再贬坚江夏别驾，（弟）兰、芝皆贬岭南。……李林甫因言坚与李适之等为朋党，后数日，坚长流临封，适之贬宜春太守，太常少卿韦斌贬巴陵太守，嗣薛王琄贬夷陵郡别驾，睢阳太守裴宽贬安陆别驾，河南尹李齐物贬竟陵太守，凡坚亲党坐流贬者数十人。"

秋

卢象任齐州司马，有诗作。刘禹锡《唐故尚书主客员外郎卢公（象）集纪》："擢为左补阙、河南府司录、司勋员外郎。左迁齐、汾、郑三郡司马。"卢象《追凉历下古城西北隅此地有清泉乔木》："蝉鸣秋雨霁，云白晓山高。"当作于任齐州司马时，约在本年。

杜甫自齐州归长安，从汝阳王李琎游。杜甫《壮游》："放荡齐赵间，裘马颇清狂。……快意八九年，西归到咸阳。许与必词伯，赏游实贤王。"《赠特进汝阳王二十二韵》："披雾初欢夕，高秋爽气澄。"贤王即谓汝阳王，名琎。《旧唐书》睿宗诸子让皇帝宪传："宪凡十子，琎……等十人，历官封爵。琎封汝阳郡王，历太仆卿，与贺知章、褚庭诲为诗酒之交。天宝初，终父丧，加特进。九载卒。"杜甫自齐州还长安并与汝阳王交游当在本年秋，参见闻一多《少陵先生年谱会笺》。又《赠特进……》诗作于明年夏，见后。

李白在东鲁，有诗寄杜甫，又作诗多首，以寄其恋阙之意。李白《沙丘城下寄杜甫》："我来竟何事，高卧沙丘城。城边有古树，日夕连秋声。"沙丘城，鲁郡（兖州）治城瑕丘之别称，为李白东鲁寓家之地，说见安旗《李白东鲁寓家地考》，载其所著《李白研究》。诗当作于本年。李白又有《金乡送韦八之西京》、《鲁中送二从弟赴举之西京》等诗，均寄其思恋长安之感，亦当本年秋所作。

十二月

杜甫在长安，作《今夕行》诗。诗云：."今夕何夕岁云徂，更长烛明不可孤。"《全唐诗》卷二一六该诗题下原注："自齐、赵西归至咸阳作。"当作于本年除夕。

冬

李颀分别赋诗送刘晏、皇甫曾。李颀有《送刘四》、《送皇甫曾游襄阳山水兼谒韦太守》诗，均写及冬日景象。刘四谓刘晏，见《唐人行第录》。据诗中"三度尉洛阳"、"秦中川路长"、"从今署右职"等语，知为送刘晏洛阳尉秩满赴京调选而作。《旧唐书》刘晏传："年七岁，举神童，授秘书省正字。累授夏县令，有能名。"其授夏县令当在洛阳尉秩满之后。明年刘晏赴任夏县令，见后，知诗当作于本年。韦太守谓韦陟。《旧唐书》韦安石附韦陟传："后为吏部侍郎……李林甫忌之，出为襄阳太守，兼本道采访使。"与诗中"按俗荆南牧，持衡吏部郎"之语正合。据《唐刺史考全编》卷一八九，韦陟出为襄阳太守约在天宝四、五载，诗当作于本年前后。

杜佑父杜希望卒，岑参、王维有诗挽之。岑参有《西河太守杜公挽歌》四首，王维有《故西河郡杜太守挽歌三首》，王诗写及冬日景象。杜太守谓杜希望，杜佑之父。《旧唐书》杜佑传："父希望，历洪庐卿、恒州刺史、西河太守，赠右仆射。"权德舆《大唐银青光禄大夫检校司徒同中书门下平章事……杜公（佑）淮南遗爱碑铭并序》："烈考讳希望，历鸿胪卿、御史中丞，再为恒州刺史，代、鄯二州都督，西河郡太守，襄阳县南，赠尚书左仆射。"《金石录》卷七："《唐西河太守杜公遗爱碑》，书、撰人姓名残缺。上三碑，皆天宝五载。"知杜希望卒于西河太守任，其卒当在本年或稍前。参见《唐刺史考全编》卷八四。岑、王诗并当作于本年前后，姑系于此。岑参又有《西河郡太守张夫人挽歌》，张夫人即杜希望妻。诗云："龙是双归日，鸾非独舞年。哀容今共尽，凄怆杜陵田。"盖与以上诸诗同时所作。

本年

孙逖（696—761）以风病改太子左庶子，后于上元中卒。《旧唐书》文苑中本传："天宝三载，权判刑部侍郎。五载，以风病求散秩，改太子左庶子。逖掌诰八年，制敕所出，为时流叹服。议者以为自开元已来，苏颋、齐澣、苏晋、贾曾、韩休、许景先及逖，为王言之最。逖尤善思，文理精练，加之谦退不伐，人多称之。以疾沉废累年，转太子詹事，上元中卒。……有集三十卷。"颜真卿《尚书刑部侍郎赠尚书右仆射孙逖文公集序》："其序事也，则《伯乐川记》及诸碑志，皆卓立千古，传于域中；其为诗也，必有逸韵佳对，冠绝当时，布在人口；其词言也，则宰相张九龄欲挢撼疵瑕，沈吟久之，不能易一字。公之除庶子也，苑咸草诏曰：'西掖掌纶，朝推无对。'议者以为知言。"苑咸草诏，当在中书舍人任，参下年王维条。

元结离家出游，作《闵荒诗》。诗序云："天宝丙戌中，元子浮隋河至淮阴间。其年，水坏河防，得隋人《冤歌》五篇。考其歌义，似冤怨时主。故广其意，采其歌，为《闵荒诗》一篇，其余载于《异录》。"

　　陆羽见异于竟陵太守李齐物，得其所授诗集。陆羽《陆文学自传》："陆子名羽……天宝中，郢人酺于沧浪道，邑吏召子为伶正之师。时河南尹李公齐物出守见异，捉手拊背，亲授诗集，于是汉沔之俗亦异焉。"据《通鉴》卷二一五，李齐物由河南尹贬竟陵太守在本年七月。

　　灵澈（746？—816）生。

公元747年　（唐玄宗天宝六载　丁亥）

正月

　　李邕（675—747）卒，年七十三。《旧唐书》玄宗纪下："六载正月辛巳朔，北海太守李邕、淄川太守裴敦复并以事连王曾、柳勣，遣使就杀之。"《唐代墓志汇编》大历〇〇九《唐故北海郡守赠秘书监江夏李公（邕）墓志铭并序》："移青州，又遭所佞谬旨阴中，以东宫之姻，妄词连之，千里狱讯，不得谳报，年七十三，卒于强死，哀哉！"《旧唐书》文苑中本传："邕早擅才名，尤长碑颂。虽贬职在外，中朝衣冠及天下寺观，多赍持金帛，往求其文。前后所制，凡数百首。受纳馈遗，亦至巨万。时议以为自古鬻文获财，未有如邕者。有文集七十卷。其《张韩公行状》、《洪州放生池碑》、《批韦巨源谥议》，文士推重之。"《新唐书》艺文志四："《李邕集》七十卷。"杜甫《八哀诗·赠秘书监江夏李公邕》："忆昔李公存，词林有根柢。声华当健笔，洒落富清制。风流散金石，追琢山岳锐。情穷造化理，学贯天人际。干谒走其门，碑版照四裔。各满深望还，森然起凡例。……独步四十年，风听九皋唳。呜呼江夏姿，竟掩宣尼袂。"皇甫湜《谕业》："李北海之文，如赤羽白甲，延亘平野，如云如风，有貅有虎，阗然鼓之，吁可畏也。"四库提要卷一四九："《李北海集》六卷，附录一卷。……邕文集本七十卷，《宋志》已不著录。此本为明无锡曹荃所刊，前有荃序……不言为何人所编。大抵皆采撷《文苑英华》诸书，裒而成帙，非原本矣。史称邕长于碑颂，前后所制凡数百首。今惟赋五首，诗四首，表十四首，疏、状各一首，碑文八首，铭、记各一首，神道碑五首，墓志铭一首，盖已十不存一。"

　　李林甫遣使逼韦坚兄弟、李适之死，房琯被贬宜春太守。《通鉴》卷二一五："林甫又奏分遣御史即贬所赐皇甫惟明、韦坚兄弟等死。罗希奭自青州如岭南，所过杀迁谪者，郡县惶骇。排马牒至宜春，李适之忧惧，仰药自杀。……给事中房琯坐与适之善，贬宜春太守。"

　　诏征天下艺能之士，李林甫试以诗、赋、论，尽黜之，杜甫、元结亦在其列。《通鉴》卷二一五："上欲广求天下之士，命通一艺以上皆诣京师。李林甫恐草野之士对策斥言其奸恶，建言：'举人多卑贱愚聩，恐有俚言污浊圣听。'乃命郡县长官精加试练，灼然超绝者，具名送省，委尚书覆试，御史中丞监之，取名实相副者闻奏。既而至者皆试以诗、赋、论，遂无一人及第者。林甫乃上表贺野无遗贤。"元结《喻友》："天宝

410

丁亥中，诏征天下士，人有一艺者，皆得诣京师就选。相国晋公林甫以草野之士猥多，恐泄露当时之机，议于朝廷曰：'举人多卑贱愚聩，不识礼度，恐有俚言，污浊圣听。'于是奏待制者悉令尚书长官考试，御史中丞监之，试如常例（如吏部试诗赋论策）。已而布衣之士无有第者，遂表贺人主，以为野无遗贤。"杜甫《奉赠鲜于京兆二十韵》："献纳纡皇眷，中间谒紫宸。且随诸彦集，方觊薄才伸。破胆遭前政，阴谋独秉钧。微生沾忌刻，万事益酸辛。"所言当即本年应举被黜之事。

元结作《二风诗》十篇。诗序云："天宝丁亥中，元子以文辞待制阙下，著《皇谟》三篇，《二风诗》十篇，将欲求干司匦氏以裨天监。会有司奏待制者悉去之，于是归于州里。后三岁，以多病习静于商余山。病间，遂题括存之。"按《二风诗》含《治风诗》、《乱风诗》各五篇。元结又有《二风诗论》。

二月

李白、高适同游汴州，各有送友人诗。高适有《别杨山人》、《送蔡山人》诗，李白有《送蔡山人》、《送杨山人归嵩山》诗，当作于同时。高适《别杨山人》有"夷门二月柳条色"之句，夷门为古大梁城十二门之一，此代指大梁，即唐汴州浚仪县，见《元和郡县图志》卷七。李白《送蔡山人》诗云："我本不弃世，世人自弃我"，当作于去朝后。考高、李二人行迹，唯本年二月有同游汴州之可能，故系于此。

春

包佶等二十三人登进士第，礼部侍郎李岩知贡举，试《罔两赋》，以"道德希夷仁美"为韵。见《登科记考》卷九。

刘长卿举进士不第，有诗送人赴范阳安禄山幕，又赋诗送人擢第归觐。刘长卿有《落第赠杨侍御兼拜员外仍充安大夫判官赴范阳》诗。安大夫谓安禄山，《旧唐书》本传："三载，代裴宽为范阳节度使。……六载，加大夫。"诗当作于本年或稍后，姑系于此。刘长卿又有《送孙鉴京监擢第归蜀觐省》诗，作于春日。《文苑英华》卷九〇有孙鉴《罔两赋》，为本年进士试题，知孙为本年进士，长卿诗即作于本年。

岑参自长安游河朔，有诗纪行。岑参有《登古邺城》、《邯郸客舍歌》、《冀州客舍酒酣贻王绮寄题南楼》等诗，均写及春景，当为本年游河朔时所作，参见王勋成《岑参入仕年月及生年考》。岑参又有《临河客舍呈狄明府兄留题县南楼》诗，云："邑中雨雪偏着时，隔河东郡人遥羡。"临河县属河北道相州，在古邺城所在地邺县西南，见《元和郡县图志》卷一六。诗当作于上年岁末或本年初春游河朔途经临河时，亦系于此。

四月

蔡希周（688—747）卒，年六十。《唐代墓志汇编续集》天宝〇三六《唐故朝请大夫尚书刑部员外郎骑都尉蔡公墓志铭并序》："公讳希周，字良傅，天宝五载，以举

411

主得罪于朝，异时推毂居中者，第比皆罢。公自刑部员外郎贬咸安郡司马，雅有消疾，寝不因还。明年四月十五日终于贬郡之官寺，春秋六十，以其载十月十九日，自咸安归葬焉。"题下署"前大理评事张阶字叔平撰，第七弟朝议郎行洛阳县尉希寂字季深书。"蔡希周有诗入选《丹阳集》，已见前。

　　独孤及在宋州，作序送友人姚旷等，时及与陈兼、贾至、高适等交好。独孤及《宋州送姚旷之江东刘冉之河北序》："春，叶尉吴兴姚旷至自洛阳，中山刘冉至自长安。……夏四月，护手于卢门。"梁肃《朝散大夫使持节常州诸军事守常州刺史赐紫金鱼袋独孤公（及）行状》："二十余，以文章游梁宋间，通人颍川陈兼、长乐贾至、渤海高适见公，皆色授心服，约子孙之契。"本年孤独及年二十三，明年已从宋州赴洛阳（见后），其在宋州送姚旷等当在本年前后。又岑参《怀叶县关操姚旷韩涉李叔齐》："数子皆故人，一时吏宛叶。……斜日半空庭，旋风走梨叶。"云叶县姚旷者，当即谓其为叶县尉也，诗当作于本年前后之秋日，亦系于此。

夏

　　杜甫赋诗赠汝阳王李琎，又作《饮中八仙歌》。杜甫《赠特进汝阳王二十韵》："特进群公表，天人夙德升。……招要恩屡至，崇重力难胜。披雾初欢夕，高秋气爽澄。……花月穷游宴，炎天避郁蒸。砚寒金井水，檐动玉壶冰。""披雾"云云乃去秋之事，"炎天"等句则叙今夏事，诗当即作于本年夏。杜甫又有《饮中八仙歌》，云："左相日兴废万钱，饮如长鲸吸百川，衔杯乐圣称避贤。"用李适之《罢相作》'避贤初罢相，乐圣且衔杯'语意。适之上年四月罢相，已见前，则《八仙歌》当作于本年前后。又歌中亦咏及汝阳王，颇疑与《赠特进……》为先后之作，故系于此。按《饮中八仙歌》系杜甫名篇。王嗣奭《杜臆》卷一评云："此创格，前无所因，后人不能学。描写八公都带仙气，而或两句、三句、四句，如云在晴空，卷舒自如，亦诗中之仙也。"《唐诗别裁集》卷六："前不用起，后不用收，中间参差历落，似八章仍似一章，格法古未曾有。每人各赠几语，故有重韵而不妨碍。"《岘佣说诗》："《饮中八仙歌》，题目纤小，章法离奇，不足效法。后人津津称之，可谓瞽说矣。"《纫斋诗谈》卷四："《饮中八仙歌》，一路如连山断岭，似接不接，似闪不闪，极行文之乐事。"又："用《史记》合传例为歌行，须有大力为根。至于错综剪裁，又乘一时笔势兴会得之，此有法而无法者也。此等诗以笔健为贵，清则劲而上腾，若加重色雕刻，便累坠不能高举矣。词家所宜知也。"

八月

　　岑参游至大梁，赋诗抒怀。岑参《醉题匡城周少府厅壁》："颍阳秋草今黄尽，醉卧君家犹未还。"《至大梁却寄匡城主人》："一从弃鱼钓，十载干明王。无由谒天阶，却欲归沧浪。仲秋至东郡，遂见天雨霜。昨日梦故山，蕙草色已黄。平明辞铁丘，薄暮游大梁。仲秋萧条景，拔剌飞鹅鸪。"为同时之作。自开元二十六年岑参献书阙下至本年首尾十年，诗云"十载干明王"，知作于本年秋。此后岑参当暂归颍阳，旋至长安参吏部冬集铨选。岑参又有《感旧赋》，序云："参年三十，未及一命。"赋云："我从东山，献书西周。出入二郡，蹉跎十秋。……嗟世路之其阻，恐岁月之不留。眷城阙以怀归，将欲返云林之旧游。"又《初授官题高冠草堂》："三十始一命，宦情都欲阑。"诸诗赋语意相类。《初授官……》作于明年春（见后），则《感旧赋》当作于本年，或明年授官之前，姑系于此。按《至大梁却寄匡城主人》可称岑参名作。《河岳英灵集》卷上："参诗语奇体峻，意亦奇造。至如'长风吹白茅，野火烧枯桑'，可谓逸也。"所举例句即出于本诗。

秋

李颀在洛阳，游济渎，赋诗记之。 李颀有《与诸公游济渎》诗，写及秋日景象，又有句云："皇帝崇祀典，诏书视三公。"本年正月封济渎为清源公，见《旧唐书》玄宗纪下，知诗当作于本年或稍后。

李白将离东鲁南游吴越，作《梦游天姥吟留别》等诗。 李白《鲁郡尧祠送窦明府薄华还西京》："昨夜秋声闻阊阖来，洞庭木落骚人哀。……尔向西秦我东越，暂向瀛洲访金阙。"题下注："时久病初起作。"《梦游天姥吟留别》："天姥连天向天横，势拔五岳掩赤城。天台四万八千丈，对此欲倒东南倾。我欲因之梦吴越，一夜飞度镜湖月。"题下注："一作《别东鲁诸公》。"两诗当本年秋李白在东鲁欲往越州时作。按《梦游天姥吟留别》为《河岳英灵集》所收，题作《梦游天姥山别东鲁诸公》，是李白代表作。《沧浪诗话·诗评》："子美不能为太白之飘逸，太白不能为子美之沉郁。太白《梦游天姥吟》、《远别离》等，子美不能道。"《诗薮》内编卷三："太白《蜀道难》、《远别离》、《天姥吟》、《尧祠歌》等，无首无尾，变幻错综，窈冥昏默，非其才力学之，立见颠踬。"《唐宋诗醇》卷六："七言歌行，本出楚骚、乐府。至于太白，然后穷极笔力，优入圣域。昔人谓其'以气为主，以自然为宗，以俊逸高畅为贵，咏之使人飘扬欲仙'，而尤推其《天姥吟》、《远别离》等篇，以为虽子美不能道。盖其才横绝一世，故兴会标举，非学可及，正不必执此谓子美不能及也。此篇夭矫离奇，不可方物，然因语而梦，因梦而悟，因悟而别，节次相生，丝毫不乱。若中间梦境迷离，不过词意伟怪耳。胡应麟以为'无首无尾，窈冥昏默'，是真不可以说梦也。特谓非其才力学之，立见颠踬，则诚然耳。"

本年

韦济为太原尹，制《先德诗》四章。《旧唐书》韦思谦附韦嗣立传："嗣立三子：孚、恒、济，皆知名。……济，早以辞翰闻。……（开元）二十四年，为尚书户部侍郎。累岁转太原尹。制《先德诗》四章，述祖、父之行，辞致高雅。"韦济天宝六载至七载在太原尹任，见《唐刺史考全编》卷八九。诗当作于本年。

王维在库部员外郎任，与中书舍人苑咸赋诗赠答，咸为李林甫亲信。 王维有《苑舍人能书梵字兼达梵音皆曲尽其妙戏为之赠》诗。苑舍人谓苑咸。《新唐书》艺文志四："《苑咸集》，卷亡。京兆人（《唐诗纪事》卷一七作"成都人"）。开元末上书，拜司经校书、中书舍人，贬汉东郡司户参军，复起为舍人，永阳太守。"《旧唐书》李林甫传："（林甫）自无学术，仅能秉笔。……而郭慎微、苑咸文士之阘茸者，代为题尺。"苑咸《酬王维》诗序："王员外兄以予尝学天竺书，有《戏题》见赠。然王兄当代诗匠，又精禅理，枉采知音，形于雅作，辄走笔以酬焉。且久未迁，因以嘲及。"王维又有《重酬苑郎中》诗，序云："顷辄奉赠，忽枉见训。序末云：'且久不迁，因而嘲及。'诗落句云：'应同罗汉无名欲，故作冯唐老岁年。'亦解嘲之类也。"题下注云："时为库部员外。"苑咸上年在中书舍人任，已见前。又苑咸诗序谓王维久不迁，或维天宝四载任侍御史后不久即转库部员外郎，至是已历三载，故谓之欤？姑系于此。

薛据登风雅古调科。《唐会要》卷七六："六载，风雅古调科，薛琚（据）及第。"

李颀在洛阳，赋诗送刘宴赴夏县令任。李颀有《送刘四赴夏县》诗。刘四指刘宴，见《唐人行第录》。《唐代墓志汇编》天宝一二四《唐故河南府洛阳县尉顿丘李公（琚）墓志铭并序》："其所厚善则金部郎冯用之、泾阳宰韩景宣、夏长刘宴……而已。"据墓志载，李琚之卒在明年二月，则刘宴出任夏县令当在本年或稍前，姑系于此。时李颀居洛阳，由诗中"我心独爱伊川水"可知。

元结与孟云卿订交。元结《送孟校书往南海》诗序："平昌孟云卿与元次山同州里，以词学相友，几二十年。次山今罢守舂陵，云卿始典校芸阁。"按元结曾两任道州刺史，首次去职约在永泰元年（765）。由永泰元年上推至本年首尾十九年，知元、孟相交当在本年左右。

张庭芳在信安郡博士任，注李峤《杂咏》诗。张庭芳《故中书令郑（赵）国公李峤杂咏百二十首序》："顷寻绎故中书令李郑（赵）公百二十咏……于是欲罢不能，研章摘句。辄因注述，思郁文繁。庶有补于琢磨，俾无至于疑滞。且欲启诸童稚，焉敢贻于后贤。于时巨唐天宝六载龙集强圉之所述也。"按张庭芳注《杂咏》今有日本《佚存丛书》刊本，书中庭芳结衔登仕郎守信安郡博士。庭芳又尝注庾信《哀江南赋》，见《新唐书》艺文志四。

公元748年 （唐玄宗天宝七载　戊子）

正月

席豫（680—748）卒，年六十九。《旧唐书》文苑中本传："七载，卒于位，时年六十九。……赠汇陵大都督，谥曰文。"玄宗纪下："七载春正月己卯，礼部尚书席豫卒。"

二月

李华在秘书省校书郎任，作《著作郎厅壁记》。文云："魏太和年，肇以著作名官，为中书属。晋元康年，改隶秘书。……天命元圣，降而为唐，唐之建官，罔非俊乂。若虞永兴德涵大雅，魏侍中才高王佐，郑吏部绝韵锵鸣，崔司业雄词飞动，皆历焉。今上兼帝王之极功，总文武之能事。……问谁献箴，则宾客崔氏；问谁执简，则恒傅吴公。胡谕德游刃诗骚，韦庶子贯珠今古。济济多士，时惟秉文，盛矣哉，同风乎雅颂也。……以华职忝末班，与闻前志，拜命之辱，敢叙官之守云。时天宝七载二月辛亥记。"

三月

大同殿产玉芝，乃赐宴百官，王维有诗作。王维有《大同殿生玉芝龙池上有庆云百官共睹圣恩便赐宴乐敢书即事》诗。《旧唐书》玄宗纪下："三月乙酉，大同殿产玉芝，有神光照殿。"诗作于此时。

包何、李嘉祐、权皋、李栖筠等二十四人登进士第，礼部侍郎李岩知贡举。见《登科记考》卷九。包何，生卒年不详，字幼嗣，润州延陵人。包融子，包佶兄。进士及第后，尝官太子正字。大历中累官至起居舍人，卒。有《包何诗》一卷。据《唐才子传校笺》卷二包何传笺及补笺。李嘉祐（？—780？）字从一，赵州人。进士及第后，授秘书省正字，擢殿中侍御史。肃宗朝，贬鄱阳令，量移江阴令。代宗大历中，入朝为司勋员外郎，出为袁州刺史。罢任，居苏州。建中初，起为台州刺史，旋卒。有《李嘉祐诗》一卷。据《唐才子传校笺》卷三李嘉祐传笺及补笺。

春

钱起与张万顷有诗唱和。钱起有《谢张法曹万顷小山暇景见寄》诗，写及春季景象。张万顷上年十一月已在河南府法曹任，见《旧唐书》杨慎矜传。钱、张唱和当在本年前后。张万顷有诗入《国秀集》，已见前。

李白由东鲁至扬州，有酬赠友人诗。李白《题瓜洲新河饯族叔舍人贲》："杨花满江来，疑是龙山雪。"《元和郡县志》阙卷逸文卷二淮南道扬州江都县："瓜洲镇，在县南四十里江滨。"诗当作于本年春李白南游越剡经扬州时。又《淮海对雪赠傅霭》："海树成阳春，江沙皓明月。兴从剡溪起，思绕梁园发。"《尚书·禹贡》："淮海惟扬州。"诗当作于上年冬或今年春初至扬州时。李白又有《叙旧赠江阳宰陆调》、《留别广陵诸公》诗。江阳县属扬州大都督府，见《旧唐书》地理志三。两诗俱作于扬州。前诗云："城门何肃穆，五月飞秋霜。……江北荷花开，江南杨梅鲜。"当作于本年五月，后诗当为本年夏离扬州时所作，并附记于此。

杜甫在长安，赋诗忆李白，后归偃师旧居，有诗寄韦济。杜甫《春日忆李白》："白也诗无敌，飘然思不群。清新庾开府，俊逸鲍参军。渭北春天树，江东日暮云。何时一樽酒，重与细论文？"约作于本年。又《送孔巢父谢病归游江东兼呈李白》："南寻禹穴见李白，道甫问讯今何如。"为同时之作。杜甫又有《奉寄河南韦尹丈人》诗，云："有客传河尹，逢人问孔融。青囊仍隐逸，章甫尚西东。"题下原注："甫故庐在偃师，承韦公频有访问，故有下句。"韦尹谓韦济。《旧唐书》韦思谦附韦嗣立传："嗣立三子：孚、恒、济，皆知名。……济……天宝七载，又为河南尹，迁尚书左丞。"《唐代墓志汇编续集》天宝〇九九《大唐故正议大夫行仪王傅上柱国奉明县开国子赐紫金鱼袋京兆韦府君（济）墓志并序》："天宝七载转河南尹，兼水陆运使。"诗当作于本年，参见陈铁民《由新发现的韦济墓志看杜甫天宝中的行止》，载《唐代文学研究》第

五辑。按上列诸诗中《春日忆李白》系杜甫名作。《读杜心解》卷三："此篇纯于诗学结契上立意。方其聚首称诗，如逢庾、鲍，何其快也。一旦春云迢递，'细论'无期，有黯然神伤者矣。四十字一气贯注，神骏无匹。"

岑参授官右内率府兵曹参军，赋诗言志。杜确《岑嘉州集序》："天宝三载进士高第，解褐右内率府兵曹参军。"按岑参进士及第在天宝三载，而其授官则当在守选满三年且参加吏部冬集铨选以后，时在本年春。参王勋成《岑参入仕年月及生年考》，载《文学遗产》2003 年第 4 期。岑参《初授官题高冠草堂》："三十始一命，宦情都欲阑。……涧水吞樵路，山花醉药栏。"即本年春初授官后所作。高冠谷在终南山，高冠草堂盖岑参授官前后之居处。岑参有《高冠谷口招郑鄠》、《终南云际精舍寻法澄上人不遇归高冠东潭石淙望秦岭微雨作贻友人》、《题云际南峰眼上人读经堂》、《草堂村寻罗生不遇》、《终南东溪口作》、《还高冠潭口留别舍弟》、《田假归白阁西草堂》等诗，均作于居高冠草堂时，并系于此。岑参又有《送郭乂杂言》诗，写及春日景色，且云："去年四月初，我正在河朔。"知作于本年，亦系于此。

夏

李白在越州，赋诗伤悼贺知章。李白有诗《对酒忆贺监二首》，其二云："狂客归四明，山阴道士迎。……人亡余故宅，空有荷花生。"又《重忆一首》："稽山无贺老，却棹酒船回。"贺监、贺老均谓贺知章。诗当作于本年夏游越州时。李白又有《天台晓望》、《早望海霞边》、《越中览古》、《越中秋怀》等诗，当均为本年夏秋在越州时所作，并系于此。按诸诗中《天台晓望》可称名作。任华《寄李白》："登天台，望渤海，云垂大鹏飞，山压巨鳌背。斯言亦好在。"即指此诗而言。

八月

颜真卿奉使赴河陇，岑参作歌送之。岑参《胡笳歌送颜真卿使赴河陇》："凉秋八月萧关道，北风吹断天山草。"殷亮《颜鲁公行状》："六载，迁监察御史。……七载，又充河西陇右军试覆屯交兵使。"

秋

王维、李颀并为达奚珣夫人之卒作挽歌，王维又有赠李颀诗。王维《吏部达奚侍郎夫人寇氏挽歌二首》其二："秋日光能澹，寒川波自翻。"知作于秋日。达奚侍郎谓达奚珣，上年已在吏部侍郎任，见《金石萃编》卷八七。达奚珣夫人卒年不可确考，由诗题知卒于达奚珣任吏部侍郎期间，姑系于此。李颀《达奚吏部夫人寇氏挽歌》是同时之作。王维又有《赠李颀》诗，或亦作于本年前后，时李颀当在长安，不久即返洛阳，参傅璇琮《唐代诗人丛考·李颀考》。

十月

　　玄宗登朝元阁赋诗，正字刘飞和诗最为清拔，因遭李林甫嫉恨。《册府元龟》卷一一四："（天宝七载）十月乙丑，御朝元阁，有庆云现，上赋诗，群臣毕和。"《金石录》卷七："《唐刘飞造像记》，史惟则八分书。天宝九载十二月。"卷二七："案封演《闻见记》云：'玄宗尝至骊山，登朝元阁，命群臣赋诗。正字刘飞诗最清拔，特蒙激赏，右相李林甫怒飞不先呈己，出为一尉而卒，士子冤之。'今此《记》有云：'顷校文金殿，赓歌柏梁，叨沐锦衣之赐，遂有长沙之役。'又云：'圣恩广被，移官大梁。'如此，则演所记为不诬矣。林甫妒贤嫉能，出于天资，飞以一诗之善，遂遭远谪，其险愎如此。《记》在洛阳龙门山，字画甚工，而世颇罕传。"

十二月

　　玄宗登降圣观赋诗，王维应制奉和。王维《奉和圣制登降圣观与宰臣等同望应制》："林疏远村出，野旷寒山静。"《旧唐书》玄宗纪下："十二月戊戌，言玄元皇帝见于华清宫之朝元阁，乃改为降圣阁。"诗当即作于本月。

冬

　　李白在金陵，有诗送友人赴东鲁。李白《送杨燕之东鲁》："我固侯门士，谬登圣主筵。一辞金华殿，蹭蹬长江边。二子鲁门东，别来已经年。"李白上年冬离东鲁南下，以诗中"长江边"、"已经年"等语考之，知诗当作于本年冬自越中游至金陵时。

本年

　　敕通《道德经》等四经者自举应试。《唐大诏令集》卷九《天宝七载册尊号敕》："道教之设，风俗之源，必在弘阐，以敦风俗。须列四经之科，冠九流之首。……天下诸色人中，有通明《道德经》及《南华》等四经，任于所在自举，各委长官考试申送。"

　　贾至自宋州至虎牢关，撰铭感怀。贾至《虎牢关铭并序》："天宝七载，至自宋都西经洛阳，歇鞍登兹，怀古钦望。览山河之壮丽，想威灵而咫尺，慨然有怀，敢献铭曰：……"

　　王维撰苗晋卿德政碑，称其诗有鲍、谢之风。王维《魏郡太守河北采访处置使上党苗公（晋卿）德政碑并序》："某载月日，诏以公为魏郡太守、河北道采访处置使。……奏甚平谳，诗穷绮靡，砚燔纸贵，虎视词林。尝奉和圣制《雨中春望诗》云：'雨后山川光正发，云端花柳意无穷。'又奉和行幸诗云：'接仗风云动，迎军鸟兽舞。'诗人以为鲍参军、谢吏部为更生云。……公既去官，多历年所，人思愈甚，共立生祠。……匍匐千里，前后百辈，求缀词之客，为颂德之文。"《旧唐书》苗晋卿传："天宝三载闰二月，转魏郡太守，充河北采访处置使，居职三年，政化洽闻。会入计，因上表请归乡里。"《宝刻丛编》卷六引《访碑录》："《唐魏太守苗晋卿德政碑》，唐王维撰，天宝七年立。"据《旧传》，苗晋卿之离魏郡太守任当在天宝五、六载，王维云苗去职后"多历年所"方有立碑之事，与《访碑录》云七载立碑似有不合。按若以苗晋卿去职在天宝五载计之，其任魏郡太守首尾已达三年。至天宝七载撰文立碑时，首尾亦为三年。王维云"多历年所"，语虽稍涉夸张，亦未为不合。

李益（748—829?）生。

卢纶（748?—?）生。

公元749年 （唐玄宗天宝八载 己丑）

二月

玄宗引百官观左藏，赐绢帛。时州县殷富，国用丰衍。《旧唐书》玄宗纪下："二月戊申，引百官于左藏纵观钱币，赐绢而归。"《通鉴》卷二一六："八载春，二月，戊申，引百官观左藏，赐帛有差。是时州县殷富，仓库积粟帛，动以万计。杨钊奏请所在粜变为轻货，及征丁租地税皆变布帛输京师；屡奏帑藏充牣，古今罕俦，故上帅群臣观之，赐钊紫衣金鱼以赏之。上以国用丰衍，故视金帛如粪壤，赏赐贵宠之家，无有限极。"

春

进士及第二十二人，礼部侍郎李岩知贡举。见《登科记考》卷九。

李白在金陵，作《登金陵凤凰台》等怀古诗甚多，又赋诗寄东鲁家中儿女。李白有《金陵三首》、《登金陵冶城西北谢安墩》、《金陵凤凰台置酒》、《登金陵凤凰台》、《金陵白杨十字巷》、《金陵歌送别范宣》、《月夜金陵怀古》等诗，多写及春日景象，且多抒六朝兴亡之感，当作于本年前后游金陵时，今并系于此，参安旗《新版李白全集编年注释》各诗题解。李白又有《寄东鲁二稚子》诗，云："吴地桑叶绿，吴蚕已三眠。我家寄东鲁，谁种龟阴田。……楼东一株桃，枝叶拂青烟。此树我所种，别来向三年。"题下注："在金陵作。"李白天宝六载冬离东鲁赴吴越，至本年首尾三年，故系于此。又《送萧三十一之鲁中兼问稚子伯禽》："六月南风吹白沙，吴牛喘月气成霞。……夫子如何涉江路，云帆袅袅金陵去。……我家寄在沙丘旁，三年不归空断肠。"当作于本年六月，附记于此。按诸诗中《登金陵凤凰台》系李白名作。《后村诗话》前集卷一："古人服善，李白过黄鹤楼有'眼前有景道不得，崔颢题诗在上头'之句，至金陵，遂为《凤凰台》诗以拟之。今观二诗，真敌手棋也。"《归田诗话》卷上："崔颢题黄鹤楼，太白过之不更作。时人有'眼前有景道不得，崔颢题诗在上头'之讥。及登凤凰台作诗，可谓十倍曹丕矣。盖颢结句云：'日暮乡关何处是，烟波江上使人愁。'而太白结句云：'总为浮云能蔽日，长安不见使人愁。'爱君忧国之意，远过乡关之念，善占地步矣！然太白别有'搥碎黄鹤楼'之句，其于颢未尝不耿耿也。"《唐诗评选》卷四："太白诗是通首混收，颢诗是扣尾掉收；太白诗自《十九首》来，颢诗则纯为唐音矣。"《寄东鲁二稚子》亦系李白名作。《诗归》卷一五钟惺评云："家书语，入诗妙在不直叙，有映带。"又："田园儿女，若杜妙于入诗，若杜愁苦得妙，妙在真；李摆脱得妙，妙在逸。"《唐诗别裁集》卷二："家常语琐琐屑屑，弥见其真，得《东山》诗意。"

钱起在长安，作诗多首以叹己之不遇。钱起有《下第题长安客舍》、《长安落第》等诗，均写及春日景象。又《阙下赠裴舍人》："二月黄莺飞上林，春城紫禁晓阴阴。……献赋十年犹未遇，羞将白发对华簪。"钱起明年进士及第，诸诗当作于本年或稍前几年之春日，姑系于此。钱起又有《落第刘拾遗相送东归》、《长安落第作》等诗，亦系于此。按诸诗中《赠阙下裴舍人》系钱起名作。《载酒园诗话又编》评云："昔人推钱诗者，多举'长乐钟声花外尽，龙池柳色雨中深'（按即此诗中句）。予以二语诚一篇警策，但读其全篇，终似公厨之馔，餍腹有余，爽口不足，去王维、李颀尚远。"

储光羲在长安，赋诗咏降圣观。储光羲《述降圣观》："玉殿俯玄水，春旗摇素风。"题下注："天宝七载十二月二日，玄元皇帝降于朝元阁，改为降圣阁。"诗当作于本年。

六月

高适举有道科及第，授封丘尉，赴任途经洛阳，与李颀有诗唱和。《册府元龟》卷六八八："张九皋为宋州刺史。时高适好学，以诗知名，佳句朝出，夕遍人口，九皋表荐之。"高适《奉寄平原颜太守》诗序："今南海太守张公之牧梁也，亦谬以仆为才，遂奏所制诗集于明主；而颜公又作四言诗数百字并序，序张公吹嘘之美，兼述小人狂简之盛，遍呈当代群英。"《郡斋读书志》卷一七："右唐高适达夫也。渤海人。天宝八年，举有道科中第。"《旧唐书》高适传："天宝中，海内事干进者注意文词。适年过五十，始留意诗什，数年之间，体格渐变，以气质自高，每吟一篇，已为好事者称诵。宋州刺史张九皋深奇之，荐举有道科。时右相李林甫擅权，薄于文雅，惟以举子待之。解褐汴州封丘尉，非其好也。"高适《答侯少府》："诏书下柴门，天命敢逡巡？赫赫三伏时，十日到咸秦。褐衣不得见，黄绶翻在身。"《谢封丘县尉表》："臣艺业无取，谬当推荐，自天有命，追赴上京，曾未浃旬，又拜臣职。"知其至长安及授封丘尉均在六月。赴封丘尉前高适有诗上李林甫、陈希烈，赴任途中经洛阳，又与李颀等友人唱和，分别见高适《留上李右相》、《古乐府飞龙曲留上陈左相》、《留别郑三韦九兼洛下诸公》及李颀《答高三十五留别便呈于十一》、《赠别高三十五》等诗。高适《初至封丘作》云："去家百里不得归，到官数日秋风起"，知其到任已在初秋矣。

闰六月

萧嵩卒，王维为作挽诗。《旧唐书》玄宗纪下："戊辰，太子太师、徐国公萧嵩薨。"王维《故太子太师徐公挽歌四首》即为萧嵩卒而作。

秋

王昌龄自江宁丞贬龙标尉，途中作诗多首。《新唐书》文艺下孟浩然附王昌龄传：

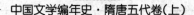

"不护细行，贬龙标尉。"王昌龄有失题诗云："昨从金陵邑，远谪沅溪滨。"知其乃由江宁丞贬龙标尉。又《别刘谞》："天地寒更雨，苍茫楚城阴。一尊广陵酒，十载衡阳心。"作于扬州秋日，时昌龄在江宁丞任。衡阳，王昌龄开元二十七年贬岭南曾经此地。下推十年，为本年，诗作于本年前后。王昌龄贬龙标尉当在作此诗后不久。昌龄又有《留别》、《至南陵答皇甫岳》、《九江口作》等诗，均本年赴龙标贬所途中所作。

十月

卢僎在临汝长史任，撰崔瑶墓志铭，此后未久僎亦卒。《唐代墓志汇编续集》天宝〇五七《唐故光禄卿崔公墓志铭并序》："巨唐天宝八载，太岁乙丑秋九月壬辰朔廿五日景辰，银青光禄大夫、光禄卿、上柱国魏县开国公崔府君，感疾暴薨于东京昌斤门之南别业……悲夫！公讳瑶，字叔玉，清河东武城人。"前题"太中大夫行临汝长史上柱国卢僎撰"。崔瑶本月十月葬，墓志即作于此时。临汝长史当是卢僎之终官。《新唐书》艺文志三："《卢公家范》一卷。卢僎。"《国秀集》卷上收卢僎诗十二题十三首。

冬

李白在金陵，感哥舒翰、李邕等荣宠丧败之事，赋诗抒怀。李白《答王十二寒夜独酌有怀》："君不能学哥舒，横行青海夜带刀，西屠石堡取紫袍。……君不见李北海，英风豪气今何在？君不见裴尚书，土三尺蒿棘居。"哥舒谓哥舒翰，本年六月攻取吐蕃石堡城，见《通鉴》卷二一六；李北海、裴尚书谓李邕、裴敦复，二人天宝六载正月被杀，已见前。诗又云："昨夜吴中雪，子猷佳兴发。"当作于本年冬在金陵时。按此诗是李白名作。乐史《李翰林别集序》："白有歌云：'吟诗作赋北窗里，万言不及一杯水。'盖叹乎有其时而无其位。呜呼！以翰林之才名，遇玄宗之知见，而乃飘零如是！"（《李太白全集》附录）所举即此诗中句。

杜甫在洛阳，谒玄元皇帝庙，赋诗记之。杜甫《冬日洛城北谒玄元皇帝庙》："画手看前辈，吴生远擅场。……五圣联龙衮，千官引雁行。""吴生"句下原注云："庙有吴道子画《五圣图》。"《旧唐书》玄宗纪下：天宝八载闰六月，"丙寅，上亲谒太清宫，册圣祖玄元皇帝尊号为圣祖大道玄元皇帝。高祖、太宗、高宗、中宗、睿宗五帝，皆加'大圣皇帝'之字。"《通鉴》记此事于本年六月戊申。诗当作于本年冬。又据《旧唐书》玄宗纪下，东京玄元皇帝庙天宝二年三月改称太微宫，此诗题仍云洛城玄元皇帝庙，盖用旧称。参见《杜诗详注》卷二该诗题解所引黄鹤注。

岑参以右威卫录事参军充节度判官，赴安西高仙芝幕，途中多有诗作。杜确《岑嘉州集序》："转右威卫录事参军，又迁大理评事兼监察御史，充安西节度判官。"岑参当于本年以右威卫录事参军充节度判官赴安西，时高仙芝为安西节度使。详见闻一多《岑嘉州系年考证》及廖立《岑嘉州诗笺注》附录《岑参年谱》。岑参有《初过陇山途中呈宇文判官》、《经陇头分水》、《西过渭州见渭水思秦川》、《过燕支寄杜位》、《过酒泉忆杜陵别业》、《逢入京使》、《燉煌太守后庭歌》、《岁暮碛外寄元撝》、《经火山》、《银山碛西馆》、《题铁门关楼》、《宿铁关西馆》、《碛中作》等诗，多写及冬日景致，当为本次出塞途中所作，参见《岑参集校注》（陈铁民修订本）各诗注。《银山碛西馆》云："丈夫三十未富贵，安能终日守笔砚！"本年岑参年三十一。

本年

吴兢（670—749）**卒，年八十。**《旧唐书》本传："兢尝以梁、陈、齐、周、隋五代史繁杂，乃别撰《梁》、《齐》、《周史》各十卷、《陈史》五卷、《隋史》二十卷，又伤疏略。……天宝八年，卒于家，时年八十余。兢卒后，其子进兢所撰《唐史》八十余卷，事多纰缪，不逮于壮年。兢家聚书颇多，尝目录其卷第，号《吴氏西斋书目》。"《新唐书》本传："卒，年八十。兢叙事简核，号良史。晚节稍疏牾，时人病其太简。"《旧传》所列书目《新唐书》艺文志多已著录，此外《新志》尚著录《乐府古题要解》一卷等。《郡斋读书志》卷二："《古乐府》十卷并《乐府古题要解》二卷。右唐吴兢纂。杂采汉、魏以来古乐府辞，凡十卷。又于传记洎诸家文集中采乐府所起本义，以释解古题云。"

李白在金陵，与崔成甫游，有诗唱和。李白有《玩月金陵城西孙楚酒楼达曙歌吹日晚乘醉著紫绮裘乌纱巾与酒客数人棹歌秦淮往石头访崔四侍御》诗。崔四侍御谓崔成甫，天宝五载受韦坚案牵连，自摄监察御史职外贬。参见郁贤皓《李白丛考·李白诗中崔侍御考辨》。诗当作于本年前后李白游金陵时。崔成甫《赠李十二白》诗、李白《酬崔侍御》诗为同时酬唱之作。成甫诗云："我是潇湘放逐臣，君辞明主汉江滨。天外常求太白老，金陵捉得酒仙人。"知其乃由潇湘之地至金陵寻访李白，二人始得相遇。

萧颖士由集贤校理贬广陵参军，作《伐樱桃树赋》讥刺李林甫。《新唐书》文艺中萧颖士传："召为集贤校理。宰相李林甫欲见之，颖士方父丧，不诣。林甫尝至故人舍邀颖士，颖士前往，哭门内以待，林甫不得已，前吊乃去。怒其不下己，调广陵参军事，颖士急中不能堪，作《伐樱桃赋》曰：'擢无庸之琐质，蒙本枝以百庇。虽先寝而或荐，非和羹之正味。'，以讥林甫云。"萧颖士《伐樱桃树赋》序云："天宝八载，予以前校理罢免，降资参广陵大府军事。任在限外，无官舍是处，寓居于紫极宫之道学馆，因领其教职焉。庭庭之右，有大樱桃树，厥高累数寻，条畅荟蔚，攒柯比叶，拥蔽风景。……余实恶之，惧盗寇窥窬，因是为资，遂命伐焉。聊托兴兹赋，以儆夫在位者尔。"

韦应物在长安，为玄宗侍卫。韦应物《燕李录事》有"与君十五侍皇闱"之句，又《酬郑户曹骊山感怀》、《逢杨开府》、《温泉行》、《白沙亭逢吴叟歌》等诗均忆及少年时扈从游幸之事。本年韦应物年约十五，其为玄宗侍卫事当在本年前后，参傅玄琮《唐代诗人丛考·韦应物系年考证》、陶敏《韦应物生平新考》。

韦渠牟（749—801）**生。**

公元 750 年 （唐玄宗天宝九载 庚寅）

正月

韦绍增订孟浩然文集，并重为之序。韦绍《孟浩然集序》："宜城王士源者，藻思清远，深鉴文理，常游山水，不在人间。著《亢仓子》数篇，传之于代。余久在集贤，尝与诸学士命此子，不可得见。天宝中，忽获《浩然文集》，乃士源为之序传，词理卓绝，吟讽忘疲。书写不一，纸墨薄弱。昔虞坂之上，逸驾与驽骀俱疲；吴灶之中，孤桐与樵苏共爨。遇伯乐与伯喈，遂腾声于千古。此诗若不遇王君，乃十数张故纸耳。然则王君之清鉴，岂减孙、蔡而已哉！余今缮写，增其条目，复贵士源之清才，敢重述于卷首。谨将此本，送上秘府，庶久而不泯，传芳无穷。"《孟浩然集校注》卷首所录此序后署"天宝九载正月初三日，特进、行太常卿礼仪使、集贤院修撰、上柱国、沛国郡开国公韦滔（绦）叙。"

二月

赵冬曦（677—750）**卒**，年七十四。《唐代墓志汇编续集》天宝〇六八《唐故国子祭酒赵君（冬曦）圹》："春秋七十有四，天宝九载二月丁亥薨背于西京善和里第。"又云："文雅之盛，奕世重晖，以至府君，克济其美。清文丽藻，发自龆年；洪笔大名，振于弱冠。中复探索□门，精意老释，脱略嚣埃，周流山泽，道以摄心，蒙以养正，吐故纳新，澄禅入定。成□□□，举□性情，亦未尝以世务为心也。"《新唐书》艺文志四："《赵冬曦集》，卷亡。"

王维在库部郎中任，作《贺神兵助取石堡城表》，旋丁母忧。《旧唐书》文苑下本传："历右拾遗、监察御史、左补阙、库部郎中。居母丧，柴毁骨立，殆不胜丧。服阕，拜吏部郎中。"王维《贺神兵助取石堡城表》："臣维等言：伏奉中书门下牒，伏见绛郡太平县百姓王应杞状称，去载七月，于万春乡界，频见圣祖空中有言曰：'我以神兵助取石堡城。'当时具经郡县陈说，并有文状申奏讫。今载正月，又于旧处再见。……伏惟开元天地大宝圣文神武应道皇帝陛下，以道理国，以奇用兵……遂歼逆命之虏，果屠难拔之城。……臣等限以留司，不获随例忭舞，不胜踊跃喜庆之志。"哥舒翰攻拔石堡城在天宝八载六月，见《旧唐书》玄宗纪下。此表云"去载七月"，当指天宝八载七月，"今载正月"，当指九载即本年正月。而此表之写作及上奏又当在二月前后，其时王维尚在朝任职；考天宝十一载三月王维已服阕官吏部郎中，则知其丁母忧当在本年二、三月。参金丁《王维丁忧时间质疑》（载《文学遗产》增刊第十三辑）。

三月

十三日，敕吏部选县令不必限以书判。《唐会要》卷七五："九载三月十三日敕：吏部选人，必限书判。且文学、政事，本自异科，求备一人，百中无一。况古来良宰，岂必文人？又限循资，尤难奖擢。自今以后，简县令但才堪政理，方圆取人，不得限以书判，及循资格注拟。"

钱起、沈仲昌等二十一人进士及第，礼部侍郎李昪知贡举，试《湘灵鼓瑟诗》，起以此题诗深得昪之叹赏。《旧唐书》钱徽传："父起，天宝十年登进士第。起能五言诗。初从乡荐，寄家江湖，尝于客舍月夜独吟，遽闻人吟于庭曰：'曲终人不见，江上数峰青。'起愕然，摄衣视之，无所见矣，以为鬼怪，而志其一十字。起就试之年，李昪所试《湘灵鼓瑟诗》题中有'青'字，起即以鬼谣十字为落句，晫深嘉之，称为绝唱。是岁登第，释褐秘书省校书郎。"按李晫知贡举在天宝九载，见《登科记考》卷九，钱起进士登第即在是年，《旧唐书》所记有误，详傅璇琮《唐代诗人丛考·钱起考》。《韵语阳秋》卷四："唐朝人士，以诗名者甚众，往往因一篇之善，一句之工，名公先达为之游谈延誉，遂至声闻四驰。'曲终人不见，江上数峰青'，钱起以是得名。"《诗薮》内编卷五："至场屋省题诗，竟三百年无一佳者，《文苑英华》中具载可见。就中杰出，无若钱起《湘灵》，然亦颇有科举习气。如'苍梧来怨慕，白芷动方馨'，与起他作殊不类。"《围炉诗话》卷二："钱起亦天宝人，而《湘灵鼓瑟》诗，虽甚佳而气象萧瑟。"

春

王昌龄赴龙标贬所经鄂州，常建有诗招其归隐；昌龄旋至武陵，作《寄陶副使》等诗多首。常建《鄂渚招王昌龄张偾》："楚山隔湘水，湖畔落日曛。春雁又北飞，音书顾难闻。谪居未之叹，逶枉何由分。……二贤归去来，世上徒纷纷。"当作于本次王昌龄谪龙标尉时。王昌龄有《为张偾（偾）赠阎使臣》诗，当亦作于此时。又王昌龄《武陵田太守席送司马卢溪》："诸侯分楚郡，饮饯五溪春。山水清晖远，俱怜一逐臣。"为贬龙标尉途经武陵时所作。又《寄陶副使》："闻道将军破海门，如何远谪渡湘沅？春来名主封西岳，自有还君紫绶恩。"《旧唐书》玄宗纪下：天宝九载正月，"庚戌，群臣请封西岳，从之。"诗作于本年。盖本年春王昌龄经武陵时闻陶副使远谪湘沅以外，故赋诗寄之。王昌龄又有《留别武陵袁丞》、《答武陵田太守》、《武陵龙兴观黄道士房问易因题》、《武陵开元观黄炼师院三首》、《留别司马太守》、《卢溪别人》等诗，均为赴贬所经武陵、卢溪时所作。

李白闻王昌龄贬龙标，赋诗寄之。李白《闻王昌龄左迁龙标遥有此寄》："杨花落尽子归啼，闻道龙标过五溪。"当作于本年春。按此系李白名作。《诗薮》内编卷六："太白七言绝如'杨花落尽子规啼'……等作，读之真有挥斥八极、凌属九霄意。"毛先舒《诗辨坻》卷三："太白'杨花落尽'与乐天（按当作微之）'残灯无焰'体同题类，而风趣高卑，自觉天壤。"

五月

李白在金陵，欲往浔阳庐山，行前有诗作。李白《留别金陵诸公》："五月金陵西，祖余白下亭。欲寻庐峰顶，先绕汉水行。"《元和郡县图志》卷二八江州浔阳县："庐山，在县东三十二里。"本年秋李白在浔阳，见后，诗当作于本年五月。李白又《金陵白下亭留别》、《金陵望汉江》等诗，当亦同时之作。

七月

国子监置广文馆，以郑虔为广文博士。《旧唐书》玄宗纪下："秋七月己（《通鉴》

作乙，误）亥，国子监置广文馆，领生徒为进士业者。"另见《唐摭言》卷一、《册府元龟》卷五九七、《新唐书》选举志上。《唐语林》卷二："天宝中，国学增置广文馆，以领词藻之士。荥阳郑虔久被贬谪，是岁始还京师参选，除广文馆博士。虔茫然曰：'不知广文曹司何在？'执政谓曰：'广文馆新置，总领文词，故以公名贤处之。且令后代称广文博士自郑虔始，不亦美乎？'遂拜职。"又云："郑虔，天宝初协律，采集异闻，著书八十余卷。人有窃窥其稿草，上书告虔私修国史，虔遽焚之，由是贬谪十余年，方从调选，授广文馆博士。虔所焚稿既无别本，后更纂录，率多遗忘，犹成四十余卷。书未有名，及为广文馆博士，询于国子司业苏源明，源明请名为《会稡》，取《尔雅序》'会稡旧说'也。西河太守卢象赠虔诗云：'书名《会稡》才偏逸，酒号屠苏味更醇。'即此也。"刘禹锡《唐故尚书主客员外郎卢公集纪》："左迁齐、汾、郑三郡司马，入为膳部员外郎。时大盗起幽陵……"按汾州即西河郡，卢象本年为汾州司马，此云"西河郡太守"，误。参《唐才子传校笺》卷二卢象传笺。

秋

綦毋潜新任某大县尉，李颀有诗寄之。李颀《寄綦毋三》："新加大邑绶仍黄，近与单车去洛阳。"当是綦毋潜新授某大县县尉之职后，李颀在洛阳寄赠之作。天宝五载颀有送潜赴京谒房琯诗（见前），綦或于其时被授以尉职，此云"新加大邑"，盖迁大县而仍官县尉，时约在本年。又旧说多据《新唐书》艺文志四称潜"开元中，繇宜寿尉入集贤院待制"之语，谓此诗乃为潜新任宜寿尉而作。按据《职官分纪》、《玉海》所引《集贤注记》佚文，由宜寿尉迁左拾遗，入集贤院待制，乃天宝十三载窦叔展之历官，《新志》谓潜曾任宜寿尉，乃误读《注记》所致，并不足据。说见《唐才子传校笺》卷二綦毋潜传补笺。又天宝十一载高适尝与綦毋潜游，称其职为拾遗，见该年九月条，则潜当亦由尉职迁拾遗，唯其任何县尉不得而知。

李白年五十，在浔阳，赋诗抒怀。李白有《寻阳紫极宫感秋作》诗，寻阳即浔阳。诗云："四十九年非，一往不可复。"用《淮南子·原道》"蘧伯玉年五十而知四十九年非"语意，当作于五十岁时。本年李白年五十，故系于此。又《寻阳送弟昌峒鄱阳司马作》、《庐山东林寺夜怀》、《别东林寺僧》等诗，多写及秋日景象，当为同时之作。李白又有《雪谗诗赠友人》诗，云："五十知非，古人常有。"亦本年所作，附记于此。

岑参由安西至焉耆，思乡赋诗。岑参《早发焉耆怀终南别业》："晓笛引乡泪，秋冰鸣马蹄。"按此或为岑参由安西出使经焉耆所作，由焉耆出发后当继续东行，以至阳关以东。参本年冬岑参条。

高适往清夷军送兵，经濮阳，赋诗赠沈千运。高适有《赋得〈还山吟〉送沈四山人》、《赠别沈四逸人》诗，均写及秋日景象。沈四山人及沈四逸人均谓沈千运。《唐才子传》卷二："千运，吴兴人。工旧体诗，气格高古。当时士流皆敬慕之，号为'沈四山人'。天宝中，数应举不第，时年齿已迈，遨游襄、邓间，干谒名公。来濮上，感怀赋诗，曰：'圣朝优贤良……'其时多艰，自知屯蹇，遂浩然有归欤之志，赋诗云：

'栖隐无别事……'又曰:……遂释志还山中别业,尝曰:'衡门之下,可以栖迟。有薄田园,儿嫁女织,偃仰今古,自足此生,谁能作小吏走风尘下乎!'高适赋《还山吟》赠行曰:……"《唐才子传》所引沈千运"圣朝优贤良"云云是其《濮中言怀》诗中句,"栖隐无别事"云云见于《山中作》,两诗均载元结所编《箧中集》。高适本年使清夷军送兵(见下),其《赋得……》等诗当本年秋途经濮阳所作,沈千运两诗则作于本年或稍前。

贾至赋诗怀高适。贾至有《闲居秋怀寄阳翟陆赞府封丘高少府》诗。高少府谓高适,其任封丘尉历天宝八载、九载、十载三年之秋,诗当作于本年前后。

张均受命求妙宝真符。时玄宗尊道教,慕长生。《通鉴》卷二一六:"太白山人王玄翼上言见玄元皇帝,言宝仙洞有有妙宝真符。命刑部尚书张均等往求,得之。时上尊道教,慕长生,故所在争言符瑞,群臣表贺无虚月。李林甫等皆请舍宅为观,以祝圣寿,上悦。"

高适自封丘往清夷军送兵,至蓟北,赋诗记事咏怀。高适有《酬秘书弟兼寄幕下诸公》诗,序云:"今年适自封丘尉统吏卒于青夷,途经博陵,得太守贾公之政,相见如旧,他日之意存焉。"贾太守谓贾循,《新唐书》忠义中本传:"安禄山兼平卢节度,表为副,迁博陵太守。禄山欲击奚、契丹,复奏循光禄卿自副,使知留后。"诗云:"光禄经济器"、"将副节制筹",与史传合。据《通鉴》卷二一六,明年八月安禄山率兵六万以讨契丹,其表贾循为光禄卿、节度副使当在本年,诗亦本年作。高适《送兵到蓟北》、《使青夷军入居庸三首》、《蓟中作》、《自蓟北归》诸诗,多写及冬日景象,为本年冬往返蓟北途中所作。高适又有《除夜作》诗,周勋初《高适年谱》、刘开扬《高适诗集编年笺注》均定为本年在幽蓟时作,从之。

杜甫在长安,赋诗赠韦济。杜甫《赠韦左丞丈济》:"左辖频虚位,今年得旧儒。……岁寒仍顾遇,日暮且踟蹰。"《唐代墓志汇编续集》天宝〇九九《大唐故正议大夫行仪王傅上柱国奉明县开国子赐紫金鱼袋京兆韦府君(济)墓志铭并序》:"九载,迁尚书左丞,累加正议大夫,封奉明县子。"诗作于本年冬。杜甫又有《奉赠韦左丞丈二十二韵》诗,当作于本年或稍后,亦系于此。参见陈铁民《由新发现的韦济墓志看杜甫天宝中的行止》。按《奉赠韦左丞丈二十二韵》系杜甫名作。范温《潜溪诗眼》引黄庭坚语云:"此诗前贤录为压卷,盖布置最得正体,如官府甲第厅堂房室,各有定处,不可乱也。"《杜臆》卷一:"此篇非排律,亦非古风,直抒胸臆,如写尺牍;而纵横转折,感愤悲壮,缠绵踌躇,曲尽其妙。……末段愤激语,纡回婉转,无限深情。"《唐宋诗醇》卷九:"杜之五古,从古人变化而出,独辟境界。严羽谓其'宪章汉、魏,取材六朝。其自得之妙,则先辈所谓集大成者',王世贞谓其'以意为主,以独造为宗,以奇拔沈雄为贵',是已。此篇起语兀傲;'甚愧丈人厚'二句叠语归题,别有风神；一结旷达，收转前半，意在言外，所谓'篇终接混茫'也。故前人多取为压卷。"《甚原诗说》卷三："大抵排律不难句炼字锻，工巧相生，惟抒情陈意，通篇贯彻，而不失伦次者为难。有唐一代，端以此事推杜。"

岑参使出阳关后重返安西，途中赋诗寄友人。岑参《寄宇文判官》："西行殊未已，东望何时还？终日风与雪，连天沙复山。二年领公事，两度过阳关。"当是岑参由焉耆出使，出阳关后再度返安西途中所作。

李白由浔阳归至东鲁，作文多篇。李白《虞城县令李公去思颂碑并序》："公名锡，字元勋，陇西成纪人也。……天宝四载，拜虞城令。"文末颂词云："阳无骄僭，四载有年。"则李锡之去职当在天宝七、八载间。碑又称李锡为鲁郡都督、广平太守李浦之子，是李白撰此文时李浦已在广平太守任。李白又有《崇明寺佛顶尊胜陀罗尼幢颂并序》，云："我太官广武伯陇西李公，先名琬，奉诏书改为辅。……帝乃加剖竹于鲁，鲁道粲然可观。……有律师道宗……以天宝八载五月一日示灭大寺。"李辅即李浦，天宝八载五月尚任鲁郡都督，其迁广平太守约在本年。两文当李白在东鲁时所作，本年秋白尚在浔阳，则其归至东鲁当在本年冬。李白又有《任城县厅壁记》，亦当本年归东鲁后所作。

<h3>本年</h3>

元结始隐居商余山，著《元子》，又作《演兴》诗。元结《自述三篇》序："天宝庚寅，元子初习静于商余。"《自释书》："少居商余山，著《元子》十篇，故以元子为称。"《元子》书当作于本年或稍后。元结又有诗《演兴四首》，序云："商余山有太灵古祠……邑人修之以祈田，予因为招词讼闵之文以演兴。"亦系于此。

<h2>公元751年 （唐玄宗天宝十载 辛卯）</h2>

<h3>正月</h3>

杜甫献《三大礼赋》，为玄宗称赏，得待制集贤院，参列选序。《新唐书》文艺上杜审言附杜甫传："天宝十三载，玄宗朝献大清宫，飨庙及郊，甫奏赋三篇。帝奇之，使待制集贤院，命宰相试文章。"杜甫《进三大礼赋表》："臣甫言：臣生长陛下淳朴之俗，行四十载矣。……顷者，卖药都市，寄食友朋，窃慕尧翁击壤之讴，适于遇国家郊庙之礼，不觉手足蹈舞，形于篇章。……进明主《朝献太清宫》、《朝享太庙》、《有事于南郊》等三赋以闻。"《朝献太清宫赋》："冬十有一月，天子既纳处士之议，承汉继周，革弊用古，勒崇扬休。明年孟陬，将摭大礼以相籍（仇注：当作藉），越彝伦而莫俦。"《旧唐书》玄宗纪下：天宝九载，"九月乙卯，处士崔昌上《五行应运历》，以国家合承周、汉……冬十一月……己丑，制自今告献太清宫及太庙改为朝献……十载春正月乙酉朔。壬辰，朝献太清宫。癸巳，朝飨太庙。甲午，有事于南郊，合祭天地。"孟陬即指正月，知杜甫献《三大礼赋》当在本年，而非《新传》所记之"天宝十三年"。又表中云"臣生长陛下淳朴之俗，行四十载矣"，杜甫生于先天元年（712），至本年正为四十年，亦可证之。杜甫又有《进封西岳赋表》，云："顷岁，国

家有事于郊庙，幸得奏赋，待罪于集贤，委学官试文章，再降恩泽，仍猥以臣名实相副，送隶有司，参列选序。"所叙即献《三大礼赋》及其后之情事。按《三大礼赋》系杜甫名篇，陈子龙评云："三大礼赋，辞气壮伟，非唐初余子所能及。"仇兆鳌云："按历代赋体，如班、马之《两都》、《子虚》，乃古赋也。若贾、扬之《吊屈》、《甘泉》，乃骚赋也。唐带骈耦之句，变为律赋。宋参议论成章，又变为文赋。少陵廓清汉人之堆垛，开辟宋世之空灵，盖词意兼优，而虚实并运，是以超前轶后矣。陈氏称其词气雄伟，非唐初余子所及，尚恐未尽耳。"陈、仇评语俱见《杜诗详注》卷二四。

  杜甫作《高都护骢马行》、《乐游园歌》。杜甫《高都护骢马行》："安西都护胡青骢，声价欻然来向东。……功成惠养随所致，飘飘远自流沙至。……长安壮儿不敢骑，走过掣电倾城知。"高都护谓高仙芝。《通鉴》卷二一八："十载春，正月……安西节度使高仙芝入朝，献所擒突骑施可汗、吐蕃酋长、石国王、朅师王。"诗当作于本年，时杜甫在长安。旧云天宝八载所作，不确，参见陈铁民《由新发现的韦济墓志看杜甫天宝中的行止》。杜甫又有《乐游园歌》，《全唐诗》卷二一六该诗题下有原注云："晦日，贺兰杨长史筵醉中作。"《杜诗详注》卷二该诗题解引张綖语云："天宝十载，公献赋，诏试集贤院，为宰相所忌，得参列选序，详诗中'圣朝已知贱士丑'，似当在此岁作。"从之。按《高都护骢马行》为杜甫名篇。《杜诗详注》卷二引张綖语评云："凡诗人题咏，必胸次高超，下笔方能卓绝。此诗'雄姿未受伏枥恩，猛气犹思战场利'，'青丝络头为君老，何由却出横门道'，如此状物，不唯格韵特高，亦见少陵人品。若曹唐《病马》诗：'一朝千里心犹在，曾敢潜忘秣饲恩。'乃乞儿语也。"《乐游园歌》亦向称名作。《剑溪说诗》卷上："世人但目皮色苍厚、格度端凝为杜体，不知此老学博思深，笔力矫变，于沉郁顿挫之极，更见微婉。……如《乐游园歌》……等篇，学杜者视此种曾百得其一二与？"

  岑参在安西赋诗思家。岑参《安西馆中思长安》："家在日出处，朝来喜东风。……弥年但走马，终日随飘蓬。"作于安西早春，时当在本年。

二月

  高适离蓟门南归，途中有诗与侯少府赠答。高适《答侯少府》："北使经大寒，关山饶苦辛。……两河归路遥，二月芳草新。"时当在本年。诗中赞侯之创作云："东道有佳作，南朝无此人。性灵出万象，风骨超常伦。"可见高适本人之文学好尚。

三月

  岑参由安西东归，至于武威，赋诗伤羁旅，念长安。岑参有《武威春暮闻宇文判官西使还已到晋昌》、《登凉州尹台寺》、《河西春暮忆秦中》等诗，均写及暮春情景。武威即凉州，为河西节度使府治所，见《元和郡县图志》卷四〇。诸诗当作于本年岑参自安西归至武威时，参见本年五月条。岑参又有《酒泉太守席上醉后作》、《赠酒泉韩太守》等诗，均写及思念长安之意，当本年行至武威前在酒泉所作，亦系于此。按上列诸诗中《武威春暮……》系岑参名作。《唐诗评选》卷三评云："温雅。是嘉州第

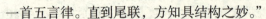

一首五言律。直到尾联，方知具结构之妙。"

李白在东鲁家中，赋诗寄元演。李白《忆旧游寄谯郡元参军》："此时行乐难再遇，西游因献《长杨赋》。北阙青云不可期，东山白首还归去。渭桥南头（一作涡水桥南）一遇君，酂台之北又离群。问余别恨今多少，落花春暮争纷纷。……呼儿长跪缄此辞，寄君千里遥相忆。"元参军谓元演。渭桥南头当作涡水桥南，涡水在河南道亳州谯县西，酂县魏时属谯郡，见《元和郡县志》卷七，此处均代指谯郡。盖上年秋冬之际李白自江南北归，经谯郡时与元演相遇，旋又别去，今春乃于东鲁家中赋诗，呼儿缄词而寄之也。详见安旗《新版李白全集编年注释》该诗按语。按此诗见于《河岳英灵集》，是李白名作。《唐诗解》卷一九评云："此篇叙事四转，语若贯珠，又非初唐牵合之比，长篇当以此为法。"《唐诗别裁集》卷六："叙与参军情事，离离合合，结构分明，才情动荡，不止以纵逸见长也。老杜外谁堪与敌？"《唐宋诗醇》卷六："白诗天才纵逸。至于七言长古，往往风雨争飞，鱼龙百变；又如大江无风，波浪自涌，白云从空，随风变灭，诚可谓怪伟奇绝者矣。此篇最有纪律可循，历述旧游，纯用序事之法。以离合为经纬，以转折为节奏，结构极严而神气自畅。至于奇情胜致，使览者应接不暇，又其才之独擅者耳。"

四月

朝廷大肆征兵击南诏，李白赋诗感伤其事。李白《古风》其三十四："羽檄如流星，虎符合专城。……借问此何为，答言楚征兵。渡泸及五月，将赴云南征。"《通鉴》卷二一六："夏，四月，壬午，剑南节度使鲜于仲通讨南诏蛮，大败于泸南。……士卒死者六万人，仲通仅以身免。杨国忠掩其败状，仍叙其战功。……制大募两京及河南、北兵以击南诏；人闻云南多瘴疠，未战士卒死者什八九，莫肯应募。杨国忠遣御史分道捕人，连枷送诣军所。……于是行者愁怨，父母妻子送之，所在哭声振野。"白诗所赋当即此事。《唐宋诗醇》卷一评此诗云："体近风雅，与杜甫《兵车行》、《出塞》等作工力悉敌，不可轩轾。宋人罗大经作《鹤林玉露》，乃谓白作为歌诗，不过狂醉于花月之间，社稷苍生曾不系其心膂，视甫之忧国忧民，不可同年语。此种识见，真蚍蜉撼大树，多见其不知量也。"

杜甫作《兵车行》。诗云："车辚辚，马萧萧，行人弓箭各在腰。耶娘妻子走相送，尘埃不见咸阳桥。"所咏亦为征兵赴南诏事，参见前条。按此诗系杜甫代表作之一。《蔡宽夫诗话》："齐梁以来，文士喜为乐府辞，然沿袭之久，往往失其命题本意。……虽李白亦不免此。惟老杜《兵车行》、《悲青坂》、《无家别》等数篇，皆因事自出己意，立题略不更蹈前人陈迹，真豪杰也。"《碧溪诗话》卷七："杜集多用经书语，如'车辚辚，马萧萧'，未尝外入一字。……皆浑然严重，如天陛赤墀，植璧鸣玉，法度森锵。"杨伦《杜诗镜铨》卷一："通篇设为役夫问答之词，乃风人遗格。"《杜诗详注》卷二："此章是一头两脚体，下面两扇各有起结，各换四韵，各十四句，条理秩然，而善于曲折变化，故从来读者不觉耳。"又引周甸语曰："少陵值唐运中衰，其音响节奏，骎骎乎变风、变雅，与《骚》同功。唐非无诗，求能仰窥圣作，神益世教，如少陵者，鲜矣。"《唐宋诗醇》卷九："此体创自老杜，讽刺时事而托为征夫问答之词。言之者无罪，闻之者足以为戒，《小雅》遗音也。篇首写得行色匆匆，笔势汹涌，如风潮骤至，不可逼视。以下接出点行之频，指出开边之非，然后正说时事，末以惨语结之。词意沉郁，音节悲壮，此天地商声，不可强为者也。"《读杜心解》卷二："是为乐府创体，实乃乐府正宗。"《岘佣说诗》："《兵车行》：'行人但云点行频'、'去时里正与裹头'、'纵有健妇把锄犁'，合之五古《新婚别》、《无家别》、《垂老别》、《石壕吏》诸诗，见唐世府兵之弊，家家抽丁远戍，烟户一空，少陵所以为诗史也。"

五月

高仙芝出师攻大食，岑参于武威赋诗送刘单从军。岑参《武威送刘单判官赴安西行营便呈高开府》："孟夏边候迟，胡国草木长。都护新出师，五月发军装。"高开府谓高仙芝。《通鉴》卷二一六：天宝十载正月，"加（高）仙芝开府仪同三司"，四月，"高仙芝之虏石国王也……诸胡皆怒，潜引大食欲共攻四镇。仙芝闻之，将蕃、汉三万众击大食，深入七百余里……仙芝大败，士卒死亡略尽，所余才数千人。"岑诗作于高仙芝初出师尚未败时。又《武威送刘判官赴碛西行军》有"火山五月行人少"之句，亦同时之作。又《送韦侍御先归京（得宽字）》："风霜随马去，炎暑为君寒。……先凭报亲友，后月到长安。"或亦本月作于武威。

六月

岑参由武威至临洮，赋诗留别祁乐，旋归长安。岑参《临洮客舍留别祁四》："无事向边外，至今仍不归。三年绝乡信，六月未春衣。"祁四即祁乐，见明年五月岑参条。诗作于本年返经临洮时。又《临洮龙兴寺玄上人院同咏青木香丛》："六月花新吐，三春叶已长。"为同时之作。此后不久岑参当已归至长安。

李顺在洛阳，撰六合县丞赵公墓志。《唐代墓志汇编续集》天宝〇七一《唐故广陵郡六合县丞赵公墓志铭并序》："天宝十载六月二十日，广陵郡六合县丞赵公卒子洛阳客舍，……至六月廿五日，迁神于北邙原，礼也。……外男前汲郡新乡县尉赵郡李顺撰。"

八月

萧颖士在江南，受召赴京，途中作《白鹇赋》；至京，待制史馆，旋以见疾于李林甫，免官。萧颖士有《白鹇赋》，序云："天宝辛卯岁，予飘泊江介，流寓逾时。秋八月，自山阴前次东阳。……会有命自天，召赴京阙，适与兹鸟偕，至于会稽之传舍……因感而赋之。"又《庭莎赋》序："天宝十载，予以史臣推择，待诏阙下。僻直多忤，连岁不偶，未选叙，求参河南府军事。府尹裴公以予浮名，枉顾遇焉。……往岁久游剡中，将遂终焉，朝旨迫召，故不获展，著《白鹇赋》以寄斯意。"《新唐书》文艺中本传："调广陵参军事……会母丧免，流播吴越。……史官韦述荐颖士自代，召诣史馆待制。颖士乘传诣京师。而林甫方威福自擅，颖士遂不屈，愈见疾，俄免官，往来鄂、杜间。"

九月

敕五品以上官员得蓄丝竹。《唐会要》卷三四："天宝十载九月二日敕：五品已上正员清官，诸道节度使及太守等，并听当家畜丝竹，以展欢娱，行乐盛时，覃及中外。"

秋

李颀有诗答从弟，中多感慨平生语。 李颀有《放歌行答李从弟墨卿》诗，作于秋季。诗中有云："小来好文耻学武，世上功名不解取。虽沾寸禄已后时，徒欲出身事明主。柏梁赋诗不及宴，长楸走马谁相数。敛迹俛眉心自甘，高歌击节声半苦。由是蹉跎一老夫，养鸡牧豕东城隅。空歌汉代萧相国，肯事霍家冯子都。徒尔当年声籍籍，滥作词林两京客。故人斗酒安陵桥，黄鸟春风洛阳陌。"乃李颀生平之自述，为晚年之作。颀明年卒，见后，诗当作于本年或稍前之秋日，姑系于此。

李白自东鲁往叶县访元丹丘，有诗作。 李白有《闻丹丘子于城北山营石门幽居中有高凤遗迹仆离群远怀亦有栖遁之志因叙旧以寄之》诗。《后汉书》逸民高凤传："高凤字文通，南阳叶人也。……乃教授业于西唐山中。"李白诗题之城北山当即高凤隐居之西唐山。《嘉庆重修一统志》："西唐山，在叶县西南六十里。"诗云："以兹谢朝列，长啸归故园。"知作于离朝之后。又云："久欲入名山，婚娶殊未毕。"是感念儿女婚事之语，当为本年李白在东鲁家中始闻元丹丘新营石门幽居时所作。又《寻高凤石门山中元丹丘》："高松来好月，空谷宜清秋。"为本年秋前往造访之作。李白又有《与元丹丘方城寺谈玄作》诗。《元和郡县图志》卷六河南道汝州叶县："方城山，在县西南十八里。"方城寺当在此山中，诗亦作于本年秋。按由此诗可见李白之佛学修养。《韵语阳秋》卷一二："李白跌宕不羁，钟情于花酒风月则有矣，而肯自缚于枯禅，则知淡泊之味贤于啖炙远矣。白始学于白眉空，得'大地了镜彻，回旋寄轮风'之旨；中谒太山君，得'冥机发天光，独照谢世氛'之旨；晚见道崖，则此心豁然，更无疑滞矣。所谓'启开七窗牖，托宿掣电形'是也。后又有谈玄之作云：'茫茫大梦中，惟我独先觉。腾转风火来，假合作容貌。问语前后际，始知金仙妙'，则所得于佛氏者益远矣。"所举"茫茫大梦中"云云，即此诗中句。

杜甫卧病长安，作《秋述》；又赋诗赠郑审，赞其诗才，求其汲引。 杜甫《秋述》："秋，杜子卧病长安旅次，多雨生鱼，青苔及榻，常时车马之客，旧雨来，今雨不来。……子魏子独踽踽然来……我，弃物也，四十无位，子不以官遇我，知我处顺故也。"按本年杜甫年四十。又《敬赠郑谏议十韵》："多病休儒服……旅食岁峥嵘。使者求颜阖，诸公厌祢衡。……君见途穷哭，宜忧阮步兵。"郑谏议谓郑审，见陶敏《全唐诗人名考证》。《杜诗详注》卷二该诗题解引黄鹤注："此当是天宝十载奏赋后作，故有'求颜阖'、'厌祢衡'之句"，是。诗又云"多病"、"旅食"，与《秋述》"卧病长安旅次"语合，当亦本年秋所作。又诗赞郑审诗才云："思飘云物外，律中鬼神惊。毫发无遗憾，波澜独老成。"可见杜甫之诗学理想。《韵语阳秋》卷三云："诗人赞美同志诗篇，多比珠玑碧玉、锦绣、花草之类，至杜子美则岂肯作此陈腐语邪？如《寄岑参诗》云：'意惬关飞动，篇终接混茫。'《夜听许十一诵诗》云：'精微穿溟涬，飞动摧霹雳。'《赠卢琚诗》曰：'藻翰唯牵率，湖山合动摇。'《赠郑谏议诗》云：'毫发无遗憾，波澜独老成。'《寄李白诗》云：'笔落惊风雨，诗成泣鬼神。'《赠高适诗》云：'美名人不及，佳句法如何。'皆惊人语也。视余子，其神芝之与腐君哉！"可以参看。

冬

李白在汴州，赋诗留别于逖；又至邺中，亦有诗作。 李白《留别于十一兄逖裴十三游塞垣》："于公白首大梁野，使人怅望何可论。"大梁即唐汴州，属河南道，见《旧唐书》地理志一。又《邺中赠王大劝入高凤石门山幽居》："飘飘不得意，昨发南都城。"邺中指邺郡，即相州，属河北道，见《旧唐书》地理志二。南都指南阳。由诗可知李白当是在叶县访元丹丘石门幽居（见本年秋李白条）后，欲往游塞垣，遂离南阳而经汴州至相州。据前诗"拂尔裘上霜"及后诗"复将落叶并"等语，知时在冬季。又后诗有"欲献济时策"句，与李白明年春所作《自广平乘醉走马六十里至邯郸登城楼览古书怀》中"方陈五饵策"同一语意，可觇知李白北游塞垣之用心。参郁贤皓《李白丛考·李白与元丹丘交游考》。

杜甫在长安，冻饿穷愁，有诗作。 杜甫《投简咸华两县诸子》："长安苦寒谁独悲，杜陵野老骨欲折。……饥卧动即向一旬，敝衣何啻联百结。"旧谱多编在本年，从之。

本年

王昌龄在龙标尉任，作《箜篌引》等诗。 王昌龄有《龙标野宴》、《送崔参军往龙溪》、《西江寄越弟》、《送程六》、《别皇甫五》、《送柴侍御》、《箜篌引》、《送吴十九往沅陵》等诗，均当作于既至龙标以后，详见李云逸《王昌龄诗注》各诗注，今姑并系于此。按《箜篌引》系王昌龄名作。《唐诗归》卷一一钟惺评云："歌行长篇，悲壮。理极紧密，法极深老，故不懈、不粗，不宜草草看之。"《昭昧詹言》卷一二："王龙标《箜篌引》，商调抗坠，自有奇气。"

元结作《系乐府十二首》。 其序云："天宝辛未（卯）中，元子将前世尝可称叹者，为诗十二篇，为引其义以名之，总命曰《系乐府》。古人咏歌不尽其情声者，化金石以尽之，其欢怨甚邪戏！尽欢怨之声者，可以上感于上，下化于下，故元子系之。"

高适在封丘尉任，赋诗抒弃官之意。 见其《封丘县》、《封丘作》两诗。高适明年离封丘尉任，知诗当作于本年或稍前。按《封丘县》有"拜迎官长心欲碎，鞭挞黎庶令人悲"名句，颇可见高适任职之心理。

李翰在卫县尉任，作《殷太师比干碑》。 文中有云："天宝十祀，余尉于卫，拜乎祠堂。……刊石铭表，以志丕烈。"李翰，生卒年不详，赵州赞皇人。弱冠登进士第，解褐卫县尉。历官大理司直、左补阙。以疾免，晚居阳翟。有《李翰前集》三十卷等。

431

据梁肃《补阙李君前集序》、《旧唐书》文苑下本传、《新唐书》文艺下李华附李翰传。

刘迺献议以为吏部选才当先政事，次文学。《唐会要》卷七四："天宝十载，吏部选才多滥，选人刘迺献议于知铨舍人宋昱曰：'……近代主司，独委一二小冢宰，察言于一幅之判，观行于一揖之内。古今迟速，何不俟之甚哉！夫判者，以狭辞短韵，语有定规为体，犹以一小冶而鼓众金，虽欲为鼎为镛，不可得也。故曰：判之在文，至局促者。夫铨者，必以崇文冠首，媒耀为贤，斯固士之丑行，君子所病。若引周公、尼父于铨庭，则虽图书易象之大训，以判体措之，曾不及徐、庾。虽有渊默罕言之至德，以喋喋取之，曾不若啬夫。……诚能先咨以政事，次征以文学，退观其治家，进察其临节，则庞鸿深沉之士，亦可以窥其门户矣。'"《通鉴》二一六系此于天宝十二载。

刘长卿在洛阳，赋诗献河南尹裴迥。刘长卿《小鸟篇上裴尹》："藩篱小鸟何其微，翩翩日夕空自飞。只缘六翮不自致，长似孤云无所依。……岁月蹉跎飞不进，羽毛颓顿何人问。…不辞奋翼向君去，惟怕金丸随后来。"是连年不第求人汲引庇荫意。裴尹，谓河南尹裴迥。《新唐书》地理志二河南府："龙门山东抵天津，有伊水石堰，天宝十载，尹裴迥置。"长卿诗当作于本年前后，姑系于此。贺裳《载酒园诗话又编》评此诗云："《小鸟篇》，仿佛崔司勋《孟门行》之流。崔诗首尾皆比，中间露出正意，此则全篇是比。'衔花纵有报恩时，择木难容托身处'，亦从'本拟报君恩，如何反弹射'脱胎。但崔犹有望幸之思，故不胜据鞍顾眄之态；此畏祸之意深，并不暇为逝梁敝笱之叹。然亦有露骨气处，如'独立虽轻燕雀群'，终亦不放倒地步。"

孟郊（751—814）**生。**

公元752年 （唐玄宗天宝十一载 壬辰）

三月

薛播等二十六人进士及第，礼部侍郎李麟知贡举。见《登科记考》卷九。

岑参在长安，赋诗送薛播归乡，赞其词赋超群。岑参《送薛播擢第归河东》："夫子能好学，圣朝全用文。弟兄负世誉，词赋超人群。"《旧唐书》薛播传："初，播伯父元暧终隰城丞，其妻济南林氏，丹阳太守洋之妹，有母仪令德，博涉《五经》，善属文，所为篇章，时人多讽咏之。元暧卒后，其子彦辅、彦国、彦伟、彦云及播兄据、捴并早孤幼，悉为林氏所训导，以至成立，咸致文学之名。开元、天宝中二十年间，彦辅、据等七人并举进士，连中科名，衣冠荣之。"

春

李白北行赴幽蓟，途经魏州、洺州，作酬赠、登览诗多首。李白有《魏郡别苏明府因北游》、《赠清漳明府侄聿》、《自广平乘醉走马六十里至邯郸登城楼览古书怀》、《邯郸南亭观妓》、《登邯郸洪波台置酒观发兵》（题下原注：时将游蓟门）、《赠临洺县令皓弟》等诗。据《旧唐书》地理志二，河北道魏州天宝元年改为魏郡，清漳、邯郸、临洺天宝间均为河北道广平郡（即洺州）属县。诸诗当是李白赴幽州途经魏郡、广平郡时所作。据《自广平……》诗中"扬鞭动柳色，写鞚春风生"语，知其时当在本年春季。

　　杜甫欲归洛阳，赋诗留赠崔国辅等。杜甫《奉留赠集贤院崔（国辅）于（休烈）二学士》："欲整还乡旆，常怀禁掖垣。谬称三赋在，难述二公恩。"原注："甫献《三大礼赋》出身，二公尝谬称述。"崔国辅本年四月由集贤殿直学士贬竟陵司马（见下），又诗言献赋后仍久不得志，知当作于本年春。

四月

　　玄宗于宫中赐百官樱桃，时王维服阕，任文部郎中，作《敕赐百官樱桃》诗。诗题下注："时为文部郎中。"《旧唐书》文苑下王维传："居母丧……服阕，拜吏部郎中。"同书玄宗纪下："（三月）丙午……改吏部为文部。"是本年三月吏部未改文部时王维已服阕授职，此诗则作于改官称之后，约在本年四月。又崔兴宗有和诗，为同时之作。按《敕赐百官樱桃》是王维名作。《苕溪渔隐丛话》后集卷九胡仔评五六两句云："摩诘诗：'归鞍竞带青丝笼，中史频倾赤玉盘。'退之诗：'香随翠笼擎初重，色映银盘泻未停。'二诗语意相似。摩诘诗浑成，胜退之诗。"《唐诗别裁集》卷一三："起句敕赐之由，三四见敬礼臣下，结见君恩无已。词气雍和，浅深合度，与少陵《野人送朱樱》诗，均为三唐绝唱。"《笺注唐贤诗集》卷上："后人作此种题，非繁缛即纤俗，盛唐人不可及在此。"

　　崔国辅贬竟陵郡司马，在任与陆羽交游。《新唐书》艺文志四："《崔国辅集》，卷亡。应县令举，授许昌令，集贤直学士、礼部员外郎。坐王锁近亲贬竟陵郡司马。"《旧唐书》玄宗纪下："夏四月，御史大夫兼京兆尹王锁赐死。"崔国辅被贬当在本月或稍后。陆羽《陆文学自传》："属礼部郎中崔公国辅出守竟陵郡，与之游处凡三年。""郎中"为"员外郎"之误。

五月

　　岑参赋诗送祁乐归河东，称其善赋善画。岑参《送祁乐归河东》："祁乐后来秀，挺身出河东。往年诣骊山，献赋温泉宫。天子不召见，挥鞭遂从戎。前月还长安，囊中金已空。有时忽乘兴，画出江上峰。床头苍梧云，帘下天台松。忽如高堂上，飒飒生清风。五月火云屯，气烧天地红。……置酒灞亭别，高歌披心胸。"祁乐，亦写作祁岳，当即《临洮客舍留别祁四》之祁四。去年六月岑参归京时祁尚在临洮，此诗言"前月还长安"，言"五月"，当在本年。于邵《送家令祁丞序》："祁丞公表微造理之士也。尝精其思而深于诗，警其神而存乎象。深于诗者得之于风雅，存乎象者受之于丹青。非奇峰绝壑，则不能运其机；非缘情体物，则不能动其兴。机兴之作为，达者多之。"祁丞即谓祁乐。参刘开扬《岑参诗集编年笺注》该诗题解。

夏

高适罢封丘尉任。《旧唐书》本传："解褐汴州封丘尉，非其好也，乃去位。"高适何时离封丘尉任史传缺载。考其《陈留郡上源新驿记》云："壬辰岁，太守元公连率河南之三载也，尧咨四岳而人神理，汉诏八使而风俗清。……末吏不敏，纪于贞石云。"知本年高适撰此文时仍在封丘尉任。又本年初秋高适已在长安同杜甫等人同登慈恩寺塔赋诗，见下，则其去职当在本年夏。

七月

杜甫、高适、岑参、储光羲、薛据并在长安，各赋登慈恩寺塔诗以唱和。岑参有《与高适薛据同登慈恩寺浮图》诗，高适有《同诸公登慈恩寺浮图》诗，杜甫、储光羲各有《同诸公登慈恩寺塔》诗，杜诗题下注云"时高适、薛据先有此作"，薛据诗今已不存。诸诗均写及秋日景象，当是同时之作，以高适诗"秋风昨夜至"考之，时在初秋。诸诗作年，闻一多《唐诗杂论·岑嘉州系年考证》定为天宝十一载，从之。又高适有《同薛司直诸公曲江秋霁俯见南山作》诗，储光羲有《同诸公秋霁曲江俯见南山》诗。高适诗题中之"薛司直"当即指薛据，参见孙钦善《高适集校注》该诗注。两诗亦当本年所作，附记于此。按杜、岑等慈恩寺塔唱和乃一时盛事，诸作亦各有千秋。《笺注唐贤诗集》卷下引王士禛语曰："每思高、岑、杜辈同登慈恩塔，李、杜辈同登吹台，一时大敌，旗鼓相当，恨不厕身其间，为执鞭弭之役。"《杜诗详注》卷二："同时诸公登塔，各有题咏。薛据诗已失传；岑、储两作，风秀熨帖，不愧名家；高达夫出之简净，品格亦自清坚。少陵则格法严整，气象峥嵘，音节悲壮，而俯仰高深之景，盱衡古今之识，感慨身世之怀，莫不曲尽篇中，真足压倒群贤，雄视千古矣。三家结语，未免拘束，致鲜后劲。杜于末幅，另开眼界，独辟思议，力量百倍于人。"《杜诗镜铨》卷一："前半写尽穷高极远，可喜可愕之趣，入后尤觉对此茫茫，百端交集，所谓浑涵汪茫千汇万状者，于此见之。视同时诸作，其气魄力量，自足压倒群贤，雄视千古。"《野鸿诗的》："嘉州与少陵同赋慈恩塔诗，岑有'秋色正西来，苍然满关中。五陵北原上，万古青濛濛'四语，洵称奇伟；而上下文不称，末乃逃入释氏，不脱伧父伎俩。而少陵自首至结一气，横厉无前，纵越绳墨之外，激昂霄汉之表，其不可同年而语，明矣。"《诗辩坻》卷三："岑棘阳《慈恩浮图》诗，便'东'、'冬'通用。'四角'二语，拙不入古，酷为钝语。至'秋色从西来，苍然满关中。五陵北原上，万古青濛濛'，词意奇工，陈、隋以上人所不为，亦复不办，此处乃见李唐古诗真色。"

九月

高适与崔颢、綦毋潜交游，赋诗唱和，又与岑参同赋诗赠李嵩。高适有《同崔员外綦毋拾遗九日宴京兆府李士曹》、《同李九士曹观壁画云作》、《秦中送李九赴越》诗，岑参有《题李士曹厅壁画度雨云歌》、《送李嵩游江外》诗。崔员外谓崔颢，《旧唐书》文苑下本传："累官司勋员外郎。天宝十三年卒。"綦毋拾遗谓綦毋潜，已见天宝九载秋条；李士曹即李嶷，行九，见《唐人行第录》。诸诗多写及暮秋景致，当为本年高适、岑参同在长安时所作。

秋

杜甫游曲江，有诗作。杜甫有《曲江三章章五句》诗，作于秋季。其三云："自断此生休问天，杜曲幸有桑麻田。故将移住南山边。"按杜甫天宝十三载夏自洛阳移家长安，说见闻一多《少陵先生年谱会笺》。诗云"将移住"，当作于天宝十一、二载间，姑系本年。又此诗系杜甫名篇。《杜臆》卷二："虽分三章，气脉相属。总以九回之苦心，发清商之怨曲，意沉郁而气愤张，慷慨悲凄，直与楚《骚》为匹，非唐人所能及也。"《杜诗详注》卷二引卢世㴶语云："《曲江三章》，塌翼惊呼，忽遨天际。《国风》之后，又续《国风》。"《初白庵诗评》卷上："短五古已难作，尚有冷僻缥缈一径；若短七古，安得崛强苍茫如许，千古仰法也。"

十月

李白至幽州，赋诗多首以伤时；后返魏州。李白《经乱离后天恩流夜郎忆旧游书怀赠江夏韦太守良宰》："十月到幽州，戈铤若罗星。君王弃北海，扫地借长鲸。……揽涕黄金台，呼天哭昭王。……蹉跎不得意，驱马过贵乡。"乃追忆天宝末幽州之行语。贵乡属河北道魏州，见《旧唐书》地理志二。又《出自蓟北门行》："孟冬风沙紧，旌旗飒凋伤。"《北风行》："幽州思妇十二月，停歌罢笑双蛾摧。"当本年至幽州后所作。由以上各诗知李白至幽州在十月，其自幽州返魏州当在探知安禄山欲叛情状之后，时约在本年岁末。李白又有《送崔度还吴度故人礼部员外国辅之子》、《幽州胡马客歌》等诗，均作于本年在幽州时。

十一月

李林甫卒，杨国忠入相，时国政日非，天下将乱。《通鉴》卷二一六："十一月，丁卯（按当从《旧唐书》玄宗纪下作乙卯），林甫薨。上晚年自恃承平，以为天下无复可忧，遂深居禁中，专以声色自娱，悉委政事于林甫。林甫媚事左右，迎合上意，以固其宠；杜绝言路，掩蔽聪明，以成其奸；妒贤疾能，排抑胜己，以保其位；屡起大狱，诛逐贵臣，以张其势。自皇太子以下，畏之侧足。凡在相位十九年，养成天下之乱，而上不之寤也。庚申，以杨国忠为右相，兼文部尚书。"

范阳安庆绪献俘长安，储光羲有诗记其事。储光羲《观范阳递俘》："烈风朝送寒，云雪霭天隅。"《安禄山事迹》卷上："十一月十七日，禄山遣其男范阳节度副使、鸿胪卿同正兼广阳太守庆绪［献］奚、契丹及同罗、阿布思等生口三千人，金、银、锦、罽、施、奚车布于阙下。妇人皆衣以文锦，饰以义须，盛陈列以为壮。玄宗大悦，授庆绪特进、卫尉卿，张乐以会将士。"诗即为此事而作。参陶敏、傅璇琮《唐五代文学编年史》（初盛唐卷）。

十二月

杜甫献诗鲜于仲通求其汲引。杜甫《奉赠鲜于京兆二十韵》："有儒愁饿死，早晚报平津。"鲜于京兆谓鲜于仲通。仇注引黄鹤注云："《通鉴》：天宝十二载正月，京兆尹鲜于仲通讽选人，请为国忠刻颂，立于省门，制仲通撰其词。则仲通为京兆尹在十一年十一月国忠为相后也。诗云：'献纳纡皇眷，中间谒紫宸。'当是公献赋待诏集贤院后，十一年十二月作也。"从之。

李华任监察御史，奉使朔方，作《吊古战场文》。《新唐书》文艺下本传："天宝十一载，迁监察御史。"李华《二孝赞并序》："灵武二孝曰侯知道、程俱罗……华奉使朔陲……冬十一月，浮冰塞津，吾将唁之，其路无因，寄诚斯文，挥涕河滨。"《韩国公张仁愿庙碑铭并序》："天宝季岁，华奉使朔方，展敬祠下。"两文并当作于本年冬以监察御史出使朔方时。李华又有《吊古战场文》，亦本次出使时所作。又有《含元殿赋》，亦作于本年，附记于此。《旧唐书》文苑下李华传："华善属文，与兰陵萧颖士友善。华进士时，著《含元殿赋》万余言，颖士见而赏之，曰：'《景福》之上，《灵光》之下。'华文体温丽，少宏杰之气，颖士词锋俊发，华自以所业过之，疑其诬词。乃为《祭古战场文》，熏污之如故物，置于佛书之阁。华与颖士因阅佛书得之，华谓之曰：'此文何如？颖士曰：'可矣。'华曰：'当代秉笔者，谁及于此？颖士曰：'君稍精思，便可及此。'华愕然。"按传云李华为进士时撰《含元殿赋》，不确，又萧颖士之评赏《吊古战场文》当在明年春其出任河南府参军之前，李华自朔方还京之后。参见谢力《李华生平考略》，载《唐代文学研究》第二辑。

本年

李颀（？—752？）卒。殷璠《河岳英灵集》卷上："颀诗发调既清，修辞亦秀，杂歌咸善，玄理最长。至如《送暨道士》云：'大道本无我，青春长与君。'又《听弹胡笳声》云：'幽音变调忽飘洒，长风吹林雨堕瓦。迸泉飒飒飞木末，野鹿呦呦走堂下。'足可歔欷，震荡心神。惜其伟才，只到黄绶，故其论家，往往高于众作。"按《英灵集》编成于明年，据"惜其伟才"云云，似其时李颀已卒，又颀上年尝为人撰墓志铭（见前），故姑系颀之卒在本年。《新唐书》艺文志四："《李颀诗》一卷。"《直斋书录解题》卷一九："《李颀集》一卷。"《唐才子传》卷二李颀传："性疏简，厌薄世务。慕神仙，服饵丹砂，期轻举之道，结好尘喧之外。一时名辈，莫不重之。有集今传。"《唐诗品》："颀诗意主浑成，遂无断练。然情思清淡，每发羽调；七言古诗，善写边朔气象；其与玄理，间出奇秀。七言律体，如《送魏万》、《卢司勋滁公山池》等作，可谓翛然意远者也。"《艺圃撷余》："李颀七言律，最响亮整肃。"《诗薮》内编卷五："李律仅七首，惟'物在人亡'不佳。'流澌腊月'，极雄浑而不笨；'花宫仙梵'，至工密而不纤。'远公遁迹'之幽，'朝闻游子'之婉，皆可独步千载。"《唐诗镜》卷一六："李颀七律，诗格清炼，复流利可诵，是摩诘以下一人。"《唐音癸签》一〇："盛唐名家称王、孟、高、岑，独七言律桃孟，进李颀，应称王、李、岑、高云。"《诗源辩体》卷一七："李颀五言古，平韵者多杂用律体，仄韵者亦多忌'鹤膝'；七言古在达夫之亚，亦是唐人正宗；五七言律多入于圣云。"又："高、岑五言不拘律法者，每失之于放。李颀五言不拘律法者，则字字洗练，故更有深味。盖李七言律声调虽纯，后人实能为之，后人实能为之；五言调虽稍偏，然自开、宝至今，绝无有相类者，予每读之数过，不可了。"又："王元美云：'七言律，李有风调而不甚丽，岑才甚丽而情不足，王差备美。'愚按：……李'流渐腊月'、'朝闻游子'、'远公遁迹'、'花宫仙梵'诸篇，亦可称全作。但李较岑、王，语虽镕液而气若稍劣，后人每多推之者，盖由盛唐体多失粘，讽之则难谐协，李篇什虽少，则篇篇合律矣。"《围炉诗话》卷二："李颀五律高澹，大胜七律，可与祖咏相仲伯。"《唐诗别裁集》卷一三："东川七律，故难与少陵、右丞比肩，然自是安和正声。自明代嘉、隆诸子奉为圭臬，又不善学之，只存肤面，宜招毛秋晴太史之讥也。然讥诸子而痛扫东川，毋乃因噎而废食乎？"《石州诗话》卷一："东川句法之妙，在高、岑二家上。高之浑厚，岑之奇峭，虽各自成家，然俱在少陵笼罩之中。至李东川，则不尽尔也。学者欲从精密中推宕伸缩，其必问津于东川乎？"《昭昧詹言》卷一二："东川缠绵情韵，自然深至，然往往有痕。"又："于鳞以东川配辋川，姚先生以为不允。东川视辋川，气体浑厚，微不及之；而意兴超远，则固相近。"《三唐诗品》卷二："五言其源出于鲍明远，发言清隽，骨秀神清，虽偶泛弦中，仍复自然合奏。七言变离，开阖转接奇横，沉郁之思，出以明秀，运少陵之坚重，合高、岑之浑脱，高音古色，冠绝后来。"

刘眘虚（？—752?）卒。《河岳英灵集》卷上："眘虚诗，情幽兴远，思苦词奇，忽有所得，便惊众听。顷东南高唱者十数人，然声律婉态，无出其右，唯气骨不逮诸公。自永明已还，可杰立江表。至如'松色空照水，经声时有人'，又'沧溟千万里，日夜一孤舟'，又'归梦如春水，悠悠绕故乡'，又'驻马渡江处，望乡待归舟'，又'道由白云尽，春与清溪长。时有落花至，远随流水香。开门向溪路，深柳读书堂。幽映每白日，清晖照衣裳'，并方外之言也。惜其不永，天碎国宝。"《英灵集》明年编成，眘虚卒当在本年或稍前。《唐诗归》卷六钟惺云："妙在止十四首，一字去不得。其用意狠处，全在不肯多。予尝爱此十四首，命林茂之书成小册，而题其后。有云：'陶公坐高秋，俗士不敢入。不受人去取，孤意先自立'良是此君实录。"又云："诗少而妙，难矣。然难不在陶洗，而在包孕。妙不在孤严，而在深广。读眘虚一字、一句、一篇，若读数十百篇，隐隐隆隆，其中甚多。吾取此以为少者法。"《小澥草堂杂论诗》："刘眘虚亦是齐、梁体段，其骨清耳；且字句外，有灵气往来。"《剑溪说诗》卷上："刘眘虚诗，空明深厚，饶有理趣。"《载酒园诗话又编·刘眘虚》："'美人何荡漾，湖上风日长。玉手欲有赠，徘徊双明珰。歌声随绿水，怨色起青阳。日暮还家望，云波横洞房。''怨色起青阳'，即杜审言之'啼鸟惊残梦，飞花搅独愁'，刘希夷'月明芳树群乌飞，风过长林百花起'意也。妙在止写态度，不甚铺张，得颦眉不语之致。刘诗传者十四篇，惟此最有蕴藉。"又："高、岑非无流走为律者，轻重迥自不同。殷璠赏其'思苦语奇，'独谓'气骨不逮诸公'，此深识之论。"

常建（？—752?）卒。《河岳英灵集》卷上："高才而无贵仕，诚哉是言。曩刘桢死于文学，左思终于记室，鲍昭卒于参军，今常建亦沦于一尉。悲夫！"常建盖亦卒于《英灵集》成书前，今姑系本年。《新唐书》艺文志四："《常建诗》一卷，肃、代时人。"按《新志》此说不确。《直斋书录解题》卷一九："《常建集》一卷。唐盱眙尉常建撰。"《英灵集》卷上又云："建诗似初发通庄，却寻野径，百里之外，方归大道。所以其旨远，其兴僻，佳句辄来，唯论意表。至如'松际露微月，清光犹为君'，又'山光悦鸟性，潭影空人心'，此例十数句，并可称警策。然一篇尽善者，'战余落日黄，军败鼓声死'，'今与山鬼邻，残兵哭辽水'，属思既苦，词亦警绝。潘岳虽云能叙悲怨，未见如此章。"《诗源辩体》卷一七："常建五言古，风格既高，意趣亦远，然未尽称快，惟短篇堪入录耳。"《载酒园诗话又编·常建》："'高山临大泽，正月芦花干。阳色熏两厓，不改青松寒。'此东野意趣也。'井底玉冰洞地明，琥珀辘轳青丝索。仙人骑凤披彩霞，挽上银瓶照天阁。黄金作身双飞龙，口衔明月喷芙蓉。一时渡海望不见，晓上青楼十二重。'置之长吉集，奚辨乎！二子之生，尚在数十年后，此实唐风之始变也。吾读盛唐诸家，虽浅深浓淡，奇正疏密，各自不同，咸有昌明之象。独常盱眙如去大梁、吴、楚而入黔、蜀，触目举足，皆危崖深箐，其间幽泉怪石，良非中州所有，然亦阴森之气逼人。"又："常诗名胜处，几于支、许清言，即刻划林泉，亦天然藻缋。独如'汉上逢老翁，江口为僵尸'诸篇，宇宙大矣，何地不可行，必效大阮驱车耶！"《诗辩坻》卷三："常建七言古，格意轻隽，而下语粉绘皆别设，虽在盛唐，隐开温、李乐府一派。"又："盛唐七绝，常建最劣，高得中唐，卑入宋格，如'过在将军不在兵'是也。"《石洲诗话》卷一："常较王、孟诸公，颇有急疾之意，此所以为飞仙也。又多仙气语。"又："常尉以玄妙得之，储侍御以浅淡得之。储近王，常近孟，而常胜于储多矣。"《诗学渊源》卷八："吾读其诗，一字一珠，务极洗炼，高雅缜密。词不害意，而意在言外；源出齐、梁，而遗齐、梁之迹，所谓出蓝之胜是矣。"《诗学渊源》卷八："吾读其诗，一字一珠，务极洗炼，高雅缜密。词不害意，而意在言外；源出齐、梁，而遗齐、梁之迹，所谓出蓝之胜是矣。"

　　元结隐居商余山，编所作《述时》、《述命》及《述居》为《自述》。元结《自述三篇》序："天宝庚寅，元子初习静于商余。……及三年……有惑而问曰：'子其隐乎？'曰：'吾岂隐者耶？愚者也。穷而然尔。'或者不喻，遂为述时、命以辩之。先曾为《述居》一篇，因刊而次之，总命曰《自述》。"

　　鲍防、李泌各赋《感遇》诗以讥刺时政。穆员《鲍防碑》："天宝中，天下尚文。其曰闻人，则重伴有德，贵齿高位。公赋《感遇》十七章，以古之正法，刺讥时病，丽而有则，属诗者宗而诵之。举进士高第，调太子正字。"鲍防明年进士及第，《感遇》诗当作于本年或稍前，姑系于此。又《旧唐书》李泌传："天宝中，自嵩山上书论当世务，玄宗召见，令待诏翰林，仍东宫供奉。杨国忠忌其才辩，奏泌尝为《感遇诗》，讽刺时政，诏于蕲春郡安置，乃潜遁名山，以习隐自适。"亦系于此。

　　进士孙季卿谒杨国忠言礼部帖经之弊。《唐语林》卷八："十一年，杨国忠初知选事，进士孙季卿曾谒国忠，言礼部帖经之弊：'举人有实材者，帖经既落，不得试文；若先试杂文，然后帖经，则无遗才矣。'国忠然之。无何，有敕进士先试帖，然仍前后开一行，是岁收人有倍常岁。"

　　独孤及在大梁，作《阮公啸台颂》，又赋诗赠于逖、毕耀，后归洛阳旧居。独孤及《阮公啸台颂并序》："岁在玄默，余登大梁之墟……其故事之存于糟粕者，勒而为《啸台颂》。"太岁在壬曰玄黓，见《尔雅·释天》。本年壬辰，颂当作于本年。独孤及又有《夏中酬于逖毕耀问病见赠》诗。于逖晚年居大梁，见上年冬李白条。诗亦作于本年独孤及在大梁时。又独孤及《壬辰岁过旧居》："负剑渡颍水，归马自知津。"当为自大梁返洛阳旧居时所作。

韦应物入太学。韦应物《赠旧识》："少年游太学，负气蔑书生。"《新唐书》选举志上："凡生，限年十四以上，十九以下。"本年韦应物年约十八，入太学当在本年前后，参陶敏《韦应物生平新考》。

公元 753 年 （唐玄宗天宝十二载　癸巳）

正月

杨国忠草率掌选，鲜于仲通撰文刻碑颂之。《通鉴》卷二一六："故事，兵、吏部尚书知政事者，选事悉委侍郎以下，三注三唱，仍过门下省自春及夏，其事乃毕。及杨国忠以宰相领文部尚书，欲自示精敏，乃遣令史先于私第密定名阙。十二载春，正月，壬戌，国忠召左相陈希烈及给事中、诸司长官皆集尚书都堂，唱注选人，一日而毕……其间资格差缪甚众，无敢言者。……京兆尹鲜于仲通讽选人请为国忠刻颂，立于省门，制仲通撰其辞；上为改定数字，仲通以金填之。"

三月

鲍防、皇甫曾、张继、刘太冲等五十六人登进士第，礼部侍郎阳浚知贡举。见《登科记考》卷九、岑仲勉《登科记考订补》。按皇甫曾（？—785），字孝常，润州丹阳人，皇甫冉之弟。进士擢第。代宗大历初，仕历监察御史、殿中侍御史。坐事贬舒州司马。量移阳翟令。德宗贞元初卒。有《皇甫曾集》一卷。据《新唐书》文艺中萧颖士附皇甫冉传、《唐才子传校笺》卷三皇甫曾传笺及补笺。张继，生卒年不详，字懿孙，襄州人，郡望南阳。进士擢第。至德间，流寓吴越。大历中，以检校祠部员外郎分掌财赋于洪州，卒。有《张继诗》一卷。据《唐才子传校笺》卷三张继传笺。刘太冲，宣州人，刘太真之兄。少师事萧颖士。进士及第后尝为颜真卿从事。据《唐诗纪事》卷二七。

萧颖士由长安赴河南府参军任，弟子刘太真、刘太冲等赋诗作序送之，时颖士之名闻于东倭。《新唐书》文艺中萧颖士传："召诣史馆待制。……俄免官，往来鄂、杜间。林甫死，更调河南府参军事。倭国遣使入朝，自陈国人愿得萧夫子为师者。中书舍人张渐等谏不可而止。"刘太真《送萧颖士赴东府序》："顷东倭之人，逾海来宾，举其国俗，愿师于夫子，非敢私请。表闻于天子，夫子辞以疾而不之从也。……从官三年，始参谋于洛京。家兄与先鸣者六七人奉壶开筵，执弟子之礼于路左。……春云轻阴，草色新碧，皎皎匹马，出于青门。……赋诗仰饯者，自相里造、贾邕以下，凡十二人，皆及门之选也。"萧颖士天宝十载被征至长安，至本年正三年，又李林甫去年十一月卒，知颖士为河南府参军在本年春，详见陈铁民《萧颖士系年考证》，载《文史》第三十七辑。刘舟《送萧颖士赴东府得适字》、长孙铸同题得离字、房白得还字、元晟得引字、刘太冲得浅字、姚发得草字、郑鄂得往字，殷少野得散字、邬载得君字，当均为本次送颖士赴河南府参军任而作。萧颖士《留别二三子得韵字诗》亦同时之作，诗云"残春惜将别"，知在三月。

　　元结应进士试，投献所作《文编》于礼部；又作《订古》五篇。元结《文编序》："天宝十二年，漫叟以进士获荐，名在礼部。会有司考校旧文，作《文编》纳于有司。当时叟方年少，在显名迹，切耻时人谄邪以取进，奸乱以致身，径欲填陷阱于方正之路，推时人于礼让之庭，不能得之，故优游于林壑，快恨于当世。是以所为之文，可戒可劝，可安可顺，侍郎杨（阳）公见《文编》，叹曰：'以上第污元子耳，有司得元子是赖。'"《订古五篇序》："天宝癸巳，元子作《订古》，订古前世君臣、父子、夫妇、兄弟、朋友之道。"

　　杜甫作《丽人行》，讽杨国忠兄妹之奢淫行径。诗云："三月三日天气新，长安水边多丽人。……就中云幕椒房亲，赐名大国虢与秦。……炙手可热势绝伦，慎莫近前丞相嗔。"仇注引黄鹤注云："天宝十二载，杨国忠与虢国夫人邻居第，往来无期，或并辔入朝，不施障幕，道路为之掩目。冬，夫人从车驾幸华清宫，会于国忠第，于是作《丽人行》。此当是十二年春作，盖国忠于十一年十一月为右丞相也。"从之。《彦周诗话》："老杜作《丽人行》云：'赐名大国虢与秦。'其卒曰：'慎勿近前丞相嗔！'虢国、秦国何预国忠事，而近前即嗔耶？东坡言老杜似司马迁，盖深知之。"《薑斋诗话》卷一："赐名大国虢与秦'，与'美孟姜矣'、'美孟弋矣'、'美孟庸矣'一辙，古有不讳之言也，乃《国风》之怨而诽、直而绞者也。夫子存而弗删，以见卫之政散民离，人诬其上；而子美以得'诗史'之誉。"《岘斋诗谈》卷四："《丽人行》，脱胎《硕人》而反用之，彼主破君惑，此主刺淫奢。全是骨力好，加上千珠万宝，压他不倒，此绣虎也。"又："中间花色却古，此是《文选》赋料，若笔扫不开，反成钉子。"

春

　　王维赋诗送徐浩往使岭南。王维有《送徐郎中》诗，为送人赴岭南而作，时在春季。徐郎中谓徐浩。《新唐书》本传："迁累都官郎中，为岭南选补使，又领东都选。"张式《大唐故银青光禄大夫彭王傅上柱国会稽郡开国公赠太子少师东海徐公神道碑铭》："公姓徐氏，讳浩……转都官郎中，充岭南□□□□□□□□……五岭百越，颂声四合，同诣方面，请建旌德碑，都督张九皋为之飞章。"据《唐刺史考全编》卷二五七，张九皋为广州（南海郡）都督在天宝十载至十二载，徐浩往岭南即在此期间，姑系本年。

　　李白、储光羲各有诗献哥舒翰，颂其功德。李白有《述德兼陈情上哥舒大夫》诗。《旧唐书》哥舒翰传："加摄御史大夫。十一载，加开府仪同三司。……其冬，禄山、思训、翰并来朝。"李白上年岁末方在魏州，诗当本年春暂至长安时所作。储光羲有《哥舒大夫颂德》诗，作于上年冬或本年，亦系于此。

四月

高适在长安，作《李云南征蛮》诗。诗有自序云："天宝十一载，有诏伐西南夷，右相杨公兼节制之寄，乃奏前云南太守李宓涉海自交趾击之。道路艰险，往复数万里，盖百王所未通也。十二载四月，至于长安。君子是以知庙堂使能，而李公效节。适忝斯人之旧，因赋是诗。"按序中"杨公"指杨国忠。高适又有《同李员外贺哥舒大夫破九曲之作》诗，云："遥传副丞相，昨日破西藩。"《通鉴》卷二一六："夏，五月……陇右节度使哥舒翰击吐蕃，拔洪济、大漠门等城，悉收九曲部落。"诗当为高适在长安遥和之作，附记于此。

杜甫陪郑虔游何将军庄园，赋诗纪游。杜甫《陪郑广文游何将军山林十首》其二："百顷风潭上，千章夏木清。"其五："绿垂风折笋，红绽雨肥梅。"郑广文谓郑虔。诗当作于本年初夏，参见闻一多《少陵先生年谱会笺》。

六月

岑参与杜甫同游渼陂，并有诗作。岑参有《与鄠县群官泛鄠陂》及《与鄠县源少府泛渼陂》诗。杜甫《渼陂行》："岑参兄弟皆好奇，携我远来游渼陂。……沉竿续缦深莫测，菱业荷花净如拭。"《渼陂西南台》："高台面苍陂，六月风日冷。"又有《与鄠县源大少府宴渼陂》。诸诗当为同时之作，约在本年前后。按《渼陂行》系杜甫名作，《唐宋诗醇》卷九评此诗云："声光奇丽，气韵深稳。昭明称陶潜'文章不群，词采精拔，跌荡昭彰，独超众类，抑扬爽朗，莫之与京'，可以移赠是诗。'骊龙吐珠'等句，全摹汉《艳歌》，末语用《秋风词》，颠倒变化，壁垒一新，取材之善则也。"《杜诗镜铨》卷二："只平叙一日游景，而滉漾飘忽，千态并集，极山岫海潮之奇，全得屈《骚》神境。"《昭昧詹言》卷一二："此只用起二句叙点，以下夹叙夹写。此等章法，欧公惯用，无甚深奇。但其色古泽浓郁，棱汁巨响，非欧公所有。韩公亦时时学此。"

夏

颜真卿出为平原太守，岑参赋诗送之。《旧唐书》颜真卿传："转侍御史、武部员外郎。杨国忠怒其不附己，出为平原太守。"岑参有《送颜平原》诗，序云："十二年春，有诏补尚书十数公为郡守，上亲赋诗，觞群公，宴于蓬莱前殿，仍锡以缯帛，宠饯加等。参美颜公是行，为宠别章句。"诗云："驷马辞国门，一星东北流。夏云照银印，暑雨随行辀。"作于夏季。

李峘出守睢阳郡，王维赋诗送行。王维有《送李睢阳》诗，写及夏日景象。李睢阳谓李峘。《旧唐书》本传："太宗第三子吴王恪之孙。……杨国忠秉政，郎官不附己者悉出于外，峘自考功郎中出为睢阳太守。"盖本年春补尚书省属官十数人为郡守（见上条），李峘在选，至夏离京赴任，王维赋诗送之也。维又有《送魏郡李太守赴任》诗。李太守谓李岘。《旧唐书》李峘传："杨国忠秉政……峘自考功郎中出为睢阳太守。

寻而弟岘出为魏郡太守，兄弟夹河典郡，皆以理行称。"诗作于本年秋，附记于此。

李白自宋州将适曹南，独孤及作序送之；未久，白由曹南赴江南，赋诗留别。独孤及《送李白至曹南序》："曩子之游秦也，上方览《子虚》之赋，喜相如同时。由是朝诣公车，夕挥宸翰。一旦幞被金马，蓬累而行，出入燕、宋，与白云为伍。……是日也，出车桐门，将驾于曹。仙药满囊，道书盈箧。……送子何所？平台之隅。……请偕赋诗，以见交态。"李白《书情赠蔡舍人雄》："一朝去京国，十载客梁园。……舟浮潇湘月，山倒洞庭波。……别离解相访，应在武陵多。"李白天宝三载离长安，至本年十年，诗当是南游前在梁园与蔡雄告别之作。李白又有《留别曹南群官至江南》诗，云："献纳少成事，归休辞建章。十年罢西笑，揽镜如秋霜。"用桓谭《新论》"人闻长安乐，则出门向西而笑"语意，谓已离长安十年，当作于本年，参詹锳《李白诗文系年》。本年秋李白已在宣城，其自曹南南行当在夏秋间，姑系于此。

七月

苏源明在东平太守任，宴崔季重等四郡太守于回源亭，赋诗记其事。苏源明有《小洞庭洄源亭燕四郡太守》诗，其序云："天宝十二载七月辛丑，东平太守扶风苏源明，觞濮阳太守清河崔公季重、鲁郡太守陇西李公兰、济南太守太原田公琦、济阳太守陇西李公倰于洄源亭，既尊封壤，乃密惠好。"

诏天下举人须补国子学士及郡县学生方可应举。《唐会要》卷七六："天宝十二载七月十三日诏：天下举人，不得充乡赋，皆须补国子学士及郡县学生，然后听举。"

九月

杜甫在长安，苦雨，作诗寄岑参。杜甫《九日寄岑参》："出门复入门，雨脚但如旧。……寸步曲江头，难为一相就。"《旧唐书》玄宗纪下："八月，京城霖雨。"明年秋长安亦遭雨灾，但其时岑参已赴北庭，故诗当本年所作。

王维、崔兴宗并作诗送衡岳瑗上人南归，上人与房琯善。王维有《同崔兴宗送衡岳瑗公南归》诗，其序云："衡岳瑗上人者……天宝癸巳岁，始游于长安。……初，给事中房公谪居宜春，与上人风土相接，因为道友，伏腊往来。房公既海内盛名，上人亦以此增价。秋九月，杖锡南返，扣门来别。秦地草木，槭然已黄；苍梧白云，不日而见。浈阳有曹溪学者，为我谢之。"房公谓房琯，天宝五载为给事中，六载贬宜春太守，已见前。崔兴宗有《同王右丞送瑗公南归》诗，为同时之作；唯其时王维未官右丞，诗题当为后人所追改。

秋

李白在宣城，同崔成甫、李华游，赋诗记之；又作其他酬赠、游览诗甚多。李白《自梁园至敬亭山见会公谈陵阳山水兼期同游因有此赠》："我随秋风来，瑶草恐衰歇。"《元和郡县图志》卷二八宣州宣城县："敬亭山，州北十二里。即谢朓赋诗之所。"诗当为本年秋初至宣城时作。李白《赠从弟宣州长史昭》、《赠宣州灵源寺仲濬公》、《听蜀僧濬弹琴》、《登敬亭山南望怀古赠窦主簿》、《独坐敬亭山》、《题宛溪馆》等诗，多写及秋景，当为同时之作。李白又有《登敬亭北二小山余时客逢崔侍御并登此地》、《宣城九日闻崔四侍御与宇文太守游敬亭余时登响山不同此赏醉后寄崔侍御二首》、《赠宣城宇文太守兼呈崔侍御》、《游敬亭寄崔侍御》、《寄崔侍御》等诗，亦为本年秋在宣城所作。宇文太守名不详，王维有《送宇文太守赴宣城》诗，当即此人；崔侍御谓崔成甫，时当客游宣城。详见郁贤皓《李白丛考·李白诗中崔侍御考》。又李白《宣州谢朓楼饯别校书叔云》："长风万里送秋雁，对此可以酣高楼。蓬莱文章建安骨，中间小谢又清发"。题下注："一作《陪侍御叔华登楼歌》。"按此诗题当以"一作"为是，详见詹锳《李白〈宣州谢朓楼饯别校书叔云〉应是〈陪侍御叔华登楼歌〉》，载《文学评论》1983 年第 2 期。李华本年前后在监察御史任。独孤及《检校尚书吏部员外郎赵郡李公（华）中集序》："（天宝）十一年，拜监察御史，会权臣窃柄，贪猾当路，公入司方书，出按二千石，持斧所向，郡邑为肃，为奸党所嫉，不容于御史府，除右补阙。"诗当作于李华拜监察御史之后，除右补阙之前，时在本年秋，说见安旗《新版李白全集编年注释》该诗按语。李白《秋登宣城谢朓北楼》、《谢公亭》当为同时之作，谢公即谓谢朓。又李白《观胡人吹笛》："十月吴山晓，《梅花》落敬亭。"当作于本年十月，附记于此。按以上诸诗中多有名作。《独坐敬亭山》，《诗薮》内编卷六："绝句最贵含蓄。青莲'相看两不厌，惟有敬亭山'，亦太分晓。……宋人以为高作，何也?"《而庵说唐诗》卷五："白七言绝佳，而五言绝尤佳，此作于五言绝中，尤其佳者也。"《宣州谢朓楼饯别校书叔云》，《唐诗评选》卷一："兴比超忽。"《唐诗镜》卷一九："雄情逸调，高莫可攀。"《唐宋诗醇》卷七："遥情飙竖，逸兴云飞，杜甫所谓'飘然思不群'者，此矣。千载而下，犹见酒间岸异之状，真仙才也。"《秋登宣城谢朓北楼》，曾季狸《艇斋诗话》评云："李白云：'人烟寒橘柚，秋色老梧桐。'（按即此诗颈联）老杜云：'荒庭垂橘柚，古屋画龙蛇。'气焰盖相敌。陈无己云：'寒心生蟋蟀，秋色上梧桐。'盖出于李白也。"

　　晁衡返日本，作诗留别，王维、包佶等并赋诗送之。王维有《送秘书晁监还日本国》诗，序云："晁司马结发游圣，负笈辞亲。……名成太学，官至客卿。……庄舃既显而思归，关羽报恩而终去。于是稽首北阙，裹足东辕。……子其行乎！余赠言者。"晁衡有《衔命还国作》诗，赵骅有《送朝补阙归日本国》诗，包佶有《送日本国聘贺使晁巨卿东归》诗，为同时之作。赵骅诗云："马上秋郊远，舟中曙海阴。"知作于秋季。晁监、晁司马、朝补阙、晁巨卿俱谓晁衡，亦写作朝衡。《旧唐书》东夷日本传："开元初，又遣使来朝……其偏使朝臣仲满，慕中国之风，因留不去，改姓名为朝衡，仕历左补阙、仪王友。衡留京师五十年，好书籍，放归乡，逗留不去。天宝十二年，又遣使贡。"《唐大和上东征传》："天宝十二载，岁次癸巳，十月十五日壬午，日本国大使特进藤原朝臣清河……卫尉卿安倍朝臣朝衡等，来至延光寺。"诸诗当作于本年秋晁衡等离长安赴扬州延光寺时。

　　哥舒翰兼河西节度使，高适因人之荐赴武威、临洮谒之，皆未遇，遂赋诗寄河西、陇右幕下诸公；旋入哥舒翰陇右幕府，与吕谭等唱和。《通鉴》卷二一六："杨国忠欲厚结（哥舒）翰，共排安禄山，奏以翰兼河西节度使。秋，八月，戊戌，赐翰爵西平郡王。翰表侍御史裴冕为河西行军司马。是时中国强盛，自安远门西尽唐境万二千里，间阎相望，桑麻翳野，天下称富庶者无如陇右。"杜甫《赠田九判官梁丘》："陈留阮瑀谁争长，京兆田郎早见招。麾下赖君才并美，独能无意向渔樵。"仇注："阮瑀，指高适，适本封丘尉，与陈留相近，他章云'好在阮元瑜'可证。高之入幕，必由田君所荐，故云'早见招'，而幕下赖之。"王维《送高判官从军赴河西序》："而上将有哥舒大夫者……开府之日，辟书始下……始得我高子焉。高子读书五车，运筹百胜……尝著《七发》，曹王慕义；每奏一篇，汉文称善。缘情之制，独步当时。公卿籍甚，遍交欢于诸侯；孙、吴暗合，将建功于万里。征以露版，召见甘泉。"高判官当指高适，盖时被荐为河西幕府判官。高适《自武威赴临洮谒大夫不及因书即事寄河西陇右幕下诸公》："立马眺洪河，惊风吹白蒿。云屯寒色苦，雪合群山高。……一朝感推荐，万里从英髦。"武威为河西节度治所，临洮属陇右节度辖区。高适被荐从军，至河西，又赴陇右，当在本年秋。《旧唐书》高适传："解褐汴州封丘尉，非其好也，乃去位，客游河右。"未及被荐之事，不尽确。高适又有《同吕判官从哥舒大夫破洪济城回登积石军多福七级浮图》、《同吕员外酬田著作幕门军西宿盘山秋夜作》诗，均作于秋季。墓门军即莫门军，与积石军同为陇右节度所辖。诗为高适至陇右后所作，时适当已谒见哥舒翰，并入其幕府。吕判官、吕员外均谓吕谭。《旧唐书》良吏下本传："谭性谨守，勤于吏职……翰益亲之，累兼虞部员外郎、侍御史。"按明年三月哥舒翰表奏吕谭为支度判官（见后），本年谭当已为判官而未及奏闻。田著作当即杜甫诗提及之田梁丘。又《金石录》卷七："唐哥舒翰等造《阿弥陀经》，正书，无姓名。天宝十二载九月。"高适当预此造经活动。参见周勋初《高适年谱》。

岑参在长安，赋诗送魏叔虬归洛阳，赞其兄弟文才之盛，兼怀乔潭。岑参《送魏升卿擢第归东京因怀魏校书陆浑乔潭》："井上桐叶雨，灞亭卷秋风。故人适战胜，匹马归山东。……君不见三峰直上五千仞，见君文章亦如此。如君兄弟天下稀，雄辞健笔皆若飞。"魏升卿，《全唐诗》卷一九九该诗题中注："一作叔虬。"《元和姓纂》卷八："（魏）绰生孟驯、叔敖、仲犀、叔虬、季龙。……叔虬，京兆户曹。"岑校云："《岑嘉州诗》有进士魏叔虬，一作'升卿'，时代相当，谅即其人。以彼昆仲——仲犀、季龙——等名考之，则作'虬'者近是。"又乔潭天宝十三载已在陆浑尉任，见《新唐书》卓行元德秀传；而该年夏秋间岑参有北庭之行（见后），故诗当作于本年或稍前。

十月

独孤及赋诗作序送陈兼应辟赴京，并怀高适、贾至。独孤及《送陈赞府兼应辟赴京序》："初，公读《梁竦》传，始慨然薄游，耻揭其公器，退而耕于楚县。……十二载冬十月，果以公才征。"《送陈兼应辟兼寄高适贾至》："天网忽摇顿，公才难弃遗。凤凰翔千仞，今始一鸣岐。……旧友满皇州，冠盖飞翠蕤。……高侯秉戎翰，策马观四夷。方从幕中事，参谋王者师。贾生去洛阳，焜燿琳琅姿。芳名动北步，逸韵凌南皮。"

本年

哥舒翰威震河西，西鄙人以诗歌之。《太平广记》卷四九五引《干腠子》："天宝中，歌（哥）舒翰为安西节度，控地数千里，甚著威令，故西鄙人歌之曰：'北斗七星高，歌（哥）舒夜带刀。吐蕃总杀尽，更筑两重濠。'"《全唐诗》卷七八四录此诗，后两句作"至今窥牧马，不敢过临洮。"按哥舒翰未尝为安西节度使，旧《旧唐书》本传，翰本年兼河西节度使，疑"安西"是"河西"之误，西鄙人歌哥舒翰事当在本年前后。

萧颖士在河南府参军任，作《庭莎赋》以寄意。赋序云："予……求参河南府军事。……厅阶之下，蹊有莎草。……俗吏往来，必凌践之。叹其禀山野之姿而托非其所，以就窘迫，因而赋曰：……"

殷璠编《河岳英灵集》成。殷璠《河岳英灵集》（《唐人选唐诗新编》本）卷首："叙曰：梁昭明太子撰《文选》，后相效著述者十余家，咸自称尽善，高听之士，或未全许。且大同至于天宝，把笔者近千人，除势要及贿赂者，中间灼然可尚者，五分无二，岂得逢诗辑纂，往往盈帙。盖身后立节，当无诡随，其应诠拣不精，玉石相混，致令众口销铄，为知音所痛。夫文有神来、气来、情来，有雅体、野体、鄙体、俗体。编纪者能审鉴诸体，委详所来，方可定其优劣，论其取舍。至如曹、刘诗多直语，少切对，或五字并侧，或十字俱平，而逸驾终存。然挈瓶庸受之流，责古人不辨宫商徵羽，词句质素，耻相师范。于是攻异端，妄穿凿，理则不足，言常有余，都无兴象，但贵轻艳。虽满箧笥，将何用之？自萧氏以还，尤增矫饰。武德初，微波尚在。贞观末，标格渐高。景云中，颇通远调。开元十五年后，声律风骨始备矣。实由主上恶华好朴，去伪从真，使海内词场，翕然尊古，南风周雅，称阐今日。璠不揆，窃尝好事，愿删略群才，赞圣朝之美，爰因退迹，得遂宿心。粤若王维、昌龄、储光羲等二十四人，皆河岳英灵也。此集便以《河岳英灵》为号。诗二百三十四首，分为上下卷，起甲寅，终癸巳。伦次于叙，品藻各冠篇额。如名不副实，才不合道，纵权压梁、窦，终无取焉。"又："论曰：昔伶伦造律，盖为文章之本也。是以气因律而生，节假律而明，才得律而清焉。宁预于词场，不可不知音律焉。孔圣删《诗》，非代议所及。自汉、魏至于晋、宋，高唱者十有余人，然观其乐府，犹有小失。齐、梁、陈、隋，下品实繁，专事拘忌，弥损厥道。夫能文者匪谓四声尽要流美，八病咸须避之，纵不拈二，未为深缺。即'罗衣何飘飘，长裾随风还'，雅调仍在，况其他句乎？故词有刚柔，调有高下，但令词与调和，首末相称，中间不败，便是知音。而沈生虽怪曹、王'曾无先觉'，隐侯言之更远。璠今所集，颇异诸家，既闲新声，复晓古体，文质半取，风骚两挟，言气骨则建安为传，论宫商则太康不逮。将来秀士，无致深憾。"按叙云"起甲寅，终癸巳"，本年岁在癸巳，书当编成于本年，参见王运熙、杨明《〈河岳英灵集〉的编集年代和选录标准》（载《唐代文学论丛》第一期）。《新唐书》艺文志四："殷璠《丹阳集》一卷，又《河岳英灵集》二卷。"《直斋书录解题》卷一五："《河岳

英灵集》二卷。唐进士殷璠集常建等诗二百三十四首。"四库提要卷一八六："《河岳英灵集》三卷，唐殷璠编。璠，丹阳人。序首题曰进士，《书录解题》亦但称唐进士，其始末则未详也。是集录常建至阎防二十四人，诗二百三十四首。姓名之下各著品题，仿钟嵘《诗品》之体。虽不显分次第，然篇数无多，而厘为上、中、下卷，其人又不甚叙时代，毋亦隐寓钟嵘三品之意乎？《文献通考》作二卷，盖字误也。其序谓爰因退迹，得遂宿心。盖不得志而著书者。故所录皆淹塞之士，所论多感慨之言。而序称名不副实，才不合道，虽权压梁、窦，终无取焉，其宗旨可知也。凡所品题，类多精惬。张谓条下，称其《代北州老翁答》、《湖上对酒行》，而集中但有《湖上对酒行》，无《代北州老翁答》，疑传写有所脱佚。其中字句多与《国秀集》小异。"《唐人选唐诗新编》本《河岳英灵集》分两卷，计收录 24 人诗 230 首。卷上：常建 15 首，李白 13 首，王维 15 首，刘眘虚 11 首，张谓 6 首，王季友 6 首，陶翰 11 首，李颀 14 首，高适 13 首，岑参 7 首；卷下：崔颢 11 首，薛据 10 首，綦毋潜 6 首，孟浩然 9 首，崔国辅 11 首，储光羲 12 首，王昌龄 16 首，贺兰进明 7 首，崔署（曙）6 首，王湾 8 首，祖咏 6 首，卢象 7 首，李嶷 5 首，阎防 5 首。郑谷《读前集二首》其一："殷璠裁鉴《英灵集》，颇觉同才得旨深。何事后来高仲武，品题《间气》未公心。"王偁《唐诗品汇叙》："选唐诗者非一家，惟殷璠之《河岳英灵》、姚合《极玄集》，有以知唐人之三尺。然璠、合固唐人也，而选又专主于五言，以遗乎众体，寂寥扶疏，不足以尽其妙奥。"《诗源辩体》卷三六："殷璠《河岳英灵集》所选二十四人，共诗二百三十四首，止于天宝十一载，皆盛唐诗也。按唐人五言古自有唐体，故盛唐自李、杜、岑参而外，五言古多不可选。王昌龄体虽近古，而未尽善；储光羲格虽出奇，而不合古；其他体制未纯，声韵多杂，未若李、杜、岑参滔滔自运，体既尽纯，声皆合古耳。今璠所选，五言古十居八九，中惟太白一首，岑参二首，而子美不选。其序曰'王维、王昌龄、储光羲等，皆河岳英灵也，此集便以《河岳英灵》为号。'是其所尊尚者，实在昌龄、光羲也。盖亦羊枣之嗜耳。"毛先舒《诗辩坻》卷三："殷璠撰《河岳英灵集》，持论既美，亦工于命词，可以颉颃记室，续成《诗品》，惜其所载尚未备人。其首叙常建，云一篇尽善者，'战余落日黄，军败鼓声死'。然而'深入强千里'，似不知句法者。李嘉祐'禅心超忍辱，梵语问多罗'，中晚语耳。殷谓孙、许更生，未到此境（按此乃高仲武《中兴间气集》评李嘉祐语，毛氏误记）。评义若此，差为间然。"汲古阁刻本《河岳英灵集》何焯批语："此集所取，不逾齐、梁诗格，但稍汰其靡丽者耳。唐天宝以前诗人能窥建安门径者，惟陈拾遗、李供奉、杜拾遗、元容州诸人，集中独取供奉，又持择未当。他如常建、王维，则古诗仅能法谢玄晖，近体仅能法何仲言，殆不足以传建安气骨也。"又："此书多取警秀之句，缘情言志，理或未尽。"又有集末跋语云："郑都官于殷、高二子深致抑扬，然夫足为商周也。"（见李珍华、傅璇琮《河岳英灵集研究》附录）《河岳英灵集》版本：明清之际季振宜所藏二卷本、清末莫友芝所藏据毛扆校本过之二卷本、明末毛晋汲古阁刻印之三卷本、清初毛扆所刻三卷本、近人沈曾植所藏三卷本。参见《河岳英灵集研究》相关章节。

　　梁肃（753—793）生。

公元 754 年 （唐玄宗天宝十三载　甲午）

正月

张怀瓘撰《书估》成。《法书要录》卷四张怀瓘《书估》："有好事公子，频纡雅顾，问及自古名书，颇为定其等差。曰：可谓知书矣。夫丹素异好，爱恶罕同，若鉴不圆通，则各守封执，是以世议纷糅。何不制其品格，豁彼疑心哉！且公子贵斯道也，感之，乃为其估，贵贱既辨，优劣了然。……天宝十三载正月十八日。"

二月

岑参在长安，赋诗送友人赴河南。岑参《梁园歌送河南王说判官》："梁园二月梨花飞，却似梁王雪下时。……单父古来称宓生，只今为政有吾兄（家兄时宰单父）。轺轩若过梁园道，应傍琴台闻政声。"按刘长卿有《曲阿对月别岑况徐说》及《旅次丹阳郡遇康侍御宣尉召募兼别岑单父》两诗，可推知岑参为单父宰之兄长即为岑况。长卿两诗均作于天宝末年安史乱起以后，时岑况已去职，其为单父宰当在安史之乱前，则岑参此诗当作于天宝十二、三载在长安时，姑系于此。详参刘开扬《岑参诗集编年笺注》该诗题解。岑参《送楚丘麹少府赴官》："桃花色似马，榆荚小于钱。单父闻相近，家书早为传。"作年当与《梁园歌》相近。

三月

哥舒翰表奏严武为节度判官，吕𬤲为支度判官，高适为掌书记。《通鉴》卷二一七："哥舒翰亦为其部将论功……翰又奏严挺之之子武为节度判官，河东吕𬤲为支度判官，前封丘尉高适为掌书记。"《旧唐书》高适传："客游河右。河西节度哥舒翰见而异之，表为左骁卫兵曹，充翰府掌书记。"

春

韩翃、元结、尹徵、刘太真等三十五人登进士第，礼部侍郎阳浚知贡举。见《登科记考补正》卷九。

杜甫作《醉时歌》。诗云："日籴太仓五升米，时赴郑老同襟期。……清夜沉沉动春酌，灯前细雨檐花落。"题下原注："赠广文馆博士郑虔。"《旧唐书》玄宗纪下：天宝十二载，"八月，京城霖雨，米贵，令出太仓米十万石，减价粜与贫人。"诗当作于本年春。《杜臆》卷一："此篇总是不平之鸣，无可奈何之词，非真谓垂名无用，非真薄儒术，非真齐孔、跖，亦非真以酒为乐也。杜诗'沉醉聊自遣，放歌破愁绝'，即此诗之解。"《绠斋诗谈》卷四："衰飒事以壮语抗之，所谓救法也。如'灯前细雨檐花落'，苍莽中忽下幽秀语，人不诧其失群，总是气能化物。"《昭昧詹言》卷一二："'清夜'四句，惊天动地。此老胸襟笔性惯如此，他人不敢望也。"

李白在金陵，与江宁令杨利物游，又与元丹丘别，各有诗记之。李白有《新林浦阻风寄友人》（一作《金陵阻风雪书怀寄杨江宁》）、《春日陪杨江宁及诸官宴北湖感古作》诗。杨江宁谓杨利物，本年在江宁县令任，见本年五月条及李白《江宁杨利物画赞》。两诗当作于本年春李白由宣城至金陵游览时。李白又有《下途归石门旧居》诗，云："吴山高，越水清，握手无言伤别情。将欲辞君挂帆去，离魂不散烟郊树。……俛仰人间易凋朽，钟峰五云在轩牖。……欲知怅别心易苦，向暮春风杨柳丝。"钟峰，即钟山。诗亦当本年春游金陵期间所作，而白所别之人当为元丹丘，参郁贤浩《李白丛考·李白与元丹丘交游考》、詹锳《李白全集校注汇释集评》卷二〇该诗"题解"及"备考"、安旗《新版李白全集编年注释》该诗题注及按语。

　　杜甫重游何将军庄园，复有诗作。杜甫有诗《重过何氏五首》，其三云："落日平台上，春风啜茗时。"当作于本年春。

五月

　　李白与魏颢相遇于扬州，旋同至金陵；后颢离金陵还王屋，白赋诗赠别，颢答之，且受命为白诗文编集；白旋亦别金陵而赴秋浦。魏颢《李翰林集序》："颢始名万，次名炎，万之日，不远命驾江东访白，游天台，还广陵见之，眸子炯然，哆如饿虎，或时束带，风流酝籍。……颢平生自负，人或为狂，白相见泯合，有赠之作，谓余尔后必著大名于天下……因尽出其文，命颢为集。……解携明年，四海大盗。"知二人之遇在本年。李白有《送王屋山人魏万还王屋》诗，序云："王屋山人魏万，云自嵩、宋沿吴相访，数千里不遇。乘兴游台、越，经永嘉，观谢公石门。后于广陵相见。美其爱文好古，浪迹方外，因述其行而赠是诗。"此序有异文云："后于广陵一面，遂乘兴共过金陵　此公爱奇好古，独往物表，因述其行李，遂有此赠。"诗云："回桡楚江滨，挥策扣子津。身著日本裘，昂藏出风尘。五月造我语，知非伦儗人。相逢无限乐，水石日在眼。……吾友扬子云，弦歌播清芬。虽为江宁宰，好与山公群。乘兴但一行，且知我爱君。"魏万《金陵酬李翰林谪仙子》："雪上天台山，春逢翰林伯。……一长复一少，相看如弟兄。惕然意不尽，更逐西南去。同舟入秦淮，建业龙盘处。……此别未远别，秋期到仙山。"两诗为同时酬答之作，但所述二人相遇时间有异，李云在五月，魏云在春季，此从李说。据李诗"五月造我语"及魏诗"秋期到仙山"语，知二人金陵之别在本年五月以后，未入秋以前。参见詹锳《李白诗文系年》。又李诗"身著日本裘"句下有原注云："裘则晁卿所赠，日本布为之。"晁卿谓晁衡。李白有《哭晁卿衡》诗，当是本年五月遇魏颢于广陵，得晁衡归国遇难传闻后所作，附记于此。又李诗"吾友扬子云"谓杨利物，为江宁县令，见本年春条。李白《宿白鹭洲寄杨江宁》："朝别朱雀门，暮栖白鹭洲。……徒令魂作梦，翻觉夜成秋。"《李白全集校注汇释集评》卷一二该诗注："'夜成秋'，谓夜凉也，因作梦觉夜凉，正为夏季。"当是李白于金陵送别魏颢后，旋亦离金陵而去，暮宿白鹭洲而赋诗寄杨利物也。李白又有《答杜秀才五松山见赠》诗，云："闻道金陵龙虎盘，还同谢朓望长安。千峰夹水向秋浦，五松名山当夏寒。"五松山，李白《与南陵常赞府游五松山》题下原注："山在南陵铜井西五里，有古精舍。"南陵属江南西道宣州，见《旧唐书》地理志三。李白由金陵经南陵五松山往秋浦，时当在本年夏。

萧颖士在洛阳，赋诗送刘太真归江东觐省。萧颖士有《江有归舟三章》诗，序云："吾尝谓门弟子有尹徵之学，刘太真之文，首其选焉。今兹春连茹甲乙，淑问休阐，为时之冠。浃旬有诏，俾征典校秘书，且驰传陇首，领元戎书记之事。四牡骓骓，薄言旋归，声动日下，浃于寰外。而太真元昆，前已甲科，未始间岁，翩其连举。……夏五月，回棹京洛，告归江表。……余羁宦此都……同是饯者，赋《江有归舟》，以宠夫嘉庆焉尔。"太真进士及第在本年春，其告归江表亦在本年，时萧颖士在河南府参军任。萧《序》又云："学也者，非云征辨说，撼文字，以扇夫谈端，鞣厥词意，其于识也，必鄙而近矣；所务乎宪章典法，膏腴德义而已。文也者，非云尚形似，牵比类，以局夫俪偶，放乎奇靡，其于言也，必浅而乖矣；所务乎激扬雅训，彰宣事实而已。众之言文学者或不然。於戏，彼以我为僻，尔以我为正，同声相求，尔后我先，安得而不问哉？问而教，教而从，从而达，欲辞师也得乎？"可见颖士之文学及教育观。

六月

吴筠受诏居翰林，上《玄纲论》三篇。权德舆《中岳宗玄先生吴尊师集序》："十三年，召入大同殿，寻又诏居翰林。玄宗在宥天下，顺风所向，乃献《玄纲》三篇，优诏嘉纳。志在遐举，累章乞还。"《正统道藏·太玄部》录吴筠《宗玄先生玄纲论》一卷，分三篇，上篇《明道德》九章，中篇《辨法教》十五章，下篇《析滞疑》九章，计三十三章。卷首有《进〈玄纲论〉表》，末署"天宝十三载六月十一日，中岳嵩阳观道士臣筠表上。"《全唐文》卷九二六收《玄纲论》五章。参《唐才子传校笺》卷一吴筠传补笺。

刘湾作《云南曲》，悼南征死丧将士。刘湾《云南曲》："妻行求死夫，父行求死子。苍天满愁云，白骨积空垒。哀哀云南行，十万同已矣。"《通鉴》卷二一七："六月……侍御史、剑南留后李宓将兵七万击南诏。阁罗凤诱之深入，至大和城，闭壁不战。宓粮尽，士卒罹瘴疫及饥死什七八，乃引还，蛮追击之，宓被擒，全军皆没。杨国忠隐其败，更以捷闻，益发中国兵讨之，前后死者几二十万人；无敢言者。"刘湾诗所赋当即此事。

七月

改诸乐调名，敕令将新曲名立石刊于太常寺。《册府元龟》卷五六九："十三载七月十四日，改诸乐名。……时司空杨国忠、左相陈希列奏：'中使辅璆琳至，奉宣进止，令臣将新曲名一本立石刊于太常寺者。今既传之乐府，勒在贞珉，仍望宣付所司，颁示中外。'敕旨：所请依。"详见《唐会要》卷三三。

敕岭南白身词藻可称者得应乡贡，前资官及常选人等任参北选、授北官。《唐会要》卷七五："天宝十三载七月敕：如闻岭南州县，近来颇习文儒，自今已后，其岭南五府管内白身，有词藻可称者，每至选补时，任令应诸色乡贡，仍委选补使准其考试。有堪及第者，具状闻奏。如有情愿赴京者，亦听。其前资官并常选人等，有词理兼通、才堪理务者，亦任北选及授北官。"

高适作《九曲词》以颂哥舒翰开边之功。高适有《九曲词》三首。《乐府诗集》卷九一："《新唐书》曰：天宝中，哥舒翰攻破吐蕃洪济、大莫等城，收黄河九曲，以其地置洮阳郡。适由是作《九曲词》。"《通鉴》卷二一七："秋，七月，癸丑，哥舒翰奏：于所开九曲之地置洮阳、浇河二郡及神策军。"诗当作于本月或稍后。

岑参迁大理评事，兼监察御史，充北庭支度判官，赴封常清幕，途中多有诗作。杜确《岑嘉州集序》："又迁大理评事，兼监察御史，充安西节度判官。"岑参《优钵罗花歌序》："天宝景申（按即丙申，天宝十五载）岁，参忝大理评事，摄监察御史，领伊西北庭支度副使。"按岑参当于本年赴北庭封常清幕，先任支度判官，至天宝十五载转支度副使。详参闻一多《唐诗杂论·岑嘉州系年考证》及《岑参集校注》（陈铁民修订本）附录《岑参年谱》。岑参《凉州馆中与诸判官夜集》："河西幕中多故人，故人别来三五春。花门楼前见秋草，岂能贫贱相看老。"当作于本次赴北庭途中，时在秋季，则其自长安首途当在夏秋之际，姑系于此。岑参又有《赴北庭度陇思家》、《发临洮将赴北庭留别（得飞字）》、《临洮泛舟赵仙舟自北庭罢使还京（得城字）》等诗，均为赴北庭途中所作，并系于此。

九月

岑参在北庭都护府，赋诗送封常清西征。岑参《走马川行奉送出师西征》："轮台九月风夜吼……汉家大将西出师。"《轮台歌奉送封大夫出师西征》："轮台城头夜吹角，轮台城北旄头落。……亚相勤王甘苦辛，誓将报主静边尘。"为同时之作。汉家大将、封大夫均谓封常清。《旧唐书》本传："十三载入朝，摄御史大夫……俄而北庭都护程千里入为右金吾大将军，仍令常清权知北庭都护，持节充伊西节度等使。"同书玄宗纪下：天宝十三载三月，"乙丑，左羽林上将军封常清权北庭都护、伊西节度使。"又十四载十一月，"癸酉……封常清自安西入奏，至行在。"封常清明年十一月入京，九月当已启程，必无出征之事，故知诗作于本年。据廖立《岑嘉州诗注》及所附《岑参年谱》，此次出师为征突厥阿布思余部，时岑参在北庭府，诗言轮台，是借汉轮台名，谓唐北庭府。亦见薛天纬《岑参诗与唐轮台》，载《文学遗产》2005年第5期。岑参又有《北庭西郊候封大夫受降回军献上》："胡地苜蓿美，轮台征马肥。大夫讨匈奴，前月西出师。甲兵未得战，降虏来如归。"是一月后为封常清胜利回军而作，亦系于此。按《走马川行》、《轮台歌》均为岑参代表作。《唐诗别裁》卷五评前诗云："句句用韵，三句一转，此《峄山碑》文法也。《唐中兴颂》亦然。"陈仅《竹林答问》："问：每句用韵，三句一换韵，如岑嘉州《走马川行》，岂其创格，抑有所本邪？答：此体及两句一换韵诗，昔人谓之促句换韵体，实本于《毛诗·九罭》篇两句一换之格。古辞《东飞伯劳歌》、崔颢《虞姬篇》，皆是本于《匏有苦叶》篇，此格三百篇中最多。"《唐诗评选》卷一评后诗云："云间唐陈彝称此诗韵凡八转，如赤骥过九折阪，履险若平，足不一蹶。可谓知言。"《诗辩坻》卷三："嘉州轮台诸作，奇姿杰出，而风骨浑劲，琢句用意，俱极精思，殆非子美、达夫所及。"

元德秀（695—754）卒，年六十。《旧唐书》文苑下本传："求为鲁山令。……秩满，南游陆浑，见佳山水，杳然有长往之志，乃结庐山阿。岁属饥歉，庖厨不爨，而弹琴读书，怡然自得。……琴觞之余，间以文咏，率情而书，语无雕刻。所著《季子听乐论》、《蹇士赋》，为高人所称。天宝十三年卒，时年五十九，门人相与谥为文行先生。士大夫高其行，不名，谓之元鲁山。"元结《元鲁县墓表》："天宝十三年，元子从兄前鲁县大夫德秀卒。……呜呼！元大夫生六十余年而卒。"李华《元鲁山墓碣铭并序》："维大唐天宝十二（按当作十三）载九月二十九日，鲁山令河南元公终于陆浑草堂，春秋五十九。……所著文章，根玄极则《道演》，寄性情则《于芳子》，思善人则《礼咏》，多能而深则《广吴公子观乐》，旷达而妙则《现题》，穷于性命则《蹇士赋》，可谓与古同辙，自为名家者也。"《唐代墓志汇编续集》天宝〇九三《唐故鲁山县令河南元府君墓志铭并序》："君讳德秀，春秋六十，薨于陆浑南郭草堂之所。……天宝甲午载冬十月甲申日，葬于草堂南原之野。"所载元德秀卒年及享年各有不同，今从墓志，盖德秀本年九月卒，十月葬。《旧唐书》文苑下李华传："华尝为《鲁山令元德秀墓碑》，颜真卿书，李阳冰篆额，后人争模写之，号为'四绝碑'。"

秋

　　苏源明自东平太守入为国子司业，行前作《秋夜小洞庭离燕序》。《唐文粹》卷九六苏源明《秋夜小洞庭离燕序》："源明从东平太守征国子司业，须昌外尉袁广载酒于回源亭。明日遂行，及夜留燕。"《新唐书》文艺中本传："出为东平太守。是时，济阳郡李俅以郡濒河，请增领宿城、中都二县以纾民力，二县，隶东平、鲁郡者也。于是源明议废济阳……既而卒废济阳，以县皆隶东平。召源明为国子司业。"据《元和郡县图志》卷一〇，济阳郡之废在本年，则苏源明之入朝为国子司业是在本年秋。

　　李白在南陵，又至秋浦，作游览及赠友人诗甚多。李白《书怀赠南陵常赞府》："云南五月中，频丧渡泸师。毒草杀汉马，张兵夺秦旗。至今西二河，流血拥僵尸。……咸阳天下枢，累岁人不足。虽有数斗玉，不如一盘粟。"王琦《李太白年谱》系此诗于本年，注云："是年六月，剑南留守李宓率兵伐云南蛮，至西洱河，举军陷没。又关中自去秋水旱相继，人多乏食，诏出太仓米一百万石，贱粜以济贫民。太白诗所谓'云南五月中……'正言是年事。"从之。据诗中"秋草日上阶"语，知作于秋日。又李白《于五松山赠南陵常赞府》、《与南陵常赞府游五松山》、《五松山送殷淑》、《纪南陵题五松山》、《宿五松山下荀媪家》、《南陵五松山别荀七》等诗，多写及秋景，当为同时之作。李白又有《赠崔秋浦三首》、《赠秋浦柳少府》、《宣城清溪》、《清溪行》、《宿清溪主人》、《青（按当作清）溪半夜闻笛》、《秋浦歌十七首》、《游秋浦白笴陂二首》、《秋浦清溪雪夜对酒客有唱鹧鸪者》、《与周刚清溪玉镜潭宴别》、《独酌清溪江石上寄权昭夷》等诗。《元和郡县图志》卷二八："秋浦县，隋开皇十九年，于石城故城置，属宣州。永泰二年，李勉奏置池州，县属焉。……秋浦水，在县西八十里。"诸诗当为李白本年秋冬或明春游秋浦、清溪时所作，并系于此。

　　杜甫在长安，苦雨乏食，遂移家奉先县。杜甫有诗《秋雨叹三首》，写苦雨穷窘之状。《旧唐书》玄宗纪下："是秋，霖雨积六十余日，京城垣屋颓坏殆尽，物价暴贵，人多乏食。"诗当作于本年秋。又杜甫《桥陵诗三十韵因呈县内诸官》："辗轲辞下杜，飘飘凌浊泾。……主人念老马，廨署容秋萤。"当本年秋由长安移家奉先县后所作。详见闻一多《少陵先生年谱会笺》。

十月

颜真卿在平原太守任，与友人谒东方朔祠。颜真卿《东方先生画赞碑阴记》："真卿去岁拜此郡，属殿中侍御史平公洌、监察御史阎公宽、李公史鱼、右金吾胄曹宋公誉，咸以河北采访使东平王判官巡按狎至。真卿候于境上，而先生祠庙，不远道周。亟与数公息家兄淄川司马曜卿同兹谒拜。……有唐天宝十三载季冬辛卯朔建。"

韦济卒，韦述为撰墓志铭。《唐代墓志汇编续集》天宝〇九九《大唐故正议大夫行仪王傅上柱国奉明县开国子赐紫金鱼袋京兆韦府君（济）墓志并序》："春秋六十七，以十三载十月十一日终于京城之兴化里第。"题下署"族叔银青光禄大夫行工部侍郎述撰，外甥扶风郡参军裴叔猷书"。

玄宗亲试四科制举人，辞藻宏丽科对策外加试诗、赋各一首，为制举试诗赋之始。《旧唐书》玄宗纪下："是秋……上御勤政楼试四科制举人，策外加诗赋各一首。制举加诗赋，自此始也。"《唐会要》卷七六："天宝十三载十月一日，御勤政楼，试四科举人。其辞藻宏丽，问策外更试诗赋各一首。"注："制举试诗赋从此始。"《册府元龟》卷六四三："十三载十月，御含元殿亲试博通坟典、洞晓玄经、词藻宏丽、军谋出众等举人，命有司供食，既而暮罢。其词藻宏丽科，问策外更试律赋各一首。制举试诗赋自此始也。"知玄宗亲试制科举人在本年十月，《旧纪》之"是秋"当作"是冬"。

孤独及洞晓玄经科制举及第，授官华阴尉。梁肃《朝散大夫使持节常州诸军事守常州刺史赐紫金鱼袋独孤公（及）行状》："天宝十三载，应诏至京师，时玄宗以道莅天下，故黄老教列于学官，公以洞晓玄经，对策高第，解褐拜华阴尉。故相国房琯方贰宪部，请公相见，公因论三代之质文，问《六经》之指归，王政之根源。宪部大骇曰：'非常之才也。'赵郡李华、扶风苏源明并称公为'词宗'。由是翰林风动，名振天下。"

冬

鲍防经蔡游陈，作《问津台赋》。赋云："惟岁临乎甲午，余经蔡以游陈。见岿然之故台，没路隅之荒榛。侧闻夫子，于此问津。……永追想于遗迹，遂投吊于寒荒。"本年岁在甲午，鲍防上年进士及第，此赋或为防进士及第后省亲途中所作。

岑参在北庭，作歌贺封常清破播仙。岑参《献封大夫破播仙凯歌六章》其二："蒲海晓霜凝马尾，葱山夜雪扑旌竿。"当作于本年冬，以明年冬封常清已被召赴京也。按此篇亦岑参名作。《诗薮》内编卷六评云："自少陵绝句对结，诗家率以半律讥之；然绝句自有此体，特杜非当行耳。如岑参《凯歌》'丈夫鹊印摇边月，大将龙旗掣海云'、'排兵鱼海云迎阵，秣马龙堆月照营'等句，皆雄浑高华，后世咸所取法，即半律何伤？"《诗源辩体》卷一五评其中第二、三、四章云："盛唐七言绝，太白、少伯而下，高、岑、摩诘亦多人于圣矣。岑如'官军西出''鸣箛叠迭鼓'、'日落辕门'三篇，整栗雄丽，实为唐人正宗，而《正声》不录，不可晓。"

本年

诏杂奏道调法曲与胡部新声。元稹《立部伎》："宋沇尝传天宝季，《法曲》胡音忽相和。明年十月燕寇来，九庙千门虏尘涴。"注云："太常丞宋沇传汉中王旧说云：玄宗虽雅好度曲，然而未尝使蕃汉杂奏。天宝十三载，始诏道调法曲与胡部新声合作，识者异之。明年禄山叛。"

崔颢（? —754）**卒，年约五十一**。《旧唐书》文苑下本传："累官司勋员外郎。天宝十三年卒。"《河岳英灵集》卷下："颢少年为诗，属意浮艳，多陷轻薄，晚节忽变常体，风骨凛然，一窥塞垣，说尽戎旅。至如'杀人辽水上，走马渔阳归。错落金琐甲，蒙茸貂鼠衣'，又'春风吹浅草，猎骑何翩翩。插羽两相顾，鸣弓新上弦'，可与鲍照、江淹并驱也。"《唐诗品》："颢诗气格奇峻，声调蒨美，其说塞垣，景象可与明远抗庭。然性本靡薄，慕尚闺帏，集中此类殊复不少，竟以少妇之作取弃高贤，疏亮之士直取为心流之戒可尔。李白极推《黄鹤楼》之作，然颢多大篇，实旷世高手。《黄鹤》虽佳，未足上列。"《诗薮》内编卷三："崔颢《邯郸宫人怨》，叙事几四百言，李、杜外，盛唐歌行无赡于此，而情致委婉，真切如见。后来《连昌》、《长恨》，皆此兆端。"《诗源辩体》卷一七："崔颢五言古，平韵者间杂律体，仄韵者亦多忌'鹤膝'。七言古语多靡丽而调有不纯，当在摩诘之下。律诗五言如'征马去翩翩'、'闻君为汉将'，七言如'高山代郡'、'昔人已乘'，皆入于圣矣。"又："盛唐七言律，多造于自然，而崔颢《黄鹤》、《雁门》又皆出于天成。盖自然尚有功用可求，而天成则非人力可到也。予尝谓：浩然五言、崔颢七言如走盘之珠，非若子美之律以言解为妙耳。"又："殷璠云：'颢年少为诗，名陷轻薄，晚节忽变常调，风骨凛然。'愚按：崔《黄鹤》、《雁门》，读之有金石宫商之声，盖晚年作也，故璠于《河岳英灵》特录之。使体就浑圆而语无风骨，斯为轻薄，不得入圣境矣。"《围炉诗话》卷二："（颢）五古奇崛，五律精能，七律尤胜。"《诗学渊源》卷八："（颢）善为乐府歌行，辞旨俊逸，不减明远。《黄鹤楼》诗尤脍炙人口，为唐人拗律半格之始，实则晋、宋七言歌行之变体也。"

陆据（? —754）**卒**。《旧唐书》文苑下本传："陆据者，周上庸公腾六代孙。少孤，文章俊逸，言论纵横。年三十余，始游京师，举进士。公卿览其文，称重之，辟为从事。累官至司勋员外郎。天宝十三载卒。"

陶翰（? —754?）**卒**。《唐才子传校笺》卷二陶翰传笺云："安史之乱后即未见翰之行迹，其卒或当在天宝末。"今姑系于此。顾况《礼部员外郎陶氏集序》："累陟太常博士、礼部员外郎，喉舌密勿，坛场破的，无发不中。行在六经，志在五言，尤精赋序。朝出暮遍，殷如奋铎，声塞海隅，化诸溺音。公之容，风山籁静。然华实光于苑圃，綦毋著作潜，王龙标昌龄，则其勍敌。登公之门，李膺之门也。鲍、马二京兆，中书谢舍人良弼、良辅，侍御史李封，殿中刘全诚，名自公出，名著公器。……嗣子问儒为法官，捧先人之集，霜露之疾，将诉于吾。綦毋通，问之世友，抚事编次。咨于彝训，稽于故实，是有冠篇之述乎哉。"《新唐书》艺文志四："《陶翰集》，卷亡。"《直斋书录解题》卷一九："《陶翰集》一卷。"《河岳英灵集》卷上："历代词人，诗笔双美者鲜矣。今陶生实谓兼之，既多兴象，复备风骨，三百年以前，方可论其体裁也。"《围炉诗话》卷二："陶翰诗沉健、真恻、高旷俱有之。"

杜甫进《雕赋》，自谓所为诗文"沉郁顿挫"，可比扬雄、枚皋；又进《封西岳赋》。杜甫《进雕赋表》："亡祖故尚书膳部员外郎先臣审言，修文于中宗之朝，高视于藏书之府，故天下学士到于今而师之。臣幸赖先臣绪业，自七岁所缀诗笔，向四十载矣，约千有余篇。……伏惟明主哀怜之。倘使执先祖之故事，拔泥途之久辱，则臣之述作，虽不能鼓吹六经，先鸣数子，至于沉郁顿挫，随时敏捷，扬雄、枚皋之徒，庶可企及也。"仇兆鳌于题下加按语云："表中云'自七岁缀笔，向四十年'，其年次又在进三大礼赋后，应是天宝十三载所作。"从之。又杜甫《进封西岳赋表》："维岳，授陛下元弼，克生司空。"《旧唐书》玄宗纪下：天宝十三载二月，"戊寅，右相兼文部尚书杨国忠守司空，余如故。甲申，司空杨国忠受册。"赋亦当作于本年。杜甫又有《天狗赋》。序云："天宝中，上冬幸华清宫，甫因至兽坊，怪天狗院列在诸兽院之上，胡人云：此其兽猛健无与比者。甫壮而赋之，尚恨其与凡兽相近。"《旧唐书》玄宗纪下：天宝六载，"冬十月戊申，幸温泉宫，改为华清宫。"赋作于天宝六载十月之后，附记于此。仇兆鳌云："咏物题作赋，若徒然绘影描神，虽写真曲肖，终觉拘而未畅。惟含寓言于正意，感慨淋漓，神气勃然，斯为绝构。阅《雕》、《狗》二赋，觉《鹦鹉》、《鹡鸰》诸作，不能专美于前矣。"

孟云卿在长安应举不第，赋诗自伤。孟云卿《伤怀赠故人》："二十学已成，三十名不彰。岂无同门友，贵贱易中肠。驱马行万里，悠悠过帝乡。"本年云卿年约三十。《唐才子传》卷二孟云卿传："天宝间不第，气颇难平。"

陆贽（754—805）生。

李康成《玉台后集》编成。《新唐书》艺文志四："李康《玉台后集》十卷。"《郡斋读书志》卷二："《玉台后集》十卷。右唐李康成采梁萧子范迄唐张赴二百九人所著乐府歌诗六百七十首，以续陵编。"《直斋书录解题》卷一五："《玉台后集》十卷，唐李康成集。"《后村诗话》续集卷一："郑左司子敬家有《玉台后集》，天宝间李康成所选，自陈后主、隋炀帝、江总、庾信、沈、宋、王、杨、卢、骆而下二百九人，诗六百七十首，汇为十卷，与前集等，皆徐陵所遗落者。往往其时诸人之集尚存。今不能悉录，姑摘其可存者于后。……天宝间大诗人，如李、杜、高适、岑参辈迭出，康成同时，乃不为世所称。若非子敬家偶存此编，则许多佳句失传矣。中间自载其诗八首，如'自君之出矣，弦歌绝无声。思君如百草，撩乱逐春生'，似六朝人语。如《河阳店家女》长篇一首，叶五十二韵，若欲与《木兰》及《孔雀东南飞》之作方驾者。末云：'因缘苟会合，万里犹同乡。运命傥不谐，隔壁无津梁。'亦佳。"按《玉台后集》编者为李康成，作"李康"者误。刘长卿有《严陵钓台送李康成赴江东使》诗，即其人。又《玉台后集》已佚，今有陈尚君辑本（见《唐人选唐诗新编》），辑得残序两则，云："昔陵在梁世，父子俱事东朝，特承优遇。时承平好文，雅尚宫体，故采西汉以来词人所著乐府艳诗，以备讽览。"又："名登前集者，今并不录。惟庾信、徐陵仕周、陈，既为异代，理不可遗。"凡得作者 64 人（无名氏按一人计），诗 91 首（一题多首按多首计），以作者世次先后为序，分别为：萧子范无诗，徐陵 3 首，周弘正 1 首，陈后主无诗，江总 1 首，张正见 1 首，苏子卿 1 首，庾信 1 首，徐之才 1 首，唐怡 2 首，隋炀帝 2 首，蔡瓘 1 首，李播 1 首，丁六娘 4 首，虞世南 1 首，陈子良 1 首，谢偃 3 首，杨师道 1 首，郑世翼 1 首，张文琮 1 首，潘求仁 1 首，董思恭 3 首，辛弘智 2 首，王勃 2 首，杨炯、卢照邻、骆宾王皆无诗，沈佺期 1 首，宋之问 1 首，李峤 1 首，张修之 1 首，郎大家宋氏 5 首，刘希夷无诗，王适 1 首，刘处约 1 首，张昌宗 1 首，乔氏 1 首，萧意 1 首，常理 2 首，刘元叔 1 首，郭元振 3 首，阎德隐 2 首，冯待徵 1 首，张子容 1 首，张潮 1 首，沈宇 2 首，祖咏 1 首，崔国辅 1 首，崔颢 1 首，冷朝光 1 首，卫万 1 首，李暇 5 首，王沈 1 首，王偃 2 首，李章 1 首，毕曜 2 首，李康成 5 首、张继 1 首，张赴（陈尚君疑当作张起）无诗，晁祖道 1 首，刘聃 1 首，无名氏 3 首，张陵 1 首，张祐 1 首。作者 64 人中，7 人无诗，张陵、张祐 2 人疑误；诗 89 首中，9 首仅存残句。《玉台后集》成书时间不可确考，刘克庄以为在天宝年间，陈尚君据集中收有张继、张赴（起）及编者康成自作推论，当成于天宝以后。兹姑系于天宝之末。

綦毋潜（？—755?）**约卒于明年。**《新唐书》艺文志四："《綦毋潜诗》一卷。字孝通。开元中，繇宜寿尉入集贤院待制，迁右拾遗，终著作郎。"本年綦毋潜迁广文博士，其为著作郎并卒官当在明年或稍后。《直斋书录解题》卷一九："《綦毋潜集》一卷。唐待制集贤院南康綦毋潜孝通撰。南康，今赣州。"王维《别綦毋潜》："盛得江左风，弥工建安体。"《河岳英灵集》卷下："潜诗屹崒峭蒨足佳句，善写方外之情。至如'松覆山殿冷'，不可多得；又'塔影挂清汉，钟声和白云'，历代未有。荆南分野，数百年来，独秀斯人。"《唐诗纪事》卷二〇："拾遗诗举体清秀，萧萧跨俗，桑门之说，于己独能。至如'松覆山殿冷'，不可多得；又'钟声和白云'，历代少有。借使若人加气质，减雕饰，则高视三百年之外也。"《载酒园诗话又编》："綦毋潜似觉风气稍别，如'石路在峰心'，非诸公所能道，大似王昌龄句法。"

王昌龄（690?—756?）**约卒于后年，年五十七。**《新唐书》文艺下孟浩然附王昌龄传："贬龙标尉。以世乱还乡里，为刺史闾丘晓所杀。"时约在后年，参见《唐才传校笺》卷二王昌龄传笺。《新唐书》艺文志四："《王昌龄集》五卷。"又："王昌龄《诗格》二卷。"《郡斋读书志》卷一七："《王昌龄诗》六卷。……昌龄工诗，缜密而思清，时谓王江宁云。"《直斋书录解题》卷一九："《王江宁集》一卷。"卷二十二："《诗格》一卷、《诗中密旨》一卷。唐王昌龄撰。"《唐才子传》卷二王昌龄传："有诗集五卷。又述作诗格律、境思、体例，共十四篇，为《诗格》一卷，又《诗中密旨》一卷，及《古乐府解题》一卷，今并传。"《河岳英灵集》卷下："元嘉以还，四百年内，曹、刘、陆、谢，风骨顿尽。顷有太原王昌龄、鲁国储光羲，颇从厥迹。且两贤气同体别，而王稍声峻。至如'名堂坐天子，月朔朝诸侯。清乐动千门，皇风被九州。庆云从东来，泱漭抱日流'，又'云起太华山，云山互明灭。东峰始含景，了了见松雪'，又'楮柟无冬春，柯叶连峰稠。阴壁下苍黑，烟含清江楼。叠沙积为冈，崩剥雨露幽。石脉尽横亘，潜潭何时流'，又'京门望西岳，百里见郊树。飞雨祠上来，霭然

455

关中暮'，又'奸雄乃得志，遂使群心摇。赤风荡中原，烈火无遗巢。一人计不用，万里空萧条'，又'百泉势相荡，巨石皆却立。昏为蛟龙怒，清见云雨入'，又'去时三十万，独自还长安。不信沙场苦，君看刀箭瘢'，又'芦荻寒苍江，石头岸边饮'，又'长亭酒未酣，千里风动地。天仗森森练雪拟，身骑铁骢白鹰臂'，斯并惊耳骇目。今略举其数十句，则中兴高作可知矣。余尝睹王公《长平伏冤》文、《吊枳道赋》，仁有余也。奈何晚节不矜细行，谤议沸腾，再历遐荒，使知音叹惜。"《唐诗品》：'少伯天才流丽，音响疏越，七言小诗，几与太白比肩。当时乐府采录，无出其右；五言古作，与储光羲不相下，而稍逸致可采。高才玩世，流荡不持，卒取闾丘之祸，轻华之致，不并珪璋，岂亦定见耶？'"王世懋《艺圃撷余》："绝句之源，出于乐府，贵有风人之致，其声可歌，其趣在有意无意之间，使人莫可捉着。盛唐惟青莲、龙标二家诣极，李更自然，故居王上。"《诗薮》内篇卷六："摩诘五言绝穷幽极玄，少伯七言绝超凡入圣，俱神品也。"又："杜陵、太白七言律绝，独步词场；然杜陵律多险拗，太白绝间率露，大家故宜有此。若神韵干云，绝无烟火，深衷隐厚，妙绝萧韶，李颀、王昌龄，故是千秋绝调。"又："太白诸绝句信口而成，所谓无意于工而无不工者。少伯深厚有余，优柔不迫，怨而不怒，丽而不淫。余尝谓古诗、乐府后，惟太白诸绝近之；《国风》、《离骚》后，惟少伯诸绝近之。体若相悬，调可默会。"又："江宁《长信词》、《西宫曲》、《青楼曲》、《闺怨》、《从军行》，皆优柔婉丽，意味无穷，风骨内含，精芒外隐，如青庙朱弦，一唱三叹。"又："李作故极自然，王亦和婉中浑成，尽谢炉锤之迹；王作故极自在，李亦飘翔中闲雅，绝无叫噪之风，故难优劣。然李词或太露，王语或过流，亦不得护其短也。"《诗镜总论》："王龙标七言绝句，自是唐人骚语。深情苦恨，襞积重重，使人测之无端，玩之无尽。"《围炉诗话》卷二："王昌龄五古，或幽秀，或豪迈，或惨恻，或旷达，或刚正，或飘逸，不可物色。……常建五古，可比王龙标。"《唐诗别裁集》卷一九："龙标绝句，深情幽怨，意旨微茫，令人测之无端，玩之无尽，谓之唐人《骚》语可。"《石洲诗话》卷一："龙标精深可敌李东川，而秀色乃更掩出其上。……则有唐开、宝诸公，太白、少陵之外，舍斯人其谁与归！"

公元 755 年 （唐玄宗天宝十四载 乙未）

正月

王维在长安。晦日，游韦虚舟长安城南杜陵别业，有诗《晦日游大理韦卿城南别业四声依次用各六韵》。春，与郭纳唱酬，作诗《酬郭给事》；杜甫作有诗《奉同郭给事汤东灵湫作》。是年，王维另有《祭兵部房郎文》。【晦日游大理韦卿城南别业四声依次用各六韵】《唐诗归》卷八钟惺评："律诗高贵起句。"【酬郭给事】《唐诗合选》卷四："情景在言外，所以妙。又：看他结中下字，乃是盛唐温厚。又顾华玉曰：右丞善作富丽语，自其胸怀，本色开口，便是结语深厚，作者少及。"《唐诗解》卷四二："此言给事居省中，而其景物之美，职事之荣，皆吾所倾慕者，岂不欲勉强从君乎。特以衰老而将乞休耳。"《唐诗镜》卷一〇："三四不妨清老。"《王闿运手批唐诗》卷一二："秀逸。"《唐贤三昧集》上黄培芳评："起句不可太平熟，读此种可思。"《删补唐诗选脉笺释会通评林》"盛七律上"周珽评:"首联见省中气象轩豁,而物华繁盛;次联见官居清要,而事不烦扰;三联见给事之职,亦为严谨。一说君子衰而小人盛,君子不得行其志,唯随从尸素而已,故有去志也。意深语厚,温雅之章。"

二月

高适随哥舒翰入朝。杜甫有诗《投赠哥舒开府翰二十韵》、《送蔡希鲁都尉还陇右因寄高三十五书记》。八月,高适在武威,作《送窦侍御知河西和籴还京序》。【投赠哥舒开府翰二十韵】《杜诗详注》卷三引王嗣奭曰:"是时李林甫、陈希烈当国,忌才斥士,无路可通,翰独能甄用才俊,不得已而欲依以进身耳。但称颂之词,不无过当。其攻伐吐蕃,明是杀人邀功,逢君之恶,乃王忠嗣所不肯为者,《兵车行》所以作也。此极称之,岂衷语哉?"又引顾宸曰:"公投赠排律,推崇如此,后来潼关一战,竟至丧师失地,不几昧于知人乎?……此诗称美,未为太过矣。"又引胡应麟曰:"排律,沈、宋二氏,藻赡精工,太白、右丞,明秀高爽,然皆不过十韵,且体在绳墨之中,调非畦径之外惟。杜陵大篇巨什,雄伟神奇,如《谒先主庙》、《赠哥舒》等作,阖辟驰骤,如飞龙行云,鳞鬛爪甲,自中矩度。又如淮阴用兵,百万掌握,变化无方,虽时有险朴,无害大家。近选者仅取'沱水临中坐'以为他皆不及,途听耳食,哀哉!"【送蔡希鲁都尉还陇右因寄高三十五书记】《杜诗详注》卷三引欧公《诗话》:"陈舍人从易,偶得杜集旧本,文多脱误。《送蔡都尉》诗'身轻一鸟',其下脱一字。陈公与数客各用一字补之,或云疾,或云落,或云下,莫能定。后得一善本,乃是'过'字。陈叹服,以为虽一字,诸君亦不能到也。"

独孤及在华阴尉任,奉使长安,与薛华等联句,有《仲春裴胄先宅宴集联句赋诗序》。三月,归华阴,有诗《三月三日自京到华阴水亭独酌寄裴六薛八》。六月,作《华山黄神谷宴裴明府序》。秋,至东平,有诗《东平蓬莱驿夜宴平卢杨判官醉后赠别观海》。十一月,至登州,有诗《海上寄萧立》、《观海》。本年,作《仙掌铭》。《唐宋文举要》甲编卷一引崔贻孙《独孤至之神道碑》:"古《函谷》、《仙掌》二铭,格高理精,当代词人无不畏服。"

本年春

李白游宣城青阳,后往来于泾县、当涂、南陵、秋浦等地。是年,有诗《望九华山赠青阳韦仲堪》、《望木瓜山》、《酬崔十五见招》、《泾溪东亭寄郑少府谔》、《游水西简郑明府》、《与谢良辅游泾川陵严寺》、《泾川送族弟錞》、《赠宣城赵太守悦》、《过汪氏别业二首》、《赠汪伦》、《寻山僧不遇作》、《别山僧》、《下泾县陵阳至涩滩》、《下陵阳沿高溪三门六剌滩》、《早过漆林渡寄万巨》、《当涂赵炎少府粉图山水歌》、《送当涂赵少府赴长芦》、《陪族叔当涂宰游化城寺升公清风亭》、《送赵判官赴黔府中丞叔幕》、《书怀赠南陵常赞府》、《宿五松山下荀媪家》、《南陵五松山下别荀七》、《铜官山醉后绝句》、《秋浦寄内》、《自代内赠》、《秋浦感主人归燕寄内》等。【当涂赵炎少府粉图山水歌】《唐宋诗醇》卷五:"写画似真,亦遂驱山走海,奔辏腕下。'杳然如在丹青里'，文以真为画，各有奇趣。康乐之模山范水，从此另开生面。"《王闿运手批唐诗选》卷八："与杜昆仑图对看，此觉散漫。"【赠汪伦】《李诗选注》卷八："此诗直叙实事，略无纤巧句语，而大方家格力，过于唐之诗人绝句亦远矣。"《唐诗解》卷二五："太白于景切情真处，信手拈出，所以调绝千古。"《李诗纬》卷四："前平后俊，绝句之体。然此诗下笔已超忽矣。"《唐诗别裁集》卷二〇："若说汪伦之情比于潭水千尺，便是凡语。妙境只在一转换间。"【宿五松山下荀媪家】《四溟诗话》卷二："太白夜宿荀媪家，闻比邻春臼之声，以起兴，遂得'邻女夜春寒'之句。然本韵'盘'、'餐'二字，应用以'夜宿五松下'发端，下句意重辞拙，使无后六句，必不落欢韵。此太白近体，先得联者，岂得顺流直下哉？"《李诗直解》卷五："此宿荀媪家，悯其贫苦而复感其惠也。言我宿荀媪家，寂寞无所欢娱，惟见田家有秋作之苦，邻女有夜春之寒，何其劳也。家无余羡，以菰米之饭跪进敬客，而月光明于素盘之中，又何其贫而能敬也。今荀媪不愧漂母，奈我非韩信，故三谢而不能餐也，不知日后能如韩信之报否？"

四月

岑参在北庭，有诗《北庭贻宗学士道别》。六月，有诗《登北庭北楼呈幕中诸公》。夏，有诗《陪封大夫宴瀚海亭纳凉》。九月，作诗《奉陪封大夫九日登高》。此间，另有诗《北庭作》、《轮台即事》、《灭胡曲》、《奉陪封大夫宴》、《敬酬李判官使院即事见呈》等。十一月，随封常清入朝，至玉门关，作诗《玉门关盖将军歌》、《玉关寄长安李主簿》。【玉门关盖将军歌】《删补唐诗选脉笺释会通评林》"盛七古五"周珽曰："首美盖以少年伟貌，出备边关。中咏宴乐富贵，筵中罗列趋走，声歌喧戏，极是繁奢，且又用于射猎，此无非胆粗气雄所致。结见歌赠之意。"又曰："嘉州诸歌识可以役风雪，力可以鞭龙虎，故每承接转应，无不供其驱斥。"【敬酬李判官使院即事见呈】《瀛奎律髓》卷四二方回云："天宝年间诗皆如此饱满。"纪昀评："此诗未见饱满，盛唐诗亦有工有拙。'皆如此'三字尤有病，次句率，三、四已逗武功一派，五句未自然。"

六月

李华在右补阙任，作《御史大夫厅壁记》。

萧颖士旅居滑州韦城，作《莲蕊散赋》。十一月，在卫州，后南奔。

十月

杜甫在长安，授河西尉，不拜，改右卫率府胄曹参军。有诗《官定后戏赠》。十一月，又赴奉先探妻子，作《自京赴奉先县咏怀五百字》。是年，另有诗《白水明府舅宅喜雨》、《九日杨奉先会白水崔明府》、《奉先刘少府新画山水障歌》、《后出塞五首》等。【自京赴奉先县咏怀五百字】《岁寒堂诗话》卷下："少陵在布衣中，慨然有致君尧舜之志，而世无知者，虽同学翁亦颇笑之，故'浩歌弥激烈'，'沈饮聊自遣'也。此与诸葛孔明抱膝长啸无异。读其诗，可以想其胸臆矣。嗟夫！子美岂诗人而已哉！……方幼子饿死之时，尚以常免租税不隶征伐为幸，而思失业徒，念远成卒，至于'忧端齐终南'，此岂嘲风咏月者哉？盖深于经术者也，与王吉贡禹之流等矣。"《杜诗详注》卷四引胡夏客曰："诗凡五百字，而篇中叙发京师，过骊山，就泾渭，抵奉先，不过数十字耳。余皆议论感慨成文，此最得变雅之法而成章者也。"又曰："《赴奉先咏怀》，全篇议论杂以叙事；《北征》则全篇叙事杂以议论。盖曰'咏怀'，自应以议论为主；曰'北征'，自应以叙事为主也。"《杜诗编年》卷二："此诗与《北征》诗，变化之妙尽矣。《北征》之变化在转折，此诗之变化在起伏。起伏中亦自转折，然转折即在起伏中；转折中亦自起伏，然起伏即在转折中，其篇法极幻。总之，极变化捉摸不得。《北征》中有极幽细语，精入语，新美语，闲暇语；此诗一味真实说话。《北征》如《风》，此诗如《雅》，其中各有一段大议论。《北征》之大议论在篇后，此诗之大议论在中幅，此不同处，又皆变化处。"《唐宋诗醇》卷九："此与《北征》为集中巨篇，摅臆结，写胸臆，苍苍莽莽，一气流转。其大段有千里一曲之势，而笔笔顿挫，一曲中又有无数波折也。甫以布衣之士，乃心帝室，而是时明皇失政，大乱已成，方且君臣荒宴，若罔闻知。甫从局外，蒿目时艰，欲言不可，盖有日矣，而一于此诗发之。前述平日之衷曲，后写当前之酸楚，至于中幅，以所经为纲，所见为目，言言深切，字字沉痛。《板》、《荡》之后，未有能及此者。此甫之所以度越千古，而上继三百篇者乎？"又引张溍曰："文之至者，止见精神，不见语言。此五百字，真恳切到，淋漓沉痛，俱是精神，何处见有语言？"又引浦起龙曰："是为集中开头大文章、老杜平生大本领，须用一片大魄力读去。断不宜如朱、仇诸本，琐琐分裂。通篇只是三大段，首明赍志去国之情，中慨君臣耽乐之失，末述到家哀苦之感，一篇之中三致意焉。"《义门读书记》卷五一："纡回顿挫，极温柔敦厚之味，所以异于鄙儒之大言也。"【奉先刘少府新画山水障歌】《杜诗详注》卷四引赤城谢省曰："此诗一篇之中，微则竹树花草，变则烟雾风雨，仙境则沧洲玄圃，州邑则赤县蒲城，山则天姥，水则潇湘，人则渔翁释子，物则猿猱舟船，妙则鬼神，怪则湘灵，无所不备。而纵横出没，几莫测其端倪。"又引王嗣奭曰："画有六法，气韵生动第一，骨法用笔次之。杜以画法为诗法，通篇字字跳跃，天机盎然，此其气韵也。如'堂上不合生枫树'突然而起，已而忽入蒲城风雨，已而忽入两儿挥洒，飞腾顿挫，不知所自来，此其骨法也。至末因貌得山僧，忽转到若耶云门，青鞋布袜，阒然而止。总得画法经营之妙，而篇中最得画家三昧，尤在'元气淋漓障犹湿'一语。试一想象，此画至今在目，诗中有画，信然。"又引黄生曰："此篇写画与赞赏，分作数层说，反复浓至。"《杜诗镜诠》卷三："字字飞腾跳越，篇中无数山水境地，纵横出没，几莫测其端倪。"【后出塞五首】《杜诗详注》卷四引张綖曰："前四章著明皇黩武不戢，过宠边将，启其骄恣轻上之心。末章，直著禄山之叛，以见明皇自焚之祸也。"又曰"《前出塞》言哥舒翰西征之役，其辞悲；《后出塞》言安禄山北伐之师，其辞乐。悲则犹有苦兵畏乱之患，乐则至于喜乱而佳兵矣。禄山将叛，滥赏士卒，人趋于利，上破国而下覆宗，不祥莫大焉。"又引朱鹤龄曰："前是哥舒贪功于吐蕃，后是禄山构祸于契丹。"又引刘后村克庄曰："前、

后《出塞》十四篇，笔力高古，可与《古诗十九首》并传。"又引黄生曰："两蕃虽静，禄山继反，但备陈其事而讽刺自见。虽不及十九首之婉笃，要皆自成气候，不受去取也。"

十一月

丙寅，安禄山以讨伐杨国忠为名，率大军十五万自幽州南下，河北诸地尽陷。癸酉，以郭子仪为朔方节度使。甲戌，以封常清为范阳、平卢节度使。甲申，命高仙芝统军十万东征。十二月，安禄山大败诸军。玄宗斩封常清、高仙芝于潼关，以哥舒翰为太子先锋兵马元帅，镇守潼关。高适 为左拾遗、监察御史，佐翰守潼关。

参考书目

《八琼室金石补正》[清] 陆增祥撰 文物出版社 1985 年版

《白居易集》顾学颉校点 中华书局 1979 年版

《宝刻丛编》[宋] 陈思撰 文渊阁四库全书本

《宅刻类编》[宋] 佚名撰 文渊阁四库全书本

《北齐书》[唐] 李百药撰 中华书局 1972 年版

《北史》[唐] 李延寿撰 中华书局 1974 年版

《北堂书钞》[唐] 虞世南撰 文渊阁四库全书本

《采菽堂古诗选》[清] 陈祚明辑 清刻本

《蚕尾集》[清] 王士禛撰 清刻《渔洋山人全集》本

《沧溟集》[明] 李攀龙撰 文渊阁四库全书本

《册府元龟》[宋] 王钦若等编 中华书局 1960 年版

《岑参集校注》[唐] 岑参著 陈铁民、侯忠义校注 陈铁民修订 上海古籍出版社 2004 年版

《岑参诗集编年笺注》刘开扬笺注 巴蜀书社 1995 年版

《岑仲勉史学论文集》中华书局 1990 年版

《〈长短经〉校证与研究》周斌著 巴蜀书社 2003 年版

《朝野金载》[唐] 张鷟撰 赵守俨点校 中华书局 1997 年版

《陈书》[唐] 姚思廉撰 中华书局 1972 年版

《陈子昂集》徐鹏点校 中华书局 1960 年版

《陈子昂诗注》彭庆生注释 四川人民出版社 1981 年版

《陈子昂研究》韩理洲著 上海古籍出版社 1988 年版

《诚斋集》[宋] 杨万里撰 文渊阁四库全书本

《初白庵诗评》[清] 查慎行撰 [清] 张载华辑 乾隆四十二年海盐张氏涉园观乐堂精刻本

《初唐四杰年谱》张志烈著 巴蜀书社 1992 年版

《初唐四杰研究》骆祥发著 东方出版社 1993 年版

《初学记》［唐］徐坚等撰 中华书局 1962 年版

《词话丛编》唐圭璋编 中华书局 1986 年版

《崔颢诗注、崔国辅诗注》万竞君注 上海古籍出版社 1982 年版

《大慈恩寺三藏法师传》［唐］慧立、彦悰著 孙毓棠、谢方点校 中华书局 2000 年版

《大历诗人研究》蒋寅著 中华书局 1995 年版

《大唐创业起居注》［唐］温大雅撰 上海古籍出版社 1983 年版

《大唐内典录》［唐］道宣撰 中华大藏经本

《大唐西域记校注》［唐］玄奘、辩机著 季羡林等校注 中华书局 2000 年版

《带经堂诗话》王士禛著 张宗柟纂集 戴鸿森校点 人民文学出版社 1963 年版

《道古堂全集》［清］杭世骏撰 清乾隆四十一年刻本

《登科记考》［清］徐松撰 中华书局 1984 年版

《登科记考补正》［清］徐松撰 孟二冬补正 北京燕山出版社 2003 年版

《东里续集》［明］杨士奇撰 文渊阁四库全书本

《读杜心解》［清］浦起龙著 中华书局 1961 年版

《读通鉴论》王夫之著 中华书局 1975 年版

《杜甫年谱》四川省文史研究馆编 四川人民出版社 1981 年版

《杜甫诗选》张忠纲选注 中华书局 2005 年版

《杜审言诗注》徐定祥注 上海古籍出版社 1982 年版

《杜诗镜铨》［唐］杜甫撰［清］杨伦笺注 上海古籍出版社 1980 年版

《杜诗详注》［唐］杜甫著［清］仇兆鳌注 中华书局 1979 年版

《杜诗赵次公先后解辑校》［唐］杜甫著［宋］赵次公注 林继中辑校 上海古籍出版社 1994 年版

《杜臆》［明］王嗣奭撰 中华书局 1963 年版

《对山集》［明］康海撰 文渊阁四库全书本

《而庵说唐诗》［清］徐增撰 清康熙刻本

《二十史朔闰表》陈垣著 中华书局 1962 年版

《二十世纪中国文学研究·隋唐五代文学研究》杜晓勤撰 北京出版社 2001 年版

《法书要录》［唐］张彦远辑 洪丕谟点校 上海书画出版社 1986 年版

《法苑珠林校注》［唐］释道世撰 周叔迦、苏晋仁校注 中华书局 2003 年版

《封氏闻见记校注》［唐］封演撰 赵贞信校注 中华书局 2005 年版

《佛祖统纪》［宋］志磐撰 中华大藏经本

《复堂类集》［清］谭献撰 清光绪间刻本

《高僧传合集》［梁］慧皎等撰 上海古籍出版社 1991 年版

《高适集校注》孙钦善校注 上海古籍出版社 1984 年版

《高适年谱》周勋初著 上海古籍出版社 1980 年版

《高适诗集编年笺注》刘开扬著 中华书局 1981 年版

《古赋辨体》［元］祝尧编 文渊阁四库全书本

《古今注、中华古今注、封氏闻见记、资暇集、刊误、苏氏演义、兼明书》［晋］崔豹

等撰 焦杰等校点 辽宁教育出版社 1998 年版

《古诗笺》［清］王士禛选闻人倓笺 上海古籍出版社会性 980 年版

《古文笔法百篇》［清］黄仁黼编纂 清光绪八年滇南书局刻本

《古文雅正》［清］蔡世远编 文渊阁四库全书本

《古谣谚》［清］杜文澜辑 中华书局 1958 年版

《广川书跋》［宋］董逌撰 文渊阁四库全书本

《广弘明集》［唐］道宣撰 中华大藏经本

《过庭录》［清］宋翔风著 梁运华点校 中华书局 1986 年版

《桂林风土记》［唐］莫休符著 文渊阁四库全书本

《汉魏六朝百三家集题辞注》［明］张溥著 殷孟伦注 人民文学出版社 1981 年版

《郝文忠公陵川文集》［元］郝经撰 ［清］王镠编订 清道光八年增补乾隆刻本

《何大复先生集》［明］何景明撰 清咸丰二年世守堂重刻本

《何翰林集》［明］何良俊撰 四库全书存目丛书本

《河岳英灵集研究》李珍华、傅璇琮撰 中华书局 1992 年版

《贺知章、包融、张旭、张若虚诗注》王启兴、张虹注 上海古籍出版社 1986 年版

《后村诗话》［宋］刘克庄撰 主秀梅点校 中华书局 1983 年版

《画品丛书》于安澜编 上海人民美术出版社 1982 年版

《怀麓堂集》［明］李东阳撰 文渊阁四库全书本

《集古今佛道论衡》［唐］道宣撰 中华大藏经本

《集异记》［唐］薛用弱撰 文渊阁四库全书本

《笺注唐贤诗集》［清］王士禛选［清］吴煊、胡棠辑注［清］黄培芳批译［日］近藤元粹增评日本明治三十八年大阪嵩山堂铅印本

《薑斋诗话笺注》王夫之著 戴鸿森笺注 人民文学出版社 1981 年版

《教坊记笺订》［唐］崔令钦撰 任半塘笺订 中华书局 1962 年版

《教坊记、羯鼓录、乐府杂录、碧鸡漫志、香研居词麈》［唐］崔令钦等撰 罗济平等校点 辽宁教育出版社 1998 年版

《近事会元》［宋］李上交撰 文渊阁四库全书本

《皎然年谱》贾晋华撰 厦门大学出版社 1992 年版

《金石萃编》［清］王昶辑 北京市中国书店 1985 年版

《金石萃编校补》罗尔纲撰 中华书局 2003 年版

《金石录校证》［宋］赵明诚撰 金文明校证 广西师范大学出版社 2005 年版

《金石论丛》岑仲勉著 上海古籍出版社 1981 年版

《锦绣万花谷》［宋］佚名 上海辞书出版社 1992 年版

《旧唐书》［后晋］刘昫等撰 中华书局 1975 年版

《郡斋读书志校证》［宋］晁公武撰 孙孟校证 上海古籍出版社 1990 年版

《开元释教录》［唐］智升撰 佛藏要籍选刊本

《开元天宝遗事、安禄山事迹》［五代］王仁裕等撰 曾贻芬点校 中华书局 2006 年版

《开元天宝遗事十种》［五代］王仁裕撰 丁如明辑校 上海古籍出版社 1985 年版

《会稽掇英总集》［宋］孔延之编 文渊阁四库全书本

《困学纪闻》［宋］王应麟撰 孙通海校点 辽宁教育出版社 1998 年版

《郎官石柱题名新考订》（外三种）岑仲勉著 上海古籍出版社 1984 年版

《类书流别》（修订本）张涤华著 商务印书馆 1985 年版

《李白丛考》郁贤皓著 陕西人民出版社 1982 年版

《李白集校注》［唐］李白撰 瞿蜕园、朱金城校注 上海古籍出版社 1980 年版

《李白考异录》李从军著 齐鲁书社 1986 年版

《李白年谱》安旗、薛天纬著 齐鲁书社 1982 年版

《李白全集校注汇释集评》詹锳主编 百花文艺出版社 1996 年版

《李白选集》郁贤皓选注 上海古籍出版社 1990 年版

《李白研究》安旗著 西北大学出版社 1987 年版

《李太白全集》［清］王琦注 中华书局 1977 年版

《历代名画记》［唐］张彦远著 秦仲文、黄苗子点校 人民美术出版社 1963 年版

《历代诗话》［清］何文焕辑 中华书局 1981 年版

《历代诗话续编》丁福保辑 上海古籍出版社 1983 年版

《刘长卿集编年校注》杨世明校注 人民文学出版社 1995 年版

《刘长卿诗编年笺注》储仲君撰 中华书局 1996 年版

《刘禹锡集》《刘禹锡集》整理组点校 卞孝萱校订 中华书局 1990 年版

《柳亭诗话》［清］宋长白撰 四库全书存目丛书本

《卢思道集校注》祝尚书著 巴蜀书社 2001 年版

《卢照邻集编年笺注》任国绪笺注 黑龙江人民出版社 1989 年版

《卢照临集笺注》祝尚书笺注 上海古籍出版社 1994 年版

《卢照临集校注》李云逸校注 中华书局 1998 年版

《骆临海集笺注》［唐］骆宾王著［清］陈熙晋笺注 上海古籍出版社 1985 年版

《孟浩然集校注》徐鹏校注 人民文学出版社 1989 年版

《孟浩然集注》赵桂藩注 旅游教育出版社 1991 年版

《孟浩然年谱》刘文刚著 人民文学出版社 1995 年版

《孟浩然诗集笺注》曹永东笺注 王沛霖审订 天津古籍出版社 1990 年版

《孟浩然诗集笺注》佟培基笺注 上海古籍出版社 2000 年版

《孟浩然诗集校注》［唐］孟浩然撰 李景白校注 巴蜀书社 1988 年版

《孟浩然研究》王辉斌著 甘肃人民出版社 2002 年版

《明文海》［清］黄宗羲编 文渊阁四库全书本

《牧斋有学集》［清］钱谦益著［清］钱曾笺注 钱仲联标校 上海古籍出版社 1996 年版

《南北朝文学编年史》曹道衡、刘跃进著 人民文学出版社 2000 年版

《南部新书》［宋］钱易撰 黄寿成点校 中华书局 2002 年版

《欧阳修全集》李逸安点校 中华书局 2001 年版

《皮子文薮》［唐］皮日休撰 萧涤非、郑庆笃整理 上海古籍出版社 1981 年版

《钱注杜诗》［唐］杜甫［清］钱谦益笺注 中华书局 1958 年版

《钦定四库全书总目》（整理本）纪昀等著 四库全书研究所整理 中华书局 1997 年版

《清诗话》王夫之等撰 上海古籍出版社 1999 年版

《清诗话续编》郭绍虞编选 富寿荪校点 上海古籍出版社 1983 年版

《曲江集》［唐］张九龄著 刘斯翰校注 广东人民出版社 1986 年版

《全明诗话》周维德集校 齐鲁书社 2005 年版

《全上古三代秦汉三国六朝文》［清］严可均校辑 中华书局 1985 年版

《全隋文补遗》韩理洲辑校编年 三秦出版社 2004 年版

《全唐诗》［清］彭定球等编 中华书局 1960 年版

《全唐诗补编》陈尚君辑校 中华书局 1992 年版

《全唐诗人名考》陶敏编撰 陕西人民教育出版社 1996 年版

《全唐文》［清］董诰等编 中华书局 1983 年版

《全唐文补编》陈尚君辑校 中华书局 2005 年版

《全唐五代诗格汇考》张伯伟撰 江苏古籍出版社 2002 年版

《群书考索续集》［宋］章如愚撰 文渊阁四库全书本

《日藏弘仁本文馆词林校正》［唐］许敬宗编 罗国威整理 中华书局 2001 年版

《容斋随笔》［宋］洪迈著 上海古籍出版社 1996 年版

《三唐诗品》宋育仁撰 古今文艺丛书本

《删补唐诗选脉笺释会通评林》［明］周珽辑注［明］陈继儒等批点 四库全书存目丛书补编本

《山东师范大学图书馆馆藏古籍书目》张宗茹、王恒柱编纂，齐鲁书社 2003 年版

《诗法易简录》［清］李锳撰 1917 年上海铅印本

《诗赋合论稿》邝健行著 江苏古籍出版社 2002 年版

《诗归》［明］钟惺、谭元春选评 张国光等点校 湖北人民出版社

《诗话总龟》［宋］阮阅编 周本淳校点 人民文学出版社 1998 年版

《诗经学史》洪湛侯著 中华书局 2002 年版

《诗人玉屑》［宋］魏庆之编 王仲闻校勘 上海古籍出版社 1978 年版

《诗薮》胡应麟著 上海古籍出版社 1979 年版

《诗学渊源》丁仪撰 1930 年铅印本

《诗源辩体》许学夷著 人民文学出版社 1987 年版

《石墨镌华》［明］赵崡撰 文渊阁四库全书本

《史通通释》［唐］刘知几撰［清］浦起龙释 上海古籍出版社 1978 年版

《四库提要辨证》余嘉锡著 中华书局 1980 年版

《四库未收书目提要》［清］阮元撰 清光绪九年成都御风楼刻本

《四六法海》［明］王志坚编 文渊阁四库全书本

《四溟诗话、薑斋诗话》谢榛等著 宛平等校点 人民文学出版社 1961 年版

《四友斋丛说》［明］何良俊撰 中华书局 1959 年版

《松窗杂录、桂阳杂编、桂苑丛谈》［唐］李濬等撰 中华书局 1958 年版

《宋高僧传》［宋］赞宁撰 范祥雍点校 中华书局 1987 年版

《宋诗话辑佚》郭绍虞辑 中华书局 1980 年版

《宋濂全集》罗月霞主编 浙江古籍出版社 1999 年版

《苏味道李峤年谱》陈冠明著 中央文献出版社 2000 年版

《隋书》［唐］魏徵等撰 中华书局 1973 年版

《隋书求是》岑仲勉著 中华书局 2004 年版

《隋唐佛教史稿》汤用彤著 中华书局 1982 年版

《隋唐嘉话》［唐］刘𫗧撰 程毅中点校 中华书局 1997 年版

《隋唐嘉话、大唐新语》刘𫗧等著 古典文学出版社 1957 年版

《隋唐文明》文怀沙主编 古吴轩出版社 2005 年版

《隋唐五代文学史料学》陶敏、李一飞著 中华书局 2001 年版

《隋唐五代燕乐杂言歌辞研究》王昆吾著 中华书局 1996 年版

《太平广记》［宋］李昉等编 中华书局 1961 年版

《唐丞相曲汇张先生文集》［唐］张九龄撰 四部丛刊初编本

《唐刺史考全编》郁贤皓著 安徽大学出版社 2000 年版

《唐大诏令集》［宋］宋敏求编 洪丕谟等点校 学林出版社 1992 年版

《唐大和上东征传》［日］真人元开著 汪向荣校注 中华书局 2000 年版

《唐代佛教》范文澜著 人民出版社 1979 年版

《唐代官方史学研究》岳纯之著 天津人民出版社 2003 年版

《唐代科举与文学》傅璇琮著 陕西人民出版社 2003 年版

《唐代集会总集与诗人群研究》贾晋华著 北京大学出版社 2001 年版

《唐代进士行卷与文学》程千帆著 上海古籍出版社 1980 年版

《唐代墓志汇编》周绍良主编 上海古籍出版社 1980 年版

《唐代墓志汇编续集》周绍良、赵超主编 上海古籍出版社 2001 年版

《唐代铨选与文学》王勋成著 中华书局 2001 年版

《唐代诗人丛考》傅璇琮著 中华书局 1980 年版

《唐代试策考述》陈飞著 中华书局 2002 年版

《唐代文学丛考》陈尚君著 中国社会科学出版社 1997 年版

《唐风馆杂稿》郁贤皓著 辽宁大学出版社 1999 年版

《唐国史补、因话录》［唐］李肇等撰 上海古籍出版社 1979 年新 1 版

《唐护法沙门法琳别传》中华大藏经本

《唐会要》［宋］王溥撰 中华书局股份有限公司 1955 年版

《唐集叙录》万曼著 中华书局 1980 年版

《唐仆尚丞郎表》严耕望著 中华书局 1986 年版

《唐阙史》［唐］高彦休撰文渊阁四库全书本

《唐人行第录》（外三种）岑仲勉著 上海古籍出版社 1978 年新 1 版

《唐人小说》汪辟疆校录 上海古籍出版社 1978 年版

《唐人选唐诗》［唐］元结、殷璠等选 中华书局 1958 年版

《唐人选唐诗新编》傅玄琮编撰 陕西教育出版社 1996 年版

《唐人轶事汇编》周勋初主编 上海古籍出版社 1995 年版

《唐尚书省郎官石柱题名考》［清］劳格、赵钺撰 徐敏霞、王桂珍点校 中华书局 1992 年版

《唐声诗》任半塘著 上海古籍出版社 1982 年版

《唐诗别裁集》［清］沈德潜选注 上海古籍出版社 1979 年版

《唐诗大辞典》周勋初主编 江苏古籍出版社 1990 年版

《唐诗观澜集》［清］李因培选评 清乾隆刻本

《唐诗汇评》陈伯海主编 浙江古籍出版社 1995 年版

《唐诗纪事校笺》王仲镛撰 巴蜀书社 1989 年版

《唐诗解》［明］唐汝询撰 四库全书存目丛书本

《唐诗镜》［明］陆时雍编 文渊阁四库全书本

《唐诗品汇》［明］高棅编选 上海古籍出版社 1982 年版

《唐诗评选》王夫之评选 王学太校点 文化艺术出版社 1997 年版

《唐诗人行年考》谭优学著 四川人民出版社 1981 年版

《唐诗杂论》闻一多撰 上海古籍出版社 1998 年版

《唐诗直解》［清］叶羲昂纂辑 清刻本

《唐史史料学》黄永年著 上海书店出版社 2002 年版

《唐史余沈》（外一种）岑仲勉著 中华书局 2004 年版

《唐宋诗醇》［清］高宗弘历敕编 光绪二十一年 上海鸿文书局石印本

《唐宋诗举要》不得高步瀛选注 上海古籍出版社 1978 年新 1 版

《唐宋文举要》高步瀛选注 上海古籍出版社 1982 年版

《唐太宗全集校注》吴云、冀宇校注 天津古籍出版社 2004 年版

《唐文粹》［宋］姚铉编 文渊阁四库全书本

《唐五代人物传记资料综合索引》傅璇琮、张忱石、许逸民编撰 中华书局 1982 年版

《唐五代文学编年史》（初盛唐卷）陶敏、傅璇琮著 辽海出版社 1998 年版

《唐五代志怪传奇叙录》（上册）李剑国著 南开大学出版社 1993 年版

《唐音癸签》［明］胡震亨著 上海古籍出版社 1981 年版

《唐语林校证》［宋］王谠撰 周勋初校证 中华书局 1987 年版

《唐御史台精舍题名考》［清］赵钺、劳格撰 张忱石点校 中华书局 1997 年版

《唐张子寿先生九龄年谱》杨承祖撰 台湾商务印书馆 1980 年版

《唐摭言》［五代］王定保撰 上海古籍出版社 1978 年版

《天宝文学编年史》熊笃编著 重庆出版社 1987 年版

《苕溪渔隐丛话》胡仔纂集 廖德明校点 人民文学出版社 1984 年版

《通典》［唐］杜佑撰 王文锦等点校 中华书局 1988 年版

《通鉴隋唐纪比事质疑》岑仲勉撰 中华书局 1964 年版

《通志》［宋］郑樵撰 中华书局 1960 年版

《王勃诗解》聂文郁著 青海人民出版社 1980 年版

《王昌龄诗注》李云逸注 上海古籍出版社 1984 年版

《王昌龄研究》李珍华著 太白文艺出版社 1994 年版

《王梵志诗校辑》张锡厚校辑 中华书局 1983 年版

《王梵志诗校注》[唐] 王梵志著 项楚校注 上海古籍出版社 1991 年版

《王维集校注》陈铁民校注 中华书局 1997 年版

《王维新论》陈铁民著 北京师范大学出版社 1990 年版

《王武功文集五卷本会校》[唐] 王绩著 韩理洲校点 上海古籍出版社 1987 年版

《王右丞集笺注》[唐] 王维著 [清] 赵殿成笺注 上海古籍出版社 1998 年版

《王子安集注》[唐] 王勃著 [清] 蒋清翊注 上海古籍出版社 1995 年版

《往五天竺国传笺释、经行记笺注》[唐] 慧超等著 张毅等笺释 中华书局 2000 年版

《韦应物诗集系年校笺》孙望编著 中华书局 2002 年版

《魏郑公谏录》[唐] 王方庆撰 文渊阁四库全书本

《文镜秘府论校注》[日] 弘法大师原撰 王利器校注 中国社会科学出版社 1983 年版

《文献通考》[元] 马端临撰 中华书局 1986 年版

《文选》[梁] 萧统编 [唐] 李善注 上海古籍出版社 1986 年版

《文苑英华》[宋] 李昉等编 中华书局 1966 年版

《文章辨体序说、文体明辨序说》吴纳等著 于北山等校点 人民文学出版社 1998 年版

《吴郡志》[宋] 范成大撰 文渊阁四库全书本

《吴兴志》[宋] 谈钥撰 丛书集成续编本

《五灯会元》[宋] 普济著 苏渊晋点校 中华书局 1984 年版

《西溪丛语》[宋] 姚宽 文渊阁四库全书本

《先秦汉魏晋南北朝诗》逯钦立辑校 中华书局 1983 年版

《湘绮楼诗文集》王闿运著 岳麓书社 1996 年版

《香祖笔记》王士禛撰 上海古籍出版社 1982 年版

《新版李白全集编年注释》安旗主编 巴蜀书社 2000 年版

《新唐书》[宋] 欧阳修、宋祁撰 中华书局 1975 年版

《宣和画谱》俞剑华标点注译 人民美术出版社 1964 年版

《宣和书谱》[宋] 佚名著 顾逸点校 上海书画出版社 1984 年版

《玄奘论集》杨廷福著 齐鲁书社 1986 年版

《玄奘年谱》杨廷福著 中华书局 1988 年版

《颜氏家训集解》（增补本）王利器撰 中华书局 1993 年版

《弇州山人四部稿》[明] 王世贞撰 文渊阁四库全书本

《弇州续稿》[明] 王世贞撰 文渊阁四库全书本

《杨炯集、卢照邻集》徐明霞点校 中华书局 1980 年版

《尧峰文钞》[清] 汪琬撰 文渊阁四库全书本

《野客丛书》[宋] 王懋撰 郑明、王义耀校点 上海古籍出版社 1991 年版

《艺概》[清] 刘熙载撰 上海古籍出版社 1978 年版

《艺文类聚》[唐] 欧阳询撰 上海古籍出版社 1982 年版

《瀛奎律髓汇评》[元] 方回选评 李庆甲集评校点 上海古籍出版社 2005 年新 1 版

《永嘉集、永嘉证道歌》［唐］玄觉撰 中华大藏经本

《愚庵小集》［清］朱鹤龄撰 上海古籍出版社 1979 年版

《玉海》［宋］王应麟撰 文渊阁四库全书本

《〈冤魂志〉校注》罗国威著 巴蜀书社 2001 年版

《元和郡县图志》［唐］李吉甫撰 贺次君点校 中华书局 1983 年版

《元和姓纂》（附四校记）［唐］林宝撰 岑仲勉校记 郁贤皓、陶敏整理 孙望审订 中华书局 1994 年版

《元稹集》［唐］元稹撰 冀勤点校 中华书局 1982 年版

《原诗、一瓢诗话、说诗晬语》［清］叶燮等著 霍松林等校注 人民文学出版社 1979 年版

《乐府诗集》［宋］郭茂倩 中华书局 1979 年版

《张九龄年谱》李世亮著 广东高等教育出版社 1994 年版

《张九龄年谱》顾建国著 中国社会科学出版社 2005 年版

《张说年谱》陈祖言著 中文大学出版社（香港）1984 年版

《昭昧詹言》［清］方东树著 汪绍楹校点 人民文学出版社 1984 年版

《贞观政要集校》［唐］吴兢撰 谢保成集校 中华书局 2003 年版

《职官分纪》［宋］孙逢吉撰 中华书局 1988 年版

《直斋书录解题》［宋］陈振孙撰 徐小蛮、顾美华点校 上海古籍出版社 1987 年版

《中古文学史料丛考》曹道衡、沈玉成著 中华书局 2003 年版

《中国道教史》（增订本）任继愈主编 中国社会科学出版社 2001 年版

《中国佛教史籍概论》陈垣撰 上海书店出版社 2001 年版

《中国古文献学史简编》孙钦善著 高等教育出版社 2001 年版

《中国历代诗词曲论专著提要》霍松林主编 张连第等编著 北京师范学院出版社 1991 年版

《中国历史地图集》（隋唐五代十国时期）谭其骧主编 中国地图出版 1982 年版

《中国文学家大辞典》谭正璧编 上海书店 1981 年版

《中国文学家大辞典》（唐五代卷）周祖譔主编 中华书局 1992 年版

《中国文学家大辞典》（先秦汉魏晋南北朝卷）曹道衡、沈玉成编撰 中华书局 1996 年版

《中国文学史大事年表》（上）吴文治著 黄山书社 1987 年版

《中华大典·文学卷·隋唐五代分卷》江苏古籍出版社 2000 年版

《众经目录》［隋］法经等撰 中华大藏经本

《周书》［唐］令狐德棻等撰 中华书局 1972 年版

《资治通鉴》［宋］司马光等撰 中华书局 1956 年版

《资治通鉴疑年录》吴玉贵著 中国社会科学出版社 1994 年版

《遵岩集》［明］王慎中撰 文渊阁四库全书本

人名索引

图书在版编目（CIP）数据

中国文学编年史. 隋唐五代卷（上、中、下）/陈文新主编；刘加夫（上）、熊礼汇　闵泽平（中）、霍有明（下）分册主编. —长沙：湖南人民出版社，2006.9

ISBN 7-5438-4531-8

Ⅰ.中… Ⅱ.①陈…②刘… Ⅲ.①文学史—编年史—中国—隋唐时期②文学史—编年史—中国—五代十国时期 Ⅳ.I209

中国版本图书馆 CIP 数据核字（2006）第 117657 号

中国文学编年史·隋唐五代卷（上、中、下）

责任编辑：李建国　胡如虹　曹有鹏
　　　　　　杨　纯　邓胜文　张志红　聂双武
特约编辑：熊治祁
主　　编：陈文新
书名题字：卢中南
装帧设计：陈　新
出　　版：湖南人民出版社
地　　址：长沙市营盘东路 3 号
市场营销：0731-2226732
网　　址：http://www.hnppp.com
邮　　编：410005
制　　作：湖南潇湘出版文化传播有限公司
电　　话：0731-2229693　2229692
印　　刷：中华商务联合印刷（广东）有限公司
经　　销：湖南省新华书店
版　　次：2006 年 9 月第 1 版第 1 次印刷
开　　本：787 × 1094　1/16
印　　张：108
字　　数：2,374,000
书　　号：ISBN 7-5438-4531-8/I · 448
定　　价：804.00 元(上、中、下册)